le Guide du **routard**

Directeur de collection et auteur
Philippe GLOAGUEN

Cofondateurs
Philippe GLOAGUEN et Michel DUVAL

Rédacteur en chef
Pierre JOSSE

Rédacteur en chef adjoint
Benoît LUCCHINI

Directrice de la coordination
Florence CHARMETANT

Directeur de routard.com
Yves COUPRIE

Rédaction
Olivier PAGE, Véronique de CHARDON,
Amanda KERAVEL, Isabelle AL SUBAIHI,
Anne-Caroline DUMAS, Carole BORDES,
Bénédicte BAZAILLE, André PONCELET,
Marie BURIN des ROZIERS, Thierry BROUARD,
Géraldine LEMAUF-BEAUVOIS, Anne POINSOT,
Mathilde de BOISGROLLIER, Gavin's CLEMENTE-RUÏZ,
Fabrice de LESTANG et Alain PALLIER

MAROC

2003
2004

Hachette

Avis aux hôteliers et aux restaurateurs

Les enquêteurs du *Routard* travaillent dans le plus strict anonymat, afin de préserver leur indépendance et l'objectivité des guides. Aucune réduction, aucun avantage quelconque, aucune rétribution n'est jamais demandé en contrepartie. La loi autorise les hôteliers et restaurateurs à porter plainte.

Hors-d'œuvre

Le *GDR*, ce n'est pas comme le bon vin, il vieillit mal. On ne veut pas pousser à la consommation, mais évitez de partir avec une édition ancienne. D'une année sur l'autre, les modifications atteignent et dépassent souvent les 40 %.

Spécial copinage

Le Bistrot d'André : 232, rue Saint-Charles, 75015 Paris. ☎ 01-45-57-89-14. M. : Balard. À l'angle de la rue Leblanc. Fermé le dimanche. L'un des seuls bistrots de l'époque Citroën encore debout, dans ce quartier en pleine évolution. Ici, les recettes d'autrefois sont remises à l'honneur. Une cuisine familiale, telle qu'on l'aime. Des prix d'avant-guerre pour un magret de canard poêlé sauce au miel, rognon de veau aux champignons, poisson du jour... Menu à 11 € servi le midi en semaine uniquement. Menu-enfants à 7 €. À la carte, compter autour de 22 €. Kir offert à tous les amis du *Guide du routard*.

NOUVEAU ! www.routard.com

Tout pour préparer votre voyage en ligne, de A comme argent à Z comme Zanzibar : des fiches pratiques sur 120 destinations (y compris les régions françaises), nos tuyaux perso pour voyager, des cartes et des photos sur chaque pays, des infos météo et santé, la possibilité de réserver en ligne son visa, son vol sec, son séjour, son hébergement ou sa voiture. En prime, *routard mag*, véritable magazine en ligne, propose interviews de voyageurs, reportages, carnets de route, événements culturels, programmes télé, produits nomades, fêtes et infos du monde. Et bien sûr : des concours, des chats, des petites annonces, une boutique de produits voyages...

TABLE DES MATIÈRES

MARRAKECH ET LES MONTAGNES DU HAUT ATLAS

LES MONTAGNES DU HAUT ATLAS

VERS LE GRAND SUD

D'ESSAOUIRA À TAN-TAN

VERS LE GRAND SUD, LES PROVINCES SAHARIENNES

L'ANTI-ATLAS

DE TAROUDANNT À OUARZAZATE PAR TALIOUINE OU PAR LES PISTES DU SUD

DE TAROUDANNT À OUARZAZATE PAR LE DJEBEL SIROUA

DE TAROUDANNT À AGADIR PAR LES PISTES DU SUD

OUARZAZATE ET LES OASIS DU SUD

AU SUD DE OUARZAZATE

À L'EST DE OUARZAZATE

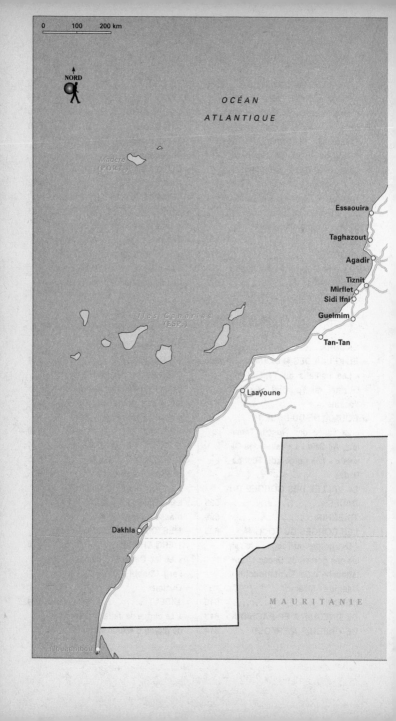

OCÉAN

ATLANTIQUE

Madère
(PORT.)

Essaouira

Taghazout

Agadir

Tiznit
Mirflet
Sidi Ifni

Guelmim

Îles Canaries
(ESP.)

Tan-Tan

Laayoune

Dakhla

MAURITANIE

Nouadhibou

NORD

0   100   200 km

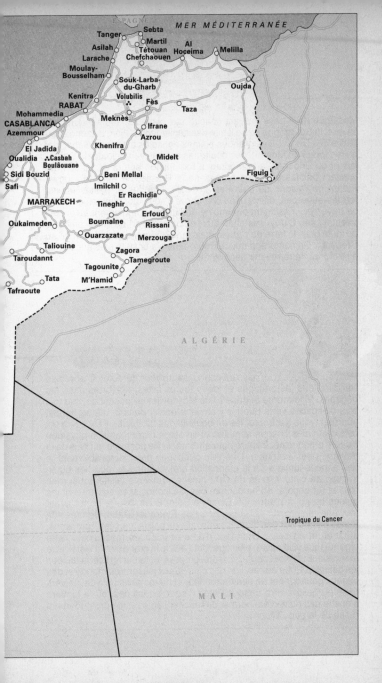

LE MAROC

NOS NOUVEAUTÉS

BOURGOGNE (fév. 2003)

Mosaïque de « pays » ayant chacun ses couleurs, ses senteurs, sa saveur, la Bourgogne ne se limite pas seulement à Dijon, Beaune et au palais des Ducs... Des grandes plaines agricoles autour de Sens, aux noires forêts du Morvan, des opulentes collines vert velouté du Charolais et du Brionnais à la montagne romantique autour de Mâcon, en passant par les sublimes fermes de la Bresse, on en a le tournis. Autant de raisons de s'arrêter aux mille grandes et petites tables, fermes-auberges, délicieuses chambres d'hôte jalonnant les chemins de traverse... Fascinant patrimoine architectural également, avec ses Vézelay, ses Cluny, ses châteaux ; éblouissant art de vivre, privilège de toute grande terre de vignes, mais aussi mémoire ouvrière grâce au Creusot... On comprend que la Bourgogne n'a ensuite plus aucun mal à retenir ou faire revenir ses visiteurs.

MOSCOU, SAINT-PÉTERSBOURG (printemps 2003)

Moscou, capitale d'un pays méconnu, saura vous dérouter. D'abord en liquidant tous les préjugés et idées toutes faites, emportés dans les bagages. Ville morne et grise ? Les Moscovites disposent de cinq fois plus d'espaces verts que les Parisiens (mais, dans le même temps, apprêtez-vous à affronter les embouteillages du siècle), il s'y ouvre dix restos et cafés chaque semaine et un stage de préparation physique s'avère presque nécessaire pour affronter la vie nocturne (en plus de la traversée des avenues). Une ville qui bouge donc incroyablement, à des années-lumière de la stagnation brejnevienne et, pour les boulimiques de culture, près de cent musées qui vous laisseront sur les rotules (et encore, on ne compte pas les iconostases sublimes et les bulbes beaux à pleurer !)... Quant à Saint-Pétersbourg, ce fut avant tout une fenêtre sur l'Europe, désir de Pierre le Grand, de créer de toutes pièces, sur des marais, cette folie de palais, musées, garnisons, théâtres et églises... Grandeur d'âme et intrigues mesquines, cette gigantesque ville ouvre, plus que toute autre, le grand livre d'histoire de la Russie. Et surtout celle des tsars, propres metteurs en scène de tous les délires... Entre autres, l'un des plus beaux musées du monde et des canaux pour donner un peu de rondeur et de romantisme à cet univers minéral. Telle s'offre cette « Peter » pour les intimes, où la lumière blanche des nuits d'été permet de toucher l'âme restée profondément russe de la population !

LES GUIDES DU ROUTARD
2003-2004

(dates de parution sur **www.routard.com**)

France

- Alpes
- Alsace, Vosges
- Aquitaine
- **Ardèche, Drôme**
- Auvergne, Limousin
- Banlieues de Paris
- **Bourgogne (fév. 2003)**
- Bretagne Nord
- Bretagne Sud
- Châteaux de la Loire
- Corse
- Côte d'Azur
- **Franche-Comté (mars 2003)**
- Hôtels et restos de France
- Junior à Paris et ses environs
- **Junior en France (nouveauté)**
- Languedoc-Roussillon
- Lyon
- **Marseille (nouveauté)**
- Midi-Pyrénées
- Nord, Pas-de-Calais
- Normandie
- Paris
- Paris à vélo
- Paris balades
- Paris casse-croûte
- Paris exotique
- **Paris la nuit**
- Pays basque (France, Espagne)
- Pays de la Loire
- Poitou-Charentes
- Provence
- Restos et bistrots de Paris
- Le Routard des amoureux à Paris
- Tables et chambres à la campagne
- **Toulouse (nouveauté)**
- Week-ends autour de Paris

Amériques

- Argentine
- Brésil
- Californie
- Canada Ouest et Ontario
- Chili et île de Pâques
- Cuba
- Équateur
- États-Unis, côte Est
- Floride, Louisiane
- Guadeloupe, Saint-Martin, Saint-Barth
- Martinique, Dominique, Sainte-Lucie
- Mexique, Belize, Guatemala
- New York
- Parcs nationaux de l'Ouest américain et Las Vegas
- Pérou, Bolivie
- Québec et Provinces maritimes
- Rép. dominicaine (Saint-Domingue)

Asie

- Birmanie
- Cambodge, Laos
- **Chine (Sud, Pékin, Yunnan)**
- Inde du Nord
- Inde du Sud

- Indonésie
- Israël
- Istanbul
- Jordanie, Syrie
- Malaisie, Singapour
- Népal, Tibet
- Sri Lanka (Ceylan)
- Thaïlande
- Turquie
- Vietnam

Europe

- Allemagne
- Amsterdam
- Andalousie
- Andorre, Catalogne
- Angleterre, pays de Galles
- Athènes et les îles grecques
- Autriche
- Baléares
- **Barcelone (fév. 2003)**
- Belgique
- **Crète (printemps 2003)**
- **Croatie (nouveauté)**
- Écosse
- Espagne du Centre
- **Espagne du Nord-Ouest (Galice, Asturies, Cantabrie - nouveauté)**
- Finlande, Islande
- Grèce continentale
- Hongrie, Roumanie, Bulgarie
- Irlande
- Italie du Nord
- Italie du Sud
- Londres
- **Moscou, Saint-Pétersbourg (printemps 2003)**
- Norvège, Suède, Danemark
- Pologne, République tchèque, Slovaquie
- Portugal
- Prague
- **Rome (nouveauté)**
- Sicile
- Suisse
- Toscane, Ombrie
- Venise

Afrique

- Afrique noire
- Égypte
- Île Maurice, Rodrigues
- Kenya, Tanzanie et Zanzibar
- Madagascar
- Maroc
- Marrakech et ses environs
- Réunion
- Sénégal, Gambie
- Tunisie

et bien sûr...

- **Chiner autour de Paris**
- Le Guide de l'expatrié
- **Le Guide du citoyen**
- Humanitaire
- Internet

NOS NOUVEAUTÉS

CRÈTE (mars 2003)

Aux confins de l'Europe et de l'Orient, dernier balcon rocailleux avant l'Afrique, la Crète est mythique, à plus d'un titre, car elle est depuis toujours l'île des Dieux. Et elle le reste encore : quand une île est d'essence divine, n'est-ce pas pour l'éternité ? Certes, ce n'est plus un paradis sauvage, mais on y ressent toujours une émotion particulière, celle que procurent les lieux chargés d'histoire.

D'une superficie similaire à celle de la Corse, la Crète offre encore des paysages quasi vierges, à condition d'aller jusqu'au bout des dernières pistes rocailleuses, aux extrémités de l'île. Là, des plages désertes se révèlent dans leur solitude de sable et de mer bleue. En Crète, la nature est généreuse : il faudrait aussi parler des gorges abruptes et des kyrielles de cavernes qui en font un lieu de découvertes magiques. Et, pour ceux qui font rimer nature avec culture, n'oublions pas une densité rare de sites antiques, la plupart datant de l'époque minoenne, période où la Crète domina sans doute une partie du monde méditerranéen.

Refaites-vous une santé en adoptant le régime crétois. Partez à la découverte des mille recoins de cette île dont les habitants, héritiers d'une tradition d'hospitalité millénaire, sauront vous accueillir comme un dieu.

FRANCHE-COMTÉ (mars 2003)

Même si c'est un Franc-Comtois qui a écrit *la Marseillaise,* on le verrait plutôt bleu-blanc-vert le drapeau de la Franche-Comté ! Bleu d'abord, comme les eaux de cette kyrielle de lacs qui, dans le Jura, ont mis la mer à la montagne, comme ces mille étangs qui constellent la Haute-Saône, comme ces facétieuses rivières du Doubs qui disparaissent ici pour réapparaître là, rebondissant en de multiples cascades, traçant leur chemin dans de profondes vallées. Blanc ensuite, comme l'hiver que l'on arpente, sur les hauteurs, à ski de fond ou sur un de ces traîneaux à chiens ramenés du Grand Nord dans les bagages de Paul-Émile Victor. Blanc comme le lait fourni par de braves vaches montbéliardes pour produire un superbe fromage (le comté) dans des fruitières dont le fonctionnement coopératif avait déjà épaté Victor Hugo ; blanc comme le sel dont l'exploitation a donné naissance à l'une des plus étonnantes réalisations architecturales du monde : la Saline royale d'Arc-et-Senans. Vert enfin comme l'omniprésente forêt, aux sapins si majestueux qu'on en fait des présidents ; vert comme les feuilles de ces discrets vignobles qui donnent un rare nectar, le vin... jaune.

Nous tenons à remercier tout particulièrement François Chauvin, Gérard Bouchu, Grégory Dalex, Michelle Georget, Carole Fouque, Patrick de Panthou, Jean Omnes, Jean-Sébastien Petitdemange et Alexandra Sémon **pour leur collaboration régulière.**

Et pour cette chouette collection, plein d'amis nous ont aidés :

Caroline Achard
Didier Angelo
Barbara Batard
Astrid Bazaille
José-Marie Bel
Thierry Bessou
Cécile Bigeon
Fabrice Bloch
Cédric Bodet
Philippe Bordet
Nathalie Boyer
Florence Cavé
Raymond Chabaud
Alain Chaplais
Bénédicte Charmetant
Geneviève Clastres
Julie Colignon
Maud Combier
Sandrine Couprie
Joanne Daubet
Franck David
Agnès Debiage
Fiona Debrabander
Charlotte Degroote
Tovi et Ahmet Diler
Claire Diot
Émilie Droit
Sophie Duval
Christian Echarte
Flora Etter
Hervé Eveillard
Didier Farsy
Flamine Favret
Pierre Fayet
Alain Fisch
Cédric Fischer
Léticia Franiau
Cécile Gauneau
David Giason
Muriel Giraud
Adrien Gloaguen
Olivier Gomez et Sylvain Mazet
Angélique Gosselet
Isabelle Grégoire
Xavier Haudiquet
Claude Hervé-Bazin
Monique Heuguédé
Catherine Hidé
Bernard Hilaire

Bernard Houliat
Lionel Husson
Catherine Jarrige
Lucien Jedwab
François Jouffa
Emmanuel Juste
Lionel Lambert
Florent Lamontagne
Damien Landini
Jacques Lanzmann
Vincent Launstorfer
Grégoire Lechat
Benoît Legault
Raymond et Carine Lehideux
Jean-Claude et Florence Lemoine
Mickaela Lerch
Valérie Loth
Anne-Marie Minvielle
Thomas Mirante
Anne-Marie Montandon
Xavier de Moulins
Jacques Muller
Yves Negro
Alain Nierga et Cécile Fischer
Astrid Noubissi
Michel Ogrinz et Emmanuel Goulin
Franck Olivier
Martine Partrat
Jean-Valéry Patin
Odile Paugam et Didier Jehanno
Côme Perpère
Laurence Pinsard
Jean-Luc Rigolet
Thomas Rivallain
Ludovic Sabot
Julie Samit
Pauline Santini
Emmanuel Scheffer
Jean-Luc et Antigone Schilling
Patricia Scott-Dunwoodie
Abel Ségretin
Guillaume Soubrié
Régis Tettamanzi
Christophe Trognon
Christèle Valin-Colin
Isabelle Verfaillie
Charlotte Viart
Isabelle Vivarès
Solange Vivier

Direction : Cécile Boyer-Runge
Contrôle de gestion : Joséphine Veyres
Direction éditoriale : Catherine Marquet
Édition : Catherine Julhe, Peggy Dion, Matthieu Devaux, Stéphane Renard, Nathalie Foucard, Marine Barbier, Magali Vidal, Agnès Fontaine et Carine Girac
Secrétariat : Catherine Maîtrepierre
Préparation-lecture : Olivier Le Goff
Cartographie : Cyrille Suss et Nicolas Roumi
Fabrication : Nathalie Lautout et Audrey Detournay
Direction commerciale : Michel Goujon, Dominique Nouvel, Dana Lichiardopol et Lydie Firmin
Informatique éditoriale : Lionel Barth
Relations presse : Danielle Magne, Martine Levens et Maureen Browne
Régie publicitaire : Florence Brunel
Service publicitaire : Frédérique Larvor

LES QUESTIONS QU'ON SE POSE LE PLUS SOUVENT

▶ **Quels sont les papiers indispensables pour se rendre au Maroc ?**

On demande aux voyageurs individuels de présenter un passeport en cours de validité et valable encore 6 mois.

▶ **Quelle est la meilleure saison pour aller dans le pays ?**

Aucune saison n'est à bannir, puisque le climat marocain est très différent selon les régions : le printemps et l'automne sont des périodes idéales pour visiter les villes impériales (Fès, Meknès et Marrakech). Pour les régions sahariennes, mieux vaut partir entre octobre et février. En été, il peut faire excessivement chaud.

▶ **Quels sont les vaccins indispensables ?**

Aucun vaccin obligatoire. Mais au fait, êtes-vous à jour pour le DTP (diphtérie-tétanos-polio) ? Vaccination conseillée contre l'hépatite B.

▶ **Quel est le décalage horaire ?**

Quand il est 12 h à Paris, il est 10 h sous le soleil marocain en été et 11 h en hiver.

▶ **La vie est-elle chère ?**

Rassurez-vous, la vie est moins chère qu'en France. Mais attention, l'inflation est galopante dans certaines villes touristiques, notamment Marrakech et Essaouira. Un budget serré prévoira 400 Dh (40 €) pour deux par jour, un budget plus confortable dépensera le double pour bénéficier de bonnes conditions de voyage.

▶ **Et dormir dans un riad ?**

Un fantasme : ces maisons traditionnelles se louent une petite fortune à la nuit, en chambre double ou en entier. Heureusement, nous en avons sélectionné à des prix encore raisonnables. Idéal quand on est en famille ou entre copains, et une excellente façon de s'immerger dans la ville.

▶ **Quel est le meilleur moyen pour se déplacer ?**

La voiture garantit bien sûr plus de liberté. Mais le bus couvre assez bien le pays, même dans les coins reculés. Oubliez le train (réseau peu dense). Quant au 4×4, indispensable pour ceux qui veulent quitter la route, il est hors de prix.

▶ **Est-ce un pays sûr ?**

Le Maroc est un pays très sûr. En revanche, vol et arnaques attendent le touriste naïf au détour d'une ruelle ou d'une piste, sous des formes parfois très imaginatives. Restez vigilant sans virer à la parano, tout un art !

▶ **Que peut-on rapporter ?**

Les tapis sont ce que vous pourrez rapporter de plus beau. Les Marocains en sont aussi persuadés, d'où parfois un harcèlement un peu insistant. Sinon, les poteries, les objets en bois, en cuir ou en cuivre et bien sûr les épices pourront trouver une place dans vos bagages.

▶ **Et lors du ramadan, alors ?**

Pour les Marocains, jeûne et abstinence de l'aurore au coucher du soleil ! En journée, la vie tourne au ralenti. Moins pratique pour déjeuner ou visiter, cette période est néanmoins intéressante sur le plan culturel.

EN AVION

▲ AIR FRANCE

– *Paris :* 119, av. des Champs-Élysées, 75008. Renseignements et réservations : ☎ 0820-820-820 (de 6 h 30 à 22 h). • www.airfrance.fr • Minitel : 36-15, code AF (tarifs, vols en cours, vaccinations, visas). M. : George-V. Et dans toutes les agences de voyages.

Au départ de Roissy-CDG, Air France propose 3 vols directs par jour pour Casablanca et 1 vol direct quotidien pour Rabat. Enfin pour Marrakech, 1 vol par jour au départ d'Orly-Ouest. Possibilité d'acheminement pour certains vols au départ de Marseille, Toulouse, Lyon, et *via* Paris.

Air France propose une gamme de tarifs attractifs sous la marque *Tempo* accessibles à tous : *Tempo 1* (le plus souple), *Tempo 2*, *Tempo 3* et *Tempo 4* (le moins cher). La compagnie propose également le tarif *Tempo Jeunes* (pour les moins de 25 ans). Au départ de France vers les destinations long-courriers, il suffit d'effectuer un vol aller-retour. Le billet est valable un an et la date de retour est libre. Il est possible de modifier la réservation avant le départ et d'annuler le voyage jusqu'à la veille du départ (frais à prévoir). Pour les moins de 25 ans, la carte de fidélité « Fréquence Jeune » est nominative, gratuite et valable sur l'ensemble des lignes nationales et internationales d'Air France. Cette carte permet d'accumuler des *miles* et de bénéficier ainsi de billets gratuits ; elle apporte également de nombreux avantages ou réductions.

Tous les mercredis, dès 0 h, sur Minitel 36-15, code AF (0,20 €/mn) ou sur • www.airfrance.fr •, Air France propose les tarifs « Coup de cœur », une sélection de destinations en France métropolitaine et en Europe à des tarifs très bas pour les 12 jours à venir.

Pour les enchères sur Internet, Air France propose aux clients disposant d'une adresse en France métropolitaine, tous les 15 jours, le jeudi de 12 h à 22 h, quelque 100 billets mis aux enchères. Il s'agit de billets aller-retour, sur le réseau Métropole, moyen-courrier et long-courrier, au départ de France métropolitaine. Air France propose au gagnant un second billet sur le même vol au même tarif.

▲ ROYAL AIR MAROC

– *Paris :* 38, av. de l'Opéra, 75002. Informations et réservations : ☎ 0820-821-821. M. : Opéra.

Dessert tous les aéroports marocains au départ des principales villes françaises. Au départ de Paris, 3 vols quotidiens pour Marrakech, ainsi que 3 départs hebdomadaires à destination de Fès et 9 vols par semaine vers Agadir. Au départ de la province, 2 vols hebdomadaires Marseille-Marrakech, même fréquence pour la liaison Strasbourg-Casablanca.

▲ CORSAIR

Renseignements : ☎ 0825-000-825 (0,15 €/mn).

Affrété par Nouvelles Frontières, Corsair propose au départ de Paris des vols à destination de Marrakech les lundi, jeudi et dimanche. Également des vols depuis Bordeaux, Marseille, Nantes, Lyon et Toulouse le dimanche. Des vols Paris - Ouarzazate le samedi et Paris - Agadir le samedi (au départ de province en haute saison, se renseigner).

Une vente aux enchères est organisée sur Internet : • www.nouvelles-frontieres.fr • rubrique « Enchères ». Les inscriptions se clôturent le mardi à 9 h.

LES ORGANISMES DE VOYAGES

– Encore une fois, un billet « charter » ne signifie pas toujours que vous allez voler sur une compagnie charter. Bien souvent, vous prendrez le vol régulier d'une grande compagnie. En vous adressant à des organismes spécialisés, vous aurez simplement payé moins cher que les ignorants pour le même service.

– Ne pas croire que les vols à tarif réduit sont tous au même prix pour une même destination à une même époque : loin de là. On a déjà vu, dans un même avion partagé par deux organismes, des passagers qui avaient payé 40 % plus cher que les autres... Authentique ! De plus, une agence bon marché ne l'est pas forcément toute l'année (elle ne peut être compétitive qu'à certaines dates bien précises). Donc, contactez tous les organismes et jugez vous-même.

– Les organismes cités sont classés par ordre alphabétique, pour éviter les jalousies et les grincements de dents.

EN FRANCE

▲ ANYWAY.COM
Renseignements et réservations : ☎ 0890-890-890 (0,15 €/mn). Fax : 01-53-19-67-10. • www.anyway.com • Minitel : 36-15, code ANYWAY (0,34 €/mn). Du lundi au vendredi de 8 h à 20 h et le samedi de 9 h à 19 h.
Anyway.com s'adresse à tous les routards et sélectionne d'excellents prix auprès de 420 compagnies aériennes et l'ensemble des vols charters pour leur garantir des prix toujours plus compétitifs. Pour réserver, Anyway.com offre le choix : Internet ou téléphone. La disponibilité des vols est donnée en temps réel et les places réservées sont définitives : cliquez, vous décollez ! Anyway.com, c'est aussi la réservation de plus de 500 séjours et de week-ends pour profiter pleinement de vos RTT ! De plus, Anyway.com a négocié pour vous jusqu'à 50 % de réduction sur des hôtels de 2 à 5 étoiles et des locations de voitures partout dans le monde.

▲ LE CHAMEAU VERT
– *Saint-Nazaire :* 18, rue de la Paix, 44600. ☎ 02-40-22-60-40. Fax : 02-40-22-60-33. • www.lechameauvert.com • takouba@club-internet.fr •
Depuis 20 ans, Éric Milet parcourt les déserts et met son expérience au service des amateurs de grands espaces. L'agence Chameau Vert propose au Maroc des itinéraires combinant apprentissage de la conduite 4x4, navigation et découverte culturelle. Un moyen original pour parcourir un Maroc authentique loin des itinéraires classiques. Le Chameau Vert est également une école de conduite tout-terrain, les cours sont dispensés par des moniteurs diplômés en conduite 4x4. Groupes de 8 personnes minimum.

▲ CLUB AVENTURE
– *Paris :* 18, rue Séguier, 75006. Nº Indigo : ☎ 0825-306-032 (0,15 €/mn). Fax : 01-44-32-09-59. • www.clubaventure.fr •
– *Marseille :* Le Néréïs, av. André-Roussin, Saumaty-Séon, 13016. Nº Indigo : ☎ 0825-306-032 (0,15 €/mn). Fax : 04-96-15-10-59.
Club Aventure, depuis 20 ans, est le spécialiste du voyage actif et innovant et privilégie le trek comme le moyen idéal de parcourir le monde.
Le catalogue offre 260 itinéraires dans 90 pays différents, à pied, en 4x4, en pirogue ou à dos de chameau. Ces voyages sont conçus pour une dizaine de participants, encadrés par des accompagnateurs professionnels et des grands voyageurs.
L'esprit est résolument axé sur le plaisir de la découverte des plus beaux sites du monde souvent difficilement accessibles.
La formule reste confortable dans le sens où le portage est confié à des chameaux, des mulets, des yacks ou des lamas. Les circuits en 4x4 ne ressemblent en rien à des rallyes, mais laissent aux participants le temps de flâner,

faire du ciel le plus bel endroit de la terre

AIR FRANCE

contempler et faire des découvertes à pied. Le choix des hôtels en ville privilégie le charme et le confort.

▲ COMPTOIR DU MAROC

– *Paris :* 344, rue Saint-Jacques, 75005. ☎ 01-53-10-21-90. Fax : 01-53-10-21-91. ● www.comptoir.fr ● M. : Port-Royal. Ouvert du lundi au samedi de 10 h à 18 h 30.

Label certifié des voyages « cousus main ». L'équipe de Comptoir du Maroc vous invite à découvrir les richesses de ce pays et la vie de ses peuples. Véritables professionnels reconnus depuis de nombreuses années, ils transmettent l'authenticité marocaine et mettent en exergue le folklore, les traditions, les couleurs et les senteurs de ce pays unique. Ils ont mis au point des voyages en petits groupes où la marche et l'aventure sont accessibles à tous. À pied, à dos de chameau, en 4x4, sous la tente, en maison traditionnelle ou à l'hôtel, vous découvrirez les lieux les plus secrets et intimes du Maroc. Pour les individualistes ou pour un groupe d'amis, ils proposent des formules de voyage à la carte, adaptées à tous les budgets.

Comptoir du Maroc s'intègre à l'ensemble des Comptoirs organisés autour de thématiques : déserts, Afrique, Islande, États-Unis, Canada, Groenland, Amérique latine et pays celtes.

▲ DIRECTOURS

– *Paris :* 90, av. des Champs-Élysées, 75008. ☎ 01-45-62-62-62. Fax : 01-40-74-07-01.
– *Lyon :* ☎ 04-72-40-90-40.
– Pour le reste de *la province :* ☎ 0801-637-543 (n° Azur).
● www.directours.com ● Minitel : 36-15, code DIRECTOURS.

Spécialiste du voyage individuel à la carte, Directours présente la particularité de s'adresser directement au public, en vendant ses voyages exclusivement par téléphone, sans passer par les agences et autres intermédiaires. La démarche est simple : soit on appelle pour demander l'envoi d'une brochure, soit on consulte le site web. On téléphone ensuite au spécialiste de Directours pour avoir des conseils et des détails.

Directours propose une grande variété de destinations, dont le Maroc. Directours vend ses vols secs et ses locations de voitures sur le web.

▲ ÉTAPES NOUVELLES

– *Paris :* 81, rue Saint-Lazare, 75009. ☎ 01-44-63-64-00. Fax : 01-40-23-01-43. ● www.etapes-nouvelles.com ● info@marmara.com ● Minitel : 36-15, code ÉTAPES NOUVELLES (0,34 €/mn). M. : Trinité ou Saint-Lazare.
– *Lyon :* 1, pl. Meissonnier, 69001. ☎ 04-72-10-63-90. Fax : 04-72-00-96-63.
– *Marseille :* 45, rue Montgrand, BP 216, 13178 Cedex 20. ☎ 04-91-55-09-26. Fax : 04-91-54-91-97.
– *Nantes :* 2, pl. Félix-Fournier, 44000. ☎ 02-40-89-15-15. Fax : 02-40-89-19-90.
– *Toulouse :* 44, rue Bayard, 31000. ☎ 05-61-63-03-38. Fax : 05-61-99-08-30.
– *Strasbourg :* 104, route de Bischwiller, 67800 Bischheim. ☎ 03-88-33-20-30. Fax : 03-88-33-24-27.

Les grandes étapes du monde à petits prix. En quelques années, Étapes Nouvelles a su s'imposer sur le marché du tourisme et se positionne en spécialiste des vacances en Tunisie, au Maroc, en Égypte et, nouveautés 2002, en Grèce et en Crète. Tout au long de l'année, Étapes Nouvelles vous propose une programmation complète sur ces différentes destinations à des prix très compétitifs : séjours en bord de mer, clubs, circuits, croisières... (au départ de Paris et des grandes villes de province). Avec Étapes Nouvelles, les meilleurs prix dans tous les standards de qualité.

▲ FRAM

– *Paris* : 4, rue Perrault, 75001. ☎ 01-42-86-55-55. Fax : 01-01-42-86-56-88. M. : Châtelet ou Louvre-Rivoli.
– *Toulouse* : 1, rue Lapeyrouse, 31008. ☎ 05-62-15-16-17. Fax : 05-62-15-17-17.
– www.fram.fr • Minitel : 36-16, code FRAM.
L'un des tout premiers tour-opérateurs français pour le voyage organisé, FRAM programme désormais plusieurs formules qui représentent « une autre façon de voyager ». Au Maroc, ce sont :
– les *autotours* ;
– les *voyages à la carte* ;
– des *avions en liberté* ou vols secs ;
– des *circuits aventures* (comme des randonnées pédestres) ;
– les *Framissima* : c'est la formule de « Clubs Ouverts », notamment à Agadir, Marrakech et Fès. Des sports nautiques au tennis, en passant par le golf, la plongée et la remise en forme, des jeux, des soirées qu'on choisit librement et tout compris, ainsi que des programmes d'excursions.

▲ GO VOYAGES

– *Paris* : 22, rue d'Astorg, 75008. Réservations : ☎ 0825-825-747. • www.go voyages.com • M. : Saint-Augustin. Et dans toutes les agences de voyages. Spécialiste du vol sec, Go Voyages propose un des choix les plus larges sur 1000 destinations dans le monde au meilleur prix. Go Voyages propose aussi en complément des locations de voitures à des tarifs très compétitifs.

▲ ITINÉRANCES

– *Paris* : 26, rue Botzaris, 75019. ☎ 01-40-40-75-15. Fax : 01-40-40-75-83. • www.itinerances-voyages.com • itinerances.voyages@wanadoo.fr • M. : Buttes-Chaumont.
Ouvrir les yeux avec attention sur des mondes différents et aller à leur rencontre, s'imprégner d'authenticité, c'est ce que propose Itinérances, agence de conseil en voyages.
En mini-groupe ou individuellement, Itinérances construit à la carte et sur mesure les voyages en fonction des choix et des souhaits de chacun. Nombreuses destinations au Proche-Orient, en Asie, Afrique, Amérique centrale et Amérique latine, ainsi que les capitales européennes.

▲ JET TOURS

Jumbo, les voyages à la carte de Jet Tours, s'adresse à tous ceux qui ont envie de se concocter un voyage personnalisé, en couple, entre amis, ou en famille, mais surtout pas en groupe. Tout est proposé à la carte : il suffit de choisir sa destination et d'ajouter aux vols internationaux les prestations de son choix : location de voitures, hôtels, itinéraires tout faits ou à composer soi-même, escapades « aventure » ou sorties en ville.
Avec « les voyages à la carte Jumbo », vous pourrez découvrir de nombreuses destinations comme le Maroc.
La brochure « Voyages à la carte Jumbo » est disponible dans toutes les agences de voyages. Vous pouvez aussi joindre Jumbo sur Internet • www.jettours.com • ou par Minitel : 36-15, code JUMBO (0,20 €/mn).

▲ LASTMINUTE.COM - DÉGRIFTOUR.COM

Pour satisfaire une envie soudaine d'évasion, Lastminute.com-Dégriftour.com vous propose, de 6 semaines à la veille du départ, des séjours, des billets d'avion, des croisières, des thalassos en France et à l'autre bout du monde.
L'ensemble de ces services est aussi bien accessible par Internet • www.lastminute.com • www.degriftour.com • que par Minitel (36-15 code DT) et téléphone : ☎ 0892-230-101 (0,34 €/mn).

Où que vous alliez sur terre,
ne partez pas sans avoir consulté
les tarifs des vols Go Voyages.

avions   voitures   hôtels

0 825 825 747
www.govoyages.com

Volez, roulez, dormez... simplement moins cher !

▲ NOUVELLES FRONTIÈRES

– *Paris* : 87, bd de Grenelle, 75015. M. : La Motte-Picquet-Grenelle.
Renseignements et réservations dans toute la France : ☎ 0825-000-825
(0,15 €/mn). • www.nouvelles-frontieres.fr • Minitel : 36-15, code NF (à partir de 0,10 €/mn).

Plus de 30 ans d'existence, 2 500 000 clients par an, 250 destinations, une
chaîne d'hôtels-clubs et de résidences *Paladien*, une compagnie aérienne,
Corsair, des filiales spécialisées pour les croisières en voilier, la plongée
sous-marine, la location de voitures... Pas étonnant que Nouvelles Frontières soit devenu une référence incontournable, notamment en matière de
tarifs. Le fait de réduire au maximum les intermédiaires permet d'offrir des
prix « super-serrés ». Un choix illimité de formules vous est proposé : des
vols sur la compagnie aérienne de Nouvelles Frontières au départ de Paris
et de province, en classe « Horizon » ou « Grand Large », et sur toutes les
compagnies aériennes régulières, avec une gamme de tarifs selon confort et
budget. Sont également proposés toutes sortes de circuits, aventure ou
organisés ; des séjours en hôtels, en hôtels-clubs et en résidences, notamment dans les *Paladien*, les hôtels de Nouvelles Frontières avec « vue sur le
monde » ; des week-ends, des formules à la carte (vol, nuits d'hôtel,
excursions, location de voitures...).

Avant le départ, des réunions d'information sont organisées. Les 13 brochures Nouvelles Frontières sont disponibles gratuitement dans les
200 agences du réseau, par Minitel, par téléphone et sur Internet.

▲ NOVELA TRAVEL

– *Paris* : 11, rue Debelleyme, 75003. ☎ 01-40-29-40-94. Fax : 01-40-29-
40-22. • www.novelatravel.com • info@novelatravel.com • M. : Filles-du-
Calvaire. Ouvert du lundi au vendredi de 10 h à 13 h et de 14 h à 19 h, et le
samedi de 11 h à 13 h et de 14 h à 19 h.

Tour-opérateur spécialisé dans l'hébergement en hôtels de charme et dans
les voyages individuels « à la carte », Novela Travel propose des *riad* au
Maroc... ainsi qu'une sélection d'hôtels « de charme » dans le monde entier.
Chaque mois, de nouveaux hôtels répondant aux critères de confort, de raffinement et d'originalité rejoignent la sélection d'hôtels de charme de Novela
Travel. Vous les trouverez sur le site de l'agence avec une sélection de vols
et de location de voitures.

▲ RÉPUBLIC TOURS

– *Paris* : 1 *bis*, av. de la République, 75541 Cedex 11. ☎ 01-53-36-55-55.
Fax : 01-48-07-09-79. M. : République.
– *Lyon* : 4, rue du Général-Plessier, 69002. ☎ 04-78-42-33-33. Fax : 04-78-
42-24-43.
• www.republictours.com • infos@republictours.com • Minitel : 36-15, code
REPUBLIC (0,30 €/mn). Et dans les agences de voyages.

Républic Tours, c'est une large gamme de produits et de destinations tous
publics et la liberté de choisir sa formule de vacances :
– Séjours « détente » en hôtel classique ou club.
– Circuits en autocar, voiture personnelle ou de location.
– Insolite : randonnées en 4x4, randonnées pédestres.
– Week-ends : plus de 50 idées d'escapades pour se dépayser, s'évader au
soleil ou découvrir une ville.

▲ SANGHO

– *Paris* : 30, rue de Richelieu, 75001. ☎ 01-42-97-14-14. M. : Palais-Royal.
– *Lyon* : 18, rue d'Algérie, 69001. ☎ 04-78-29-27-27.
• www.sangho.fr • info@sangho.fr • Minitel : 36-15, code SANGHO.

Grand spécialiste de la Tunisie depuis 1969 et dirigé par des Tunisiens, ce
voyagiste est résolument tourné vers le Grand Sud et naturellement vers le

Maroc. La brochure Sangho propose tous types de voyages à la carte, séjours en clubs ou en hôtels classiques, circuits, et surtout toute une gamme de séjours ou de randonnées dans le désert accessibles à tous : des combinés désert-plage, des mini-méharées ou des randonnées pédestres.

▲ TERRES D'AVENTURE

– *Paris* : 6, rue Saint-Victor, 75005. ☎ 01-53-73-77-73. Fax : 01-43-25-69-37. M. : Cardinal-Lemoine ou Maubert-Mutualité.
– *Marseille* : angle cours d'Estienne-d'Orves et 25, rue Fort-Notre-Dame, 13001. ☎ 04-96-17-89-30. Fax : 04-96-17-89-29. Comprend une zone de conseil et de vente de voyages, une librairie spécialisée sur le voyage, une boutique d'accessoires de voyage, une galerie d'exposition – vente d'objets artisanaux du monde entier –, ainsi qu'un programme de conférences et dia-poramas tout au long de l'année.
– *Toulouse* : 26, rue des Marchands, 31000. ☎ 05-34-31-72-62. Fax : 05-34-31-72-61.
Demande de brochures au : ☎ 01-53-73-76-76. Fax : 01-56-24-87-13.
● www.terdav.com ●

Depuis 25 ans, Terres d'Aventure, inventeur-pionnier de la découverte du monde par la marche à pied, vous convie à découvrir ses 300 circuits en France et aux quatre coins du monde, où la philosophie du voyage et l'enri-chissement personnel sont les maîtres mots. Terdav propose « le voyage à pied » où la marche est au cœur de chaque itinéraire, mais aussi plus de 100 voyages associant des moyens de transport originaux, voire insolites (pirogue, chameau, canoë, hélicoptère, bus locaux, cheval, etc.) pour aller à la rencontre de grands espaces, de peuples et de traditions.
Ces voyages se déroulent en petits groupes, de 6 à 15 personnes, pour se déplacer avec facilité, en harmonie avec l'environnement naturel et humain. Les circuits qui bénéficient d'une logistique éprouvée sont guidés par des accompagnateurs professionnels qui ont, ensemble, largement contribué à bâtir la réputation et le succès de Terres d'Aventure.
Partir avec Terres d'Aventure, c'est aussi bénéficier de conseillers. Ils sont tous de vrais voyageurs et cumulent une expérience considérable aux quatre coins de la planète. À la fois professionnels et amoureux du voyage, ils ont un rôle très important de conseil. Des randonnées chamelières dans le désert du Sahara aux trekkings au Pérou ou au Népal, des balades au Tibet, en Mongolie aux fêtes religieuses du Ladakh, Terres d'Aventure vous invite à vivre le voyage autrement, loin des sentiers battus, loin de votre quo-tidien pour partager des moments uniques d'émotions et de rencontres.
En plus du catalogue général, une brochure spéciale « Terres d'Aventure en Famille » propose un vaste choix de destinations – 50 circuits dans 23 pays – et de multiples manières de voyager spécialement adaptées au rythme des enfants et aux centres d'intérêt de toute la famille. Terres d'Aventure pro-pose aussi la possibilité de concevoir exclusivement pour vous un voyage sur mesure si au sein de votre famille ou entre amis, vous constituez un groupe d'au moins 6 personnes. N'hésitez pas à contacter le service « sur mesure » de Terres d'Aventure au ☎ 01-53-73-77-70. ● sur.mesure@ter dav.com ●

▲ TERRES DE CHARME

– *Paris* : 3, rue Saint-Victor, 75005. ☎ 01-55-42-74-10. Fax : 01-56-24-49-77. ● www.terresdecharme.com ● M. : Maubert-Mutualité ou Cardinal-Lemoine. Ouvert du lundi au vendredi de 10 h à 19 h et le samedi de 13 h à 19 h.
Terres de Charme a la particularité d'organiser des voyages haut de gamme pour ceux qui souhaitent voyager à deux, en famille ou entre amis. Des séjours et des circuits rares et insolites regroupés selon 5 thèmes : « Charme des îles », « L'Afrique à la manière des pionniers », « Charme et aventure »,

« Sur les chemins de la sagesse », « Week-ends et escapades », avec un hébergement allant du douillet au luxueux.

▲ UCPA

Informations et réservations : ☎ 0825-820-830 (0,15 €/mn). ● www.ucpa. com ● Minitel : 36-15, code UCPA.
– Bureaux de vente à *Paris, Bordeaux, Lille, Lyon, Marseille, Strasbourg* et *Bruxelles.*
Voilà plus de 35 ans que 6 millions de personnes font confiance à l'UCPA pour réussir leurs vacances sportives. Et ce, grâce à une association dynamique, toujours à l'écoute de ses clients, qui propose une approche souple et conviviale de plus de 60 activités sportives, en France et hors métropole, en formule tout compris (moniteurs professionnels, pension complète, matériel, animations, assurance et transport) à des prix toujours très serrés. Vous pouvez choisir parmi plusieurs formules sportives (plein temps, mi-temps ou à la carte) ou de découverte d'une région ou d'un pays. Plus de 100 centres en France, dans les DOM et à l'étranger (Canaries, Crète, Cuba, Égypte, Espagne, Maroc, Tunisie, Turquie, Thaïlande), auxquels s'ajoutent près de 300 programmes itinérants pour voyager à pied, à cheval, en VTT, en catamaran, etc., dans 50 pays.

▲ VOYAGEURS DANS LE MONDE ARABE - VDM

– *Paris :* La Cité des Voyageurs, 55, rue Sainte-Anne, 75002. ☎ 01-42-86-17-90. Fax : 01-42-86-16-19. M. : Opéra ou Pyramides. Bureaux ouverts du lundi au samedi de 9 h 30 à 19 h.
– *Fougères :* 19, rue Chateaubriand, 35300. ☎ 02-99-94-21-91. Fax : 02-99-94-53-66.
– *Lyon :* 5, quai Jules-Courmont, 69002. ☎ 04-72-56-94-56. Fax : 04-72-56-94-55.
– *Marseille :* 25, rue Fort-Notre-Dame (angle cours d'Estienne-d'Orves), 13001. ☎ 04-96-17-89-17. Fax : 04-96-17-89-18.
– *Rennes :* 2, rue Jules-Simon, BP 10206, 35102. ☎ 02-99-79-16-16. Fax : 02-99-79-10-00.
– *Saint-Malo :* 17, av. Jean-Jaurès, BP 206, 35409. ☎ 02-99-40-27-27. Fax : 02-99-40-83-61.
– *Toulouse :* 26, rue des Marchands, 31000. ☎ 05-34-31-72-72. Fax : 05-34-31-72-73. M. : Esquirol.
● www.vdm.com ● Un site complet « en individuel sur mesure » avec un contenu très riche et une sélection importante de vols secs.
Premier spécialiste en France du voyage en individuel sur mesure, Voyageurs du Monde a pour objectif de vous aider à composer le voyage dont vous rêvez. Sur les 5 continents, ce sont ainsi quelque 150 pays que vous pourrez découvrir à votre manière.
Tout voyage sérieux nécessite l'intervention d'un spécialiste (ils sont 92 de 30 nationalités différentes). Ils sauront vous guider et vous conseiller à la Cité des Voyageurs Paris, premier espace de France (1 800 m^2) entièrement consacré aux voyages et aux voyageurs, lieu unique sur trois étages, réparti par zones géographiques, ainsi que dans les agences régionales. En plus du voyage en individuel sur mesure, Voyageurs du Monde propose un choix toujours plus dense de « vols secs » (avec stocks et prix très compétitifs notamment sur les long-courriers), une large gamme de circuits accompagnés « Civilisations » « Découvertes » et « Aventures ». Sauf mention spéciale, les prix et les départs de leurs circuits accompagnés sont garantis avec un minimum de 6 à 8 personnes. À la fois tour-opérateur et agence de voyages, Voyageurs du Monde a développé une politique de « vente directe » à ses clients, sans intermédiaire : une stratégie performante qui permet des prix très compétitifs.

À proximité de la place Bâb Tarhzout, au cœur du centre historique de Marrakech (proche de la médersa Ben-Youssef, du très beau musée de Marrakech, de Dar-el-Glaoui), Voyageurs du Monde a découvert et rénové pour vous un magnifique *riad* : le *Riad des Voyageurs du Monde*. Après une escapade dans l'effervescence de la médina, vous apprécierez le calme et la sérénité de cette demeure traditionnelle organisée autour d'un vaste patio arboré, cerné de grandes arcades ouvragées. Au total, 12 chambres et suites réparties sur deux niveaux vous attendent, toutes décorées avec beaucoup de recherche et dans un souci constant de raffinement, en exploitant toutes les richesses de l'artisanat oriental. Chaque chambre a le nom d'un explorateur connu et quatre d'entre elles (la suite Théodore Monod, la suite Saint-Exupéry, la suite Charles de Foucaud et la suite Marco Polo) ont une spécificité particulière. Vous disposerez de salles de bains aux murs recouverts de *tadelakt*. Dans les chambres, TV satellite et téléphone. Une très belle terrasse de laquelle vous pourrez admirer à loisir la médina, et l'Atlas enneigé en hiver, vous accueillera pour profiter du soleil. Pour ne pas dénaturer le concept du *riad*, une petite piscine décorée de zelliges, ainsi qu'un hammam, ont été construits dans la *douyria* contiguë et non au sein même du *riad*.

La Cité des Voyageurs Paris, c'est aussi :
– Une librairie de plus de 15 000 ouvrages et cartes pour vous aider à préparer au mieux votre voyage, ainsi qu'une sélection des plus judicieux et indispensables accessoires de voyage : moustiquaires, sacs de couchage, couvertures en laine polaire, etc. ☎ 01-42-86-17-38.
– Des expositions-vente d'artisanat traditionnel en provenance de différents pays, avec le Maroc et l'Inde du Sud déjà programmés. ☎ 01-42-86-16-25.
– Un programme de dîners-conférences : les jeudis et certains mardis sont une invitation au voyage et font honneur à une destination. ☎ 01-42-86-16-00. Prix : 25 €/personne.
– Un restaurant des cuisines du monde. ☎ 01-42-86-17-17 (réservation conseillée). Ouvert uniquement à midi.

EN BELGIQUE

▲ CONTINENTS INSOLITES

– *Bruxelles :* rue César-Franck, 44, 1050. ☎ 02-218-24-84. Fax : 02-218-24-88. Ouvert du lundi au vendredi de 10 h à 18 h et le samedi de 10 h à 13 h.
– *En France :* ☎ 03-24-54-63-68 (renvoi automatique et gratuit sur le bureau de Bruxelles).
● www.continentsinsolites.com ● info@insolites.be ●
Continents Insolites, organisateur de voyages lointains sans intermédiaire, regroupe plus de 35 000 sympathisants, dont le point commun est la passion du voyage hors des sentiers battus. Une gamme complète de formules de voyages détaillés est proposée dans leur brochure gratuite sur demande.
– *Circuits taillés sur mesure :* à partir de 2 personnes. Choisissez vos dates et créez l'itinéraire selon vos souhaits (culture, nature, farniente, sport). Fabrication artisanale jour par jour avec l'aide d'un conseiller-voyage spécialisé. Une grande gamme d'hébergements soigneusement sélectionnés : du petit hôtel simple à l'établissement luxueux et de charme.
– *Voyages lointains :* de la grande expédition au circuit accessible à tous. Des circuits à dates fixes dans plus de 60 pays, et ce, en petits groupes francophones de 7 à 12 personnes, élément primordial pour une approche en profondeur des contrées à découvrir. Avant chaque départ, une réunion est organisée. Voyages encadrés par des guides francophones, spécialistes des régions visitées.
De plus, Continents Insolites propose un cycle de diaporamas-conférences à Bruxelles. Ces conférences se déroulent à l'Espace Senghor, place Jourdan, 1040 Etterbeek (dates dans leur brochure).

▲ NOUVELLES FRONTIÈRES

– *Bruxelles* (siège) *:* bd Lemonnier, 2, 1000. ☎ 02-547-44-44. Fax : 02-547-44-99. ● www.nouvellesfrontieres.com ● mailbe@nouvellesfrontieres.be ●
– Également d'autres agences à *Bruxelles, Charleroi, Liège, Mons, Namur, Waterloo, Wavre*, et au *Luxembourg.*
30 ans d'existence, 250 destinations, une chaîne d'hôtels-clubs et de résidences *Paladien*, des filiales spécialisées pour les croisières en voilier, la plongée sous-marine, la location de voitures... Pas étonnant que Nouvelles Frontières soit devenu une référence incontournable, notamment en matière de prix. Le fait de réduire au maximum les intermédiaires permet d'offrir des prix « super-serrés ».

▲ PAMPA EXPLOR

– *Bruxelles :* av. Brugmann, 250, 1180. ☎ 02-340-09-09. Fax : 02-346-27-66. ● pampa@arcadis.be ● Ouvert de 9 h à 19 h en semaine et de 9 h à 17 h le samedi. Également sur rendez-vous, dans leurs locaux, ou à votre domicile.
Spécialiste des vrais voyages « à la carte », Pampa Explor propose plus de 70 % de la « planète bleue », selon les goûts, attentes, centres d'intérêt et budgets de chacun. Du Costa Rica à l'Indonésie, de l'Afrique australe à l'Afrique du Nord, de l'Amérique du Sud aux plus belles croisières, Pampa Explor tourne le dos au tourisme de masse pour privilégier des découvertes authentiques et originales, pleines d'air pur et de chaleur humaine. S'adresse aussi bien à ceux qui apprécient la jungle et les pataugas qu'à ceux qui préfèrent les cocktails en bord de piscine et les fastes des voyages de luxe. En individuel ou en petits groupes, mais toujours « sur mesure ». Possibilité de régler par carte de paiement. Sur demande, envoi gratuit de documents de voyages.

▲ SERVICES VOYAGES ULB

– *Bruxelles :* campus ULB, av. Paul-Héger, 22, CP 166, 1000. ☎ 02-648-96-58.
– *Bruxelles :* rue Abbé-de-l'Épée, 1, Woluwe, 1200. ☎ 02-742-28-80.
– *Bruxelles :* hôpital universitaire Érasme, route de Lennik, 808, 1070. ☎ 02-555-38-49.
– *Bruxelles :* chaussée d'Alsemberg, 815, 1180. ☎ 02-332-29-60.
– *Ciney :* rue du Centre, 46, 5590. ☎ 083-216-711.
– *Marche :* av. de la Toison-d'Or, 4, 6900. ☎ 084-31-40-33.
– *Wepion :* chaussée de Dinant, 1137, 5100. ☎ 081-46-14-37.
Ouvert de 9 h à 17 h sans interruption du lundi au vendredi.
Services Voyages ULB, c'est le voyage à l'université. L'accueil est donc très sympa. Billets d'avion sur vols charters et sur compagnies régulières à des prix hyper-compétitifs.

▲ TAXISTOP

Pour toutes les adresses *Airstop,* un seul numéro de téléphone : ☎ 070-233-188. ● www.airstop.be ● air@airstop.be ● Ouvert de 10 h à 17 h 30 du lundi au vendredi.
– *Taxistop* et *Airstop Bruxelles :* rue Fossé-aux-Loups, 28, 1000. ☎ 070-222-292. Fax : 02-223-22-32.
– *Airstop Bruxelles :* rue Fossé-aux-Loups, 28, 1000. Fax : 02-223-22-32.
– *Airstop Anvers :* Sint. Jacobsmarkt, 84, 2000. Fax : 03-226-39-48.
– *Airstop Bruges :* Dweersstraat, 2, 8000. Fax : 050-33-25-09.
– *Airstop Courtrai :* Wijngaardstraat, 16, 8500. Fax : 056-20-40-93.
– *Taxistop* et *Airstop Gand :* Maria-Hendrikaplein, 65B, 9000. ☎ 070-222-292. Fax : 09-242-32-19.
– *Airstop Gand :* Maria-Hendrikaplein, 65, 9000. Fax : 09-242-32-19.

– *Airstop Louvain* : Maria-Theresiastraat, 125, 3000. Fax : 016-23-26-71.
– *Taxistop* et *Airstop Wavre* : rue de la Limite, 49, 1300. ☎ 070-222-292 et 070-233-188 (Airstop). Fax : 010-24-26-47.

▲ TERRES D'AVENTURE
– *Bruxelles* : Vitamin Travel, rue Van-Artevelde, 48, 1000. ☎ 02-512-74-64. Fax : 02-512-69-60. ● info@vitamintravel.be ●
(Voir texte dans la partie « En France ».)

▲ USIT CONNECTIONS
Telesales : ☎ 02-550-01-00. Fax : 02-514-15-15. ● www.connections.com ●
– *Anvers* : Melkmarkt, 23, 2000. ☎ 03-225-31-61. Fax : 03-226-24-66.
– *Bruxelles* : rue du Midi, 19-21, 1000. ☎ 02-550-01-00. Fax : 02-512-94-47.
– *Bruxelles* : av. A.-Buyl, 78, 1050. ☎ 02-647-06-05. Fax : 02-647-05-64.
– *Bruxelles* : aéroport, Promenade 4e étage, 1930 Zaventem.
– *Gand* : Nederkouter, 120, 9000. ☎ 09-223-90-20. Fax : 09-233-29-13.
– *Liège* : 7, rue Sœurs-de-Hasque, 4000. ☎ 04-223-03-75. Fax : 04-223-08-82.
– *Louvain* : Tiensestraat, 89, 3000. ☎ 016-29-01-50. Fax : 016-29-06-50.
– *Louvain-la-Neuve* : rue des Wallons, 11, 1348. ☎ 010-45-15-57. Fax : 010-45-14-53.
– *Luxembourg* : 70, Grand-Rue, 1660 Luxembourg. ☎ 352-22-99-33. Fax : 352-22-99-13.

Spécialiste du voyage pour les étudiants, les jeunes et les *Independent travellers*, Usit Connections est membre du groupe Usit, groupe international formant le réseau des Usit Connections Centres. Le voyageur peut ainsi trouver informations et conseils, aide et assistance (revalidation, routing...) dans plus de 80 centres en Europe et auprès de plus de 500 correspondants dans 65 pays.

Usit Connections propose une gamme complète de produits : des tarifs aériens spécialement négociés pour sa clientèle (licence IATA) et, en exclusivité pour le marché belge, les très avantageux et flexibles billets SATA réservés aux jeunes et étudiants ; les *party flights* ; le bus avec plus de 300 destinations en Europe (un tarif exclusif pour les étudiants) ; toutes les possibilités d'arrangement terrestre (hébergements, locations de voitures, *self-drive tours*, circuits accompagnés, vacances sportives, expéditions) principalement en Europe et en Amérique du Nord ; de nombreux services aux voyageurs comme l'assurance voyage « Protections » ou les cartes internationales de réductions (la carte internationale d'étudiant ISIC et la carte jeune Euro-26).

EN SUISSE

C'est toujours assez cher de voyager au départ de la Suisse, mais ça s'améliore. Les charters au départ de Genève, Bâle ou Zurich sont de plus en plus fréquents ! Pour obtenir les meilleurs prix, il vous faudra être persévérant et vous munir d'un téléphone. Les billets au départ de Paris ou Lyon ont toujours la cote au hit-parade des meilleurs prix. Les annonces dans les journaux peuvent vous réserver d'agréables surprises, spécialement dans le *24 Heures* et dans *Voyages Magazine*.

Tous les tour-opérateurs sont représentés dans les bonnes agences : Hotelplan, Jumbo, le TCS, et les autres peuvent parfois proposer le meilleur prix, ne pas les oublier !

▲ BARAKA VOYAGES
– *Genève* : 3, rue Sismondi, 1201. ☎ 022-731-57-77. Fax : 022-731-57-79. ● www.barakavoyages.com ● info@barakavoyages.com ●

Spécialiste du Monde arabe, Baraka Voyages propose des voyages « à la carte », des voyages en groupe et des trekkings en petits groupes à destination du Yémen, de la Syrie, de la Jordanie, de l'Égypte, de la Palestine, du Maroc et du Liban. Vous pouvez en outre leur rendre visite pour boire un thé et consulter un grand nombre de guides et d'ouvrages spécialisés sur le monde arabe.

▲ CLUB AVENTURE
– *Genève :* 51, rue Prévost-Martin, 1205. ☎ 022-320-50-80. Fax : 022-320-59-10.

▲ NOUVELLES FRONTIÈRES
– *Genève :* 10, rue Chantepoulet, 1201. ☎ 022-906-80-80. Fax : 022-906-80-90.
– *Lausanne :* 19, bd de Grancy, 1006. ☎ 021-616-88-91. Fax : 021-616-88-01.
(Voir texte dans la partie « En France ».)

▲ STA TRAVEL
– *Bienne :* 23, quai du Bas, 2502. ☎ 032-328-11-11. Fax : 032-328-11-10.
– *Fribourg :* 24, rue de Lausanne, 1701. ☎ 026-322-06-55. Fax : 026-322-06-61.
– *Genève :* 3, rue Vignier, 1205. ☎ 022-329-97-34. Fax : 022-329-50-62.
– *Lausanne :* 20, bd de Grancy, 1006. ☎ 021-617-56-27. Fax : 021-616-50-77.
– *Lausanne :* à l'université, bâtiment BF SH2, 1015. ☎ 021-691-60-53. Fax : 021-691-60-59.
– *Montreux :* 25, av. des Alpes, 1820. ☎ 021-965-10-15. Fax : 021-965-10-19.
– *Neuchâtel :* 2, Grand-Rue, 2000. ☎ 032-724-64-08. Fax : 032-721-28-25.
– *Nyon :* 17, rue de la Gare, 1260. ☎ 022-990-92-00. Fax : 022-361-68-27.
Agences spécialisées dans les voyages pour jeunes et étudiants. Gros avantage si vous deviez rencontrer un problème : 150 bureaux STA et plus de 700 agents du même groupe répartis dans le monde entier sont là pour vous donner un coup de main *(Travel Help)*.
STA propose des voyages très avantageux : vols secs *(Skybreaker)*, billets Euro Train, hôtels, écoles de langues, voitures de location, etc. Délivre les cartes internationales d'étudiants et les cartes Jeunes Go 25.
STA est membre du fonds de garantie de la branche suisse du voyage ; les montants versés par les clients pour les voyages forfaitaires sont assurés.

▲ TERRES D'AVENTURE
– *Genève :* Néos Voyages, 50, rue des Bains, 1205. ☎ 022-320-66-35. Fax : 022-320-66-36. ● geneve@neos.ch ●
– *Lausanne :* Néos Voyages, 11, rue Simplon, 1006. ☎ 021-612-66-00. Fax : 021-612-66-01. ● lausanne@neos.ch ●
(Voir texte dans la partie « En France ».)

AU QUÉBEC

Revendus dans toutes les agences de voyages, les voyagistes québécois proposent une large gamme de vacances. Depuis le vol sec jusqu'au circuit guidé en autocar, en passant par les voyages sur mesure, la réservation d'une ou plusieurs nuits d'hôtel, ou la location de voitures, tout est possible. Sans oublier l'économique formule « achat-rachat », qui permet de faire l'acquisition temporaire d'une auto neuve en Europe, en ne payant que pour la durée d'utilisation (en général, minimum 17 jours, maximum 6 mois). Ces grossistes revendent également pour la plupart des cartes de train très avantageuses pour l'Europe, notamment l'*Eurailpass* (accepté dans 17 pays). À

Le meilleur de FRAM au Maroc

Framissima, c'est notre formule exclusive où tout le savoir-faire et l'esprit de FRAM garantissent des vacances réussies.

Accueil, confort, restauration et animation sont les maître-mots pour vivre des vacances tout sourire.

23 Framissima vous accueillent dans des destinations proches ou lointaines. Alors, n'attendez plus et découvrez dès à présent nos Framissima au Maroc.

Framissima

Les Dunes d'Or★★★★ à Agadir

Ce Framissima est idéal pour s'adonner au golf, à la remise en forme et aux activités nautiques.

Les Idrissides★★★★ à Marrakech

Tout proche de la Medina, découvrez les mille et une merveilles du Maroc dans cet hôtel construit dans un pur style marocain.

Karam★★★★ à Ouarzazate NOUVEAU

Situé aux portes du désert, ce Framissima vous offre un panorama exceptionnel sur la vallée de l'Oued Ouarzazate et les montagnes de l'Anti-Atlas.

Séjours combinés :

Une formule idéale pour allier détente
et découverte en séjournant dans 2 hôtels :

- Marrakech-Agadir
- Marrakech-Ouarzazate
- Ouarzazate-Zagora

FRAM

www.fram.fr

signaler aussi : les réductions accordées pour les réservations effectuées longtemps à l'avance et les promotions nuits gratuites pour la 3e, 4e ou 5e nuit consécutive.

▲ EXOTIK TOURS

La Méditerranée, l'Europe, l'Asie et les Grands Voyages : Exotik Tours offre une importante production en été comme en hiver. Ses circuits estivaux se partagent entre Grèce, Turquie, Italie, Maroc, Tunisie, Russie, Thaïlande et Chine. L'hiver, des séjours sont proposés dans le Bassin méditerranéen et en Asie (Thaïlande et Bali) – où l'on peut également opter pour des combinés plage + circuit.

▲ EXPLORATEUR VOYAGES

Cette agence de voyages montréalaise propose une intéressante production maison, axée sur les voyages d'aventure en petits groupes (5 à 12 personnes) ou en individuels. Ses itinéraires originaux, en Amérique latine, en Asie, en Afrique et au Moyen-Orient, se veulent toujours respectueux des peuples et des écosystèmes. Parmi les circuits présentés : le safari Kenya/ Tanzanie ; les combinés Pérou/Bolivie, Chili/Argentine, Mali/Mauritanie ou Namibie/Botswana ; l'Asie centrale sur la route de la soie ; l'Inde des montagnes. Au programme : découvertes authentiques guidées par un accompagnateur Montréal – Montréal. Intéressant pour se familiariser avec ces différents circuits : les soirées Explorateur (gratuites), avec présentation audiovisuelle, organisées à Montréal et à Québec. Pour tous renseignements, téléphoner au ☎ (514) 847-1177. ● explorateur@videotron.ca ●

▲ RÊVATOURS

Ce voyagiste, membre du groupe Transat A.T. Inc., propose quelque 25 destinations à la carte ou en circuits organisés. De l'Inde à la Thaïlande en passant par le Vietnam, la Chine, l'Europe centrale, la Russie, le Moyen-Orient ou le Maroc, le client peut soumettre son itinéraire à Rêvatours qui se charge de lui concocter son voyage. Parmi ses points forts : la Grèce avec un bon choix d'hôtels, de croisières et d'excursions, et l'Asie.

▲ TOURS CHANTECLERC

Tours Chanteclerc publie différents catalogues de voyages : « Europe », « Amérique », « Asie + Pacifique Sud », et « Soleils de Méditerranée ».

▲ TOUR MONT ROYAL - NOUVELLES FRONTIÈRES

Les deux voyagistes font brochures communes et proposent une offre complète sur les destinations et les styles de voyages suivants : Europe, destinations « soleil » d'hiver et d'été, Polynésie française, circuits accompagnés ou en liberté. Au programme, tout ce qu'il faut pour les voyageurs indépendants : location de voitures, cartes de train, bonne sélection d'hôtels et de résidences, excursions à la carte... À signaler, l'option achat-rachat Renault ou Peugeot (17 jours minimum, avec prise en France et remise en France ou ailleurs en Europe ; ou encore 17 jours minimum sur la seule péninsule ibérique) et une nouveauté, le retour de Citroën sur le marché québécois (minimum 23 jours, prise en France, remise en France ou ailleurs en Europe). TMR/NF offre également le monde au départ de Paris : les forfaits, circuits, croisières et séjours développés par Nouvelles Frontières France sont en effet disponibles sur le marché québécois.

▲ VACANCES SIGNATURE

Ce voyagiste propose une brochure « Europe estivale » (France, Angleterre, Espagne, Pologne, Belgique) avec vols (Air Canada et Air Transat), location de voitures, plans achat-rachat, cartes de train et d'autocar, sélection d'hôtels et choix d'excursions classiques en Europe. Deux nouveautés : la brochure « Charmes de la Méditerranée » (Maroc, Tunisie, Turquie) avec

On peut tout rater mais pas ses vacances.

Jet tours

spécialiste en vacances réussies.

des circuits accompagnés et des séjours en clubs de vacances ; et une autre consacrée à l'Asie (Hong Kong, Beijing, Tokyo, Singapour, Bali, Bangkok, Shanghai) présentant des circuits et des séjours hôteliers. Pour l'hiver, les destinations « soleil » ont toujours la vedette : Mexique, Cuba, Floride, République Dominicaine, Costa Rica, Turks & Caicos, en séjours tout compris.

▲ VACANCES TOURBEC

Vacances Tourbec offre des vols vers l'Europe, l'Asie, l'Afrique ou l'Amérique. Sa spécialité : la formule avion + auto. Pour connaître l'adresse de l'agence Tourbec la plus proche de chez vous (il y en a 26 au Québec), téléphoner au ☎ 1-800-363-3786. Vacances Tourbec est membre du groupe Transat A.T. Inc.

PAR LA ROUTE

Il est important de savoir que toutes les Peugeot bâchées et les camionnettes utilitaires qui ne sont pas aménagées en camping-cars sont refoulées à la douane marocaine.
De Paris, voici les deux itinéraires les plus rapides :

➢ *Paris - Algésiras, via Barcelone :* environ 2 300 km. Cet itinéraire emprunte les autoroutes A6 (autoroute du Soleil) et A9 (la Languedocienne). De Paris, compter 940 km pour atteindre le Perthus, la frontière espagnole.

➢ *Paris - Algésiras, via Bayonne et Madrid :* 1 987 km. De Paris, emprunter d'abord l'autoroute A10 (l'Aquitaine). La frontière est à 770 km de Paris. C'est évidemment la route la plus courte et la moins encombrée en été.

Il faut ensuite passer par Cordoue, Séville et Cadix au lieu de Jaén, Grenade et Málaga. On évite ainsi toutes les villes, la route côtière, les cols, et il y a peu de touristes. Les autoroutes espagnoles étant assez chères, on peut leur préférer les *autovías*, routes à 2 voies séparées, qui sont bonnes et gratuites.

EN TRAIN

➢ *Paris - Algésiras :* départ quotidien du 10 juin au 1er décembre en TGV de Paris-gare Montparnasse à 7 h 25, arrivée à Irún à 12 h 55 ; correspondance pour Algésiras à 15 h 50, arrivée à Algésiras le lendemain matin à 9 h 30.

Les réductions

– Avec la carte *Inter Rail*, quel que soit votre âge, vous pouvez circuler librement en 2e classe dans 29 pays d'Europe. Ces pays sont regroupés en 8 zones dont une (la zone F) englobe l'Espagne, le Portugal et le Maroc.
Vous avez la possibilité de choisir parmi plusieurs formules (*pass* 1 zone pour 12 ou 22 jours de libre circulation, *pass* 2 zones pour 1 mois de libre circulation...).
Pour vous informer sur ces offres et acheter vos billets :
– *Ligne directe :* ☎ 08-92-35-35-35 (0,34 €/mn) tous les jours de 7 h à 22 h.
– *Internet :* ● www.voyages-sncf.com ●
– *Minitel :* 36-15, 36-16 ou 36-23, code SNCF (0,20 €/mn).
– Dans les gares, les boutiques SNCF et les agences de voyages agréées.
– *Service Bagages :* appelez le ☎ 0825-845-845 (0,15 €/mn), la SNCF prend en charge vos bagages où vous le souhaitez et vous les livre là où vous allez.

Commandez votre billet par téléphone, sur Internet ou par Minitel, la SNCF vous l'envoie gratuitement à domicile. Vous réglez par carte bancaire (pour un montant supérieur à 1 €) au moins 4 jours avant le départ (7 jours si vous résidez à l'étranger).

EN BATEAU

Pour le Maroc, on a le choix entre : Sète – Tanger, Sète – Nador, Almería – Nador, Almería – Melilla, Málaga – Melilla, Algésiras – Ceuta et Algésiras – Tanger. Il y a de plus en plus de périodes de pointe et pas assez de bateaux (vivement un pont ou un tunnel !). Bien sûr, vous pouvez faire la traversée avec votre véhicule.

LES DIFFÉRENTES LIAISONS

Au départ de Sète

Sète - Tanger

■ **Euro-Mer :** 5, quai de Sauvages, 34070 Montpellier. ☎ 04-67-65-95-11 ou 04-67-65-67-30. Fax : 04-67-65-20-27. ● www.euromer.net ● Ouvert du lundi au samedi de 9 h à 16 h non-stop. Euro-Mer vous propose 2 départs par semaine toute l'année en pension complète. La traversée dure 36 h. Scoop ! Euro-Mer met en place une nouvelle ligne Sète-Tanger qui sera peut-être opérationnelle au printemps 2003. Camping à bord pour camping-cars et caravanes. Possibilité de voyager sur le pont ou en fauteuil. Euro-Mer vous propose également des départs de Sète vers Nador du printemps à l'automne. Réductions spéciales pour les groupes, les membres d'associations de camping-cars et 4x4.
■ **SNCM**
– *À Paris :* 12, rue Godot-de-Mauroy, 75009. ☎ 0891-702-802. ● www.sncm.fr ● Infos et réservations sur

Minitel : 36-15, code SNCM ; 24 h/24. M. : Madeleine. Ouvert d'avril à juillet du lundi au vendredi de 8 h 30 à 18 h 30 et le samedi de 9 h à 12 h. Le reste de l'année, ouvert du lundi au vendredi de 9 h à 17 h 30. Fermé le samedi en hiver. Une liaison Sète-Tanger tous les 4 jours, sauf en décembre et en janvier (une fois par semaine).
– *À Marseille :* 61, bd des Dames, 13002. Renseignements : ☎ 0891-702-802.
– *À Sète :* 4, quai d'Alger, BP 81, 34202 Cedex. ☎ 04-67-46-68-00. Fax : 04-67-74-93-05.
– *À Bruxelles :* rue la Montagne, 52, 1000. ☎ 02-549-08-88. Fax : 02-513-41-37.
– Et dans toutes les agences de voyages agréées *SNCM*.
■ **Wasteels :** Eigerplatz, 2, 3007 Berne. ☎ 031-370-90-85. Fax : 031-370-90-91.

Sète - Nador

■ **SNCM :** voir adresses et téléphones plus haut. Liaisons uniquement du 15 juin au 15 septembre.
■ **Euro-Mer :** voir coordonnées plus haut. 1 départ tous les 4 jours du printemps à l'automne. 36 h de traversée. Traversée en pension complète en classe Touriste ou Confort.

Au départ d'Alméria

En direction de Nador ou de Melilla avec une grande préférence pour Nador où le débarquement est plus simple et la douane facilitée. À Melilla, ville

espagnole, il faut passer la douane au débarquement et encore une autre en passant au Maroc : long et pénible !

Almería - Nador

■ *Euro-Mer :* voir coordonnées plus haut. Plusieurs départs par jour. Réservation à l'avance. Environ 6 h de traversée. Prix très intéressants. Départs de jour comme de nuit. Prestations fauteuils, cabines intérieures ou extérieures. Nombreuses réductions.
■ *Ferrimaroc :* représenté en France par *Euro-Mer*; voir adresse et téléphone plus haut. Départs quotidiens (en saison, deux départs par jour).
■ *Trasmediterranea :* 57, rue de la Chaussée-d'Antin, 75009 Paris. ☎ 01-40-82-63-63. Fax : 01-40-82-93-93. M. : Chaussée-d'Antin. Au 1er étage. 6 départs quotidiens en haute saison, un en basse saison.

Almería - Melilla

■ *Trasmediterranea :* voir adresse et téléphone plus haut. Nombreux départs quotidiens en période estivale. Réservation fortement conseillée.
■ *Euro-Mer :* voir adresse et téléphone plus haut. Départs quotidiens. Réservation à l'avance. 6 h 30 de traversée.

Málaga - Melilla

■ *Trasmediterranea :* voir adresse et téléphone plus haut. Plusieurs départs quotidiens. Réservation fortement conseillée.
Pour revenir de Melilla vers Almería ou Málaga, il faut réserver 2 à 4 semaines à l'avance et plusieurs mois à l'avance en haute saison. Les arnaqueurs du coin achètent ou réservent des billets de passage qu'ils vous proposent moyennant une forte commission, et vous font valoir que celle-ci coûte moins cher que l'attente d'un hypothétique désistement.
■ *Euro-Mer :* voir coordonnées plus haut. Départs quotidiens. 7 h de traversée.

Au départ d'Algésiras

Attention, les retards des bateaux sont considérables lors des grands départs entre juillet et août et se rendre sur place sans billets est maintenant impensable. Il est donc fortement conseillé de prendre ses billets en France. Sur place, l'attente, lorsqu'on n'a pas de billet, est encore plus longue (jusqu'à 48 h en été) et les billets sont vendus plus cher sur le port.
Au départ sur le port, on vous proposera de changer vos euros en dirhams. Refusez, car le taux de change est beaucoup moins intéressant que dans les banques marocaines. En période de pointe, les Espagnols arrêtent les candidats à la traversée bien avant Algésiras. Début août, les bouchons peuvent atteindre 10 km. Les autorités parquent les vacanciers sur d'immenses terrains pour réguler la circulation. En fait, il ne faut pas dire que l'on va au Maroc, et on peut gagner ainsi directement le port.
Depuis peu, accès direct par un pont depuis l'autoroute jusqu'au port d'embarquement.

Algésiras - Ceuta

La liaison vers le Maroc la moins chargée et une des moins chères. L'embarquement y est en outre plus facile que sur Tanger. Nombre de départs en fonction de la demande. À Ceuta, ou plutôt à Fnideq, situé à 3 km de Ceuta

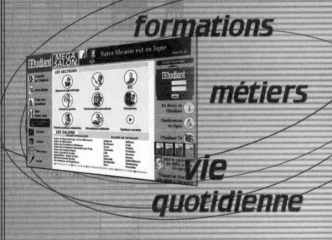

(à faire en stop), bus pour Tanger *via* Tétouan (route superbe). Ne pas écouter les chauffeurs de taxi à Ceuta, qui vous diront que cette ligne de bus n'existe pas. Attention ! Aller directement au port, c'est payer ses billets environ 20 % plus cher.

■ *Trasmediterranea :* voir adresse et téléphone plus haut. En haute saison, liaisons pratiquement toutes les heures de 6 h à 22 h.

■ *Euro-Mer :* voir coordonnées plus haut. Euro-Mer vous propose de prendre les billets à l'avance afin de vous éviter toute attente et arnaque au port. Prix très compétitifs, nombreuses réductions, tarifs groupes, 4x4, camping-cars. Traversée toutes les heures en seulement 35 mn.

■ *Euroferrys :* représenté en France par *Euro-Mer*. Propose des traversées sur des navires très confortables à prix intéressants.

Algésiras - Tanger

Attention ! Cette ligne est plus chargée que celle de Ceuta.
Attention aux agences de voyages d'Algésiras. Certaines, peu scrupuleuses, ajoutent une taxe au prix de la traversée sans en avertir le passager.
Méfiez-vous : la douane à Tanger est particulièrement pointilleuse.

■ *Euro-Mer :* voir adresse et téléphone plus haut. Traversée toutes les demi-heures du matin au soir très tard. Avec un billet Euro-Mer, embarquement sur toutes les compagnies quasi sans attente. Prix très compétitifs. Nombreuses réductions.

■ *Euroferrys :* représenté en France par *Euro-Mer*. Propose des traversées sur des navires très confortables à prix intéressants.

■ *Trasmediterranea :* adresse, téléphone... voir plus haut. 2 h 30 de traversée. Départs toutes les heures de 6 h jusqu'à 22 h en période estivale. Le trajet coûte environ deux fois plus cher que la liaison Algésiras-Ceuta.

■ *Comarit :* représenté par les voyages *Wasteels*. À Paris : ☎ 01-43-62-30-58. 1 h 30 de traversée. En été, jusqu'à 24 départs quotidiens.

■ *SNCM :* voir coordonnées plus haut. La compagnie assure 24 départs quotidiens toute l'année.

Au départ de Tarifa

Tarifa - Tanger

Cette liaison est un peu moins chère qu'au départ d'Algésiras. Elle est assurée par une agence espagnole, basée à Tarifa. Compter 1 h de traversée. 1 à 2 départs quotidiens, en fonction de la demande.

■ *Marruecotur :* 6, av. de la Constitución, à Tarifa. ☎ (00-34) 956-68-12-42. Fax : (00-34) 956-68-02-56.

● mctotravel@hotmail.com ● Demander Luis ou Jaimé, qui parlent le français.

LA TRAVERSÉE LA MOINS CHÈRE

Sujet épineux. Le prix de la traversée elle-même varie en fonction de :
– l'achat du billet sur place avant le départ ;
– l'achat du billet avec réservation auprès du siège de la compagnie ;
– l'achat par l'intermédiaire d'une agence.

LE « BOOKING »

Ce terme anglais et barbare désigne l'ensemble des réservations. Elles sont closes un certain temps avant le départ, afin de pouvoir les transmettre au port. Il est donc inutile de réserver à Paris trois ou quatre jours avant l'embarquement. Prévoir dix jours minimum. Sur les lignes très demandées (départs de Sète), ou aux dates de pointe, réserver deux mois à l'avance n'est pas un luxe inutile.

L'EMBARQUEMENT

Le gros ennui avec la réservation, c'est qu'il faut arriver le jour dit BIEN AVANT l'heure d'embarquement. Mieux vaut prévoir dans votre voyage une journée libre à passer au port d'embarquement afin d'être sûr de ne pas rater le bateau. Sachez qu'en période de pointe (début juillet et début août), il n'est pratiquement pas tenu compte de la date de réservation ; il faut se placer le plus tôt possible. En dehors de ces périodes, la date de réservation fait référence.

EN BUS

Eh oui ! C'est possible ! Il faut s'armer d'un peu de patience, de pas mal de lecture, d'eau, de quelques gâteaux pour grignoter et d'un pull (la nuit, il peut faire un peu froid...).

▲ EUROLINES

Renseignements : ☎ 0892-899-091 (0,34 €/mn). ● www.eurolines.fr ● Vous trouverez également les services d'Eurolines sur ● www.routard.com ● Minitel : 36-15, code EUROLINES (0,34 €/mn). Présent à Paris, Versailles, Avignon, Bordeaux, Calais, Dijon, Lille, Lyon, Marseille, Metz, Montpellier, Nantes, Nîmes, Perpignan, Rennes, Strasbourg, Toulouse et Tours.
Dessert près de 30 villes au Maroc au départ de nombreuses villes françaises : Agadir, Casablanca, Fès, Marrakech, Meknès, Nador, Rabat, Tanger, Tiznit, etc.
Leader européen des voyages en lignes régulières internationales par autocar, Eurolines vous permet de voyager vers plus ou 1 500 destinations en Europe au travers de 27 pays et de 80 points d'embarquement en France.
– *Eurolines Travel* (spécialiste du séjour) : 55, rue Saint-Jacques, 75005 Paris. ☎ 01-43-54-11-99. M. : Maubert-Mutualité.
– *Pass Eurolines :* pour un prix fixe valable 15, 30 ou 60 jours, vous voyagez autant que vous le désirez sur le réseau entre 24 villes européennes. Le *Pass Eurolines* est fait sur mesure pour les personnes autonomes qui veulent profiter d'un prix très attractif et désireuses de découvrir l'Europe sous toutes ses coutures.
– *Mini pass :* ce billet, valable 6 mois, permet de visiter deux métropoles européennes en toute liberté. Le voyage peut s'effectuer dans un sens comme dans un autre.

Pour le plaisir des yeux.

Le Maroc, un nom qui évoque les palais chérifiens entourés de somptueux jardins, les souks desquels s'échappe l'odeur mystérieuse des épices, les fascinants charmeurs de serpents de Marrakech, la fantasia et ses rites éclatants... En visitant le Maroc, on s'étonne que ces images de dépliants touristiques correspondent toujours à une réalité souvent déconcertante. Mais il serait dommage d'en rester à ce somptueux décor de théâtre. De même que, dans une médina, c'est en quittant les rues les plus larges que l'on s'immergera dans la vie populaire, puis en osant quitter les ruelles pour accéder à de sombres impasses que l'on trouvera les plus belles portes de la ville, celles derrière lesquelles s'épanouissent les plus luxueux palais, de même, c'est en renonçant à votre cocon de touriste repu et en allant humblement à la rencontre de l'homme que le Maroc vous laissera percevoir, l'un après l'autre, ses secrets les plus profonds. Mais, comme le laisse entrevoir Michel Van der Yeught, c'est affaire de temps et d'humilité :

« Derrière cette façade occidentale, il découvre un pays arabo-musulman très attaché à ses traditions, le Coran psalmodié à la télévision, les muezzins appelant à la prière, un ramadan strictement observé en public, une misère séculaire et des modes de vie et d'habitation qui, en certains endroits, n'ont pas changé depuis le Moyen Âge. C'est ce que le tourisme appelle " un pays de contrastes "...

C'est peut-être pourquoi " connaître le pays " ne signifie pas ici la même chose qu'ailleurs. Il me semble que l'on ne connaît pas le Maroc. (...) Ce n'est pas un pays que l'on peut appréhender dans un mouvement continu. Il faut chaque fois franchir un nouveau mur, et derrière celui-ci, il s'en trouve toujours un autre.

Il importe d'y être accueilli et guidé. L'un des aspects les plus caractéristiques de l'hospitalité marocaine est précisément d'introduire le visiteur étranger dans une intimité, comme si on lui faisait partager un mystère. On n'apprend pas à connaître le Maroc, on ne peut qu'y être graduellement initié. »
(Extrait d'un ouvrage de Michel Van der Yeught, *Le Maroc à nu*, Éd. L'Harmattan.)

CARTE D'IDENTITÉ

- *Population :* 29 000 000 habitants.
- *Superficie :* 710 850 km² (avec le Sahara occidental).
- *Capitale :* Rabat (900 000 habitants).
- *Ville principale :* Casablanca (4 000 000 habitants).
- *Densité de population :* 61 hab/km².
- *Langues :* arabe classique (langue officielle). Parmi les langues véhiculaires : arabe dialectal, idiomes berbères (rifain, braber, chleuh et zénète), français (parlé quotidiennement par l'élite), espagnol (utilisé localement dans le Nord).
- *Monnaie :* le dirham (Dh).
- *Régime :* monarchie constitutionnelle.
- *Chef de l'État :* le roi Mohammed VI.

TICKET POUR UN ALLER-RETOUR-ALLER-RETOUR-ALLER-RETOUR-ALLER-RETOUR...

LES PRÉSERVATIFS VOUS SOUHAITENT
UN BON VOYAGE. AIDES

3615 AIDES (1,29 F/MIN.) www.aides.org

Association de lutte contre le sida
Reconnue d'Utilité Publique

AVANT LE DÉPART

Adresses utiles

En France

🛈 *Office du tourisme marocain :* 161, rue Saint-Honoré, 75001 Paris. ☎ 01-42-60-47-24 ou 01-42-60-63-50. • www.tourisme-marocain.com • tourisme.maroc@wanadoo.fr • M. : Palais-Royal. Ouvert du lundi au vendredi de 9 h à 18 h et le samedi de 10 h à 16 h.

■ *Consulat du Maroc :* 12, rue de la Saïda, 75015 Paris. ☎ 01-56-56-72-00. Fax : 01-45-33-21-09. M. : Convention ou Porte-de-Versailles. Ouvert du lundi au vendredi de 9 h à 14 h 30.

■ *Autres consulats :* à Bordeaux, Dijon, Lille, Lyon, Marseille, Montpellier, Nanterre, Pontoise, Rennes, Strasbourg, Toulouse, Villemomble (93) et Bastia.

■ *Institut du Monde arabe :* 1, rue des Fossés-Saint-Bernard, 75005 Paris. ☎ 01-40-51-38-38. Fax : 01-43-54-76-45. • www.imarabe.org • M. : Cardinal-Lemoine, Jussieu ou Sully-Morland. Bus n°s 24, 63, 67, 86, 87, 89. Ouvert tous les jours sauf le lundi, de 10 h à 18 h. Bibliothèque ouverte de 13 h à 20 h sauf les dimanche et lundi. Un lieu idéal pour découvrir et apprécier la culture arabe. Nombreuses activités et spectacles. Projection de films arabes autour de rétrospectives et d'hommages. Se renseigner sur les dates de programmation, en général le week-end à 15 h et 17 h. Interruption en août. L'espace « Image et son » propose 15 000 diapos et des enregistrements de musique. Parfait pour préparer son voyage.

En Belgique

🛈 *Office du tourisme du Maroc :* av. Louise, 402, Bruxelles 1050. ☎ 02-646-63-20 ou 02-646-85-40. Fax : 02-646-73-76. • www.moroccotourism.org.ma • tourisme.maroc@skynet.be • Ouvert du lundi au vendredi de 9 h 30 à 17 h.

■ *Consulat du Maroc :* av. Van-Volxem, 20, Bruxelles 1190. ☎ 02-346-19-66. Fax : 02-344-46-92. • consumabruxe@infonie.be • Délivre des visas. Ouvert en principe du lundi au vendredi de 9 h à 13 h, mais peut fermer beaucoup plus tôt en période d'affluence.

En Suisse

🛈 *Office du tourisme :* 5, Schifflande, 8001 Zurich. ☎ 01-252-77-52. Fax : 01-251-10-44. • www.tourism-in-morocco.com • www.oncf.ma (infos pour les trains) • info@marokko.ch • Ouvert du lundi au vendredi de 9 h à 12 h 30 et de 14 h à 17 h 30.

Au Canada

🛈 *Office du tourisme marocain :* pl. Montréal Trust, 1800 rue Mc Gill College, suite 2450, Montréal, Québec, H3A-3J6. ☎ (514) 842-81-11 ou 12. Fax : (514) 842-53-16. • www.mincom.gov.ma • Ouvert du lundi au vendredi de 9 h à 17 h.

■ *Consulat du Maroc :* 1010 Sherbrooke Ouest, suite 1510, Montréal, Québec, H3A-2R7. ☎ (514) 288-87-57. Fax : (514) 288-48-59. • www.consultatdumaroc.ca • Ouvert du lundi au vendredi de 9 h à 15 h.

Formalités

– Le *passeport* en cours de validité et valable encore 6 mois est exigé. Les ressortissants de l'Union européenne dont le séjour (minimum 3 nuits d'hôtel) a été payé à une agence de voyages, possédant un réceptif au Maroc, peuvent se contenter de leur carte d'identité. Se renseigner auprès de l'agence. Mais un passeport est parfois nécessaire pour remplir la fiche de police dans les hôtels. Nous vous conseillons donc d'en avoir un.
– Pas de *visa* pour les ressortissants de l'Union européenne, mais le séjour ne peut excéder 3 mois. Pour ceux qui souhaitent rester plus longtemps (maximum pour 3 autres mois exceptionnels), la demande de prolongation doit être effectuée si possible dès l'arrivée auprès du bureau de police le plus proche, au pire deux semaines avant l'expiration de ce délai.
– *Pour les voitures,* la *carte verte* est valable au Maroc. Si votre assurance ne couvre pas ce pays, il est obligatoire de prendre une assurance complémentaire au poste frontière. Pour les voitures de location, il faut obtenir du loueur l'autorisation écrite de rouler au Maroc.
Pour les autres catégories de véhicule, voir notre rubrique « Douane » ci-après.
– *Assurances :* ne partez pas sans vous être assuré que vous l'êtes bien !

Vaccinations

Aucune vaccination n'est exigée par les autorités pour les voyageurs en provenance d'Europe. Certains vaccins sont néanmoins utiles pour la protection individuelle du voyageur.
– Être à jour pour ses vaccinations « universelles », recommandées en Europe pour tout le monde : tétanos, polio, diphtérie, hépatite B.
– Les maladies transmises par l'eau et l'alimentation étant fréquentes au Maroc, il est recommandé – en plus des mesures d'hygiène alimentaire universelles – de se faire vacciner contre la fièvre typhoïde et l'hépatite A (dans les deux cas, une injection de 15 à 21 jours avant le départ). En cas de séjours ruraux prolongés, il est très fortement recommandé de se faire vacciner préventivement contre la rage.
Pour plus de renseignements : ● www.sante-voyages.com ●

Douane

La tendance est à la simplification et à la libéralisation :
– *Si vous arrivez d'Espagne,* les formalités de police (tamponnage du passeport) s'effectuent sur le bateau, ce qui fait gagner du temps.
Quant aux formalités douanières proprement dites, elles deviennent de moins en moins tatillonnes et, sauf excès de zèle des fonctionnaires de service, tout est bouclé en un quart d'heure. Encore faut-il que vous soyez en règle, et il y a quelques précautions à prendre. Si les formalités vous semblent trop longues et pointilleuses, surtout restez patient. Votre irritation n'arrangerait rien, bien au contraire !
– Les amateurs d'*alcool* peuvent apporter 2 bouteilles de leur vin préféré ou une bouteille de 75 cl d'alcool.
– Les accros au *tabac* ont droit à une cartouche.
– *Matériel photo* amateur et films sont acceptés... en quantité raisonnable.
– La *CB* est soumise à l'autorisation de l'Agence Nationale de Réglementation des Telecom (ANRT), BP 2939, Rabat. Fax : (00-212) 37-71-64-89.

– Sont proscrites les *publications « légères »* et toute *littérature politique* traitant du pays. Les douaniers risquent de feuilleter l'hebdo ou le quotidien que vous aurez avec vous, pour vérifier s'il ne contient pas d'articles portant atteinte au souverain du Maroc. Ils vous confisqueront aussi les *bombes de défense*, considérées comme des armes (dont l'entrée est strictement prohibée), ainsi que les *fusées de détresse* (que vous aviez prises pour parcourir le désert). Elles vous seront restituées au retour.

– Pour ceux qui visitent le Maroc avec leur véhicule, les contrôles ont été renforcés et on vous fera tout déballer pour que le « spécialiste anti-drogue » puisse faire son investigation. Par ailleurs, si la carte grise du véhicule n'est pas à vos nom ET prénom, pensez à vous munir d'une procuration du propriétaire et visée par le commissariat ou votre mairie. Il vous faut également une assurance verte, mentionnant la mise en circulation du véhicule. Sinon, vous devrez rebrousser chemin ! Les véhicules utilitaires ne font pas l'objet de restrictions particulières s'ils sont utilisés à des fins touristiques. Les 4x4 n'ont pas besoin d'autorisation spéciale pour entrer au Maroc. Mais surtout, veillez à ce que la carte grise corresponde bien à la définition du véhicule. Ainsi, si les caractéristiques extérieures changent (si vous aménagez par exemple votre 4x4 – ou tout autre véhicule – en camping-car), il faut faire modifier la carte grise aux Mines ou obtenir un document qui précise que vous ne possédez plus un véhicule tout-terrain, mais un camping-car. Ce peut être un cas de refoulement ! Donc par mesure de précaution, au moindre doute, renseignez-vous, par exemple auprès de l'office du tourisme.

– Comme pour les personnes physiques, le délai de séjour d'un véhicule sur le sol marocain ne peut dépasser 6 mois dans une période de 12 mois.

Pour plus de détails, n'hésitez pas à consulter le site de la douane marocaine : ● www.douane.gov.ma ●

Carte internationale d'étudiant

Elle prouve le statut d'étudiant dans le monde entier et permet de bénéficier de tous les avantages, services, réductions étudiants du monde, soit plus de 25 000 avantages concernant les transports, les hébergements, la culture, les loisirs... C'est la clé de la mobilité étudiante ! La carte ISIC donne aussi accès à des avantages exclusifs sur le voyage (billets d'avion spéciaux, assurances de voyage, carte de téléphone internationale, location de voitures, navette aéroport...).

Pour plus d'informations sur la carte ISIC : ● www.carteisic.com ● ou ☎ 01-49-96-96-49.

Pour l'obtenir en France

Se présenter dans l'une des agences des organismes mentionnés ci-dessous avec :
– une preuve du statut d'étudiant (carte d'étudiant, certificat de scolarité...) ;
– une photo d'identité ;
– 10 €, ou 11 € par correspondance incluant les frais d'envoi des documents d'information sur la carte.

■ *OTU Voyages :* 119, rue Saint-Martin, 75004 Paris. ☎ 0820-817-817. ● www.otu.fr ● pour connaître l'agence la plus proche de chez vous.
■ *Voyages Wasteels :* Audiotel au

☎ 0892-682-206 (0,33 €/mn). ● www.wasteels.fr ●
■ *Usit Connections :* ☎ 0825-082-525. ● www.usitconnections.fr ●

En Belgique

La carte coûte 9 € et s'obtient sur présentation de la carte d'identité, de la carte d'étudiant et d'une photo auprès de :

■ *CJB... l'Autre Voyage :* chaussée d'Ixelles, 216, Bruxelles 1050. ☎ 02-640-97-85.
■ *Usit Connections :* renseignements au ☎ 02-550-01-00.

■ *Université libre de Bruxelles* (service « Voyages ») : av. Paul-Héger, 22, CP 166, Bruxelles 1000. ☎ 02-650-37-72.

En Suisse

La carte s'obtient dans toutes les agences STA Travel, sur présentation de la carte d'étudiant, d'une photo et de 15 Fs (10 €).

■ *STA Travel :* 3, rue Vignier, 1205 Genève. ☎ 022-329-97-34.

■ *STA Travel :* 20, bd de Grancy, 1006 Lausanne. ☎ 021-617-56-27.

Carte FUAJ internationale des auberges de jeunesse

Cette carte, valable dans 62 pays, permet de bénéficier des 6 000 auberges de jeunesse du réseau *Hostelling International* réparties dans le monde entier. Les périodes d'ouverture varient selon les pays et les AJ. À noter, la carte AJ est surtout intéressante en Europe, aux États-Unis, au Canada, au Moyen-Orient et en Extrême-Orient (Japon...).

Pour l'obtenir en France

■ *Fédération Unie des Auberges de Jeunesse (FUAJ) :* 27, rue Pajol, 75018 Paris. ☎ 01-44-89-87-27. Fax : 01-44-89-87-10. M. : La Chapelle, Marx-Dormoy, ou Gare-du-Nord (M. et RER B).
– Et dans toutes les auberges de jeunesse, points d'information et de réservation FUAJ en France. ● www.fuaj.org ●

– *Sur place :* présenter une pièce d'identité et 10,70 € pour la carte moins de 26 ans et 15,25 € pour les plus de 26 ans (tarif 2002).
– *Par correspondance :* envoyer une photocopie recto verso d'une pièce d'identité et un chèque correspondant au montant de l'adhésion (ajouter 1,15 € de plus pour les frais d'envoi de la FUAJ). Une autorisation des parents est nécessaire pour les moins de 18 ans.
On conseille de l'acheter en France car elle est moins chère qu'à l'étranger.
– La carte donne également droit à des réductions sur les transports, les musées et les attractions touristiques de plus de 60 pays ; mais ces avantages varient d'un pays à l'autre, ce qui n'empêche pas de la présenter à chaque occasion, cela peut toujours marcher.
– La FUAJ propose aussi une *carte d'adhésion « Famille »*, valable pour les familles de deux adultes ayant un ou plusieurs enfants âgés de moins de 14 ans. Coût : 22,90 €. Fournir une copie du livret de famille.

GÉNÉRALITÉS

En Belgique

Son prix varie selon l'âge : entre 3 et 15 ans, 2,50 € ; entre 16 et 25 ans : 9 € ; après 25 ans : 13 €.

Renseignements et inscriptions

■ **LAJ :** rue de la Sablonnière, 28, Bruxelles 1000. ☎ 02-219-56-76. Fax : 02-219-14-51. ● www.laj. be ● info@laj.be ●
■ **Vlaamse Jeugdherbergcentrale**

(VJH) : Van Stralenstraat 40, B 2060 Antwerpen. ☎ 03-232-72-18. Fax : 03-231-81-26. ● www.vjh.be ● info@vjh.be ●

Les résidents flamands qui achètent une carte en Flandre obtiennent 7,50 € de réduction dans les auberges flamandes et 3,70 € en Wallonie. Le même principe existe pour les habitants wallons.

En Suisse

Le prix de la carte dépend de l'âge : 22 Fs (14,31 €) pour les moins de 18 ans, 33 Fs (21,46 €) pour les adultes et 44 Fs (28,62 €) pour une famille avec des enfants de moins de 18 ans.

Renseignements et inscriptions

■ **Schweizer Jugendherbergen (SJH) :** service des membres des auberges de jeunesse suisses, Schaffhauserstr. 14, Postfach 161, 8042 Zurich.

☎ 01-360-14-14. Fax : 01-360-14-60. ● www.youthhostel.ch ● bookingoffice@youthhostel.ch ●

Au Canada

Elle coûte 35 $Ca (24,76 €) pour l'année 2003, et 200 $Ca à vie (141,50 €). Gratuit pour les enfants de moins de 18 ans, qui accompagnent leurs parents. Pour les juniors voyageant seuls, compter 12 $Ca (8,49 €). Ajouter systématiquement les taxes.

Renseignements et inscriptions

■ **Tourisme Jeunesse :** 4008 Saint-Denis, Montréal CP 1000, H2W-2M2. ☎ (514) 844-02-87. Fax : (514) 844-52-46.
■ **Canadian Hostelling Association :**

205 Catherine Street, bureau 400, Ottawa, Ontario, Canada K2P-1C3. ☎ (613) 237-78-84. Fax : (613) 237-78-68. ● www.hihostels.ca ● info@hihostels.ca ●

ARGENT, BANQUES, CHANGE

Monnaie

La monnaie marocaine est le *dirham,* qui signifiait « pièce d'argent » en persan. Mi-2002, 10 dirham (Dh) valaient environ 1 €, ce taux étant resté assez stable ces dernières années. Le dirham n'est pas convertible, ce qui limite les possibilités de change hors du Maroc.
Mais les choses ne sont pas aussi simples : au souk, les petites sommes sont données en riels (1 dirham = 20 riels, autrement dit 1 riel = 5 centimes marocains). Donc, si l'on vous annonce 600 pour le prix d'un vêtement, pas

de panique, ça ne fait que 30 dirhams, soit 3 € ! Mais heureusement pour vos méninges en vacances, lorsqu'ils s'adressent aux étrangers, les vendeurs ont tendance à convertir d'eux-mêmes de riels en dirhams. À l'autre extrémité de la gamme des prix, les grosses sommes (maison, voiture) sont exprimées... en francs, c'est-à-dire en centimes marocains ! On vous parlera donc d'une voiture à 10 millions lorsqu'elle a coûté 100 000 dirhams... Bon courage !

Banques

Elles sont généralement ouvertes du lundi au jeudi de 8 h 15 ou 8 h 30 à 11 h 30 ou 12 h, et de 14 h 15 ou 14 h 30 à 16 h ou de 13 h 30 à 15 h, selon les villes ; le vendredi, jour de la grande prière, fermeture le midi un peu plus tôt (11 h 15) et réouverture un peu plus tard (14 h 45). Certaines ont un bureau de change ouvert le samedi. En saison, elles ouvrent parfois dès 8 h et ferment à 17 h alors que, l'été, les horaires peuvent être raccourcis (8 h-14 h). En période de ramadan, elles ouvrent en continu de 8 h 30 ou 9 h à 14 h ou 15 h (ces horaires particuliers font chaque année l'objet d'un décret).

Change

Toutes les grandes banques ont un bureau de change, ainsi que les grands hôtels. Les cours sont à peu près identiques partout. Il n'y a jamais de difficultés pour effectuer du change, sauf dans des endroits reculés. On vous demandera quelquefois de présenter votre passeport. Toujours exiger un reçu et bien vérifier la somme, certains agents s'octroyant d'office une commission.

50 % des dirhams non dépensés peuvent être reconvertis en devises étrangères.

– Les *chèques de voyage* et les *billets de banque en euros* sont acceptés dans toutes les banques du Maroc, ainsi que dans les hôtels, où les taux sont identiques et où on ne fait pas la queue. Pour les chèques de voyage, se munir d'une photocopie de la preuve d'achat. Les billets de banque doivent être impérativement en parfait état, sinon ils sont refusés.

– Les *postchèques* sont intéressants. Chaque chèque permet d'obtenir jusqu'à 2 000 Dh (200 €). Les bureaux de poste sont ouverts de 8 h 30 à 12 h et 14 h 30 à 18 h 30, du moins dans les villes (plages horaires parfois plus restreintes dans les bureaux locaux) ; pendant le ramadan, de 9 h à 15 h.

– Sur présentation de la carte de garantie, les *eurochèques* sont acceptés. Les commerçants les acceptent également.

– Enfin, en cas de *besoin urgent d'argent liquide* (perte ou vol de billets, chèques de voyage, cartes de paiement), vous pouvez être dépanné en quelques minutes grâce au système *Western Union Money Transfer*. Pour cela, demandez à quelqu'un de vous déposer de l'argent en euros dans l'un des bureaux *Western Union*. Les correspondants en France de *Western Union* sont *La Poste* (fermé le samedi après-midi, n'oubliez pas ! ; ☎ 0825-009-898), le *Crédit Commercial de France* (ouvert le samedi... toute la journée, bon à savoir aussi ! ; ☎ 01-40-51-28-46) et le *Crédit Agricole de Savoie* (☎ 04-50-64-77-51). L'argent vous est transféré en moins de 2 h au Maroc. La commission est payée par l'expéditeur. Ou bien adressez-vous directement au Maroc, à Casablanca, à la *Wafabank*, 1, bd Abdel-Moumen, ☎ 022-20-80-80. En voici deux à Marrakech (mais il y en a une dizaine en tout qui représentent *Western Union Money Transfer*) : *Wafabank*, 212, av. Mohammed-V, ☎ 044-43-65-88, ou la *Bank al Maghrib*, pl. du 16-Novembre, ☎ 044-43-19-53. Et à Agadir, *Wafabank*, immeuble Oamlili, av. Hassan-II, bureau 16, ☎ 048-84-23-11.

Cartes de paiement

Elles sont acceptées dans la plupart des établissements importants (hôtels, restaurants, magasins). Méfiance, certains commerçants vous taxent d'un supplément si vous voulez payer avec votre carte. En fait, ils vous font payer leurs frais car ils doivent téléphoner au centre de Casa ou de Rabat pour s'assurer que votre compte n'est pas sur une liste rouge, et la communication s'éternise souvent. L'opération est toutefois devenue indispensable car le nombre de cartes volées et de fausses cartes en circulation est très élevé au Maroc. En pratique, il n'est pas rare qu'une commission de 4 à 8 % soit prise au passage... Son pourcentage dépend de la taille de l'établissement.

Attention à l'arnaque parfois pratiquée avec le « fer à repasser ». Votre carte servira à imprimer deux facturettes : la première vous sera présentée pour signature ; quant à la seconde, réalisée à votre insu, le commerçant indélicat imitera votre signature et votre compte sera débité deux fois. Un truc simple consiste à accompagner le commerçant avec la carte. Il effectuera l'opération devant vous et vous pourrez dormir tranquille. Heureusement pour votre sérénité, sous la pression des banques à qui la fraude coûte très cher, les terminaux électroniques de paiement ont tendance à se généraliser.

La carte la plus répandue au Maroc est la carte *Visa*. Elle vous permet aussi de retirer de l'argent dans certaines banques avec votre carnet de chèques.

Vous pouvez aussi obtenir de l'argent liquide avec votre seule carte *Visa*, si vous avez omis d'emporter votre chéquier, dans les agences suivantes, et ce dans toutes les grandes villes : *Crédit du Maroc* ; *Société Générale Marocaine de Banque* ; *Banque Commerciale du Maroc* ; *Wafabank* ; *Banque Marocaine du Commerce Extérieur* ; *Banque Marocaine pour le Commerce et l'Industrie*.

Avec la carte *Eurocard MasterCard*, vous pouvez retirer de l'argent aux guichets des banques suivantes : *Banque Marocaine du Commerce Extérieur* ; *Wafabank* ; *Banque Centrale Populaire* ; *Banque Commerciale du Maroc*. L'attente est souvent très longue.

Vérifiez, avant votre départ et auprès de votre banque, le plafond autorisé pour vos retraits. En vacances, lorsque l'on paie presque tout avec sa carte de paiement, celui-ci risque d'être atteint avant la fin du séjour.

– La carte **Eurocard MasterCard** permet à son détenteur et à sa famille (si elle l'accompagne) de bénéficier de l'assistance médicale rapatriement. En cas de problème, contacter immédiatement à Paris le ☎ 01-45-16-65-65. En cas de perte ou de vol, appeler (24 h/24) à Paris le ☎ 01-45-67-84-84 (PCV accepté), pour faire opposition. Sur Minitel, le 36-15 ou 36-16, code EM (0,20 €/mn), vous permet d'obtenir toutes les adresses de distributeurs par pays et ville dans le monde entier. ● www.mastercardfrance.com ●

– Pour la carte *Visa*, en cas de vol ou de perte, contacter le numéro communiqué par votre banque.

– Pour la carte **American Express**, en cas de pépin : ☎ 01-47-77-72-00 à Paris, disponible 24 h/24 (7 jours/7, PCV accepté). Toutefois, il faut savoir que l'*American Express* n'est pratiquement plus acceptée au Maroc, à l'exception des grands hôtels : les commissions sont énormes et les délais de paiement beaucoup trop longs. Seuls les établissements de grand luxe l'acceptent, de même que la carte **Diners Club**.

– Pour les cartes émises par **La Poste** : ☎ 0825-809-803. Pour les DOM, le ☎ (00-33) 05-55-42-51-76.

– Enfin, sachez qu'un numéro d'appel valable quelle que soit votre carte est à votre disposition pour faire opposition en cas de perte ou de vol : ☎ (00-33) 892-705-705. (0,34 €/mn).

Distributeurs automatiques

Il existe dans la plupart des villes des distributeurs automatiques permettant de retirer des dirhams avec les cartes *Visa* et *Eurocard MasterCard*. Nous vous les avons indiqués lorsque cela était possible. Certains ont toutefois des problèmes de connexion ou sont en panne. Il est donc fortement recommandé de retirer de l'argent pendant les heures d'ouverture des banques, ce qui permet de demander l'intervention d'un préposé en cas de non-fonctionnement de l'appareil. Surtout que, en cas de problème, les distributeurs automatiques marocains gardent la carte au lieu de la restituer... y compris en cas de problème technique. Imaginez-vous donc qu'un vendredi soir, alors que vous êtes fauché, une machine facétieuse avale votre carte : vous voilà bloqué dans la ville, affamé, jusqu'au lundi matin...

Avant votre départ, pour obtenir l'adresse de tous les distributeurs de billets au Maroc, composez sur Minitel le 36-16, code CBVISA ou le 36-15, code EM. Mais sachez que les taux de change appliqués au retrait en distributeurs ne sont pas les plus intéressants.

Pour chaque retrait, une commission de l'ordre de 2 %, complétée d'une partie fixe de 3,50 à 5 €, sera débitée de votre compte bancaire. Du fait de cette partie fixe, mieux vaut donc éviter de retirer de petites sommes.

ACHATS

Petite mise en garde : le Maroc est l'un des premiers producteurs mondiaux d'articles contrefaits. Il est tentant de s'acheter une Cartier, un T-shirt Chanel, une chemise Lacoste ou une montre Rolex pour le dixième de son prix usuel. Le seul problème est que ces objets de luxe sont des imitations interdites en France, depuis la loi Longuet de 1994, et qu'ils vous vaudront une amende sévère à la douane. Ce sont en général des produits de médiocre qualité, et la contrefaçon est facilement détectable. Préférez d'authentiques souvenirs du pays, qui vous vaudront, eux, du succès auprès de vos amis.

Zoulis tapis, mon ami

C'est la grande affaire du Maroc, et ce que vous pourrez acheter de plus beau. La laine est quelque chose de noble et qui joue un rôle important dans la maison marocaine. On se déchausse toujours avant de fouler un tapis. Il constitue le seul ameublement de la tente nomade.

Le problème, c'est que les Marocains pensent que chaque touriste doit repartir avec son tapis. D'où le harcèlement des bazaristes, guides et faux guides qui n'ont de cesse de vous en vendre un à n'importe quel prix ! Maintenant, tout le monde en vend et en vit ; le meilleur côtoie souvent le pire. Il n'est pas question de vous faire un cours sur les tapis mais de vous donner quelques indications qui vous empêcheront de vous faire rouler...

Il existe deux sortes de tapis au Maroc : les citadins et les montagnards.

Dans les tapis citadins, on trouve principalement ceux de Rabat, inspirés de tissages d'Anatolie, dont les premiers spécimens ont été introduits au Maroc il y a deux siècles. Ils comportent généralement un motif central, la *kouba*, d'une chaude tonalité, entouré de motifs floraux ou géométriques inspirés des modèles turcs.

Les tapis ruraux sont de couleurs différentes suivant leur origine. Ceux de teintes vives, garance et cochenille, proviennent de Tazenakht, dans le Sud. Les tapis du Haouz, à fond rouge garance, sont chargés de mystérieux dessins. Les *chichaoua* sont rouges ou ocre, et unis. Dans le Moyen Atlas, on préfère les couleurs beiges. À Ouarzazate flambent le rouge, le bleu et le blanc, alors que dans les couleurs préférées des tribus des Aït Glaoua on retrouve le noir, l'orange et le jaune.

Leur fabrication est surveillée par un organisme d'État, et des prix officiels sont établis au mètre carré. L'étiquette orange garantit un tapis de qualité « extra supérieure » (360 000 points au m^2), la bleue désigne un tapis de qualité supérieure, la verte indique une qualité courante, alors que la jaune est réservée à la qualité moyenne. Quelques trucs pour jauger de cette qualité :

– Brosser la laine au niveau des dessins, avec la main, pour bien la mettre droite, puis regarder : le dessin doit vous apparaître net et non pas légèrement flou, ou du moins avec des lignes droites et non pas ondulantes (pour un très bon tapis, il est inutile de brosser).
– Les bords du tapis doivent être droits, et non pas légèrement ondulants.
– Les nœuds d'un bon tapis doivent être très serrés et non légèrement relâchés. On peut le vérifier en grattant le tapis avec son ongle.

Enfin, souvenez-vous que sa valeur provient non seulement de sa qualité, mais aussi de sa beauté, de son charme. L'achat d'un tapis est affaire de coup de cœur. L'important est que ça vous plaise !

Avant tout achat, prenez votre temps, écoutez tout ce que raconte le marchand, faites la part du vrai et du faux. Allez voir les ateliers où les ouvrières travaillent avec une dextérité étonnante. Ne vous laissez pas impressionner par le temps de travail passé à sa réalisation : la matière première compte autant dans le prix final. Acheter un tapis peut prendre une journée pour la négociation. Après avoir visité plusieurs boutiques, vous aurez collecté des renseignements et acquis une certaine expérience des différentes qualités. Si vous faites une bonne affaire, vous le paierez quatre à six fois moins cher qu'en France. Il vous coûtera d'autant moins cher que vous ne le ferez pas expédier : vous y gagnerez sur les frais d'expédition et surtout sur la TVA si vous ne tombez pas sur un douanier trop curieux. Les commerçants acceptent presque toujours les cartes de paiement, les chèques postaux ou les chèques bancaires.

À noter que l'on trouve aussi des tapis tissés appelés ici *henbel* ou *hendira*, mais que tous les bazaristes nomment *kilim*, ce mot étant plus familier des touristes. Attention, il existe, depuis quelques années, des fabriques de tapis synthétiques. On vous les proposera principalement dans la région de Ouarzazate, où on vous les fera payer un prix exorbitant en vous faisant croire qu'ils ont été fabriqués par d'authentiques Touareg, en bordure du désert. Pour vérifier si la laine est bien naturelle, arrachez-en un bout à l'envers du tapis (n'ayez crainte, tous les marchands de tapis le font). Mettez-y le feu. La laine ne se consume pas et cela doit sentir le mouton grillé. Par ailleurs, de plus en plus, les vendeurs vous racontent qu'il y a de la soie dans les tapis. Ce qui est faux, il n'y a jamais eu de soie au Maroc.

Les plateaux et la dinanderie

Il y a peu de différence de prix entre un plateau de cuivre martelé, un autre gravé et un troisième ciselé. Et cependant, chaque opération demande un savoir-faire croissant et davantage de travail. Si les outils sont simples (un compas, un marteau et un poinçon), il faut beaucoup de talent à l'artisan pour faire surgir tous ces entrelacs et ces arabesques dans lesquels s'inscrivent des motifs floraux. Le savoir-faire étant aussi mal payé que le travail, on a tout intérêt à mettre un peu plus et prendre le plateau ciselé.

Si vous achetez du bronze au lieu de cuivre, vous paierez un peu plus cher aussi, parce que les matières premières sont coûteuses. D'ailleurs, pour éviter de vous faire rouler, faites sonner avec un ongle le plateau tenu en équilibre sur trois doigts. Si le son s'éteint tout de suite, c'est du cuivre, sinon c'est du bronze. De nombreux artisans ont un diplôme de qualité obtenu dans des foires du pays. C'est un bon indice de qualité dans le travail, et les prix ne sont pas pour autant majorés. Sachez enfin que les motifs décoratifs gravés sur les tableaux représentent très souvent des œuvres d'art existantes (plafond, portes de monuments, etc.).

Si le plateau reste la pièce la plus classique, il ne faut pas oublier pour autant les boîtes à sucre ou à thé, les chandeliers, les aiguières, les bouilloires et les lanternes ciselées équipées de verres multicolores.

Le cuir

D'où viennent, selon vous, les mots *maroquinerie* et *maroquin* (ce porte-feuille dont rêvent les ministrables) ? Le travail du cuir est en effet une très vieille tradition marocaine. Les techniques de travail varient selon les régions : à Marrakech, on le brode avec des soies de couleur ou de fines lanières de peau ; à Fès, les artisans sont réputés pour les dorures qu'ils appliquent sur les maroquins teints en vert ou en rouge ; à Rabat, on est plu-tôt spécialisé dans le cuir repoussé. Enfin, on trouve des vêtements en cuir à des prix intéressants, quoique la finition laisse souvent à désirer.

Contrairement à ce qu'on voit en France, le cuir est très bon marché mais la qualité n'est pas géniale. Ouvrez l'œil, et le bon, avant d'acheter.

La vanne la plus courante, c'est de rapporter un pouf en cuir de gazelle et de voir les copains rigoler ! Le cuir de gazelle, c'est aussi dur à attraper que le bestiau en question, et les souks n'en recèlent guère, bien que les mar-chands vous divisent leur marchandise en autant de merveilleuses catégo-ries : mouton, lapin, chameau, gazelle, voire antilope et même zébu... Tout est du mouton ou de la chèvre ! Si l'on vous dit que c'est de la gazelle, demandez combien ça coûterait si c'était en mouton. Si, par un funeste hasard, ce n'était pas du mouton, vous auriez l'air idiot, mais au moins, vous saurez la véritable nature du cuir.

Vous pouvez aussi vous offrir des babouches. C'est moins cher et plus solide qu'une vulgaire paire de chaussons. Elles sont toujours faites à la main, comme vous pourrez le constater dans le souk des maroquiniers de Marrakech. Les routards se laisseront séduire par la *choukhara*, cette sorte de petite gibecière que les anciens portent encore en bandoulière pour se rendre au souk. Certaines, bien travaillées, peuvent faire de jolis sacs à main. Et pourquoi ne pas acheter des sandales ? Leur prix est dérisoire.

Les étains, les poinçons

Signe distinctif de qualité à exiger : ils doivent être frappés d'une mouche au fond. D'ailleurs, tous les produits artisanaux doivent être frappés d'un poin-çon s'ils sont en métal noble : argent, or, étain, etc., en sachant que les tolé-rances sont plus larges qu'en France sur la qualité, et qu'il y a divers degrés de qualité pour divers poinçons. Le poinçon est une garantie sur la nature du métal prépondérant dans l'alliage, en quelque sorte !

Les minéraux et les fossiles

Le Maroc est un paradis pour la géologie. Les pierres constituent de jolis (mais parfois lourds) souvenirs à rapporter. Un peu partout, au bord des routes, en particulier dans le Sud et dans les régions montagneuses du Haut Atlas, on vous proposera des pierres. Mais attention, le plus gros pourcen-tage des minéraux et fossiles vendus est faux. On peut maintenant fabriquer des géodes et des fossiles presque parfaits. Le tout se fait avec la complicité tacite de certaines autorités locales. Méfiez-vous donc des pierres trop belles ou trop bien polies. Celles comportant un défaut sont plus certaine-ment vraies.

Aux alentours de Midelt, vous trouverez des vanadinites et des barytines. Vers Rissani-Erfoud-Merzouga, de magnifiques ammonites (mollusques fos-siles à coquille enroulée) vieilles de plusieurs millions d'années. Sur la route Marrakech-Ouarzazate, de belles améthystes... qui ne sont souvent que de vulgaires cristaux passés à l'encre violette ! Il suffit d'humidifier un doigt et de frotter un cristal. Résultat : vous avez le doigt violet. Quant aux paillettes couleur or, c'est kif-kif. Dans la région de Tazzarine, il y a des carrières de fossiles « privées » (certains Marocains se les approprient). On peut se rendre sur place et payer un ouvrier qui va chercher et dégager le fossile. Quant aux guides de la région, ils se présentent comme des étudiants en géologie et demandent des prix aussi élevés que l'âge des fossiles.

Les bijoux et l'orfèvrerie

90 % des bijoux vendus au Maroc proviennent d'Inde, d'Indonésie ou du Niger. En ce qui concerne les bijoux dits touareg, les plus typiques sont en argent (théoriquement...). Pour vous prouver que vous achetez bien de l'argent, le vendeur lèche son pouce, le trempe dans la terre et frotte le bijou avec ; il vous exhibe alors le pouce noirci par le métal, mais en fait le pouce serait également noirci avec un bijou en fer-blanc...

Normalement, les bijoux d'argent se négocient au poids. Les pièces anciennes sont rares, et pour ainsi dire inexistantes, mais certains artisans joailliers ont su reproduire des motifs traditionnels et réaliser parfois de belles copies, principalement dans la région de Tiznit. Même chose pour les lourds colliers de pierres semi-précieuses que portent les femmes du Sud. Tout ce que vous pourrez acquérir ne sera que copie. Attention donc aux prix demandés. Les routards se verront aussi proposer des poignards. Il s'agit plus d'un élément du costume que d'une arme. Le manche est fait de bois et le fourreau incrusté d'argent. L'ensemble se porte au côté gauche de la taille, maintenu par un cordon. Cependant, la plupart des poignards ne sont que des copies en fer-blanc. Les pièces de collection sont beaucoup plus lourdes, plus foncées (puisque l'argent est patiné), et fort rares.

Les poteries

Elles constituent un souvenir original mais souvent encombrant et fragile. On trouve un peu partout un grand choix de faïences et de céramiques décorées d'émaux vitrifiés. Les pièces les plus réputées sont les faïences de Fès, principalement les plats (*ghotar* ou *mokfia*), les jarres *(khabia)*, les pots à beurre *(gellouch)* ou encore les pichets *(ghorraf)*, que l'on peut admirer dans les musées. Mais les potiers savent les copier avec beaucoup de talent. C'est ainsi qu'ils font revivre sous leurs pinceaux des motifs traditionnels datant parfois de plusieurs siècles. Ils savent si bien reproduire que vous pouvez même leur commander du sur-mesure. Dans la région de Rabat, des potiers peuvent vous exécuter un service de table sur commande avec le décor que vous leur soumettez.

Dans les boutiques, on trouve surtout des plats avec de belles couleurs comme le bleu de Fès, ainsi que des potiches qui peuvent se transformer, au retour, en pied de lampe. Les artisans réussissent aussi dans la réalisation de pièces contemporaines très décoratives. Si la poterie artisanale est répandue dans tout le Maroc, c'est surtout à Fès, Meknès, Safi et Marrakech que les potiers ont plus d'un tour... pour vous séduire par leurs créations.

Les couvertures en laine

Avant d'acheter, vérifiez par transparence la qualité du tissage. Les couvertures parfaites sont quasiment opaques. Le second grand critère de qualité est la matière première. Les couvertures en laine sont bien sûr plus chaudes que celles en coton.

Il en existe deux tailles de base : 1,50 m x 2 m et 2 m x 3 m. Les prix ne sont pas exactement proportionnels à la surface, une petite couverture nécessite comparativement un peu plus de boulot qu'une grande. Les motifs et les dessins innombrables varient suivant les régions.

Le bois travaillé

Les artistes marocains ont toujours été très habiles dans le travail du bois. Il suffit de regarder les magnifiques plafonds de la nécropole saadienne de Marrakech ou les lourdes portes des anciennes demeures. On peut voir dans les souks de Marrakech la fabrication des échiquiers et le tournage des éléments destinés aux moucharabiehs ou encore les incrustations de lamelles de bois de différentes essences qui feront d'un plateau de table une véritable broderie. Mais c'est à Essaouira que l'ébénisterie et la marqueterie sont les plus remarquables. On y travaille la racine de thuya, un bois chaud et odorant (voir à Essaouira, notre rubrique « Achats »). Ces objets ont, de plus, l'avantage d'être bon marché et de qualité. Rien à voir avec la pacotille de certains bazaristes.

La vannerie

Pourquoi ne pas acheter un grand couffin comme celui utilisé par les ménagères marocaines ? Il vous permettra de transporter vos achats, au retour, et pourra vous servir en France pour aller au marché. Les vanniers tressent aussi des sacs de différentes tailles, des corbeilles, des dessous-de-plats et des chapeaux. Très originales aussi sont les panières berbères. De base cylindrique et fermées par un cône formant couvercle, elles servent à conserver les pains ronds et les plats au chaud. Toujours faites de paille tressée, certaines ont des motifs colorés et une petite décoration de cuir au sommet.
À Inezgane, à la sortie d'Agadir, on trouve de nombreux objets en roseau : fauteuils, suspensions, etc., pour un prix dérisoire. L'inconvénient, c'est que la plupart de ces objets séduisants sont encombrants.

Les épices, les produits exotiques et la toilette

– *Le fliou* (en arabe) : herbe qui se roule et se fume quand on est enrhumé.
– *Le ghassoul* : pour la vie des cheveux (sorte d'argile qui les fortifie) ou la douceur de la peau (très efficace en massages sous la douche... essayez !).
– *Le soek* : écorce de noyer qui sert à se nettoyer les dents (remplace la brosse et le dentifrice).
– *Le khôl* : plus qu'un produit de maquillage, c'est aussi une espèce de médicament, car il lave l'œil de toutes les impuretés.
– *Le sanouge* : graines de la nigelle, calme le rhume et la sinusite. Prise avec du miel, cette plante est efficace contre les toux bronchitiques et les douleurs de la colonne vertébrale.
– *L'ambre gris* : parfume le thé et calme aussi certaines douleurs.
– *Le musc* : sécrétion des glandes de la civette, utilisée comme parfum.
– *La cantharide* : ce coléoptère pilé donne une poudre autrefois utilisée comme aphrodisiaque (Sade en glissait dans les bonbons qu'il offrait aux demoiselles) et abortif. On la prend sous forme de poudre dissoute dans du miel ou versée dans le *kawa*. Ne pas en abuser...
– *Le henné* : pour teindre cheveux, ongles et peau. Il est dit que le henné est une plante du paradis, par conséquent il est illicite de le brûler. La tradition de la technique du henné est très ancienne. Le Moyen-Orient et l'Inde connaissaient son usage depuis l'Antiquité. Une fille qui a la chance d'être dans une famille peut demander à se faire teindre les pieds au henné (la teinture dure quinze jours et en fortifie la plante), quoiqu'il ne soit destiné en règle générale qu'aux femmes mariées.
Au contraire, sur les mains, le henné est destiné aux jeunes filles et par extension à toutes les femmes. Si vous vous décidez à le faire, c'est un succès garanti auprès de la population qui vous considérera dès lors comme l'une des siennes. Idéal pour un accueil encore plus chaleureux dans les vil-

lages, et un peu plus de tranquillité dans les villes. L'opération est assez longue. On peut aussi la réaliser soi-même en se procurant du henné fort et des bandelettes prédécoupées (genre Scotch noir) pour les dessins. Mélanger le henné à de l'eau tiède jusqu'à l'obtention d'une pâte. Coller les bandelettes dans le creux de ses mains et étaler la pâte (monter assez haut jusqu'au poignet, et ne pas oublier les espaces interdigitaux). Ne plus bouger et patienter environ 2 h jusqu'à séchage.

Les épices dans la cuisine

– **La cannelle :** elle s'achète en poudre ou en bâton. Elle s'utilise dans la cuisson de la viande et de certains desserts, comme la salade d'orange.
– **La noix de muscade :** elle se râpe au dernier moment. Son parfum se marie bien à celui de la cannelle.
– **Le safran :** on le trouve en poudre mais il est souvent inodore et sans saveur. Le plus recherché, mais aussi le plus cher, se présente en pistils. Provenant de la fleur de crocus, il ne peut se récolter qu'à la main, d'où son prix. Il parfume agréablement les légumes et le riz.
– **Le gingembre :** il s'utilise en poudre au Maroc. On le mélange souvent au safran pour relever le goût des viandes.
– **Le paprika :** c'est en fait du poivron rouge séché et réduit en poudre. Il entre également dans la confection de nombreux plats de viande.
– **Le curcuma :** moins cher que le safran, il le remplace souvent.
– **Le cumin :** il facilite la digestion. En poudre, il s'utilise indifféremment pour la viande et les légumes.
– **Ras-el-hanout :** composé d'un mélange de 13 épices (le nombre 13 est très important) que l'on utilise en cuisine dans le couscous ou dans le tajine. C'est aussi un stimulant qui doit réchauffer tous les organes.

Le souk rural

Le terme *souk* signifie marché. C'est un élément fondamental de la vie marocaine. Carrefour commercial, c'est aussi l'endroit où les gens se rencontrent, se retrouvent régulièrement. Il existe deux sortes de souks : le marché rural ou les rues commerçantes de la *médina* (terme arabe signifiant « ville », couramment utilisé pour qualifier la vieille ville). C'est du premier que nous vous parlons maintenant.
Les produits de l'artisanat y sont groupés par corps de métier, sous l'autorité d'un prévôt des marchands. Chaque corporation obéit à un *amin* ou représentant du prévôt. Il y a le souk des marchands de soieries, celui des bijoutiers, celui des marchands de tapis, des marchands de cuir, des potiers, des dinandiers (les marchands de cuivre). Chaque corporation a ses règles qu'elle ne peut enfreindre sans encourir la vindicte publique et le châtiment de son *amin*.
Où que vous soyez, il y a presque toujours un souk hebdomadaire, dont l'importance dépend de celle de la région qu'il dessert et de la clientèle qu'il attire, ainsi que des zones de production dont il est le débouché. Généralement, le souk rural se trouve sur une voie de communication assez fréquentée, à un carrefour ou au débouché d'un col important.
On signale, chaque fois que c'est possible, le jour du souk local. Il a toujours lieu le matin. Inutile d'y aller l'après-midi, il n'y a plus rien à voir. Il suit aussi le cours des saisons : il est beaucoup moins animé en hiver.
Allez-y, car c'est la meilleure façon d'approcher les Marocains dans leur vie quotidienne. Laissez-vous aller au marchandage et prenez votre temps, ça vaut le coup. Vous pourrez y faire votre marché, directement du producteur au consommateur, et avec plus de pittoresque que dans nos grandes surfaces !

Pour en apprécier les plaisirs dans les meilleures conditions, les femmes éviteront le port du short, jugé provocant, et tout maquillage trop voyant. Les hommes, quant à eux, auront le bon goût de ne pas se mettre torse nu.

Les bonnes affaires

Le niveau de vie marocain étant ce qu'il est, il s'avère tentant, à la lecture des étiquettes de prix, de rafler vêtements, chaussures, disques, etc. Attention cependant, l'exigence de qualité n'est pas la même au Maroc que chez nous. Ce pantalon vraiment pas cher va très vite se déformer aux genoux, ces chaussures à 200 Dh (20 €) vous lâcheront à la première averse venue, et ces disques très bon marché risquent de n'être que de mauvais repiquages d'enregistrements antédiluviens, ou bien gravés au fond d'un garage avec des équipements récupérés dans les poubelles de firmes sérieuses...

Les coopératives d'État

Elles sont situées dans les centres artisanaux. On paie parfois un peu plus cher que dans les souks, mais on est sûr de ne pas se faire rouler sur la qualité. Dans les souks, malgré les conseils (avisés!) qu'on vous donne plus loin, on n'est jamais sûr d'atteindre le bon prix. Bref, achetez d'abord des babioles dans les souks et, après avoir consulté différents marchands, profitez-en pour vous renseigner sur les prix d'achats plus coûteux. Si vous vous sentez de taille après essais, allez pour les gros achats dans les souks de Marrakech, Fès, Meknès ou Taroudannt. Sinon, rabattez-vous sur la *Coopartim* ou sur les ensembles artisanaux (Fès, Tétouan, Marrakech, Rabat).

Les magasins

Les magasins des médinas ouvrent tôt le matin, et vous pourrez y faire vos achats jusqu'à des heures indues. Ils sont en général fermés le vendredi. Les autres n'ont pas d'horaires fixes, mais ils ferment aussi soit le vendredi soit le samedi, et toujours le dimanche. Dans les centres touristiques, les magasins destinés aux touristes sont ouverts tous les jours et ne ferment que très tard dans la nuit. Les grands magasins suivent un horaire équivalent à celui de la France ou de la Belgique.

Les ports de débarquement

Mellila et Ceuta, enclaves espagnoles, sont deux ports francs, c'est-à-dire sans taxes (pour évaluer le gain dû à l'exonération, comparez avec les prix espagnols). D'où le bénéfice que l'on peut retirer sur des achats essentiels comme l'essence et l'huile pour auto, mais aussi sur :
– *l'alcool étranger :* trois à quatre fois moins cher qu'en France ;
– *l'alcool national,* c'est-à-dire espagnol : environ deux fois moins cher que dans le pays. *Málaga* et *jerez* (prononcer « rerès ») sont les plus connus ;
– *les produits manufacturés japonais,* tels que appareils photo, les radios, magnéto-cassettes et autres. Vous paierez 30 à 40 % de moins qu'en France. Méfiez-vous toutefois de certains appareils (hi-fi ou photo) qui pourraient présenter des vices cachés : exigez toujours un produit dans son emballage d'origine intact, pour ne pas vous laisser refiler un rossignol rapporté par un client mécontent.
Après vos achats, on vous proposera peut-être de conduire votre caddie jusqu'à votre véhicule. Refusez fermement : devant les supermarchés, des bandes de jeunes, très bien organisées, ont mis au point des techniques de vol raffinées.

Et n'oubliez pas que tout est fermé le dimanche.

☙ Si vous avez oublié d'acheter un cadeau sur place, vous pouvez encore le faire à Paris, après votre retour, en vous rendant dans le petit *souk de la Mosquée de Paris :* 39, rue Geoffroy-Saint-Hilaire, 75005.

☎ 01-43-31-18-14 ou 01-43-31-38-20. M. : Place-Monge ou Jussieu. Ouvert tous les jours de 11 h 30 à 20 h. Garanti : le destinataire n'en saura rien !

BOISSONS

Comme il fait chaud au Maroc, on a tendance à boire beaucoup et à manquer de prudence.

Eau

Ne jamais se désaltérer avec de l'eau du robinet et ne pas se fier aux Marocains qui vous assureront qu'elle est potable : la preuve, ils en boivent ! N'oubliez pas que si leur organisme est habitué, le nôtre ne résiste pas. Même si l'eau est traitée maintenant dans une grande partie du pays, elle a un fort goût de désinfectant désagréable. Évitez aussi l'eau de source, très souvent polluée, ainsi que les glaçons. Sans vouloir être alarmiste, il faut savoir que, si les grandes épidémies ont été depuis longtemps jugulées, certaines maladies comme le choléra ou la typhoïde persistent et sont favorisées lors des grandes canicules.

Il faut donc se rabattre sur les eaux minérales plates comme la *Sidi Harazem* et la *Sidi Ali*, ou gazeuses comme l'*Oulmès*. Exigez toujours que la bouteille soit décapsulée devant vous. Avec un peu d'habileté, certains Marocains, peu scrupuleux, vous vendent des bouteilles qui ont été remplies avec de l'eau du robinet.

On peut aussi désinfecter l'eau du robinet avec des pastilles de *Micropur* ou d'*Hydroclonazone*, à condition de laisser agir suffisamment longtemps.

Boissons chimiques et jus de fruits

Comme partout dans le monde, on trouve des boissons chimiques telles que Coca, limonades, etc. Elles sont moins chères qu'en France. Partout, vous pourrez boire de délicieux jus d'orange, comme sur la place Jemaa-el-Fna, à Marrakech. Veillez toujours à ce que ceux-ci soient faits sous vos yeux et servis dans des verres essuyés. Nombreux sont les vendeurs qui les coupent avec de l'eau. Le résultat peut être désastreux pour les intestins, principalement dans le Sud.

Le *lait d'amande* est un breuvage délicieux (c'est du lait mélangé avec des amandes pilées).

Alcool

Les musulmans, théoriquement, ne doivent pas boire : le Coran le leur interdit. Ainsi, la grande majorité des restaurants marocains ne disposent pas de licence leur permettant la vente d'alcool. On vous signale, quand c'est possible, ceux qui en bénéficient. Dans les autres, libre à vous d'apporter votre bouteille, mais la moindre des choses est de demander la permission de la déguster. Si le restaurant se trouve à proximité d'une mosquée, celle-ci vous sera évidemment refusée.

En dehors de ceux des grandes villes, rares sont les épiciers qui vendent des boissons alcoolisées. Si vous en trouvez, la bouteille vous sera toujours remise enveloppée dans du papier journal et placée dans un sac de plastique noir. Et il est vrai que, sur le strict plan religieux, il s'agit d'un délit...

Malgré cette prohibition coranique, l'alcoolisme est un vrai problème et fait des ravages au sein de la population masculine marocaine. À la nuit tombée, les hommes se réunissent volontiers dans les hôtels ou restaurants avec licence. Hormis les établissements de luxe qui doivent satisfaire une clientèle étrangère, il s'agit généralement d'endroits qui, faute de rentrées suffisantes en basse saison, choisissent de vendre de l'alcool pour échapper au dépôt de bilan. Religion ou pas, prohibition ou pas, aucun pays au monde n'échappe à l'emprise de la dive bouteille...

– *La bière :* les Marocains consomment une bière locale assez légère, la *Flag Special*, brassée sous licence à Casablanca. La *Heineken*, brassée aussi à Casablanca, nous a semblé meilleure. Elle est aussi moins chère que les bières importées que l'on peut se procurer dans les centres touristiques.

– *Le vin :* les vins locaux, souvenir du protectorat, présentent bien des qualités. Les conditions de vinification s'étant beaucoup améliorées, le goût s'en ressent. On retiendra dans les rouges : Thaleb, cabernet, Ksar, Guerouane, Vieux-Papes, Père-Antoine, Cardinal, Amazir; dans les blancs : Chaud-Soleil, Valpierre et le muscat de Beni Snassen; dans les rosés : le Président, le Guerouane et surtout le Domaine de Sahari, un petit gris pas triste ! Celui que l'on vous proposera le plus souvent est le Guerouane, les restaurateurs ayant constaté qu'il avait une qualité régulière.

Les *Celliers de Meknès* font de gros efforts. Ils proposent quatre vins rouges « pour tous les jours » qui marchent très bien : le Guerouane, le Beni Mtir Amazir, le Clairet de Meknès (rien à voir avec le Clairet de Bordeaux, le vin préféré de la reine d'Angleterre) et le Ksar, d'un bon rapport qualité-prix. Ils ont ensuite lancé d'autres vins de cépage (cabernet-sauvignon, syrah et merlot), tous de bonne tenue. La concurrence a dû suivre. Ainsi, Thalvin, le producteur qui commercialise le cabernet Président (Ouled Thaleb, Ben Sliman) a rebaptisé son syrah « Siroua », comme le massif montagneux, en rouge et rosé. Martini & Rossi a introduit le Tagdourt (« petite cruche » en berbère), un vin rouge ou rosé qui a du corps mais qui « arrache » le palais.

Café et pousse-café

Le café n'est pas mauvais mais souvent très fort et toujours servi dans un verre. Demander un verre d'eau bouillante pour l'adoucir. Si vous l'aimez avec du lait, comme les Marocains, demandez un « café cassé ». Cependant dans les hôtels il est trop « gris » et souvent imbuvable. Dans le Sud, le café est bien souvent du lyophilisé.

La *mahia* est un alcool de figues qui titre 40°. Auparavant produite par de petites entreprises familiales, elle est maintenant distillée d'une manière industrielle à Casablanca. Excellente pour conclure un bon repas, à condition de ne pas en abuser. Mélangée à des jus de fruits, elle permet de faire de très bons cocktails.

Thé

La spécialité du pays est, bien sûr, le thé à la menthe, que l'on boit partout et que l'on vous offrira, quelle que soit l'heure, dans toutes les familles. On l'appelle ici le « whisky berbère ».

C'est au milieu du XIXe siècle que les Anglais, confrontés à la perte du marché slave lors de la guerre de Crimée, cherchent de nouveaux débouchés commerciaux. Lorsque les premières feuilles de thé vert arrivent à Tanger, la population locale s'aperçoit vite que cette plante, mélangée aux feuilles de menthe, en diminue l'amertume sans en dénaturer le goût. Le thé vert (en général du *Gunpowder*) à la menthe devient rapidement la pièce maîtresse de l'hospitalité marocaine.

Le thé est une véritable cérémonie. Il est préparé par le maître de maison ou, en son absence, par sa femme ou par la personne la plus âgée. On apporte la bouilloire remplie d'eau, la boîte à thé vert, la boîte à sucre (sucre en pain concassé en gros morceaux) et, sur un plateau, la théière et les verres avec un bouquet de menthe fraîche. Pendant que l'eau de la bouilloire chauffe sur un petit réchaud à gaz, on met dans la théière une cuillérée à café de thé vert pour deux verres. Lorsque l'eau bout, on en verse une petite quantité sur le thé et on donne à la théière un petit mouvement tournant afin de faire gonfler le thé et de le laver de ses impuretés, puis on se débarrasse du liquide dans un verre. On recommence cette opération au moins trois fois en jetant toujours le contenu du verre. On verse alors l'eau bouillante sur le thé et on porte la théière sur le feu. Quand le thé bout (plus on laisse bouillir longtemps, plus il sera fort), on retire la théière du feu et on met la menthe en poussant avec un gros morceau de sucre. Commence alors l'opération d'aération. Verser le thé dans un verre et reverser le contenu du verre dans la théière cinq ou six fois de suite, en prenant soin à chaque fois de lever la théière pour que le jet s'étire et permette au thé de s'oxygéner. Il ne reste plus qu'à vérifier si le thé est suffisamment sucré et à remplir définitivement les verres.

Quelques conseils pour finir : si votre thé est trop bouillant, ne soufflez jamais dessus ; s'il est froid, faites comme s'il était chaud, et surtout, surtout, ne refusez jamais un verre de thé, ni le deuxième, ni le troisième ; après seulement, vous pourrez être certain de ne pas être impoli. Bien sûr, pendant ce temps, les feuilles continuent à infuser, et chaque verre est plus corsé que le précédent : les Berbères disent que le premier est sucré comme la vie, le second doux comme l'amour et le dernier amer comme la mort...

En hiver, lorsque la menthe est rare, on fait du thé avec du *chiba*, une plante qui n'est rien d'autre que de l'absinthe. Le parfum est étonnant. On prend aussi, à défaut, certaines plantes aromatiques comme la verveine que nous utilisons pour les tisanes de grand-mère.

Chez les Berbères du Sous, on accompagne le thé de pain que l'on trempe dans de l'huile d'olive ou d'argane puis dans du miel. Quand on descend dans le Sud, jusqu'à Guelmim, la menthe disparaît et l'on vous sert le thé des Sahraouis, qui a bouilli et rebouilli. Il est si fort qu'au troisième verre vous risquez de grimper aux arbres !

BUDGET

La vie au Maroc est moins onéreuse qu'en France, quoiqu'elle ait sérieusement augmenté dans les endroits touristiques depuis 2000. On peut, si l'on voyage en se contentant du strict minimum, prévoir un budget de 370 Dh (37 €) environ par jour pour deux personnes se décomposant ainsi : 100 Dh (10 €) pour la chambre et le petit déjeuner, 4 repas à 50 Dh, soit 200 Dh (20 €), le reste étant consacré aux boissons, aux transports et à la visite des monuments. Mais cela implique des hébergements parfois douteux, une nourriture locale, et l'utilisation des transports en commun.

En prévoyant le double, on pourra descendre dans des hôtels confortables, s'asseoir à de bonnes tables et passer des vacances dans d'excellentes conditions. La vie de pacha !

Restaurants

Nous avons classé les restaurants en cinq catégories (repas complet pour une personne sans la boisson) :
– *Très bon marché* : moins de 50 Dh (5 €).
– *Bon marché* : moins de 80 Dh (8 €).
– *Prix moyens* : moins de 100 Dh (10 €).

– *Chic :* de 100 à 200 Dh (10 à 20 €).
– *Très chic :* au-delà de 200 Dh (20 €).

Hôtels

Même chose pour les hébergements (pour une chambre double) :
– *Très bon marché :* moins de 100 Dh (10 €).
– *Bon marché :* de 100 à 160 Dh (10 à 16 €).
– *Prix moyens :* de 160 à 320 Dh (16 à 32 €).
– *Chic :* de 320 à 500 Dh (32 à 50 €).
– *Très chic :* au-delà de 500 Dh (50 €).

Le juste prix

Vous trouverez ci-dessous quelques prix de référence qui vous éviteront de vous faire arnaquer. L'inflation au Maroc est d'environ 2,5 % par an, et certains produits comme le pain ont un prix réglementé qui ne peut être modifié que par les autorités.
Grande bouteille d'eau minérale : 5 Dh (0,5 €).
Verre de thé dans un café : à partir de 4 Dh (0,4 €).
Coca dans un café : à partir de 5 Dh (0,5 €).
Bière locale (33 cl) : à partir de 10 Dh (1 €).
Pain (baguette ou galette) : 1,10 Dh (0,1 €).
Petite course en petit taxi : de 5 à 10 Dh (0,5 à 1 €).
Kilomètre en grand taxi (6 passagers) : de l'ordre de 0,50 Dh (0,05 €).
Essence super (varie avec le prix du brut) : autour de 10 Dh (1 €).
Gazole (varie avec le prix du brut) : autour de 5,80 Dh (0,6 €).
Ticket de bus en ville, par trajet : de 2 à 3 Dh (0,2 à 0,3 €).
Location d'un VTT à la journée : à partir de 150 Dh (15 €).
Location d'un véhicule tout-terrain avec ou sans chauffeur : 1 500 Dh (150 €) les 24 h, jusqu'à 2 200 Dh (220 €) en pleine saison.

CLIMAT

« Au Maroc, gouverner c'est pleuvoir. »

Lyautey.

Le climat du Maroc est très différent selon les régions : méditerranéen au nord, atlantique à l'ouest et saharien au sud. Seules les régions littorales sont tempérées.
On a raison de dire que le Maroc est un pays froid où le soleil est chaud. En hiver, le climat des régions montagneuses du Sud est souvent froid et

VILLES	ALT. /m	JAN.	FÉVR.	MAR.	AVR.	MAI	JUIN	JUIL.	AOUT	SEPT.	OCT.	NOV.	DÉC.
TANGER	5	15,4	15,9	17,4	19,2	21,4	24,2	26,4	26,8	25,1	22,1	18,5	16,0
CASABLANCA	58	17,2	17,9	17,5	20,8	22,1	24,1	26,1	26,7	25,9	23,9	21,0	18,0
ESSAOUIRA	8	18,2	18,4	19,3	19,8	20,3	21,1	21,7	22,2	22,2	21,9	20,6	19,0
MARRAKECH	486	18,1	20,2	23,0	25,7	28,7	32,9	37,8	37,5	32,9	28,1	23,0	18,3
FÈS	549	14,9	16,6	19,1	21,4	24,5	29,6	33,9	33,7	29,9	25,0	19,8	15,5
IFRANE	1664	8,5	10,1	12,9	15,7	18,3	24,8	30,6	30,1	25,2	18,7	14,1	9,5
AGADIR	18	20,3	21,4	22,5	23,3	24,1	25,0	26,4	26,9	26,7	25,9	24,2	20,6
OUARZAZATE	1136	17,3	19,7	23,0	26,9	30,8	36,0	39,4	38,4	33,3	27,0	21,4	16,7
ZAGORA	710	21,2	22,9	26,0	30,2	34,5	39,8	43,6	42,5	36,4	30,6	25,5	21,1

MOYENNE DES TEMPÉRATURES MAXIMALES EN °C

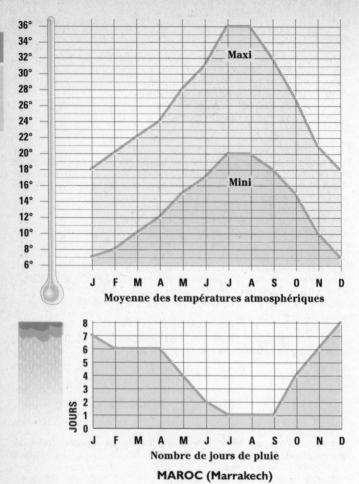

Moyenne des températures atmosphériques

Nombre de jours de pluie

MAROC (Marrakech)

humide (neige abondante sur l'Atlas). Équipez-vous en conséquence, d'autant plus que beaucoup d'hôtels (même en catégorie « Chic ») ne sont pas chauffés. Cette remarque s'applique également à la période printanière ; à Pâques, assurez-vous que l'hôtel dispose d'un chauffage. Même en été, un lainage vous sera indispensable en altitude (le Maroc est un pays de montagnes), ainsi que dans le Sud, où les nuits peuvent être fraîches, et sur la côte atlantique, pour vous protéger du vent. Les écarts de température, dans une même journée, sont parfois considérables.

La moyenne annuelle d'ensoleillement est quand même de plus de 8 h par jour à Agadir, Fès, Marrakech et Ouarzazate. Et la température moyenne, dans ces mêmes villes, est supérieure à 17 °C. Le sirocco souffle parfois, ainsi que le chergui, un vent d'est sec et chaud qui fait monter les températures.

Chaque saison offre ses avantages et une lumière qui lui est propre. Le voyage est donc possible toute l'année, mais les températures varient considérablement selon les régions et l'altitude. Mieux vaut établir son itinéraire en fonction de la date de ses vacances. Le printemps et l'automne sont les meilleures saisons pour visiter les villes impériales (Fès, Meknès, Marrakech). Pour les régions sahariennes, le meilleur moment se situe entre octobre et février ; la température y monte jusqu'à 45 °C au mois d'août, quand y sévissent des vents secs et brûlants.

CUISINE

Les spécialités

Il est certain que notre objet, ici, n'est pas de vous détailler toutes les spécialités marocaines. Nous nous bornerons donc à vous présenter quelques plats et gâteaux auxquels il serait regrettable de ne pas avoir goûté pendant un séjour au Maroc.

La cuisine est ici affaire de femmes, et les recettes se transmettent de mère en fille. Les hommes, eux, s'occupent du thé et n'ont pas accès aux fourneaux. Dans les restaurants pour touristes, la cuisine étant toujours préparée par les hommes, il ne faut pas s'étonner qu'elle soit souvent aussi médiocre. Pour déguster les véritables spécialités marocaines, il faut être invité dans une famille ou se rendre dans une table d'hôte comme celles que nous vous conseillons à Marrakech. Vous verrez alors toute la différence. Il faut savoir aussi que les recettes de cuisine marocaine demandent une longue préparation. Les plats doivent donc être commandés longtemps à l'avance.

– **Les salades** commencent généralement un repas. Les légumes sont délicieux et une simple salade de tomates et de poivrons a une saveur particulière grâce au *kamoun*, plante aromatique proche de notre cumin, qui entre dans la composition de nombreux plats marocains, sans oublier la coriandre. La salade *mechouia*, excellente, est réalisée à base de tomates et de poivrons cuits. Dans les restaurants un peu sophistiqués, on vous apportera une variété de salades d'olives *(meslalla)*, de fenouil, de carottes râpées sucrées et parfumées à la fleur d'oranger, de *feggous* (des petits concombres longs et fins). Dans les salades cuites, en plus de la mechouia très répandue, on vous proposera peut-être des salades d'aubergines, de betteraves parfumées à la cannelle et au cumin, de mauve *(bekkoula)*, une plante printanière assez proche des épinards, de patates douces, de fèves fraîches, de petits pois ou de courgettes. Dans aucune de ces recettes ne sont oubliés les petits plus (safran, cannelle, cumin, fleur d'oranger, ail pilé, jus de citron, persil haché) qui vont en relever le goût. Ces salades, servies dans de petites soucoupes, se dégustent avec du pain et ouvrent l'appétit.

– **Le tajine :** c'est le plat le plus répandu, que l'on vous proposera pratiquement à tous les repas. Il est servi dans un récipient rond, en terre vernissée, recouvert d'un couvercle pointu qui ferme exactement, de telle façon qu'on peut y cuire, tenir au chaud et servir les *touajen*, sorte de ragoûts à la fois épicés et sucrés, dont les variétés sont trop nombreuses pour en dresser une liste exhaustive. Ils sont à base de légumes et de poisson ou de viande. Les tajines le plus souvent proposés dans les restaurants sont ceux aux pruneaux et aux amandes, ceux de poulet au citron et de légumes. Ne manquez pas, lorsque c'est la saison, d'essayer le tajine aux coings et au miel (un régal). Malheureusement, ce que l'on vous servira le plus souvent dans les restaurants d'hôtels, ce sont des « faux tajines ». Tout est préparé à l'avance puis réchauffé et agrémenté d'une sauce. Cette manière de cuisiner permet de faire face à l'arrivée d'un groupe de touristes. Normalement, un tajine, comme un couscous d'ailleurs, doit se préparer à la demande (et donc se commander longtemps à l'avance !). L'attente vous permettra de boire quelques « whiskies berbères » et de déguster des salades pour vous mettre en appétit.

Dans les repas de fête, le tajine, servi après la salade, précède le couscous. Pour les nostalgiques qui auraient envie de retrouver le goût de cette cuisine si savoureuse, une recette classique : le *poulet aux citrons confits*. Pour quatre personnes : un poulet d'environ 2 kg coupé en quatre morceaux. 50 g d'oignons râpés. 1 dl d'huile d'arachide. Une cuillère à café de gingembre en poudre. 1/2 cuillère à café de sel. Un bouquet de coriandre et persil plat haché finement. Deux gousses d'ail pilées. 1/2 litre d'eau. 1/2 citron confit coupé en dés.

Chauffer l'huile dans une marmite et colorer les morceaux de poulet, puis les retirer. Faire suer l'oignon, la coriandre, le persil, l'ail, le gingembre, le sel et le citron confit dans la marmite, jusqu'à l'obtention d'une sauce onctueuse. Remettre les morceaux de poulet dans la sauce et couvrir. Mouiller fréquemment jusqu'à la cuisson complète du poulet (environ 3/4 d'heure). Ajouter une garniture de votre choix préalablement cuite, par exemple des olives vertes et des dés de tomates. Bon appétit !

– **Le couscous** constitue le plat national par excellence. La semoule, de blé ou de mil, est roulée par des mains expertes ; cuite à la vapeur, elle accompagne des préparations de légumes : fèves, courgettes, navets... agrémentées de raisins secs et de pois chiches. Rouler le couscous est tout un art nécessitant du doigté, de la patience et un tour de main qui ne peut s'acquérir qu'après beaucoup d'expérience car les grains doivent être fins, réguliers, bien détachés et surtout pas pâteux. Peu de couscous se ressemblent, chaque famille ayant sa recette. N'hésitez pas, si l'occasion se présente, à goûter le couscous à l'orge, beaucoup plus facile à digérer.

– **Les brochettes grillées** sur les braises d'un feu de bois offrent l'avantage de constituer un repas rapide et bon marché. Elles se mangent avec du pain. La viande n'est pas toujours de première qualité dans toutes les gargotes. Sur certains axes routiers, il est possible d'acheter sa viande directement chez le boucher et de la faire griller chez des rôtisseurs. Attention toutefois, l'hépatite A sévissant au Maroc, il est dangereux de consommer la viande saignante.

– **Les soupes** sont servies dans la plupart des petits restaurants, principalement la célèbre *harira* qui, pendant le mois du ramadan, sert à rompre le jeûne quotidien. C'est une soupe de légumes secs très parfumée, assez épaisse, avec parfois des petits morceaux de viande. On y ajoute un peu de jus de citron au moment de la servir dans un grand bol. Pendant le ramadan, la *harira* se mange accompagnée de dattes ou de pâtisseries au miel. La *bissahra* agrémente également les repas marocains. Il s'agit d'une soupe populaire très épaisse à base de fèves concassées, d'huile et d'épices. Plat du pauvre, elle n'apparaît jamais dans les menus touristiques. Les plus curieux devront par conséquent la demander spécialement dans les restaurants.

– **Les brioaut** sont des petits beignets constitués de feuilles de pâte de *pastilla* et farcis de viande hachée, de cervelle, de saucisses, de poisson, d'amandes, etc. Frits dans de l'huile bouillante et dorés à souhait, ils se laissent croquer avec délice quand ils ne sont pas fabriqués d'une manière industrielle.

– **La pastilla** est un plat exceptionnel : grand gâteau de pâte feuilletée aux amandes, fourré de hachis de pigeon (de poulet ou de poisson) et saupoudré légèrement de sucre et de cannelle. Ce plat assez cher n'est servi que dans certains restaurants, sur commande, ou lors des grandes occasions. Dans de nombreux établissements, la pastilla servie n'est plus cuisinée mais fabriquée industriellement.

– **Le méchoui** est un plat de fête. C'est un agneau entier rôti à la broche et cuit au feu de bois. Délicieux ! On le sert à l'occasion des *moussem*.

– *Le poisson* est excellent, les côtes atlantique et méditerranéenne étant riches en quantité et en variété. On trouve aussi de succulents fruits de mer, des oursins et même des huîtres à Oualidia. Les fauchés se contenteront d'un plat de sardines grillées, à la fois économique et sain. Il existe aussi des boulettes de sardines vendues en boîtes de conserve et mélangées avec une sauce tomate légèrement pimentée ; on les trouve dans toutes les épiceries. Une spécialité marocaine délicieuse. Notre marque préférée est évidemment « C. Trébon » (enfin un industriel qui a de l'humour) mais la marque « Goéland » a aussi à juste raison ses défenseurs.

– *Les escargots* sont aussi appréciés par les Marocains. On les mange sur le pouce auprès de marchands ambulants dans les rues de Casablanca ou de Marrakech avec une sauce au cumin, ou de manière plus raffinée au menu de certains restaurants. C'est appétissant et bon pour l'estomac.

– *Le pain* est presque toujours rond comme une galette et se rompt à la main. Encore fait à la maison dans bien des cas et cuit au four du boulanger, il se conserve dans des *thickas* à l'abri de la poussière, pendant plusieurs jours. Les amateurs du « vrai » pain à l'ancienne se régaleront. Un détail souvent ignoré : ne jetez pas votre pain rassis et évitez, dans un restaurant, de demander plus de pain que vous n'en mangerez. Le pain est un symbole religieux.

– On ne saurait conclure sans parler des *pâtisseries*. Les plus connues, les *kaab el ghzal* ou cornes de gazelle, ne sont pas les meilleures. Essayer les *briouat* au miel et aux amandes, les *griouch*, le *houala rhifa* (gâteau en forme de cône servi à l'occasion d'un mariage, d'une naissance ou d'une circoncision), les *ghoriba* aux amandes ou aux graines de sésame, les *bechkito* (des petits-beurre croustillants), les *mhanncha* (sorte de serpents lovés et recouverts de cannelle en poudre), les *shebbakia* (rubans de pâtes frits avec du miel chaud et des graines de sésame grillées). Pour nous, la palme revient à la *bastella* ou pastilla au lait, dite *ktéfa*. Ce dessert succulent est fait de feuilles de *ouarka* parfumées à la fleur d'oranger, superposées les unes sur les autres avec des amandes pilées, sur lesquelles on verse avant de servir un peu de lait refroidi. Il existe aussi une version à la crème pâtissière. Impossible de résister à ce dessert qui n'est servi que dans les familles et dans les tables d'hôte. Allah, que c'est bon !

Les restaurants

Dans toutes les villes, il existe des restaurants pour tous les goûts et toutes les bourses. Pour la recherche de l'exotisme. Une règle générale : ceux de la médina. Ils sont d'ailleurs très bon marché.

Dans les petits restaurants où les tarifs ne sont pas affichés, même si vous n'avez pas l'habitude de marchander, demandez quand même le prix à l'avance, afin d'éviter des surprises. En effet, certains tarifs sont carrément à la tête du touriste (voire à celle de sa voiture). Normalement, le service est compris dans les notes de restaurant ; néanmoins, il peut arriver que taxe (20 %) et service (10 %) soient en supplément. Dans ce cas, ça doit être impérativement mentionné sur le menu (généralement une ligne en tout petit, en bas de la carte, bien sûr...). La pratique veut que l'on laisse un petit pourboire de quelques dirhams (5 à 10 Dh). Recomptez attentivement les notes de resto et la monnaie que l'on vous rend. Il manque souvent quelques pièces.

Les grands hôtels ont souvent deux restaurants, dont un marocain qu'il est préférable de choisir. Les Marocains maîtrisent mieux leur propre cuisine que celle dite internationale.

L'étiquette

Si vous êtes invité à prendre un repas avec des Marocains (ou simplement à participer à la fameuse cérémonie du thé, installé sur un tapis tout en dégustant des biscuits ou des dattes), n'oubliez pas de manger avec la main droite. C'est dire que les gauchers ne seront pas à la fête. La main gauche est réservée à la toilette, sage précepte du Coran datant d'une époque où l'hygiène n'était pas ce qu'elle était et le papier hygiénique inconnu ! Traditionnellement, tout ustensile est superflu. Utilisez des morceaux de pain pour saisir légumes et viande de votre tajine, et n'hésitez pas à attraper l'os pour en arracher la chair qui s'y colle. Le repas terminé, on se lave les mains et la bouche, et vous vous doutez bien que ce n'est pas un luxe !

DANGERS ET ENQUIQUINEMENTS

Des mille et une manières de soutirer des sous...

La majorité des Marocains sont bien sûr honnêtes : l'image en reste pour nous tel chauffeur de taxi qui minore le prix de la course indiqué au compteur quand des travaux ou une manifestation, quelle qu'elle soit, le forcent à un grand détour. De fait, le vol est beaucoup plus rare qu'en Espagne ou en Italie. Hormis dans le Rif et à Casa, et en haute saison dans les lieux très touristiques, les risques de vol à la tire sont limités. Toutefois, vous sachant beaucoup plus riche qu'eux (et vous imaginant encore plus riche que vous ne l'êtes !), certains auront à cœur de vous soutirer le maximum d'argent, mais par les moyens les plus légaux, *via* une pression psychologique ou des procédés de manipulation d'une très grande habileté.
Mais reconnaissons que les torts sont partagés : les pires ennemis de votre tranquillité ce sont ces touristes qui acceptent de payer n'importe quel prix sous prétexte que c'est de toute façon beaucoup moins cher que chez eux ! Le Marocain peu instruit se fait une idée fausse de votre pouvoir d'achat et de votre possibilité de balancer vos billets par dizaines, le sourire aux lèvres. Dès lors, dans sa tête, dès qu'il voit un Européen, il pense avant tout au flouze censé déborder de vos poches et de votre banane ! Alors, ami lecteur, avant de dépenser, prenez le temps de vous renseigner, de comparer, de discuter avec ceux qui connaissent un peu le pays. Vous aiderez à canaliser ces dérives désagréables pour tous.

Vols

Ne vous détournez pas chaque fois que vous êtes abordé, soyez simplement vigilant et aiguisez votre légendaire sixième sens. On vous livre quelques conseils et mises en garde au cas où vous auriez l'infortune d'être confronté à ce genre de problèmes, tout en rappelant que ces conseils sont valables partout dans le monde.
– Porter les sacs de matériel photo en bandoulière et en travers du torse. Ne pas mettre de portefeuille dans les poches arrière d'un pantalon. Pour son argent et ses papiers, préférer la banane autour de la taille ou un petit sac à dos bien arrimé. Le porter devant soi quand on est dans la foule et que l'on visite les souks. Ne jamais garder la totalité de son argent au même endroit.
– Partout dans le monde, les pickpockets utilisent la même technique, qui généralement s'applique avec l'aide d'un complice. Le premier détourne votre attention, de quelque manière que ce soit, tandis que l'autre subtilise votre portefeuille.
– Ne jamais rien laisser d'apparent dans un véhicule. Mettre tout dans le coffre et confier le véhicule à un gardien qui, moyennant 2 à 5 Dh (le double pour la nuit), se fera une joie de le surveiller pendant que vous visiterez.
– En cas de vol de papiers d'identité ou autres, il faut savoir que la police ne prend pas de déposition pendant le congé de fin de semaine. Exigez toujours qu'on vous remette une copie de votre déposition en français. On vous répondra qu'il faut faire une demande écrite à la Sûreté nationale. Deman-

dez alors une attestation provisoire portant signature du policier et cachet de la permanence. Ne quittez jamais les lieux sans ce papier en français, indispensable pour les compagnies d'assurances.

Du vécu!

On vous livre quelques aventures assez classiques arrivées à nos lecteurs.

– *Le pauvre ami :* vous cherchez votre chemin en ville, le nez sur le plan, et quelqu'un vous accoste, avec gentillesse et jovialité, pour vous proposer de l'aide. Pas de chance, c'est très loin, et il fait chaud. Après une petite trotte, votre nouvel ami vous propose de prendre un pot. On bavarde un peu, il a tant à vous dire sur le Maroc, on échange même les adresses et les numéros de téléphone, il vous propose de se revoir, et vous explique sa misère et sa détresse, surtout que la fin de mois approche. Après ces effusions, comment ne pas y aller de votre contribution financière? Billet passé d'une poche à l'autre, on repart par d'autres rues. Mais si vous avez le sens de l'orientation, vous vous apercevrez que l'endroit que vous cherchiez était juste de l'autre côté du pâté de maisons...

– *La panne :* vous êtes en train d'admirer le paysage, en voiture, et, tout à coup, vous voyez sur le bas-côté une mobylette ou un véhicule avec des gens affairés autour. Dès qu'ils vous aperçoivent, ils vous font signe de vous arrêter et vous donnent moult informations sur la nature de la panne (en général, complètement abracadabrantes). Ils vous demandent de les emmener en ville. Vous acceptez (surtout la première fois... on ne va quand même pas laisser des gens dans l'embarras!). Ils montent, bavardent. Arrivés à destination, pour vous remercier de votre gentillesse, ils vous invitent à boire un thé à la menthe. Vous acceptez. Et là, comme par hasard, vous débarquez chez un marchand de tapis. Avec ou sans sucre, le thé? Comme celui-ci tarde un peu, on vous montre quelques pièces pour le plaisir des yeux.

– *Le stop :* cela relève à peu près du même procédé. Même si vous avez juré de ne plus jamais prendre quelqu'un sur le bord de la route, comment refuser à un restaurateur ou à un hôtelier qui vous demande si vous auriez l'amabilité de conduire quelqu'un à la ville suivante? Là aussi, l'homme veut vous inviter chez lui à prendre un thé et un petit cadeau pour la gazelle. Vous devinez la suite. Sa maison communique avec un magasin de... tapis. Ce nouveau procédé de vente en a surpris plus d'un.

– *La lettre :* les non-motorisés ne sont pas à l'abri, eux non plus. Le truc de la lettre consiste à vous dire : « J'ai un ami qui travaille en France. J'aimerais lui envoyer une petite lettre. Tu ne pourrais pas me la poster là-bas? » Ficelle un peu grosse pour vous entraîner à la maison où la personne tient un commerce quelconque.

– *L'explication de notices de médicaments :* à faire à domicile et demandée, la larme à l'œil, pour un parent, soi-disant très malade. Et, comme par hasard, l'armoire à pharmacie est près des tapis à vendre... Le malade se porte bien. Merci pour lui !

On ne peut pas dire que les Marocains manquent d'imagination. De temps en temps, la police locale intervient pour mettre fin à certains abus.

À cause de ce chapitre, vous entendrez des flots d'injures proférées par les guides sur le *GDR*. Nous aimons le Maroc, mais devons-nous nous mettre du côté des hôteliers et des restaurateurs peu scrupuleux? Le *GDR* existe seulement grâce à ses lecteurs. Notre franchise, il est vrai, dérange parfois. Tant pis et tant mieux !

Spécial filles seules

Les routardes seules éviteront de faire du stop. Il ne leur est pas conseillé de sortir la nuit dans certains quartiers un peu chauds. Cette remarque est aussi valable pour nos lecteurs mâles (eh oui !). De plus, une routarde seule doit plutôt dire qu'elle va rejoindre un groupe plus tard.

Fausses recommandations du *Routard*

Votre *GDR* favori est une référence auprès des établissements cités (normal !), mais ceux qui n'y sont pas mentionnés ou que nous déconseillons se servent aussi de notre image. Nombreux seront les guides, hôteliers, restaurateurs ou marchands de tout poil à vous dire « Je suis cité dans le *Guide du routard* » pour vous prouver leur sérieux. Méfiance ! Ne vous fiez qu'aux adresses recommandées dans la dernière édition (chaque année, nous faisons le ménage). Attention aux panonceaux anciens ou aux cartes de visite portant la mention « Recommandé par le *Routard* » et qui s'avèrent purement factices. Le Maroc est certainement le pays où circulent le plus de fausses recommandations.

Et puis aussi...

Relisez, dans les différentes rubriques, nos conseils relatifs :
– à l'arnaque à la carte de paiement (dans « Argent, banques, change ») ;
– au retour avec des objets contrefaits (dans « Achats ») ;
– aux bouteilles d'eau minérale remplies d'eau du robinet (dans « Boissons ») ;
– aux vendeurs de kif peu scrupuleux (dans « Drogue ») ;
– aux risques de maladie (dans « Santé ») ;
– aux baignades dangereuses (dans « Sports et loisirs ») ;
– à l'hécatombe sur les routes marocaines (dans « Transports »).
Mais ne devenez pas parano pour autant ! Vous êtes venu découvrir une culture, un pays et ses habitants, et quelques précautions simples et de bon sens vous permettront de le faire en toute sécurité. Un homme averti en vaut deux !

DÉCALAGE HORAIRE

Quand il est midi en France, il est 10 h au Maroc en été et 11 h en hiver ; le décalage horaire allonge donc la journée à l'aller.

DROGUE

Faites attention lorsque des vétérans de la route vous parlent de la sacrée bonne époque où, dans le Rif, on achetait sans risque le « chocolat » pour se faire « bronzer la tête » en toute quiétude. Les temps changent !
À moins que l'on ne soit venu au Maroc pour faire une thèse sur le kif, à notre avis, il vaut mieux éviter de traîner dans le coin de Ketama (dans le Rif).
En voiture dans le Rif, si vous voyez quelqu'un couché sur la route, évitez-le mais ne vous arrêtez surtout pas. Les copains arrivent et vous achetez, bon gré, mal gré, 200 g de kif, quand ce n'est pas beaucoup plus. De plus, après vous avoir vendu du kif, dans le Rif et même ailleurs, le vendeur peut facilement vous dénoncer à la police et empocher une commission. C'est une pratique courante, méfiez-vous.
Enfin, il semble que les *knife experiences* se généralisent un peu trop (principalement à Tanger, Tétouan et dans les villes du Rif). Le scénario est toujours le même : sous prétexte de boire un thé et de se rouler un joint, un jeune sympa, cool et tout, vous emmène chez lui. Il ferme à double tour, ses copains dans la chambre à côté rappliquent. « Tu achètes tant de grammes,

à tel prix ou bien... ». Il peut aussi disparaître sous prétexte d'acheter de la menthe et vous envoyer une escouade de policiers. Cependant, pas de panique, ne vous privez pas systématiquement de contacts ; un peu d'intuition et de discernement suffisent. Soyez circonspect par rapport à tout plan du type : « Bonjour les Français, venez boire un thé chez moi », qui mène soit à une affaire de commerce foireuse, soit à un plan fumette au fond d'un bar, où il vous faudra payer une note salée...

Les contrôles aux douanes et dans les ports sont efficaces. Certains chiens sont dressés pour reconnaître des odeurs bien particulières. On vous rappelle que la plupart des pays du Maghreb appliquent la règle du 1 gramme = 1 an. Et que, généralement, les condamnés effectuent la totalité de leur peine !

DROITS DE L'HOMME

En septembre 2002, les Marocain(e)s étaient appelé(e)s aux urnes pour désigner leurs députés, au cours des premières élections législatives depuis l'accession au trône de Mohammed VI. Le poids politique du Parti Justice et Développement (PJD, islamistes dits « modérés ») s'est considérablement renforcé au cours de ce scrutin où il a remporté 41 sièges (contre 14 auparavant), devenant ainsi la troisième force politique du royaume. Mais le PJD, le principal parti islamiste autorisé, ne représente pour le moment aucun danger pour le gouvernement et « s'interdit même de risquer d'être le premier parti du pays, de devoir former un gouvernement et devoir le diriger » (*Le Monde*, 27/09/2002). Sa progression lors de ces élections peut même être considérée comme une évolution positive de la démocratie marocaine, qui a connu, selon la plupart des observateurs, le premier scrutin « transparent et honnête » de son histoire.

De fait, le seul risque serait de verser dans l'amalgame, surtout au vu de la situation internationale, très tendue. Si le PJD n'est pas le plus progressiste de tous les partis politiques, loin de là, c'est l'évolution d'Al Adl Wal Ihssane (Justice et Bienfaisance, non reconnu, mais toléré), qui constitue la principale inconnue dans les années à venir. Son guide spirituel, le cheikh Abdessalam Yassine, opposant déterminé à Hassan II, reste très populaire et ses discours, prononcés dans un contexte économique et social difficile, trouvent un certain écho dans la société marocaine. Dans le contexte de l'après 11 septembre, les autorités marocaines ont procédé l'été 2002 à quelques dizaines d'arrestations d'islamistes radicaux, dont un groupe qui aurait procédé à l'assassinat de civils jugés impies. Dans l'attente de leur jugement, la montée de cet « autre » Islam est à relativiser, surtout si on se penche sur l'utilisation politique qui en a été faite. Elle a en effet servi de prétexte aux autorités pour durcir le ton vis-à-vis de l'opposition islamiste, au nom de la lutte contre le fondamentalisme religieux et le terrorisme. De nombreuses personnes ont été arrêtées et détenues depuis le 11 septembre 2001, et des mosquées ont été fermées.

Mais si le débat sur la place et la nature de l'Islam marocain a largement dominé les débats ces derniers mois au Maroc, la situation des libertés politiques et sociales constitue toujours un sujet de préoccupations pour les défenseurs des Droits de l'homme.

« Sans être dans l'impasse, la transition démocratique marocaine n'a pas tenu toutes ses promesses. » Selon Driss El Yazami, secrétaire général de la FIDH, les réformes tant attendues, après l'accession au trône de Mohammed VI, sont aujourd'hui (presque) toutes bloquées. La réforme en 2001 du Code des libertés publiques (qui regroupe les lois sur les rassemblements publics, sur les associations et sur la presse) a été critiquée par la société civile marocaine, surtout les journalistes, même si la loi sur la liberté d'association est l'une des plus libérales de la rive méditerranéenne. Selon Driss El Yazami, la réalité a en l'occurrence précédé le droit : des centaines d'associations ont vu le jour ces dernières années au Maroc et leur vitalité est l'une des caractéristiques du Maroc d'aujourd'hui.

Autre exemple de réforme bloquée : celle du Code du statut personnel, qui aurait permis des progrès en matière de libération de la femme. Un plan d'intégration des femmes au développement a bien été conçu par le gouvernement mais ce projet s'est heurté à l'opposition des milieux conservateurs et intégristes (à noter que les contre-manifestations, favorables à la réforme, ont été largement sous-médiatisées). Toute la partie importante de cette réforme qui concernait le statut personnel a ainsi été mise de côté. Néanmoins, la modification du code électoral, qui a instauré un quota de femmes au parlement, a permis l'entrée de 35 femmes à l'assemblée, et montre que de ce côté aussi, les choses semblent évoluer.

Un retour aux années de plomb du régime d'Hassan II semble d'ailleurs impossible aujourd'hui. La société civile a conquis de nouveaux droits, qu'elle ne semble pas prête à abandonner. Ainsi les familles de disparus marocains ont obtenu l'indemnisation des victimes de la répression et de leurs familles. Celle-ci est d'ailleurs en cours. Cependant, le Forum Vérité et Justice estime que le nombre des victimes donné par les autorités est loin du compte, et réclame la création d'une Commission pour la vérité. Avec d'autres organisations, elle multiplie les opérations symboliques, comme cette « caravane » contre la détention arbitraire, qui s'est rendue début juin 2002 devant le pénitencier secret de el Kelaâ des M'gouna, dans le Haut Atlas, afin de rappeler « ce qui s'est passé derrière ces murs ».

Enfin, les « gosses des rues » – dont le superbe film *Ali Zaoua, Prince des voleurs*, de Nabil Ayouch nous dévoile les conditions précaires d'existence – sont ceux qui supportent le plus difficilement la crise économique, et les inégalités sociales, criantes, au Maroc.

Pour tous renseignements complémentaires, contacter :

■ *Fédération internationale des Droits de l'homme (FIDH) :* 17, passage de la Main-d'Or, 75011 Paris. ☎ 01-43-55-25-18. Fax : 01-43-55-18-80. ● www.fidh.org ● fidh@fidh.org ● M. : Ledru-Rollin.

■ *Amnesty International (section française) :* 76, bd de la Villette, 75940 Paris Cedex 19. ☎ 01-53-38-65-65. Fax : 01-53-38-55-00. ● www.amnesty.asso.fr ● admin-fr@amnesty.asso.fr ● Minitel : 36-15, code AMNESTY. M. : Belleville.

N'oublions pas qu'en France aussi, les organisations de défense des Droits de l'homme continuent de se battre contre les discriminations, contre le racisme et en faveur de l'intégration des plus démunis.

ÉCONOMIE

À son arrivée au pouvoir, Mohammed VI a hérité d'une économie en crise, empêtrée dans des lourdeurs administratives et douanières, sans oublier la corruption, principale gangrène du pays. Mais la volonté de réformes du jeune roi et une situation macro-économique favorable ont permis une amélioration des résultats : baisse du chômage (12,5 % tout de même, et 20 % en milieu urbain), une croissance de l'ordre de 4 % en 2002 alors qu'elle était nulle en 1999, une hausse des investissements étrangers, et enfin une inflation stable à 0,6 % en 2001.

Malgré ces bons chiffres, la croissance reste insuffisante au regard de l'évolution démographique et les autorités doivent encore plus que jamais poursuivre les réformes structurelles entreprises, notamment dans le domaine agricole, pilier de l'économie marocaine. En cause : la structure des exploitations, de type familial, petites pour la plupart, l'archaïsme des méthodes, la gabegie hydraulique et donc une productivité particulièrement faible. Sans oublier un exode rural de plus en plus préoccupant, qui jette la population dans des bidonvilles toujours plus denses. On comprend pourquoi la priorité du gouvernement vise la modernisation d'une part et la diversification de son économie d'autre part.

La pêche, autre branche du secteur primaire, représente une manne financière non négligeable. Avec plus de 3 000 km de côtes, les pêcheurs travaillent dans des eaux riches (en sardines notamment, Agadir est même le port sardinier le plus important au monde), mais un peu trop prisées par leurs voisins espagnols, français ou portugais qui sont depuis 2001 *persona non grata* dans les eaux marocaines, au grand dam de l'Union européenne. Le Maroc compte beaucoup sur une autre richesse naturelle, minière cette fois, c'est le phosphate. Le pays détient 75 % des réserves mondiales, ce qui en fait le premier producteur et le 3e exportateur au monde. L'activité connaît toutefois une petite baisse en réponse aux sirènes écologiques qui découragent l'utilisation des engrais chimiques, dérivés principaux du phosphate. Reste le textile et le secteur de l'habillement, premier poste des exportations ; la drogue (palmarès peu glorieux : le Maroc serait le premier exportateur mondial de haschisch) ; le transfert des devises provenant de Marocains résidant à l'étranger ; mais surtout le tourisme, véritable stratégie royale avec un objectif de 10 millions de visiteurs en 2010. Seulement, le nombre de visiteurs début 2002 accusait un recul de près de 14 % par rapport à l'année précédente suite aux événements du 11 septembre. Les Français étaient toujours les plus nombreux à visiter le royaume. Le tourisme reste malgré tout la première source de devises du pays, avant le phosphate et le rapatriement d'argent. De plus, cette industrie génère quelque 600 000 emplois. Et pourtant, l'offre est loin de satisfaire la demande, tant au niveau de la quantité (carence du nombre de lits), que de la qualité (vétusté des installations, manque de moyens de transport, etc.). En conséquence, des efforts ont été entrepris pour rendre le Maroc plus attractif.

Une démarche qui ne devrait pas se limiter au tourisme, mais à l'ensemble des secteurs économiques en vue d'encourager les investissements étrangers. Mohammed VI et le Premier ministre de gauche, Abderrahmane Youssoufi, insufflent certes un peu d'espoir et montrent une réelle volonté de changement. Mais le sort des plus démunis ne s'est pas encore amélioré, même si « le roi des pauvres », comme on le surnomme, fait ses priorités de la lutte contre le chômage, la sécheresse et la pauvreté. Or le développement économique doit s'accompagner d'une amélioration sociale. Ainsi, un système de protection sociale accessible à tous doit être mis en place, mais tarde, comme nombre d'autres réformes du même ordre, à voir le jour. Aujourd'hui, près de 65 % de la population vit en dessous du seuil de pauvreté, la plupart entassés dans les bidonvilles. Les jeunes diplômés eux-mêmes estiment que leur avenir au Maroc est compromis par le népotisme et la corruption. Leurs compétences sont reléguées derrière des valeurs plus sécurisantes pour l'élite, comme la fidélité ou la soumission, qu'ils trouvent plus facilement chez un membre de leur famille. Pas étonnant, donc, que 72 % des Marocains instruits soient tentés par l'émigration. Une fuite de la matière grise, en quelque sorte.

Voilà pourquoi les réformes doivent se concrétiser, car une jeunesse désabusée et sans espoir rend un pays en manque d'avenir.

ENFANTS

Avec 36 % de la population âgée de moins de 15 ans lors du recensement de 1994, le Maroc est un pays « jeune ». Le taux de fécondité (3,3 enfants par femme) reste assez élevé et assure une croissance plutôt rapide de la population. Le Maroc est donc confronté au défi de la scolarisation et de l'alphabétisation. Vous verrez forcément de nombreux enfants sur le bord des routes, en chemin vers l'école (dans les campagnes, les écoles sont bien souvent construites à l'écart du centre). Vous aurez même l'impression qu'on ne voit qu'eux : les écoles n'étant pas assez nombreuses pour accueillir toute la population scolaire, on fonctionne par rotation. Les enfants scolarisés le sont donc bien souvent à mi-temps. Le défi est énorme : une charte nationale d'éducation et de formation a été discutée en 1999, stipulant notamment que « à partir de la rentrée scolaire de septembre 2002, tout enfant marocain âgé de six ans révolus doit pouvoir trouver une place pédagogique en première année de l'école primaire la plus proche du lieu de résidence de ses parents ». Et souvenez-vous que, en 1995, 56 % des Marocains ne savaient ni lire ni écrire...

Stylo Missié!

Ces enfants, bien souvent, vous demanderont de l'argent (5 Dh pour une photo, par exemple), des bonbons, un stylo ou un cahier. Mais attention, la multiplication plus ou moins anarchique des randonnées (ou plutôt des « raids ») en 4x4, le plus souvent non encadrées, ou plus grave encore, mal encadrées par des « gourous » aux gilets multi-poches bordés de pub, a contribué au cours des dernières années à accroître le harcèlement – car il s'agit bien d'un harcèlement – des enfants berbères envers les touristes de passage pour obtenir des stylos. Alors de grâce, ne donnez RIEN aux enfants sur le bord des pistes, sans quoi dans moins de deux ans, à ce train-là, ce seront des cailloux sur le pare-brise que, par frustration, les enfants vous enverront, et ce sera votre faute...

Si vous avez du cœur (comme nous) et si vous aimez le Maroc (comme nous) et que vous avez envie de donner, regroupez vos dons et allez voir l'instituteur du village, ou le responsable du dispensaire, à qui vous confierez stylos et autres cahiers, mais ne donnez rien « à la volée » sur le bord des pistes, pour que le Maroc reste le Maroc... Merci.

ENVIRONNEMENT

Le Maroc connaît la situation peu enviable d'un pays dont le développement commence à décoller : les causes de pollution sont de plus en plus nombreuses, mais le coût des mesures correctives est hors de portée de l'économie du pays.

Ainsi, avec l'augmentation considérable du nombre de véhicules, aggravée par leur vétusté et le manque d'entretien préventif, la qualité de l'air s'est gravement dégradée. Chaque bus urbain dégage des panaches de résidus toxiques de combustion du gazole. Si, à Rabat ou Casablanca, le vent marin les dissipe plus ou moins rapidement, il en va tout autrement dans les villes de l'intérieur, à Marrakech en particulier. Certains jours chauds et sans vent, il devient difficile de respirer, la bouche et le nez s'irritent facilement. Attention, donc, aux lecteurs souffrant des bronches ou d'asthme.

Quant aux paysages, c'est fou ce qu'ils peuvent être pollués, comme de nombreux sites urbains. La négligence et le manque d'information en sont la cause. La plupart des Marocains ont la spontanéité infantile d'abandonner dans le premier endroit venu tout ce qui les embarrasse. Le résultat est consternant. Ne vous étonnez pas de voir voler dans le ciel et s'accrocher aux arbres d'étranges oiseaux noirs dépourvus d'ailes. Il s'agit, en fait, de sacs en plastique qui font le tour des agglomérations au moindre coup de vent. Ne parlons pas des décharges publiques et des dépotoirs écœurants à proximité des localités. Les plages, en cours de saison, sont pour la plupart très sales. On vous fera grâce de l'inventaire de ce que l'on y découvre... En effet, toutes les eaux usées sont déversées sur le littoral, sans oublier les rejets des bateaux et des pétroliers... Résultat : en 1999, seulement 19 %

des eaux de baignades étaient de bonne qualité pour 21 % fortement polluées. Mohammed VI interpelle citoyens et collectivités sur le danger que constitue « indifférence ou accoutumance qui conduiraient à un suicide collectif ». Première opération, sous le haut patronage de Sa Majesté et menée par la princesse Lalla Salma, le Prix de la plage publique la plus belle et la plus propre a été institué. On en voit déjà aujourd'hui les résultats, la plage de Saïda, dont nous nous plaignions dans les éditions précédentes, a été sacrée en 2002 la plus propre du royaume !

Mais le chemin sera long, car les mauvaises habitudes sont profondément enracinées, et les gestionnaires locaux n'ont aucune sensibilité écologique. Il est par exemple très rare de trouver, en dehors des grandes villes, des poubelles publiques. Un bon point cependant pour les villes d'Ifrane et d'Essaouira, qui en disposent.

Mais pensez que nous aussi avons nos responsabilités. Les groupes de randonneurs commencent aussi à souiller les sentiers de montagne. Si vous participez à un trek, donnez l'exemple en montrant aux accompagnateurs et muletiers comment détruire les restes d'un campement ou d'un pique-nique. Par ailleurs, on vous recommande aussi d'enterrer votre PQ car il résiste longtemps à la décomposition, du fait de la sécheresse. Laissez de meilleurs souvenirs à ceux qui vous suivront.

FAUNE ET FLORE

Faune

Le lion de l'Atlas, que Tartarin de Tarascon prétendait chasser, a aujourd'hui disparu. Même chose pour les éléphants. La chasse, pratiquée d'une manière intensive par les Romains, a privé le Maroc d'une partie de sa faune sauvage. Chacals et lynx hantent encore la campagne, et on trouve quelques antilopes et des fennecs (petits renards des sables) en bordure du Sahara.

Ce sont les oiseaux que vous aurez le plus souvent l'occasion d'observer. Certaines régions constituent de véritables paradis pour les ornithologues. Dans les parcs et les champs, vous rencontrez souvent un petit héron blanc très peu farouche : le garde-bœuf. Le Maroc abrite une multitude de migrateurs, comme de nombreuses espèce de canards, plusieurs espèces d'hirondelles et de martinets, et les cigognes qui font partie du paysage. Parmi les espèces sédentaires, citons la perdrix, de nombreuses variétés de fauvettes, le faisan, la caille, l'ibis, le merle bleu et ces magnifiques oiseaux que sont la huppe, le guêpier et le rollier. Les amateurs de rapaces observeront le percnoptère, le vautour fauve, faucons, busards et milans, sans oublier l'aigle botté ou l'aigle royal dans son envol majestueux. Ne marchez cependant pas la tête en l'air : la vipère des sables (céraste) n'est pas une légende. Gare aussi aux scorpions !

Flore

Elle est riche et diverse : les spécialistes auraient recensé plus de 4 000 espèces. La végétation varie selon le climat des différentes régions et selon leur relief. Si le Sud est pauvre et ne propose que des palmiers-dattiers dans les oasis, des cactus et des lauriers dans le lit des oueds, il ne faut pas oublier que le Maroc possède aussi les plus vastes forêts d'Afrique du Nord avec de magnifiques chênes-lièges, des cèdres, des pins et même des sapins. Le long de la côte atlantique, les thuyas, dont le bois précieux est travaillé à Essaouira, alternent avec les pins et les arganiers, ces épineux dans lesquels grimpent les chèvres. Le long de la côte méditerranéenne et dans certaines régions privilégiées (Tafraoute), on retrouvera les amandiers, les citronniers, les oliviers et tous les arbres fruitiers, qui croissent ici dans un climat idéal.

FEMMES

Comme dans tous les pays régis par le droit musulman, la condition de la femme n'est pas très enviable. Malgré l'espoir que suscitait le nouveau roi puis, en septembre 2000, la nomination de Nezha Chekroun au poste de ministre déléguée chargée de la Femme et de la Protection de la Famille, les observateurs dénoncent l'immobilisme du gouvernement. Les démonstrations de force des islamistes ont anéanti la réforme de la *moudawana* (plan d'action pour l'intégration de la femme au développement). Le code du statut personnel est discriminatoire : la pratique encore courante de la répudiation et de la polygamie rend particulièrement difficile l'existence de nombreuses femmes, et ce depuis des siècles. Si la Constitution stipule que « l'homme et la femme jouissent de droits politiques égaux », l'Association démocratique des femmes du Maroc a, en 2001, rendu publique une étude où elle épingle le Code pénal. Une perle parmi d'autres : « Le meurtre, les blessures et les coups sont excusables s'ils sont commis par l'époux sur son épouse ainsi que sur le complice à l'instant où il les surprend en flagrant délit d'adultère » (article 418). Souvenez-vous également qu'une Marocaine ne peut légalement pas avoir de rapports sexuels avec un étranger, alors que le contraire est parfaitement autorisé.

Pourtant, fait nouveau, il semble que la jeune génération tente de faire bouger les choses. Signe qui ne trompe pas : le succès public d'un film comme *Femmes... et femmes* qui, avec plus de 400 000 entrées, a réussi à concurrencer *Titanic* ! Tourné par un homme, Saâd Chraibi, sur les conseils de sa compagne et actrice principale, Mouna Fettou, ce film, sorti en France en 1999, se veut un témoignage presque sociologique (le film débute par les résultats d'une enquête menée auprès des femmes) sur la condition féminine au Maroc. Et n'oublions pas à ce sujet le site Internet ● www.lamarocaine.com ● , le « premier portail dédié à la femme marocaine ».

La littérature n'est pas en reste. De jeunes auteurs femmes, francophones, ont récemment publié des livres courageux, comme Yasmine Chami-Kettani, auteur de *Cérémonie* (Éd. Actes Sud, 1999), dans lequel une femme divorcée revient dans la maison paternelle à Fès pour assister à un mariage traditionnel. Ou encore Bahaa Trabelsi, auteur de *Une femme tout simplement* (Éd. Eddif, 1998) visant à montrer les femmes marocaines « dans l'action ». Les associations relaient ces initiatives, mais le poids de la tradition, notamment dans les campagnes, rend bien difficile ce combat. Cependant, des coopératives de femmes en milieu rural fleurissent ici et là.

FÊTES ET JOURS FÉRIÉS

Organisation de la vie civile

La vie civile est régie par le calendrier grégorien. À la différence d'autres pays musulmans, le week-end se compose du samedi et du dimanche. Le vendredi n'est pas férié, mais administrations et services publics allongent leur pause-déjeuner pour permettre aux fidèles de se rendre à la grande prière.

Jours fériés

– *1ᵉʳ janvier* : Jour de l'An.
– *11 janvier* : manifeste de l'Indépendance.
– *1ᵉʳ mai* : fête du Travail.

– *30 juillet :* fête du Trône. La plus importante fête civile au Maroc, célébrée avec de nombreux feux d'artifice et parades.

– *14 août :* commémoration de l'allégeance de l'oued Eddahab.

– *20 août :* anniversaire de la révolution du Roi et du Peuple.

– *21 août :* fête de la Jeunesse. Correspond également à la date de naissance de Mohammed VI.

– *6 novembre :* anniversaire de la Marche verte.

– *18 novembre :* fête de l'Indépendance (retour d'exil de Mohammed V).

Fêtes religieuses musulmanes

La vie religieuse suit le calendrier musulman. Il débute le 16 juillet 622, jour où le prophète Mahomet quitta La Mecque pour s'établir à Médine (événement connu sous le nom d'*hégire,* c'est-à-dire « expatriation »). L'année de l'hégire, année lunaire, se compose de 12 mois (dont celui de ramadan), mais elle est plus courte que l'année solaire. Les grandes fêtes religieuses varient par rapport au calendrier grégorien, conformément au tableau ci-dessous. Ce sont :

– *L'Aïd el-Kébir* ou *el-Adha :* fête du sacrifice du mouton. Il commémore le geste d'Ibrahim (Abraham) qui, alors qu'il s'apprêtait, sur ordre divin, à sacrifier son fils, vit un mouton se substituer à ce dernier. Cette fête est la plus importante et la plus célébrée avec l'*Aid-el-Fitr.*

– *Le Ras el-Am :* 1er jour du 1er mois du calendrier hégirien.

– *L'Aïd el-Mouloud :* commémoration de la naissance du prophète Mahomet.

– *Le début du ramadan :* le début du jeûne rituel.

– *L'Aïd el-Seghir* ou *el-Fitr :* fête de rupture du jeûne, qui intervient le lendemain de la fin du ramadan.

Calendrier des fêtes musulmanes

Calendrier grégorien	Année de l'hégire	Aïd el-Kébir ou *el-Adha* (fête du mouton)	Ras el-Am (nouvel an)	Aïd el-Mouled (naissance du prophète)	Début du ramadan	Aïd el-Seghir ou *el-Fitr* (fin du ramadan)
2003	1423-1424	12 février	5 mars	14 mai	27 octobre	26 novembre
2004	1424-1425	1er février	22 février	2 mai	15 octobre	14 novembre

Ce calendrier n'est qu'indicatif, car il a été obtenu à partir de calculs astronomiques. Mais l'islam est une religion où la tradition est reine, et les fêtes religieuses ne sont décrétées que lorsque l'observateur humain peut voir, de ses yeux, le croissant de lune du mois nouveau. Il s'ensuit une incertitude d'une journée, et ce jusqu'au tout dernier moment. Chose inimaginable chez nous : la veille encore, les salariés ne savent pas s'ils auront congé le lendemain ou le surlendemain... Pas très pratique pour gérer une entreprise, mais bien plus poétique que nos ordinateurs !

Les *moussem*

Ce sont de grandes fêtes folkloriques qui rassemblent pas mal de monde, à époque fixe, pour fêter un événement fondateur d'une région ou d'une ville. Le surnaturel n'est jamais loin durant ces fêtes hautes en couleur.

Principales manifestations folkloriques

Pour plus de détails sur les fêtes indiquées, se reporter directement aux villes concernées.

En février

– *Tafraoute* : fête des amandiers en fleurs.

En avril

– *Essaouira* : Printemps musical des Alizés.

En mai

– *El-Kelaa des Mgouna* : fête des roses, début mai.
– *Rabat* : festival « Mawazin », rythmes du monde.
– *Sefrou (près de Fès)* : fête des cerises, fin mai.

En juin

– *Fès* : festival des musiques sacrées pendant une dizaine de jours.
– *Essaouira* : festival de Gnaoua et musiques du monde.

En juillet

– *Rabat* : festival pendant la deuxième quinzaine de juillet.
– *Al-Hoceima* : festival maroco-espagnol des Arts populaires, fin juillet-début août.
– *Guelmim* : *moussem* du chameau.

En août

– *El-Jadida* : *moussem* et fantasia de moulay Abdellah.
– *Asilah* : festival culturel.
– *Imouzzer-Ida-Outanane* : *moussem* du miel.

En septembre

– *Imilchil* : *moussem* des Fiancés.
– *Fès* : festival des Arts traditionnels.
– *Meknès* : festival des Arts de Volubilis.
– *Marrakech* : festival International du Film.

En octobre

– *Erfoud* : fête des Dattes.

NB : d'une façon générale, les dates des fêtes civiles restent dans le même mois solaire, à une semaine près, tandis que les *moussem* se déplacent tout au long de l'année en suivant le calendrier musulman. Se renseigner auprès des offices du tourisme.

Les cérémonies auxquelles on vous invitera

Vous aurez peut-être la chance de voir une circoncision, qui donne lieu à de grandes réjouissances, proportionnelles à la richesse de la famille. Mais vous aurez surtout l'occasion d'assister à un mariage. En spectateur, bien entendu : on danse pendant trois jours, et il est heureux que vous ne soyez pas invité à danser, car c'est très monotone et très très loin du rock...

Danses très immobiles, genou touchant le genou de celui ou celle d'à côté, ou bien hanche contre hanche.

Comme les filles et les garçons sont alternés, c'est très sexy tout ça, et une fille qui a des vues sur un beau mâle peut se glisser entre deux d'entre eux, mais lequel a-t-elle choisi ? Mystère... De plus en plus sexy ! Après, elle profitera de l'intermède du mariage pour faire un brin de causette, car ordinairement, c'est strictement défendu. Bref, les mariages sont une pépinière de futurs mariages, mais entre-temps, il faudra encore l'assentiment du père, ou du frère aîné si le père est mort, et puis on causera dot...

L'intérêt du mariage réside dans l'ambiance, la musique, les habits blancs des invités, et surtout des invitées, qui dansent, les maquillages, etc. Attention pour les photographes, l'obscurité sera là, et vous n'aurez que la lumière des lampes à acétylène pour agir, car le flash ferait mauvais effet. On peut toutefois réaliser des photos hautes en couleur avec un film à partir de 400 ISO.

La cérémonie la plus fréquente à laquelle on vous invitera est celle du thé à la menthe, dont on vous décrit, à la rubrique « Boissons », la variante la plus courante.

GAZELLES

C'est fou ce qu'il y a comme « gazelles » au Maroc. Chaque touriste femme est ainsi baptisée. Quant aux hommes, ce sont des « gazeaux » ou des « gazous ». Ne vous offusquez pas : c'est une formule amicale et même affectueuse. Gazelle ne se dit pas *ziz* en arabe comme on le croit souvent mais *ghzala*. L'erreur vient de ce que la marque d'essence *Ziz*, surtout présente dans le Sud-Est, a pour logo une gazelle, mais aussi parce que *ziz* est la traduction berbère du mot « gazelle » ! Le Ziz est aussi l'oued qui passe à Er-Rachidia. Le mot arabe *aziz* (pour un homme) ou *aziza* (pour une femme) signifie « chéri » ou « chérie » avec un sens amical.

Ghouzel et *ghouzela* signifiant « joli » en arabe, cela explique peut-être l'origine de la dénomination « gazelle » que les bazaristes et guides locaux ont adoptée pour les touristes. Depuis quelques années, les « gazous » deviennent des « gasoils » et les gazelles... des « gazolines ». On n'arrête pas le progrès !

GÉOGRAPHIE

Un pays montagneux à cheval sur deux mers, l'océan Atlantique et la Méditerranée, tel apparaît le Maroc qui, d'un côté, jouxte l'Europe et, de l'autre, voit ses frontières se perdre dans les sables du désert mauritanien. De cette diversité des terrains naît la grande variété des paysages marocains, qui comptent parmi les plus beaux du monde.

Les chaînes du Rif et de l'Atlas ont été longtemps un obstacle à la communication entre le Nord et le Sud, causant des différences si considérables entre les diverses régions que l'on peut encore, de nos jours, avoir l'impression de visiter plusieurs pays en un seul. On oublie souvent que le Maroc est un pays essentiellement montagneux, dont 100 000 km^2 s'élèvent au-dessus de 2 000 m. Les Atlas (le Moyen, le Haut et l'Anti-Atlas) se composent de trois chaînes déployées autour d'un bassin. Le Moyen Atlas, qui culmine au djebel Bou Naceur (3 340 m) est formé de hauts plateaux où les Berbères souvent nomades se livrent à l'élevage. Le Haut Atlas, le plus célèbre, étire sur 700 km une succession de sommets dont 400 environ dépassent les 3 000 m et une dizaine atteignent les 4 000 m. Il culmine à 4 165 m, au djebel Toubkal, le sommet le plus élevé d'Afrique du Nord. La neige y persiste tout l'hiver et peut apparaître à partir de 600 m d'altitude. L'Anti-Atlas est une chaîne aride qui longe la vallée du Drâa, en bordure du désert.

Quant au Rif, il n'est autre que le prolongement de la cordillère Bétique du sud de l'Espagne. C'est une région verdoyante et pluvieuse, couverte de forêts, culminant au djebel Tidighine (2 450 m). Sa côte rocheuse, longue de 530 km et particulièrement belle, est peu hospitalière.

Le bassin de Sebou, qui constitue la principale région agricole du pays, est la seule voie de communication entre le Maroc méditerranéen et le Maroc atlantique, dont la côte atlantique s'étale sur 2 800 km. Elle est bordée de plaines (Sebou, Mesema et Sous) qui sont les régions les plus peuplées et les plus riches du pays. Tout le long se succèdent de belles plages, des ports, et de grands centres comme Casablanca, Safi et Rabat.

Tout au sud, le Sahara, étendue désertique, n'a d'autre richesse que les phosphates de son sous-sol. Ce sont des kilomètres de sable à perte de vue, avec des paysages de dunes sculptées par le vent, où campent des tribus de nomades.

Enfin, le Maroc oriental, à l'écart des chemins touristiques, est composé de terres pauvres et mal arrosées, culminant en quelques hauts plateaux qui s'étendent jusqu'à la frontière algérienne.

GUIDES ET FAUX GUIDES

Pendant longtemps, l'hospitalité marocaine a considérablement contribué au développement du tourisme. L'accueil chaleureux que des générations de voyageurs ont reçu a probablement fait beaucoup plus que toutes les campagnes publicitaires. Le summum se trouve chez les Berbères de l'Atlas.

Cet accueil appartiendra-t-il un jour à la légende ? On peut malheureusement se poser la question car, hélas, un certain harcèlement parvient dans bien des cas à gâcher la visite de sites que l'on aimerait découvrir seul. Conscientes du problème, les autorités tentent de sensibiliser la population par les médias et ont mis en place une brigade touristique très efficace (trop ?) qui produit ses effets dans certaines villes (Marrakech, par exemple). Nous maintenons cependant notre texte, en espérant qu'il correspondra de moins en moins à la réalité sur le terrain. Et il semble en effet qu'il soit devenu tout à fait facile de traverser les souks de Marrakech, par exemple, sans se faire importuner le moins du monde.

En contrepartie, si vous devez vous promener avec un ami marocain, vous devrez en demander l'autorisation à la brigade touristique, surtout dans les régions très touristiques. Cette demande est tout à fait comparable à un interrogatoire car on vous demandera qui vous êtes, ce que vous faites au Maroc, depuis combien de temps vous connaissez votre ami, etc. De plus, vous devrez fournir une photocopie de votre passeport et tampon d'entrée dans le pays. Sachez enfin que, si cet ami marocain ne peut justifier d'une adresse et d'un travail, la demande sera certainement refusée catégoriquement.

Suivez le guide !

Alors, comment faire lorsque l'on est de passage et que l'on ne connaît pas la ville, et encore moins la médina, pour s'y aventurer seul ? Trois solutions : un guide officiel, un faux guide ou un gamin.

– **Le guide officiel** est généralement en djellaba blanche et muni d'une plaque et d'une carte de guide officiel du ministère du Tourisme marocain. Cette carte est toujours écrite en français. Il faut se méfier de celles rédigées en arabe car il s'agit de cartes d'étudiant ou d'identité.

On le trouve à l'office du tourisme ou à la réception des grands hôtels. Son salaire est fixé suivant un barème. Il connaît souvent bien l'histoire de la ville, donc il peut tout vous raconter en détail. Le seul hic, c'est qu'il touche un pourcentage assez important sur tout ce que vous achetez (ainsi que sur vos notes de restaurant), donc il voudra certainement vous faire acquérir le plus de choses possible ! Alors votre balade dans la médina se traduira par une visite continue de magasins plus ou moins luxueux. Si vous parvenez à déjouer ses pièges, il se contentera de vous traîner, pour la forme, de ruelle en ruelle avec enthousiasme.

Il y a des exceptions, et nous connaissons de nombreux guides qui aiment vraiment leur métier et savent vous faire partager l'amour de leur ville. Dès le début de la visite, mettez les choses au point : indiquez au guide les sites que vous souhaitez visiter, la durée de cette visite et le prix. Attention aux « C'est fermé » ou « C'est sans intérêt ». Ne pas hésiter, non plus, à dire que l'on souhaite ne rien acheter et à imposer son itinéraire.

– *Le faux guide* vous aborde avec l'inévitable questionnaire : « Bonjour. Vous êtes français ? Pour combien de temps ici ? Je suis étudiant et je voudrais parler avec vous. Je n'ai pas de cours aujourd'hui et je peux vous conduire où vous voulez », etc. C'est parti ! Là encore, il s'agit bien souvent de vous conduire de magasin en magasin dans l'espoir de toucher une commission. Mais là aussi, il est difficile de faire des généralités. En effet, l'avantage des guides non-officiels est que vous pouvez plus aisément déterminer votre parcours. Les jeunes qui vous font visiter la ville la connaissent généralement aussi bien, parfois mieux, que les guides officiels et, comme vous payez à la fin, vous pouvez l'éconduire si vous sentez une arnaque se profiler. Et parfois, la visite avec un guide non-officiel peut se terminer par une vraie rencontre.

Le sujet des « faux guides » et des « guides officiels » est un vrai débat. Car dans le même temps, le harcèlement des premiers à l'entrée des médinas est tel qu'ils vous gâchent parfois tout le plaisir de la visite. Inutile d'être désagréable, hautain ou dédaigneux, c'est souvent leur seul moyen de subsistance. Si vous souhaitez vraiment effectuer la visite seul, éconduisez-les en prenant le temps de vous expliquer, et surtout avec le sourire (ça va tellement mieux, avec le sourire). Une solution plus radicale consiste à se diriger vers un agent de police.

– *Le gamin :* souvent débrouillard, il vous amusera et saura chasser les importuns. Mais gare à lui si la police lui tombe dessus. Vous pouvez être sûr qu'il passera un bien mauvais quart d'heure et sera très probablement roué de coups, c'est pourquoi nous vous le déconseillons. D'ailleurs, s'il décèle un danger quelconque, il risque de s'enfuir avant la fin de la visite.

Business is business

Quand un guide (qu'il soit officiel ou non) marchande le prix en arabe avec le vendeur, ce n'est pas pour baisser le tarif comme ils vous le font croire. Il fixe, en fait, sa commission avec le marchand. On n'est jamais si bien servi que par soi-même.

Une règle générale au Maroc : ne jamais acheter quoi que ce soit accompagné d'une personne inconnue, surtout si elle vous a conduit elle-même dans la boutique. Le prix se trouve obligatoirement majoré de la commission qui sera versée à celui qui vous y a escorté.

HABITAT

On considère que, parmi les pays du Maghreb, le Maroc est le plus riche dans le domaine du patrimoine architectural. Sa richesse réside dans la variété qu'il offre : architecture urbaine, avec les demeures cachées des médinas de Fès ou Marrakech, architecture rurale, avec les kasbahs du Sud marocain, dont on ne trouve l'équivalent qu'au Yémen.

– *Les kasbahs :* partout dans le Sud marocain, vous rencontrerez au milieu des palmeraies ces superbes bâtisses fortifiées en terre. À la fois résidence du seigneur et château fort, la kasbah joua un rôle fondamental pendant des siècles. Dès que l'envahisseur rôdait, les villageois s'y réfugiaient. Les caravanes qui commerçaient entre l'Afrique et les pays du Maghreb y trouvaient refuge et entrepôt. Il semble bien que ce type d'habitat relève d'un art typiquement berbère.

Les kasbahs sont construites sur des fondations en pierre, avec des briques crues faites de terre et de paille, selon un procédé très ancien. Les techniques peuvent varier : assemblage de petites briques de pisé, superposition de blocs (d'un demi-mètre cube) ou remplissage d'un coffrage comme pour le béton. Tous ces édifices sont fragiles et nécessitent beaucoup d'entretien. La partie haute des murailles est souvent couronnée de merlons en épis (cette forme étant supposée éloigner le mauvais sort). Un vieux proverbe (algérien) recommande d'ailleurs à leur sujet : « Si tu veux que je dure, couvre-moi. » Or, faute d'entretien, ces étonnants châteaux de boue sont destinés à disparaître rapidement. Ainsi, le Glaoui de Marrakech régnait sur les plus belles kasbahs le long des rives du Drâa et du Dadès. En 1956, avec l'indépendance et le retour du roi, ses biens furent confisqués. Pratiquement laissées à l'abandon, les kasbahs s'écroulèrent : une colère de l'oued, une pluie diluvienne, et tout était emporté d'un coup. Parmi ces constructions qui ont déjà beaucoup souffert, citons le palais du Glaoui à Telouet, le grenier fortifié d'Igherm, les kasbahs de Tineghir et de Taliouine. Celle d'Aït Benhaddou est en voie d'être sauvée grâce à l'Unesco, qui a reconnu à la fin des années 1970 que les kasbahs appartenaient au Patrimoine international.

À noter que les parties supérieures des kasbahs étaient souvent décorées de motifs géométriques d'inspiration berbère, que l'on retrouve sur les bijoux et sur les tapis.

Plusieurs kasbahs forment un *ksar* (« village », au pluriel *ksour*).

– **Les riad :** dans toutes les villes du monde arabo-musulman, on retrouve le même type de maison : une cour ou un jardin intérieur constitue l'espace fondamental autour duquel s'organise la demeure. Les différentes pièces, bien souvent, ne communiquent pas : il faut repasser par l'espace central. Les fenêtres des pièces donnent sur cette même cour intérieure alors que les murs donnant sur la rue ne disposent d'aucune ouverture. Rien ne permet donc, dans une ruelle poussiéreuse de médina, de deviner la splendeur de certains *riad* (le terme signifie à l'origine « jardin ») qui se cachent derrière des murs anonymes.

Selon la richesse de la maison, sa grandeur, le nombre des pièces va varier. Mais c'est surtout la décoration intérieure qui fera la différence : tous les murs d'une maison riche seront décorés. Les *zellige* (céramique à motifs géométriques), le plâtre sculpté leur donnent un cachet inimitable.

Bien entendu, le développement très rapide des quartiers nouveaux à la périphérie des villes, construits sur le mode occidental (des immeubles, des immeubles et encore des immeubles), et l'abandon des médinas que l'on a dit massif, il y a quelques années, ont pu modifier la conception de l'habitat : pourtant, on revient vers les demeures traditionnelles et les restaurations de demeures naguère abandonnées se multiplient.

– **Les constructions en pisé :** il s'agit bien entendu de l'habitat rural dont les fleurons sont les *kasbahs*. Mais dans tous les villages, on va trouver des demeures qui, sans être celles forcément du caïd local, méritent l'attention. Malgré les apparences, toutes ne sont pas identiques. On peut toutefois retenir comme architecture typique le « modèle » suivant, correspondant à la maison traditionnelle berbère d'Oumesnat, qui se visite près de Tafraoute :

• *le rez-de-chaussée* est consacré aux animaux, avec une étable et une pièce pour certaines activités agricoles (on peut y trouver, par exemple, différents petits moulins, comme le moulin à café ou à huile d'arganier) ;

• *au 1er étage,* la cuisine à ciel ouvert, espace central réservé aux femmes ;

• *au 2e étage,* le salon de réception, réservé aux hommes, et la terrasse.

– *La tente berbère :* autre type d'habitat, pour les tribus qui accompagnent leurs troupeaux en transhumance, la tente *(khaïma)* de couleur marron en laine de mouton ou de chèvre. Comme tout ce qui relève de l'artisanat berbère, elles sont décorées par des motifs géométriques. À l'instar des maisons en dur, on retrouve l'espace réservé aux femmes et aux enfants, et un autre espace de réception, que les hommes utilisent pour dormir. Le sol est recouvert de nattes, tapis et coussins. Certains hôtels, surtout dans le Sud, proposent de dormir dans des tentes berbères. À ne pas confondre avec les tentes dites caïdales, beaucoup plus hautes, que l'on trouve dans certains restaurants : ces tentes en toile claire servaient à l'origine à honorer les invités de marque du sultan.

HAMMAM

En créant les thermes, les Romains furent les véritables inventeurs du hammam. Ces thermes, construits un peu partout sur l'ensemble de l'Empire romain, furent progressivement « récupérés » par les musulmans. En effet, ils permettaient l'ablution totale conformément au Coran. Bien entendu, les thermes étaient considérés comme des endroits de débauche par la très prude morale judéo-chrétienne. Et en Europe occidentale, ils disparurent presque complètement.

Au Maroc, où il y a peu de salles de bains dans les maisons et où l'hygiène corporelle est scrupuleusement respectée, le hammam tient une place importante. Toutefois, un certain nombre d'entre eux ne présentent pas une propreté correspondant à nos critères d'hygiène. Il faut donc savoir effectuer une sélection. Le mieux est de s'adresser à la réception de l'hôtel ou de demander conseil à un pharmacien de la ville. Autrefois, une ville se jugeait par la beauté et la magnificence de son hammam (un peu comme chez nous, les églises).

Son importance religieuse a toujours été très grande : on y fait ses ablutions conformément au Coran. Le hammam a une signification sociale tout aussi importante : pendant longtemps, ce fut la seule sortie autorisée aux femmes, qui s'y retrouvaient. Les hommes, quant à eux, s'y rendent entre amis, pour bavarder.

Encore aujourd'hui, les femmes ne sortent guère et ne voient donc que peu de monde à l'exception de leur cercle familial. Au hammam, tout est différent, c'est un gigantesque brassage où les mères peuvent juger de l'état physique et de la beauté des jeunes filles. Bref, c'est là qu'elles choisissent une future femme pour leur fils.

C'est un lieu où l'on vient se laver et se détendre, mais où également on bavarde et on passe le temps. Généralement, les hommes se baignent le matin et les femmes l'après-midi : une serviette pendue à la porte de l'établissement indique la présence des femmes. Les horaires sont en principe de 7 h 30 à 11 h et de 18 h à 20 h pour les hommes ; et de 11 h 30 à 17 h pour les femmes. Les bains ferment plus tard les veilles de fête.

Pour une première expérience, l'idéal serait de s'y rendre avec des amis marocains. Pour ne pas faire trop plouc, apporter un morceau de savon et un gant de massage. Ce fameux gant est en tissu noir et s'achète dans une épicerie proche des bains ou à la caisse de l'établissement. Attention, ces hammams ne sont nullement des lieux de drague, et un minimum de décence y est toujours requis.

Évitez les hammams des hôtels touristiques qui n'ont plus rien d'authentique et où l'on se retrouve entre « toutous » de différentes nationalités, mais de Marocains « oualou » !

■ Il est possible, avant le voyage, de s'offrir une répétition générale au *hammam de la Mosquée de Paris :* 39, rue Geoffroy-Saint-Hilaire, 75005.

☎ 01-43-31-38-20. M. : Jussieu ou Monge. Jours des femmes : les lundi, mercredi, jeudi et samedi de 10 h à 21 h, et le vendredi de 14 h à 21 h. Jours des hommes : le mardi de 14 h à 21 h et le dimanche de 10 h à 21 h. Attention toutefois à la propreté, pas toujours de rigueur.

HÉBERGEMENT

Auberges de jeunesse

– Il n'y a pas de limite d'âge pour séjourner en AJ, sauf en Bavière (27 ans). Il faut simplement être adhérent.
– La FUAJ (association à but non lucratif, eh oui ça existe encore) propose trois guides répertoriant les adresses des AJ : France, Europe et le reste du monde, payants pour les deux derniers.

– *Paris : FUAJ,* Centre national, 27, rue Pajol, 75018. ☎ 01-44-89-87-27. Fax : 01-44-89-87-10. • www.fuaj. org • M. : Marx-Dormoy, Gare-du-Nord (M., RER B et D) ou La Chapelle.
– *Paris : FUAJ,* Antenne nationale, 9, rue de Brantôme, 75003. ☎ 01-48-04-70-40. Fax : 01-42-77-03-29. M. : Rambuteau, Les Halles et Châtelet-Les Halles (RER A).

– *Paris : AJ D'Artagnan,* 80, rue Vitruve, 75020. ☎ 01-40-32-34-56. Fax : 01-40-32-34-55. • paris.le-dartagnan@fuaj.org • M. : Porte-de-Bagnolet.
– *Au Maroc : Fédération royale marocaine des auberges de jeunes,* Parc de la Ligue Arabe, BP 15998, Casa Principal, Casablanca 21000. ☎ (212) 22-47-09-52. Fax : (212) 22-22-76-77.

Hôtels

Il y aurait beaucoup à dire sur la plupart des hôtels du Maroc, leur état alimente d'ailleurs très régulièrement notre courrier des lecteurs. Si certains sont correctement entretenus, dans de nombreux cas, beaucoup reste à faire pour améliorer leur confort : mobilier branlant, lits défoncés, draps douteux, sanitaires déficients.

Cette constatation ne concerne pas toujours que le bas de gamme. Certains établissements à plusieurs étoiles n'y échappent pas. Ce qui est plus grave dans leur cas, c'est que le prix étant plus élevé, on s'attend à y trouver un service (totalement inexistant) et que le manque d'amabilité du personnel aggrave le cas de ces usines à touristes. Les voyagistes sont en partie responsables de cet état de fait, car ils exigent des remises importantes et rétribuent les hôteliers avec beaucoup de retard. La qualité s'en ressent, l'entretien laisse à désirer, même chez certains grands étoilés, et le personnel est généralement démotivé. Nous ne manquerons pas de vous déconseiller ces établissements au passage. On sent un peu partout le laisser-aller, les moquettes sont poussiéreuses, voire sales, l'électricité est un véritable rébus ; quant aux douches et baignoires, ce ne sont que tuyaux qui fuient et robinets qui gouttent. Les prestations sont chères. Attention aux réservations mal enregistrées par des hôteliers qui marquent, sur leur cahier, « réservé » sans mentionner de nom.

Il faut savoir aussi que la loi marocaine interdit qu'un Maghrébin voyageant avec une femme sans être marié (qu'elle soit arabe ou non) soit logé dans la même chambre. De nombreux hôteliers refusent à ces couples l'accès de leur établissement ou, lorsqu'ils le acceptent, leur donnent des chambres opposées géographiquement. Pas question de mentir, car on vous demande votre certificat de mariage si vous prétendez l'être. De toute façon, la transgression de cette loi pourrait se retourner contre le Maghrébin se trouvant dans la même chambre qu'une fille ; s'il est dénoncé, il risque l'emprisonnement, qu'il soit marocain ou étranger.

NOUVEAUTÉ

BARCELONE (fév. 2003)

Barcelone, entre mer et montagne : un pied dans la tradition et l'autre
dans l'avant-garde. Cette énorme ville, éclatante de bruits et de vie, file
allégrement son bonhomme de chemin, sans faux pas. Ici, les maisons
espiègles de Gaudí cohabitent paisiblement avec l'architecture médié-
vale du « Barri Gòtic », les jeunes dansent la sardane le samedi devant
la cathédrale, avant de s'éclater dans les boîtes techno.

La ville s'organise autour des *rambles*, véritable artère palpitante qui
mène au port, avec ses fleuristes, ses marchands d'oiseaux et ses terrasses. Le soir, les Barcelonais s'y livrent à leur sport national, le
paseo : on se balade sur la *rambla* en admirant au passage les exploits
du marionnettiste et sa grenouille musicienne, la statue de Colomb qui
vous salue pour quelques pièces ou le chanteur de vieux tubes américains en fauteuil roulant.

Ajoutez à cela un métro d'une simplicité enfantine ouvert jusqu'à 2 h du
mat' le week-end, des merveilles architecturales, œuvres de Gaudí
comme la Sagrada Familia, ou de ses comparses du modernisme, une
pléthore de musées, des *tapas* épatantes, une pagaille de restos,
cafés, boîtes, terrasses et salles de concert, des téléphériques, des
funiculaires, un tramway, et... une plage à deux pas du centre !

De nombreux hôteliers répugnent aussi à mettre dans la même chambre un touriste voyageant avec un copain marocain.

Éviter de manger dans les restaurants des hôtels, où la table est généralement médiocre. De plus, les prix de menus étant fixés en rapport avec la catégorie de l'hôtel, ils sont généralement plus chers que les simples restaurants.

Établissements classés

Il existe une classification officielle établie par le ministère du Tourisme, dont le prix maximal annuel est fixé chaque année. Ce tarif est, théoriquement, disponible dans tous les offices du tourisme. Les prix des chambres sont toujours affichés à la réception des hôtels. Ces prix peuvent se négocier, surtout en basse saison. Mais cette classification officielle était très arbitraire et nombre d'établissements vivaient sur leur réputation. Le ministère du Tourisme a donc procédé à un nouveau classement correspondant mieux à la réalité. Certains hôtels ont perdu des étoiles, d'autres ont reçu des avertissements et sont en sursis.

S'il y a beaucoup d'hôtels de catégorie supérieure (dont de magnifiques palais, à visiter pour le coup d'œil si vous ne pouvez pas y dormir, les fameux *riad*), les établissements de moyen standing, correspondant à nos 2 étoiles, sont en quantité insuffisante. Lorsque les Marocains voyagent, ils ont tendance à se rendre dans leur famille et, comme celle-ci est grande et hospitalière, le réseau des petits hôtels ne s'est pas suffisamment développé.

Établissements non classés

Disons, en préambule, qu'il existe quelques rares établissements non classés parce que leurs propriétaires refusent de se plier aux contraintes du classement officiel. Ils sont très confortables et agréables, mais constituent une exception. Tous les autres sont souvent trop sales pour que l'on puisse y passer une nuit sans être importuné par des petites bestioles qui laissent souvent de cuisants souvenirs. On fera bien d'avoir alors avec soi un « sac à viande » afin d'éviter le contact avec les draps, ainsi que des serviettes de toilette car elles ne sont pas souvent fournies. Les boules Quiès permettront d'atténuer les bruits divers, y compris ceux de muezzins réveille-matin, quand on dort à proximité d'une mosquée. D'une manière générale, la plomberie est défaillante ; prévoir éventuellement un assortiment de bouchons pour les lavabos et baignoires.

Nous avons essayé d'éliminer de notre sélection les hôtels trop pouilleux. De nombreux établissements possèdent une terrasse. C'est plus rigolo d'y dormir et c'est moins cher. N'oubliez pas cependant que les nuits sont parfois fraîches.

Les chaînes hôtelières

– La chaîne des *hôtels Kenzi* a repris des hôtels anciens ou en a construit de nouveaux. Il y en a au total une douzaine, répartis sur tout le Maroc ou presque. Attention toutefois, certains lecteurs se sont plaints. Bref, chez *Kenzi*, il y a à boire et à manger. Gaffe !

■ Réservation en France auprès du bureau des **hôtels Kenzi** à *Paris* : 5, av. de l'Opéra, 75001. ☎ 01-42-86- 66-66. Fax : 01-42-86-66-67. M. : Pyramides.

– Le *groupe Accor* a repris, avec sa filiale *Ibis*, six établissements de la chaîne *Moussafir*. Ces hôtels très fonctionnels sont situés à Agadir, Casablanca, Fès, Marrakech, Oujda et Rabat. Ils ont l'avantage de pratiquer des prix entre 380 et 500 Dh (38 à 50 €). Ces établissements devraient être adaptés aux normes techniques et de gestion du célèbre groupe. Toutefois, la plupart ont grand besoin de travaux et les prestations ne correspondent nullement à celles du groupe *Accor*.

■ On peut réserver depuis la France en s'adressant à la *RÉSA Centrale Ibis :* ☎ 0825-882-222.

● www.accorhotel.com ● Ou en composant le 36-15, code ACCOR-HOTEL, sur le Minitel.

– Les *hôtels Salam* possèdent une quinzaine de beaux établissements à travers le pays. La plupart ont su intégrer dans l'architecture traditionnelle le confort occidental. Conditions particulières et très avantageuses si les réservations sont effectuées à l'avance à leur bureau de Paris.

■ Pour tous renseignements et réservations, s'adresser à *Maroc Hôtel :* 19, rue Duphot, 75001 Paris. ☎ 01-42-60-56-90. Fax : 01-42-60-

57-01. M. : Madeleine. Ouvert du lundi au jeudi de 9 h à 18 h, jusqu'à 17 h le vendredi.

Prix spéciaux routards

Nos lecteurs peuvent parfois bénéficier d'avantages spéciaux. Dans le cours du texte, nous vous signalons les établissements qui consentent des remises. Toutefois, celles-ci ne s'appliquent pas toujours en période de pointe : fin d'année, Pâques ou fête locale.

Campings

FONDAMENTAL : le camping ne se dit pas camping, mais *moukhayyem*, en arabe. Ça vous évitera de tourner en rond en demandant « Camping ? ». Mais heureusement, c'est souvent fléché « Camping ». Ouf !
Nous vous indiquons les principaux. Il s'agit d'un mode d'hébergement économique, même si vous n'avez pas de tente. Si certains campings, très rares, sont correctement aménagés – douches, épicerie et quelquefois piscine (avec ou sans eau) –, les autres (les plus nombreux) tiennent du parc à bestiaux avec la poésie d'un terrain vague, parfois entouré d'un mur richement décoré de tessons de bouteilles. Pas d'eau dans les douches ou pas de douches, sanitaires innommables, pas d'ombre, beaucoup de bruit, sol jonché de détritus... et c'est payant ! Nous nous élevons depuis des années contre cet état de fait. La plupart des campings ignorent les règles les plus élémentaires d'hygiène. N'oubliez pas votre sac de couchage.
Les campeurs doivent savoir que le sol marocain n'a rien à voir avec la lande bretonne où le doigt s'enfonce. Emporter des piquets de type « sardine alu » ou, mieux encore, des clous type « crucifixion du Christ », que vous pourrez acheter dès votre arrivée au Maroc chez n'importe quel ferrailleur.
On signale à tout hasard qu'il y a des coquins qui rôdent de temps en temps dans les campings (comme partout !). Et ce n'est pas parce que votre tente est fermée que vos affaires sont en sécurité. Il arrive qu'« on » découpe les tentes... et même les fringues. Il est donc préférable de déposer les objets de valeur à la réception.
Le camping sauvage n'est pas interdit par la loi mais est vivement déconseillé, sauf si l'on a vraiment le goût du risque. Dans le Sud, on vous propose parfois de vous héberger : il serait incongru de refuser, sauf si vous pressentez que cela va déboucher sur une arnaque au tapis.

Logement chez l'habitant, chambres d'hôte ou location d'appartements privés

Dans certains sites, les capacités hôtelières étant nettement insuffisantes en saison, les habitants proposent de vous louer une chambre ou un appartement. De jeunes rabatteurs se chargent de vous indiquer les adresses dès votre arrivée à la gare routière. Inutile de vous dire que la plus grande prudence s'impose. Visitez impérativement les lieux et négociez les prix avant de conclure. Ces locations sont, la plupart du temps, illégales et, en cas de pépin, vous ne rencontrerez aucune aide de la part des autorités. Cela étant dit, en louant une chambre chez l'habitant, vous partagerez la vie de la famille et aurez, peut-être, la chance de découvrir l'hospitalité marocaine.
Les chambres d'hôte et les locations d'appartements sont une formule économique quand on voyage à plusieurs et que l'on reste quelques jours au même endroit. Ces locations sont très répandues dans les stations balnéaires comme Essaouira. Vous aurez intérêt pour les appartements à passer par une agence qui vous offrira des garanties. Pour les chambres d'hôte, nous vous indiquons les meilleures adresses.

Riad

Cette formule a pris naissance à Marrakech et s'étend maintenant à d'autres villes du Maroc comme Essaouira, Fès, Rabat. On commence même à en trouver dans certains villages du Sud. Ces maisons historiques, dont certaines sont de véritables palais, ont été restaurées la plupart du temps dans le souci de respecter l'architecture et les matériaux traditionnels. Toujours très confortables, et souvent même luxueuses, ces maisons d'hôte, nichées au cœur de la médina, vous permettront une approche authentique de la culture marocaine. Attentionné et discret, un personnel de maison sera à votre disposition tout au long de votre séjour.

HISTOIRE

Le Maroc antique

Comme en Algérie, les premiers habitants du Maroc ont été les Berbères, mais leur origine et leur histoire sont assez mal connues. On sait que les Phéniciens firent un jour leur apparition sur les côtes marocaines (fondant ce qui allait devenir Melilla), relayés par les Carthaginois vers le Ve siècle av. J.-C. (qui établirent des comptoirs). Peu après, quelques tribus berbères créent dans le nord du Maroc le royaume de Maurétanie.
Après la chute de Carthage (milieu du IIe siècle av. J.-C.), les Romains s'implantent au Maghreb ; au milieu du Ier siècle apr. J.-C., ils fondent dans le nord du Maroc la province de Maurétanie tingitane, qu'ils administrent en profondeur. Sous les Romains, le développement économique, architectural et culturel du Maroc est très important. Il durera jusqu'au milieu du IVe siècle apr. J.-C.
Puis c'est l'effondrement de l'Empire romain, l'invasion des Vandales (éphémère) et celle de Byzance. Les Byzantins n'occupent réellement que quelques points de la côte méditerranéenne. Le manque de pouvoir fort favorise d'emblée la conquête arabe.

La conquête arabe

Partie d'Arabie, l'expansion arabe vers l'ouest atteint l'Égypte en 640, progresse en Cyrénaïque (l'actuelle Libye) quelques années plus tard, pour atteindre l'Ifriqiya (actuelle Tunisie) vers 670 (fondation de Kairouan). La conquête du Maghreb proprement dite se heurte à une vive résistance des Berbères et s'achève vers 705. On raconte que Oqba ben Nafi, le chef arabe, atteignant la côte atlantique à Massa, pénétra à cheval dans la mer et prit Dieu à témoin que seule celle-ci l'empêchait d'aller combattre plus loin... La conquête du Maroc servira de point d'appui à celle de l'Espagne.

Les Arabes possèdent alors un empire allant de la Perse à l'Atlantique. À l'évidence, un territoire trop difficile à contrôler de Bagdad ; des révoltes berbères amènent la constitution de royaumes indépendants.

Le royaume idrisside

Idriss ibn Abdallah, descendant du prophète Mahomet par sa fille Fatima, échappant au massacre de sa famille par le calife abbasside de Bagdad, arrive à Volubilis en l'an 788. Il réussit à séduire une tribu berbère – les Aouraba – et à s'en faire élire chef : il est le premier d'une longue série à user d'une autorité religieuse pour s'imposer.

Son fils, né de sa concubine berbère deux mois après sa mort, est lui aussi reconnu par la même tribu comme héritier et chef. Idriss II fonde la ville de Fès et parvient à rassembler les Berbères du nord du Maroc en un seul royaume. Mais, à sa mort, ce royaume est partagé entre ses fils.

Les grandes dynasties berbères

Désireux de propager leur conception d'un islam orthodoxe, mais aussi poussés par un besoin d'expansion économique, de grands nomades caravaniers originaires du Sahara occidental progressent vers le nord par la force des armes. Remontant du Sénégal, ils s'emparent tout d'abord de Sijilmassa, carrefour du commerce transsaharien, puis de Taroudannt, capitale du Sous.

– En 1061, leur chef, Youssef ben Tachfin, établit la dynastie des ***Almoravides*** (en arabe : *al-morabitoun*, « les Fidèles du *ribat* », un monastère fortifié). Ils fondent la ville de Marrakech (1062 ou 1070) et étendent leur domination sur tout le Maroc et une grande partie de l'Espagne : en 1103, ils s'emparent de Valence, défendue par un certain Rodrigue (souvenez-vous : le Cid, c'est lui !). Amollis par la douceur andalouse, en butte aux offensives chrétiennes en Espagne et à de redoutables contestations au Maroc, les successeurs de Youssef sont rapidement confrontés à une nouvelle puissance venue elle aussi du Sud. En 1125, Mohammed ibn Toumert – un Berbère originaire d'une tribu de l'Anti-Atlas – s'installe à Tinmel, dans le Haut Atlas, et commence à prêcher une réforme des pratiques musulmanes et de la théologie : pour lui, les Almoravides sont des impies. Cet homme lettré, puritain et intransigeant, se sent investi d'une mission divine. À sa mort, il nomme Abd al-Moumin, un Berbère d'Alger, comme successeur.

– Excellent soldat et homme d'État, Abd al-Moumin instaure la dynastie des ***Almohades*** (de l'arabe *al-muwahhidun*, les « Unitariens », car Ibn Toumert, entre autres, prêchait la doctrine de l'unicité de Dieu) à la place des Almoravides. Pendant plus d'un siècle, à l'apogée de la puissance berbère, les Almohades règnent sur un empire s'étendant de l'Espagne à la Libye. Bon nombre de monuments civils ou religieux datent de cette époque et sont l'œuvre du plus fameux des sultans, Yacoub el-Mansour. Là encore, un mouvement très strict au départ donne naissance à une civilisation brillante et raffinée qui attire de grands esprits (le philosophe Averroès meurt en 1198 à Marrakech, où il s'est établi). Mais les succès de la reconquête chrétienne en Espagne provoquent l'effondrement des Almohades, auxquels succèdent, de 1269 à 1421, les *Mérinides*.

– ***Les Mérinides :*** Abou Youssef Yacoub, chef d'une tribu zénète (des Berbères des hauts plateaux), celle des Beni Merine, ne peut accepter cette défaite. Après s'être emparé de Marrakech en 1269, il entraîne ses troupes à la reconquête de l'Espagne et fonde, au passage, en 1276, Fès el-Jédid, qui aura la particularité de posséder un quartier juif placé sous la protection du sultan. Dans la première moitié du XIVᵉ siècle, deux grands souverains, Abou el-Hassan et Abou Inan, rétablissent, pour peu de temps, l'unité du Maghreb : Tunis est conquise en 1347. Mais les Mérinides doivent affronter d'autres tribus rivales, très supérieures en nombre, et lutter contre les troupes catholiques espagnoles. De plus, l'infant du Portugal, Henri le Navigateur, s'empare d'un certain nombre de villes de la côte et fonde des comptoirs fortifiés, notamment à Safi (1407) et à Ceuta (1415). Enfin, contrairement à leurs prédécesseurs, les Mérinides ne sont pas investis d'une haute mission religieuse et ne peuvent galvaniser leurs troupes à l'évocation d'un simple au-delà de félicités éternelles. À l'expansion succède le repli.

– Une autre dynastie zénète, les **Wattassides**, règne de 1421 à 1554, période durant laquelle, en 1492, Ferdinand d'Aragon et Isabelle de Castille reprennent la ville de Grenade, parachevant ainsi la *Reconquista* de la péninsule. Simultanément, Portugais et Espagnols se font agressifs sur les côtes marocaines, et multiplient les comptoirs.

– Une telle déchéance appelait une réaction. Elle viendra d'une famille originaire d'Arabie, les **Saadiens**, se proclamant *chorfa* (pluriel de *chérif* qui signifie « descendant du prophète ») et implantée dans la vallée du Drâa, qui décide de chasser l'envahisseur chrétien et organise une véritable guerre sainte. Les Saadiens réussissent à reprendre la totalité des comptoirs portugais, à l'exception de celui de Mazagan, l'actuel El-Jadida. Et en 1578, c'est le coup de grâce : les troupes portugaises sont défaites à la bataille d'Alcaçar-Quivir et leur jeune souverain, Sébastien, tué. Cet événement marque le début du déclin du Portugal, qui tombe rapidement sous la coupe de l'Espagne de Philippe II. Les Saadiens triomphent. Ils pratiquent une politique d'expansion vers le sud, qui se concrétise en 1591 par la conquête du Mali, alors appelé « pays des Noirs » *(Bilad al-Sudan),* notamment grâce à de petits canons montés sur une armada de 4 000 chameaux. Le bénéfice est immense : l'or produit dans les zones aurifères des fleuves Sénégal et Niger, mais aussi l'ambre gris, les peaux de léopard et... les esclaves, qui sont échangés contre des produits de l'agriculture et de l'artisanat. Le principal souverain de la dynastie saadienne, Ahmed el-Mansour, est surnommé *El-Dehbi* (« le Doré »).

Mais ce court âge d'or ne dure qu'un quart de siècle car, rongée par des querelles intestines et la médiocrité des souverains, leur dynastie ne peut conserver le pouvoir. Leur dernier chef, Mohammed XII (1636-1654), exerce une politique extrêmement favorable au monde chrétien, ce qui déclenche une montée de fanatisme dans les milieux intégristes.

La dynastie alaouite

Les Alaouites, au sang mêlé (berbère et arabe), se proclament eux aussi descendants du gendre du prophète, Ali. Austères, ils mènent une vie pauvre, méditative et vertueuse. C'est cette dynastie qui est toujours sur le trône actuellement, représentée par l'actuel roi du Maroc, Mohammed VI.

C'est le chérif filalien (c'est-à-dire du Tafilalet, la région actuelle d'Erfoud-Rissani, alors beaucoup plus prospère qu'aujourd'hui) Moulay Mohammed qui entreprend d'étendre son pouvoir. Poursuivant sur la même voie, le chérif Moulay Rachid, qui règne de 1660 à 1672, s'empare de la capitale, Fès, puis parvient à soumettre une large part du territoire.

Moulay Ismaïl, son frère, est surnommé par les historiens « l'assoiffé de sang » ! C'est un peu le Louis XIV marocain : longévité exceptionnelle (règne de 55 ans, de 1672 à 1727), grand appétit de puissance dans tous les domaines (il avait un harem de 500 femmes, dit-on...). À son époque, Meknès est privilégiée comme ville impériale. Il met en place un système politique centralisé appelé *makhzen* (littéralement « l'entrepôt », d'où notre « magasin »), qui se maintiendra jusqu'au protectorat. On opposera long-temps le *bled makhzen* (le pays soumis au pouvoir central) au *bled siba*, les régions dissidentes, comme les régions de montagne qui conservent une farouche indépendance.

Mais le XVIIIe siècle voit le Maroc s'enfoncer dans une longue période de troubles : l'économie va mal, le pays se replie sur lui-même. Alors que l'Europe s'engage dans la voie de la révolution industrielle et que l'impéria-lisme prend un nouveau visage, le Maroc bouge peu et excite les convoitises.

L'ère coloniale

Malgré les apparences de l'indépendance, le Maroc a été soumis à une colo-nisation larvée depuis l'installation des premiers comptoirs. Les coups de force des Espagnols et des Portugais, y compris leurs incursions à l'intérieur des terres, ainsi que l'installation des comptoirs, créent les conditions d'un commerce d'exportation où certains vendent leur âme pour s'enrichir, brisant la structure traditionnelle de la société.

La prise d'Alger par la France, en 1830, suscite de vives réactions au Maroc, qui prend alors parti contre les nouveaux occupants. Moulay Abd er-Rahman en profite pour tenter de s'emparer de Tlemcen, puis noue des intrigues avec l'émir Abd el-Kader contre l'autorité française en Algérie pour, finale-ment, se laisser entraîner dans une guerre ouverte contre la France. Les troupes chérifiennes sont écrasées en 1844 à la bataille de l'Isly par le géné-ral Bugeaud (qui devait posséder une drôle de casquette puisqu'elle fit l'objet d'une chanson chantée par tous les gamins pendant plus d'un siècle !). Les Marocains se voient contraints de signer la paix en 1844, ce qui permet non seulement à la France d'achever sa conquête de l'Algérie, mais aux puis-sances européennes (qui commencent à s'intéresser de près au Maroc et à ses richesses) d'exiger du vaincu affaibli des prérogatives exorbitantes. Ainsi, des traités commerciaux régaliens sont conclus, qui suppriment pra-tiquement les droits de douane pour les produits européens. Ainsi encore, le système de la protection, qui exempte les étrangers de tout impôt, et celui de l'exterritorialité qui les fait échapper à la législation locale en ne les faisant relever que de leur seul consul ! Et ce système s'étend bientôt aux Maro-cains eux-mêmes, car chaque « protégé » peut à son tour demander la pro-tection de deux personnes de son choix. C'est tout un pan de la société qui, rapidement, échappe au *makhzen*. En 1880, la conférence de Madrid, si elle reconnaît le Maroc comme pays indépendant, reconnaît ce système pervers en autorisant les étrangers à acquérir des terres. Les grandes entreprises anglaises, allemandes et françaises s'implantent à qui mieux mieux. Les ports sont bientôt contrôlés par un consortium de banques françaises. C'est le début de la fin...

Algésiras : un contrat d'ingérence totale

Introrisé à l'âge de quatorze ans, le jeune et inexpérimenté souverain chéri-fien Abd el-Aziz (1894-1908) hérite d'une situation inextricable, d'autant plus que des mouvements de révolte éclatent au cœur du pays, et que les Euro-péens n'attendent que ça pour intervenir et se partager le gâteau nord-africain. Dès 1905, la France envisage l'installation d'un protectorat, ce qui entraîne une vive réaction allemande : un débarquement à Tanger, très « médiatique » pour l'époque, avec l'empereur Guillaume II à sa tête, qui prononce un retentissant plaidoyer pour l'indépendance du Maroc...

Le jeune souverain marocain, manipulé, soumis aux influences occidentales, ne s'occupe guère du sort de son pays. Réunies à Algésiras en 1906, les grandes puissances occidentales tiennent une conférence internationale et règlent le sort du Maroc. La France abandonne ses prétentions sur l'Égypte, mais, en contrepartie, obtient le champ libre au Maroc. Des troubles anti-français sont alors le prétexte pour une première occupation (Oujda en 1907), puis c'est le tour de Casablanca et de son arrière-pays (1908). En 1911, Fès est occupée : grosse crispation avec l'Allemagne. La Première Guerre mondiale n'est pas loin de se déclarer avec trois ans d'avance lorsque Guillaume II envoie un navire de guerre dans la baie d'Agadir ! Et pourtant, l'installation d'un protectorat français est imminente.

Les années de tutelle française

Le traité de protectorat est signé le 30 mars 1912 entre le sultan et la France, représentée notamment par le maréchal Lyautey. Le Maroc est en fait tron-çonné, l'Espagne obtenant le Rif, le sud du Sahara, les enclaves de Ceuta, Melilla, Tarfaya et Ifni, et la France le reste de la dépouille, à l'exception de Tanger qui devient zone franche internationale. Pour la partie française, Lyautey assure les fonctions de résident général (gouverneur, en quelque sorte) de 1912 à 1925. Son intelligence aiguë, son sens de l'organisation, sa rigueur morale, son respect des valeurs traditionnelles et son sens de la jus-tice sont irréprochables. Mais il ne discerne pas un contre-pouvoir capital en place : celui de la finance et de l'industrie, qui flaire les profits fabuleux que le protectorat va leur permettre.

Le protectorat permit – selon certains – au Maroc d'accéder aux infrastruc-tures et aux avantages des pays dits développés. Mais c'est oublier alors la mise en coupe réglée du pays, les cultures vivrières progressivement rem-placées par des cultures d'exportation, les produits manufacturés européens se substituant à une partie de la production artisanale, la paupérisation du petit peuple qui en découle, l'exode rural et les bidonvilles. Sans oublier le traumatisme asséné à la fierté nationale...

Et à un homme d'ordre comme Lyautey, le *bled siba* est inadmissible. Une des tâches principales du protectorat sera donc la soumission des cam-pagnes et des montagnes. Ce qui n'ira pas sans mal. Mais le pire reste à venir du côté espagnol : dès 1919, des foyers d'insurrection éclatent dans le Rif où une république est proclamée en 1922. La révolte menaçant de s'étendre aux régions contrôlées par la France, celle-ci intervient alors aux côtés de l'Espagne. Deux généraux s'illustrent particulièrement sur le champ de bataille : Pétain, vainqueur de Verdun, et un inconnu nommé Franco... Malgré la débauche de moyens militaires, la « pacification » ne prendra fin qu'en 1926 avec la reddition du chef des insurgés, Abd el-Krim.

L'accession à l'indépendance

Malheureusement, tous les résidents généraux (qui ont, de fait, beaucoup plus de pouvoir que le sultan) n'ont pas les qualités de Lyautey. Une des plus graves erreurs psychologiques est la promulgation du *dahir* (loi) ber-bère. Promulguée en 1930, cinq ans après le départ de Lyautey, cette loi accorde aux Berbères un statut juridique fondé sur leur propre code tradi-tionnel, les soustrayant ainsi au droit coranique. La résidence tente de jouer les Berbères contre les Arabes. C'est juste ce qu'il faut pour faire émerger, dans la petite bourgeoisie urbaine et les milieux religieux, un fort courant nationaliste.

La Seconde Guerre mondiale va changer la donne. La France en sort affai-blie, son prestige profondément terni aux yeux des Marocains. En novembre 1942, les Alliés débarquent à Casablanca et, l'année suivante, une conférence y réunit Churchill, de Gaulle et Roosevelt. En marge de celle-ci, Roosevelt assure le sultan Mohammed ben Youssef de son soutien dans sa lutte pour l'émancipation. Le sultan ne se le fait pas dire deux fois et se rallie à la cause du parti de l'*Istiqlal* (indépendance). En 1947, il prononce un discours assurant l'avenir arabe et musulman du Maroc et commence la grève du sceau : il refuse de signer les *dahir*. La résidence organise sa destitution par une assemblée de notables, où s'illustre le pacha de Marrakech, le célèbre Glaoui, qui joue dans le camp des Français, et accuse le père de Hassan II d'être « le sultan de l'Istiqlal communiste et athée » ! Le sultan et ses fils sont exilés à Madagascar en 1953. C'est le plus royal des cadeaux faits à l'Istiqlal, derrière lequel le peuple se soude dans une revendication commune : le retour du sultan. Manifestations, boycott des produits français, attentats, actions commandos : les Français du monde de la finance comprennent que, pour garder leur influence économique, mieux vaut un régime indépendant sur le papier qu'une situation de guerre civile larvée. Côté métropole, on s'inquiète pour d'autres raisons : après la débâcle en Indochine et devant la rébellion qui éclate en Algérie, on s'aperçoit qu'il n'est pas tenable de voir s'ouvrir un nouveau front. Le 2 mars 1956, le traité d'indépendance est signé à Paris par celui qui va devenir le roi Mohammed V, que les autorités françaises ont ramené de son exil six mois plus tôt.

Le règne de Hassan II

Arrivé au pouvoir en 1961 à la suite de la mort prématurée de son père, victime d'un accident d'anesthésie, Hassan II est un monarque absolu qui s'acharne à détruire toute forme possible d'opposition autour de lui. Et les deux tentatives d'attentat dont il fait l'objet en 1971 et 1972 – occasions pour lui de prouver que le descendant des Alaouites possède toujours la *baraka* transmise depuis des générations – ne sont pas là pour lui donner tort. Et c'est grâce à un coup de génie politique que le roi va faire l'unité des forces vives de la nation : la « Marche verte » lui permet de s'emparer pacifiquement du Sahara occidental, jusqu'alors aux mains des Espagnols (voir la rubrique « Sahara occidental »).
Mais le Sahara ne permet pas d'oublier les difficultés économiques. Pour ceux qui, en juin 1981, découvrent la flambée des prix de l'huile et de la farine après la libération des prix demandée par le FMI, le souvenir de la « Marche verte » est désormais bien lointain. Les émeutes de Casa sont durement réprimées par les blindés : on parle d'un millier de morts.
Il faudra attendre plus d'une dizaine d'années pour que la situation commence à se décrisper. En juillet 1994, 400 détenus, pour la plupart politiques, sont libérés. En août 1997, le Parlement vote l'instauration de deux assemblées : une Chambre des députés et un Sénat, qui seront chargés de contrôler l'action gouvernementale. En mars 1998, le mécontentement grandissant à l'encontre de la politique menée par le Palais amène une alternance politique assez inattendue : un ancien opposant au roi, emprisonné pendant quelque temps, accède au poste de Premier ministre d'un gouvernement d'alternance de centre-gauche : Abderrahmane Youssoufi. Les ministères clés restent toutefois aux mains des fidèles du roi.
Hassan II meurt subitement le 23 juillet 1999, après 38 ans de règne. Son fils aîné lui succède sous le nom de Mohammed VI.

Mohammed VI : le règne du renouveau?

Avant même d'accéder au trône, « Sidi Mohammed » avait séduit les Marocains par son jeune âge, la simplicité de son comportement public, et son intérêt pour les déshérités. Dès son intronisation, le Maroc a attendu beaucoup de son nouveau roi. Même les plus grands adversaires de son père ont mis d'emblée tous leurs espoirs en lui. Car le peuple avait grand soif de changement, et Mohammed VI semblait décidé à faire bouger les choses et faire sortir l'administration de sa léthargie.
Ainsi, dès son accession au trône, il libère 46 000 prisonniers, pour la plupart politiques. Quelques mois plus tard, il retire à Driss Basri (ministre de l'Inté-

rieur et serviteur zélé de Hassan II pendant plus de 20 ans, haï du peuple marocain) le contrôle de la police politique et surtout la gestion du dossier sahraoui. Encore six autres mois, et c'est la libération du chef islamiste intégriste Cheikh Yassine, auparavant en liberté surveillée. C'est un réel vent de liberté qui souffle sur le Maroc : le retour au pays d'Abraham Serfaty, exilé pendant huit ans pour avoir remis en cause la « marocanéité » du Sahara occidental, en a été le principal symbole... Le roi s'attire aussi l'affection de son peuple de multiples manières. Il s'affirme comme le souverain de toutes les régions : à l'opposé de son père, terré dans son palais depuis les attentats dont il fut victime, Mohammed VI parcourt le Maroc, participe à la prière ici ou là, visite telle ou telle localité éloignée. Il rend public son mariage (une première dans l'histoire de la monarchie, les mauvaises langues diront qu'il s'agissait de faire taire certaines rumeurs) et l'organise de manière telle que les classes populaires ont pu se reconnaître dans la cérémonie. Les Marocains ont été particulièrement frappés de voir leur souverain exposé sur la *mida* (palanquin) comme n'importe quel jeune marié du pays ! En somme, la monarchie s'est soudain humanisée, démythifiée, comme en témoigne le surnom familier de M6 donné par ses sujets téléphiles. Petit pas après petit pas, Mohammed VI entreprend d'autres tâches de fond, comme la moralisation de la vie publique, nécessaire dans un pays où le peuple se réfère à la classe dominante en parlant des « voleurs » : des gestionnaires d'établissements publics sont mis en examen et écroués pour détournement de fonds. Toute son action est contenue dans cette phrase lâchée en 2002 : « Ce qui est en jeu, c'est de trancher entre la démocratie et l'engagement d'un côté, et le désordre, le gâchis et le défaitisme de l'autre. »

Mais les forces conservatrices en place sont toujours puissantes, et le chemin reste très long. Ainsi, beaucoup de secteurs échappent à l'autorité du Premier ministre : les agences créées par le roi et sous contrôle direct du Palais, celles des Provinces du Sud (comprenez du Sahara ex-espagnol), de l'Emploi, des Télécommunications ; le fonds Hassan-II alimenté par les privatisations et permettant le financement des grandes opérations du royaume, et surtout les quatre ministères dits « de souveraineté », l'Intérieur, la Justice, les Affaires étrangères et les Affaires religieuses. Sans que rien dans la constitution ne l'y oblige, leur gestion directe par le palais dilue les responsabilités et constitue une limite à la démocratie. Dommage, car l'année 2002 a vu l'organisation des élections plus libres et plus transparentes que dans les rêves les plus fous du plus imaginatif des opposants marocains ! Mais cette louable opération est entachée de sérieuses limites. De nombreux Marocains en étaient exclus : les habitants des bidonvilles incapables de fournir une attestation de domiciliation, les moins de 21 ans, les MRE (Marocains Résidant à l'Étranger). À la suite de ces élections, qui ont vu un éclatement des suffrages et une notable percée des islamistes modérés du PJD (Parti de la Justice et du Développement), M6 a nommé Premier ministre Driss Jettou, un grand commis de l'état sans appartenance partisane, en insistant sur « la nécessité impérieuse de mettre en place un gouvernement d'action ». En effet, les avancées non négligeables du gouvernement Youssoufi sont très insuffisantes aux yeux de la population.

Les Marocains vivent mieux que sous Hassan II et n'ont jamais été aussi libres, mais cette amélioration leur permet justement d'apprécier ce qui leur fait défaut : un grand projet national, un projet de société crédible et attractif qui permettra aux Marocains jeunes et moins jeunes de rêver à autre chose que d'un exil à Paris, Bruxelles ou Montréal. Confrontés à un chômage galopant, à des disparités sociales accrues, à un activisme intégriste qui relève la tête, ils ont encore à supporter les effets d'une sécheresse persistante. Accablant le pays depuis 1975, elle a jeté des milliers de ruraux désespérés sur les routes. Lyautey avait l'habitude de dire qu'au Maroc « gouverner, c'est pleuvoir ». Voilà un défi de plus pour le souverain et son gouvernement, qui devront un jour admettre qu'irrigation et libéralisation sont les deux mamelles du Maroc !

INFOS EN FRANÇAIS SUR TV5

La chaîne TV5 est reçue dans la plupart des hôtels du pays. Pour ceux qui souhaitent s'y installer plus longtemps ou qui voyagent avec leur antenne parabolique, TV5 est reçue par satellite en réception directe *via* Eutelsat II F6 Hortbird 13° Est, signal TV5 Europe, Arabsat 2A 26° Est, signal TV5 Orient. Les principaux rendez-vous « Infos » sont toujours à heures rondes où que vous soyez dans le monde, mais vous pouvez surfer sur leur site ● www.tv5.org ● pour les programmes détaillés ou l'actu en direct, des rubriques voyages, découvertes...

INSTITUTIONS

Le Maroc est une monarchie héréditaire, régie par une constitution. Le monarque, dont la personne est « inviolable et sacrée », doit être de sexe masculin. Il est le chef de l'État et des forces armées. *Amir Al-Mouminine* (c'est-à-dire commandeur des croyants), il « veille au respect de l'Islam et de la Constitution ». Il nomme le Premier ministre et les membres du gouvernement. Il a le pouvoir d'ordonner la révision de mesures législatives et de dissoudre l'assemblée. Celle-ci compte 306 membres, élus pour six ans, 204 élus au suffrage direct et 102 au suffrage indirect par des représentants d'institutions locales ou professionnelles. La Chambre des conseillers (le Sénat) comprend 270 membres élus au scrutin indirect (162 par des représentants des collectivités locales, et 108 par des élus des chambres professionnelles et des représentants des salariés). Leur mandat est de 9 ans, et la chambre est renouvelable par tiers tous les 3 ans.

LANGUES

– *L'arabe :* la langue du Coran a été importée d'Orient par les conquérants islamiques. Comme dans tous les pays arabes, on distingue l'arabe classique (ou littéraire, accessible aux lettrés), langue de l'éducation, de l'administration et des médias, de l'arabe dialectal, langage parlé qui varie selon les régions et selon les classes sociales. Un autre dialecte est parlé dans les régions de Goulimine et Tan-Tan, ainsi qu'en Mauritanie, le *hassaniya*.
Évidemment, avec la langue arabe, on ne se sent pas en terrain familier. Difficile de reconnaître grand-chose : le système phonologique est totalement différent de celui des langues européennes. Avec seulement 3 sons vocaliques (a, i, ou) mais 26 consonnes, dont certaines difficilement prononçables pour nous, l'arabe, littéraire ou dialectal, est une langue difficile. Mais au fait, comment se débrouille-t-on avec trois voyelles ? Et, pire encore, comment fait-on pour prononcer *Mahomet* lorsqu'on ne dispose ni du e (le « e » des transcriptions sert surtout à éviter les groupes de lettres imprononçables), ni du o ? En fait, *Mahomet* est une transcription occidentalisée de l'arabe *Muhammad*. En effet, les sons arabes ne correspondent pas exactement aux sons français. Le « a » arabe est souvent prononcé de manière intermédiaire entre notre « a » et notre « è ». Ainsi, le même prénom s'écrit Imène en Algérie et Imane au Maroc. Dans le même journal, francophone, dans deux articles de deux plumes distinctes, vous pourrez voir le même nom propre transcrit de deux manières différentes. Ce qui explique pourquoi, sur les plans de villes ou sur les cartes (y compris les nôtres !), les transcriptions peuvent différer : un peu d'indulgence donc, car ce n'est pas facile de transcrire au plus juste. La seule transcription exacte utilise des signes

complexes, tels des barres horizontales au-dessus de certaines voyelles ou des points sous certaines consonnes. Nous vous en faisons grâce !

Vous remarquerez que l'arabe dialectal marocain reprend directement du français beaucoup de noms modernes ou d'expressions courantes.

– **Le berbère :** pratiqué dans de nombreuses régions du Maroc, le berbère, tout comme l'arabe, est une langue de la famille chamito-sémitique (l'hébreu appartient aussi au même groupe). Pour les Berbères, l'arabe est donc une langue étrangère, au même titre que le français.

Le berbère, langue essentiellement parlée, se décline en plusieurs idiomes : le rifain *(tarifit)* dans la région du Rif, le braber *(tamazight)* dans le Haut et le Moyen Atlas, le chleuh *(tachelhit)*, la plus ancienne langue connue de l'Afrique du Nord, parlée dans le Haut Atlas et dans l'Anti-Atlas, et le zénète *(zanatiya)*, parlé dans le nord-est, près de la frontière algérienne. Il existe bien un alphabet, d'origine très ancienne, le *tifinagh*, encore en usage chez les Touareg, mais à l'heure actuelle c'est plutôt l'alphabet latin, avec un certain nombre d'adaptations, qui est employé. Tout comme l'arabe, le berbère reprend du français beaucoup de noms modernes ou d'expressions courantes.

Dans la toponymie berbère, vous remarquerez sans doute qu'un très grand nombre de villages ou de villes commencent et se terminent par la lettre « t » (Tiznit, Taroudannt...) : c'est tout simplement la marque du féminin.

– **Le français :** dans de nombreuses entreprises employant du personnel de niveau universitaire, le français est la langue quotidienne de travail, y compris entre Marocains. Selon l'interlocuteur qu'elle a en face d'elle, la même personne peut privilégier soit l'arabe, soit le français. Vous serez parfois surpris d'entendre une phrase commencée en arabe, poursuivie en français, puis terminée en arabe. Le résultat est surprenant pour nos oreilles ! En effet, la majorité des Marocains ayant fréquenté l'école parlent notre langue, et souvent très bien. Dans les grandes villes, les lycées français de la mission culturelle (familièrement appelée « la mission ») dispensent un enseignement général en français, permettant aux enfants de la bourgeoisie de devenir parfaitement bilingues. Et pendant des décennies, la France a envoyé des jeunes appelés dans le bled, au titre de la coopération, pour enseigner notre langue aux enfants marocains. Mais ce temps est aujourd'hui révolu, et on constate que l'anglais est devenu la langue étrangère préférée de nombreux jeunes, au détriment de la nôtre, pourtant enseignée dans le primaire, en tant que langue étrangère, dès l'âge de 8 ans.

– **L'espagnol :** autre vestige de la colonisation. La langue est parlée principalement dans le nord.

B.A. BA

Pas question d'apprendre l'arabe pendant votre séjour, mais quelques mots vous permettront de communiquer plus aisément et de mieux vous intégrer. Ils amuseront à coup sûr vos interlocuteurs. Essayez d'apprendre à compter, vous paierez ainsi moins cher dans certains souks ; cela fera de l'effet auprès du marchand.

Quelques sons ont une prononciation qu'il importe de respecter pour se faire comprendre :

h	très fortement expiré.
gh	r fortement roulé, comme un gargarisme.
kh	raclement énergique au fond de la gorge, comme la *jota* espagnole.
q	explosion sourde au fond de la gorge.
' (ayn)	comme un h expiré émis du plus profond de la gorge, avec vibration des cordes vocales.

Compter

Un	*wâhed*	Six	*setta*
Deux	*zouj* ou *tnain*	Sept	*seb'a*
Trois	*tlâta*	Huit	*tmania*
Quatre	*arb'a*	Neuf	*ts'oud*
Cinq	*khamsa*	Dix	*'achra*

Formules de politesse

Bonjour	*sbah el kheir*	Combien ?	*ach-hal ?*
Bonsoir	*msa el kheir*	C'est bien d'accord	*ouakha*
Bonne nuit	*lila mebrouka*	Non	*la*
Oui	*ah*		
Au revoir	*bslâma, Allah ihennikoum*	Merci	*choukrane, barak allahou fik*
Comment ça va ?	*ouâch khbâr-ek ?*	Ça va bien	*lèbès*
Monsieur	*Si* (à un lettré), *Sidi* (à un noble ou un chérif)	Madame	*Lalla*
Soyez le bienvenu	*ahlên*	S'il vous plaît	*min fadlak*
Si Dieu le veut	*inch Allah*	Ça suffit	*safi*

Le temps

Dimanche	*nhâr el had*	Soir	*'achîya*
Lundi	*nhâr el tnîn*	Nuit	*lil*
Mardi	*nhâr el tlata*	Hier	*elbarah*
Mercredi	*nhâr el arb'a*	Aujourd'hui	*el yoûm*
Jeudi	*nhâr el khémis*	Demain	*ghedda*
Vendredi	*el jemaa*	Après-demain	*b'âdghedda*
Samedi	*nhâr es sebt*	Heure	*sa'a*
Jour	*nhâr*	Demi-heure	*nous sa'a*
Matin	*sbah*	Quart d'heure	*rbou'sa'a*
Midi	*letnach*		

Circuler

Autobus	*tobis, hafila*	Express	*mostaajal*
Avion	*tayara*	Gare	*mahatta*
Bagages	*hwayaj, bagaj*	Rapide	*sarîl*
Billet	*bitaka*	Train	*kitar*
Correspondance	*mahattat tabdîl*	Valise	*chanta* (ou *hakiba*)
Douane	*diouana*		

Quelques phrases usuelles

Comment dit-on... en arabe ?	*kif tkoulbal... Arbia ?*
Je ne sais pas	*ma araftchi*
Je ne comprends pas	*ma fhamtchi*
Donnez-moi ma note	*ateni hsabi*
Quel est le prix ?	*chhal tamane ?*
Je voudrais une chambre	*bghit bit*
Lit à deux places	*frach dial zouj nas*
Meilleur marché	*rkhiss*
Montrez-moi la chambre	*warini biti*

LIVRES DE ROUTE

– *Les Voix de Marrakech,* d'Élias Canetti (éd. Albin Michel, 1996, 176 p.). Ce petit livre, sous-titré « Journal d'un voyage », relate le séjour que fit Élias Canetti (futur prix Nobel de littérature) à Marrakech en 1953. Canetti ressent Marrakech mieux que personne, ou exprime mieux que personne ce que chacun ressent. On reste ébahi devant une telle performance de la sensibilité et de la technique. Que ce soit dans les souks ou dans le *mellah*, au contact des écrivains publics ou à celui des chameaux promis à l'abattoir, Canetti sait capter l'atmosphère de la vie marrakchie. Un beau témoignage.

– *Les Silences de Marrakech,* de Pierre Le Coz (éd. du Laquet, coll. « Terre d'Encre », 2001, 153 p.). Sous la chaleur écrasante de la Ville rouge, Pierre Le Coz, Breton voyageur, nous embarque dans un trek urbain à travers le lacis de la médina et le dédale de ses propres pensées. De Marrakech, il fait le personnage principal de sa topo-fiction et dessine une ville secrète et dure, reflet de la complexité du monde. Les êtres humains sont à peine esquissés. Au rythme lent de ses pas, il préfère dérouler le fil des réflexions poétiques, spirituelles et historiques que lui inspirent les lieux visités, jusqu'à s'enfoncer peu à peu dans l'ivresse et la volupté. Son compagnon de route, Raphaël, ne reviendra pas de cette expérience orientale, fasciné par le Sud mythique, dont Marrakech est le prélude. Pour ne pas sombrer corps et âme dans cet ailleurs, Pierre Le Coz choisit l'écriture, seule distanciation possible par rapport à son sujet. À chaud (au sens propre comme au figuré), la ville est silencieuse. Il rentre donc pour retrouver la voie des mots et le tumulte de cette ville qui enfin se dévoile.

– *Marrakech et le sud marocain,* de Patrick de Panthou et Quentin Wilbaux (éd. Hermé, 2001, 160 p.). Visite guidée – en images – du sud du Maroc au départ de la Ville rouge. À deux pas du désert, une belle présentation des paysages et de la vie quotidienne en 120 photos qui donnent envie de partir à la découverte de la magie du Sud. En prime, quelques anecdotes de voyages et des clichés sensibles à l'architecture de cette région.

– *La Mission ou De l'observateur qui observe ses observateurs,* de Friedrich Dürrenmatt (éd. de Fallois, 1988, 121 p.). Le désert a ses secrets ; le grand écrivain suisse alémanique nous y promène à nos risques et périls. Ce livre est une belle introduction à Marrakech et à l'Atlas marocain. Sa forme peut sembler très expérimentale : vingt-quatre chapitres constitués chacun d'une seule phrase – vingt-quatre phrases, donc, pour tout le monde ! Pourtant, il n'y a rien d'ennuyeux dans ce procédé, et le livre se lit avec un intérêt croissant du début à la fin. Du grand art.

– *Tanger et autres Marocs,* de Daniel Rondeau (éd. du Nil, 1997, 322 p.). Daniel Rondeau a erré dans Tanger, suivant les traces de peintres et d'écrivains. La ville aux ombres et aux senteurs multiples l'envoûte comme ses prédécesseurs, et c'est avec la curiosité d'un ethnologue et la passion d'un amateur d'art qu'il fouille les malles de Delacroix, retrouve l'hôtel de Matisse, fréquente les amis berbères du Rolling Stone Brian Jones, enquête sur les manies de Beckett, Morand, Truman Capote ou Tennessee Williams qui, tous, séjournèrent dans la cité blanche, carrefour des mers et des continents. L'auteur nous fait également part de ses impressions sur le Sud au cours de voyages effectués entre 1990 et 1996.

– *Destination inconnue,* d'Agatha Christie (éd. LGF, 2001, 222 p.). Méfiez-vous si vous devez visiter le Maroc en compagnie d'Hilary Craven, car vous n'arriverez peut-être pas à destination ! Quelques jours à Casablanca, certes, et une escale à Fès. Après avoir parcouru les ruelles de la vieille ville, vous n'arriverez pourtant pas à Marrakech, car vous finirez votre séjour dans un hôpital louche situé en plein désert, à la recherche d'un savant disparu... Un polar exotique, à savourer sous le soleil marocain.

– *Une enquête au pays,* de Driss Chraïbi (éd. du Seuil, coll. « Points », n° 656, 1999, 217 p.). Un récit tragico-burlesque dans lequel sont aux prises les membres d'une tribu montagnarde, vivant à l'écart de la « civilisation », et deux représentants de cette dernière, venus enquêter : le « chef » et son adjoint l'inspecteur Ali (variante du couple maître/esclave). À travers cette satire, Driss Chraïbi dénonce l'incompréhension qui règne entre diverses composantes de la société marocaine.

– *La Nuit sacrée,* de Tahar ben Jelloun (éd. du Seuil, coll. « Points », n° 113, 1995, 192 p.). Curieux destin que celui de cet « enfant de sable », petite fille que son père, humilié, en bon musulman, de n'avoir pas d'héritier mâle, va faire passer pour un garçon. Vingt ans après, son histoire lui est racontée par le même père mourant ; elle décide alors de quitter sa mère et ses sœurs pour vivre en femme dans un corps trop longtemps opprimé.

– *Jour de silence à Tanger,* de Tahar ben Jelloun (éd. du Seuil, coll. « Points », n° 160, 1990, 122 p.). L'écrivain du pays y raconte la vie et les impressions d'un vieil homme malade. Joli discours sur la solitude et la mort, excellente approche psychologique du pays.

– *Désert,* de Jean-Marie Gustave Le Clézio (éd. Gallimard, coll. « Folio » n° 1670, 1985, 439 p.). Deux histoires s'entremêlent dans ce beau roman, grand prix du roman de l'Académie française en 1980 : celle de Lalla, jeune fille du Sud marocain que le destin mènera du désert à Marseille avant qu'elle ne redécouvre les vraies valeurs de sa vie, et celle des « hommes bleus » du grand Sud, partis en croisade contre l'envahisseur français entre 1910 et 1912. Un magnifique hommage au désert, que Le Clézio sait rendre tangible comme peu d'écrivains savent le faire.

Du même auteur, en collaboration avec sa femme Jémia, on peut lire *Gens des nuages* (éd. Gallimard, coll. « Folio », 1999, 151 p.), avec seize photos de Bruno Barbey, qui nous emmène à la recherche des ancêtres de Jémia, les nomades Aroussiyine, dans l'extrême Sud marocain.

– *Trois semaines en ce jardin,* de Juan Goytisolo (éd. Fayard, 2000, 120 p.). Le dernier roman de Goytisolo met en scène un cercle de lecteurs qui tentent de reconstituer la vie d'un poète anti-franquiste et homosexuel, interné dans un asile psychiatrique en 1936. Mais rapidement, l'auteur insiste sur la pluralité discordante de leurs voix : pour certains, Eusebio se serait évadé, se réfugiant au Maroc. Pour d'autres, il aurait été interné dans un centre de rééducation fasciste. *Trois semaines en ce jardin* montre donc la fragile reconstitution d'une identité, au fil de récits subtilement imbriqués. À travers les méandres du destin d'Eusebio, Goytisolo exorcise aussi le lourd passé politique de l'Espagne et se fait porte-parole de la paix et de la liberté. Enfin, le roman donne du Maroc des années 1930 une peinture originale et multicolore, empreinte de sensualité.

– *Après toi le déluge,* de Paul Bowles (éd. Gallimard, coll. « L'Imaginaire », n° 204, 1988, 312 p.). Exilé à Tanger, Nelson Dyar abandonne son destin aux êtres de passage, comme guidé par d'improbables amours. Paul Bowles distille tout au long du récit ce douceureux poison qui s'empare de son personnage en même temps que du lecteur, celui d'une mystérieuse culture berbère qui envoûta tant d'auteurs américains (Capote, Burroughs, Kerouac...) accourus dans le port marocain après la lecture de ce roman noir.

– *Souvenirs d'un voyage dans le Maroc,* d'Eugène Delacroix (éd. Gallimard, coll. « Art et artistes », 1999, 180 p.). Après son voyage dans le nord du Maroc en 1832, le grand peintre romantique a écrit sur ce pays de belles pages que l'on a longtemps cru perdues. Retrouvée en 1998, une partie du manuscrit a été achetée par la Bibliothèque de France et a permis de reconstituer le texte original.

– **Au Maroc,** de Pierre Loti (éd. Christian Pirot, coll. « Autour de 1900 », 2002, 320 p.). Loti est invité chez le sultan de Fès. C'est d'abord la traversée du pays, au rythme des chameaux, qui impose au récit une lenteur sereine, chargée d'émotions : odeurs, couleurs, sons et musique, avec ces quelques « notes grêles et plaintives comme des bruits de gouttes d'eau » qu'un des chameliers « tirait de sa petite guitare sourde ». On se laisse séduire par cet univers envoûtant fait d'impressions fugitives. Écrit en 1890, ce livre est l'un des plus beaux textes consacrés au Maroc. Les amateurs de Pierre Loti trouveront aussi *Au Maroc* dans le volume de la collection « Bouquins » (éd. Robert Laffont) intitulé *Voyages (1872-1913),* regroupant tous les récits de voyage de ce grand bourlingueur.

– **Le Crabe aux pinces d'or,** de Hergé (éd. Casterman, 2000). Album de Tintin « historique », puisque c'est dans cette aventure que notre petit blondinet lisse rencontre le capitaine Haddock pour la première fois. L'histoire se déroule en partie au Maroc, encore sous protectorat français. Dans le désert du Sud marocain, les troupes sont composées d'indigènes commandés par des officiers français. Toute la fin de l'histoire se déroule dans un grand port (Bagghar), et l'on devine que Tanger servit de modèle à l'auteur. L'atmosphère exotique est plutôt bien rendue, quoique Hergé n'échappe pas toujours aux habituelles caricatures comme celle du fripier juif à la djellaba élimée et du gardien de mosquée brutal, et aux rapports paternalistes avec les autochtones. Cet album de la première génération (publié en 1940-1941 dans le supplément du journal belge *Le Soir*) demeure quand même un très bon cru !

– **Le Maroc à nu,** de Michel Van der Yeught (éd. L'Harmattan, 1990, 192 p.). Un ouvrage indispensable pour mieux comprendre le Maroc. Selon l'auteur, « on n'apprend pas à connaître le Maroc, on ne peut qu'y être graduellement initié ». Et c'est justement à cette initiation que nous invite l'auteur, qui soulève le voile sur la popularité réelle du Trône alaouite, sur la prostitution des garçons à Marrakech, sur l'alcool tant interdit et tant consommé... Avec lui, découvrons la valeur symbolique du pain, le sens profond de la *fantasia* et ce qui se cache sous le grand silence des Berbères. Un livre qui nous introduit dans l'intimité d'un pays que l'on croit tout proche et qui est en réalité infiniment lointain.

– **Le Pain nu,** de Mohammed Choukri (éd. du Seuil, coll. « Points » n° 365, 1997, 158 p.). Récit autobiographique, où l'auteur se rappelle de façon poignante son enfance et son adolescence entre le Rif et Tanger. Un quotidien misérable, un père alcoolique et criminel, des amitiés dangereuses, rien n'est épargné à celui qui décrit avec réalisme et brutalité son existence cruelle avant de devenir l'un des meilleurs représentants du renouveau littéraire marocain.

MÉDIAS

Radio

Les stations marocaines émettent de nombreuses émissions en langue française. On capte aussi de nombreuses stations espagnoles.

Télévision

Il existe deux chaînes nationales, *TVM* et *2M* (avec davantage de programmes en français sur 2M), et une chaîne saoudienne *(MBC)* totalement arabophone. Les antennes paraboliques, très en vogue, permettent de capter par satellites de nombreuses chaînes européennes, américaines, arabes et asiatiques. Voir plus haut notre rubrique « Infos en français sur TV5 ».

Journaux

On trouve tous les quotidiens français, le jour même ou le lendemain, dans les grandes villes. Les journaux sont un peu moins chers qu'en France.

Pour les nouvelles locales, une vingtaine de quotidiens sont disponibles dont six d'expression française. Les principaux sont : *Le Matin du Sahara et du Maghreb, L'Opinion, Libération* (sic), *Al-Bayane, Aujourd'hui le Maroc, Maroc Ouest* et *l'Indépendant*. On y trouve des informations ponctuelles fort utiles : festivités locales, expositions, pharmacies et médecins de garde, marées, météo et une multitude d'adresses utiles.

De manière générale, la presse, qui relate les événements internationaux d'une manière quasi analogue à celle des quotidiens européens, adopte un ton ampoulé et compassé dès qu'il est question de la politique intérieure marocaine. Bien sûr, c'est beaucoup plus notable. C'est le cas aussi bien pour *Le Matin,* appartenant à un proche du Palais royal, que pour *Al-Bayane,* publié par le PPS (Parti du Progrès et du Socialisme).

Des hebdomadaires tels que *Le journal hebdomadaire* ou *Demain* sont plus anti-conformistes et donc régulièrement suspendus.

Liberté de la presse

La presse marocaine, qui jouit d'une plus grande liberté que la presse tunisienne ou libyenne (ce qui n'est pas difficile...), n'est pas pour autant à l'abri du courroux des autorités. Certes, à la fin du règne de Hassan II, la presse a réussi à s'affranchir des pressions du pouvoir qui, auparavant, contraignaient les journalistes à l'autocensure. Même si, depuis sa création en 1997, l'hebdomadaire *Le Journal* et, plus tard, l'hebdomadaire *Demain,* ont obtenu quelques victoires contre la censure, en abordant de nombreux sujets qui, quelques années plus tôt, auraient provoqué la colère du toutpuissant ministre de l'Intérieur, Driss Basri. Malgré la volonté de Mohammed VI de garantir les libertés et notamment celle de la presse, trois journalistes étrangers ont été assignés à résidence, huit journaux ont été saisis et le chef du bureau de l'*Agence France-Presse (AFP),* à Rabat, a été expulsé. Et ce, pour la seule année 2000. De plus, en décembre 2000, *Le Journal, Assahifa* et *Demain* ont été interdits par le Premier ministre pour avoir « porté atteinte à la stabilité de l'État ».

Ces mesures ont témoigné de la volonté de certains responsables politiques et militaires proches du pouvoir de reprendre en main la presse qui aborde des sujets « sensibles » tels que l'avenir du Sahara occidental, le mouvement islamiste, le roi ou les violations des Droits de l'homme sous le règne de Hassan II. Même si ces publications ont pu réapparaître sous d'autres noms en janvier 2001 *(Le Journal hebdomadaire, Demain magazine* et *Assahifa Ousbouiya),* elles sont dans le collimateur dès lors qu'elles osent franchir la ligne rouge. Par ailleurs, il est fréquent que des publications françaises ou espagnoles soient censurées, pour les mêmes raisons. Enfin l'adoption, en mai 2002, d'un nouveau code de la presse qui maintient les peines de prison pour délit de presse a provoqué un véritable tollé parmi la profession.

Ce texte a été réalisé en collaboration avec **Reporters sans frontières**. Pour plus d'informations sur les atteintes aux libertés de la presse, n'hésitez pas à contacter :

■ **Reporters sans frontières :** 5, rue Geoffroy-Marie, 75009 Paris. ☎ 01-44-83-84-84. Fax : 01-45-23- | 11-51. ● www.rsf.org ● rsf@rsf.org ● M. : Grands-Boulevards.

GÉNÉRALITÉS

MUSÉES

Les horaires sont variables et parfois un peu fantaisistes. En général, les musées ouvrent de 9 h à 12 h et de 15 h à 17 h 30 et sont fermés le mardi. La visite de certains musées est gratuite pour les Marocains le vendredi. Ne vous étonnez donc pas si vous êtes le seul à payer ce jour-là. Le prix de l'entrée est de 10 Dh (1 €) pour les touristes, ce qui n'exclut pas la présence d'un guide accompagnateur qui attend, à la fin de la visite, sa rétribution. Il aura tendance à accélérer le pas et à bâcler la visite (normal, lui, il connaît déjà). Ralentissez son ardeur et profitez du « plaisir des yeux » en vous attardant devant ce qui vous intéresse. Pour une fois, on ne risque pas de vous vendre quelque chose !

MUSIQUE ET DANSE

Dans la vie quotidienne, le Maroc offre, aujourd'hui encore, l'image d'un pays où la musique a gardé son rayonnement et le musicien ses privilèges. Sur cette terre musulmane, on rencontre sans étonnement un amour de la musique qui semble, comme la musique elle-même, venir du fond des âges. La musique au Maroc comprend de nombreuses et diverses formes d'expression. Dans les milieux citadins, selon le genre et le caractère des réjouissances et cérémonies qui s'y pratiquent, c'est une musique traditionnelle arabe, classique ou populaire. Sa caractéristique principale, en comparaison de la musique berbère ou rurale, c'est que, dans son évolution constante, elle a pris avec le temps une certaine liberté vis-à-vis de la poésie et de la danse et est devenue essentiellement instrumentale. Chez les tribus berbères et rurales, il s'agit plus exactement de folklore musical. La musique est souvent indissociable de la danse et de la poésie et a gardé, dans son isolement pastoral, toute son originalité et sa pureté primitives.

La musique populaire

Variée et imaginative, elle ignore la mesure grammaticale. Ce sont des chansons légères, en langue arabe dialectale, destinées surtout à divertir l'homme de la rue, l'artisan ou le boutiquier. On distingue plusieurs modes d'expression : le *griha* (ou *malhoun*), qui signifie improvisation, réserve une large place au poème et se déroule en un long récitatif scandé par les instruments de percussion... La *aîta* (« appel ») se chante dans le Haouz de Marrakech : c'est un cri de passion sur une note aiguë qui est un prélude à des danses lascives exécutées par des femmes au rythme des *derboukas*, petits tambourins de terre cuite. Il existe aussi des chants d'escarpolette, qui ont une valeur poétique indéniable. Enfin, la musique de cortège donnée par des orchestres musette et tambours, avec le concours de la longue trompette droite, le *n'fir*, pour toutes les processions, fêtes familiales ou religieuses.

Dans un tout autre style, le *raï*, d'origine algérienne, a fait des émules au Maroc, qui possède désormais ses chanteurs-compositeurs populaires, dont le chef de file est Cheb Amrou qui allie les sonorités raï et techno. On découvre depuis peu Raïs Mohand (chez les Berbères, Raïs est l'équivalent de Cheb), protégé de Dick Annegarn chantant en chleuh (ou *tachelhit*). Groupe formé depuis la fin des années 1960, les Nass el-Ghiwane, dont le nom renvoie à une confrérie religieuse, se sont fait connaître par des textes engagés chantés sur des rythmes traditionnels (accompagnement au *guembri*, une sorte de luth à 2 ou 3 cordes) et ont connu un immense succès, au point d'être appelés les Beatles marocains. On ferait d'ailleurs mieux de les comparer aux Stones, car le groupe continue son parcours avec de nouveaux membres, après deux décès et un départ fracassant...

Moins nombreuses sont les chanteuses : raison de plus pour en citer, comme Najat Aâtabou, née en 1960 à Khémisset, qui est la voix des jeunes Marocaines criant leur ennui (« J'en ai marre », en français dans le texte, a été son plus grand succès) ou le groupe B'net Houariyat (« les filles de l'Houara », plaine du sud de Marrakech) composé de 6 chanteuses-percussionnistes qui ont à leur répertoire différentes traditions musicales du Sud marocain.

La musique classique

Connue sous le nom de musique arabo-andalouse, c'est une musique de cour jouée et chantée généralement par des hommes musulmans dans les milieux traditionalistes des grandes villes du Nord, à Fès, Tétouan et Rabat. Elle est surtout un divertissement pour les hommes de lettres et les savants, les textes étant toujours d'une grande qualité. Originaire de l'Arabie (Médine, La Mecque), elle s'est propagée jusqu'en Espagne, *via* le Maroc où elle a fait son apparition au IXe siècle.

Après la chute de Cordoue, beaucoup de musulmans arabes sont venus s'installer à Fès et à Tétouan, devenus ainsi les foyers de la musique arabo-andalouse au Maroc. L'orchestre est composé d'instruments à cordes frottées et pincées : *rébab* (ou rebec, vieil instrument de la famille des violes connu au Moyen Âge et disparu des orchestres occidentaux modernes), violon quart de ton, *oûd* (luth typique des pays arabes), cithare *(qânûn)*; et aussi de percussions, le *tar* (tambour sur cadre porteur de cymbalettes, instrument de haute virtuosité conducteur rythmique de l'orchestre) et la *derbouka* (tambourin en poterie). Les poèmes sont chantés en arabe classique ou en dialectal andalou. Cette musique traditionnelle n'est pas notée mais se transmet par l'enseignement auditif. Un grand nom en est Abdelkrim Raïs, disparu en 1996, dont un disque propose un excellent concert enregistré à Paris (distribution Harmonia Mundi).

Classique également est la musique d'inspiration sacrée qui relève du soufisme. Pour les orthodoxes musulmans, la pratique des instruments est une hérésie, notamment dans les lieux sacrés, mais le soufisme, autre expression de l'islam sous forme de confréries, a développé l'art du chant sacré (pour voix d'hommes). On passe de la *nouba* (eh oui ! c'est une suite de poèmes chantés) au *dikhr*, forme incantatoire où l'on répète une formule jusqu'à la transe. Comme vous n'aurez certainement pas l'occasion d'assister à ce genre de séance, le disque *Les Voix de Fès* (chants sacrés du soufisme marocain chez Sony Music) peut vous permettre d'approcher cette spiritualité.

La musique berbère ou rurale

La musique rurale est inspirée de la nature de la campagne marocaine, au seul rythme résonnant du *bendir* (cadre circulaire en bois tendu de peau de chèvre) ; les chants et danses des tribus rurales sont de magnifiques spectacles. Ils changent de caractère selon l'endroit, selon la tribu.

Les danses

Il vous sera certainement donné d'assister à quelques danses folkloriques. Elles sont le plus souvent collectives. La plus répandue, dans la région du Moyen Atlas, est l'*ahidous*, qui rassemble plusieurs dizaines d'hommes et de femmes autour d'un meneur de jeu. Les battements de mains scandent la mélodie.

Dans le Haut Atlas, en pays chleuh, on assiste à l'*ahouach*, dansée par des femmes alors que les hommes donnent le rythme en frappant les *bendir*.

À Guelmim et dans une partie de la région saharienne, on peut assister à la *guedra*, danse qui tire son nom de la marmite ou des pots de terre sur lesquels on a tendu une peau de chèvre. Les musiciens entourent une jeune femme accroupie voilée de noir, dont les mains s'animent comme des marionnettes en suivant le rythme lancinant des tambourins. Lorsque celui-ci s'accélère, la danseuse ondule en cadence et se libère peu à peu des voiles qui la couvrent. À la fin, elle est emportée par l'un des hommes qui l'entouraient. Rien à voir cependant avec un strip-tease de Pigalle. Par contre, on a noté des ressemblances avec les danses du Sud-Est asiatique, notamment les *apsara* cambodgiennes. Le rythme atteint un paroxysme délicieusement érotique.

Les Gnaoua, descendants d'esclaves noirs, ont conservé leurs rythmes africains. Ils s'étourdissent, grimacent, sautent, voltigent en suivant la cadence frénétique des crotales. On peut assister à leur démonstration place Jemaa-el-Fna à Marrakech ou encore dans quelques restaurants où ils se produisent parfois. C'est un spectacle inoubliable lorsque les danseurs, en transe sous l'effet de la musique et... de stimulants, font tournoyer en cadence le pompon de leur bonnet orné de coquillages et s'enivrent de sons jusqu'à l'extase. Mais il faut bien avouer que tous ces « spectacles » sont adaptés pour les touristes et ne présentent guère d'authenticité. Lisez la rubrique qui leur est consacrée dans la ville d'Essaouira.

PERSONNAGES

– *Tahar ben Jelloun :* né à Fès en 1944, c'est sans doute l'un des écrivains marocains les plus connus en France et en Europe. Tour à tour journaliste (au *Monde*) et écrivain révélant les failles sociologiques et psychologiques de son pays d'origine (à ses débuts), son œuvre est de plus en plus romanesque, s'installant dans la tradition merveilleuse des contes arabes. Quelques thèmes toutefois continuent de le hanter : l'errance, la solitude et la sensualité des corps. Il a obtenu en 1987 le prix Goncourt pour la *Nuit sacrée.*

– *Gad Elmaleh :* né en 1971 à Casablanca. Acteur au cinéma comme au théâtre, auteur de *one-man shows* aux personnages très méditerranéens (on se souvient de *Chouchou*) ou directement issus de notre vie quotidienne, il a récemment fait rire (une fois de plus !) dans *La vérité si je mens 2 !*

– *Hassan II (1929-1999) :* c'est en 1961 qu'il succède à son père, le sultan Mohammed V. Le début de son règne est marqué par l'histoire de la « Marche Verte » et l'annexion du Sahara occidental. On se souvient aussi de la répression de certains opposants au régime, comme *Mehdi ben Barka*. Cet homme politique marocain, né en 1920, représentant de l'aile gauche de l'Istiqlal (mouvement contestataire à l'origine de l'indépendance du Maroc) et professeur de maths du fils du roi, devait être trop remuant pour le pouvoir. Enlevé à Paris en 1965, puis annoncé disparu, il sera probablement assassiné par la police secrète. Cette affaire a gelé pendant longtemps les relations franco-marocaines.

– *Mohammed VI :* né en 1963. Surnommé « M6 ». Fils aîné de Hassan II. Études et thèse de droit en poche, il succède à son père en juillet 1999. Ses premiers gestes au pouvoir ont été de libérer les opposants au régime de son père, d'autoriser leur retour sur le territoire marocain (comme *Abraham Serfaty*) et surtout d'écarter l'ancien chef redouté de la DST marocaine,

PHOTO 109

Driss Basri, fidèle parmi les fidèles de Hassan II. Le peuple marocain attend beaucoup de son nouveau roi.

– **Mohammed Choukri :** né dans le Rif marocain en 1935. Il débarque à Tanger à l'âge de 7 ans avec ses parents qui fuient la famine. Il mène une vie de vagabond et n'apprend à lire et à écrire qu'à l'âge de 20 ans. Ami de Paul Bowles et de Jean Genet, c'est un écrivain reconnu, auteur de romans, de poèmes et de nombreux articles. Son œuvre la plus célèbre est *Le Pain nu* (éd. du Seuil, coll. « Points-roman », n° 365), où il retrace sa jeunesse tumultueuse.

– **Driss Chraïbi :** né en 1926 à El-Jadida. Il a fait ses études secondaires à Casablanca, puis est venu à Paris étudier la chimie. Il s'installe en France dès 1947. De son propre aveu, il fait tous les métiers, fréquente les travailleurs immigrés comme les intellectuels français et lit beaucoup. Son premier roman, *Le Passé simple* (éd. du Seuil, coll. « Points-roman ») paraît en 1954. Il est très bien accueilli par la critique française, mais a longtemps été interdit au Maroc. L'œuvre de Chraïbi compte actuellement plus de treize romans aux thèmes variés.

– **Ibn Battouta :** né à Tanger en 1304, c'est sans doute l'un des personnages les plus célèbres et les plus fascinants du Maroc. Cet infatigable voyageur et routard avant l'heure a parcouru plus de 120 000 km (avec les moyens de l'époque !). Ses pas l'ont mené de l'Afrique occidentale et orientale à la Syrie, en passant par l'Iran, l'Irak, l'Inde, jusqu'à la Chine, Ceylan et Sumatra, sans oublier Byzance et la Russie. Il n'avait pourtant rien d'un aventurier : en pèlerinage vers La Mecque, il entreprit de rencontrer des musulmans du monde entier et de transmettre la parole du prophète à travers le monde. Il a rapporté de ses voyages l'un des plus fabuleux témoignages sur les us et coutumes de l'époque, intitulé *Présent à ceux qui aiment à réfléchir sur les curiosités des villes et les merveilles des voyages*. Si son contemporain, Marco Polo (1254-1324), est resté célèbre en Europe, le nom d'Ibn Battouta est plus intimement lié à la mémoire maghrébine. Après toutes ses pérégrinations, il revint se fixer au Maroc et mourut en 1368.

– **Jilali Ferhati :** un Tangérois, mais aussi et surtout l'un des plus grands cinéastes du monde arabe et des plus poétiques. A réalisé 5 films dont *La Plage des enfants perdus*, sélectionné dans tous les grands festivals de la Méditerranée et souvent primé. Toujours côté ciné, n'oublions pas **Nabil Ayouch**, jeune cinéaste casablancais qui a déjà réalisé deux films importants : *Mektoub* et *Ali Zaoua*. À lui seul, il a modernisé le cinéma marocain.

– Côté sport, depuis quelques années déjà on observe les prouesses des « deux Hicham » : le jeune tennisman **Hicham Arazi** et le coureur **Hicham El Guerrouj**. Tous les jeunes Marocains férus de football vous parleront de **Bassir à Zille** et de **Mustapha Hadji**, milieu de terrain en Angleterre, vraies idoles au Maroc, dont vous trouverez sûrement le maillot en vente dans n'importe quel souk ! Le Maroc ambitionne à être le premier pays africain à organiser la Coupe du Monde 2010.

PHOTO

Les amateurs seront comblés. Les paysages et les monuments sont magnifiques. Quant à la lumière, elle est souvent exceptionnelle. Un flash pourra se révéler très utile pour faire des photos dans les souks ou à l'intérieur de certains édifices.

On peut photographier librement partout, sauf dans les zones militaires et dans certains musées. Dans les autres, un droit sera exigé. Les Marocains n'aiment pas être photographiés. Il convient donc toujours de demander l'autorisation avant d'opérer. En cas de refus, ne jamais insister. En cas d'acceptation, attendez-vous, dans certains cas, à devoir verser une petite rétribution. À Marrakech, place Jemaa-el-Fna, chaque déclic est payant. Les porteurs d'eau, eux, sont devenus des figurants qui ne vivent que du tourisme. Négocier le prix avant de les photographier. Même chose pour les charmeurs de serpents.

On trouve des pellicules des principales marques un peu partout au Maroc. Toutefois, si vous êtes habitué à une émulsion bien particulière, il est préférable d'apporter vos films. En achetant sur place, veillez toujours à contrôler la date d'expiration et refusez les films qui ont fait la vitrine en plein soleil. Le développement rapide devient de plus en plus intéressant mais, si vous êtes exigeant, pour des tirages de grande qualité, attendez quand même de revenir au bercail.

Faites vérifier votre matériel avant le départ ; en cas de panne, il sera difficile de le faire réparer sur place.

Il est toujours judicieux de partir en voyage avec des pellicules de sensibilité différentes (les fameux ISO !). Si vous partez avec une dizaine de pellicules, prenez 6 pellicules 200 ISO (tout terrain), 2 pellicules 400 ISO (pour faire des photos le soir) et 2 pellicules 100 ISO (pour les paysages très ensoleillés et les portraits de près).

Offre spéciale *Routard*

Avant le départ, préparez vos vacances avec les 230 magasins *Photo Service*... Pour les adeptes de la photo numérique, *Photo Service* offre 12 % de réduction sur l'achat d'une carte mémoire. Pour les fidèles de l'argentique, *Photo Service* offre 12 % de réduction sur l'achat de pellicules. Ces avantages sont disponibles dans tous les magasins *Photo Service* sur présentation du *Guide du routard*.

Au retour, *Photo Service* vous offre le transfert de vos photos sur CD Rom pour toute commande de tirages numériques, ou une pellicule gratuite de votre choix pour tout développement et tirage.

De plus, vous bénéficiez de 12 % de réduction sur les autres travaux photo. Et tout ça pendant 1 an, toujours sur présentation du *Guide du routard* !

Pour tous les possesseurs d'appareil photo numérique, rendez-vous sur ● www.photoservice.com ● pour toutes vos commandes de tirages en ligne, vos albums, et retrouvez dans leur boutique en ligne leur sélection de produits.

POPULATION

Quelques chiffres

Près de 30 millions d'habitants contre 5,8 millions il y a 50 ans. Avec une croissance démographique de 1,7 % par an.

31 % de la population a moins de 15 ans, et 53 % moins de 25 ans.

60 % de la population est berbérophone.

53,4 % de la population vit en milieu urbain.

40 % de la population vit de l'agriculture.

20 % de la population active urbaine est officiellement au chômage. 90 % des chômeurs ont entre 15 et 34 ans.

1 habitant sur 2 vit en dessous du seuil de pauvreté.

20 % de la population la plus aisée consomme la moitié des richesses du pays.

51 % de la population âgée de plus de 10 ans est analphabète. Le pourcentage s'accroît en milieu rural et chez les femmes jusqu'à 80 %.

le bon plan
pour des photos de qualité !

Présentez votre Guide dans les 230 magasins Photo Service pour bénéficier des privilèges réservés aux routards

Avant votre départ

Préparez vos vacances avec les **230 magasins** Photo Service…

▶ Pour les adeptes de la photo numérique, Photo Service offre 12% de réduction sur l'achat d'une carte mémoire.

▶ Pour les fidèles de l'argentique, Photo Service offre 12 % de réduction sur l'achat de pellicules.

À votre retour

▶ **Photo Service vous offre le transfert de vos photos sur CD Rom** pour toute commande de tirages numériques, **ou une pellicule gratuite de votre choix** pour tout développement et tirages.

▶ De plus, vous bénéficiez de 12% de réduction sur les autres travaux photo.

Grâce à la Carte Photo Service qui vous est offerte, ces avantages vous sont acquis pendant un an.

Fred Niaoum

Offre valable jusqu'au 31/12/03

Berbères

Au Maroc, les Berbères sont partout. Normal, car ce sont les plus anciens habitants connus du pays et ils représentent les deux tiers de la population. Leur nom vient du latin *barbarus* car, pour les Romains, le terme de « barbare » servait à désigner tout étranger à leur civilisation. Mais, entre eux, les Berbères s'appellent *Imazighen*, c'est-à-dire « hommes libres » (cette étymologie, qui sonne bien pour les touristes, est toutefois controversée ; l'étymologie serait en fait : « les fils de Mazigh », ce dernier étant l'ancêtre mythique des Berbères). Les Berbères résident de Tanger jusqu'à Tafraoute en dessinant un vaste croissant passant par Meknès, l'Atlas (Khenifra, Midelt, Er-Rachidia, Ouarzazate) et par le Sous (de Marrakech à Tafraoute, en gros). Pour beaucoup, il serait plus juste de parler de berbérophones car il n'y a pas de type berbère. Même si les dialectes berbères diffèrent, il est possible, avec une certaine bonne volonté, de se comprendre de l'un à l'autre.

On distingue plusieurs groupes :

– **les Rifains** (habitants du Rif) ont subi, principalement dans le Rif, de nombreuses invasions, ce qui explique pourquoi certains ont les yeux bleus et les cheveux blonds... De tout temps, les Berbères du Rif ont été des rebelles, voire des insurgés. La guerre des années 1920 est encore dans toutes les mémoires. Aujourd'hui, ils cultivent le kif et le pouvoir ferme les yeux. Les mauvaises langues diront qu'il vaut mieux quelques milliers d'hectares d'herbes interdites que quelques milliers de rebelles dans le djebel !

– **Les Chleuh** (qui occupent la plaine du Sous et les vallées du Drâa et du Dadès) forment probablement, avec les Rifains, le fonds le plus ancien du groupement berbère. Les Soussis, habitants du Sous, sont très connus pour leurs aptitudes commerciales, surtout ceux de la tribu des Ammeln, près de Tafraoute. Dans les souks, on vous proposera peut-être le fameux crédit berbère : « Vous payez la première partie de suite et la seconde avant de sortir du magasin. » La plupart des épiceries-bazars des petites villes sont soussis, voire ammeln. De même à l'étranger.

– **Les Braber** sont des semi-nomades situés essentiellement sur les versants orientaux du Moyen Atlas et du Haut Atlas. Leurs ancêtres fondèrent la dynastie almoravide. Ils cultivent la terre, assez riche dans le Moyen Atlas ou desséchée par le soleil le long de la route des Mille Kasbahs (d'Er-Rachidia à Ouarzazate), sauf dans les oasis. Lesdits Berbères ne sont pas toujours pauvres... Beaucoup ont fait des études et occupent des postes importants à travers le Maroc. Mais ils sont toujours liés à leur village d'origine, à leur famille (on dirait, presque, à leur tribu). Les Berbères de l'Atlas ont cependant un niveau de vie moyen inférieur à celui des Rifains et des Soussis.

– Pour être tout à fait complet, il faut aussi citer les **Zénètes**. Ce groupement se rencontre majoritairement en Algérie centrale et occidentale, mais il est représenté dans le nord-est du Maroc.

À l'époque du protectorat, les Français ont voulu jouer les Berbères contre les Arabes, en favorisant par exemple des écoles berbères comme le collège d'Azrou, ou en promulguant le *dahir* berbère. Il en est résulté une certaine crainte de la part du pouvoir alaouite devant une possible volonté de sécession des Berbères, ou du moins devant un risque d'opposition musclée au régime. En effet, le *makhzena* a de tout temps éprouvé une méfiance exagérée devant toutes les manifestations de culture berbère, à commencer par la pratique de la langue. La politique d'arabisation menée depuis les années 1960 a rendu la langue berbère hors la loi dans les écoles, avec comme conséquence inattendue un taux d'analphabétisation particulièrement élevé (beaucoup plus qu'en Libye, en Tunisie ou en Algérie, pour ne prendre que les pays les plus proches), puisque l'enseignement se fait dans une langue que bon nombre d'enfants ne comprennent pas.

Mais il existe néanmoins toute une tradition et une littérature orales. Avec l'arabe pour seule langue officielle, le berbère est devenu, en réaction, un moyen d'expression artistique et même politique.

Mais dans ce domaine aussi, l'arrivée de Mohammed VI fait bouger les choses : ainsi un Institut Royal de la Culture Amazighe a-t-il été créé en 2001, un an après la décision officielle d'enseigner de nouveau la langue berbère à l'école.

Au sud d'Er-Rachidia (Erfoud, Rissani, Taouz), la population n'est plus ber-bère, mais sahraouie. Toutefois, il existe encore quelques îlots berbéro-phones à Erfoud ou au pied des dunes de Merzouga. De même, vers Zagora, Goulimine, on passe du berbère au sahraoui. Transition insensible, certes, mais les « hommes bleus » ne sont pas loin...

Arabes

Les premiers Arabes ne sont arrivés qu'aux VIIe et VIIIe siècles, venant d'Arabie aujourd'hui saoudite, et ils devaient pour la plupart se fixer en Anda-lousie avant de revenir au Maroc, refoulés par les rois catholiques, lors de la *Reconquista*. Les populations berbères ont été rapidement islamisées, avec plus ou moins de résistance.

Les Almohades (donc des Berbères) allaient appeler à leur service d'autres populations arabes comme les Hilaliens aux XIIe et XIIIe siècles : ces soldats s'installèrent dans les grandes plaines comme le Tadla ou le Haouz, condui-sant à ce qu'on a appelé la « bédouinisation » du Maroc, le système de vie pastoral s'imposant aux dépens de l'agriculture sédentaire.

Les Arabes sont cantonnés dans certaines zones, telles la plaine littorale englobant entre autres Rabat et Casa, et dans certaines villes berbères à l'origine, telles Marrakech (ancienne capitale berbère) ou Agadir.

Juifs marocains

Installés bien avant l'arrivée de l'islam, ils se sont intégrés aux populations berbères. Ils connaissent plus tard le statut de *dhimmis* (« protégés »), qui les prive cependant de certaines libertés. Au moment de l'expulsion des juifs d'Espagne, en 1492, de nombreux juifs (environ 150 000) de la communauté séfarade andalouse s'établissent au Maroc. Avec souplesse, ils se font une place dans la société marocaine. Dans les grandes villes, leur quartier, le *mellah*, ne ressemble guère aux ghettos des pays d'Europe orientale. Il jouxte le plus souvent le palais royal, les conseillers du roi étant souvent juifs.

Malgré quelques épisodes sanglants, et malgré une politique du protectorat visant à dresser les juifs contre les Arabes, les juifs marocains ne ren-contrèrent pas un antisémitisme virulent. Le roi Mohammed V eut une atti-tude exemplaire pendant la Seconde Guerre mondiale : il refusa que les juifs portent l'étoile jaune et se montra au cours d'une réception royale en pré-sence d'un grand rabbin.

Après la naissance d'Israël, l'Agence juive envoya d'excellents émissaires, le nouvel État ayant grand besoin de bras. C'est ainsi qu'une partie impor-tante de la communauté juive marocaine partit en Israël.

Mais c'est surtout l'indépendance du Maroc, en 1956, puis la guerre des Six Jours entre Israël et l'Égypte, en 1967, qui ont provoqué le départ de très nombreux juifs marocains.

Les autres minorités

– **Les Haratin** seraient parmi les plus anciens habitants du Maroc, peut-être descendants de populations préhistoriques du Sahara qui se seraient réfu-giées vers le nord lors de son assèchement. Leur nom (que l'on prononce « haratine », avec un « h » fortement expiré) est le pluriel de *hartani*, qui est utilisé à la fois pour caractériser une couleur de peau très sombre et pour dénommer des affranchis de second rang. Ils ont été réduits en esclavage par le sultan Moulay Ismaïl (1672-1727), quoique le Coran l'interdise. Aux reproches des lettrés, le sultan fit valoir... que les Haratin avaient autrefois été esclaves (ce qui n'a jamais été prouvé), et que ce n'était qu'un retour à la case départ ! Aujourd'hui, ils habitent toujours les oasis du Sud, et appartiennent aux couches sociales les plus humbles. Moulay Ismaïl a aussi employé 150 000 esclaves noirs comme soldats de sa garde personnelle, dite « Garde noire ». Il les considérait comme les seuls à être sûrs, car restant en dehors des querelles tribales. C'étaient des *songhay* pour l'essentiel, amenés du « pays des Noirs » *(Bilad al-Sudan)*, l'actuel Mali. Cette milice chérifienne existe encore de nos jours.

– **Les étrangers** seraient au nombre d'environ 50 000, dont 28 000 Français.

POSTE

Les bureaux de poste (PTT) principaux ouvrent de 8 h 30 à 18 h 30 ; les autres ferment entre 12 h-12 h 30 et 14 h 30-15 h. Ils sont très fréquentés, et il faut s'armer de beaucoup de patience, surtout qu'il n'existe pas de file comme chez nous.

Pour accéder rapidement au guichet, vous visez juste en face du préposé et vous remplacez immédiatement la personne servie. Pas de risque de vous faire insulter, les Marocains, entre eux, procèdent ainsi. Vous faites un grand sourire et vous entamez la conversation avec le préposé « Lèbès ? » « Lèbès ! » Puis vous vous faites servir. Il faut oublier nos réflexes d'Occidentaux d'attente muette. Ici, on parle, on sourit, on se serre la main, on se tape sur l'épaule : il y a une relation entre les gens.

Le service de la poste restante fonctionne bien, mais demandez à vos correspondants d'écrire très lisiblement et en majuscules votre nom de famille suivi du prénom. Cela facilite le travail du guichetier et évite bien des erreurs. Se munir, comme partout, d'une pièce d'identité pour retirer son courrier.

Pour l'achat de timbres, le mieux est d'aller à la poste, mais on peut s'en procurer à la réception de certains hôtels.

Les boîtes aux lettres sont nombreuses et faciles à repérer, de couleur jaune comme en France. Sachez enfin que l'acheminement du courrier est très aléatoire, en particulier en dehors des grandes villes.

RELIGIONS ET CROYANCES

Mahomet, le « Loué »

Le fondateur de la religion islamique est Mahomet *(Muhammad*, « le Loué »). Contrairement à ce qui se passe chez la concurrence, ce n'est pas un fils de Dieu. Il serait né vers 571 dans une famille de La Mecque. Orphelin à l'âge de douze ans, il accompagne son oncle en Syrie. À Bosra, si l'on en croit la *Sunna*, c'est-à-dire la tradition qui rapporte les actions et paroles du Prophète, oncle et neveu sont accueillis par les chrétiens. Là, pour la première fois, un moine, Bahira, reconnaît en Mahomet un prophète et lui prédit une grande destinée. Celle-ci commence modestement par un rôle de gardien de mouton (non, il n'entend pas des voix célestes, vous mélangez tout !). À l'âge de vingt-cinq ans, il est engagé par une riche commerçante, Khadidja, qui le charge d'aller en Syrie vendre ses marchandises. Ce garçon d'une valeur morale exemplaire, qui avait l'habitude de se retirer dans une caverne pour méditer sur les choses de la religion, n'en est pas moins homme pour autant : il épouse sa patronne, et quatre filles naissent de cette union, parmi lesquelles Fatima, dont de nombreuses familles revendiquent aujourd'hui la descendance. Faute d'enfant mâle, il adopte un esclave du nom de Zayd, qu'il affranchit.

Lors d'une de ses retraites, vers l'an 610, l'archange Gabriel lui apparaît en songe et lui dicte des versets qu'il répète d'abord à son entourage, puis transmet à ses secrétaires. Au rythme d'une visite par an pendant 23 ans, de nombreux autres suivront, formant le texte du *Coran* (mot arabe signifiant « récitation »). Le Prophète commence sa vie publique et ses prédications. Les premiers disciples se rassemblent, mais son enseignement dérange. Son idée de l'*islam*, c'est-à-dire de « l'abandon volontaire de soi à la toute-puissance divine », choque autant les notables que le refus du culte poly-théiste et idolâtre alors en vigueur. Des persécutions et des guerres reli-gieuses s'ensuivent, principalement dans sa tribu (celle des Quraysh), qui lui est la plus hostile. La situation devenant intenable à La Mecque, il émigre le 16 juillet 622 à Yathrib (Médine), avec une soixantaine de partisans : c'est de cette date (*hégire*, c'est-à-dire « expatriation ») que part l'ère musulmane. La ville est rebaptisée la ville du Prophète, *Madinat al-Nabi*, connue dans notre langue sous le nom de Médine.

L'influence de Mahomet prend très vite une importance considérable. Après de nombreuses péripéties, il conquiert par la force sa ville natale en 630, y entre triomphalement et brise toutes les idoles qui entouraient la Kaaba (grand cube noir au centre du temple de La Mecque). Le Prophète s'éteint deux ans plus tard, le 8 juin 632. Sa succession est prise en main par ses compagnons, mais donnera lieu, un peu plus tard, à une scission, toujours vivace, opposant les chiites et les sunnites.

L'islam

L'islam est consigné dans le Coran et la Sunna. Les musulmans croient non seulement à la mission de Mahomet, leur prophète, mais aussi à celle de tous les messagers qui l'ont précédé en invitant au monothéisme : Abraham, Moïse, Jésus-Christ et tous les autres prophètes. Ils croient à la nature divine des Psaumes, de la Torah, de l'Évangile, mais considèrent que cer-tains Livres révélés n'ont pas échappé à l'altération apportée par les hommes, altération qui a rendu l'unicité divine moins radicale. La mission de Mahomet est de rétablir la révélation divine dans son intégrité.

L'islam est la religion officielle du Maroc, et le roi cumule les fonctions de chef d'État et de chef religieux (Commandeur des Croyants).

Le Coran

Recensé en arabe en 634, le Coran est la transcription des paroles de Dieu dictées à Mahomet. Il enseigne que la durée de la Création est de six jours. Les bonnes et les mauvaises actions des hommes jugées au Jugement der-nier méritent un paradis et un enfer, où les félicités et les souffrances cor-porelles tiennent la plus grande place. Car c'est là un des traits dominants de l'islam : il n'y est pas fait abstraction des besoins et des passions du corps humain. Le fatalisme n'y est pas aussi absolu qu'on se l'imagine ; la globalité de ses actions a été écrite d'avance sur les tables de Dieu, mais l'homme peut en modifier la qualité, en bien ou en mal.

La morale, évidemment, tient une grande place dans la doctrine de l'islam. La première vertu est la piété ; sans elle, les meilleures actions ne sont pas agréables à Dieu. L'homme vertueux doit donner au pauvre, sans ostenta-tion, le quarantième de son revenu. L'esprit de fraternité et d'égalité interdit le prêt à intérêt, atténue la condition de l'esclavage, laisse la femme mariée gérer sa fortune, ne transmet ni les privilèges, ni les titres. L'esprit de castes n'existe pas chez les musulmans, qui vivent dans une sorte de théocratie. La polygamie a été acceptée et limitée rigoureusement, et non créée par l'islam. La condition de la femme a même été l'objet de la sollicitude du légis-lateur, qui lui assure sa part d'héritage dans la famille.

GÉNÉRALITÉS

Les mosquées

Si le mot français « mosquée » vient de *masdjid*, il ne faut pas se méprendre sur le sens de ce terme. *Masdjid* désigne le prétoire, lieu où l'on se prosterne (devant Allah). Ce peut être bien sûr la mosquée, mais aussi n'importe quel endroit, pourvu qu'il soit dans un état de propreté et de sacralisation. Le mot « mosquée » se traduit d'ailleurs en arabe par *jemaa*, qui a le sens de « rassemblement ». Le vendredi est le jour du rassemblement *(yôm el jemaa)* et aussi le jour de la mosquée, puisque c'est là que l'on se rassemble pour la grande prière collective de l'après-midi.

La première mosquée fut érigée à Médine par le prophète Mahomet pour adorer Allah. Il institua ainsi dans ses grandes lignes ce nouveau style architectural.

La mosquée traditionnelle, différente au Maghreb de celle de type persan, se compose, en général, d'une cour au centre de laquelle se trouve souvent une fontaine pour les ablutions (celle-ci peut être à l'extérieur de l'édifice, ou bien excentrée) et d'*iwâns*, sortes de préaux. C'est là que les fidèles se mettent en lignes parallèles pour prier ensemble derrière l'imam qui dirige la prière. La direction exacte du temple de La Mecque est indiquée par une niche, le *mihrab* (que l'on voit précisément représenté sur les tapis de prière), dont on a pu dire qu'il était « le moule en creux de la présence du Prophète ». Pour effectuer le prêche à la communauté, l'imam monte sur une sorte de chaire en bois, que l'on appelle le *minbar*. Enfin, on trouve quelquefois, outre des tribunes ou des estrades aménagées pour les familles royales, des *dikka*, c'est-à-dire des sortes de plates-formes surélevées, d'où le cheikh dispense à ses élèves l'enseignement de la Parole divine.

Les mosquées, vues de l'extérieur, ne sont pas toujours belles. Au Maroc, elles peuvent être très simples. Ce sont des salles destinées au culte, qui se distinguent par leur minaret. L'intérieur, très décevant, est dépourvu de tout élément décoratif, à l'exception de quelques tapis ; encore que, souvent, de simples nattes de roseau les remplacent. Il est vrai que le Prophète recommande une construction aussi simple que possible. C'est tout à l'opposé de l'Iran, où les mosquées tendent vers le ciel leurs minarets ornés de faïences turquoise, et où l'on marche sur des tapis à faire rêver les collectionneurs !

Au Maroc, la visite des mosquées est interdite aux non-musulmans. Vous pourrez parfois, du toit d'une *médersa*, voir la cour de la mosquée et les vasques pour les ablutions, point final. Certains quartiers où se trouvent des lieux de pèlerinage, comme les alentours de la mosquée de Sidi bel Abbès à Marrakech, sont également interdits. Il est inutile d'insister. Il existe toutefois de très rares exceptions, telles que la grande mosquée Hassan-II à Casablanca, celle de Meknès (près de la porte Bâb Mansour), ainsi que celle de Tin-Mal, à une centaine de kilomètres au sud-ouest de Marrakech.

Si vous avez la chance de pouvoir pénétrer dans une grande mosquée, vous serez frappé par le volume libre à l'intérieur. On sent vraiment la notion d'espace, d'infini, de manière analogue à ce que l'on éprouve au fond de la nef d'une grande cathédrale gothique. Assis, agenouillés un peu partout, des gens prient. Très important : tenue décente, bien sûr, et avant d'entrer, déchaussez-vous. Se déchausser avant d'entrer dans un lieu saint est capital. Et si l'on vous dit qu'un ami musulman visitant pour la première fois une église en Europe a voulu se déchausser avant d'entrer, vous ne nous croirez peut-être pas. Dommage, parce que c'est vrai. Ça s'est passé à Notre-Dame de Paris.

Si vous voulez faire du zèle, lavez-vous aussi le visage et les mains ; de toute façon, ça ne leur fera pas de mal.

Les cinq piliers de l'islam

L'islam est basé sur des obligations que chaque musulman doit respecter scrupuleusement : ce sont les cinq *piliers* de l'islam. Ils sont classés par ordre d'importance.

La profession de foi (chahada)

On doit la réciter chaque jour à l'heure de la prière et au moment de la mort pour se voir ouvrir les portes de l'au-delà. En résumé : « Il n'y a pas d'autre Dieu qu'Allah, et Mahomet (Muhammad) est son prophète. » Il s'agit en fait d'une double profession de foi : d'un côté le refus d'admettre qu'il puisse y avoir d'autres divinités que Dieu, et de l'autre l'affirmation que le prophète Mahomet est une référence indépassable, ayant reçu, comme « sceau des prophètes », une mission universelle. Si l'on veut se convertir à l'islam, il suffit de réciter (avec conviction et sans contrainte) cette profession de foi.

La prière (salât)

Elle a lieu cinq fois par jour : à l'aurore, au zénith du soleil, l'après-midi, au coucher du soleil et à la disparition de toutes lueurs à l'horizon, lorsque apparaissent les étoiles. L'heure de la prière est annoncée par l'appel *(azân)* du muezzin, qui tournait jadis autour de la galerie du minaret ; cet appel est aujourd'hui diffusé par haut-parleurs. La prière doit être faite en chaussettes ou en chaussures légères pourvu qu'elles soient propres, le fidèle tourné dans la direction de La Mecque. Elle est obligatoire dès l'âge de la puberté. À force de poser le front contre le sol lors de la prière, il arrive qu'une petite callosité se forme (le *zebib*). C'est une marque très respectée car elle désigne un homme pieux. Voilà un excellent exercice pour préserver la souplesse de sa colonne vertébrale !
Dans la mesure du possible, la prière doit se faire dans une mosquée, mais elle peut avoir lieu dans un endroit propre, quand il est difficile de procéder autrement. Dans certaines chambres d'hôtel, vous remarquerez un autocollant indiquant la direction de La Mecque.

L'aumône légale (zakat)

C'est un impôt permanent (ou si l'on préfère, une dîme) permettant de se purifier de la possession des biens de ce monde, réputés impurs (*zakat* signifie d'ailleurs « purification »). De ce fait, le donneur doit éprouver un sentiment de reconnaissance envers celui à qui il donne ! L'aumône se verse annuellement, spontanément, sans contrôle de quelque autorité, à une personne ou à une œuvre choisie parmi les plus défavorisées. C'est une obligation pour tout musulman possédant une richesse minimum (le *nisâb*).
En principe, l'aumône représente le quarantième du revenu épargné. Mais le Coran mentionne un barème très précis, qui fait dépendre l'aumône de l'effort nécessaire à acquérir la richesse. Il faut par exemple donner le cinquième du trésor enterré que l'on aura trouvé. Pour les choses de l'agriculture, ça se complique : on doit donner une chèvre si l'on possède de cinq à neuf chameaux en pâture, une pour trente vaches dans les mêmes conditions, une pour quarante chèvres. Par contre, rien n'est dû pour les chevaux. Aujourd'hui, signe des temps, il existe des sites Internet qui permettent de calculer son *zakat* et le collectent pour les bonnes œuvres. Cartes de paiement acceptées !

Le jeûne du ramadan

Le Maroc, contrairement à de nombreux pays musulmans, observe scrupuleusement le ramadan. L'islam étant la religion officielle, les Marocains se surveillent mutuellement, et faillir à la règle en public serait une provocation sanctionnée par les forces de l'ordre.

Le jeûne du mois du ramadan est obligatoire à partir de l'âge de la puberté, sauf pour les femmes indisposées ou enceintes, les malades (qui doivent rattraper dès que possible les journées rompues) et les voyageurs. Attention, ces derniers doivent le pratiquer à leur retour, car il serait trop simple de prendre ses vacances à ce moment-là. L'abstinence s'étend à tous les aliments liquides et solides, à la fumée du tabac, aux parfums et à tout acte sexuel. On doit rester pur même moralement. Essayez de ne pas boire de grandes rasades à la gourde devant les musulmans, et ne leur proposez pas de cigarettes... Soyez sympa !

Le jeûne dure de l'aurore jusqu'au coucher du soleil, plus précisément tant que l'on peut distinguer un fil noir d'un fil blanc. En soirée, on assiste à un spectacle plutôt insolite : les gens attablés devant leur repas, attendant le signal de la fin du jeûne. Pendant cette période, la vie est transformée et tout fonctionne au ralenti. Non seulement les horaires sont différents, mais les employés présents ne sont guère enclins à travailler, malgré la journée continue qui se termine dès 14 h. Hors des sentiers battus, il y a, peut-être, le salut pour nos frères musulmans mais point de bouffe pour les infidèles ! Non seulement beaucoup d'hôtels (1 et 2 étoiles) sont fermés, mais aussi, à certains endroits, la plupart des restaurants. Avant de vous rendre dans des endroits peu touristiques, renseignez-vous...

D'un point de vue purement touristique, la période du ramadan n'est pas idéale : de nombreux cafés et restaurants sont fermés, et ceux qui ne le sont pas augmentent leurs prix. Les Occidentaux travaillant dans le tourisme profitent de cette période pour prendre leurs vacances. Mais le ramadan se révèle justement intéressant, d'une part pour le nombre plus restreint de touristes et d'autre part parce que cette période encourage une approche plus sociologique du pays. On peut aborder le sujet de la religion avec les habitants. Et puis, être invité à un repas de rupture de jeûne peut devenir un grand moment.

En revanche, l'expression « faire le ramadan » (devenu en français « faire du ramdam ») trouve ici sa pleine justification : du coucher du soleil jusqu'à une heure très avancée de la nuit, vous serez le témoin auditif du folklore local. Difficile de dormir !

Du fait de la mobilité lunaire, le ramadan tombe en n'importe quelle saison. En 2003, il débutera le 27 octobre (en 2004, le 16 octobre). Il dure 29 ou 30 jours, auxquels il faut ajouter les 3 ou 4 jours fériés de l'*Aïd es-Seghir*, la « petite fête » (ou *Aïd el-Fitr*, fête de la rupture du jeûne) qui clôturent la période de jeûne. Le pays est alors totalement paralysé. Rien ne fonctionne. Deux mois et demi après la fin du ramadan, a lieu une manifestation religieuse et sociale très importante (d'ailleurs, tout est fermé), l'*Aïd el-Adha*, la fête du mouton (ou *Aïd el-Kébir*, « grande fête »). Elle commémore le sacrifice d'Abraham. Celui-ci, s'apprêtant à sacrifier son fils à Dieu, vit s'approcher de lui, à l'ultime minute, un mouton « envoyé du ciel ». En souvenir, chaque famille sacrifie son mouton après l'avoir câliné et bichonné pendant plusieurs jours. Une semaine avant la fête, d'immenses marchés aux moutons s'organisent à la périphérie des villes. Une fois choisis et achetés, les animaux sont traînés à la main, hissés sur des mobylettes ou dans le coffre des voitures. C'est un spectacle épique qui prend un tour tragique pour les âmes sensibles le jour du sacrifice. Le signal en est donné par Son Altesse Royale elle-même, dont le geste est retransmis à la télévision. Les rues vides ne sont plus traversées que par quelques hommes maculés de sang, un grand couteau à la main, qui passent de foyer en foyer pour abattre le mouton, laissant ensuite à la famille tout entière le soin de le dépecer. Terrasses et balcons des villes s'emplissent alors de peaux mises à sécher, tandis que, sur les trottoirs, cornes et sabots demeurent les ultimes traces du sacrifice. Ceux qui n'en ont pas les moyens achèteront du mouton en morceaux la veille, pour faire « comme si »...

C'est aussi prétexte à exprimer l'unité familiale et à réunir tout le monde. La veille de l'*Aïd*, le jour même et le lendemain, les institutions ne fonctionnent évidemment pas, ni même la plupart des restaurants, y compris dans la capitale.

Le pèlerinage à La Mecque (hadj)

Le pèlerinage aux lieux saints de La Mecque est une obligation pour tout musulman qui en a la possibilité matérielle. Il arrive que l'on se cotise pour payer le pèlerinage d'un musulman qui n'en a pas les moyens, tant ce voyage à La Mecque est important.

Il ne suffit pas de faire le trajet, le pèlerinage comprend un certain nombre de rites : tourner 7 fois autour de la Kaaba, dans le sens contraire des aiguilles d'une montre, parcourir 7 fois aussi un chemin entre deux collines (safâ et marwa) et, si possible, se rendre à Médine, mais ce n'est pas obligatoire. Le voyage, coûteux, dure généralement deux semaines. Les Hanafites (ceux qui suivent l'enseignement de l'imam Abou Hanifa) peuvent se faire remplacer pour le pèlerinage en cas de nécessité.

Le retour des pèlerins est un grand moment : de fierté pour ceux qui s'en reviennent de La Mecque, devenus des *hadjis*, et de liesse pour ceux qui les accueillent dans leur quartier ou dans leur village. Dans les campagnes, il est de tradition de peindre sur la façade de la maison du pèlerin des scènes de son périple vers La Mecque (avion, bateau, bus...). C'est au cours des rites du pèlerinage qu'a lieu, pour ceux qui restent au pays, le sacrifice du mouton, la fête de l'*Aïd el-Adha*.

Les autres pratiques religieuses

La circoncision

C'est une tradition abrahamique : la religion ne l'impose pas. C'est plutôt une mesure d'hygiène qui prend ici un sens tout particulier car, comme pour le baptême catholique, cela marque l'entrée du jeune garçon dans le monde des croyants. C'est un signe d'appartenance. L'opération (qui consiste à exciser la peau du prépuce) est effectuée en général entre 2 et 5 ans. Les familles qui en ont les moyens confient l'enfant à un chirurgien dans une clinique privée ; l'acte chirurgical, effectué sous anesthésie, dure 5 mn environ. Les familles nécessiteuses s'adressent à un hôpital public où les circoncisions se font en chaîne, la veille des fêtes religieuses. Elles sont, là aussi, réalisées par un chirurgien sous anesthésie générale et sont gratuites. Dans les campagnes, il arrive encore parfois que ce soit le barbier qui procède à l'opération, sans aucune anesthésie, mais c'est de plus en plus rare.

Cette cérémonie donne lieu à des festivités plus ou moins importantes selon les moyens de la famille et le jeune circoncis reçoit des cadeaux. Lorsque la plaie est cicatrisée, après quelques jours, le jeune intronisé se rend au hammam pour se purifier.

Les purifications ou ablutions

Le croyant ne peut accomplir la prière sans s'être purifié, se protégeant des souillures ou les éliminant (tapis de sol pour prier, abandon des chaussures pour ne pas souiller la mosquée des poussières de la rue, ablutions du visage, de la barbe, des pieds et des mains avant la prière). Avant de lire ou toucher le Coran, les ablutions sont recommandées. Mais le Livre Saint, qui pense à tout, signale qu'en cas de pénurie d'eau (dans le désert, cela n'a rien d'anormal), on peut se purifier avec du sable.

Les aliments prohibés

Ce sont la chair du porc, celle des carnassiers et de certains reptiles, le sang et la charogne. Pour être *halal*, c'est-à-dire conforme aux prescriptions du Coran, la viande doit être absolument exsangue pour être consommée.

Les *zaouïa*

Il existe une autre forme de dévotion populaire qu'on pourrait, en caricaturant un peu, appeler l'islam des campagnes par opposition à l'islam officiel des villes. De nombreuses localités portent le nom d'un marabout (saint) local précédé du terme *zaouïa*, qui désigne le sanctuaire où il est enterré. Souvent, autour de ce sanctuaire, s'est créée par le passé une fondation ou une confrérie. Une fois par an, un grand pèlerinage est l'occasion pour la population d'affirmer une grande ferveur religieuse. Le mysticisme rural s'est développé au XIIIᵉ siècle en réaction à l'islam « centralisé » des Almoravides et des Almohades, lié à la bourgeoisie citadine. Le système maraboutique, lié au système tribal, n'a plus la force qu'il a eu par le passé mais il demeure encore vivace.

SAHARA OCCIDENTAL

Jusqu'en 1975, le Rio de Oro vivotait, sous colonisation espagnole. Le 6 novembre 1975, une marée humaine pacifique de 350 000 Marocains l'envahit, et le territoire se trouve rattaché à la couronne chérifienne. C'est le début d'une longue guerre. Comment en est-on arrivé là ?

Il faut en chercher les racines en 1956. Mohammed V accepte alors l'indépendance de son pays en l'état, c'est-à-dire amputé de territoires que les nationalistes, au nom de l'Histoire, estimaient marocains. Parmi ceux-ci, le Sahara espagnol, ou Rio de Oro. L'*Istiqlal*, parti de l'indépendance, crée une armée de libération marocaine comprenant des Mauritaniens et des Sahraouis, partisans d'un « grand Maroc ». Cette armée irrégulière, à l'instar de toutes les bandes de soudards du monde, devient vite incontrôlable. D'où sa dissolution par le roi. D'où aussi un vif mécontentement, surtout parmi ses membres sahraouis dont le territoire était toujours sous domination espagnole. D'où enfin la création du *Front populaire pour la libération de la Saquia el-Hamra* (un massif désertique de l'intérieur) *et du Rio de Oro*, connu aujourd'hui sous son acronyme Polisario. Fin de l'acte I.

En 1962, l'Algérie accède à l'indépendance et cherche noise au Maroc quant au tracé des frontières. Point culminant : la « guerre des sables », qui fait rage en 1963 et 1964. Bien évidemment, l'Algérie, qui rêve d'une fenêtre sur l'Atlantique et qui craint la montée en puissance de son voisin, appuie généreusement les revendications sahraouies et fournit armes et munitions au Polisario. Fin de l'acte II.

Au début des années 1970, la vie est dure pour Hassan II. Il échappe à deux attentats, dont l'un fomenté par le général Oufkir. Il lui faut redorer son blason. Le souverain sait qu'une seule cause peut lui permettre de réunir un consensus de toutes les forces populaires et politiques marocaines : la récupération du Sahara occidental. Le Maroc exerce de fortes pressions sur l'Espagne afin qu'elle évacue le territoire. Mais c'est la « Marche verte » du 6 novembre 1975, réel coup de génie politique, qui emporte la décision : en 1976, Madrid cède les deux tiers nord de la colonie au Maroc et le tiers sud à la Mauritanie. Mais le Polisario intensifie le conflit armé, toujours avec l'appui des militaires algériens. La Mauritanie, qui n'a pas les moyens de soutenir un effort de guerre, abandonne le morceau en 1979, le Maroc occupant le terrain. Fin de l'acte III.

Le rideau ne retombe pas pour autant. Le Polisario menace les mines de phosphate et les centres urbains, et Hassan II engage son pays dans une vraie guerre. Habilement, le Polisario, en difficulté sur le terrain, joue la carte diplomatique, toujours efficacement soutenu par l'Algérie. En 1984, l'Organisation de l'Unité africaine (OUA) lui accorde un siège, et le Maroc en claque bien sûr la porte. L'ONU, sollicitée pour mettre fin au conflit, recommande sans originalité la tenue d'un référendum d'autodétermination sous contrôle international. Mais celui-ci achoppe sur un « détail » qui vaut son pesant de phosphates : l'identification des votants ! Le nombre de Sahraouis, des Berbères nomades pour la plupart, varie de 170 000 à 1 million selon les sources, ce dernier chiffre étant bien sûr avancé par le Front Polisario, qui prend en compte les Sahraouis réfugiés à l'extérieur du territoire marocain. Quel que soit le résultat de ce référendum, les conséquences seraient explosives. C'est pourquoi, ces derniers temps, une autre solution émerge, dite « la troisième voie » : une autonomie du Sahara occidental au sein du Royaume marocain. Autonomie qui signifierait une réforme des institutions. Les choses risquent donc de traîner encore, d'autant que chaque année apporte son contingent de rebondissements, l'un des plus notables étant, en 2002, la défection du commandant Lahbib Ayoub, numéro 2 du Polisario : préférant une autonomie au sein du Maroc qu'une partition maintes fois évoquée par l'Algérie, ce grand chef de guerre sahraoui a fait allégeance à Mohammed VI.

Une solution politique sera-t-elle enfin trouvée ? Reporté, re-reporté, reconduit sine die, le référendum verra-t-il le jour ? En attendant, la force de l'ONU chargée d'organiser le scrutin (la MINURSO) voit sa mission reconduite de mois en mois, alors que le Maroc reste toujours exclu de l'OUA, et pendant ce temps les tensions entre pays musulmans servent la politique pro-israélienne des États-Unis au Proche-Orient.

SANTÉ

Pas de risques particuliers, le Maroc n'étant pas un pays au climat malsain. Néanmoins, dans beaucoup d'endroits règnent la pauvreté, la promiscuité, la mauvaise hygiène et le manque d'eau. Donc, bien se méfier des maladies transmises par l'eau et les aliments. Quelques règles universelles :
– Évitez les boissons non industrielles, les glaçons, le lait et ses dérivés non industriels, les coquillages.
– Exigez que l'eau minérale soit décapsulée devant vous.
– Pour purifier son eau : avec de l'*Hydroclonazone* ou du *Micropur forte* (plus cher), ou par ébullition, par des filtres ou des résines anti-microbiens (type *Katadyn*).
– Fruits et légumes : d'après l'OMS, « lavez-les, pelez-les, faites-les bouillir ou laissez-les ».
– Consommez les viandes bien cuites, à cause du risque d'hépatite A ; bannissez les viandes saignantes et rabattez-vous donc sur les couscous, tajines et méchouis, qui ne posent pas de problèmes.
– Consultez un médecin en cas de diarrhée contenant des glaires, du pus, du sang ou qui provoque de la fièvre. Pour de simples selles molles et fréquentes, utiliser de l'*Ercéfuryl* allié à de l'*Imodium* ou du *Tiorfan*.
Pour le reste :
– Évitez de vous baigner ou de patauger en eaux douces stagnantes.
– Méfiez-vous du soleil, partout et encore plus en montagne. Et attention aux accidents de voiture, l'une des principales causes de mortalité au Maroc.
– En cas de bobo, ne paniquez pas : les pharmacies marocaines sont très bien approvisionnées et de nombreux médecins sont formés en France ou par des enseignants français.
– Pour conjurer le mauvais sort, souscrivez donc, avant le départ, une assurance « Assistance-rapatriement ».
■ *Urgences :* ☎ 112 depuis un téléphone mobile. Depuis un téléphone fixe : ☎ 19 en ville et ☎ 177 hors des villes.

Répulsifs antimoustiques *(repellents)*

Contre les moustiques et autres insectes piqueurs, voici un produit qui s'achète en plusieurs versions... *Repel Insect* Adulte (DEET 50 %) ; *Repel Insect* Enfant (35/35, 12,5 %) ; *Repel Insect* Trempage (perméthrine) pour imprégnation des tissus (moustiquaires en particulier) permettant une protection de 6 mois ; *Repel Insect* Vaporisateur (perméthrine) pour imprégnation des vêtements ne supportant pas le trempage, permettant une protection résistant à 6 lavages. Disponibles en pharmacie, parapharmacie et en vente sur le Web : • www.sante-voyages.com •

SAVOIR-VIVRE ET COUTUMES

Vous êtes dans un pays musulman, qui a des traditions et des coutumes parfois très différentes des nôtres. Il faut donc connaître quelques règles élémentaires.

Ce qu'il faut faire

– Se déchausser avant d'entrer dans une pièce si vous voyez des chaussures déposées près de la porte.
– Répondre à toutes les questions que l'on vous posera et qui, parfois, vous paraîtront indiscrètes. Est-ce bien votre femme qui vous accompagne ? Combien avez-vous d'enfants ? Que font-ils ? Quel est votre salaire ? Combien vous a coûté votre montre ou votre appareil photo ?
– Prolonger la pause thé en acceptant plusieurs verres, même si on n'a plus soif.
– Si l'on a été invité dans une famille, laisser un petit cadeau plutôt que de l'argent.
– Si l'on a photographié ses amis marocains, ne pas oublier de leur envoyer les clichés au retour.

Ce qu'il ne faut pas faire

– Refuser le thé que l'on vous offre.
– Toucher les aliments avec la main gauche, considérée comme impure. C'est elle qui sert à la toilette.
– Porter une tenue provocante, surtout pour les femmes. Les shorts sont encore considérés comme indécents dans certaines régions peu touristiques. Alors, imaginez le monokini ! À éviter sur les plages ou au bord des piscines d'hôtels. C'est une règle élémentaire de politesse à l'égard des habitants.
– Critiquer l'organisation marocaine, la religion, la monarchie. Si votre interlocuteur vous interroge, vous pouvez exprimer franchement votre pensée, pourvu que vous le fassiez en termes mesurés.
– Prendre pour des gays tous les jeunes hommes qui se promènent main dans la main (ou plutôt doigt dans la main). C'est un signe d'amitié et non d'homosexualité.

La politesse

Comme on peut le constater dès l'arrivée, les Marocains utilisent des formules de politesse beaucoup plus longues que les nôtres. Elles appartiennent à un ancien code des usages toujours en vigueur. Qui ne connaît le fameux *Inch Allah* (« s'il plaît à Dieu »), qui s'emploie systématiquement dans une phrase qui comporte un verbe au futur et même parfois au milieu d'une phrase prononcée en français ? Le nom de Dieu revient souvent d'ailleurs dans les formules utilisées.

Lorsque deux Marocains se rencontrent, cela donne à peu près le dialogue suivant :
– *Salaam aleikum !* (Que le salut soit sur toi !)
– *Aleikum Salaam !* (Qu'il soit sur toi aussi !)
– *Lèbès ?* (Comment ça va ?)
– *Lèbès !* (Ça va !)
– *Ach khbarek ?* (Et quelles sont les nouvelles ?)
– *Lèbès* (Ça va)
– *La bâs alik ?* (Pas de mal sur toi ?)
– *La bâs el hamdoullah !* (Non, grâce à Dieu, pas de mal sur moi)
Dans ce dialogue, inévitable préambule à toute conversation, il faut joindre les gestes à la parole, et en particulier la main droite que l'on pose sur le cœur. La longueur de cet échange, qui a impressionné les premiers Européens en contact avec les Arabes, est à l'origine du mot français *salamalecs*, directement dérivé de ses premiers mots !
Les interlocuteurs se séparent sur un *Allah ihennik !* (Que Dieu te garde en paix !).
Si vous êtes à table, il est de coutume de dire *Bismillah* (Au nom de Dieu) avant de manger. Cette formule s'utilise toujours avant de commencer quelque chose.
Si l'on vous annonce une bonne nouvelle, dites aussitôt : *Hamdoullah !* (Que Dieu soit loué !).
Pour remercier, ne pas oublier *Choukrane* : vous n'avez pas d'excuses, c'est très facile à prononcer !

Le *bakchich*

À l'origine, qui se perd un peu dans la nuit des temps, le *bakchich* était le cadeau de bienvenue, en signe d'hospitalité et d'amitié ; c'était la façon la plus simple et la plus commode de prouver à son invité qu'on n'était pas insensible à sa venue ; alors on lui offrait un petit présent pour marquer cette affection.
Aujourd'hui, le bakchich est employé à tort et à travers, quel que soit l'interlocuteur, du plus petit au plus grand. Ne donnez que pour un service rendu et ne le faites qu'en fonction du salaire moyen officiel, qui est de 1 800 Dh (180 €) par mois. Mais il faut savoir que très nombreux sont ceux qui n'en bénéficient pas et doivent se contenter de 500 Dh (50 €) par mois pour vivre. Munissez-vous de très menue monnaie, et n'oubliez cependant pas que ce peuple est pauvre et que vous représentez l'étranger, avec ce que la richesse peut avoir de provocant. Et lorsque vous refusez, faites-le avec le sourire.

SEXUALITÉ

Sans vouloir entrer dans le détail (rien de croustillant), il faut savoir un certain nombre de choses en abordant le Maroc.
Jeunes gens, la drague, ici, ce n'est pas de la tarte. Et pourtant, vous l'avez rencontrée, elle vous a immédiatement donné son numéro de téléphone...
Premier contresens possible : au contraire d'une Européenne, une Marocaine donne son numéro pour un oui ou pour un non, quitte à le changer tous les 6 mois si elle est importunée. Maintenant, vous voudriez la revoir, mais vous allez bien vite vous apercevoir que, dans la majorité des cas, votre princesse est captive : une Marocaine non mariée ne sort qu'avec l'assentiment de son père (ou éventuellement de son frère le plus âgé), et celui-ci, en général soucieux du qu'en-dira-t-on, la retient à la maison passé 20 h... Pas de problème, vous direz-vous, l'après-midi est propice à toutes sortes de siestes, crapuleuses de préférence. Nouvel obstacle : il y a de

fortes chances que votre conquête soit vierge, car vous êtes dans un pays musulman où le futur ne badine pas avec ça ! Mais vous êtes tombé sur une délurée, qui n'a pas pu attendre. Oui, mais vous croyez que le patron de votre hôtel va la laisser monter comme ça dans votre chambre ? Vous êtes naïf, jeune homme : la loi le lui interdit ! Mais vous pouvez encore vous en sortir, car certains tôliers se moquent bien de ce qui se passera si elle loue une chambre contiguë à la vôtre (la loi ne va pas jusqu'à l'interdire !). Mais savez-vous que vous vous apprêtez alors à commettre un délit ? Eh oui, c'en est un pour un non-musulman que d'avoir des relations sexuelles avec une Marocaine : alors, grande méfiance si vous ne voulez pas vous retrouver au gnouf ou la bague au doigt. Une anecdote à ce sujet : lors de la construction du port de Jorf-el-Lasfar, les entreprises françaises employaient un important personnel européen, surtout des hommes célibataires ou esseulés. Un jour, quelques-uns se retrouvèrent en prison, et le procureur leur donna le choix : mariage ou conversion, sinon condamnation. Le mariage implique la conversion, mais la réciproque n'est pas vraie. Nombre d'épouses restées au pays ont ignoré que leur homme s'était converti à l'Islam, et pourquoi... Car malgré notre préambule dissuasif, il vous faut savoir que vous avez vos chances avec les femmes seules vivant loin de leur famille, avec celles qui ont mauvaise réputation, avec celles qui ont divorcé, voire avec les mal mariées... La Marocaine, une fois affranchie de la tutelle paternelle, vit souvent sa sexualité de manière bien plus libre que l'Européenne. Mais attention : quoique les services officiels se montrent très discrets sur ce chapitre, le sida commence doucement à faire des ravages, notamment auprès de certains jeunes. On trouve des préservatifs dans toutes les pharmacies marocaines. Alors, vous n'avez pas d'excuses ! Quant à l'attrait que pourraient exercer les Européennes sur les Marocains, sans rien exagérer, il faut reconnaître qu'il existe, les médias occidentaux véhiculent l'image de femmes libérées et donc réputées « faciles ». Dans certains centres touristiques, la police interdit aux Marocains d'aborder ou de tenir compagnie à un touriste homme ou femme. Il faut dire que l'arrivée de charters entiers de vacanciers munis de devises est une tentation bien grande pour une jeunesse souvent désœuvrée qui voit là un moyen de tromper son ennui et de se faire un peu d'argent de poche.

SITES INTERNET

Infos pratiques

● *www.routard.com* ● Tout pour préparer votre périple, des fiches pratiques, des cartes, des infos météo et santé, la possibilité de réserver vos prestations en ligne. Sans oublier *routard mag*, véritable magazine avec, entre autres, ses carnets de route et ses infos du monde pour mieux vous informer avant votre départ.

● *www.diplomatie.fr* ● Cliquer sur « conseils aux voyageurs ». Le site du ministère des Affaires étrangères, mis à jour régulièrement, répertorie les régions déconseillées et donne aux voyageurs, selon un classement par pays, des conseils généraux de sécurité, les formalités d'entrée et de séjour. Un site à consulter avant votre départ.

● *www.ambafrance-ma.org/imaroc* ● Un annuaire des ressources Internet au Maroc. Des liens vers près de 500 sites classés par thèmes, y compris les portails et moteurs de recherche marocains.

● *www.moroccoweb.com/fr/tourisme/index.html* ● Ce portail du Maroc présente une bonne rubrique tourisme. Présentation détaillée et thématique des principales villes du Maroc, ainsi que des infos pratiques pour vous rendre dans le pays. Mais peu de photos, et graphisme assez simple.

● *Cybercafe.com/country.asp ?selectcountry=morocco&step=10&sort by=city* ● Une sélection de cybercafés au Maroc.

● *www.tourism-in-morocco.com* ● Des adresses et des liens nombreux en font un site touristique assez complet et fort utile sur tout le pays.

Cuisine et savoir-vivre

● *www.saveurs.sympatico.ca/ency-voy/afrique/maroc.htm* ● Le Maroc vu à travers ses recettes et ses us et coutumes. À noter, la liste des jours de fêtes et un petit texte sur l'art de recevoir à la marocaine. Spécialités traditionnelles et recettes de tajines, couscous... Ça met l'eau à la bouche !
● *www.1.neuronnexion.fr/jdoupsy* ● Site sympa qui propose des recettes de pâtisseries orientales, pour s'exercer chez soi, avant de partir !

Société

● *www.lamarocaine.com* ● Tout sur la femme marocaine. La simple existence d'un tel site n'est-elle pas déjà une révolution ?

Culture

● *www.festival-gnaoua.co.ma* ● Ce festival, qui a lieu chaque année à Essaouira, accorde une large place aux Gnaoua et aux autres musiques traditionnelles marocaines. Biographie des artistes, présentation des Gnaoua et de la ville d'Essaouira.
● *www.mazigh.fr.st* ● Un site tout simple où s'exprime la fierté d'être berbère, indépendamment de son pays d'origine.
● *www.mincom.gov.ma/french/galerie/musique/musique.html* ● Pour écouter de la musique marocaine. Détail explicatif de la musique selon les régions, avec extraits.
● *www.maroctunes.com* ● Un autre site fort bien documenté sur les différents aspects de la musique marocaine. Propose quelques plages en MP3.
● *www.art-maroc.co.ma* ● Un magnifique aperçu de la peinture au Maroc : de très belles reproductions sur un site bien conçu.
● *www.fleurislam.net* ● Un site très riche qui a l'ambition de dépasser les clichés et de présenter un visage fidèle de l'Islam et de ses fabuleux joyaux de sagesse et d'espérance.

Actualités

● *www.ambafrance-ma.org/presse* ● Une sélection quotidienne d'extraits d'articles représentatifs de la presse marocaine, réalisée par l'ambassade de France à Rabat. Idéal pour épater les gens que vous rencontrerez par votre connaissance des sujets dont on discute là-bas !
● *www.albayane.ma* ● Site du quotidien *Al Bayane*. Une mine d'information, et un relatif franc-parler. Accès aux archives, avec un bon moteur de recherche.
● *www.oneworld.org/guides/sahara/index.html* ● Le Sahara occidental : présentation, histoire, conflits... En anglais.
● *www.sahara-overland.com* ● En anglais. Une mine d'infos sur les pays du Sahara, les pistes, itinéraires, cartes, forums... Mise à jour régulière.
● *www.comfm.com/live/radio/?c=ma* ● Une sélection de radios qui diffusent sur le Web.
● *www.comfm.com/live/tv/?c=ma* ● Même chose pour la télé.

GÉNÉRALITÉS

Pages persos

- *perso.club-internet.fr/romge/maroc.htm* ● Bons conseils, genre routard, d'ailleurs renvoie au site du *Routard*. À travers un parcours dans le Toubkal, la vallée du M'Goun, donne des idées pour faire un périple hors des sentiers battus. Rubrique « Astuces », avec conseils pour se déplacer.
- *www.voyageaumaroc.fr.st* ● Un itinéraire intéressant qui pourra donner des idées... Des photos et des infos utiles pour chaque étape du voyage, un carnet très agréable à visiter.
- *www.giono.free.fr/afrique/maroc/* ● Deux amoureux du Maroc nous confient leurs plus belles photos commentées avec humour.

SPORTS ET LOISIRS

Sports nautiques

Les sports nautiques sont les plus pratiqués grâce aux 3 530 km de côtes qui bordent le Maroc sur deux mers très différentes. Les côtes atlantiques marocaines n'étant pas baignées par le Gulf Stream, la température de l'eau n'excède pas 18 °C dans les périodes les plus chaudes.

– Si vous désirez vous baigner, ce qui vous arrivera sans aucun doute vu la chaleur, renseignez-vous bien. L'océan Atlantique est particulièrement dangereux et meurtrier, sauf dans certains endroits bien particuliers (Agadir par exemple). Évitez les plages trop désertes. Attention, le nudisme sur les plages est formellement interdit et très mal vu. Cela dépend des autorités locales, mais vous auriez beaucoup de chances de vous faire embarquer. De toute façon, vous provoqueriez un attroupement et risqueriez de recevoir des pierres.

– Les grands hôtels disposent tous d'une piscine, souvent accessible aux non-résidents, moyennant finance. Là non plus, mesdemoiselles, mesdames, ne vous laissez pas aller aux joies du bronzage *topless*. C'est une règle de respect élémentaire à l'égard du personnel marocain. Le Coran étant très strict sur ce chapitre, vous vous feriez rappeler à l'ordre sans ménagement.

– Les vagues, souvent fortes, ont favorisé le développement de certains sports comme le surf ou la planche à voile. En quelques années, le Maroc est devenu pour les Européens un spot très prisé. En effet, l'alizé du nord-est souffle sur les côtes marocaines de fin mars à mi-septembre. Chaque année, des concours internationaux se déroulent à Essaouira.

Équitation

Il est grisant de chevaucher dans le désert ou de galoper le long des oueds. Les chevaux arabes sont, à juste titre, renommés et, comparées aux tarifs français, les séances d'équitation ne sont pas chères du tout. Attention toutefois, les chevaux mâles sont des entiers, car le Coran interdit la castration. Cette caractéristique les rend plus nerveux que les chevaux européens, et parfois imprévisibles.

Tennis

Tous les hôtels d'un certain standing possèdent un court, mais il est éprouvant d'y jouer aux heures chaudes.

Golf

Les riches passionnés de golf seront comblés : le Maroc possède de magnifiques terrains, si réputés que des rencontres internationales s'y disputent chaque année, notamment en hiver.

Ski

Les snobs épateront leur entourage en allant skier en hiver au Maroc plutôt qu'à Megève. La plus célèbre station, l'Oukaïmeden, à 75 km de Marrakech, est à 2 600 m d'altitude. Ouverte, théoriquement, de début janvier à fin avril, elle dispose de 7 téléskis et d'un télésiège. Il en existe une autre à Mischliffen, à quelques kilomètres d'Ifrane, à côté de Fès.

TÉLÉCOMMUNICATIONS

Le téléphone au Maroc est encore un luxe. Les communications sont chères, beaucoup plus qu'en Europe. N'appelez jamais d'un hôtel, où les prix sont multipliés de façon astronomique (jusqu'à 40 Dh, soit 4 € la minute !). Du samedi 13 h au dimanche minuit, 40 % de réduction sur les tarifs. La nuit, 20 % sur les communications nationales. Pour les communications encore non automatisées, composer le ☎ 100 pour avoir l'opérateur, le ☎ 120 pour l'international et le ☎ 160 pour les renseignements.

– Il existe des **cabines à cartes**. Celles-ci sont vendues dans les bureaux de poste, bureaux de tabac et chez quelques commerçants. Téléphoner depuis ces cabines peut être tout un sport : le plus souvent, elles sont en pleine rue, et le bruit du trafic couvre la voix de votre interlocuteur. Il existe des cartes de 40 ou de 100 unités (70 et 120 Dh, soit 7 et 12 €). Comme elles ne sont pas sous emballage et peuvent avoir été utilisées, l'employé vérifie l'intégralité des unités lors de la vente. Méfiez-vous des cartes émanant de compagnies privées, elles ne sont utilisables que dans certaines villes, comme à Marrakech par exemple.

– Mais nombre de ces cabines étant victimes d'actes de vandalisme, *Maroc Télécom* les remplace progressivement par des **téléboutiques**. On les reconnaît à leur enseigne bleue représentant un cornet, montrant qu'elles sont agréées par la compagnie du téléphone *Itissalat al-Maghrib (Maroc Télécom)*. Il s'agit de lieux abrités comportant un certain nombre de postes d'où l'on peut téléphoner avec des pièces et parfois avec des cartes. Certaines téléboutiques sont équipées d'un service de fax permettant d'en expédier mais aussi d'en recevoir. Ces boutiques, ouvertes très tard le soir, sont placées sous la surveillance d'un gérant qui vous fera de la monnaie. Il y en a désormais dans chaque ville un nombre incroyable (ainsi que dans de nombreux villages) et tout le monde vous les indiquera.

Malheureusement, comme il n'y a pas de petit profit, on a assisté à une nouvelle dérive : nombre de ces téléboutiques ont des téléphones trafiqués pour que vous y engloutissiez un maximum de pièces. Ou bien, après avoir mis une pièce de 5 Dh, le téléphone affiche curieusement : « hors service » et votre pièce ne retombe pas ! Un conseil : commencer par mettre 1,50 Dh (la mise minimum pour une communication locale) avant d'alimenter l'appareil en pièces de 5 Dh si vous téléphonez à l'étranger.

– Avec votre **téléphone portable**, à condition d'avoir contracté une option « Monde », vous trouverez une excellente couverture sur toute la façade atlantique de Tanger à Boujdour, autour des grandes villes, et le long des grandes axes de l'intérieur jusqu'à Erfoud et Ouarzazate. Consultez les cartes de couverture sur Internet : • www.gsm.org/gsminfo/cou-ma.htm • Deux compagnies se partagent le gâteau : *Maroc Télécom* et *Médi Télécom* (couramment appelé Meditel). Pour l'Union européenne, il vous en coûtera un peu plus d'1 € la minute.

Les gros consommateurs pourront acheter une carte prépayée *Jawal* de *Maroc Télécom* ou *Medijahiz* de *Meditel*, qui leur permet d'utiliser un numéro marocain pendant la durée de leur séjour. D'un coût de 250 Dh (25 €), elle permet environ une heure de communication nationale. C'est plus cher que depuis une cabine, mais vous êtes beaucoup plus libre. Pour appeler vers l'étranger, elle n'est pas compétitive par rapport à votre puce habituelle. Elle peut se recharger, et plus votre recharge est grosse, moins chère est la minute !

Maroc → Maroc

Le pays est divisé en 4 zones de numérotation : 02 pour la zone Casablanca-Settat, 03 pour la zone Rabat-Tanger, 04 pour la zone Marrakech-Laâyoune et 05 pour la zone Fès-Oujda. Quel que soit l'endroit d'où vous téléphonez sur le territoire marocain, que vous appeliez dans la même zone ou dans une autre, composez les 9 chiffres du numéro.

France → Maroc

00 + 212 (indicatif du pays) + numéro d'appel à 8 chiffres sans le 0 initial. Depuis le réseau *France Télécom*, compter 0,50 € la minute de 8 h à 19 h et 0,35 € en heures creuses.

Maroc → France et autres pays francophones

– **Vers la France :** 00 + 33 + numéro du correspondant à 9 chiffres.
– **Vers la Belgique :** 00 + 32 + numéro du correspondant à 8 chiffres
– **Vers la Suisse :** 00 + 41 + numéro du correspondant à 8 ou 9 chiffres.
– **Vers le Canada :** 00 (tonalité) + 1 + indicatif de la ville + numéro du correspondant.
On ne compose jamais le 0 qui précède le numéro. Compter 17 Dh (1,70 €) la minute (40 % moins cher les samedi après-midi, dimanche et jours fériés).

Les cartes *France Telecom*

Pour vous simplifier la vie dans tous vos déplacements, les cartes **France Telecom** vous permettent de téléphoner en France et depuis plus de 100 pays de la plupart des téléphones (d'une cabine téléphonique, chez des amis, d'un restaurant, d'un hôtel...) sans souci de paiement immédiat : les appels sont directement prélevés et détaillés sur votre facture *France Telecom*. Il existe plusieurs formules. Par exemple, pour les routards qui voyagent souvent à l'étranger, on recommande la carte *France Telecom Voyage* qui propose une tarification dégressive pour les appels internationaux (sauf depuis les DOM). Pour en savoir plus, composez le n° Vert : ☎ 0800-202-202 ou ● www.cartefrancetelecom.com ●

Les cybercafés

Comme dans chaque pays en voie de développement, les cybercafés se multiplient. Débit parfois un peu lent. Une heure de connexion revient environ à 10 Dh (1 €). À certaines heures, ils sont pleins à craquer, notamment de jeunes étudiants et étudiants qui en font un sport national. Il est donc de plus en plus fréquent de trouver des cybercafés même dans les petites villes.

TOURISME POUR LE DÉVELOPPEMENT

Au lendemain de l'attentat de Louxor en 1997, alors que l'industrie touristique se lamentait et ne savait plus que faire pour attirer les voyageurs, un jeune armateur égyptien, Mustapha el Gendy, et une professionnelle de la communication, Arielle Renouf, lançaient l'association *Tourism for Development*. TFD a pour objet la lutte contre la misère et la violence qu'elle génère, en accordant le label « TFD » aux professionnels du tourisme (agences de voyages, voyagistes, hôtels, compagnies aériennes...) qui acceptent de redistribuer 1 % de la facture du « consommateur TFD », quel que soit le produit acheté, afin de financer des micro-projets de développement de minimum vital (eau, nutrition, santé, éducation) au profit des populations les plus démunies des pays visités. Le consommateur ne doit pas payer plus cher son voyage.

Pour que le système fonctionne, il faut donc que le consommateur choisisse d'acheter chez un partenaire labellisé et manifeste son désir d'acheter *TFD*. Si vous soutenez ce projet d'envergure, original et généreux, exigez le label *TFD* (la petite valise noire et rouge siglée *Tourism for Development*). Vous tous qui croyez en cette action, signez la charte du voyageur, disponible entre autres sur Internet : • www.tourismfordevelopment.com •

Pour connaître la liste des partenaires *TFD*, consultez le site web ci-dessus ou contactez l'association *Tourism for Development*, 19, rue Cassette, 75006 Paris. ☎ et fax : 01-45-44-37-81. • T.F.D@wanadoo.fr •

TRANSPORTS

Stop

Il fonctionne principalement sur les grands axes comme Tanger - Casablanca - Marrakech. Souvent monnayé.

N'hésitez pas à demander aux touristes dans les campings.

Déconseillé aux filles seules, nous l'avons dit. Mais au cas où elles l'auraient oublié...

Train

Il serait imprudent de trop compter sur la ponctualité de l'*ONCF* (Office national des chemins de fer) ! Mais celui-ci dispose de trains express relativement rapides, propres et climatisés. Dans ces derniers, il existe des compartiments non-fumeurs où la consigne est respectée. En première, il n'y a guère que la musique et l'annonce des gares en plus.

Si l'on veut une place assise, il faut apprendre à courir vite, ou arriver très longtemps à l'avance si l'on part d'une tête de ligne... ou tout simplement réserver ! Vous pouvez vous procurer vos billets 6 jours à l'avance, sauf pour les billets combinés train + autocar (1 mois à l'avance) et les billets avec réservation de voiture-lit ou de couchettes (2 mois à l'avance). Certains trains sont à supplément.

Vous pouvez aussi voyager malin. Si votre horaire de départ n'est pas impératif, choisissez donc les *trains promo* pour votre voyage. En les empruntant, vous bénéficiez automatiquement de 25 % de réduction sur le prix du billet si votre trajet dépasse 180 km. Mêmes conditions et même réduction pour le billet week-end, valable les journées des samedi et dimanche. Enfin, à partir de 6 personnes voyageant ensemble, l'*ONCF* offre des réductions allant de 20 à 50 %. Le taux de réduction est fonction du nombre de personnes, du type de groupe (groupe ordinaire, sportif...) et de la catégorie de train emprunté (rapide ou ordinaire).

Les billets sont valables le jour de leur émission. Les coupons retour des billets aller-retour sont valables un mois. Si vous n'avez pas pu vous procurer votre billet au guichet, demandez un ticket d'accès délivré gratuitement à l'entrée du quai de la gare, ou avisez le contrôleur avant d'emprunter le train. Dans tous les cas, votre billet acheté dans le train vous coûtera plus cher. Si vous voulez vous arrêter en cours de route, prenez un bulletin d'arrêt à la gare où votre voyage a été interrompu : il prolonge la validité de votre billet de 5 jours. Les billets non utilisés peuvent être remboursés s'ils sont encore valides, et ceux partiellement utilisés peuvent l'être si l'annotation de non-utilisation y est portée par la gare d'interruption du voyage.

Renseignements à l'office du tourisme marocain à Paris, qui fournit le fascicule des horaires (gratuit). Seul problème, ces derniers changent plusieurs fois dans l'année. Mieux, l'*ONCF* possède un excellent site Internet qui donne tous les horaires et tarifs : ● www.oncf.org.ma ●

Quant au réseau, hérité du protectorat, il est peu développé (1 700 km) :
– *La ligne de l'Est* relie Casablanca, Rabat, Kenitra, Meknès, Fès, Oujda et rejoint la frontière algérienne.
– *La ligne du Nord* relie Casablanca à Tanger. Compter 6 h.
– *La ligne de l'Ouest* relie Casablanca à Marrakech (240 km). Compter 3 h. Attention aux nombreux vols, surtout dans les trains de nuit. Des bandes opèrent sur la ligne Tanger - Marrakech, avec une technique très au point. Dormez sur votre sac ou restez éveillé !

Autocar

Puisque le réseau ferroviaire ne couvre qu'une faible partie du territoire et ne relie que les grandes agglomérations, l'autocar s'impose. Il existe partout des cars qui sillonnent le pays. Ils présentent l'avantage de vous mener même dans les coins les plus reculés, à des prix très modiques. À chaque arrêt, ils sont envahis par les vendeurs ambulants et les mendiants.

Deux grandes sociétés d'autocars, *CTM* et *SATAS*, ont des gares routières spécifiques dans les villes importantes, mais il en existe de nombreuses autres de tailles diverses. Les compagnies locales, sur les mêmes destinations, sont souvent bien meilleur marché, mais le service est beaucoup plus rustique et pittoresque.

– Si vous voulez vous plonger dans l'univers du paysan marocain, rien ne remplace les **compagnies locales** : véhicules bondés, souvent anciens pour ne pas dire antiques, et très lents. La moyenne frôle 40 km/h les grands jours, on a tout le temps d'admirer le paysage ! Les arrêts sont fréquents et prolongés car, si besoin est, il faut aller rechercher sur le toit les bagages des passagers qui descendent. Les bagagistes demandent à être payés pour charger et décharger vos affaires. Il est de coutume de donner un pourboire de 5 Dh (0,50 €) par colis (ni plus, ni moins). Néanmoins, certains n'hésitent pas à exiger de l'étranger l'équivalent du prix du trajet ! Refuser de donner la pièce vous entraînerait dans des palabres interminables, mais vous pouvez quand même marchander ; les bagagistes ont souvent une « grande gueule ». En principe, les bagages sont facturés en fonction du poids (surtaxe au-dessus de 10 kg par personne). Présentez-vous longtemps à l'avance, car vous ne serez pas seul. Les cars s'arrêtent partout (s'ils ne sont pas complets, bien sûr). Ceci est bon à savoir quand vous faites du stop, desséché par le soleil, et que les vautours commencent à vous frôler... À propos, s'il fait très chaud, faites donc comme les autochtones : empruntez les bus qui partent très tôt le matin ou qui font le trajet de nuit. Enfin, sachez que votre sécurité ou celle de vos bagages n'est pas garantie.

– La **CTM** couvre presque tout le territoire marocain d'Oujda à Dakhla et dessert aussi plusieurs pays occidentaux. Avec 27 agences principales ou environ 75 bureaux, on la trouve un peu partout. Les prix sont légèrement supérieurs à ceux des autres compagnies, mais vous voyagerez confortablement, avec l'air conditionné. Renseignements : ☎ 022-45-88-24.

Si l'on a de longs trajets à effectuer, la *CTM* s'impose. Ses bus sont plus confortables et plus directs. Vous éviterez aussi le traditionnel pourboire aux bagagistes du départ et de l'arrivée. Cette qualité de service est connue, et les bus de cette compagnie sont souvent complets au départ. Réservez 24 h à l'avance et évitez de les prendre en cours d'itinéraire. L'enregistrement du bagage doit être fait 1 h avant le départ. La compagnie perçoit sur les bagages une taxe *ad valorem* (de 0,34 %) ou, par défaut de valeur déclarée, calculée sur la base de 100 Dh (10 €). Conservez le billet et le reçu du bagage jusqu'à l'arrivée. On peut, le cas échéant, faire voyager son bagage avant ou après son départ. Il suffit de bien fermer ses sacs, de les faire peser et d'enregistrer. Le jour et l'horaire du transport sont inscrits sur le billet.

– La *SATAS* dessert pratiquement tout le Sud marocain jusqu'à Tan-Tan et dispose de cars confortables sur certaines lignes. Les formalités sont les mêmes que pour la *CTM* : réservation, enregistrement, etc.
Comme la *CTM*, la *SATAS* a son siège à Casablanca : 185, bd Moulay-Ismaïl. ☎ 022-40-45-60. Fax : 022-40-29-08.

– La *SUPRATOURS* est une agence privée, correspondant de l'*ONCF* dans le Sud marocain. Ses services sont excellents. C'est la meilleure compagnie pour parcourir les routes du Sud.

Consignes

Vous en trouverez dans les principales stations de bus *CTM* et dans les gares de l'*ONCF*. Dans ces dernières, les bagages doivent être cadenassés, sans quoi ils sont refusés. Sinon, confiez de préférence votre sac à un établissement conseillé dans votre *GDR*. Il y aura toujours quelqu'un qui acceptera de vous le garder en échange de quelques dirhams. N'y laissez toutefois pas d'objets de valeur, du type appareil photo.

Voiture de location

C'est la meilleure solution, bien entendu. Une voiture permet de pénétrer à l'intérieur du pays et de profiter au maximum du séjour.
Tous les grands loueurs ont des représentants au Maroc, mais il existe des sociétés marocaines pratiquant des prix beaucoup plus doux (voir notre sélection). La voiture économique est toujours de marque Fiat, car ces modèles sont fabriqués au Maroc et soumis, de ce fait, à une taxation réduite. Mais les véhicules de base sont plutôt destinés à la conduite en ville, et peuvent se révéler fragiles si vous avez l'intention de faire un long périple dans le Sud. Il est alors préférable de louer un modèle plus cher mais plus résistant. ATTENTION, une location de voiture est un moment délicat. Quelques tuyaux :

– Les contrats d'assurance ne vous garantissent plus si vous quittez une voie goudronnée pour emprunter une piste avec un véhicule de tourisme.

– Méfiez-vous des loueurs qui se contentent de laver la carrosserie entre deux locations, sans procéder à des contrôles élémentaires. Ce sont généralement les mêmes qui ne vous dépanneront pas en cas de pépin.

– Les tarifs de location sont souvent à la tête du client (et de la voiture). Ne signez jamais votre contrat avant d'avoir vu le véhicule et de l'avoir vérifié, surtout l'état des pneus (y compris la roue de secours) et le kilométrage, qui n'est qu'un élément d'indication (et de négociation).

– Assurez-vous que le tarif sur lequel vous vous êtes mis d'accord inclut bien l'assurance et les taxes de 20 % (que de nombreux lecteurs oublient et que les loueurs rajoutent au dernier moment, une fois le contrat signé). Vérifiez également les éventuels frais de prise en charge à l'aéroport, ainsi que ceux applicables à une restitution de la voiture dans une autre agence. Bref, toujours regarder que d'autres montants n'ont pas été ajoutés en marge du contrat.

– Vérifiez bien le niveau d'essence.

– Si vous louez depuis l'étranger, faites-vous confirmer par fax le maximum d'informations (prix TTC incluant les assurances, kilométrage approximatif du véhicule...).

– Sachez aussi que l'agence *Auto Escape* propose un nouveau concept dans le domaine de la location de voitures : elle achète aux loueurs de gros volumes de location, obtenant en échange des remises importantes dont elle fait profiter ses clients. Le service ne coûte rien puisque l'agence est commissionnée par les loueurs. C'est un vrai central de réservation (et non un intermédiaire), qui propose un service très flexible : aucun frais de modification après réservation, remboursement intégral en cas d'annulation, même à la dernière minute. Kilométrage illimité sans supplément de prix dans presque tous les pays. Surveillance quotidienne du marché international permettant de garantir des tarifs très compétitifs. Numéro gratuit : ☎ 0800-920-940. ☎ 04-90-09-28-28. Fax : 04-90-09-51-87. ● www.auto escape.com ● info@autoescape.com ● 5 % de réduction supplémentaire aux lecteurs du *Guide du routard* sur certaines destinations. Il est préférable de réserver la voiture avant le départ, pour bénéficier d'un meilleur tarif et assurer la présence du véhicule souhaité dès l'arrivée. Vous trouverez également les services d'*Auto Escape* sur ● www.routard.com ●

– Il est vivement conseillé de prendre l'assurance tous risques. Mais vu le comportement de certains touristes qui « refont » le Paris-Dakar à bord des voitures de location, les loueurs de Marrakech refuseront de le faire. Ceux qui en proposent une le font pour un tarif très élevé.

– Au moment de la prise en charge du véhicule, le loueur vous demandera une empreinte de carte de paiement en caution. Pas de panique, c'est une procédure habituelle. Sachez que tous les dommages occasionnés au véhicule seront à votre charge (y compris les frais de remplacement des pneumatiques, si au retour le loueur constate que vous avez roulé sur une piste ou que vous ne vous êtes pas arrêté à temps lors de votre crevaison et que, de ce fait, vous avez délibérément endommagé le pneu...). Bref, encore un petit moment de palabres autour d'un thé à la menthe au retour...

Conduite sur route

Comme nous tenons à conserver nos lecteurs le plus longtemps possible, nous devons les mettre en garde contre la façon très spéciale dont les Marocains interprètent le code de la route. Ici, tout est possible et pour cause, car le permis s'obtient plus avec un dessous-de-table qu'avec les leçons d'auto-école ! Il y a trois concepts fondamentaux que le conducteur marocain méconnaît complètement : celui de niveau de risque, celui d'anticipation, et celui de respect d'autrui. Conséquence : il ne respecte pas toujours les stops, double parfois n'importe où et n'importe comment, change de direction sans clignotant, préfère nettement le milieu de la route et n'a aucune notion de la distance de sécurité. Ici, les feux ont trois couleurs : le rouge-vert, le rouge-orange et le rouge-rouge... sans qu'il soit possible de dire quelle est la différence exacte entre les trois. Les gens traversent sans regarder, les voitures démarrent du bas-côté au moment précis où vous arrivez à leur hauteur. Les tournants se prennent à la corde, tant pis si cette corde-là est sur votre droite. Les camions roulent parfois côte à côte ou s'arrêtent dans des virages sans visibilité. Sur les routes étroites, lorsque vous croisez un bus, ne vous attendez pas à ce qu'il vous laisse la place : il est le plus fort, il passe.

Les cyclistes et motocyclistes sont d'une inconscience totale ; on se demande comment il en reste encore. À ce sujet, conduire de nuit est vivement déconseillé. Pour s'en assurer, il suffit d'aller faire un tour dans la salle des urgences des grands hôpitaux du Maroc.

DISTANCES EN KILOMÈTRES ENTRE LES PRINCIPALES VILLES

Distances entre les villes	TÉTOUAN	TAROUDANNT	TANGER	SMARA	SEBTA	SAFI	RABAT	OUJDA	OUARZAZATE	MEKNÈS	MARRAKECH	LAYOUNE	KÉNITRA	IFRANE	FÈS	ESSAOUIRA	EL JADIDA	CASABLANCA	BENI-MELLAL	AGADIR
AGADIR																				0
BENI-MELLAL																			0	499
CASABLANCA																		0	226	518
EL JADIDA																	0	99	341	419
ESSAOUIRA																0	252	351	367	172
FÈS															0	642	390	291	259	796
IFRANE														0	61	656	416	292	226	726
KÉNITRA													0	211	166	484	232	133	289	651
LAYOUNE												0	1300	1375	1445	821	1068	1167	1148	649
MARRAKECH											0	952	374	424	485	171	197	241	196	303
MEKNÈS										0	476	1395	130	86	60	582	330	231	280	746
OUARZAZATE									0	674	198	1026	572	592	661	370	395	439	394	377
OUJDA								0	885	404	880	1780	510	405	344	986	734	635	633	1131
RABAT							0	542	496	138	334	1263	40	221	198	444	192	93	249	614
SAFI						0	349	891	313	487	157	979	389	581	547	147	157	256	353	330
SEBTA					0	683	334	594	866	289	668	1594	294	384	323	777	526	427	560	945
SMARA				0	1480	845	1153	1650	926	1291	824	1594	1193	1246	1307	724	1265	1062	1018	551
TANGER			0	1431	94	626	281	506	809	267	611	1547	237	353	303	721	469	370	541	898
TAROUDANNT		0	834	891		380	517	1099	297	699	223	729	597	647	708	252	420	464	419	80
TÉTOUAN	0	853	60	1443	37	645	296	557	838	296	640	1559	257	347	286	741	489	390	523	910

Et ce n'est pas tout. Personne n'apprend aux jeunes enfants qu'il faut toujours regarder à gauche et à droite avant de traverser. La seule manière que certains connaissent est de jaillir d'une maison et de traverser en courant. Attention aussi aux enfants qui essaient d'ouvrir la portière d'une voiture roulant à 60 km/h (c'est arrivé à un lecteur !) ou à ceux qui se plantent au beau milieu de la rue pour vous faire arrêter.

Un vrai bonheur, quoi ! Une règle absolue : dès qu'il y a quelqu'un sur la route, mettez le doigt sur l'avertisseur. Ayez une conduite défensive, et attendez-vous toujours au pire. Ne croyez pas que l'on exagère ! Les routes du Maroc sont parmi les plus meurtrières du monde, et on les déconseille vivement à tout conducteur inexpérimenté.

Alors, n'aggravez pas les statistiques ! Même si vous êtes bloqué derrière un camion, inutile de doubler dangereusement. Les routiers sont sympas et vous feront signe, soit de la main, soit à l'aide du clignotant, lorsque la route sera dégagée.

Vous vous apercevrez aussi que les conducteurs marocains posent leur main sur leur pare-brise lorsqu'ils vont vous croiser. Ceci pour éviter que ledit pare-brise ne vole en éclats lors de la projection de cailloux. Faites de même.

En cas d'accident, téléphonez aussitôt au consulat, puis à la gendarmerie (très souvent, on vous y enferme d'abord et on discute après).

Limitation de vitesse et contrôles de police

La vitesse sur route est limitée à 100 km/h. Dans la traversée des agglomérations, il est interdit de dépasser les 60 km/h et, en centre-ville, les 40 km/h. Attention aux panneaux qui se succèdent de façon fantaisiste (100, 80, 60, 40... indifféremment). À vous de vous y retrouver. De toute façon, on ne saurait trop vous conseiller de ne pas rouler trop vite et de faire preuve de la plus grande vigilance.

Devant le nombre sans cesse croissant d'accidents mortels de la circulation, la police marocaine est de plus en plus présente sur les routes. Les « halte police » ou « halte gendarmerie » ont tendance à se multiplier, notamment aux entrées et sorties de villes, grandes ou moyennes. Arrêtez-vous toujours avant le panneau et attendez le geste du gendarme qui vous fait signe d'avancer. Parfois, il se contentera de vous regarder ou d'échanger quelques mots. Une règle générale : un grand sourire. S'il vous reproche quelque chose, n'hésitez pas à reconnaître votre erreur et à vous excuser. Beaucoup de Marocains ont toujours un billet de 20 Dh (2 €) dans leur permis de conduire, qui, selon eux, peut arranger bien des choses. Les mêmes informent les étrangers que, pour leur part, 50 Dh (5 €) sont préférables. Dans les bleds, roulez toujours doucement car la police a horreur que l'on passe trop vite devant elle. Attention ! À l'entrée de certaines villes comme Marrakech et Agadir, depuis quelque temps, fleurissent des radars « légalisés ». Le contrôle est fantaisiste et sévère. Pas de photo. Plus question alors de politesse ou d'arrangement à l'amiable ; il faut payer une amende qui oscille entre 300 et 450 Dh (30 à 45 €). Les conducteurs marocains sont sympas et ne manquent pas de vous prévenir de la présence des pandores par de discrets appels de phares quand ils vous croisent. Faites de même. La solidarité, ça existe ! Attention enfin : il est arrivé à certains de nos lecteurs de tomber sur un contrôle de police quelques centaines de mètres après en avoir subi un premier : les policiers du premier contrôle étaient en fait de faux policiers ! Mais cela reste tout de même rare. De plus, la plupart des gendarmes sont sympas.

Sachez aussi que le port de la ceinture de sécurité est obligatoire sur route mais, en ville, il est toléré de rouler sans l'attacher.

Conduite sur piste

Le réseau routier, le meilleur du Maghreb, représente 56 000 km dont seulement 25 000 sont asphaltés. Si vous devez emprunter des pistes, ne vous fiez pas trop au tracé des cartes routières, et renseignez-vous auparavant sur leur état. Celui-ci peut varier suivant les saisons. À l'époque de la fonte des neiges ou après les pluies d'orage, de nombreuses pistes sont rendues impraticables, avec des fondrières et des passages à gué. Les routes goudronnées ne font pas exception. Il faut alors essayer de sonder la profondeur de l'oued, puis s'engager au pas dans la cuvette pour éviter de noyer le moteur. Ne vous fiez pas trop à ce que vous disent les gamins. Ils n'attendent qu'une chose : vous voir en panne au milieu du gué avec un moteur noyé, ce qui leur permet de vous proposer leurs services, moyennant finances bien entendu.

De manière générale, attention aux gués, aux lits d'oued à sec, aux mauvais fonds de route, aux tas de pierres, aux bosses de sable et à l'étroitesse des routes, problèmes qui s'aggravent quand on descend dans le Sud. On croit que c'est de la rigolade parce qu'on est passé dans le Nord, et on touche bêtement le fond des oueds entre Tiznit et Tafraoute, jusqu'à casser la bagnole...

Attention, on vous rappelle que toute voiture routière louée n'est plus assurée dès que l'on quitte la route pour une piste. Et cela, quel que soit le loueur.

Louez donc un 4x4. Mais attention : sachez que les véhicules tout-terrain disponibles à la location au Maroc possèdent un comportement routier bien inférieur à une berline en raison de leur poids, de la hauteur de leur centre de gravité et de la nature de leurs pneumatiques. Aussi, si vous n'avez pas l'habitude de conduire ce type de véhicule, nous vous recommandons d'effectuer avant votre départ un stage de conduite d'une journée en France, de façon à acquérir les bases nécessaires et éviter l'erreur fatale qui risque de transformer vos vacances en galère...

On oublie trop souvent que le désert est un milieu hostile qui ne pardonne pas, et il faut considérer, sauf exception, que l'on n'y commet qu'une seule erreur (on n'a pas l'occasion de commettre la seconde). Ne partez en solitaire que très bien équipé et avec une longue expérience, en veillant à tout moment à rester au maximum à une demi-journée de marche des secours possibles. On a connu des « aventuriers » qui, voiture en panne, ont péri à quelques kilomètres d'un point d'eau qu'ils auraient pu atteindre s'ils s'étaient bien informés au départ de l'étape.

Si vous avez peur de vous perdre sur une piste (il n'y a pas d'indications), n'hésitez pas à prendre un Marocain en stop. Ce sera le meilleur moyen d'avoir un vrai contact désintéressé avec les gens du pays. Ce conseil n'est valable que si l'on circule loin des zones touristiques, sinon on tombera sûrement sur des faux guides. En traversant les villages isolés, prendre garde aux enfants qui, espérant toujours quelque chose, s'accrochent au véhicule en montant sur le pare-chocs. Leur inconscience est à la hauteur de leur entêtement.

Règles d'or de la bonne conduite sur piste (ou comment faire pour que les vacances restent des vacances...)

– Savoir que, sur la piste, les distances ne se mesurent pas en kilomètres, mais en heures de conduite (entre 5 et 20 km/h de moyenne pour les pistes de l'Atlas, entre 20 et 50 km/h de moyenne pour les pistes roulantes au sud de l'Anti-Atlas).
– Ne jamais s'engager sur une piste inconnue sans s'être renseigné au départ de l'état de celle-ci et des noms de villages qu'elle dessert.
– Ne jamais s'engager sur une piste de montagne quand l'orage menace, et ceci surtout en deuxième partie d'après-midi.

– Savoir que toutes les pistes ne mènent pas forcément à un village, mais peuvent déboucher sur des zones d'extraction de matériaux.

– Ne pas prendre une piste de montagne de nuit et ne pas s'engager sur une piste l'après-midi sans être certain d'en sortir avant la tombée de la nuit.

– Nous ne saurions trop vous recommander de prendre la piste à 2 véhicules 4x4 minimum, et de vous munir d'eau en quantité suffisante.

– Vérifier l'état des pneus avant de partir.

– Prévoir au moins une bonne roue de secours et une réserve de carburant.

– Ne vous attendez à aucun geste de courtoisie. Dans le Sud, la route se réduit à une bande asphaltée. Les taxis qui arrivent en face, pour vous impressionner, restent au milieu, et dans ce cas, attention, à vous le bas-côté !

Petit avertissement : il est bien évident qu'un périple sur piste ne s'improvise pas. Nous ne donnons que des conseils généraux qui ne vous dispensent pas, bien au contraire, de vous tourner vers des professionnels avant le départ ou sur place.

Location de 4x4

Les assurances qui sont le plus souvent incluses dans le forfait de location du véhicule couvrent les accidents avec un tiers (à condition que l'accident ait eu lieu SUR LA ROUTE ET NON SUR LA PISTE), l'incendie, le bris de glace, le vol, les personnes transportées, défense et recours en cas de pépin.

On trouve maintenant au Maroc, notamment à Marrakech, des véhicules 4x4 en bon état et des agences de location sérieuses et compétentes ; toutefois, avant de signer votre contrat, vérifiez les points suivants :

– Inspectez l'état des pneumatiques (en particulier les flancs, ceux-ci doivent être vierges de toute entaille).

– Assurez-vous que le véhicule passe bien en 4x4 et que l'on peut engager les rapports courts sans problème, que les moyeux avant, s'ils sont débrayables manuellement, ne sont pas bloqués sur la position « free ».

– Pour le reste, les mêmes vérifications sont nécessaires que pour une voiture, à savoir : état de la roue de secours, présence du cric et de la manivelle, niveau du liquide de frein, état du démarreur et de la batterie.

Les tarifs de location : comptez entre 1 500 et 1 800 Dh (entre 150 et 180 €) par jour selon la période de l'année pour un 4x4 type Mitsubishi Pajero, y compris l'assurance, kilométrage illimité.

Enfin, en 4x4, veillez à ne pas traverser les oueds (dans le Sud, par exemple), où des femmes lavent leur linge en aval ou prélèvent l'eau pour boire.

Carburant

L'essence (super, sans plomb ou ordinaire) est à peine moins chère qu'en France. Le pays dispose de stations proposant du super sans plomb en nombre de plus en plus important. Le sans-plomb est vendu au prix de l'essence super. Dans les coins perdus, on trouve plus facilement du gazole que de l'essence, camions, grands taxis et de nombreux véhicules particuliers étant équipés de moteurs Diesel. Très rares sont les stations-service qui acceptent les cartes de paiement.

Cartes

Sur route, la signalisation est faite à l'économie. La plupart du temps, les panneaux sont plantés dans un seul sens. Pratique quand on arrive en sens inverse ! Ne pas hésiter à s'arrêter pour les lire de l'autre côté. Une bonne carte routière est de toute façon indispensable, même si l'on voyage en bus ou en train. On conseille la carte *Michelin* n° 959. C'est la meilleure, tout le monde le sait. L'acheter avant le départ, car elle est beaucoup plus chère au Maroc. Se méfier toutefois ; en raison des conditions climatiques, certaines pistes indiquées peuvent être momentanément coupées. Se renseigner sur place.

Pour les pistes, la carte *Michelin* n'est pas d'un grand secours. Il faut se munir de cartes *IGN* au 1/1 000 000, un peu vieilles (relevés de 1965) mais indiquant la longitude et la latitude (utiles pour les calculs de points en coordonnées GPS), le relief, les oueds, etc. À se procurer à l'*Espace IGN*, 107, rue La Boétie, 75008 Paris.

Pannes et parking

S'il vous arrive un pépin technique, il y aura toujours, à proximité, un garage pour un petit dépannage. Dans l'ensemble, les Marocains sont plutôt bricoleurs et leurs réparations efficaces. Les crevaisons peuvent être assez fréquentes. Depuis quelques années, certains gardiens de parkings d'hôtels n'hésitent pas à les provoquer nuitamment. Cela leur permet de toucher quelques dirhams pour changer la roue, et de vous envoyer pour la réparation chez un compère peu scrupuleux qui aura tendance à vous mettre une chambre à air hors d'usage. Assistez impérativement à toutes les opérations – démontage de la roue, transport, remise en état – et négociez le prix. Dès que vous stoppez avec votre voiture, l'arrêt du moteur fait surgir, comme par miracle, un gardien. C'est une pratique courante, en définitive peu onéreuse et bien pratique, contre laquelle il est inutile de s'insurger. Le veilleur, en échange de 2 à 5 Dh (0,2 à 0,5 €), fera en sorte que personne n'approche du véhicule. Compter 10 Dh (1 €) pour celui qui garde votre voiture toute la nuit, c'est deux fois moins cher que le parking public. Un conseil : le jour, ne payez le gardien qu'à votre retour, en revanche, payez-le avant la nuit, pour vous assurer de sa présence. Allez à sa rencontre le cas échéant. Dans les villages, ce sont des enfants qui proposent leurs services. Ne laissez jamais rien d'apparent dans votre voiture, principalement dans les centres touristiques, où les vols à la roulotte ont tendance à se généraliser. Dans les villes, attention à la mise en fourrière pour stationnement interdit. Les panneaux ne sont pas toujours visibles.

Moto

Le Maroc est un royaume, et en particulier pour le motard. Il bénéficie d'un certain relent de Paris-Dakar, qui reste ici un événement très apprécié. En dehors des très grands axes fréquentés par les autochtones et les cars de touristes, les autres routes sont des paradis pour la conduite. La vitesse étant limitée à 100, 60 et 40 km/h, on a tout le temps d'admirer les paysages et ses figurants. OK, c'est pas bon pour la moyenne, mais c'est génial pour les souvenirs.

La piste est partout. En tant que réseau secondaire, elle distribue tous les villages, et avec trois mots d'arabe on retrouve toujours son chemin, surtout si l'on sait se diriger au soleil.

Néanmoins, pour profiter au maximum de ce voyage, il faut un minimum de précautions :

– Il fait aussi chaud le jour que froid le soir, notamment dans l'Atlas. La petite laine est obligatoire et le blouson aussi.

– Au Maroc, on vit à l'heure solaire, ce qui veut dire qu'à midi, ça cogne et que les coups de soleil sont extrêmement rapides : les gants font donc partie de la panoplie. Attention aussi aux petits bouts de peau entre le tee-shirt et le casque, qui brûlent vite et fort ; le *cheich* trouve ici son utilité. En tout cas, opter pour un écran total et la *Biafine*.

– Les pistes sont en règle générale très cassantes, particulièrement celles qui bordent les oueds. Ce sont carrément des lits de cailloux, ce qui implique de partir avec du matériel en état, surtout les pneus. Le port des bottes est obligatoire, le bermuda déconseillé.

– Le port du casque est obligatoire, même si cela ne paraît pas évident à première vue. Mais le gendarme vous le rappellera moyennant bakchich.

– Toujours faire le plein d'essence avant de s'engager dans une virée ; on ne sait jamais où se trouvera la prochaine station ouverte.

– La bombe anti-crevaison se trouve difficilement sur place, mieux vaut l'acheter avant le départ.

– Pour les fans du sable mou, rendez-vous à Merzouga, début des dunes du Sahara, ou sur la côte atlantique ; mais attention, on s'ensable toujours aussi facilement.

– En cas de pannes légères, vous trouverez toujours un bricolo local et, si plus grave, un camion, un bâché ou une charrette pour remonter votre moto.

– La conduite en ville est infernale ; personne ne respecte le code, en particulier les deux-roues, les piétons et les charrettes.

– En dehors des villes, tout le danger vient des INIT (Individus Non Identifiés Traversant), et ils sont nombreux : en premier lieu, l'âne ou le mulet qui longe le fossé, soit seul, soit portant quelqu'un ; puis le veau ou la vache, toujours aussi nonchalants ; viennent ensuite les ovins, type moutons ou biquettes qui raffolent de la roue avant, et, pour finir, le légendaire dromadaire. Dans tous les cas, l'usage du klaxon est appréciable. Règle de base : ne jamais passer entre un animal isolé et ses congénères ; son instinct grégaire lui fera toujours rejoindre son troupeau au moment où vous passerez...

– Et pour terminer avec ces quelques recommandations, les arrêts fréquents pour siroter le thé au bord de la route ou au bord d'un oued sont toujours bienvenus.

Dromadaire et mulet

Le dromadaire n'a qu'une bosse. Le chameau, qu'on trouve plutôt en Asie centrale, en a deux. Vous ne dépasserez guère les 60 km par jour, que l'animal effectuera d'un pas lent et chaloupé en posant sur le sol ses pieds mous qui font office de coussins. S'il y a des vents de sable, votre dromadaire se pincera les narines et continuera comme si de rien n'était. Il peut rester trois jours sans boire, et sa bosse rétrécit alors sous l'effet de la déshydratation. Mais quand il trouve un point d'eau, il peut boire jusqu'à 50 l d'un coup. Un bon dromadaire peut atteindre 500 kg. Il vit un quart de siècle environ.

Et si, à l'instar de Stevenson voyageant à dos d'âne à travers les Cévennes, on aime se faire promener par le même moyen (c'est moins rapide, mais c'est aussi moins cher), savoir pousser le « Hue ! », tel qu'on le crie sous ces latitudes. Bien sûr, l'animal ne comprend que l'arabe, ce qui en phonétique donne « Arrra ! » en roulant frénétiquement les « r » comme un moteur qui a du mal à démarrer. Il faut aussi savoir dire « Attention ! », surtout dans les villes comme Fès où les bruyantes mobylettes essaient vaille que vaille de détrôner les équidés en tant que premier moyen de transport. Bref, cela donne quelque chose comme « Balek ! ». N'ayez crainte, à la fin du séjour ça sera devenu automatique.

Taxis

Les **petits taxis** n'ont pas le droit de sortir des villes. Faute de métro, si l'aventure du bus ne vous tente pas, c'est le meilleur moyen de transport urbain. Les tarifs sont très abordables, surtout si on connaît les règles du jeu.

– Les petits taxis sont toujours munis d'un compteur, souvent un antédiluvien modèle mécanique italien, portugais ou hongrois *(sic !)*, souvent caché sous le tableau de bord. Vérifiez qu'il fonctionne. Si vous vous apercevez que ce n'est pas le cas, négociez le prix de la course avant de partir. N'hésitez pas, en cas de refus, à descendre et choisir un chauffeur plus coopératif. Sachez que, si vous avez vraiment le look du touriste qui débarque, le chauffeur sera tenté de vous appliquer un prix double ou triple du tarif habituel !

– Si vous prenez votre taxi directement à la sortie d'un grand hôtel, ne vous étonnez pas de payer le prix fort. De toute façon, si vous faites souvent le même trajet, vous vous apercevrez vite que l'étalonnage des compteurs est assez fantaisiste.

– Si le compteur fonctionne, vérifiez qu'il est remis à zéro en début de course. De plus, vous voyant planté sur le trottoir en quête désespérée d'un véhicule, un chauffeur proche de sa destination peut vous prendre même s'il a déjà un passager. Il peut alors « oublier » de remettre le compteur à zéro en débarquant votre éphémère compagnon de voyage.

– Si vous connaissez un tant soit peu la ville, n'hésitez pas à rappeler au conducteur que la ligne droite reste le plus court chemin d'un point à un autre.

– Dans une station, ne vous adressez pas directement à un chauffeur, mais au préposé qui gère la file d'attente, que l'on reconnaît à son crayon et son bout de papier gribouillé.

– À partir de 20 h en hiver et 21 h en été, il y a une majoration légale de 50 %. De rares compteurs intègrent directement l'augmentation. Cette particularité peut être très utile pour vous appliquer le jour le tarif de nuit !

– En cas de litige important avec un chauffeur, demandez-lui de vous conduire au commissariat. Le problème se règle immédiatement. En effet, les chauffeurs vivent dans la hantise d'un contrôle de police avec une sanction souvent arbitraire qui peut les priver de leur gagne-pain pendant 2 ou 3 jours.

– On ne peut pas monter à plus de 3 personnes dans les petits taxis, enfants compris. N'insistez pas, le chauffeur, là encore, risquerait de se faire retirer sa licence pendant plusieurs jours.

– Si le chauffeur a mis le compteur sans que vous le lui demandiez, laissez un pourboire (10 % environ du montant de la course, en arrondissant au dirham supérieur).

– Ayez l'appoint. Payer avec un billet de 200 voire de 100 Dh est une gageure.

– Ne généralisez pas nos propos : nous avons rencontré nombre de chauffeurs profondément intègres et honnêtes, beaucoup plus que de véritables escrocs. Et si vous vous agacez que certains en aient tant après votre argent, souvenez-vous qu'un chauffeur, les meilleurs jours, se fait 350 Dh, desquels il déduit 200 Dh de location du véhicule ainsi que le gazole. Non, vous ne rêvez pas, il lui reste environ 10 € pour nourrir sa famille, après 12 ou 14 h de travail quotidien et, dans les meilleurs cas, une journée de repos hebdomadaire... Alors, un peu d'indulgence !

Les « grands taxis » ou *louages* sont effectivement plus grands que les précédents. Du genre Mercedes balèze ou vieilles américaines. Ce sont les seuls à pouvoir sortir de leur ville d'attache. Ils sont dépourvus de compteur : on négocie le prix de la course avant le départ. Si l'on oublie, on est à la merci de tous les excès... Ils assurent les liaisons interurbaines à des prix légèrement supérieurs à ceux des autocars. En s'y entassant à six (cinq plus le chauffeur), on est arrivé à destination plus vite et pour moins cher. Si vous ne craignez pas l'effet boîte à sardines, n'hésitez pas à les utiliser, en vous assurant que l'on vous demande le même prix qu'aux autres passagers. Ils partent quand ils sont complets. Si l'on est pressé et que le taxi tarde à se remplir, on peut payer pour les places vides afin de partir immédiatement.

Les minibus : on voit de plus en plus ces moyens de transport pour 10 à 12 personnes, intermédiaires entre le grand taxi et le bus. Plus récents que les grands taxis, ils devraient en principe être plus fiables mais, en pratique, c'est loin d'être le cas.

TRAVAIL BÉNÉVOLE

■ *Concordia* : 1, rue de Metz, 75010 Paris. ☎ 01-45-23-00-23. ● www.concordia-association.org ● M. : Strasbourg-Saint-Denis. Travail bénévole. Logés, nourris. Chantiers très variés ; restauration de bâtiments, valorisation de l'environnement, travail d'animation... Places limitées. Attention, voyage à la charge du participant et frais d'inscription assez élevés, à partir de 20 ans.

LE NORD DU MAROC

Cette partie du Maroc n'est pas la plus visitée, et c'est cependant l'une des plus intéressantes ; carrefour de civilisations à la charnière de deux mondes : ici finit l'Europe et commence l'Afrique.

Partons de la pointe atlantique avec *Tanger*; fille de l'eau et de la terre, belle alanguie entre deux continents et entre deux mers, Tanger est un lieu magique qui fait rêver. Ancien repaire de mauvais garçons et refuge de femmes fatales, Tanger inspira de nombreux romanciers et servit de décor à tant de films d'aventures et d'espionnage. Une ville au parfum de scandale, où les intrigues et les extravagances sont de rigueur. Une ville où tout est possible, y compris la rencontre de Tintin et du fameux capitaine Haddock dans *Le Crabe aux pinces d'or*.

Puis descendons vers Asilah, qui vaut surtout pour sa belle médina et ses ruelles évoquant encore l'Andalousie. Ce petit port paisible connut pourtant une histoire mouvementée : Romains, Normands, Arabes, Portugais, Espagnols, Saadiens, Turcs et Autrichiens l'ont successivement possédé. À la fin du XIXe siècle, un brigand s'empare de la ville et s'y fait construire un palais. Aujourd'hui, tout est rentré dans l'ordre. Asilah ne s'anime que le jour du souk quand les marchands, au pied de la muraille rose du rempart portugais, étalent dans des couffins tous les trésors de leurs vergers.

Larache se trouve dans la Lixus voisine. Et si l'on en croit la légende, Hercule y aurait achevé ses douze travaux après avoir vaincu le géant Atlas et cueilli les fameuses pommes d'or du jardin des Hespérides, situé dans une vallée de l'oued Loukos qui coule encore ici.

Le Rif, région secrète et d'un accès souvent difficile, a toujours été une terre de résistance fermée à toute pénétration étrangère. Ne fut-elle pas la dernière à se soumettre à Lyautey ? Sur les premiers contreforts du Rif, Tétouan, chargé d'histoire, est un morceau d'Andalousie qui se serait trompé de continent. L'ancienne capitale du protectorat espagnol cache, derrière les façades de ses maisons blanches décorées de céramiques et ornées de balcons de fer ouvragés, des petits patios secrets où bruissent des fontaines discrètes.

Chefchaouen, encastré dans la montagne qui lui a donné son nom berbère signifiant « cornes », est l'une des villes les plus surprenantes du Maroc. Nappées d'une couche épaisse de chaux bleutée, ses ruelles forment un labyrinthe où la lumière avec ses jeux d'ombres modifie sans cesse les volumes des maisons qui semblent taillées dans de grands blocs crayeux. Toute la palette des blancs et des bleus exacerbés dans une gigantesque composition abstraite où l'azur et la neige se fondent sous un soleil de feu.

Le chef-lieu de la province rifaine est Al-Hoceima. Son charme est typiquement méditerranéen avec ses petites criques, ses calanques, ses îlots rocheux et ses eaux d'un bleu céruléen. En fond de décor, de grandes forêts de chênes-lièges et un maquis couvert de lavande qui a donné son nom à Al-Hoceima (« La Lavande »).

Oujda, proche de la frontière algérienne, est un peu oublié. C'est pourtant une occasion de partir à la découverte des gorges du Zegzel. Au-dessus des vallées fertiles où se succèdent cultures en terrasses, vignobles et orangeraies, serpente une route étroite qui s'élève dans une région boisée, surplombant un paysage sauvage ponctué de grottes préhistoriques et de falaises à pic. Une incursion hors des sentiers battus dans une nature authentique encore préservée.

De la Méditerranée à l'océan, des montagnes secrètes du Rif à la plaine d'Oujda, le Nord marocain recèle bien des trésors avec des paysages où les

forêts de chênes alternent avec les palmiers, venant nous rappeler que l'Afrique et l'Europe n'ont jamais été aussi proches. Pour s'en convaincre, il suffit de monter au cap Spartel, près de Tanger, pour assister aux noces marines des eaux de la Méditerranée et de l'océan.

TANGER

Comment parler de Tanger ? Comment évoquer cette ville indéfinissable, qui charme littéralement ou indiffère ? Comment définir ce quelque chose d'unique, d'impalpable, qui est dans l'air ? Tanger est avant tout une ambiance. On y a le sentiment de traverser un véritable mythe, qui ne s'effondre pas mais qui s'effrite peu à peu.

Henry de Montherlant l'appelle « Tanger à la gorge bleuâtre, tourterelle sur l'épaule de l'Afrique ». Et on ne compte plus les artistes, peintres, photographes, poètes, écrivains, musiciens... qui ne l'ont quitté qu'avec tristesse et regret. Le temps semble s'être cristallisé autour de son faste passé. Ce n'est ni une ville culturelle, ni une ville d'intellectuels, c'est une ville qui

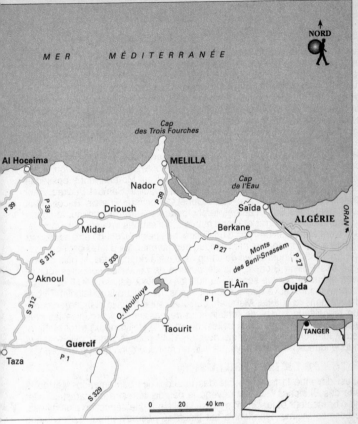

LE NORD DU MAROC

s'intellectualise. Eh oui ! Rien n'y est anodin, lorsque l'on est sensible à son charme diffus. Paradoxalement, Tanger regorge de petits trésors historiques mais n'a pas de véritable intérêt touristique. Les touristes lui préfèrent l'exotisme à portée de main du Sud marocain et n'y voient qu'un point de passage, une porte d'entrée sur l'Afrique. Et pourtant, pour peu qu'on laisse couler ses pas dans ceux des plus grands artistes qui y ont élu résidence, pour peu, surtout, que l'on prenne le temps de se laisser séduire, Tanger marque à jamais.

Sur les pentes d'une colline qui descend dans les eaux du détroit de Gibraltar, Tanger s'est lové dans l'une des plus belles baies de la Méditerranée, à cheval sur deux continents. C'est la seule ville d'Afrique où l'on se baigne le matin dans la Méditerranée et le soir dans l'Atlantique. C'est aussi un creuset linguistique et culturel, puisqu'on y parle, selon l'humeur, le français, l'arabe ou l'espagnol. Habitée depuis 2 500 ans, la ville est en effet marquée par les peuples qui se sont successivement établis sur le pourtour méditerranéen, comme les Phéniciens, les Romains, et plus récemment les Espagnols. Tanger a toujours été le point de passage entre l'Europe et l'Afrique. Aujourd'hui, c'est ici que nombre d'Africains se heurtent à la porte fermée de

TANGER

l'Europe, dans l'attente d'un passage (et d'un passeur), après avoir traversé une bonne partie du continent. Il est difficile de rester insensible à la vue du détroit de Gibraltar, et surtout du continent européen, si loin, si proche.

UNE VILLE COSMOPOLITE ET BOUILLONNANTE

Tanger, 1923. Début de l'époque internationale et de l'âge d'or. Un sultan débonnaire et une assemblée représentée par neuf grandes puissances. Un régime fiscal exceptionnel attire commerçants, diplomates et aventuriers de tout poil, mais aussi des artistes, poètes, trafiquants et milliardaires.
Tanger, 1955. La révolution nationaliste s'enflamme, la débâcle s'installe dans les colonies et Tanger s'enfonce dans sa décadence. La ville cosmopolite, fenêtre sur l'Europe, connaît ses derniers jours. Et continue pourtant d'aimanter les personnalités les plus marquées. C'est le Tanger d'*Interzone* de Burroughs, et de tous les trafics.
Mais Tanger est plus exigeant, et ne se contente pas des truands, il a des goûts plus raffinés. Le nombre d'artistes envoûtés par Tanger et qui y ont séjourné est incroyable : Delacroix, Matisse, Paul Morand, qui y possédait une maison, Tennessee Williams, Barthes, Pasolini, Samuel Beckett, Paul Bowles, William Burroughs, Jean Genet, le peintre Francis Bacon, plus récemment Yves Saint Laurent, le photographe Gérard Rondeau, le couturier Jean-Louis Scherrer et tant d'autres... Il n'est pas un lieu, pas une rue, qui n'aient été foulés des pas d'un illustre. Les peintres ont dû être attirés par la lumière, les romanciers par l'intrigue permanente, les poètes par son mystère. En 1968, Tanger servit de camp de base à Brian Jones, le plus excentrique des Rolling Stones, à la découverte de nouvelles sonorités, qui se laissa envoûter par les sons de la flûte de Jajouka dans le Rif. Il écrivit un album et mourut noyé quelque temps après. Le milliardaire Malcolm Forbes a habité dans le quartier Marshan, dans une superbe villa blanche entourée d'un magnifique jardin, de fontaines et de bassins. Il y organisa les plus belles fêtes de Tanger, plus belles, dit-on, qu'à Hollywood. Le roi Mohammed V lui-même y tint son discours en 1947 pour réclamer officiellement l'indépendance pour son pays. La ville ne manque donc pas de références !

LE TEMPS DE LA DÉSILLUSION

Qu'est devenue la fameuse cité des truands, des bars interlopes et de la traite des Blanches ? Qu'est devenu le paradis terrestre des artistes ? Cet âge d'or racoleur et fascinant a laissé la place à une séduction plus diffuse. Le cosmopolitisme décadent a fait place au désœuvrement. Le mythique théâtre Cervantès construit en 1913 par les Espagnols est en ruine, ainsi que les arènes sur la route de Tétouan. Avec l'explosion démographique, la ville a crû de façon anarchique comme les autres villes du pays. Dans les faubourgs se côtoient çà et là des bidonvilles et de grands immeubles vides en béton. Comme le dit Tahar ben Jelloun, natif de la ville, Tanger est « une dame qui n'ose plus se regarder dans un miroir ». Et il suffit justement, lorsque l'on est sensible à ce charme un peu décadent, de passer de l'autre côté de ce fameux miroir. Mais, autant être prévenu, Tanger indiffère ou marque à jamais. Ce n'est de toute façon pas une ville pour enfants de chœur. Elle ne se donne ni se prend, elle se gagne. Ceux qui engagent le jeu pourront y laisser des plumes, mais en sortiront définitivement enrichis.

Comment y aller ?

En avion

✈ **Aéroport Ibn Batouta** *(hors plan d'ensemble, par A2) :* à 15 km. | ☎ 039-39-37-20. *Royal Air Maroc :* ☎ 039-93-51-29, 039-93-47-17 et

039-93-64-82. Vols en provenance d'Agadir, d'Al-Hoceima, de Casablanca, Fès, Laâyoune, Marrakech, Rabat, Ouarzazate, Tan-Tan, d'Oujda, et des capitales européennes.

Il existe un tarif imposé aux taxis. Pour le centre-ville, compter 100 Dh (10 €) de jour et 150 Dh (15 €) de nuit.
Le bureau de change de la douane ne prend pas les chèques de voyage.
Il y a plusieurs agences de location de voitures dans l'aéroport, et l'*hôtel Minzah* assure la navette jusqu'à l'hôtel pour ses clients.

En bateau

Service à partir de la France (départs du port de Sète) et de l'Espagne (Tarifa et Algésiras).
La compagnie *Trasmediterranea* relie Algésiras à Tanger en 2 h 30.

En train

🚆 **Gare ferroviaire Moghoghoua** *(hors plan d'ensemble, par C3)* : à 5 km sur la route de Tétouan. Pour s'y rendre, prendre un taxi ; compter une dizaine de dirhams (environ 1 €). Consigne.
➤ **De Casablanca :** 4 départs (1 la nuit, 1 le matin et 2 l'après-midi).
➤ **D'Asilah :** 4 départs par jour.
➤ **De Fès :** 4 départs (1 de nuit, 1 le matin et 2 l'après-midi).
➤ **De Meknès :** 4 trains par jour (1 la nuit, 1 le matin, 2 l'après-midi).

En bus

🚌 **Gare CTM** *(plan Médina, B2)* : à l'entrée du port. Consigne fermée à clef pour les colis.
➤ **De Casablanca :** 3 bus par jour, de 6 h à 23 h 30. Durée : 6 h. Réserver au moins un jour à l'avance, surtout en été.
➤ **De Ceuta :** il existe une ligne de bus Fnideq (à 3 km de Ceuta) - Tanger.
➤ **De Fès :** 5 départs par jour (1 le matin, 1 l'après-midi, 2 dans la soirée et 1 la nuit).
➤ **De Meknès :** 7 bus par jour ; durée : 5 h.
➤ Également des bus en provenance de **Kenitra**.
🚌 **Gare routière** *(plan d'ensemble, C3)* : av. Ludwig-van-Beethoven.
Faire attention à la douane. Ils sont très tatillons.

■ **Adresses utiles**
🛈 Office du tourisme
✉ Poste
🚌 Gare routière
2 Consulat italien
6 Grands taxis
9 Centre artisanal Coopartim
🛏 **Où dormir ?**
41 Hôtel Tarik
45 Hôtel Intercontinental
🍴 **Où manger ?**
61 Garden Restaurant Guitta's
65 Casa d'Italia
🍸 ♪ **Où boire un verre ? Où sortir ?**
80 Café Hafa
94 La Passarella

voir plan de la Médina

COMPLEXE TOURISTIQUE DE LA BAIE DE TANGER

41

Club Méditerranée

Ruines portugaises

Boulevard du Front de Mer

Marbel

Oued Mogoguen

Oued Malalah

TANGER

Camping Tinjis

500 m

Cap Malabata

1

Port

voir plan du centre

Baie de Tanger

Av. d'Espagne

Avenue des Forces Armées Royales

Rue al Antaki

Boulevard de la Résistance

Abdallah

Je de la

La Fayette

PLACE OUMMANE

Avenue Youssef Ibn Tachfine

Beethoven

Mohammed V

Ivan

Ludwig

Avenue d'Oujda

2

94

Cap Malabata

Rue La Fontaine

Rue Wagner

Rue

Rue Idriss Ier

R. Lewinston

3

Au Prince Ibn Khattab

Héritier

Omar

Rue Lamartine

Avenue de Rome

PLACE MOULAY ABDEL AZIZ

R. Youssef

PLACE DE LA LIGUE ARABE

6

C RABAT

TÉTOUAN D

TANGER (PLAN D'ENSEMBLE)

TANGER

■ **Adresses utiles**

🛈 Office du tourisme
✉ Poste
1 Consulat de France
3 Institut français
8 Bazar Tindouf
10 Librairie des Colonnes
11 Marché de Fès

@ **Accès internet**

4 Internet House
5 Cyber Café Euronet
6 Micro Access Maroc
12 Cyber Café Adam

🛏 **Où dormir ?**

26 Auberge de jeunesse
27 Pension Gibraltar
28 Hôtel Magellan
29 Pension Excelsior
31 Hôtel El Mumiria
32 Hôtel Nabil
33 Hôtel Ibn Batouta
34 Hôtel Andalucia
35 Hôtel Ritz
36 Hôtel de Paris
37 Hôtel Charf
38 Hôtel Valencia
39 Hôtel Miramar
40 Hôtel Rembrandt
42 Apart Hotel Nezha
43 Hôtel Chellah
44 Tanjah Flandria
46 El-Minzah

🍽 **Où manger ?**

46 Restaurant marocain d'El Minzah
51 Alhambra Sandwichs
52 Eldorado
53 Restaurant Agadir
55 Saveurs de Poisson
57 Rubis Grill
58 Restaurant Valencia
59 Négresco
60 Raïnari
62 Restaurant San Remo
63 La Maison des Pêcheurs

🍽 **Où manger un pâtisserie ?**

70 Salon de thé Vienne
71 Pâtisserie Florence
72 Pâtisserie Roxy
73 Le Petit Prince

74 Pâtisserie et pizzeria Oslo
75 Pâtisserie Rahmouni

🍷 **Où boire un verre ?**

44 Bar de l'hôtel Tanjah Flandria
46 Caïds Bar de l'hôtel El-Minzah

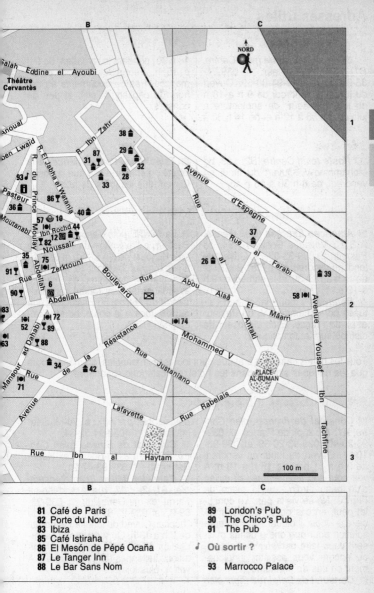

81	Café de Paris
82	Porte du Nord
83	Ibiza
85	Café Istiraha
86	El Mesón de Pépé Ocaña
87	Le Tanger Inn
88	Le Bar Sans Nom
89	London's Pub
90	The Chico's Pub
91	The Pub
♪	Où sortir ?
93	Marrocco Palace

TANGER (CENTRE)

Adresses utiles

Infos touristiques

🛈 **Office du tourisme** (plan Centre, B1) : 29, bd Pasteur. ☎ 039-94-86-61. Fax : 039-94-86-69. Ouvert du lundi au vendredi de 9 h à 18 h en juillet et août ; de septembre à juin de 8 h 30 à 12 h et de 14 h 30 à 18 h 30 ; pendant le ramadan, de 9 h à 15 h. Fermé les samedi et dimanche. Pas de documents en dehors du dépliant officiel, et peu de conseils.

Services

✉ **Poste** (plan Centre, B2) : 33, bd Mohammed-V. Ouvert du lundi au vendredi, de 8 h 30 à 18 h 45.

■ **Téléphone et permanence de la poste :** même adresse que la poste. Ouvert tous les jours 24 h/24.

Argent, banques, change

■ **American Express** (plan Centre, A-B1) : Voyages Schwartz, 54, bd Pasteur. ☎ 039-33-03-72. Ouvert du lundi au vendredi de 9 h à 12 h 30 et de 15 h à 18 h 30, et le samedi de 9 h à 12 h.
■ **Banques :** pour la plupart, situées bd Mohammed-V, bd Pasteur et pl. de France. Elles disposent de distributeurs automatiques.

■ La **BMCE** (plan Centre, A-B1), bd Pasteur, a l'avantage d'être ouverte tous les jours de 8 h à 14 h et de 16 h à 20 h, sauf pendant le ramadan. Elle permet de retirer de l'argent avec la carte Visa. Même chose au **Crédit du Maroc,** bd Pasteur, et à la **SGMB,** face à la poste, bd Mohammed-V.

Tous les hôtels changent pratiquement toutes les monnaies, au même cours que les banques situées dans les hôtels de catégorie supérieure.

Représentations diplomatiques

■ **Consulat de France** (plan Centre, A1, 1) : 2, pl. de France. ☎ 039-93-20-40, 039-93-20-39 et 039-93-10-11. Ouvert du lundi au vendredi de 9 h à 11 h et de 15 h à 16 h. À voir pour son architecture, au milieu d'un beau jardin, sur la place de France. Ne se visite pas. Le consulat peut, en cas de difficultés financières, vous indiquer la meilleure solution pour que des proches puissent vous faire parvenir de l'argent, ou encore vous assister juridiquement en cas de problèmes.
■ **Consulat de Belgique** (hors plan d'ensemble, par A3) : pl. Al-Madinaim-Jawara. ☎ 039-94-32-34.
■ **Consulat de Suisse** (plan Centre, B2) : 3, rue Ibn-Rochd (ex-Henri-Regnault). ☎ 039-93-47-21.
■ **Consulat italien** (plan d'ensemble, B1, 2) : 37, rue Assad-ibn-al-Farrat (ex-rue Garibaldi). ☎ 039-93-69-97 et 039-93-67-47. En face de l'hôpital. Ouvert du lundi au vendredi de 9 h à 13 h. On y demande l'autorisation de visiter le palais des institutions italiennes (cf. la rubrique « À voir », plus loin).

Urgences

■ **Pharmacie de nuit** (plan d'ensemble, B3) : 22, rue de Fès. ☎ 039-93-26-19. En face du Cinéma de Paris.

■ **Permanence médicale** (plan d'ensemble, C-D3) : bd Mohammed-V. ☎ 039-93-20-80.

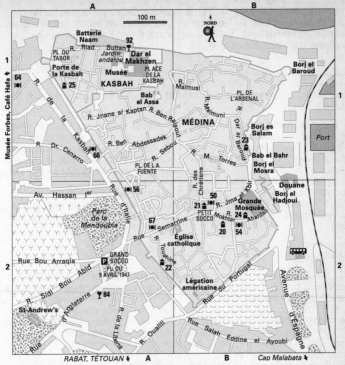

TANGER (LA MÉDINA)

⌂ Où dormir ?	⫿⊙⫿ Où manger ?
20 Pension Palace	**50** Andalus
21 Pension Mauritania	**54** Restaurant Ahlen
22 Pension Regina	**56** Restaurant La Kasbah
23 Hôtel Continental	**64** Restaurant Marhaba
24 Hôtel Mamora	**66** Restaurant Hamadi
25 Dar Nour	**67** Mamounia Palace
	⏲ Où boire un verre ?
	84 Chorouk
	92 Le Détroit

■ *Polyclinique de la Sécurité sociale* (plan d'ensemble, D3) : route de Malabata. ☎ 039-94-01-99. Urgences jour et nuit.
■ *Police-secours :* ☎ 19.

■ *Ambulances :* ☎ 15.
■ *Croissant rouge :* ☎ 039-94-25-17.
■ *Renseignements téléphoniques :* ☎ 16.

Loisirs

■ *Institut français, ex-Centre culturel, Galerie d'exposition Dela-* croix (plan Centre, A1, 3) : 86, rue de la Liberté. ☎ 039-93-21-34. À côté du consulat de France. Ouvert tous les jours sauf le lundi, de 11 h à 13 h et de 16 h à 20 h. Très nombreuses manifestations. Belles expositions d'artistes français et arabes, surtout axées sur l'art contemporain. Cela a été un lieu culturel réputé, même en dehors des frontières marocaines. Projet de librairie d'art.

Internet

Pour chacune de ces adresses, compter 5 Dh (0,5 €) la demi-heure, 8 Dh (0,8 €) l'heure.

◙ *Internet House* (plan Centre, A2, 4) : 45, rue Ahmed-Chaouki. ☎ 062-73-10-78. Ouvert tous les jours de 10 h à minuit (et jusqu'à 2 h le week-end).

◙ *Cyber Café Adam* (plan Centre, B2, 12) : rue Ibn-Rochd. ☎ 039-33-37-01. Possibilité d'abonnement. Ils servent quelques boissons et du café.

◙ *Cyber Café Euronet* (plan Centre, A1, 5) : rue Ahmed-Chaouki. ☎ 039-33-30-32. Ouvert tous les jours de 11 h à 3 h du matin. Ils servent quelques boissons froides et chaudes.

◙ *Micro Access Maroc* (plan Centre, B2, 6) : 53, rue du Prince-Moulay-Abdellah. ☎ 039-32-42-48. En face du *Roxy*.

Transports

🚌 *Gare routière* (plan d'ensemble, C3) : av. Ludwig-van-Beethoven, près de la place de la Ligue-Arabe, plus connue sous le nom de place Sahat-al-Jamia-al-Arabia. ☎ 039-94-66-82. Assez loin de la gare *ONCF*, du centre et de la médina. Prendre un petit taxi.

🚕 *Grands taxis* (plan d'ensemble, C3, 6) : à côté de la gare routière.

◼ *Garage Renault* : 2, av. de Rabat, au km 2. Sur l'ancienne route de Rabat. ☎ 039-94-14-87 et 039-93-69-38.

◼ *Garage Peugeot* : 37, rue Quevedo. ☎ 039-93-50-93.

◼ *Dany's Car* (plan Centre, A-B2) : 7, rue Moussa-ibn-Noussair. ☎ 039-93-17-78. Un des loueurs de voitures les moins chers. Dans la rue Allal-ben-Abdallah, au n° 3, juste derrière, la maison *Cady* pratique à peu près les mêmes prix. ☎ 039-93-41-51.

◼ *Harris* : 1, rue M.-Zerktouni. ☎ 039-94-55-74. Un loueur conciliant.

◼ Les principales *agences de location* (*Avis*, *Hertz* et *Europcar*) sont situées sur le bd Pasteur (plan Centre, A-B1) et sur le bd Mohammed-V (plan Centre, B-C2).

Compagnies maritimes

◼ *Comanav* : 43, rue Abou-Ala-al-Maari. ☎ 039-94-23-50 ou 039-94-04-88.

◼ *Comarit* : av. d'Espagne. ☎ 039-32-00-32. Fax : 039-32-59-00.

◼ *Trasmediterranea* et *Limadet Ferry* (plan Centre, B1-2) : 13, rue du Prince-Moulay-Abdellah. ☎ 039-93-36-26 et 21.

Compagnies aériennes

◼ *Royal Air Maroc* (plan Centre, A1) : 1, pl. de France. ☎ 039-93-55-01 et 039-93-55-02. Réservations : ☎ 039-93-47-22 et 039-93-40-45. Fax : 039-93-26-81.

◼ *British Airways* (plan Centre, A1) : 83, rue de la Liberté. ☎ 039-93-52-11 ou 039-93-58-77.

◼ *Iberia* (plan Centre, A-B1) : 35, bd Pasteur. ☎ 039-93-61-78 et 79. ☎ et fax : 039-93-61-77.

Agence de voyages

■ *HIT Voyages* (plan Centre, A-B2) : 4, rue Moussa-ibn-Noussair. ☎ 039-94-19-27 et 039-94-31-97. Fax : 039-94-18-38. Une excellente adresse pour organiser des ex-cursions ou des séjours au départ de Tanger. Propose également des dîners-spectacles hebdomadaires (chaque jeudi) pour assister à une fantasia. Accueil très chaleureux.

Divers

■ *Supermarché Sabrine* (plan d'ensemble, C-D3) : 143, bd Mohammed-V. Ouvert tous les jours. On y trouve tout, même les produits les plus rares au Maroc.

Circuler à Tanger

À pied, bien entendu, car les principales adresses sont relativement concentrées. Sinon ne pas hésiter à prendre un taxi, pas cher du tout. Se reporter en début de guide, à la rubrique « Transports » des « Généralités », pour quelques conseils pratiques.

– *Bus :* peu pratiques, car desservant presque exclusivement les quartiers excentrés. Station principale : angle av. Sidi-Mohammed-ben-Abdallah et rue de la Marche-Verte (plan d'ensemble, B3).

– *Permanence des taxis :* ☎ 039-94-55-27.

– *Stations* (plan d'ensemble, B2-3 et C-D3) : rue de Fès et bd Mohammed-V.

– *Parkings de voitures* (plan d'ensemble, B3) : comme dans toutes les villes du Maroc, les gardiens de parking se partagent les rues du centre. Grande fantaisie pour les parkings à péage, qui sont aussi gardés par des particuliers.

Conseil spécial Tanger

Il peut être dangereux de se balader le soir aux alentours du Petit Socco. Gros risques de se retrouver coincé au milieu des nombreux règlements de comptes locaux qui ont fait la réputation sulfureuse de Tanger, notamment entre le *Café Fuentès* et l'escalier américain menant au port. Cependant, le spectacle vaut le coup pour les noctambules avertis, car le quartier, plein de petites échoppes, vous en fera voir de toutes les couleurs.

Où dormir ?

De manière générale, l'hôtellerie suit la même pente que le tourisme à Tanger : sur la descendante, en se cherchant un second souffle. Il n'est pas rare de trouver des établissements qui n'ont pas vu un pinceau ou une clé à molette depuis trente ans, et ce, quelle que soit la catégorie. Dommage, diront certains : les hôtels sont parfois installés dans des immeubles du début du XXe siècle ou Art déco et ont dû connaître un passé glorieux, mais ils sont aujourd'hui passablement dégradés. D'autres trouveront que cette décadence rajoute encore à l'ambiance surannée qui fait l'un des charmes de Tanger. Ce sont en priorité les adresses « praticables » que nous avons essayé de vous dégoter, en vous évitant les établissements véritablement délabrés.

Campings

⚁ **Camping Miramonte** *(hors plan d'ensemble, par A1)* **:** à 3 km du centre. ☎ 039-93-71-33. Suivre la direction de l'ancienne kasbah, c'est ensuite indiqué. Du Grand Socco, bus n° 1 (le plus pratique) ou n° 12. Ouvert pour les admissions de 8 h à 12 h et de 15 h à 20 h. Compter 55 Dh (5,5 €) pour deux avec tente et voiture. Quelques chambres et des bungalows minuscules aux murs recouverts de céramique (compter 200 Dh, soit 20 €). Plage à proxi-mité. Restaurant ouvert en été. Bar-cafétéria. Belle piscine payante. Situé à flanc de colline, près de la mer, calme et ombragé. Sanitaires à peu près propres, mais pas assez nombreux.

⚁ **Camping Achakar Grottes d'Hercule** *(hors plan d'ensemble, par A2)* **:** au cap Spartel, en face des grottes d'Hercule, à 12 km du centre-ville. ☎ 039-33-38-40. Ce camping de 200 places est le plus recomman-dable près de Tanger.

Dans la médina

Il existe un grand nombre de **pensions** dans l'ancienne rue des Postes, maintenant rue Mokhtar-Ahardan *(plan Médina, B2)*, qui va de l'entrée de la médina (en venant de la gare maritime, prendre les escaliers) au Petit Socco *(plan Médina, B2)*. Mais le quartier est considéré comme l'un des plus mal famés de la ville. Et la plupart du temps, ces pensions sont sales, l'accueil n'est pas terrible et les douches communes sont difficilement praticables et payantes. Pour y loger, il faut compter entre 30 et 50 Dh (3 à 5 €) par per-sonne, prix toujours négociables pour les plus chères. En voici trois pour ceux qui s'obstineraient à vouloir dormir dans cette rue : l'*Hôtel de Fès* (☎ 039-93-19-73) pour ses quelques chambres sur la terrasse, très claires et ensoleillées ; la *Pension Amal* (☎ 039-93-36-00) pour son accueil sympa-thique malgré la barrière de la langue ; et la *Pension Victoria*, pour sa fon-taine et le trompe-l'œil dans la cour. Mais pour dormir dans la médina, nous vous conseillons plutôt de vous reporter aux adresses ci-dessous.

Très bon marché

🛏 **Pension Palace** *(plan Médina, B2, 20)* **:** 2, rue Mokhtar-Ahardan (ex-rue des Postes). ☎ 039-93-61-28. Chambres doubles à 80 Dh (8 €) ; prix dégressifs à partir de la 2e nuit. L'ancienne poste espagnole a gardé son magnifique patio inté-rieur, ses coursives et son décor très kitsch... Grandes chambres avec lava-bo. Par contre, les douches com-munes sont vraiment crades. Notre meilleure adresse toutefois dans cette catégorie. Les chambres don-nant sur le Petit Socco sont très bruyantes, et la rue n'est pas très sûre la nuit.

🛏 **Pension Mauritania** *(plan Mé-dina, B2, 21)* **:** 2, rue des Hal-mouahades (ex-rue des Chrétiens). ☎ 039-93-46-77. Chambres som-maires à 45 Dh (4,5 €) par per-sonne, négociables en basse sai-son. La pension est plus agréable qu'avant et les chambres sont tou-jours aussi propres. En revanche, douche commune froide, pas très engageante. Certaines chambres ont un petit balcon qui donne sur le Petit Socco. On profite donc, avec ses hauts et ses bas, de son ambiance nocturne.

🛏 **Pension Regina** *(plan Médina, A2, 22)* **:** 32, rue Touahine. ☎ 039-93-72-57. Assez proche du Grand Socco. Compter 30 Dh (3 €) par personne. Une belle pension, pleine de charme et proprette. Quelques ratés parfois du côté draps : n'hési-tez pas à demander de les changer. Lavabo dans les chambres, w.-c. communs et douche froide au rez-de-chaussée. Douche publique et hammam à 50 m de la pension.

Prix moyens

🛏 **Hôtel Mamora** (plan Médina, B2, **24**) : 19, rue Mokhtar-Ahardan (ex-rue des Postes). ☎ 039-93-41-05. Proche du Petit Socco. 30 chambres avec douche chaude et téléphone entre 230 et 290 Dh (23 à 29 €) pour deux selon la saison, sans le petit déjeuner. Classé 2 étoiles. Belle terrasse sur le toit, avec vue magni-fique sur le détroit de Gibraltar. Sans grand charme, même plutôt triste, mais assez propre et calme. Un peu cher malgré tout, sauf pour les chambres triples. Préférez les chambres avec vue sur un petit bout de mer et les toits verts de la mosquée, si vous tenez absolument à y séjourner.

Chic

🛏 **Hôtel Continental** (plan Médina, B1, **23**) : 36, rue Dar-el-Baroud. ☎ 039-93-10-24. Fax : 039-93-11-43. ● hcontinental@iam.net.ma ● Chambres doubles à 420 Dh (42 €) en haute saison et 310 Dh (31 €) en basse saison, petit déjeuner compris. L'une des institutions de Tanger, et sans conteste l'un de ses hôtels les plus agréables. Une bâtisse incroyable, d'une autre époque, construite en 1870 et qui a vu défiler du beau monde... Toutes les chambres ont été restaurées par une décoratrice marocaine qui a su mettre en valeur leur cachet d'antan en osant jouer la carte du modernisme. Plein de patios intérieurs et de petits salons. Vue exceptionnelle sur le port et la médina de sa terrasse. Si vous restez plusieurs jours, essayez d'avoir la chambre 108 avec son lit à baldaquin et son mobilier rétro. Churchill y aurait dormi. Petit déjeuner pas génial. Parking difficilement accessible.

🛏 **Dar Nour** (plan Médina, A1, **25**) : 20, rue Gourna-Kasbah. ☎ 062-11-27-24. ● pgb.tanger@caramail.com ● Chambres doubles de 250 à 1 000 Dh (25 à 100 €), selon la taille et la catégorie. L'unique maison d'hôte de Tanger, et située dans la kasbah, excusez du peu. Philippe vous reçoit gentiment dans sa grande maison chic et raffinée, et en attend tout autant de ses hôtes. C'est un Français tombé amoureux de Tanger, et qui ne peut plus la quitter. À tel point qu'il a rédigé un excellent guide sur cette ville et qu'il ne manquera pas, pour peu que le courant passe, de vous en faire découvrir tous les ressorts.

Hors la médina

Très bon marché

🛏 **Auberge de jeunesse** (plan Centre, C2, **26**) : 8, rue Al-Antaki. ☎ 039-94-61-27. Dans une rue transversale à l'avenue d'Espagne et proche de l'arrêt des bus et de la gare. Lits en dortoir à 30 Dh (3 €) avec la carte, 35 Dh (3,5 €) sans la carte. Dans un bel immeuble avec marbre au sol et sur les murs. Dortoirs d'une quinzaine de personnes, filles et garçons séparés. Très propre, plutôt agréable, mais l'accueil est inégal. Il faut impérativement réserver en été.

Bon marché

🛏 **Pension Gibraltar** (plan Centre, A1, **27**) : 62, rue de la Liberté. ☎ 039-93-67-08. Face au *El-Minzah*. Au 2e étage. Compter 50 Dh (5 €) par personne ; douche commune. Dans une belle demeure, décorée de céramiques dans la cage d'escalier. Grandes chambres sans confort, loin d'être nickel mais propres. Des prix abordables et une ambiance familiale en font une adresse conviviale pour les budgets serrés.

🛏 **Hôtel Magellan** (plan Centre, B1, 28) : 16, rue Magellan. ☎ 039-37-23-19. Compter entre 40 et 50 Dh (4 à 5 €) par personne selon la saison. Douche commune payante à 10 Dh (1 €). Dans un grand bâtiment, des chambres agréables et propres mais sans confort, à part un simple lavabo. En revanche, les sanitaires communs sont loin d'être irréprochables. Rue hyper-calme. Préférez les chambres avec vue sur la baie. Pas impeccable, mais à ce prix-là, on ne peut pas demander non plus la lune !

🛏 **Pension Excelsior** (plan Centre, B1, 29) : 17, rue Magellan. ☎ 066-56-47-87 (portable). Chambres doubles à 100 Dh (10 €) ; douche à 8 Dh (0,8 €). Petit et familial. Dans une belle bâtisse. Un hôtel très bien entretenu, certaines chambres ont un balcon. Les douches communes sont praticables et l'accueil sympathique. Ambiance jeune et décontractée.

Prix moyens

🛏 **Hôtel El Mumiria** (plan Centre, B1, 31) : 1, rue Magellan. ☎ 039-93-53-37. Chambres doubles à 150 Dh (15 €). Une de nos adresses préférées, et un lieu chargé d'histoire. C'est dans ce petit hôtel de 8 chambres que William Burroughs aurait rédigé Le Festin nu et qu'il recevait ses copains de la beat generation qui venaient le visiter à Tanger. Aujourd'hui, il ne désemplit pas de tout l'été (alors, réservez au moins 15 jours à l'avance) et offre de belles chambres, dont certaines ont une vue magnifique sur la baie.

🛏 **Hôtel Nabil** (plan Centre, B1, 32) : 11, rue Magellan. ☎ 039-37-54-07. Garage dans l'hôtel pour 20 Dh (2 €) la nuit. Chambres doubles à 235 Dh (23,5 €) ; réductions honnêtes en hiver. Dans une grande demeure impeccablement tenue, une quarantaine de chambres, grandes, fraîches et agréables, surtout en été. Les salles de bains offrent tout le confort, et certaines chambres ont des petites terrasses privatives qui donnent sur la baie. Il faut bien sûr les réserver en priorité. Et pour ne rien gâcher, l'accueil est aimable.

🛏 **Hôtel Ibn Batouta** (plan Centre, B1, 33) : 8, rue Magellan. ☎ 039-93-93-11. Fax : 039-93-93-68. À deux pas du boulevard Pasteur et de la mer. Chambres doubles à 300 Dh (30 €) en haute saison ; bonnes réductions en basse saison. Un hôtel familial composé de plusieurs bâtiments sur plusieurs niveaux. Le premier, où se trouve la réception, comporte de petites chambres avec de belles céramiques. Le second, dans des bâtiments récents, donne sur une belle terrasse où trône une petite fontaine. Les chambres y sont beaucoup plus claires et ont vue sur la mer, cependant les cloisons sont de l'épaisseur du papier à cigarette... Mais les jeunes amoureux y passeront sans doute quelques belles heures !

🛏 **Hôtel Andalucia** (plan Centre, B2, 34) : 14, rue Ibn-Hazm. ☎ 039-94-13-34. C'est en plein centre, une rue calme un peu derrière le Salon Roxy ; l'hôtel est entre le garage et le club de karaté. Pas de problème pour se garer, mais parking payant (20 Dh, soit 2 €). Chambres doubles à 210 Dh (21 €), avec salle de bains. Pas de petit déjeuner. 25 chambres impeccables et fraîches en enfilade dans un couloir.

🛏 **Hôtel Ritz** (plan Centre, B2, 35) : 27, rue Moussa-ibn-Noussaïr. ☎ 039-32-24-43 et 45. Fax : 039-94-10-02. À l'angle de la rue Sorella. Chambres doubles à 290 Dh (29 €). Établissement propre sans être nickel. Chambres spacieuses mais impersonnelles, avec salle de bains vétuste. Salon de thé au rez-de-chaussée. Bon petit déjeuner. Cartes de paiement acceptées.

🛏 **Hôtel de Paris** (plan Centre, B1, 36) : 42, bd Pasteur. ☎ 039-93-18-77 et 039-93-81-26. Chambres doubles avec salle de bains à 240 Dh (24 €) sans le petit déjeuner. Certaines partagent une douche commune. Les chambres sont grandes, hautes de plafond et propres, même si les salles de bains ne sont pas

TANGER

toujours terribles. L'hôtel est situé en plein centre-ville et ne possède pas de double vitrage, alors mieux vaut oublier les grasses matinées... Son entrée décorée donne une idée de sa splendeur passée. Demander une chambre en haut, pour la vue.

Hôtel Charf *(plan Centre, C2, 37)* **:** 25, rue Al-Farabi. ☎ 039-94-33-40. Prévoir environ 300 Dh (30 €) pour une chambre double. Légèrement en retrait du front de mer, dont il n'est séparé que par un terrain (encore) vague. Chambres vastes et propres mais un peu tristes. Certaines ont, pour le même prix, une vue magnifique sur la mer. Restaurant panoramique au 4ᵉ étage, un peu cher mais on y sert de l'alcool.

Hôtel Valencia *(plan Centre, B1, 38)* **:** 72, av. d'Espagne. ☎ 039-93-07-70. En face de l'ancienne gare ferroviaire. Chambres doubles entre 210 et 260 Dh (21 à 26 €) selon la saison. Douche chaude entre 7 h et 12 h. Propre mais sans charme particulier. Certaines chambres sont plus grandes et aux mêmes prix ; demandez à en visiter plusieurs. C'est un poil bruyant mais supportable. Bon rapport qualité-prix.

Chic

Hôtel Rembrandt *(plan Centre, B1-2, 40)* **:** à la jonction du bd Mohammed-V et de l'av. Pasteur. ☎ 039-33-33-14 à 16. Fax : 039-93-04-43. Réservez une semaine à l'avance en haute saison. Chambres doubles très confortables de 450 à 550 Dh (45 à 55 €) suivant la saison, avec TV, téléphone et balcon. Là encore, l'une des institutions de Tanger, dont elle partage le charme suranné. Très beau hall en marbre, chambres spacieuses avec mobilier d'époque mais sans grand confort. Préférer absolument les chambres avec une vue sur la baie. Belle piscine et même un coin de gazon au cœur de la ville.

Apart Hotel Nezha *(plan Centre, B2, 42)* **:** 58, av. de la Résistance. ☎ 039-94-28-24. Fax : 039-34-14-30. Location de studios ou d'appartements de 2 à 8 personnes en service hôtelier. En saison, compter à partir de 350 Dh (35 €) pour deux ;

Hôtel Miramar *(plan Centre, C2, 39)* **:** 168, av. des Forces-Armées-Royales (FAR). ☎ 039-94-17-15. Fax : 039-94-36-28. Chambres doubles à 185 Dh (18,5 €) avec douche ou bains. Le coup de peinture n'a pas été suffisant pour limiter les effets du temps et faire oublier que l'établissement manque vraiment d'entretien. D'ailleurs, l'ascenseur ne fonctionne plus depuis longtemps. Accueil pas terrible.

Hôtel Tarik *(plan d'ensemble, D1, 41)* **:** route de Malabata. ☎ 039-34-09-49 et 039-34-19-13. Fax : 039-34-19-15. Au bout de la baie, en face du *Club Med*. Chambres doubles spacieuses et très confortables à 315 Dh (31,5 €) en saison, 265 Dh (26,5 €) hors saison. Hôtel-club de bord de mer fréquenté par les familles. 150 chambres au total, de tailles différentes, mais le prix ne varie pas et défie toute concurrence pour la prestation. Belle vue sur la mer, accès direct à la plage, piscine et grande pelouse. Restaurants marocain et international. Reste à voir comment cet hôtel évoluera après l'ouverture du casino à côté, puis du complexe touristique à proximité.

le prix dépend de la taille. Intéressant à partir de 4 personnes. Dans un grand immeuble des années 1970, donc sans beaucoup de charme. Appartements meublés, avec une cuisine équipée et un peu de vaisselle. La décoration est un peu kitsch, mais c'est confortable et propre. Certains studios ont un petit balcon. Ascenseur. Salon de thé au rez-de-chaussée.

Hôtel Chellah *(plan Centre, A2, 43)* **:** 47-49, rue Allal-ben-Abdellah. ☎ 039-32-44-57 et 58. ● chellah@cybermanaia.net.ma ● Chambres doubles à 465 Dh (46,5 €) en haute saison ; réductions sympas en basse saison. Un immense hôtel à deux pas du boulevard Pasteur, et proche de la plupart des restos. Il fait partie des hôtels réputés de la ville, même si cela n'est pas nécessairement justifié. Propose tout de même un excellent rapport qualité-prix.

Très chic

🛏 **Tanjah Flandria** (plan Centre, B2, **44**) : 6, bd Mohammed-V. ☎ 039-93-32-79 ou 039-93-31-64. Fax : 039-93-43-47. Chambres doubles à 775 Dh (77,5 €) avec salle de bains, TV, téléphone et AC ; possible d'obtenir jusqu'à 30 % de réduction en dehors des mois de juillet et août. Bel établissement « moderne » très bien tenu, un peu impersonnel dans la déco mais à l'accueil charmant. Avec bar et piscine en terrasse, tout en zelliges verts et tommettes, et dominant Tanger, la mer et l'Espagne... tout un programme. Chambres impersonnelles. Le bruit sur le boulevard peut gêner. Clim' bruyante aussi. Sauna et salon de coiffure. Très bon rapport qualité-prix en basse saison. Possibilité de juste venir prendre un verre sur la terrasse.

🛏 **Hôtel Intercontinental** (plan d'ensemble, A2, **45**) : parc Brooks. ☎ 039-93-60-53 à 58, et 039-93-01-50 à 58. Fax : 039-90-01-51. ● inter@wanadoo.net.ma ● Parking gardé gratuit. Chambres doubles à 865 Dh (86,5 €) ; 570 Dh (57 €) en décembre, janvier et février. Bien situé dans un parc verdoyant, à 10 mn du centre-ville. Si l'hôtel est impersonnel, les chambres sont très confortables, et on arrive à dormir sans boules Quiès... ce qui n'est pas si fréquent à Tanger ! Les chambres sont spacieuses et possèdent l'air conditionné. Les plus agréables donnent sur un joli jardin avec piscine. Décoration à l'occidentale, un rien classique. Attention à ne pas utiliser le téléphone pour appeler l'étranger, c'est hors de prix.

🛏 **El-Minzah** (plan Centre, A1, **46**) : 85, rue de la Liberté. ☎ 039-93-58-85. Fax : 039-93-45-46. Chambres doubles entre 1 500 et 1 800 Dh (150 à 180 €) selon la saison, sans le petit déjeuner. L'un des plus beaux hôtels du Maroc. On ne compte plus les hôtes célèbres qui y ont séjourné : Rita Hayworth, Churchill, Jean Genet, Juan Carlos... Jardin débordant de roses et de bougainvillées. Palmiers autour de la piscine. Vaut le coup, mais très cher. Le restaurant marocain est bon (voir « Où manger ? »), ce qui n'est pas le cas de leur restaurant français. Allez prendre, si vous en avez les moyens, un verre au Caïds Bar (pianiste le soir) ou au bord de la piscine, après avoir traversé le patio à arcades bleu et blanc.

– Voir également, dans les environs, l'hôtel Robinson et l'hôtel Mirage au cap Spartel.

Où manger ?

Tanger est une ville où l'on mange bien, mais on y trouve surtout des restaurants de cuisine étrangère. Goûtez au poisson au gros sel (recette d'origine portugaise ; à commander toujours à l'avance) et à la tarte au citron. Elle est très différente de celle que l'on fait en France. Les meilleures sont servies au San Remo et au Mirage du cap Spartel.

En été, une armada de restaurants-cabarets (danse orientale, etc.) tout au long de la plage. Tous sont rénovés, en cours de rénovation ou en voie de l'être. Y aller au feeling.

Très bon marché (moins de 50 Dh, soit 5 €)

Place du Grand Socco, ou place du 9-Avril-1947 (plan Médina, A2), les plus fauchés pourront manger une harira ou bissahra (spécialité du Nord, aux fèves) et toute la cuisine rapide maghrébine, près des marchandes de pain. De quoi se caler l'estomac à bon marché.

|●| Deux petites *rôtisseries* (sans nom) restent ouvertes toute la nuit : la première se trouve place du Petit Socco ; la seconde, rue Es-Siaghîn, en montant vers le Grand Socco. Poulets à la broche, foie grillé, etc. Bonne qualité et sans histoires.

|●| *Andalus* (plan Médina, B2, 50) : 7, rue du Commerce. Ouvert toute la journée jusqu'à 23 h. Pas d'alcool. Quasiment sur le Petit Socco, une petite échoppe où l'on mange en arrière-boutique quelques brochettes ou des poissons frits frais pour une poignée de dirhams. Accueil sympathique et vente à emporter.

|●| *Alhambra Sandwichs* (plan Centre, A1, 51) : 10, rue du Mexique. Ouvert tous les jours. Pas d'alcool. Ça dépote toute la nuit des sandwichs comme des petits plats cuisinés, le tout très frais (pas difficile, vu le débit...). Très sympa et bien tenu. Plats exposés dans une vitrine réfrigérée, à emporter ou à grignoter dans une petite salle au calme.

Bon marché (moins de 80 Dh, soit 8 €)

|●| *Eldorado* (plan Centre, B2, 52) : 21, rue Allal-ben-Abdellah. ☎ 039-94-33-53. Ouvert tous les jours. Une excellente adresse, où l'on rencontre surtout des Tangérois qui y dégustent de copieux plats de poisson très frais. Bon, pas cher, très simple et service rapide. De plus, ils servent de l'alcool.

|●| *Restaurant Agadir* (plan Centre, A1-2, 53) : 21, av. du Prince-Héritier. Petite gargote marocaine qui ne paie pas de mine mais très réputée. Spécialité de tajines en tout genre. Décor et service sans prétention. Nappes à petits carreaux, accueil très sympathique et prix modérés. Une adresse qu'on aime bien.

|●| *Restaurant Ahlen* (plan Médina, B2, 54) : 8, rue Mokhtar-Ahardan (ex-rue des Postes). ☎ 039-93-19-54. Dans le Petit Socco. Un grand classique de la restauration à bas prix. Cuisine simple mais de qualité. Dans l'entrée pleine d'odeurs qui vous mettront en appétit, poulets rôtis grillés à la broche et grande marmite de *harira* fumante.

De prix moyens à chic (de 80 à 150 Dh, soit de 8 à 15 €)

|●| *Saveurs de Poisson* (plan Centre, A1, 55) : juste après l'hôtel *El-Minzah*, au bas de l'escalier qui commence le passage du Marché-des-Pauvres. Petit resto maintenant les traditions. Pas de carte, et tarif souvent à la tête du client. Grande jarre de soupe de poisson chauffant en permanence au centre de la salle décorée de mosaïques. Boisson d'eau de plantes faite avec l'infusion de 14 herbes différentes. Les Tangérois la considèrent comme l'une des meilleures tables, même si elle ne paie pas de mine...

|●| *Restaurant La Kasbah* (plan Médina, A2, 56) : 7, rue Algzania. ☎ 067-11-88-47 (portable). Il n'y a pas d'enseigne, on le reconnaît à sa devanture rose. Pas de carte, mais compter environ 90 Dh (9 €) par personne. On y a mangé une des meilleures pastillas de tout le nord du Maroc. Et pourtant, il n'a l'air de rien ce petit resto très frais, tout en céramique. La cuisine y est raffinée et l'accueil très sympathique. Pas d'alcool.

|●| *Rubis Grill* (plan Centre, B2, 57) : 3, Ibn-Rochd. ☎ 039-93-14-43. Ouvert tous les jours jusqu'à 1 h. Compter 130 Dh (13 €) à la carte. Un poil plus cher que les autres, mais c'est un petit endroit très hétéroclite, plein de charme. Il y a toujours du monde et des musiciens. On vient y manger un morceau ou boire un verre dans une ambiance animée et chaleureuse.

|●| *Restaurant Valencia* (plan Centre, C2, 58) : av. Youssef-ibn-Tachfine, presque en face de l'hôtel *Miramar*. Fermé le mardi. Compter 130 Dh (13 €) à la carte. Une partie de l'ancienne équipe du *San Remo* a fait sécession pour ouvrir ce res-

taurant spécialisé dans les paellas et les fruits de mer. Cuisine correcte, quoique un peu grasse de temps en temps. Accueil cordial.

|●| *Négresco* (plan Centre, A1, **59**) : 14, rue du Mexique. Compter une centaine de dirhams (environ 10 €) pour un repas complet à la carte. Un lieu chargé d'histoire, qui vécut les heures glorieuses de Tanger. Mais comme les amours, la splendeur perdue ne se retrouve plus... Aujourd'hui, les hommes se donnent rendez-vous côté bar, mais l'on peut néanmoins se restaurer tranquillement côté resto. Cependant l'un comme l'autre sont plutôt déserts.

|●| *Raïnari* (plan Centre, A1-2, **60**) : 10, rue Ahmed-Chaouki. ☎ 039-93-48-66. Ouvert plutôt la nuit pendant le ramadan. Cuisine marocaine traditionnelle, servie dans un cadre typique avec une mezzanine en bois. Couscous au poulet. Les légumes sont servis à part. Accueil souriant. Cartes de paiement acceptées.

Plus chic (à partir de 150 Dh, soit 15 €)

|●| *Garden Restaurant Guitta's* (plan d'ensemble, A2, **61**) : en face de la mosquée Mohammed V, à l'angle de l'av. Sidi-Mohammed-ben-Abdellah et de la rue Sidi-Bouabid. ☎ 039-93-73-33. Une petite maison vétuste au fond d'un jardin, sans enseigne sur la rue. Comment aimer Tanger et ne pas aimer cette institution ? C'est tout le chic d'antan, celui du Tanger international. On y retrouve ses couverts en argent, son maître d'hôtel, la douceur de vivre du début de ce siècle et le jet-set discrète et amoureuse de cette ville. Certains trouveront l'adresse déserte et délabrée, d'autres sentiront que déjeuner ou dîner chez Mercedes, la maîtresse de maison, c'est toucher du doigt toute l'âme d'un certain Tanger.

|●| *Restaurant San Remo* (plan Centre, A1, **62**) : 15, rue Ahmed-Chaouki. ☎ 039-93-84-51. Toujours une référence. Le cadre est chaleureux et raffiné, en jaune et vert, avec de belles chaises en osier. Il y a toujours du monde, et plutôt du beau. Pas étonnant ! C'est une des grandes tables de la ville. La carte est toujours résolument italienne. En face, une annexe qui propose des pizzas à emporter.

|●| *La Maison des Pêcheurs* (plan Centre, B2, **63**) : 35, rue Allal-ben-Abdellah. ☎ 039-34-10-05. Ouvert tous les jours. Compter 150 Dh (15 €) à la carte. Servent de l'alcool. Un spécialiste de... poisson, bien sûr, mais aussi de plats espagnol et français. La cuisine est très raffinée et le service impeccable. Une bonne adresse, un peu chic. À droite du restaurant, après avoir traversé une petite cour, il y a un petit bar, où l'on peut également manger. Bien plus animé, et à l'ambiance chaleureuse.

|●| *Restaurant Marhaba* (plan Médina, A1, **64**) : 67, rue de la Kasbah. ☎ 039-93-76-43. Face à l'entrée de la kasbah, prendre l'impasse sur la gauche lorsque l'on remonte la rue. Ouvert toute la journée. Menus de 120 à 150 Dh (12 à 15 €). Si vous devez vous y rendre en taxi, ne croyez pas les chauffeurs qui prétendront que c'est fermé (le restaurant refuse simplement de leur verser une commission), et insistez pour vous faire déposer à l'entrée de la kasbah. L'entrée ne paye pas de mine, mais une fois l'escalier gravi, vous êtes dans un splendide palais un peu baroque où jouent quelques musiciens. La cuisine est très inégale. L'astuce pour profiter pleinement de ce lieu sans se ruiner est de venir l'après-midi y boire un thé et manger quelques pâtisseries. Il y a de fortes chances pour que vous y soyez seul, perdu dans vos rêveries, calé au fond de gros coussins... Dommage que les musiciens soient si insistants pour que vous n'oubliiez pas leur pourboire...

|●| *Casa d'Italia* (plan d'ensemble, A1, **65**) : dans le palais des Institutions italiennes. ☎ 039-93-63-48. Parking à l'ombre des palmiers. Fermé le mardi. Compter 150 Dh (15 €) à la carte. Géré par une association italienne, mais ouvert à tous. Un des lieux à la mode de la jeunesse branchée, qu'elle soit tangé-

roise ou expatriée. Un peu chic, un peu cher ; l'accueil est cependant irréprochable et la cuisine italienne très bonne. Il y a même un club de pétanque. Surprenant de jouer aux boules au Maroc avec des Italiens, pendant que d'autres, Marocains, préfèrent aller jouer au foot dans des clubs italiens...

Beaucoup plus chic (à partir de 200 Dh, soit 20 €)

|●| **Restaurant marocain de l'hôtel El-Minzah** (plan Centre, A1, 46) : 85, rue de la Liberté. ☎ 039-93-58-85. Fermé le lundi. Une cuisine marocaine raffinée, où l'on connaît la différence entre le « couscous beidaoui » et le « couscous fassi ». Signe d'authenticité. Pastilla sublime. Prix élevés mais justifiés, eu égard à la qualité et au cadre. Pour les spécialités, comme le pageot farci aux fruits de mer, commander 2 h à l'avance. En dessert, un plateau d'excellentes pâtisseries (les meilleures cornes de gazelle). Orchestre et danseuses traditionnels.

Restaurants folkloriques

|●| **Restaurant Hamadi** (plan Médina, A1, 66) : 2, rue de la Kasbah. ☎ 039-93-45-14. Compter 150 Dh (15 €) pour un repas. Une entrée aux couleurs du Maroc et une déco dans les tons rouges très accentuée, mais chaleureuse et agréable. Le service est professionnel et agréable même s'ils reçoivent surtout des groupes. Malheureusement la cuisine, elle, ne suit pas toujours surtout pour les tarifs pratiqués. Musiciens au déjeuner et au dîner.

|●| **Mamounia Palace** (plan Médina, A2, 67) : 6, rue Semarrine, Petit Socco. ☎ 039-93-50-99. Dans un cadre pittoresque, au 1er étage d'une vieille bâtisse, un restaurant « touristiquement » typique, réquisitionné par les voyages organisés le midi, et où l'on mange de moins en moins bien et de moins en moins frais. Du balcon, vue plongeante sur l'animation de la rue Es-Siaghîn. Mieux vaut vérifier son addition.

Où manger une pâtisserie ?

Les Anglais étant des amateurs de pâtisseries et de salons de thé, il en reste beaucoup, et vous les énumérer tous serait fastidieux. Voici toutefois quelques adresses :

|●| **Salon de thé Vienne** (plan Centre, A1, 70) : à l'angle de la rue du Mexique et de la rue El-Moutanabi, à deux pas de la place de France. Ambiance B.C.B.G. dans un décor de marbre et de dorures. C'est la pâtisserie la plus branchée, fréquentée aussi par les jeunes de 18 h à 20 h. Assez cher.

|●| **Pâtisserie Florence** (plan Centre, B2, 71) : l'angle des rues La Fayette et Mansour-ad-Dahabi. Ce n'est pas un salon de thé, mais on peut y acheter des pizzas, des morceaux de poulet pour des petits repas. Excellents gâteaux marocains et européens.

|●| **Pâtisserie Roxy** (plan Centre, B2, 72) : rue Mansour-ad-Dahabi, juste à côté du Salon Roxy. Petite échoppe d'où sort une bonne odeur de croissant chaud. Le matin, la boutique est pleine des lycéens de l'établissement d'à côté, qui raffolent des succulents pains au chocolat ou aux amandes.

|●| **Le Petit Prince** (plan Centre, A1, 73) : 36, bd Pasteur. Dans un bâtiment qui ne paie pas de mine. Délicieuses pâtisseries et pizzas à emporter. Sans déception.

|●| **Pâtisserie et pizzeria Oslo** (plan Centre, B-C2, 74) : bd Mohammed-V, sous des arcades, un peu

TANGER

plus bas que la poste principale. Excellentes pâtisseries à déguster sur place. Entre autres, tarte à la pâte d'amandes redoutable. Font aussi des pizzas et des petits snacks salés.

🍴 **Pâtisserie Rahmouni** (plan Centre, B2, 75) : 35, rue du Prince-Moulay-Abdellah. Rien que des pâtisseries marocaines à emporter, mais de qualité parfois inégale et accueil à peine aimable.

Où boire un verre ?

Sans alcool

🍸 **Café Hafa** (plan d'ensemble, A1, 80) : quartier Marshan, derrière le stade, près du palais Forbes. Demandez votre chemin, car à Tanger tout le monde le connaît. Dans une ruelle introuvable, si l'on ne cherche pas suffisamment longtemps, se situe le *Hafa* (« La Falaise »). Depuis 1921, tout le monde y est passé. Impossible de venir à Tanger sans prendre le temps d'aller y boire un thé à la menthe, préparé selon la même recette depuis des décennies. Des jardins en terrasses, des plantes, des tables disséminées entre des arbustes et des balustrades, des chats gambadant et des fumeurs allongés sur des nattes... On passe des journées entières ici, à boire le thé et à contempler le paysage : la mer, le détroit de Gibraltar et la côte andalouse, juste en face. Fermé dans la journée pendant le ramadan. Ils servent uniquement du thé à la menthe et du café. Un endroit magique qu'il ne faut manquer à aucun prix.

🍸 **Café de Paris** (plan Centre, A1, 81) : pl. de France. Ouvert tous les jours de 6 h à 23 h 30. C'est un peu le *Flore* de Tanger. Ouvert en 1920, ce serait le premier bar à s'être installé en dehors de la médina. Très grand café, avec un certain charme suranné. Au fond à droite, une grande salle avec vue sur le détroit. Le *Café de Paris* a connu son heure de gloire, et le Tout-Tanger chic s'y retrouvait. Aujourd'hui, s'il a perdu de son faste, il reste incontournable et il n'est pas rare d'y croiser quelques célébrités. Beaucoup de passage et une population bigarrée qui évolue en fonction du moment de la journée.

🍸 **Porte du Nord** (plan Centre, B2, 82) : rue Ibn-Rochd. ☎ 039-37-05-45. Ouvert tous les jours de 7 h à 22 h. Le café de madame Porte a lui aussi connu son heure de gloire. À la grande époque, on y servait la meilleure pâtisserie du royaume, et son *Martini dry* était célèbre dans toute la région. Aujourd'hui, c'est un salon de thé chic, dépouillé et raffiné, où les jeunes (et moins jeunes) un peu B.C.B.G. viennent boire un chocolat ou un café en fin d'après-midi dans une ambiance feutrée d'une autre époque.

🍸 **Ibiza** (plan Centre, B2, 83) : 46, rue Allal-ben-Abdellah. Ouvert jusqu'à minuit, et toute la nuit durant le ramadan. Une adresse typique (on a dit typique, pas pittoresque...). On y sert, à notre avis, le meilleur thé à la menthe de Tanger. En voici la composition : beaucoup de menthe, des fleurs d'orangers, de la sauge, de l'aneth et bien sûr... du thé. Nous, on aime bien ce café qui diffuse des films toute la journée sur sa télé à écran géant, avec ses clients installés comme au cinéma. À moins que vous ne préfériez sa petite terrasse sur le trottoir.

🍸 **Chorouk** (plan Médina, A2, 84) : pl. du Grand-Socco, dans la direction de l'église St Andrew's. Une petite gargote au-dessus de la place, avec une super-terrasse pour siroter un thé à la menthe en dominant la ville et la baie.

🍸 **Café Istiraha** (plan Centre, A1, 85) : 42, rue de Hollande. Dans le complexe du même nom. Un des repaires de la jeunesse dorée tangéroise. Mais c'est la terrasse panoramique qui mérite vraiment le détour. Les consommations sont chères mais, à deux pas du centre-ville, cette vue est vraiment imprenable.

TANGER

Avec alcool

El Mesón de Pépé Ocaña (plan Centre, B1, 86) : 7, rue Jabha-al-Watania. Juste derrière l'hôtel *Rembrandt*. Ouvert jusqu'à 23 h ; fermé l'après-midi. Totalement inconnu des touristes, un petit bar tout en longueur, où les tapas se succèdent au rythme des bières bues. Fréquenté majoritairement par des hommes, tous accoudés au bar, qui sirotent leur bière en regardant la télé les soirs de match. Une ambiance sans histoire, détendue et agréable, et un petit morceau d'Espagne qui a dû traverser le détroit...

Le Tanger Inn (plan Centre, B1, 87) : 1, rue Magellan. Juste en dessous de l'*Hôtel El Mumiria*. Un guide local en dit : « C'est là que sont cachées les dernières traces du mythe de Tanger. » Et pour cause, si vous avez aimé cette ville, vous ne pourrez pas ne pas aimer ce bar, ses banquettes en skaï, ses petites tables Art déco en formica et son piano qui tend ses bras aux mélomanes... Il semblerait que le spectre de Burroughs, qui avait ses appartements dans l'hôtel au-dessus, hante encore ces lieux, dignes d'*Interzone*. Une ambiance calme et indescriptible, voire insaisissable, en semaine, qui s'enflamme parfois le week-end sans que l'on sache bien pourquoi.

Le Bar Sans Nom (plan Centre, B2, 88) : rue Ibn-Hazm, à l'angle avec la rue Mansour-ad-Dahabi. Ne demandez pas votre chemin, seuls les habitués le connaissent. Ouvert tous les jours de 7 h à 22 h. Un lieu étonnant. Caché derrière une vitrine qui semble condamnée depuis des années, un coin de bar, esseulé à l'entrée d'une grande salle dans la pénombre. Ici, on ne reçoit que les amis, et il faut savoir montrer patte blanche pour que la magie du lieu opère. Soyez prévenu, vous n'y trouverez rien d'autre que de la bière, une poignée de tapas maison et la douceur des rencontres. Mais que peut-on demander de plus ?

London's Pub (plan Centre, B2, 89) : 15, rue Mansour-ad-Dahabi. ☎ 039-94-20-94. Fermé le midi. Une ambiance feutrée par de larges panneaux de bois et de la moquette vert anglais (forcément). Peu de monde en semaine, une certaine tenue dans le service, quelques expatriés et deux ou trois jeunes cadres... les ingrédients classiques d'un cocktail sans surprises mais toujours agréable. On peut aussi y manger, mais c'est un peu cher (compter 150 Dh, soit 15 €, pour un repas complet).

The Chico's Pub (plan Centre, B2, 90) : rue Sorella. Fermé le dimanche. Un lieu chic et agréable, dans des tons calmes, avec de belles couleurs de bois, des petites reproductions de tableaux de maître aux murs et Piaf et Aznavour en musique de fond pour envelopper le tout. On y rencontre de jeunes cadres et des moins jeunes qui viennent y déguster un whisky de marque. Possibilité également de manger. Petites fleurs et bougies de rigueur sur les tables, mais c'est plutôt cher (environ 200 Dh, soit 20 €, pour un repas complet).

The Pub (plan Centre, B2, 91) : 4, rue Sorella. ☎ 039-93-47-89. En face de l'hôtel *Ritz*. Ouvert tous les jours de 12 h à 15 h et de 19 h à 1 h 30. Ambiance étonnante et cosmopolite. Tenue correcte exigée. Grand choix d'alcools. Les habitués se cramponnent au bar, passé une certaine heure et un certain nombre de *drinks*. Bonne carte de plats bien préparés. Même genre, mêmes tarifs que le *Chico's*, mais le cerbère à l'entrée est un peu moins engageant...

Le bar de l'hôtel Tanjah Flandria (plan Centre, B2, 44) : 6, bd Mohammed-V. Sur la terrasse de l'hôtel, au bord de la piscine, une vue magnifique et imprenable sur la baie, et un petit quelque chose de magique dans la lumière et les couleurs au moment du coucher de soleil.

Caïds Bar de l'hôtel El-Minzah (plan Centre, A1, 46) : 85, rue de la Liberté. Un cadre exceptionnel pour un verre loin du bruit et de l'agitation de la ville. Bon choix de cocktails. Si vous avez des goûts de luxe, belle carte de champagnes...

TANGER

▼ *Emma's BBC Bar (plan d'ensemble, D1)* : l'une des principales institutions nocturnes de Tanger, sur la plage qui a fait la réputation de la ville. Ouvert seulement l'été.

Dans la médina

▼ *Le Café Tingis, le Café Fuentès et le Café Central (plan Médina, B2)* : pl. du Petit Socco. Difficile de lire un livre dont l'intrigue se déroule à Tanger sans que l'un des personnages ne se retrouve, à un moment ou un autre, dans l'un des cafés du Petit Socco, et ce, quelle que soit l'époque. Il faut dire que les cafés y sont apparus presque en même temps que la place elle-même... Si l'on y croise moins de célébrités qu'auparavant, on y commente toujours l'actualité et les affaires, plus ou moins légales dans ce quartier sulfureux, autour d'un thé à la menthe ou d'un café noir. Pour les gens de passage, c'est plus un passé auquel on rend visite.

▼ *Le Détroit (plan Médina, A1, 92)* : dans la kasbah, près de la pl. de la Kasbah. Café très touristique, car sa grande salle panoramique offre une vue magnifique sur les toits de la médina d'un côté et la mer de l'autre. On a du mal à croire que l'endroit, ouvert par le peintre Gysin, ami des Rolling Stones, était dans les années 1960 un repaire de jeunes artistes et de musiciens. Il s'appelait alors *Les Mille et une Nuits*. Aujourd'hui, en été, il sert de buvette aux groupes de touristes. Un peu cher, mais sa vue est tellement belle qu'il mérite tout de même un petit détour.

Où sortir ?

Les boîtes de nuit s'animent très tard dans la nuit (1 h 30) et sont souvent fréquentées par des « filles qui travaillent ». Une certaine vigilance s'impose car il existe un grand nombre de discothèques douteuses. La plupart se trouvent derrière le boulevard Pasteur *(plan d'ensemble, B2)*.

♪ *Marrocco Palace (plan Centre, B1, 93)* : rue du Prince-Moulay-Abdellah. ☎ 039-93-55-64. La boîte la plus sympa. Une superbe salle décorée comme un palais marocain, qui vous donnera un avant-goût des *riad*. Toujours plein de monde, et parfois des chanteurs marocains s'y produisent. Ambiance marocaine, à voir...

♪ *La Passarella (hors plan d'ensemble par D3, 94)* : av. des Forces-Armées-Royales (FAR). Entrée avec un verre, compter 100 Dh (10 €). C'est « La » boîte chic de Tanger, si les videurs vous laissent entrer. Une ambiance très occidentale avec une belle piscine entourée de céramique. Bonne musique. Très B.C.B.G.

♪ *Olivia Valère* : sur la route de Rabat, à 12 km de Tanger. Discothèque et piano-bar. La clientèle est jeune et B.C.B.G. Un endroit branché incontournable pour faire la fête.

♪ *Régine (plan Centre, B2)* : 8, rue Mansour-ad-Dahabi. 100 m plus bas que le *Marrocco Palace*. Un peu moins sélect, néanmoins plus grande et moins chère. Très à la mode.

À voir

🏛 *Le Grand Socco ou place du 9-Avril-1947 (plan Médina, A2)* : place assez vaste, reliant la ville ancienne à la ville moderne, sans intérêt si ce n'est l'activité grouillante, puisque c'est un lieu de passage obligé. Le jeudi et le dimanche, elle se transforme en un marché où les paysannes, encore vêtues de leurs traditionnelles *fouta* rayées, sont coiffées d'immenses chapeaux de paille à pompons de laine.

C'est sur cette place que le sultan Mohammed ben Youssef prononça, le 9 avril 1947, le discours dans lequel il évoquait l'indépendance du Maroc.

🎥🎥 **Le Petit Socco** (plan Médina, B2) : au bout de la rue Es-Siaghîn, c'est-à-dire des Bijoutiers. Place beaucoup plus intéressante que la précédente. Constamment animée, c'est le carrefour central des ruelles de la médina et autour d'elle que s'est peu à peu formée la ville de Tanger. Bordée de terrasses de cafés et de petits hôtels. S'arrêter au *café Tingis*, par exemple. C'est là que se traitaient la plupart des affaires à l'époque de Tanger ville internationale, puis du Tanger de tous les trafics. De là, gagnez la kasbah par de petites ruelles. Les groupes de touristes débarquant des navires de croisière ne s'y aventurent pas. On peut y observer le travail des artisans.

🎥 **La légation des États-Unis :** 8, rue d'Amérique. ☎ 039-93-53-17. À côté du Grand Socco. Ouvert du lundi au vendredi de 10 h à 13 h et de 15 h à 17 h. Entrée gratuite et visite guidée ; un tronc permet de déposer quelques dirhams pour l'entretien. La plus ancienne légation des États-Unis à l'étranger, installée depuis 1821. Collections de meubles et de portes anciennes. Lettre de George Washington adressée au sultan du Maroc en 1789 pour lui confirmer la reconnaissance de son pays. Il faut dire que le Maroc avait été le premier pays à reconnaître les États-Unis, et ce, dès 1777. Nombreuses œuvres du peintre Mac Bey dans des cadres anciens. Les miroirs exposés, qui datent du XVIIIe siècle et proviennent de Provence, étaient destinés à l'exportation vers les harems d'Afrique du Nord. Œuvres aussi de Brayer, Bravo et Yves Saint Laurent, un habitué de Tanger. La bibliothèque, très complète, était jadis une maison close.

🎥 **La kasbah** (plan Médina, A1) : ancienne forteresse surplombant la médina. On y accède par de petites ruelles pentues, jalonnées de petites boutiques et d'escaliers. On peut encore y trouver des artisans et les voir travailler parfois à même le sol. S'arrêter à la **Fondation Carmen-Macein** si elle n'est pas fermée, ce qui est le plus souvent le cas. Vous pourrez y voir des lithographies contemporaines. L'architecture de cette fondation, créée par une cousine de Franco, est très réussie. Refuser toutes sollicitations. Éviter de s'y promener le soir. De la terrasse, belle vue sur le port. Ne pas se garer à l'intérieur de la kasbah. Le parking est gardé par des gamins teigneux qui demandent très cher. Parking juste avant, après la montée (impressionnante).

🎥🎥 **Dar-el-Makhzen** (plan Médina, A1) : dans la kasbah. Ouvert tous les jours sauf le mardi, de 9 h à 13 h et de 15 h à 18 h. Palais du sultan, agrémenté d'un patio qu'entourent des arcs décorés de faïence. Son entrée est près du la belle place avec vue sur la mer. Il renferme un musée d'art marocain riche et diversifié. La visite est aussi intéressante pour l'architecture du palais que pour les expositions. Compter 1 h à 1 h 30 de visite.

Le palais a été construit à la fin du XVIIe siècle par le sultan Moulay Ismaïl, juste après le départ des troupes anglaises de Tanger, puis agrandi par ses descendants. Il a servi simultanément de siège au pacha de la ville, de palais de justice et de trésorerie. Celle-ci était située dans une salle carrée fermée par de lourdes portes en fer et surmontée d'une belle coupole en bois peint. Coffres d'époque en bois de cèdre, où l'on stockait les richesses provenant des prélèvements obligatoires. Le coffre-fort en fer est fermé par un ingénieux système. Demandez qu'on vous l'ouvre pour comprendre la complexité du mécanisme. Il faut d'ailleurs être deux pour l'ouvrir. Celui qui connaissait la combinaison ne pouvait donc pas le voler sans un complice. La partie centrale du palais autour de laquelle se répartissent les salles est un très beau patio qui sert traditionnellement de cour d'honneur. Delacroix y a été reçu officiellement par le pacha de la ville. Cette cour a reçu la visite des plus grands dignitaires, alors que Tanger fut, du XVIIe au début du XXe siècle, la capitale diplomatique du Maroc et le siège du ministère des Affaires étrangères. Uniques au Maroc, à notre connaissance, les chapiteaux des colonnes du patio sont sculptés en forme de feuilles d'acanthe (ordre corinthien dans les temples grecs). De plus près, vous remarquerez que, en fait, les trois ordres grecs sont représentés, avec le disque dorique et les volutes ioniques. Il reste un peu de place pour le croissant turc. Les appartements, caractéristiques des palais princiers avec salle du trône, sont revêtus de mosaïques et de plâtre sculpté.

Le musée lui-même date de 1922. Jusqu'au rattachement de Tanger, ville internationale, au Maroc en 1959, il servit de vitrine des arts marocains et permit aux Tangérois de les découvrir, alors que le reste du pays était sous protectorat français et espagnol. Dans la partie archéologique (interdiction de photographier), mosaïque provenant de Volubilis qui représente *La Navigation de Vénus*. Eh oui ! la déesse de la Beauté protégeait aussi les navigateurs. Des salles retracent l'histoire en exposant les résultats des fouilles du sous-sol de la ville. On remonte ainsi jusqu'à la préhistoire, en passant par les époques phénicienne, mauritanienne et romaine. La section ethnographique est agencée par matière : bois sculpté et peint, frises calligraphiées du XIVe siècle, tapis, céramique, bijouterie et dinanderie, cuir, armes, costumes et mobilier traditionnels.

À côté, petit jardin andalou au charme d'un lieu abandonné.

🏃 *La terrasse des Paresseux (plan Centre, A1) :* vous ne pouvez pas la manquer, sur le boulevard Pasteur, proche de la place de France. C'est le surnom de cette place, avec son belvédère qui surplombe la baie. On l'appelle ainsi parce que, toute la journée et une bonne partie de la nuit, une population hétéroclite se relaie pour simplement regarder, pendant des heures. Il faut dire que la terrasse offre une vue surprenante, presque magique, sur l'Espagne, Gibraltar et le détroit du même nom. Et dire que ces 16 petits kilomètres représentent dans l'esprit de bien des gens (d'un côté comme de l'autre du détroit) tout le fossé qui sépare l'Europe de l'Afrique !

🏃 *L'église St Andrew's (plan Médina, A2) :* rue d'Angleterre. Ouvert de 9 h 30 à 12 h 30 et de 14 h 30 à 18 h. Mustafa, le gardien volubile, vous guidera dans le petit cimetière qui jouxte cette petite église construite à la fin du XIXe siècle dans un style maure-andalou. À l'intérieur, son arche est gravée d'une prière en arabe.

🏃 *Le marché des Pauvres (plan Centre, A1) :* prendre la rue de la Liberté et ensuite descendre le 1er escalier à droite. Si vous avez des difficultés à trouver, demandez le souk des tisserands ; tout le monde le connaît sous ce nom. Dans un ancien caravansérail, marché très pittoresque et coloré. Au 1er étage, les tisserands travaillent dans les anciennes chambres.

🏃 *Le Théâtre Cervantès (plan Centre, B1) :* ou plutôt ce qu'il en reste encore. Inauguré en 1913, il fut l'un des plus dignes représentants du faste et de l'activité artistique tangéroise – ses 1 400 places en disent long sur ce qu'il fut. Aujourd'hui le théâtre tombe peu à peu en ruine, mais garde un charme certain et mystérieux.

🏃 *Le complexe Istiraha-Dawliz (plan d'ensemble, B2) :* 42, rue de Hollande. Un complexe moderne à deux pas de la place de France. On y trouve un hôtel luxueux, des restaurants (crêperie, music-bar, spécialités asiatiques ou marocaines, et même un *McDo* !), ou encore un cinéma. Idéal pour aller boire un verre, car le site jouit d'une vue imprenable sur la baie et offre de vastes terrasses ensoleillées. Jeune et chic.

🏃🏃 *Le palais des Institutions italiennes (plan d'ensemble, A1) :* av. Hassan-II, tourner à gauche, rue Mohammed-ben-Abdelouahab. Pas ouvert au public. Cependant, il est possible de le visiter en en faisant la demande auprès du consulat italien (voir la rubrique « Adresses utiles »), qui vous accordera sans doute l'autorisation.

Le palais des Institutions italiennes fut construit dans un faux style mauresque entre 1908 et 1914. Il devait être la résidence du sultan moulay Hafid (qui signa le protectorat avec la France). Mais ce dernier s'étant beaucoup endetté, on saisit alors le palais. Ce n'est qu'en 1929 qu'il fut vendu à l'Association nationale pour le secours des missions italiennes à l'étranger (en fait, au gouvernement italien). C'est à cette époque que débuta la construction par les Italiens d'un hôpital à Tanger. Il est géré par les franciscains, mais le personnel est marocain et il existe toujours. Restauré entre 1987 et 1992, le palais abrite aujourd'hui un institut pour la formation de techniciens marocains, et est utilisé pour des concerts ou des représentations de théâtre.

Après avoir franchi la porte cochère, on se retrouve dans une sorte de cloître qui entoure un jardin planté de séquoias, de papyrus, d'orangers, de cyprès, de palmiers, etc. Autour, une multitude de colonnes soutiennent le corps du bâtiment, composé de salles en enfilade toutes ornées de magnifiques cheminées en marbre florentin. Les plafonds et les murs sont splendides, en bois sculpté et peint dans un style raffiné mais discret.

Achats

On vend de tout à Tanger. Comparez les prix avant d'effectuer un achat : ils varient d'un magasin à l'autre.

◈ *Bazar Tindouf (plan Centre, A1, 8) :* 64, rue de la Liberté. ☎ 039-93-15-25. En face de l'hôtel *El-Minzah*, le plus beau magasin de la ville est devenu une institution. Grand choix de lanternes, tapis anciens et plus récents. C'est une véritable caverne d'Ali Baba, qui brille plus par la quantité que par sa qualité, inégale.

◈ *Centre artisanal Coopartim (plan d'ensemble, B2, 9) :* dans la kasbah, et rue de Belgique.

◈ *Librairie Les Colonnes (plan Centre, B2, 10) :* 54, bd Pasteur. ☎ 039-93-69-55. Ouvert du lundi au vendredi de 9 h 30 à 13 h et de 16 h à 19 h, et le samedi de 9 h 30 à 13 h. Une institution tangéroise. Tous les livres sur Tanger et le Maghreb... et tous les autres. Si vous voulez en savoir plus sur Tanger, on vous conseille notamment l'ouvrage *Un guide de Tanger et de sa région*, rédigé par un employé de la librairie. Très simple, il parle très bien de la ville et fourmille, pour ceux qui aiment, de détails mondains.

◈ *Marché de Fès (plan Centre, A2, 11) :* rue de Fès. L'endroit idéal pour faire ses courses. Ce petit marché couvert est une corne d'abondance : poulets, épices, amandes, vendeurs sympas. On n'y est pas du tout solli-cité (ça change du Petit Socco) et ce n'est vraiment pas cher. Un îlot apaisant, à ne pas manquer.

◈ *Marché des Pauvres (plan Centre, A1) :* on en parle en détail dans notre rubrique « À voir ». Encore moins cher.

◈ *Parfumerie Madini :* bd Pasteur, en face de la terrasse des Paresseux *(plan Centre, A1)* et 14, rue Sebou, dans la médina. La famille Madini distille les huiles essentielles depuis 14 générations ! Ils ont le secret des mélanges, et leur travail est renommé à travers tout le monde musulman. Les émirs du Koweït se fournissaient chez eux, comme le faisait la milliardaire américaine Barbara Hutton. Faites comme elle et abandonnez-vous aux effluves capiteux. Ils invitent aussi à sentir tous les parfums.

◈ *Complexe duty-free* en zone portuaire : on y trouve de tout, de l'habillement à l'alimentation, en passant par la hi-fi. D'ailleurs, beaucoup de ces produits finissent en ville. Réservé pourtant aux passagers munis de la carte d'embarquement. Attention tout de même à la douane, qui fait parfois preuve d'un peu trop de zèle.

> ➤ *DANS LES ENVIRONS DE TANGER*

LE CAP SPARTEL ET LES GROTTES D'HERCULE

Au pied de la falaise, les eaux de la Méditerranée et celles de l'Atlantique se mélangent. Paysage superbe tout le long de la route du cap, où il fait bon prendre un verre sur la terrasse panoramique orientée au nord. Il n'y a pas vraiment de promenade possible, mais parfois, moyennant une petite pièce, on peut accéder aux abords du phare.

Comment y aller ?

TANGER

À 12 km environ.

En bus

➤ *De Tanger :* prendre le bus n° 17 de la compagnie *Tungis Bus*, de la place du 9-Avril-1947, au Grand Socco. Ils ne circulent pas tous les jours, bien se renseigner. On essaiera de vous vendre des tickets verts à 5 Dh (0,50 €), alors que les tickets roses moitié moins cher suffisent. Demandez au chauffeur de vous arrêter à l'embranchement pour le cap Spartel, puis continuez en taxi pour quelques dirhams jusqu'aux grottes d'Hercule ; comptez ensuite 1 h de marche pour rejoindre le cap.

En voiture

➤ *De Tanger :* sortir par la Montagne, le quartier résidentiel (on longe la résidence d'été du roi). Dans le centre-ville, des panneaux indiquent le cap, mais plus dans les quartiers résidentiels : pas de panique, c'est toujours tout droit.

Où dormir ? Où manger près des grottes ?

🛏 |●| *Hôtel Robinson :* entre le cap et les grottes, il donne sur la plage. ☎ 039-37-23-45. Fax : 039-37-54-52. ● www.htlrobinson@wanadoo.net.fr ● À 20 mn de l'aéroport. Au milieu des pins et des eucalyptus, bungalows en crépi blanc avec bains à 330 Dh (33 €) pour deux, sans le petit déjeuner. Certains bungalows donnent directement sur l'océan. L'entretien laisse à désirer. Un club de vacances, plein de monde en saison. Ambiance familiale, jeune et cosmopolite. Piscine. Restaurant cher (ouvert tous les jours de 8 h 30 à 23 h). Bar avec une terrasse au-dessus de la plage, où on organise les soirées en été. Si vous souhaitez être tranquille, demandez une chambre éloignée de ce bâtiment. Celles qu'on préfère sont celles du bloc Kasbah avec vue sur la mer et terrasse privée. Accueil chaleureux. Carte *Visa* acceptée.

🛏 |●| *Le Mirage :* au-dessus des grottes d'Hercule. ☎ 039-33-33-32 et 039-33-34-90. Fax : 039-34-34-92. ● mirage@iam.net.ma ● Chambres doubles à partir de 1 400 Dh (140 €) en basse saison et 1 800 Dh (180 €) en haute saison, sans le petit déjeuner. Magnifique hôtel en amphithéâtre au-dessus de la mer. Ce site exceptionnel et paradisiaque est mis en valeur par les jardins, les balcons fleuris et par le jeu des terrasses sur différents niveaux. Les 22 bungalows sont très luxueux. Excellent service. Décor très agréable. Accès à la plage. Naturellement hors de prix. Côté restaurant, les tables sont disposées autour d'un patio blanc s'ouvrant sur la mer. La vue est tellement belle qu'on pourrait vraiment croire à un mirage, avec ses 40 km de plage en enfilade ! Bonne cuisine du chef. Spécialités de produits de la mer, en particulier le poisson au sel, uniquement sur commande. Grande variété de poisson, du plus courant au plus sophistiqué (homard, requin – rare toutefois). À l'intérieur, belle salle avec cheminée pour les soirées d'hiver, mais réservée aux clients de l'hôtel. Également un resto marocain. Très bon rapport qualité-prix dans sa catégorie « chic ».

À voir

Depuis le cap Spartel, il faut reprendre la voiture sur quelques kilomètres vers le nord pour gagner les grottes d'Hercule.

🍴 *Les grottes d'Hercule :* entrée payante. Excursion très prisée des Tangérois le dimanche. Possibilité de s'y rendre en grand taxi, à partir de la place du 9-Avril-1947 (près de l'entrée de la médina). Bien négocier le prix avant. Il s'agit d'une série de quelques cavernes naturelles où la mer pénètre à marée haute, et dont l'ouverture a la forme du continent africain à l'envers. On y a trouvé des vestiges préhistoriques. Naguère, on détachait de ces parois des blocs de calcaire dur pour fabriquer des meules. À voir plutôt en soirée, pour profiter du coucher de soleil. Des faux guides essaieront de vous accompagner, éconduisez-les gentiment. Nombreux petits restaurants sympas. On peut aussi faire étape à la terrasse panoramique du *Mirage.*

🍴 Beaucoup de gens se contentent de repartir par Tanger, ou de ne faire qu'une excursion au *cap Malabata*, à une dizaine de kilomètres. La route à la sortie de Tanger est mal indiquée. Il ne faut pas longer la mer, car la route aboutit à un cul-de-sac. En fait, la route côtière jusqu'à Ceuta est très belle, et réserve, après le cap Malabata, de grandes criques sablonneuses parfois désertes (râahh, *lovely* !), parfois plantées de quelques tentes (camping gratuit, bien sûr...). Nous, on aime bien ce coin-là. Cette mer bleue, ces couchers de soleil et ces étoiles... Comment résister à tout ça ?
Aller jusqu'à *Ceuta :* la balade en vaut la peine. On peut aussi quitter la route principale au niveau d'El-Bintz pour aller jusqu'à *Souk-Tleta-Taghramet.*

KSAR-ES-SÉGHIR

Allez à Ksar-es-Séghir, à 33 km, et suivez la route qui longe la côte en allant vers Sebta (Ceuta). Taxis collectifs au départ de Tanger. Le samedi, jour de souk, les Rifains en costume viennent vendre leurs étoffes. Un spectacle haut en couleur à ne pas manquer. Évitez la plage du centre, devenue un vaste dépotoir, avec camping bondé. Allez plutôt un peu plus loin en direction de Tanger (10 mn à pied), vous trouverez des criques désertes, sablonneuses, à l'eau limpide...

Où manger ?

|◉| *Restaurant Laachiri :* pile au croisement avec la route allant vers Sebta (Ceuta) et Tétouan. De sa terrasse, jolie vue sur l'oued, la mer et le vieux fort. Spécialités de poisson copieusement servies, pour un prix moyen. Le patron, qui a donné son nom au restaurant, est un étonnant polyglotte qui vous accueille chaleureusement. |◉| *Restaurant Dakhla :* à l'entrée du village, à droite en venant de Tanger. On y mange pour pas cher. Le patron est un brave gaillard. De la

terrasse, où se prennent les repas, on voit la mer, dans un authentique style carte postale. Cuisine allant à l'essentiel : poisson et viande grillés, salades, omelette.

FNIDEQ

Petite ville aux portes de Ceuta, juste devant le poste-frontière. Aucun intérêt en soi, mais chaque matin, entre 5 h et 8 h, on peut assister à un souk informel où l'on peut acheter des vêtements et de l'électronique très bon marché. À Fnideq, on trouve des hôtels bien pratiques sur la route principale si l'on reste en rade à la frontière (voir plus loin, « Ceuta »).

Où dormir ?

â **Hôtel Fnideq :** sur la route principale. ☎ 039-67-54-67. Chambres doubles à 180 Dh (18 €) avec douche et w.-c. Propre et bien tenu.
â **Hôtel Tarik :** également sur la rue principale, un peu plus loin que le précédent en arrivant de Tanger. ☎ 039-97-64-21. Chambres doubles à 180 Dh (18 €) avec bains. Salle de bains carrelée. Bon établissement.

QUITTER TANGER

En avion

✈ **L'aéroport de Boukhalef** est à 15 km. Y aller en taxi. Pas de bus.

En bus

➤ **Pour Rabat et Casablanca :** par CTM (plan Médina, B2), 4 liaisons quotidiennes en 6 h.
➤ **Pour Fès :** 2 liaisons par jour en 6 h.
➤ **Pour Agadir :** un départ par jour. Compter 15 à 16 h de trajet.
➤ **Ceuta et Tétouan** sont desservies par des compagnies privées. Voir aussi Transports Bradley et Étoile du Nord : rue d'Espagne, ☎ 039-93-54-12 ; et av. d'Espagne, ☎ 039-93-49-58.
🚌 De la gare routière (plan d'ensemble, C3) : av. Ludwig van Beethoven, entre la gare et l'entrée du port, bus plus fréquents et moins chers, mais moins confortables.
➤ **Pour Casablanca :** départ toutes les heures excepté entre 1 h et 5 h. Arrivée à la gare routière de Benjldia ou route de Médiouna (Transports Bradley).

En train

➤ **Pour Rabat et Casablanca :** en express ou omnibus avec correspondance à Casablanca **pour Marrakech** (3 fois par jour, tôt le matin, en fin d'après-midi et en fin de soirée).
➤ **Pour Asilah, Fès et Meknès :** 4 fois par jour, 2 départs dans la matinée, 1 en fin d'après-midi et 1 en fin de soirée.
Redoubler de vigilance dans les gares et dans les trains : c'est là qu'opèrent de nombreux petits truands tangérois. Arriver au moins 1 h à l'avance pour obtenir une place assise. Ne pas oublier d'acheter, si nécessaire, le supplément pour la voiture climatisée. Appeler le ☎ 160 pour les renseignements ; ou la gare de Tanger : ☎ 039-95-25-55 ; ou consulter leur site Internet ● www.oncf.org.ma ●

En taxi collectif

➢ *Pour Tétouan, Ceuta, Asilah, Rabat*, etc.

En bateau

➢ Départs en ferry *pour Algésiras* toutes les heures de 6 h à 21 h du 15 juin au 15 septembre. Rotation des compagnies maritimes en fonction des horaires *(Limadet Ferry, Trasmediterranea, Comarit)*, mais billetterie commune. Également des hydrofoils pour Algésiras.

ASILAH

Petite ville assez sympa, à 45 km au sud de Tanger. Si les maisons blanches et les ruelles étroites rappellent une île grecque, les fenêtres en fer forgé ne font pas oublier que, pendant longtemps, ce fut un territoire espagnol. La vieille ville, entourée de remparts portugais construits au XVe siècle, a beaucoup de charme. Certains routards regretteront toutefois que la rénovation de la médina et son entretien lui donnent un côté un peu aseptisé et très touristique. L'objectif est d'ailleurs atteint puisque, en saison, Asilah est maintenant envahi de groupes de touristes et des inévitables faux guides qu'ils drainent. On y trouve également de belles plages. Une ville à la toute nouvelle vocation balnéaire qui mérite le détour et qui fut très convoitée au cours de son histoire.

Colonie romaine, puis ville arabe, elle résiste aux Normands, avant de tomber aux mains des Espagnols en l'an 972. Les Portugais, pour ouvrir leur fameuse route de l'or à travers l'Afrique, n'hésitent pas à affréter 477 navires équipés de 30 000 hommes pour s'en emparer en 1471. Mais les Espagnols reviennent au XVIIe siècle et resteront longtemps maîtres de ce port stratégique. Au début du XXe siècle, il fut même conquis par un brigand nommé Raissouni, que la population, lasse de la tyrannie du pacha, avait appelé à la rescousse pour se débarrasser de lui, avant que Raissouni ne soit lui-même renversé par les Espagnols.

Comment y aller ?

– ➢ *De Tanger :* 4 trains par jour (2 dans la matinée, 1 en fin d'après-midi et 1 en fin de soirée).

Adresses et info utiles

✉ *Poste :* pl. des Nations-Unies. Ouvert du lundi au vendredi de 8 h à 12 h et de 16 h à 19 h.
■ *Banque Populaire :* 8, pl. Mohammed-V. La *Wafa bank* et la *BMCE* sont sur la même place également.
■ *Pharmacie :* av. de la Liberté. Près de la pl. Mohammed-V, côté opposé au service de police.
◙ *Internet : Pyramide Net,* av. Hassan-II. ☎ 039-41-70-30. Ouvert tous les jours de 9 h à 2 h. Compter 5 Dh (0,5 €) la demi-heure et 8 Dh (0,8 €) l'heure.
🚕 *Taxis :* pl. Mohammed-V. Liaisons bon marché pour se rendre à la gare ferroviaire, à 2 km de la ville.
■ *Vente d'alcool :* pl. Zellaka, à proximité du restaurant *Chez Pépé.*
– *Souk :* le jeudi. Très coloré, avec une population qui a souvent conservé traditions et costumes locaux.

Où dormir?

Attention, beaucoup d'hôtels et de campings sont fermés hors saison. Pour les *camping-cars*, possibilité de rester sur le parking au pied des remparts, près de la plage.

Campings

⏃ **As-Sada :** sur la route de Tanger, à 300 m de la sortie de la ville. ☎ 039-41-73-17. Compter 60 Dh (6 €) pour deux avec tente et voiture (en haute saison). Bien tenu. Donne sur la mer. Eau potable. Douches avec eau chaude, payantes (10 Dh, soit 1 €). Petite épicerie. Dispose aussi de chambres dans des bungalows en dur et des cases avec toiture de roseau. Accueil moyen.

⏃ **Camping Echrigui :** à côté du précédent. ☎ 039-41-71-82. À 1 km de la gare. Compter 60 Dh (6 €) pour deux avec tente et voiture. Donne directement sur la plage. Accueil sympa du patron. Ils ont aussi 6 bungalows un peu délabrés et une trentaine de cases sans électricité ni eau. Épicerie. Restaurant. Installations sanitaires plus que sommaires et très mal entretenues. Camping à ne retenir que si l'adresse précédente est complète.

Très bon marché

🛏 **Hôtel Asilah :** 79, av. Hassan-II. ☎ 039-41-72-86. L'entrée se trouve sur le côté. Fermé hors saison. Accueil sympathique. Les chambres du 2e étage sont les plus agréables car elles donnent sur une grande terrasse avec vue sur les remparts, mais elles n'ont pas de douche. Celles du 1er étage en ont une : compter 50 % de plus.

🛏 **Hôtel Marhaba :** 9, rue Zellaka. ☎ 039-91-71-44. Chambres doubles à 100 Dh (10 €). Salle de bains commune avec eau chaude (payante) ; baignoire moyennant un léger supplément. Une petite adresse sans prétention, chambres rudimentaires et pas très enthousiasmantes, mais l'accueil est sympathique. Préférez celles qui donnent sur la rue, plus grandes. Céramiques dans l'escalier. Belle terrasse donnant sur la médina. Souvent complet.

Bon marché

🛏 **Hôtel Sahara :** 9, rue de Tarfaya. ☎ 039-41-71-85. Près de la pl. Mohammed-V, dans une petite rue qui part de la rue de la Liberté. Chambres doubles monacales à 130 Dh (13 €) sans salle de bains ; douche chaude payante à l'extérieur (5 Dh, soit 0,5 €). Très propre, tranquille, agréable, mosaïque à l'entrée. 15 chambres. Certaines ont des petites fenêtres qui font un peu prison. Accueil cordial.

Prix moyens

🛏 **Hôtel Patio de la Luna :** 12, pl. Zellaka. ☎ 039-41-60-74. Chambres doubles à 300 Dh (30 €). Un petit hôtel très beau, tenu par un Espagnol et décoré dans le style des vieilles maisons de la médina, en chaux blanche. Les chambres, dans un style maure, ont des salles de bains fantastiques. Préférez les chambres sur la terrasse. Beaucoup de charme et accueil très agréable. En haute saison, il faut réserver au moins un mois à l'avance car tous les amis espagnols du patron débarquent pour les vacances.

🏠 **Hôtel Ouad El-Makhazine :** av. de Melilla. ☎ 039-41-70-90. Fax : 039-41-75-00. À 100 m de la vieille ville, près du centre et de la plage, en face d'un terrain vague, une rue après l'hôtel *Zelis*. Parking surveillé

dans la rue. Chambres doubles à 270 Dh (27 €) avec salle de bains. Chambres spacieuses et plutôt propres, mais l'entretien général laisse un peu à désirer. Petite piscine. Terrasse où sont installées quelques tables. Parking gardé. Accueil peu aimable. Cartes de paiement non acceptées.

Chic

🏠 **Hôtel Zelis :** 10, av. Mansour-Eddahabi. ☎ 039-41-70-69. Fax : 039-41-70-98. Juste après la pl. Mohammed-V en descendant vers la mer, dans une rue ne payant pas de mine sur la droite. Chambres doubles entre 370 et 470 Dh (37 à 47 €) suivant la saison, très confortables. Vue au choix sur l'océan ou sur une très jolie piscine décorée de mosaïques. Tout cela se paie. Si l'ensemble laisse une impression d'approximatif, les chambres sont impeccables. Restaurant occidental et plats marocains sur commande. Repas corrects.

🏠 **Al-Khaïma :** à la sortie de la ville, sur la route de Tanger. ☎ 039-41-74-28. Fax : 039-41-75-66. Chambres doubles entre 460 et 570 Dh (46 à 57 €) selon la saison. À proximité de la plage. Un complexe hôtelier aux prestations soignées avec piscine, tennis et discothèque (dans une grande tente façon cabaret), mais non sans défauts : bruit et promiscuité. De grandes chambres avec un tout petit coin salon et un petit balcon. Parfois du laisser-aller en basse saison.

Où manger ?

Le long des remparts portugais, on trouve une multitude de *petits restaurants*, vous ne pouvez pas les rater : quelle que soit l'heure, on vous alpague dès que vous passez en voiture. Cela dit, une fois installé, le service est plutôt sympa et les prix doux pour ce type de resto. Et puis, il est agréable de manger sur les terrasses, à l'ombre des eucalyptus. Impossible de vous en conseiller un plutôt qu'un autre, tant la qualité de la nourriture et du service sont variables ; mieux vaut y aller au feeling ou en fonction des menus inscrits sur les tableaux.

🍽 **Restaurant Arabi Elegant :** 16, rue Akhouan. ☎ 062-45-60-22 (portable). Dans un passage qui part de la pl. Mohammed-V au niveau de la *Banque Populaire*. Ouvert jusqu'à 1 h. Compter 70 Dh (7 €) pour un repas (très) complet. Dans une ruelle jonchée de plantes vertes, Driss, le patron volubile, vous reçoit dans sa caverne d'Ali Baba. Son resto est couvert d'objets aussi hétéroclites qu'insolites, et propose des plats marocains... moins savoureux que le cadre, dommage.

🍽 **Chez Pepe** *(ou Oceano)* **:** pl. Zellaka. ☎ 039-41-73-95. Tout y est frais et propre. On y a tout rajeuni et

tout rafraîchi, il était temps. Ce resto, tenu depuis des années par la même famille, retrouve une nouvelle jeunesse. C'est tant mieux, on pourra y déguster à nouveau du bon poisson et des spécialités, espagnoles bien sûr.

🍽 **Restaurant Sevilla :** 18, av. Iman-al-Assili. Délicieux poisson et bon tajine. Très propre, et on y est toujours bien reçu. Il y a même des efforts de décoration, ce qui ne gâche rien. La terrasse est agréable quand il ne fait pas trop chaud.

🍽 Sinon, deux bonnes adresses un peu à l'écart ont attiré notre attention. *La Place* se trouve juste sous l'ancien restaurant *La Kasbah*. L'autre, *La Casa Garcia*, est 500 m un peu plus loin, sur le remblai, et sert des spécialités espagnoles. À l'écart de la foule, on y mange bien et il vous faudra débourser une centaine de dirhams (environ 10 €) pour un repas complet.

Où sortir ? Où boire un verre ?

🍸 Tout au bout de l'av. Mohammed-V, un petit *café* où, certains soirs, des musiciens jouent de la musique traditionnelle. Ambiance assurée.

🍸 *Le Café Meknès :* sur la pl. Mohammed-V. Un café typique pour boire votre thé à la menthe ou votre café. Presque que des hommes, forcément. Un bel endroit, dont on apprécie particulièrement la terrasse couverte, à l'étage, où l'on joue pendant des heures aux dés derrière un verre de thé en surplombant la place.

– On peut s'attarder le soir près du *marché aux légumes* ou du *marché au poisson*.

À voir

🍴 *La ville ancienne :* franchir l'une des trois portes pour y accéder. La *Bâb Homar*, baptisée par les Espagnols *Puerta de Terra*, conduit à un dédale de ruelles silencieuses entre deux rangées de maisons peintes. Si les murs sont blancs, les soubassements et les huisseries sont très colorés. Les fenêtres, souvent petites, sont agrémentées d'un moucharabieh que surmonte un auvent. La porte de la Mer, *Bâb-el-Bahar*, donne accès aux remparts construits par les Portugais au temps de leur splendeur. Un bastion, près d'une tour, permet de découvrir l'océan et le mouillage des bateaux de pêche. Juste à côté, émouvant cimetière autour d'un marabout. C'est là que tous les habitants, surtout les jeunes, se retrouvent pour le coucher du soleil en fumant de drôles de cigarettes.

🍴 *Le palais de Raissouni :* sur une petite place à laquelle on accède par un passage voûté au centre des remparts, entre la porte de la Mer et le bastion. Raissouni était un brigand de la fin du XIXᵉ siècle-début XXᵉ, qui devint une célébrité en enlevant le consul des États-Unis et un journaliste du *Times*. Il les libéra contre une rançon de 14 000 £. Il fut ensuite nommé gouverneur d'Asilah par les habitants de la ville, lassés des excès du pacha. C'est alors qu'il se fit construire ce palais, qui revit chaque année puisqu'il accueille le festival de musique en août. Le reste de l'année, il abrite un centre culturel, Asilah étant devenu un haut lieu culturel du Nord marocain.

🍴 *Le marché aux légumes et aux poissons :* il part de l'avenue Moulay-Ismaël. Ne ratez pas ce superbe petit marché, un îlot de fraîcheur et de calme dans un décor charmant.

Festival

– *Le Festival culturel d'Asilah :* tous les ans au mois d'août se déroule une fête de la culture qui met à l'honneur les arts plastiques et le folklore, d'où qu'ils proviennent.

QUITTER ASILAH

🚌 *Gare routière :* sur la pl. Mohammed-V. Liaisons pour Tanger (très fréquentes), Meknès, Fès, Rabat. Pour Tétouan et Chefchaouen, un bus direct par jour, tôt le matin.

🚆 *Gare ferroviaire :* à 2 km de la ville, sur la route de Tanger. Trains pour Tanger, Rabat et Casablanca (4 départs par jour). Correspondance pour Marrakech.

🚐 *Grands taxis :* pour Tanger et Larache, au départ de l'av. de la Liberté.

LARACHE

Dès le XVIᵉ siècle, les Portugais s'intéressent à ce petit promontoire rocheux et à son port, qui furent l'objet de la convoitise des puissances coloniales. Par la suite, Larache devient une escale pour les corsaires, avant d'être conquis par les Espagnols qui le garderont jusqu'à la fin du protectorat, en 1956. On en veut pour preuve les excellentes paellas qu'on peut y déguster, les *azulejos* qui décorent la fontaine de la place centrale, ou encore la coutume persistante du « paseo » (pendant les mois d'été, comme à Madrid ou à Barcelone, tous les habitants sortent dans la rue en début de soirée pour se promener ou boire un verre entre amis).

Larache a l'apparence d'un petit village agréable où il fait bon vivre, et où on ne soupçonne pas d'emblée que 70 000 personnes demeurent dans ces belles maisons blanches aux fenêtres et portes bleu ciel. La médina a beaucoup de cachet, notamment grâce à ses ruelles pentues descendant vers la mer. Ses bazars bien approvisionnés pratiquent des prix raisonnables. Larache est une étape sereine, entre Rabat et Tanger, bien loin du remue-ménage de ces grandes villes. Elle n'est pas encore envahie par les touristes, ce qui contribue à son charme. Il n'y a pas de la « pression » que l'on peut rencontrer à Asilah, par exemple, et elle ne semble pas avoir besoin des touristes pour vivre. Mais le gouvernement en a décidé autrement, et le plan Azur va passer par là : la construction d'ici à 2010 d'une importante station balnéaire à Khemis Sahel, à une dizaine de kilomètres au nord de Larache, va certainement changer la face des choses. Jean Genet, qui est enterré à Larache, va se retourner dans sa tombe. Mais en attendant ce cap difficile, vous pourrez vous promener pendant des heures sans être importuné le moins du monde.

Adresses utiles

✉ *Poste :* bd Mohammed-V, à l'angle avec la rue du 2-Mars. Ouvert du lundi au jeudi de 8 h 30 à 12 h 30 et de 14 h 30 à 18 h 30, et le vendredi de 8 h 30 à 11 h 30 et de 15 h à 18 h 30.

■ *Banques et change :* Wafabank, pl. de la Libération, et autres agences à côté de la poste. Distributeur de billets sur l'av. Mohammed-Zektouni, à proximité de la pl. de la Libération.

@ *Internet :* M@rnet, rue Ben-Mouatamid. Dans la rue en face de l'hôtel *Riad*. Prévoir 10 Dh (1 €) pour une heure de connexion.

Où dormir ?

Campings

⊼ *Aire de repos de Larache :* à l'entrée de Larache en arrivant de Rabat. ☎ 039-91-10-68 et 69. Parking gratuit gardé. Ouvert toute l'année, permanence de 8 h à 20 h. Souvent complet en été. Grand centre d'accueil financé par la compagnie maritime *Comarit-Limadet*. Hébergement gratuit sous deux tentes caïdales de 50 places au milieu des chênes-lièges, l'une pour les hommes, l'autre pour les femmes ; ou dans une caravane. Douches chaudes gratuites. L'hébergement n'est pas lié à l'achat d'un billet de bateau. Le centre fonctionne comme un village, avec tous les services à disposition : bureaux de poste et de change, infirmerie et médecin, billetterie pour les bateaux reliant Tanger à Algésiras, et bien sûr une mosquée. Restaurant et cafétéria bon marché. Idéal pour faire une pause après un long trajet en voiture.

✕ *Hostal Flora :* en face de l'aire

de repos, sur la route de Rabat. ☎ 039-52-02-50. Fax : 039-91-33-97. Compter 40 Dh (4 €) par véhicule. Un bon repli s'il n'y a plus de place à l'aire de repos *Comarit-Limadet*. En fait, l'hôtel propose son parking pour votre camping-car ou votre caravane, ainsi que l'électricité et des douches communes. Mais plutôt déconseillé si vous n'avez qu'une tente !

Très bon marché

▦ *Pension El Watan :* rue du Grand-Vizir-Sid-Ahmed-Gun-Mia. Dans la médina, dans une rue à gauche juste après l'entrée du souk. Entre 15 et 25 Dh (1,5 à 2,5 €) par personne. Pas de douche. De petites alcôves monacales organisées autour d'un palier commun. Un charme particulier. C'est relativement propre, et l'accueil est agréable malgré la barrière de la langue. Deux des chambres sont dans l'enfilade du souk.

▦ *Pension Atlas :* rue du 2-Mars. ☎ 039-91-20-14. Dans la médina. Après la place principale du souk, sur la gauche en venant de la place de la Libération. Compter 25 Dh (2,5 €) par personne. Douches froides communes. Une belle pension relativement propre sans être impeccable. Les chambres sont grandes et agréables. Si vous n'avez pas le sommeil trop léger, préférez celles qui donnent sur le souk pour son animation.

▦ *Pension Amal :* 10, rue Abdellah-ben-Yassine. ☎ 039-91-27-88.

Chambres doubles à 80 Dh (8 €) ; douche chaude payante à l'extérieur (vérifier qu'il y a bien de l'eau chaude, ce qui n'est pas toujours le cas). Petite pension proprette, un peu plus gaie et accueillante que le standard dans cette catégorie. Très simple mais un certain charme.

▦ *Pension Es-Saada :* 18, rue Moulay-ben-Abdallah. ☎ 039-91-36-41. Dans une rue qui part de la place principale. Chambres doubles à 60 Dh (6 €). Douche chaude au rez-de-chaussée, dans une espèce de cagibi. Même genre que la *Pension Amal*. Simple et propre.

▦ *Pension Palmera :* passage Beni-Mellal. ☎ 039-50-06-41. Prendre depuis la pl. de la Libération l'av. de la Résistance, puis la ruelle à droite après la *Pension Amal*. Chambres doubles à 80 Dh (8 €) ; petit supplément pour la douche chaude. Parmi les moins chères dans la ville nouvelle, mais aussi parmi les moins propres. Quatre murs et un lit, rien de plus réjouissant !

Bon marché

▦ *Hôtel Essalam :* 9, av. Hassan-II. ☎ 039-91-68-22. Chambres doubles à 120 Dh (12 €) sans salle de bains et 140 Dh (14 €) tout confort. Le seul hôtel à peu près digne de ce nom dans cette catégorie. Chambres spacieuses, très propres mais sans charme particulier. Les salles de bains sont grandes et assez agréables, si ce n'est qu'on vous laisse le savon des prédécesseurs sur le lavabo... Bon rapport qualité-prix tout de même.

▦ *Hôtel Avenida :* 3, rue de Salé. ☎ 039-50-19-20. Dans une ruelle juste derrière la pl. de la Libération. Une bonne adresse qui propose un rapport qualité-prix intéressant et de belles chambres assez spacieuses. Accueil très sympathique.

▦ *Pension Málaga :* 4, rue de Salé. ☎ 039-91-18-68. Dans la même ruelle que le précédent. Chambres doubles autour de 100 Dh (10 €) avec ou sans douche. Accueil sympa. Très propre. Les chambres sont accueillantes, certaines ont même un balcon. Les sanitaires fonctionnent bien. Les chambres sans salle de bains sont plutôt monacales. Bon rapport qualité-prix là aussi.

🛏 *Hôtel Cervantes :* 3, rue Tarik-Ibnou-Ziad. ☎ 039-91-08-74. Dans une petite rue qui part de la pl. de la Libération, vers la mer. Très classique, au premier étage d'un immeuble mais les chambres sont assez spacieuses par rapport aux autres établissements, et quelques-unes offrent une vue sur la mer.

Prix moyens

🛏 *Hôtel España :* 6, av. Hassan-II. ☎ 039-91-31-95 ou 039-91-56-28. Chambres doubles avec TV et salle de bains entre 220 et 250 Dh (22 à 25 €) selon la saison ; quelques chambres sans salle de bains de 160 à 170 Dh (16 à 17 €). À l'époque de la colonisation espagnole, c'était le seul hôtel. Il a hérité de cette période ses *azulejos*. Couloirs labyrinthiques. Belles chambres. Nous vous recommandons celles qui donnent sur la place. Leurs grandes terrasses vous permettront de siroter un apéritif en contemplant son animation. Excellent rapport qualité-prix. Une seule fausse note : l'accueil, pas terrible.

Chic

🛏 *Hôtel Riad :* 87, rue Mohammed-ben-Abdallah. ☎ 039-91-26-26. Fax : 039-91-26-29. Parking surveillé gratuit. Chambres doubles à 500 Dh (50 €) en demi-pension obligatoire en saison, 320 Dh (32 €) sans le repas hors saison. C'est l'ancienne résidence du comte de Paris, c'est dire si la demeure est somptueuse, même si l'état des chambres et des salles de bains laisse à désirer. Son côté un peu vieillot rehausse encore son cachet. Service rapide, avec une certaine volonté de bien faire. Une belle adresse, avec un petit bar dans le jardin (bruyant les soirs de karaoké !).

Où manger ?

La vie nocturne n'est pas très réjouissante à Larache, et vous aurez bien du mal à trouver un resto après 21 h 30 ; et pour boire un verre, n'en parlons pas...

Très bon marché (moins de 50 Dh, soit 5 €)

|◉| *Restaurant Eskala :* sur la gauche en entrant dans la médina par la place de la Libération. Dans une toute petite pièce surtout fréquentée par les Marocains. Si on aime cette adresse, les patrons y sont pour beaucoup. Ils sont toujours prêts à vous faire plaisir, et si vous vous y prenez bien – la veille –, vous aurez même peut-être droit à un tajine aux coings, ce qui n'est pas si fréquent.

|◉| *Restaurant Larache :* av. Hassan-II. Ouvert de 12 h à 22 h. On y mange du succulent poisson très frais (normal, on est quand même dans un port !) et très bien préparé. De plus, l'accueil est charmant.

|◉| *Restaurant Lamrini :* rue Ibn-Batouta, tout près de l'hôtel *España*. Grillades de mouton, de cœur, de foie, de bœuf, accompagnées de *chakchouka*, de frites et d'énormes salades, le tout pour un prix ridicule. Demander à être servi sur assiette, c'est le même prix qu'en sandwich et c'est plus copieux. Ça permet en outre de sympathiser avec les voisins de table ou de comptoir...

|◉| *La Punta del Sol :* rue de Salé, juste à côté de la *Pension Málaga*. Ouvert de 12 h à minuit. Au menu :

tajines, crevettes, brochettes... et d'ailleurs toute la brochette de la restauration rapide, que l'on peut consommer sur place ou à emporter. Salle à l'étage et petite terrasse agréable.
– Beaucoup de **cafés-restaurants** autour de la place de la Libération, dans un cadre plus accueillant que sur la grand-route, à l'entrée de la ville. S'installer dehors, puis profiter du *paseo*, des palmiers, de la fontaine, et de la vieille porte en bois sculpté. Vers 16 h-17 h, *churros* (beignets) autour de la place, côté médina.
– Nombreux **restaurants** près du port, où l'on peut manger des sardines et autres poissons grillés.

Prix moyens (moins de 100 Dh, soit 10 €)

|●| **Restaurant Cara Bonita :** 1, pl. de la Libération. Cadre semi-européen très agréable. Une bonne adresse où vous pourrez manger d'excellents produits de la mer, avec en prime un service sympathique.

Plus chic (de 100 à 200 Dh, soit 10 à 20 €)

|●| **Estrella del Mar :** 68, calle M.-Zerktouni. ☎ 91-039-91-22-43 ou 039-91-33-25. À côté du marché couvert, à quelques minutes à pied de la place centrale, dans la rue en face de la porte *Bâb Al-Khemis*. Beau décor en céramique et étroites fenêtres donnant sur l'océan. Service attentif. Excellentes brochettes de poisson et, sur commande, bonne paella. Salon de thé au 2e étage, et terrasse avec vue sur mer, ouverte uniquement en été, au 3e. On y sert de l'alcool, ce qui n'est pas si fréquent à Larache.

Où manger une pâtisserie ?

|●| **Pâtisserie-glacier Lacoste :** rue Moulay-ben-Abdallah. Près de la place principale. On y trouve un grand choix de pâtisseries marocaines.

Où boire un verre ?

🍸 **Café-restaurant Lixus :** belle décoration pour ce grand établissement situé sur la place centrale. Plutôt agréable. Grande terrasse pour prendre le soleil. Pas d'alcool.

À voir. À faire

Pas grand-chose à première vue, Larache paraît être limité à sa place centrale, avec une jolie vue sur la mer depuis la grande esplanade (si l'on ne regarde pas les ordures en contrebas). Cependant, la ville saura livrer ses secrets à ceux qui ne sont pas pressés. D'ailleurs, selon un proverbe arabe, « les hommes pressés sont déjà morts ».

🗡 **La médina :** de la vieille ville ainsi que de la kasbah, il ne reste malheureusement que des ruines. Il est dangereux de s'y aventurer. Seule la kasbah de la Cigogne est, elle, restée en état. Mieux vaut donc passer la grande porte blanche et ocre, sur la place centrale, pour entrer dans la médina... c'est plus vivant. On trouve des produits artisanaux à des prix intéressants par rapport à ceux des grandes villes. Évidemment, le choix est beaucoup plus limité. Souk le dimanche : ne pas rater le marché des ébénistes.

Ceinte de murs épais, la médina surplombe le port réaménagé au début du XXe siècle et dispose d'une belle esplanade de laquelle on contemple l'estuaire du Loukos et les marais salants. En traversant la médina, on peut atteindre la place de Makhzen où se trouve le château de la Cigogne, sorte de fortin qui date de l'occupation espagnole.

🦐 *Le Musée archéologique :* ouvert de 8 h 30 à 12 h et de 14 h 30 à 18 h. Fermé le mardi. Tout petit, c'est même pas une studette avec kitchenette. À moins d'adorer les morceaux de poterie, on s'en passe très bien. Remarquez quand même le bâtiment qui abrite le musée, un bastion espagnol qui porte les armes de Charles Quint.

🦐 Le *marché* est, par contre, une visite à ne pas manquer. Ouvert tous les jours de 7 h à 17 h. En direction du cimetière chrétien, juste après le resto *Estrada del Mar*. Dans une joyeuse agitation, on trouve tout ce qui alimente les restos et les cuisines de la ville. Petit marché de fruits et légumes agréable.

🦐 Faire ensuite un détour par la petite *mosquée* qui se trouve en face, à l'entrée de la médina, avant de jeter un coup d'œil à l'*hôtel de ville* et à l'*église Santa-Maria*, un peu plus loin.

🦐 Allez aussi faire un tour sur le *port de pêche*, en contrebas (laissez votre passeport au policier qui garde l'entrée). Animation et couleur locale garanties. En sortant du port, vers la droite à 200 m, très grande terrasse de café agréable.

🏊 Pour se baigner, la *plage* (immense) est de l'autre côté de l'estuaire, mais elle est malheureusement très sale. Il faut aller au marché au poisson et prendre une barque pour traverser. Promenade superbe.

– Sinon, sortir en voiture de la ville en direction de Tanger et, à la hauteur de Lixus, tourner à gauche. Service de bus durant l'été. Nombreux cafés en été face à la ville. Ah, la vue ! *Lovely* !

🦐 *La tombe de Jean Genet :* dans le cimetière chrétien. Continuer la corniche après le marché, passer le cimetière musulman ; le cimetière chrétien se trouve juste à droite, avant le phare et à côté de la... prison (un comble pour l'ancien forçat qu'était Genet !). L'entrée du cimetière est entre la fin du mur et la falaise couleur terre de Sienne. La tombe de Jean Genet est posée dans ce petit cimetière plein de charme, repeint en blanc et bleu, avec la mer pour toile de fond.
Ce ne sont que deux simples pierres de marbre blanc veiné de bleu et entourées d'une bordure de pierres badigeonnées de blanc d'Espagne éblouissant au soleil. Une inscription finement gravée et calligraphiée : deux dates et un trait d'union, 1910-1986. L'océan en vis-à-vis et des mauvais garçons qui traînent. L'auteur des *Bonnes* a réussi son coup ! On dit même que, sur son cercueil, la douane avait inscrit « Travailleur immigré » !

➤ *DANS LES ENVIRONS DE LARACHE*

🦐 *Lixus :* à 5 km de Larache. Fermé hors saison. Les bus nos 4 et 5 (en face de la kasbah de la Cigogne) y conduisent. D'accord ça monte, mais vous ne le regretterez pas. Au soleil couchant, on a une superbe vue sur Larache, les méandres de l'oued Loukos, l'océan et les marais salants. Alors, un effort ! N'est-ce pas dans les ruines de cette ville romaine fondée par les Phéniciens sept siècles avant notre ère que, selon la légende, le géant Hercule accomplit le onzième de ses travaux : la cueillette des pommes d'or dans le jardin des Hespérides ? Il chargea, en fait, Atlas d'aller lui ramasser ses fruits et, en échange, il porta à sa place la voûte céleste sur son dos. On ne dit pas combien de temps dura la cueillette.

Le théâtre romain du Ier siècle n'a été mis au jour qu'en 1964. Son amphi-théâtre, composé d'un hémicycle avec des gradins, comporte aussi une arène. Le site comprend plusieurs temples (dont le plus important, le temple F, couronne l'acropole), les vestiges d'une entreprise de salaison de poisson avec plus de 100 bassins et les inévitables thermes dont le *tepida-rium*, ou salle tiède, a conservé son pavage de mosaïque. On y voit Nep-tune, le dieu de la Mer, dont l'effigie est ornée de pattes de crustacés au-dessus d'une chevelure abondante. Malheureusement, elle a été victime de vandales, et Neptune s'est transformé en Cyclope.

➤ *De Larache à Tanger*, la route côtière est très belle. À la sortie de la ville, vente de fossiles et de pierres. La route traverse des vallées agricoles très humides et une grande forêt d'eucalyptus qui embaument, surtout lorsqu'il fait chaud.

ARBAOUA ET SOUK-EL-ARBA-DU-RHARB

Arbaoua, à 12 km de Ksar-el-Kebir, se situe sur la route côtière qui relie Ksar-el-Kebir à Kenitra, à 140 km de Rabat et à 135 km de Tanger. Prendre l'embranchement à la station *Pétrom* pour pénétrer dans la forêt, après une belle montée à travers les eucalyptus. Cette réserve de chasse de 35 000 ha, l'une des plus belles du Maroc, est un endroit idéal pour pique-niquer.
Souk-el-Arba-du-Rharb, sur la route directe de Ksar-el-Kebir à Kenitra, est un nœud routier important, ce qui explique le nombre de petits cafés-restos où l'on peut se restaurer à bas prix. Souk le mercredi. Nombreux bus et grands taxis pour les environs, principalement pour Moulay-Bousselham.

➤ DANS LES ENVIRONS D'ARBAOUA ET DE SOUK-EL-ARBA-DU-RHARB

🗡 *Banassa :* à 25 km environ. On y accède par la S210 en passant soit par Mechra-ben-Ksiri, soit par Souk-Telata-du-Rharb. De cette cité fondée au IIIe siècle avant notre ère, il ne reste plus grand-chose. Ce fut cependant un port important créé par les Romains. On y voit encore les restes d'un forum, ceux d'un capitole et des thermes ayant conservé des mosaïques et des pavements de marbre blanc.

MOULAY-BOUSSELHAM

À environ 40 km de Souk-el-Arba-du-Rharb. Du haut de la ville, vue superbe sur l'océan et la lagune, séparée de celui-ci par une dune en partie boisée de mimosas.
La lagune de Merdja Zerga possède une réserve naturelle d'oiseaux, qu'il est possible de visiter en barque à des prix raisonnables.
Les volatiles viennent par milliers hiverner dans ce site exceptionnel. On y découvre des hérons, des flamants roses, des canards siffleurs, des oies cendrées, etc. Une bonne paire de jumelles est utile pour les observer. La plage est propre, car nettoyée par la marée. Il est possible de se baigner dans l'océan. La plage est surveillée car c'est parfois dangereux en raison des courants violents. Dans la lagune, la plage est très sale. Au sommet des dunes, nombreux tombeaux blancs à dômes de marabouts. Le plus célèbre est celui du saint patron du lieu, Moulay Bousselham, c'est-à-dire « le sei-gneur au burnous ». Les Marocains aiment venir se recueillir sur sa tombe.

Où dormir ? Où manger ?

Camping

☒ *Camping :* 500 m avant l'entrée de la ville, sur la gauche. ☎ 037-43-26-59. Compter 44 Dh (4,4 €) pour 2 personnes et une tente, et 20 Dh (2 €) par nuit pour l'eau, l'électricité et la douche. Bien ombragé. Animation le soir, c'est-à-dire guitare élec- trique jusqu'à 2 h. Bondé, délabré, bruyant, plutôt cher et guère propre. Accès à la plage. Moustiques insistants. Les campeurs enfument le camp tous les soirs pour les chasser.

De bon marché à prix moyens

🏠 |●| *La maison des Oiseaux :* gîte familial dans le village des pêcheurs. ☎ et fax : 037-43-25-43. Portable : ☎ 061-30-10-67. ● gentia nedartigue@hotmail.com ● Hébergement en demi-pension à 300 Dh (30 €) par personne ; réductions pour les enfants de moins de 12 ans. Possibilité de dormir en gîte à partir de 60 Dh (6 €) par personne. Accueil cordial dans un cadre paisible face à la lagune. Bons tajines mijotés par Gentiane. Karim, son époux guide ornithologue passionné, s'occupe des balades sur la lagune. Belles chambres et salles de bains nickel. Sortie en barque pour découvrir la réserve biologique de 7500 ha en compagnie de Karim.

🏠 *Hôtel Le Lagon :* ☎ 037-43-26-50. Chambres avec bains à 250 Dh (25 €), en haute saison, sans le petit déjeuner. Chambres retapées, peintures rafraîchies, cet hôtel a une nouvelle allure. Et c'est tant mieux. Juste au-dessus de la lagune, la vue est magnifique ! Discothèque, piscine et bar en terrasse en saison.

🏠 |●| *Villa Nora :* ☎ 037-43-20-71. Au bout du village, en bord de mer. Chambres doubles à 400 Dh (40 €) avec petit déjeuner et 600 Dh (60 €) en demi-pension. Une autre alternative, un peu plus chic. 7 chambres très propres tenues par un couple d'Anglais qui reçoivent sur le modèle du *Bed & Breakfast*. Les repas se prennent en famille. Vue somptueuse sur la mer, petite terrasse, mais malheureusement pas dans les chambres. Cela reste un peu cher pour ce que c'est. Dernière chose, pour les inconditionnels, c'est le seul accès à Internet de la ville (uniquement en été).

🏠 Possibilité de louer l'une des nombreuses *villas* sur la falaise, face à la lagune. Certaines sont très belles. Renseignements soit directement chez les propriétaires (il y a des pancartes dans la ville), soit dans une agence au village. Prix fantaisistes, mais cela peut être une bonne option.

|●| Pour manger, rien de très folichon. Plusieurs *restos* les uns à côté des autres sur les hauteurs de la rue. Objectivement, il est difficile d'en distinguer un plus qu'un autre. Le seul conseil que l'on puisse donner, c'est d'éviter, malgré la vue sur la mer, les restos en bas de la rue (pièges à touristes). Pour ceux qui veulent vraiment des noms, les plus réputés sont : *L'Océan*, *La Jeunesse* ou *Zagoura Restaurant*. Mais il est plus sympa de manger dans le marché, en observant son animation et les pêcheurs qui portent leurs poissons sur le dos. On a trouvé copieux les poissons du *Restaurant de la Plage*, mais encore une fois ils se valent tous.

|●| *L'Océan :* dans l'avenue principale, sous les arcades. Bon resto. Poisson très bien préparé et portions copieuses. Accueil très agréable. Une bonne adresse.

|●| *La Jeunesse :* à côté de *L'Océan*. La cuisine est correcte et l'endroit sympa. Bon marché. Il est possible de louer des cabanons pour une ou plusieurs nuits. Se renseigner sur place.

🔲 *Zagoura Restaurant :* compter 60 Dh (6 €) pour un repas complet. | Bonne cuisine et thé offert par la maison. Accueil chaleureux.

CEUTA (SEBTA)   68 000 hab.   IND. TÉL. (espagnol) : 56

Fondé par les Phéniciens, Ceuta passa successivement sous domination carthaginoise, romaine, arabe, puis portugaise en 1415. C'est à cette date que la ville perdit son ancien nom de Sebta pour celui, plus occidental, de Ceuta. *Sebta* serait un dérivé du nom latin *Septem Fratres*, qui désignait dans l'Antiquité les sept collines sur lesquelles la cité est construite. Mais l'origine du nom reste confuse, puisque certains auteurs affirment que *Sebta* se rapporte en réalité à Saba, fils de Noé supposé être le fondateur de la ville.

En 1580, Ceuta est tombé aux mains des Espagnols, ceux-ci ayant annexé le royaume moribond du Portugal. Aujourd'hui encore, la ville est une enclave espagnole sur le sol marocain. Mais pour combien de temps ? Si Ceuta donne l'impression d'une ville tranquille, où la sieste est parfaitement respectée, de nombreux habitants pressentent un prochain abandon de la métropole et un rattachement définitif au Maroc.

Toutefois, la ville ayant fait de nombreux efforts pour satisfaire les touristes, il n'est pas désagréable de venir se reposer une nuit sur la presqu'île avant de repartir sur les routes.

Comment y aller ?

➤ *D'Algésiras* (Espagne) *:* bateau pratiquement toutes les heures. Compter 35 mn de traversée.
➤ *De Tanger :* bus et taxi collectif.
➤ *De Tétouan :* taxi collectif.
Pour ceux qui rentrent à Ceuta en voiture, lire attentivement nos indications sur le « passage de la frontière », ci-dessous.

Passage de la frontière

Les routards qui n'auraient l'intention de rester qu'une journée à Ceuta seraient plus avisés de laisser leur véhicule du côté marocain. Ceuta est à environ 5 km de la frontière, et même si les taxis marocains ne peuvent la franchir, de nombreux bus assurent la liaison avec le centre-ville. Le trajet ne coûte qu'environ 0,5 € (5 Dh), dure à peine 10 mn, et permet d'éviter une grosse part des tracasseries douanières.

Sachez que si vous avez un véhicule de location, vous devez présenter à la douane un papier de votre loueur vous autorisant à quitter le territoire avec ce véhicule.

En règle générale, la frontière se passe assez vite si vous êtes un tout petit peu organisé. En revanche, lors des grands départs en vacances, le passage de la douane peut prendre plusieurs heures. Vous voilà prévenu ! Pour ceux qui glissent des billets, cette attente pénible peut se réduire ; c'est scandaleux ! Attention au décalage horaire. Ceuta vit à l'heure espagnole : 2 h de décalage en été. Ne pas prendre de photos. Il faut savoir ruser si vous êtes en voiture à deux : l'un descendra chercher au poste les papiers à remplir, tandis que l'autre fera la queue. Gain de temps appréciable ! Les formalités douanières sont pointilleuses. Des personnes viennent vous vendre des formulaires à remplir que l'on trouve gratuitement, bien sûr, au poste. Voici d'ailleurs la marche à suivre :

1) se procurer une fiche par passeport et la remplir ;
2) aller au guichet des passeports et (si vous arrivez à l'atteindre) y déposer les vôtres avec les fiches remplies ;
3) se procurer un formulaire pour la voiture (dernier guichet avant les douanes) ; le remplir pour le faire viser avec les papiers du conducteur, carte grise, etc. ;
4) une fois les passeports récupérés (ça peut prendre du temps), allez au guichet près de l'endroit où l'on fouille les bagages des piétons, avec votre carte grise et votre passeport ;
5) après obtention du tampon, interpellez un douanier qui traîne par là, montrez-lui tout ça et vous pourrez alors passer. Ouf !

Achats

Ceuta est un port franc et une enclave espagnole. Faites-y vos courses (supermarchés) et profitez-en pour faire le plein d'essence, qui est deux fois moins chère que du côté européen.

Les nombreuses enseignes en espagnol témoignent de l'activité économique de cette enclave ibérique. On y trouve, en hors-taxe, tout ce que l'on peut fabriquer dans le monde, principalement ce qui est *made in Corea* ou *Malaysia*. Beaucoup de commerces sont tenus par des Indo-Pakistanais. Mais, en fait, les prix ne sont pas inférieurs à ceux des promotions de nos grandes surfaces.

Changer le minimum dans les bureaux de change, taux bien inférieur à celui des banques marocaines. Autre conseil, éviter les changeurs à la sauvette qui pratiquent des taux de change parfaitement inintéressants.

Attention à la longue sieste espagnole. Tous les magasins sont fermés entre 13 h et 16 h (heure espagnole), et le dimanche est sacré.

Adresses utiles

目 Office du tourisme : muelle Cañonero Dato, à l'arrivée du ferry. ☎ 50-14-10. Fax : 52-82-48. ● turismo@ciceuta.es ● Ouvert du lundi au vendredi de 8 h à 20 h et le samedi de 9 h à 14 h. Fermé le dimanche. Les hôtesses sont très affables, compétentes, et donnent une belle carte de la ville au touriste égaré.

✉ Poste : plaza de España. Ouvert du lundi au vendredi de 9 h à 20 h.
■ Banques : ouvertes du lundi au vendredi de 9 h à 14 h. La plupart sont équipées de distributeurs automatiques.
■ Consulat de France : Altos-Heras, n° 5. ☎ 51-17-59.
@ Cyber Café Indy@net : Isabel-Cabral, n° 6.

Où dormir ?

Camping

⚬ Tres Piedras : à 6 km de Ceuta sur la route de Tétouan. Sur la plage. Bon marché. Très fréquenté mais propre. Peu de sanitaires.

Prix moyens

▲ Casa de Huespedes La Bohemia : paseo del Revellin, n° 16 (mais la porte de l'hôtel est située dans le passage couvert à droite du n° 16). ☎ 51-06-15. Chambres doubles à 25 €. Pas de petit déjeuner. Chambres douillettes et décorées avec de grands éventails espagnols accrochés au-dessus des lits. Sanitaires et douches communs, mais extrêmement propres. Un petit patio niché au cœur de l'établissement éclaire les pièces alentour, dont la réception qui évoque une bonbonnière. L'accueil est obligeant et sympathique.

🛏 **Residencia de la juventud :** plaza Rafael-Gilbert. ☎ 51-51-48. En centre-ville, sur une petite place commerçante que l'on gagne en empruntant un petit escalier qui part du paseo del Revellin (à droite lorsque l'on vient de la plaza de la Constitución). Compter 12 € pour un lit, 25 € pour une chambre double. La résidence, propre et bien tenue, est souvent complète. Il vaut mieux réserver.

Chic

🏨 **Hôtel Africa :** avenida Cañonero Dato, n° 3, en face de la station *Elf*. ☎ 50-94-70. Chambres doubles à 52 €. Les 39 chambres sont fonctionnelles, propres, climatisées, et possèdent la télévision. L'hôtel est sans charme, mais a l'avantage d'être le plus proche de la gare maritime, ce qui est intéressant surtout lorsque le bateau arrive tard.

Où manger ?

Sur le pouce dans un bar ou un snack, en remontant le corso José-A.-Primo-de-Rivera, vers la place Ramos. Au pied de ladite avenue, près du port, il y a une sorte de bar-vente de bouteilles, qui fait des prix en plus de la détaxe habituelle.

Beaucoup de bars à tapas simples et économiques.

🍽 Les gastronomes fortunés iront sur ce même corso, au n° 3 ou au n° 15 : *Vincentino* ou *La Campana*.
🍽 On peut aussi s'arrêter au *Club Nautico :* calle Edrissis, en face du port de plaisance. ☎ 51-44-40. Le restaurant propose un menu à 8 €, qui comprend une soupe de poisson et un plat préparé en fonction de la pêche du matin. Excellente situation grâce aux baies vitrées de la salle, qui offrent une vue sur l'entrée du port et la fortaleza de Acho.

À voir

🎋 Très belle vue en haut du *mont Acho :* 181 m au-dessus de la mer. Par temps dégagé, on peut apercevoir le rocher de Gibraltar.

🎋 Si vous êtes bloqué longtemps, vous verrez la *plaza de Africa*, les remparts de la ville, l'*église Notre-Dame-d'Afrique*, de style baroque, construite au XVIIIe siècle, la *cathédrale*, le petit *Musée archéologique* (ouvert de 9 h à 13 h et de 17 h à 19 h, sauf le lundi), ou le *musée de la Légion* (ouvert le week-end). Bof !

Un bon conseil !

C'est à Ceuta que peuvent commencer vos ennuis et de cruelles désillusions quant à l'hospitalité marocaine. Gare au p'tit jeune, au fringant étudiant qui vous proposent de vous aider à régler les formalités, à remplir le taxi, à chercher une chambre pas chère, etc. ! Dans 90 % des cas, ce sont des arnaqueurs (dommage pour les 10 % de sincères !) qui ne songent qu'à vous tirer le maximum de fric, vous amener chez leurs copains marchands de tapis, vous forcer à acheter de l'herbe (pas 10 g, 1 kg parfois!). À Ouezzane, l'un d'eux s'est rendu célèbre en escroquant plusieurs centaines de touristes (et même des Marocains) par la technique de : « Confiez-moi l'argent, je vais réaliser cet achat et obtiendrai un prix marocain »!... Sans commentaires!

QUITTER CEUTA

▭ **Gare routière :** bus pour Al-Hoceima, Casablanca, Nador, Tanger et Tétouan. Il existe une ligne de bus Fnideq (3 km de Ceuta) - Tanger.

➤ **Pour Tétouan :** à la frontière, on peut prendre un taxi collectif (6 personnes). Le trajet (une quarantaine de kilomètres) ne revient pas beaucoup plus cher que le bus. Jalonné de belles plages, dont celle de Cabo Negro.

LE NORD DU MAROC

CABO NEGRO

Station balnéaire, à 15 km de Tétouan, où l'architecture a bénéficié d'une recherche certaine. Au bout d'une route sans issue, le village comme la plage échappent aux nuisances occasionnées par la grand-route qui passe à quelques kilomètres à l'intérieur des terres. Un endroit idéal pour venir se reposer entre deux périples. Pour les routards qui tomberont amoureux de ce « cap Noir », et qui viennent de faire un petit héritage, il y a des appartements à vendre. La station a bénéficié de subsides importants de la part du gouvernement dans les années 1960. Aujourd'hui, Cabo Negro donne l'impression d'un petit village résidentiel aux maisons proprettes et chaulées sur lesquelles se détachent de jolis volets bleus.

La plage, ainsi que tout le site, est privée; son sable fin se perd dans les flots de la Méditerranée. Sur la placette, une fontaine, sculpture de César, en panne depuis son inauguration car elle arrosait les vitrines des boutiques! Juste à côté, il y a **Mdiq**, un petit village avec son port de pêche authentique. Pour entrer dans le village de vacances, garez-vous sur le parking et allez-y à pied.

Sur toute la côte, la haute saison va de juin à septembre. Les hôtels sont souvent bondés. En dehors de cette période, nombreux établissements fermés et piscines désespérément vides.

Où manger?

Prix moyens

▮●▮ **Restaurant Al-Khayma :** sur la plage. ☎ 063-03-70-25 (portable du patron). Accès à pied en longeant les résidences de vacances après avoir franchi une barrière. Ouvert toute l'année. Compter 70 Dh (7 €) pour un repas. Très chouette ter-rasse sur la mer et salle avec des peintures modernes au mur. Très bon accueil du patron qui, après avoir vécu en France, est tombé amoureux du cap et a tout plaqué pour s'installer ici.

Chic

▮●▮ **La Ferma :** à quelques kilomètres de la côte, juste après le village de Mdiq en direction du Cabo Negro. ☎ 039-97-80-75 et 039-97-84-81. Compter 150 Dh (15 €) pour un repas. Il s'agit en réalité d'un complexe touristique. On a le choix entre un snack décoré de deux petites cheminées, où l'on peut s'exercer au billard, et un restaurant plus rustique. Salle fraîche et agréable, avec une grande cheminée en plein milieu. Le décor d'hacienda a beaucoup de charme. Canapés en pierre ou en bois, avec des coussins à rayures ; vieilles lampes-tempête aux plafonds, différents outils exposés sur les murs. Jolie vue sur la campagne environnante depuis la terrasse. La cuisine est dirigée par la patronne (paella, méchoui, poisson grillé, couscous...). Si votre compte est (vraiment) bien approvisionné, vous pouvez aussi louer un cheval. Fait également hôtel et café.

MARTIL

Station balnéaire où séjournent de nombreuses familles de Tétouan. Les contacts seront donc plus intéressants qu'à Cabo Negro. Elle n'est pas sur la grand-route (plus calme). Elle s'est considérablement développée ces dernières années, avec l'implantation d'une école normale et de facultés. Ces travaux n'ont pas amélioré l'esthétique de la ville, qui n'a pas grand-chose à offrir au voyageur. La propreté de la plage peut parfois laisser à désirer.

Adresses utiles

✉ **Poste :** sur la route de Tétouan.
◼ **Banque BMPC :** juste à l'entrée de la localité en venant de Tétouan.
◼ **Station-service :** à côté de la banque.

◼ **Pour se laver :** trois douches publiques avec eau chaude. Une derrière le cinéma *Le Rif*, une autre à côté de la station-service, et une encore sur la route de Cabo Negro.

Où dormir ?

Camping

⚐ **Camping Al-Boustan :** proche de la plage et du centre-ville, lové parmi la première rangée d'habitations sur le front de mer (très bien indiqué). ☎ 039-68-88-22. Fax : 039-68-96-82. Compter 60 Dh (6 €) la nuit pour deux avec voiture et tente ou caravane. Électricité en plus. Le camping, propre et bien tenu, propose quelques emplacements ombragés avec du gazon, très agréables. Beaucoup de monde en été, du coup, assez bruyant le soir. Sanitaires insuffisants. Au fond du terrain, un restaurant et une piscine attendent les résidents. Bon accueil.
– Il existe deux autres campings aux portes de la ville. Mais ils sont dans un état si lamentable que personne n'oserait les conseiller, à moins qu'il ne s'agisse de son pire ennemi...

Bon marché

🛏 **Hôtel Addiafa :** av. Hassan-II. ☎ 039-68-80-10. À la sortie de la ville, sur la route de Tétouan. Chambres doubles à 150 Dh (15 €) sans douche, 210 Dh (20 €) avec douche et w.-c. ; petit déjeuner en supplément ; tarifs « aménageables ». Chambres propres et confortables. Attention, celles du 1er étage ont des w.-c. à la turque.

Prix moyens

🏨 *Hôtel Estrella del Mar :* av. Moulay-al-Hassan (sur la grande place, un peu en retrait de la plage). ☎ 039-97-90-58. L'été, la demi-pension est obligatoire : il faut alors débourser 370 Dh (37 €) pour une chambre double avec salle de bains. Dans un immeuble des années 1970, les chambres sont réparties sur plusieurs étages autour d'une cour intérieure où monte un escalier. Cette disposition rend malheureusement l'établissement bruyant. Quelques chambres, petites mais confortables, ont vue sur la mer. Propre. Un gardien surveille les voitures devant l'hôtel.

🏨 *Hôtel Los Mares :* av. Moulay-al-Hassan. ☎ 039-68-87-06. En bord de route, avant l'hôtel *Addiafa*. Chambres doubles à 220 Dh (22 €) avec douche, 160 Dh (16 €) sans. Immeuble moderne blanc et bleu en bord de route. L'hôtel est perché au-dessus d'un café, reconnaissable par la mosaïque représentant un dauphin bleu qui agrémente la façade. Les chambres avec douche sont plus grandes. Propre et très bien tenu.

Chic

🏨 *Hôtel-résidence L'Hacienda :* à l'entrée de Martil en arrivant de Cabo Negro. ☎ et fax : 039-68-86-68 et 039-68-86-60. Chambres doubles à 500 Dh (50 €) avec salle de bains habillée de mosaïques, et TV ; appartement pour 4 personnes à 800 Dh (80 €) ; petit déjeuner en supplément. Bien qu'il soit situé en bord de route, cet hôtel est plutôt agréable. Il est constitué d'une succession de bungalows aux murs blanchis à la chaux, envahis par une belle végétation... et par une horde de moustiques (moins agréable !). Les chambres à l'étage, toutes blanches, sont confortables et très propres. Appartements avec salon, TV et cuisine américaine. Piscine. Au restaurant, menus peu variés. Accueil inégal.

Où manger ?

Cafés, snacks, salons de thé sur la plage. Ambiance familiale.

Bon marché (moins de 80 Dh, soit 8 €)

🍴 *Café-restaurant Avenida :* 100, av. de Tétouan. On dîne ici pour environ 30 Dh (3 €). Bien connu de plusieurs générations de coopérants sous le nom de « Petit Bleu ». Une excellente adresse qui conviendra aux routards les plus fauchés. Cadre sans grand charme, qui évoque plus la cantine de quartier qu'un trois étoiles Michelin, mais le patron soigne bien nos lecteurs. Pas de vin.

🍴 *Restaurant Granada :* 58, av. de Tétouan. Les plats coûtent environ 50 Dh (5 €). Quelle surprise lorsque l'on pénètre à l'intérieur ! Le décor d'une des salles est composé de tentures et de coussins, les autres sont tapissées de mosaïques. Accueil chaleureux. On se régale de poisson, bien sûr, mais aussi de tajines, de couscous et de *tortillas*. Un bon repas sans se ruiner. Pas de vin.

Éviter la boutique en face, dont le patron insiste pour vous faire goûter son « chocolat » bien particulier.

OUED-LAOU

Petite station balnéaire, à 40 km de Tétouan. Trop touristique en été. Cela devient alors la « zone ». Le paysage est splendide, la route côtière offre des émotions ; chaussée étroite plongeant dans le vide et traversée de villages de pêcheurs au bord des oueds. En quittant le bord de mer, on monte progressivement dans les premières hauteurs du Rif. La route en lacet suit la découpe torturée des falaises oxydées, puis les gorges d'un oued. L'habitat paysan y est très isolé. Vous croiserez çà et là un troupeau de chèvres, un champ de kif, un bœuf et son joug ou quelques paysans battant le blé. Spécialité de céramiques. La mosquée possède un original minaret octogonal. *Moussem* en juillet.

– *Souk :* le samedi, à 4 km de la ville, sur la route de Chefchaouen. Exceptionnel. À voir absolument. D'ailleurs, il a servi à la campagne publicitaire du Maroc. Dès le milieu de l'après-midi, la route s'emplit de moyens de locomotion à pattes ou à moteur, tous chargés comme des baudets et éclatants de couleurs, qui acheminent dans la montagne les précieuses denrées du marché.

Comment y aller ?

➤ *De Tétouen :* 3 bus quotidiens. Également des taxis collectifs.
➤ *De Chefchaouen :* bus, plus fréquents le samedi, jour du Souk.

Où dormir ? Où manger ?

Camping

⋌ *Camping de Oued-Laou :* en plein centre de la station, proche de | la plage. Très bon marché. Douche froide. Propreté à revoir.

Bon marché

🛏 ▮◖▮ *Hôtel Oued-Laou :* en face de la mer. Chambres doubles rudimentaires mais propres à 120 Dh (12 €) avec lavabo (pas d'eau chaude). Accueil sympathique. Café-restaurant bon marché proposant du poisson grillé, des salades et des *pinchitos* (brochettes de viande). La | terrasse sous les canisses donne sur la mer.
🛏 Possibilité de *louer des maisons* semi-aménagées, avec cuisine, à la journée ou à la semaine, ce qui revient bien moins cher que l'hôtel. S'adresser dans les différents cafés du village (tous au centre).

QUITTER OUED-LAOU

➤ *Pour Tétouan :* 3 bus par jour. Préférer les taxis collectifs, même s'ils sont rares et souvent pris d'assaut.
➤ *Pour Chefchaouen :* bus et taxi collectif le samedi à partir du souk (à 4 km d'Oued-Laou).

LE RIF

Loin de la civilisation urbaine et des grands axes touristiques, le Rif est un monde à part. En forme de croissant, il étend ses crêtes sur 250 km, des environs de Tanger jusqu'à la frontière algérienne. Il est densément peuplé de tribus berbères sédentarisées. Celles-ci sont très attachées à leurs traditions, au point de se dire rifaines avant d'être marocaines. Aujourd'hui encore, plus de 60 % des Rifains pratiquent la langue berbère par le truchement de nombreux dialectes locaux, au détriment de l'arabe prôné par le gouvernement. La langue berbère est d'ailleurs utilisée depuis quelque temps pour véhiculer et revendiquer une culture et une identité propres. Les Berbères ont toujours résisté farouchement aux colonisateurs français et espagnols. De 1921 à 1926, le chef de guerre Abd el-Krim réussit à unifier les tribus et fut à l'origine d'une révolte sanglante contre l'occupant. Après quelques succès militaires, le rebelle fut capturé par les troupes françaises en 1926, et envoyé en détention sur l'île de la Réunion. Évadé en 1946, l'initiateur de la *guerre du Rif* mourut en exil dans l'Égypte de Nasser, où il avait trouvé refuge.

Le Rif a longtemps souffert auprès des touristes et des Marocains eux-mêmes d'une mauvaise réputation malheureusement justifiée. On y cultive en abondance le kif de manière méthodique : les parcelles rectangulaires d'un vert vif qui tranchent sur un décor aride sont en fait des champs de cannabis, trop verts pour être innocents. Le climat à la fois suffisamment humide et ensoleillé fait pousser les plants de cannabis comme de la mauvaise herbe. Mais aujourd'hui, le Rif, que l'on évitait à tout prix il n'y a pas si longtemps, n'est plus une région dangereuse. Elle recèle des paysages montagneux superbes et des forêts magnifiques. Suivant l'altitude, le paysage passe du maquis aride traversé çà et là d'un oued à des forêts de pins et de chênes verts. Vers Ketama, les cèdres dégagent une odeur caractéristique lorsqu'ils viennent d'être coupés. Cette biodiversité est unique dans le pays. Par ailleurs, le Rif se distingue des autres régions marocaines par l'habillement caractéristique des femmes berbères. En pleine campagne, la plupart portent encore le costume traditionnel rifain composé de la *fouta*, grand carré de coton à rayures blanches et rouges serré autour de la taille, et du chapeau de paille tressée à large bord orné de cordelières de laine. Les populations s'ouvrent peu à peu sur l'extérieur et s'initient à un dialogue normal avec les « non-Rifains ». L'accueil dans les *douar* sera toujours plus détendu qu'au bord de la route. Il faut prendre le temps de s'arrêter et de marcher. La meilleure façon de découvrir le Rif est de rayonner à partir de Chefchaouen. Évitez d'y aller entre novembre et mars, car les pluies et le brouillard alternent avec la neige, et les routes sont souvent fermées. La route superbe de 220 km entre Chefchaouen et Al-Hoceima est jalonnée de nombreuses stations-service (Bâb-Taza, Bâb-Berret, Ketama, Targuist...), ainsi que de postes forestiers. En revanche, en dehors de Chefchaouen, il n'y a pas d'hôtels convenables dans la région.

LE GRENIER À KIF DE L'EUROPE

Le Rif vit de la monoculture du cannabis, et en vit même très bien, même si le prix au kilo est multiplié par 800, voire par 1 000 en arrivant dans les *coffee-shops* d'Amsterdam. Contrairement aux idées reçues, sa culture ne date pas des beatniks, puisque les Phéniciens utilisaient déjà au Ve siècle av. J.-C. la fibre de chanvre pour leurs vêtements avant de découvrir ses autres spécificités. Il ne faut pas confondre le kif et le haschisch. Le kif, appelé plus communément « cannabis » ou « marijuana », est la feuille de cannabis hachée et mélangée à du tabac. Le haschisch, plus concentré, est une résine produite à partir du pollen que l'on obtient en battant les plantes.

Environ 70 000 ha sont recouverts de cannabis. Le trafic représente environ 1,5 milliard d'euros et fait vivre près d'un million de Rifains, qui peuvent bien le surnommer « l'or vert ». Sa culture est légale, mais son transport et son commerce sont prohibés, un compromis que l'on peut qualifier de tolérant ou d'hypocrite. *Le Monde* explique les raisons de ce privilège unique accordé aux Rifains, qui fait pâlir de jalousie les autres fellahs du Maroc, de la façon suivante : « Dans la partie sous protectorat français, le kif avait disparu parce que l'État français avait installé son monopole du tabac. Du coup, le kif s'était concentré dans la partie espagnole. Au moment de l'indépendance, on a voulu généraliser l'interdit. Mais on a senti que ça ne passerait pas. D'autant que plusieurs passeurs de kif et autres trafiquants, habitués à la clandestinité, avaient joué un rôle important dans le combat de la libération, et ils étaient considérés comme de véritables héros. Aussi, Mohammed V a-t-il accordé aux Rifains le " privilège " de la culture légale du kif, tout en interdisant son négoce. » Mohammed V et ses ministres ont acheté ainsi le silence des Rifains, qui ne pourraient pas survivre sans le kif. Cela dit, ils n'avaient certainement pas prévu l'engouement de l'Europe pour le cannabis, de sorte que le Maroc est devenu entre-temps premier producteur du monde et premier exportateur vers l'Europe. Cette situation perdurera tant qu'une économie de substitution ne sera pas mise en place dans la région. Le tourisme ? L'olivier ? En tout cas, on ne trouvera rien d'aussi rentable que le kif ! En 1992, sous la pression internationale, Hassan II avait officiellement déclaré la guerre à la drogue. D'autant que la culture du cannabis est une chose, le trafic de cocaïne et d'héroïne en est une autre. Les trafiquants faisaient de moins en moins la différence (évidemment, les drogues dures laissent plus de marge ! c'est le vrai problème). Il fallait aussi garder le soutien financier de la France et de l'Union européenne, et accessoirement améliorer l'image de marque du pays. Le gouvernement a entamé un « nettoyage » de la région mais, sur fond de corruption, la lutte antidrogue reste très ambiguë. La presse annonce de temps à autre la capture d'un parrain de la drogue, mais les plus influents, ceux qui ont des relations, sont rarement inquiétés.

À BON ENTENDEUR...

Sachez qu'une personne arrêtée par la police ou la douane marocaine en possession d'une quantité de haschisch ou de kif qui dépasse sa simple consommation personnelle passera un très mauvais moment. Les autorités ne sont pas clémentes avec ceux qui ont préféré « emporter » plutôt que « consommer sur place ».

On rencontre deux sortes de dealers : les motorisés et ceux qui ne le sont pas. Ces derniers sont postés sur le bord de la route et semblent faire du stop en n'hésitant pas à brandir de véritables bouquets de kif enveloppés dans du plastique, au cas où vous n'auriez pas compris. Ce sont souvent des enfants et ils sont nombreux. Les motorisés démarrent en trombe, utilisent klaxons, appels de phares et queues de poisson. Leur seul but est de vous inciter à vous arrêter pour vous vendre leur camelote. Ceux-ci sont susceptibles d'agir sur la route entre Bâb-Berret et Ketama. Si vous devez emprunter cette route, ouvrez l'œil. La meilleure méthode consiste à laisser les vendeurs dépasser tranquillement votre véhicule. Au passage, un grand sourire de votre part les rassurera sur votre naïveté. Il suffit alors de ralentir paisiblement, de laisser l'autre voiture se garer sur le bas-côté, et de profiter de son immobilité pour accélérer franchement et reprendre l'avantage. Il ne reste plus qu'à ne pas se laisser dépasser ; ce n'est pas difficile, les routes sont étroites (gare tout de même à l'accident !). Le vendeur, comprenant qu'il a été découvert, abandonnera rapidement la poursuite. Il faut rester néanmoins maître de son véhicule et ne prendre aucun risque. Attention, la route est sinueuse et les Marocains roulent souvent au milieu.

À la découverte du Rif

■ *Nature et Découverte :* 85, rue de Fès, à Tanger. ☎ 039-94-17-54. Fax : 039-34-11-77. Ouvert du lundi au vendredi de 9 h à 13 h et de 15 h à 18 h ; en dehors de ces horaires, appeler le portable : ☎ 061-15-28-60. Compter 130 Dh (13 €) pour une randonnée aquatique ou pédestre d'une demi-journée, auxquels il faut ajouter 150 Dh (15 €) pour le repas. Lionel et Laurent ont mis en commun leur enthousiasme pour vous faire découvrir la beauté du Rif au travers d'activités sportives : randonnées aquatiques dans des oueds tapissés de lauriers-roses, canyoning, escalade, rappel géant... Une preuve qu'il y a autre chose que le kif dans le Rif ! Prise en charge possible à partir de Tanger ou rendez-vous directement dans leur camp de base de Talembote, à une trentaine de kilomètres de Chefchaouen. Faites-vous expliquer l'itinéraire. Randonnées d'une demi-journée à plusieurs jours. Possibilité de dormir en chalet dans le camp pour ceux qui se sont inscrits. Chambres de 4 lits à 90 Dh (9 €) par personne.

TÉTOUAN
365 000 hab.

Dominant la vallée de l'oued Martil, Tétouan compose avec ses remparts crénelés, ses terrasses et ses jardins, un tableau des plus attachant. Remarquer le contraste entre la ville nouvelle, très hispano-mauresque (tout le monde parle l'espagnol) dans sa conception et son architecture, et la médina, tout en demi-teintes. La ville nouvelle, dont le cœur est bâti sur une colline pelée, est un balcon aéré, ouvert sur la montagne, les contreforts du Rif. Dans la médina, au contraire, l'enchevêtrement des ruelles, l'obscurité, les puits de lumière ne se retrouvent guère ailleurs. Au marché, les femmes sont vêtues de cotonnades à rayures rouges et blanches, superbes, que l'on ne rencontre que dans cette partie du Maroc.
La ville a très mauvaise réputation, d'où son surnom de cité des voleurs. Redoubler donc de vigilance. Les vols, la saleté et les faux guides n'incitent guère à y séjourner. Éviter de sortir seul le soir.
Néanmoins, la situation a nettement été reprise en main. À moins que la brigade touristique ne relâche sa vigilance, vous ne devriez pas y être ennuyé plus qu'ailleurs.

Comment y aller ?

En avion

✈ *Aéroport de Sania R'Mel :* à 6 km. ☎ 039-97-12-33, 039-97-38-77 et 039-97-38-27. Liaisons avec *Casablanca* et *Al-Hoceima*.

En bus

🚌 *Gare routière CTM* (plan B3) : bd Ouad-al-Makhazine, à côté du marché central. De *Chefchaouen* en 1 h 30, de *Meknès* en 8 h, de *Tanger* en 1 h 30, de *Ceuta* en 30 mn, de *Fès* en 9 h (3 liaisons par jour), d'*Al-Hoceima* en 10 h (2 bus par jour). Également des bus en provenance d'*Asilah* et de *Kenitra*.

TÉTOUAN

MEKNÈS, CHEFCHAOUEN, TANGER

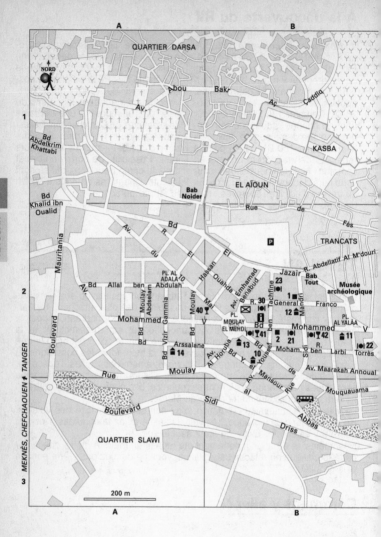

QUARTIER DARSA

Abou · Bakr · Ac · Caddiq

Av.

Bd Abdelkrim Khattabi

KASBA

Bd Khalid ibn Oualid

Bab Noider

EL AÏOUN

Rue · de · Fès

Av. Mauritania

Bd · Av.

Bd · R. · El · El · El · Ouahda · Hassan · Mai

TRANCATS

P

R. Abdellatif Al M'douri

Jazair

Bab Tout

Musée archéologique

PL. AL ADALA O Abdulah

Allal · ben

Av. Emhamed Benabud

23

General

1

Tachfine

Moulay Abdselam

Moulay

Mohammed

Gammia

40

PL. MOULAY EL MEHDI

R. 30

Franco

12

Mandri

PL. AL YALÀA V

Bd · Bd · Bd Vzir

Arssalane

14

41

13

2

ben

Mohammed

42

21

R. ben Larbi

11

Torrès

22

Av. Al Horuba

10

Bd · Y. · el

Av. Youssef

Moham. Sidi

Moulay · Sidi

Rue · Moulay

Av. · el · Mansour · Rue · de

Av. Maarakah Annoual

Boulevard

Abbas · Driss

Mouquauama

QUARTIER SLAWI

NORD

200 m

Adresses utiles

fi Office du tourisme
✉ Poste
🚌 Gare routière CTM
1 Police
2 Librairie Alcaraz

Où dormir ?

10 Hôtel Principe
11 Hôtel Bilbao
12 Hôtel Regina
13 Pension Iberia
14 Hôtel de Paris

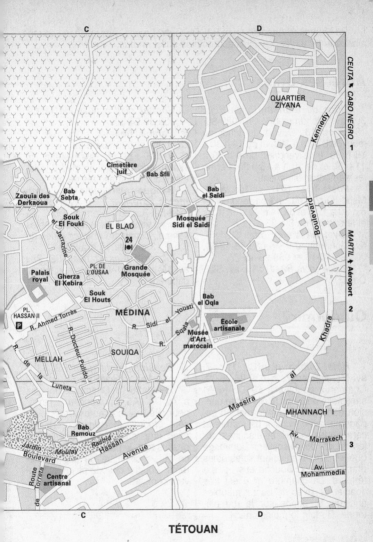

TÉTOUAN

TÉTOUAN

	Où manger ?
	21 Le Restinga
	22 Restaurant Saigon
	23 Restaurant Al-Hilal
	24 Palace Bouhlal

	Où déguster de bonnes pâtisseries ?
	30 Pâtisserie Rahmouni

	Où prendre le petit déjeuner ? Où boire un verre ?
	40 Café Nippon
	41 Café de Paris
	42 Café-pâtisserie Smir

En taxi collectif

🚐 Bd Maarakah-Annoual *(plan B2)*. De *Oued-Laou*, *Ceuta* et *Chefchaouen*, ainsi que de toutes les villes accessibles aussi en bus.

Adresses utiles

ℹ️ *Office du tourisme (plan B2)* : 30, av. Mohammed-V. ☎ 039-96-19-15 ou 16. Ouvert du lundi au jeudi de 8 h 30 à 12 h et de 14 h 30 à 18 h 30, et le vendredi de 8 h 30 à 11 h 30 et de 15 h à 18 h 30. Fermé les samedi et dimanche.

✉️ *Poste (plan B2)* : pl. Moulay-el-Mehdi. Ouvert du lundi au vendredi de 8 h 30 à 12 h et de 14 h 30 à 18 h 30, et le samedi de 8 h 30 à 12 h.

■ *Royal Air Maroc (plan B2)* : 5, av. Mohammed-V. ☎ 039-96-12-60, 039-96-16-10 et 039-96-15-77.

■ *Police (plan B2, 1)* : 19, av. Sidi-Driss.

■ *Hôpital civil :* route de Martil. ☎ 039-97-24-30.

■ *Garage Renault :* 25, rue El-Ouahda. ☎ 039-96-56-98.

■ *BMCE :* pl. Moulay-el-Mehdi, et *Wafabank,* av. Mohammed-V. Distributeurs automatiques de billets.

■ *Banque marocaine du Commerce Extérieur :* 11, av. Mohammed-Ibn-Aboud. Permanence du lundi au vendredi de 8 h à 20 h et les samedi, dimanche et jours fériés de 9 h à 13 h et de 15 h à 20 h.

■ *Librairie Alcaraz (plan B2, 2) :* av. Mohammed-V. Journaux, livres, papeterie.

Où dormir ?

Très bon marché

■ *Hôtel Bilbao (plan B2, 11)* : 7, av. Mohammed-V. ☎ 039-96-79-39. Chambres doubles à 60 Dh (6 €) sans salle de bains. Belle petite pension dans une ancienne maison espagnole, avec escalier de marbre et céramiques vertes et blanches sur les murs de l'escalier. Dommage que les sanitaires soient sales et les draps douteux. Douche et w.-c. extérieurs. La chambre n° 6 est très spacieuse, avec de beaux meubles anciens, et donne sur la rue piétonne. De loin le moins cher.

■ *Pension Iberia (plan B2, 13) :* 5, pl. Moulay-el-Mehdi (3ᵉ étage). ☎ 039-96-36-79. Chambres doubles à 75 Dh (7,5 €) ; douche à l'extérieur. Peu de chambres, mais elles sont propres et calmes, certaines avec une vue bien dégagée. Par-dessus tout, le patron est accueillant, ce qui le distingue de ses concurrents. Douche chaude payante. Souvent complet.

Bon marché

■ *Hôtel Principe (plan B2, 10) :* 20, av. Youssef-ben-Tachfine. ☎ 039-96-27-94 et 95. Chambres doubles à 110 Dh (11 €). Cet hôtel comprend 67 chambres, mais il est très fréquenté. Arriver tôt, sous peine de devoir monter au 4ᵉ étage à pied, et de n'avoir plus que de l'eau froide : l'eau chaude ne monte pas jusque-là (l'eau froide non plus, parfois...). Très propre. En revanche, l'accueil est détestable.

■ *Hôtel Regina (plan B2, 12) :* 8, rue Sidi-Mandri (face à la *Banque du Maroc*). ☎ 039-96-21-13. Chambres doubles à 120 Dh (12 €) avec un cabinet de toilette. Propre. Pas d'eau chaude. Comme dans la plupart des autres établissements, l'accueil est catastrophique.

Prix moyens

🛏 *Hôtel de Paris* (plan A2, 14) : 11, rue Chakib-Arssalane. ☎ 039-96-67-50. Garage avec gardien. Chambres doubles avec douche et w.-c. à 260 Dh (26 €). Sans grand charme, mais fonctionnel. Propre mais sans plus. Salle de bains petite. Accueil froid.

🛏 *Hôtel Oumaima* (plan A2) : av. du 10-Mai. ☎ 039-96-34-73. Chambres doubles à 260 Dh (26 €) avec bains, sans le petit déjeuner. Même genre et même prix que l'*Hôtel de Paris*, mais café en dessous. Chambres correctes et propres. Établissement bien tenu.

Très chic

🛏 *Hôtel Chams :* av. Abdeljalak-Torres (route de Ceuta). ☎ 039-99-09-01 à 06. Fax : 039-99-09-07. Chambres doubles avec salle de bains à 550 Dh (55 €), sans le petit déjeuner. Derrière sa façade un peu glaciale se cache un excellent hôtel. Chambres agréables, à l'écart de la route, avec TV, AC et joli mobilier. Bon petit déjeuner. Excellent rapport qualité-prix. 50 % plus cher qu'un 2 étoiles, mais sans comparaison.

Piscine. La meilleure adresse de Tétouan.

🛏 *Le Safir :* bd Kennedy. ☎ 039-97-01-44. Fax : 039-97-06-92. À 3 km du centre. Chambres doubles à 640 Dh (64 €). Un 4 étoiles qui aurait besoin d'un coup de neuf. Chambres vastes et bien aménagées avec des matériaux marocains, mais le mobilier a vieilli. AC. Piscine et jardin agréables. Repas vraiment très quelconques.

Où manger ?

Bon marché (moins de 80 Dh, soit 8 €)

🍽 *Le Restinga* (plan B2, 21) : 21, av. Mohammed-V. À deux pas de l'office du tourisme. Bon rapport qualité-prix. Situé dans un agréable patio, cuisine marocaine, menu copieux, service efficace. Bière.

🍽 *Restaurant Saigon* (plan B2, 22) : bd Mohammed-ben-Larbi-Torrès, à l'angle de la rue Mohammed-al-Khattib. Salade de hors-d'œuvre variés, couscous. Ça, plus une omelette nature, ça retape un routard

fauché sans (presque) dégonfler son porte-monnaie. Cadre hispano-marocain soigné. Il y a même des fleurs sur les tables. Ça s'appelle *Saigon*, on y mange espagnol, mais la paella n'est pas terrible.

🍽 *Restaurant Al-Hilal* (plan B2, 23) : 22, calla Salah-Eddine-al-Ayubi. Restaurant pour les familles dans une vaste salle sans charme mais toujours très animée. Grande variété de plats, y compris la paella.

Prix moyens (moins de 100 Dh, soit 10 €)

🍽 *Palace Bouhlal* (plan C2, 24) : jamaa Kbir, à côté de la grande mosquée. Très beau restaurant dans une maison typique avec grand

lustre, plafond peint et profusion de mosaïques. Prix modérés. Forcément touristique, mais vous pouvez demander une table au 1er étage.

Où manger dans les environs ?

Très bon marché (moins de 50 Dh, soit 5 €)

🍽 Même pas un restaurant, une *gargote :* à Torreta, à environ 5 km

de Tétouan. Difficile à trouver, et sans nom ! Tourner à la hauteur du centre artisanal et tout droit ou presque ; c'est la maison bleue sur la droite, avec une terrasse devant. Sinon, bus toutes les 30 mn de la rue d'Alger. Pourquoi l'indiquer ? Tout d'abord parce que, de sa terrasse, toute la ville se déploie devant vous.

Et puis, surtout, parce que les tajines y sont délicieux, du genre qu'on ne mange jamais dans les restaurants, comme un tajine d'anchois, grande spécialité de Tétouan. Le tout à des prix imbattables. Voilà pourquoi !

Où déguster de bonnes pâtisseries ?

I●I *Pâtisserie Rahmouni (plan B2, 30) :* 10, av. Youssef-ben-Tachfine. Au rez-de-chaussée d'un immeuble de style hispano-mauresque. Même propriétaire que la célèbre pâtisserie tangéroise. Elle ne désemplit pas le soir à l'heure de la promenade, surtout pour ses excellentes pâtisseries marocaines. Également des glaces, jus de fruits et pâtisseries européennes.

Où prendre le petit déjeuner ? Où boire un verre ?

Plein, mais alors plein de cafés, et tous plutôt sympathiques.

I *Café Nippon (plan A-B2, 40) :* 7, av. du 10-Mai. Grande salle couverte de mosaïques avec de vieux miroirs et un comptoir en marbre.
I●I I *Café de Paris (plan B2, 41) :* pl. Moulay-el-Mehdi. Entièrement recouvert de mosaïques. Idéal pour le petit déjeuner. Bonnes pâtisseries. Serveurs accueillants.

I●I I *Café-pâtisserie Smir (plan B2, 42) :* 17, av. Mohammed-V. Très central et très réputé pour ses pâtisseries marocaines et françaises. Terrasse sur la voie piétonne.
I *Club de l'hôtel Safir :* bd Kennedy. Très chaud à partir de minuit. Ça tangue sec au gré de l'orchestre.

À voir

✎ *L'avenue Mohammed-V (plan B2) :* belle voie piétonne au départ de la pl. Moulay-el-Mehdi. Elle a gardé de son passé espagnol un bel alignement de façades du début du XXe siècle avec leurs balcons en fer forgé et leurs loggias. Perspective de la colonne de la place Al-Yalâa, au fond.

✎ *La médina (plan C2) :* un dédale de ruelles tortueuses et enchevêtrées qui parfois s'enfoncent sous les maisons pour réapparaître à l'air libre. Chaque rue est consacrée à une activité particulière, mais les pickpockets les occupent presque toutes. Les marchands profitent du fait que certains Européens arrivent tout juste au Maroc et ne connaissent pas les prix pour les rouler allègrement... Donc, ne vous précipitez pas pour acheter si vous êtes néophyte. Sur la place Hassan-II, le palais royal, une ancienne résidence du représentant du sultan sous le protectorat.

✎ *Le centre artisanal (plan C3) :* bd Hassan-II. C'est cher et pas terrible.

✎ *L'école artisanale (plan D2) :* ouvert de 8 h 30 à 12 h et de 14 h 30 à 17 h 30. Fermé les samedi, dimanche et pendant les vacances scolaires. Différents métiers artisanaux sont enseignés ici à une quarantaine d'élèves : travail du cuir, du bois, ou fabrication de tapis et de céramiques... L'occasion de prendre la mesure de l'apprentissage que nécessite la fabrication des objets à rapporter dans vos valises !

TÉTOUAN

🍴 *Le Musée archéologique (plan B2) :* ouvert de 8 h 30 à 12 h et de 14 h 30 à 18 h 30. Fermé les samedi et dimanche. Pour ses mosaïques provenant de Lixus. On y voit les *Trois Grâces* entre les *Quatre Saisons*, Vénus, Adonis, Mars et Rhéa (les parents de Romulus et Remus). À l'étage, monnaies et céramiques d'époque romaine provenant du site antique voisin de *Tamuda*.

🍴 *Le marché couvert (plan B3) :* assez typique, derrière la gare routière.

🍴 *Le musée d'Art marocain (plan D2) :* ouvert de 8 h 30 à 12 h et de 14 h 30 à 18 h. Fermé les samedi et dimanche. Pour mieux connaître le folklore et l'art du Maroc du Nord.

🍴 *Le cimetière juif (plan C1) :* parmi les milliers de tombes, une bizarrerie, des tombes gravées avec des motifs précolombiens. Il s'agirait de juifs espagnols qui, revenus d'Amérique du Sud, se seraient inspirés de ces thèmes pour orner leur tombe, ce qui pourtant ne se fait guère dans la religion juive.

🍴 En passant, jetez un coup d'œil au *Círculo la Unión*, rue M.-Hammad-al-Khatir. Vous ne verrez pas souvent au Maroc ces messieurs vautrés dans des fauteuils rouges en train de lire leur journal. Avec sa vitrine grande ouverte sur la rue, ce club ressemble presque à un hall d'exposition.

➤ *DANS LES ENVIRONS DE TÉTOUAN*

🍴 *Le souk Khémis-des-Anjra :* prendre la route de Tanger et, après 10 km, emprunter sur la droite la S601 ; c'est à une quinzaine de kilomètres, sur la gauche. A lieu tous les jeudis. Ce marché, à l'écart des circuits touristiques, a conservé beaucoup d'authenticité (voir les costumes).

QUITTER TÉTOUAN

🚕 *Taxis collectifs :* pour Tanger et Larache, bd Aljazaer. *Pour Martil et Ceuta,* rue Maarakah-Annoual, derrière la gare routière. *Pour Chaouen,* route de Tanger, à côté de la clinique de Tétouan.

■ *Supratours :* 18-19, av. du 10-Mai. ☎ 039-96-75-59. Ouvert de 9 h à 12 h et de 15 h à 18 h 45. Très pratique. Vous pouvez acheter vos billets de train et de bus ; ceux-ci assurent la liaison directe avec les gares, en correspondance avec les trains. Départs à 8 h 10 et 16 h 20.

CHEFCHAOUEN (CHAOUEN)   31 000 hab.

À 600 m d'altitude, Chefchaouen s'adosse contre deux montagnes en forme de cornes, dont il tire d'ailleurs son nom. Vous aurez la plus belle vue sur le village blanc du versant d'une montagne pelée en arrivant par la route de Ouezzane. On ne découvre la ville qu'après avoir franchi le dernier lacet de la seule route qui y accède, ce qui la rend, de prime abord, mystérieuse. Avec ses maisons à flanc de coteau, c'est l'une des villes les plus pittoresques du Maroc, à tel point qu'on se croirait presque dans un village. Village aux petites constructions blanches toutes semblables à des maisons de poupées, dont les linteaux des fenêtres et le pas des portes sont peints en bleu pâle pour éloigner les insectes. Leurs toits sont en tuiles et elles disposent presque toutes de patios souvent ombragés par un arbre fruitier. Celle qu'on appelle aussi « la ville bleue » est la plus jolie des cités du Rif.

Les gens y sont calmes et détendus (normal, on y trouve tout le kif qu'on veut!), comme ils aiment eux-mêmes à le rappeler.

Chefchaouen est une ville simple, sans fioritures, comme sortie de la montagne, et qui fut longtemps difficile d'accès.

Ville des tisserands et des artisans, où les touristes sont désormais presque aussi nombreux que les autochtones. Vue superbe sur une vallée heureuse, en contrebas. Même problème ici que partout ailleurs avec les guides non officiels. À Chefchaouen, l'entrée en matière est toujours : « Tu cherches quelque chose? ». Ils essaient tous de vendre un peu de kif. Il est vrai que Chefchaouen est aussi réputé pour son kif que le Triangle d'or pour l'opium. Cependant, la plupart des vendeurs ne sont pas insistants et ne gâchent en aucun cas le plaisir que l'on éprouve à flâner dans les venelles aux pentes escarpées de la médina. À ne rater sous aucun prétexte!

– **Souk :** le lundi et le jeudi.

UN PEU D'HISTOIRE

Fondée dans la deuxième moitié du XVᵉ siècle, elle est alors la base arrière de Moulay ben Rachid dans sa lutte contre les Portugais. Ville sainte (en témoignent de nombreux oratoires et mosquées), elle fut longtemps interdite aux chrétiens, mais non aux juifs. C'est seulement en 1883 que Charles de Foucauld, revêtu d'un costume de rabbin, réussit le premier à y pénétrer. Il s'agissait là d'un acte d'une grande témérité. En 1892, William Saumers, troisième occidental à oser s'aventurer en ville, fut découvert et empoisonné par les autorités en récompense de sa curiosité.

Comment y aller?

En bus et taxi collectif

➤ **De Fès :** 3 bus par jour.
➤ **D'Al-Hoceima :** 2 bus par jour, 8 h de trajet.
➤ **De Meknès :** bus, et 6 h de trajet.
➤ **De Tétouan :** taxi collectif.

Adresses utiles

Télécommunications

✉ **Poste** (plan A1) : av. Hassan-II. Ouvert de 8 h à 12 h et de 14 h à 18 h. Fermé les samedi et dimanche.

■ **Magasin de journaux** (plan A1) : av. Hassan-II, à côté de la Banque Populaire. On y trouve des revues et quotidiens français.

■ **Librairie Alnahj** (plan B1) : 15, av. Hassan-II. Un excellent point de vente qui a toujours le GDR en stock.

@ **Cybercafé Sefiani Network** (plan A1, 3) : n° 44, route de Tétouan. Au-dessus du café en face de la station-service Mobil.

Argent, change

■ **Banque Populaire** et **BMCE** (plan A1, 1) : toutes deux av. Hassan-II. Voir aussi le **Crédit Agricole**, au bout de la pl. Uta-el-Hamam. Ces banques sont ouvertes du lundi au vendredi de 8 h 30 à 11 h 30, et en hiver elles ouvrent aussi de 14 h 30 à 16 h 30.

Urgences, santé

■ **Police :** ☎ 19.
■ **Pompiers :** ☎ 15.
■ **Pharmacie** (plan A1) : dans la rue qui descend à gauche de la poste. ☎ 039-98-61-58.

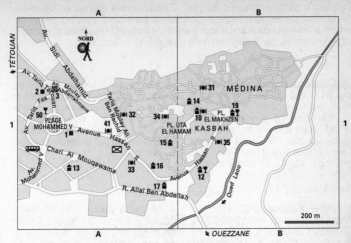

CHEFCHAOUEN (CHAOUEN)

■ Adresses utiles

- Gare routière
- ⊠ Poste
- 1 Banque Populaire et BMCE
- 2 Station-service Mobil
- @ 3 Cybercafé Sefiani Network

⌂ Où dormir ?

- 10 Hôtel-restaurant Tissemlal (Casa Hassan)
- 12 Hôtel Salam
- 13 Hôtel Bonsaï
- 14 Pension Znika
- 15 Pension Moritania
- 16 Hôtel du Rif
- 17 Hôtel Madrid

- 19 Hôtel Parador

⦿ Où manger ?

- 10 Restaurant Tissemlal
- 31 Restaurant Granada et Chez Fouad
- 32 Restaurant Zouar
- 33 Bar-restaurant Oum Rabia
- 34 El-Baraka, chez Didi
- 35 Restaurant Chefchaouen

⦿ Où déguster de bons gâteaux ?

- 41 Boulangerie-pâtisserie Diafa

🍷 Où boire un verre ?

- 50 Café C.T.M.

Transports

Gare routière *(plan A1)* **:** en descendant l'av. Mohammed-V, à l'angle de l'av. Tariq-Fès. S'y rendre à pied.

■ **Stations-service :** Mobil *(plan A1, 2)* et *Total, (hors plan par B1).*

Où dormir ?

Certains hôtels sont bruyants. À 5 h, il est possible d'être réveillé par le muezzin. Pendant la journée, les amplis sont si puissants que l'on entend sa voix à plusieurs kilomètres à la ronde. On est dans une ville sainte ! De plus, les bruits sont amplifiés car le site est dans un creux. Mais pour une fois, on trouve des hôtels mignons comme tout à des prix tout aussi doux. Une raison de plus pour rester quelques jours à Chaouen. Attention toutefois aux rabatteurs à la descente du bus qui n'hésitent pas à vous suivre jusqu'à votre hôtel pour réclamer ensuite une commission !

Pendant la période d'hiver, il fait froid. C'est pour cela que les « Chaounis » ne quittent jamais leur épaisse djellaba de laine ainsi que leur manteau, même à l'intérieur de leur maison. Il est donc impératif de vérifier si le chauffage fonctionne, car il s'agit souvent d'un élément décoratif.

Camping

△ **Camping municipal** (hors plan par B1) : à 2 km du centre, sur le piton, sur la gauche et après l'AJ. ☎ 039-98-69-79. Compter 40 Dh (4 €) pour deux avec voiture et tente ; ajouter 10 Dh (1 €) pour l'électricité et autant pour l'eau. Très ombragé. Resto. Douches et w.-c.

rudimentaires. Situé au-dessus du village, il surplombe toute la vallée et bénéficie d'une vue superbe lorsque le ciel est dégagé. Bon accueil. Du camping, on peut redescendre en ville en 20 mn par de petits chemins de traverse.

Très bon marché

🛏 **Hôtel Ketama** (plan A1) : rue Allal-ben-Abdellah. ☎ 039-98-60-94. Chambres doubles à 60 Dh (6 €), très rudimentaires et un peu exiguës. Position centrale, à proximité de Bâb-el-Aïn. Le moins cher de tous. Terrasse sur le toit, où se réunissent les routards de toutes origines. « Ambiance kif » garantie.

🛏 **Hôtel Bonsaï** (plan A1, 13) : 12, rue Sidi-Sirifi. ☎ 039-98-69-80. Chambres doubles à 70 Dh (7 €) sans le petit déjeuner. Modeste établissement aux murs carrelés. 12 chambres rudimentaires et pas vraiment reluisantes. Possibilité de douche à l'étage. Avantage : la maison est fraîche l'été. Au printemps, des orangers embaument l'atmosphère. Accueil sympathique.

🛏 **Auberge de jeunesse** (hors plan par B1) : à l'entrée du camping. Pas de téléphone. À 2 km du centre, tout là-haut. Ouvert, en principe, de 15 h à 18 h et de 20 h à minuit. 28 lits répartis dans 3 dortoirs. Douches et toilettes en mauvais état. Vu le prix des hôtels, sans aucun intérêt.

🛏 **Pension Znika** (plan B1, 14) : 10, rue Znika. ☎ 039-98-66-24. Près de la kasbah ; rue qui monte sur la gauche ; demander, et veiller à ne pas se faire conduire ailleurs. Chambres doubles à 70 Dh (7 €) ; douche chaude à l'extérieur. Pas de petit déjeuner. 9 chambres très sommaires mais propres. Petit patio intérieur au centre de cette ancienne demeure. Prix dérisoires. Une excellente adresse dans cette catégorie.

🛏 **Pension Moritania** (plan A1, 15) : 20, rue Kadi-Alami. ☎ 039-98-61-84. Dans la médina, à proximité de la pl. Uta-el-Hamam. Assez difficile à trouver. Chambres doubles à 50 Dh (5 €), douche chaude gratuite à l'extérieur. Les 11 chambres donnent sur un petit patio recouvert de jolies mosaïques. Petit salon andalou. Cafétéria à l'intérieur, et le tout en musique. Bien plus chaleureux que tant d'autres hôtels impersonnels et à l'accueil glacial. On peut même s'y faire servir du thé à la menthe.

De bon marché à prix moyens

🛏 **Hôtel Salam** (plan B1, 12) : 39, av. Hassan-II. ☎ 039-98-62-39. Sur la route de la médina, près du Parador. Chambres doubles jusqu'à 180 Dh (18 €). Vue merveilleuse sur la vallée. Chambres carrelées, fraîches. Sanitaires à l'étage avec douche chaude gratuite. Beaux salons marocains. Le petit déjeuner sur la terrasse dominant le paysage

du Rif sera un grand souvenir. On peut toujours aller y boire un verre dans la journée.

🛏 **Hôtel Bâb-el-Aïn** (plan A1) : 77, rue Lala-Horra. ☎ 039-98-69-35. À l'entrée de la ville, sur la gauche. Chambres doubles à 150 Dh (15 €) avec douche et w.-c. ; formule à trois avantageuse. Sans charme, mais correct et propre. Minuscules fenêtres dans les chambres. Le moins cher des hôtels ayant tout le confort moderne.

🛏 *Hôtel Madrid (plan A1, 17) :* av. Hassan-II. ☎ 039-98-74-96 et 97. Fax : 039-98-74-98. Chambres doubles avec bains autour de 270 Dh (27 €) sans le petit déjeuner. Les chambres, avec eau chaude et chauffage électrique, sont propres. Petit salon confortable avec télévision et, dans le hall, belle fontaine en mosaïque. N'acceptent pas les cartes de paiement.

🛏 *Résidence Estrella (plan A1) :* 134, av. Sidi-Abdelhamid. ☎ 039-98-65-26. Chambres doubles aux environs de 100 Dh (10 €) avec douche chaude extérieure ; prix négociables. Une formule originale proposant des appartements de plusieurs chambres distribuées autour d'un salon marocain. Chaque appartement dispose d'une douche et de w.-c. Atmosphère à la fois familiale et conviviale. Ni petit déjeuner ni chauffage. Terrasse sur le toit. Cuisine commune disponible au 2e étage.

🛏 *Hôtel du Rif (plan A1, 16) :* 29, rue Tarik-ibn-Ziad. ☎ 039-98-69-82. Juste un peu avant dans la montée. Chambres doubles à 200 Dh (20 €) avec bains. Réduction pour les étudiants. Là encore, vue superbe. 18 chambres, dont 14 avec bains, mais pas d'eau chaude et literie pas terrible. Bruyant. Le resto est très moyen. Licence d'alcool. Terrasse et salon de thé. Cartes de paiement acceptées (quand ça fonctionne).

Chic

🛏 *Hôtel Parador (plan B1, 19) :* av. Hassan-II. ☎ 039-98-63-24 et 039-98-61-36. Fax : 039-98-70-33. Admirablement situé dans le premier cercle de la médina. Chambres doubles aux environs de 450 Dh (45 €). Salle de bains en céramique verte pour les 35 petites chambres dont l'intérieur est soigné, mais pourquoi sont-elles aussi biscornues ? Nous, on aime surtout la terrasse avec le vélum, la petite piscine, en été, et la vue sur la montagne. Classification officielle : 4 étoiles B.

🛏 *Hôtel-restaurant Tissemlal (ou Casa Hassan ; plan B1, 10) :* 22, rue Targhi. ☎ 039-98-61-53. Fax : 039-98-81-96. En haut de la médina, dans une ruelle donnant sur la grande place Uta-el-Hamam ; demandez votre chemin, car ce n'est pas très facile à trouver ; si vous êtes en voiture, le plus simple est de monter l'avenue Hassan-II jusqu'à l'hôtel *Parador*, et de garer la voiture sur le parking, surveillé la nuit ; la pension est tout près du parking. Chambres doubles à 600 Dh (60 €) pour deux en demi-pension (obligatoire), salles de bains communes à l'extérieur. Un décor très réussi dans un splendide intérieur marocain avec loggia, fontaine pour l'été et cheminée pour l'hiver. Chambres très propres avec un mobilier « classieux ». Elles sont disposées au premier étage du patio, où se trouve la salle de restaurant (bonne cuisine). Il faut donc attendre la fin du service pour dormir. Excellent rapport qualité-prix, mais accueil inégal.

Où manger ?

D'une manière générale, la région du Rif ne brille pas par sa cuisine. Il n'y a aucune des spécialités culinaires qui font la renommée du Maroc. Ne vous attendez donc pas à déguster de bons tajines ou de bons couscous, ou alors ce ne seront pas les meilleurs, même si quelques restaurants de Chaouen cèdent à la demande touristique. Les Rifains mangent traditionnellement la *bessara* (sorte de purée de fèves), accompagnée de pain, d'huile d'olive et d'œufs. Mais ils raffolent aussi du poisson frais. Certes, la mer n'est pas si loin, même si le décor est dominé par la montagne. Vous trouverez donc du poisson, dans les petits restaurants de rue, plus souvent frit que grillé, ainsi que des spécialités espagnoles comme les *tortillas* ou la paella. Rappelons que Chaouen faisait partie de l'ancien protectorat espagnol.

Très bon marché (moins de 50 Dh, soit 5 €)

|●| *Sandwich chez Aziz* (plan B1) : à l'entrée de la médina, 1, rue Bâb-el-Aïn. Très grande variété de sandwichs originaux et copieux.

Bon marché (moins de 80 Dh, soit 8 €)

Nombreux *cafés* sur la place Uta-el-Hamam *(plan B1),* proposant des brochettes pour trois fois rien.

|●| *Restaurant Tissemlal* (plan B1, 10) : restaurant de la pension. Menu à 70 Dh (7 €) avec salade marocaine, couscous, tajine. Très bonne cuisine dans un intérieur typiquement chaouénien et très raffiné, à l'image de son propriétaire. Le service, assuré par des jeunes, est attentionné. Notre meilleure adresse en matière de restaurant marocain authentique. Hassan a vraiment beaucoup de goût. Bon flan au caramel et délicieuse tarte au citron pour les amateurs de desserts.

|●| *Restaurant Aladin* (plan B1) : 17, rue Targhi. Entre la pl. Uta-el-Hamam et le *Tissemlal*. Plats pour environ 30 Dh (3 €). Petit resto convivial, qui propose notamment de la pastilla. Terrasse sur la rue ou salle intime au 1er étage. Accueil sympathique. Attire de plus en plus de touristes. Musique assez forte.

|●| *Restaurant Granada* (plan B1, 31) : un peu plus loin que le précédent en montant la rue Targhi (à ne pas confondre avec le restaurant de l'*auberge Granada*). Deux choix : couscous ou tajines pour trois fois rien, mais les portions ne sont pas énormes. Délicieux et très calme. Vous serez servi par le fils du cuisinier. Ici, on travaille en famille.

|●| *Chez Fouad* (plan B1, 31) : à droite du restaurant *Granada*. Spécialités de tajines. Décor et cuisine classiques. Une étape idéale sur cette petite place.

|●| *Restaurant Zouar* (plan A1, 32) : rue Moulay-Ali-ben-Rachid. ☎ 039-98-66-70. Dans une rue longeant la médina à partir de Bâb-el-Aïn. Le patron est au service, et sa femme, espagnole, est en cuisine. La cuisine est donc à cheval sur les deux continents : poisson frit, calamars, *harira*, tortillas, paella sur commande. Accueil très sympa.

|●| *Bar-restaurant Oum Rabia* (plan A1, 33) : rue Tarik-ibn-Ziad. Ouvert uniquement le midi. Poisson ou calamars frits à prix modiques. On y vend de la bière et du vin, ce qui vous changera du quotidien. Souvent plein le midi, alors qu'il n'y a qu'un seul serveur. Soyez donc patient.

Prix moyens (moins de 100 Dh, soit 10 €)

|●| *El-Baraka, chez Didi* (plan A1, 34) : s'y faire conduire, car l'endroit est perdu au milieu d'un labyrinthe de ruelles. Bons menus avec couscous ou tajines. Peu de choix, mais bonnes brochettes. Un peu cher tout de même.

|●| *Restaurant Chefchaouen* (plan B1, 35) : av. Hassan-II, après l'hôtel *Salam*. Sept, huit tables dans une vieille maison avec des mosaïques et un plafond en bois. Cuisine pas terrible. Ambiance très « kif ».

Où déguster de bons gâteaux?

▮●▮ **Boulangerie-pâtisserie Diafa** *(plan A1, 41) :* petit kiosque dans la rue qui monte en face de la poste.

Bon accueil. Gâteaux traditionnels et viennoiseries.

Où boire un verre?

Pas d'alcool, sauf à l'hôtel *Parador,* au bar-restaurant *Aim Erbia* et au *Rif.*

▮ **Café de la Cascade :** tout en haut de la médina, d'où l'on domine la vieille ville. Thé à la menthe excellent.
– **Place Uta-el-Hamam** *(plan B1) :* pour le thé et pour voir le monde passer.
▮ **Café Kasba** *(plan B1) :* à gauche de la kasbah, pour son calme et ses fleurs. Pas d'alcool.
▮ **Terrasse de l'hôtel Parador** *(plan B1, 19) :* pour sa vue et son cadre luxueux.

▮ **Terrasse de l'hôtel Salam** *(plan B1, 12) :* là aussi, pour le plaisir des yeux.
▮ **Café Central :** pl. Hassan-II. Jolie petite terrasse pour ce café qui appartient à l'un des plus riches personnages de la ville. Beaucoup de jeunes s'y rendent pour regarder des films à la télévision.
▮ **Café C.T.M.** *(plan A1, 50) :* pl. Mohammed-V. Terrasse aux couleurs locales. Y boire un thé à la menthe.

À voir

Pour avoir la meilleure idée de cette ville, sortir vers Ouezzane jusqu'au dernier virage avant la descente.

🍗 **La place du Marché** *(plan A1)* et son **souk** du lundi et du jeudi matin sur l'av. Chari-al-Khattabi, derrière la poste en descendant. Intéressant pour la couleur locale. Les Berbères qui descendent de la montagne s'y rendent, comme les artisans de Chefchaouen. Tous les jours, grand choix d'épices (piment, gingembre, paprika, poivre).
Achetez une *fouta,* pièce de tissu rayé que les femmes portent sur leur jupe. En cherchant un peu, vous en trouverez avec des couleurs superbes. On n'en voit que dans le Rif.

🍗 **La galerie Hassan** *(Tissemlal) :* galerie d'objets d'art tenue par le même Hassan que celui de la pension et du restaurant. De très beaux objets artisanaux, de bon goût et très bien finis. Des peintres locaux ou même espagnols, tous amis d'Hassan, exposent parfois.

🍗 **La place Mohammed-V** *(plan A1) :* cette petite place circulaire abrite un élégant jardin parsemé de jolis bancs en céramique et en fer forgé. Très bien entretenu, et toujours fleuri. On y trouve des dattiers et des orangers, mais aussi des rosiers grimpants et des lauriers-roses. Au centre, un bassin serti de petites grenouilles en bronze qui crachent de l'eau. Sur la fontaine, une petite plaque indique « Juan Miró, Séville », qui serait l'ingénieur du jardin.

🍗 **La médina** *(plan B1),* et son dédale de ruelles étroites et inextricables, pavées de galets, n'est pas très grande. Ne pas hésiter à s'y promener et même à s'y perdre; on retrouve facilement son chemin. Demandez où se trouve le plus vieux hammam de la ville. Encore chauffé au feu de bois, il n'a pas bougé depuis des siècles.

Si vous en avez envie, il existe, à quelques minutes de marche au-dessus de la ville, une source (dite *source du Loup*) que l'on vous indiquera. Chouette récompense en redescendant ; vous arriverez, après avoir fait le tour des petits bazars et des marchands de souvenirs, sur la place Uta-el-Hamam, ombragée et bordée de cafés maures. Pour l'atteindre en partant de l'avenue Hassan-II, franchir le passage voûté et suivre la foule en montant toujours. La place et l'ancienne kasbah sont tout en haut.

🕯 *Les hammams :* leur accès est strictement réglementé. Les hommes s'y rendent de 4 h à 17 h, puis c'est au tour des femmes de 18 h à minuit. Tous les gens du village viennent se laver dans les différents hammams correspondant à leur quartier : ils font donc partie intégrante de la vie des habitants. Le hammam est composé de trois bains situés dans trois salles en enfilade. L'eau, qui provient d'une cascade située au-dessus de Chaouen (source *Ras-el-Ma*, c'est-à-dire Tête de l'Eau), est chauffée au feu de bois. Dans une sorte de fourneau, on brûle du chêne, mais aussi des têtes et des pieds de mouton (car la corne met longtemps à se consumer). Chaque quartier comprend 4 mosquées, 4 hammams et 4 écoles coraniques.

🕯🕯 *La place Uta-el-Hamam* (place des Pigeons) et *la kasbah* (plan A-B1) : jusqu'en 1970, le souk s'y déroulait. Dès le matin très tôt, les marchands de farine et les paysans berbères s'y installaient, attirant avec leur nourriture les pigeons. D'où son nom. Aujourd'hui, les cafés autour de la place constituent la principale attraction. On peut même y déjeuner à prix modique.

Une double porte en bois sculpté, près de la ruelle qui grimpe dans la kasbah, abrite un caravansérail *(fondouk)* qui sert toujours, surtout les jours de marché. En effet, les Berbères, qui sont agriculteurs dans les alpages, y passent la nuit avant de tuer leurs ânes et moutons sur le marché. Pour quelques dirhams, on peut y obtenir une chambre au premier étage.

La kasbah est une sorte de poumon vert et ombragé de la ville. Sa tour crénelée domine la médina. Elle remonte à 1471, comme la fondation de la ville. Joli jardin à l'intérieur, et petit musée andalou. Sans être exceptionnel, il mérite qu'on y jette un coup d'œil. Au fond, un donjon où Abd el-Krim, grand ennemi de Lyautey, fut emprisonné en 1926.

🕯 *La source Ras-el-Ma* (à côté de la médina, *plan B1*) et la *source Tissemlal*, situées dans la montagne (chemin d'accès partant dans la pinède, non loin du camping).

🕯 Le petit *Musée artisanal (plan B1) :* av. Hassan-II ; à côté de l'hôtel *Parador*. Chefchaouen possède deux spécialités artisanales : les tissus en laine (couvertures, tapis...) et les peintures sur bois (miroirs, petites tables...). Nombreux tisserands et menuisiers dans la médina.

➤ DANS LES ENVIRONS DE CHEFCHAOUEN

🕯 *Les greniers d'El-Kalaa et le pont de Dieu :* balade d'une demi-journée pour découvrir un *douar* où l'on peut visiter de vieux greniers pittoresques. On poursuit dans la montagne jusqu'à une vallée où l'érosion a formé un étonnant pont naturel. Départ près du camping. Renseignez-vous pour vous faire accompagner d'un guide.

🕯🕯 *Le parc naturel de Talassemtane :* Chefchaouen se trouve au pied du massif de Talassemtane, qui recèle les seules sapinières du pays. Il s'agit d'une espèce endémique, cousine de celle que l'on trouve en Espagne dans la sierra Nevada. Profitez de l'occasion pour découvrir l'un des plus beaux paysages de montagne au Maroc, encore isolé et peu fréquenté. Avec l'altitude, les forêts de cèdres laissent la place aux sapins et aux chênes verts. Un parc national va d'ailleurs bientôt être créé.

Pour y aller, il est préférable de demander les services d'un guide de montagne. On en rencontre peu à Chaouen, la plupart ne connaissant que la médina, même s'ils vous disent le contraire. S'adresser directement à Hassan, le patron de l'hôtel *Tissemlal* (voir « Où dormir ? »).

Le chemin monte dans la pinède non loin du camping. Pour ceux qui sont motorisés, aller à Bâb-Taza, à 25 km au sud-est de Chaouen sur la route de Ketama, puis prendre un taxi Land Rover qui dessert les *douar* dans le parc naturel, comme *Beni M'hamed, Taria, Abou Bnar...* Demander à aller à la sapinière de Talassemtane, soit au poste forestier, soit à la place dite des Espagnols.

Le parc permet aussi de pratiquer des sports de nature (voir la rubrique « À la découverte du Rif » dans le texte d'introduction du Rif).

QUITTER CHEFCHAOUEN

Pour Fès et Meknès, il est préférable, en saison, de réserver la veille.
➢ *Pour Meknès :* 3 bus par jour. 5 h de trajet.
➢ *Pour Fès :* 2 bus par jour. 4 à 5 h de trajet.
➢ *Pour Tétouan :* toutes les heures. 2 h de trajet.
➢ Grands taxis pour *Tétouan, Ouezzane, Fès* et *Meknès*.

DE CHEFCHAOUEN À AL-HOCEIMA PAR LA ROUTE

Petit avertissement pour les routards motorisés qui souhaiteraient gagner Al-Hoceima : s'il s'agit certainement de l'un des plus beaux itinéraires du Maroc, la route est aussi merveilleuse qu'elle est sauvage. Il faut prévoir environ 5 h pour parcourir les 220 km jusqu'à Al-Hoceima. Cette route des crêtes serpente à flanc de montagne et prend d'assaut les cols les plus féroces durant tout le trajet. Mais, en plus de la kyrielle de virages serrés au bord des précipices, il faut se défaire de nombreux pièges comme les essaims de nids-de-poule, cohortes de crevasses et hordes de dos d'âne provoqués par les amoncellements de boue. Mais ce n'est pas tout ! Il arrive parfois que la route soit absorbée par les nuages lorsque le temps est incertain. On doit alors rester particulièrement vigilant et se méfier du moindre virage, derrière lequel peut être embusqué un camion.

Ces conseils ne doivent en aucun cas dissuader les routards. En prenant son temps, on ne court strictement aucun risque, et la beauté des paysages fait rapidement oublier les quelques difficultés rencontrées.

AL-HOCEIMA   70 000 hab.

Longtemps petite bourgade fréquentée par les navigateurs européens, la ville a attendu la fin de la guerre du Rif pour se développer. Elle appartenait alors à l'Espagne et portait par conséquent le nom de Villa Sanjurjo. Après l'indépendance du Maroc en 1956, Al-Hoceima s'est résolument tourné vers le tourisme. La ville profite d'une situation exceptionnelle, construite audessus d'une baie bordée de hautes falaises. C'est l'une des plus agréables stations balnéaires de la côte méditerranéenne marocaine. Nombreuses plages, criques, calanques et promontoires.

Al-Hoceima est célèbre par l'implantation d'un des plus anciens villages du *Club Méditerranée,* dans un bois d'eucalyptus. Al-Hoceima est une ville de saison (juin à octobre). Le reste de l'année, tout est pratiquement fermé.

🍴 Pour profiter de la plus jolie vue en arrivant à Al-Hoceima, emprunter la route de Tétouan qui passe par le village de Izemmouren. Pour cela, tourner à gauche 15 km avant la ville (c'est indiqué).
– **Souk :** le mardi.

Adresses utiles

Infos touristiques

🏠 **Office du tourisme :** bd Tarik-ibn-Ziad. ☎ 039-98-54-76. À côté de l'*ABN AMRO Bank*, sur la route du commissariat. Ouvert toute l'année du lundi au jeudi de 8 h 30 à 12 h et de 14 h 30 à 18 h 30, et le vendredi de 8 h 30 à 11 h 30 et de 15 h à 18 h 30. Fermé les samedi et dimanche. Personnel serviable.

Télécommunications

💻 **Cyber Club P.C. Rif Net :** 48-50, rue d'Alger. ☎ 039-98-25-02. À l'angle de la rue Moussa-ibn-Noussair, en face du stade municipal.

Argent, banques

◼ **Banques :** les principales banques ont leurs bureaux sur l'av. Mohammed-V.
◼ **Distributeur automatique :** à la BMCE, 110, av. Mohammed-V.
◼ **Change :** dans les banques ou, en dehors des heures d'ouverture, à l'hôtel *National*.

Urgences, santé

◼ **Gendarmerie royale :** ☎ 039-98-20-13.
◼ **Pharmacies :** la plupart se trouvent bd Hassan-II. Pharmacie de nuit : dans la municipalité, bd Hassan-II. Ouvert de 21 h au petit matin.
◼ **Hôpital Mohammed-V :** bd Hassan-II. ☎ 039-98-20-42.

Transports et agences de voyages

🚕 **Taxis collectifs :** pl. du Rif.
◼ **Location :** pas de location de voitures ni de bicyclettes en ville. En revanche, possibilité d'en louer au *Club Med* : ☎ 039-80-20-13. Fax : 039-80-20-14.
◼ **Garage Renault :** av. Mohammed-V. ☎ 039-98-20-81.
◼ **Garage Peugeot :** bd Tarik-ibn-Ziad. ☎ 039-98-28-33.
✈ **Aéroport :** ☎ 039-98-25-60 et 039-98-20-05.
◼ **Agence de voyages Kétama :** av. Mohammed-V. ☎ 039-98-27-72. Correspondant d'*Air France* et de *Royal Air Maroc*.
◼ **Agence de voyages Méditerranée :** 47, av. Mohammed-V. ☎ 039-98-18-45.

Où dormir ?

À part les hôtels *Quemado* et *Mohammed-V*, aucun n'a de vue sur la mer.

Camping

⚠ *Camping municipal de la plage de Cala Bonita :* ☎ 039-98-03-01. À l'entrée de la ville, tourner à droite à la station *Total*. Forfait de 50 Dh (5 €) par jour comprenant un emplacement, l'eau et l'électricité. Situation exceptionnelle en bordure d'une plage de sable. Terrain sans ombre et plutôt caillouteux. Sanitaires rudimentaires et très sales (odeurs et mouches garanties). Douches froides. Bondé en saison.

Bon marché

🛏 *Hôtel Marrakech :* 106, av. Mohammed-V. ☎ 039-98-30-25. La réception est à l'étage. Chambres doubles à 150 Dh (15 €). Une petite dizaine de chambres très propres, avec salle de bains (eau chaude). Chambres pour trois, bien meublées, donnant sur l'avenue, donc très bruyantes. Au rez-de-chaussée, café pour le petit déjeuner.

Prix moyens

🛏 *Hôtel Étoile du Rif :* 40, pl. du Rif. ☎ 039-84-08-47. Chambres doubles autour de 170 Dh (17 €). Occupe un bel immeuble en arrondi situé sur la place des bus. L'escalier de couleur saumon, agrémenté de carreaux, éclaircit l'hôtel dont l'aménagement évoque le style Art déco. Chambres confortables et très propres, mais assez bruyantes. Excellent accueil de la part de l'ensemble du personnel.

🛏 *Hôtel el-Maghreb-el-Jadid :* av. Mohammed-V. ☎ 039-98-25-04. Compter au moins 200 Dh (20 €) pour une chambre double. Chambres très propres, avec salle de bains impeccable. Possibilité de garer la voiture devant l'hôtel (un gardien veille). Accueil routinier.

🛏 *Hôtel National :* 23, rue de Tétouan. ☎ 039-98-26-81 et 039-98-21-41. Compter environ 250 Dh (25 €) pour une chambre double. Parfait. Très bien dirigé par Darif Lahsen. Bon accueil à la réception où règne Malik. Une quinzaine de chambres très bien entretenues et confortables. La peinture grise des murs les rend un peu sombres. Bureau de change. Bon rapport qualité-prix. Cartes de paiement acceptées.

Chic

🛏 *Hôtel Mohammed-V :* pl. de la Marche-Verte. ☎ 039-98-22-33 ou 34. Fax : 039-98-33-14. Ouvert toute l'année. Prévoir autour de 460 Dh (46 €) pour une chambre double. Bâtiment moderne de plain-pied, le *Mohammed-V* propose des chambres spacieuses, très claires, dotées de salles de bains joliment habillées de mosaïques vertes. Toutes disposent de balcons donnant sur la mer et la falaise. La vue est formidable ! Bon, un bémol, étant donné la finesse des murs, l'intimité est réduite à sa plus simple expression ! L'hôtel possède un bar et un restaurant (repas pour environ 170 Dh, soit 17 €) qui jouxtent une grande terrasse. Le soir, possibilité d'aller se déhancher au night-club de l'établissement. Accueil sympathique.

Où manger ?

Très bon marché (moins de 50 Dh, soit 5 €)

🍽 *Café de l'hôtel Étoile du Rif :* parfait pour prendre son petit déjeuner ou boire un verre le soir. Joli café en arrondi, avec d'épaisses chaises très confortables. Sur la place des bus, on a le choix entre entamer une discussion avec son voisin ou détailler l'agitation des grappes de voyageurs pressés autour des cars.

|●| *Fast-food Al Kods :* 165, rue Abdelkarim-el-Khattabi. Compter une bonne poignée de dirhams pour un repas composé de salade, frites, riz et viandes. Petite cantine de quartier sans prétention, qui a l'avantage de posséder à l'étage une salle agréable dont les fenêtres donnent sur la place de la Marche-Verte. Excellent rapport qualité-prix.

Bon marché (moins de 80 Dh, soit 8 €)

|●| *Café-restaurant Paris :* 21, av. Mohammed-V, en étage. Ne pas confondre avec le familial qui est au rez-de-chaussée. Excellent accueil d'Ahmed, qui a bourlingué à travers le monde et qui est « un homme carré dans un cœur rond », comme le dit si bien un client dans son Livre d'or. Il officie dans un décor de loge de concierge. On se sent très à l'aise dans ce restaurant, à l'image de la plante grimpante qui serpente paresseusement sur toute la longueur du plafond. Menu copieux et cuisine familiale servie dans la bonne humeur. Spécialités marocaines et européennes. Pas d'alcool.

Prix moyens (moins de 100 Dh, soit 10 €)

|●| *Café-restaurants Bellevue et Nejma :* au bout de l'av. Mohammed-V, face à la pl. de la Marche-Verte. Les deux cafés sont côte à côte et disposent des mêmes avantages, avec un intérieur plutôt agréable et une vue magnifique. Mais le *Nejma* détient un petit atout supplémentaire, il possède un balcon avec des tables souvent envahies de jeunes Marocains. Ils ne font restaurant qu'en saison. Sinon, café.

|●| Sur le port, 5 *restaurants* qui proposent à peu près les mêmes menus. Du poisson, bien sûr. Ne soyez pas étonné de le payer plus cher que sur la côte atlantique, le poisson en Méditerranée se fait rare. Deux de ces restos servent de l'alcool. Le premier, *La Maison du Pêcheur,* possède un bar ambiance très « port ». Le second, *Le Karim,* a une jolie terrasse d'où l'on domine le port.

|●| On retiendra cependant la qualité de l'établissement *Mimoun,* où les plats de poissons oscillent autour de 60 Dh (6 €). En face du chantier naval, ce restaurant populaire est bourré d'habitués, ce qui est toujours bon signe. Il ne faut pas s'attendre ici à des expériences gastronomiques délirantes, mais le poisson est très frais, excellent et bien préparé. Très bon rapport qualité-prix.

|●| Les plus désargentés pourront trouver des sardines grillées pour une poignée de dirhams dans les *gargotes* branlantes installées le long du port. Ambiance médiévale.

Les plages

△ *Quemado :* en ville. Bordée par l'hôtel du même nom. Surpeuplée en saison.

△ *Cala Bonita :* à l'entrée d'Al-Hoceima. Envahie par les occupants du camping, dont c'est la plage. Les égouts se déversent à proximité, et ceux qui font de la plongée constateront qu'il n'y a plus rien à voir : tout est mort...

△ *Les plages d'Asfiha et de Souani :* elles n'en forment qu'une, de près de 5 km de long. À 7 km, sur la route d'Imzourene Ajdir, sur la gauche. Face à l'îlot (peñón de Alhucemas), Nakor, qui est une résidence surveillée espagnole. Les occupants sont ravitaillés par hélicoptère une fois par semaine. On ne peut accoster, car on est en territoire espagnol. Le *Club Méditerranée* est en bordure de plage, face à l'îlot. Deux buvettes font épicerie et servent des repas simples en saison.

⚴ *La plage du Tala Youssef :* sortir par le bd Hassan-II, passer devant l'hôpital et continuer pendant 4 km ; tourner ensuite à droite, au panneau « Eaux et forêts. Réserve de chasse ». 3 km de piste dangereuse que ne prendront que les aventuriers équipés d'un 4x4. Plage de sable noir. Apporter son boire et son manger.

⚴ *La plage de Sabadia :* continuer au-delà de l'office du tourisme et suivre la côte. Camping sauvage. Beau point de vue, mais ce n'est pas le meilleur endroit pour se baigner.

> ## *DANS LES ENVIRONS D'AL-HOCEIMA*

CALA IRIS

Il faut compter une bonne heure pour parcourir les 60 km qui séparent Al-Hoceima de Cala Iris. Si la route est magnifique sur la globalité du trajet, les derniers kilomètres sont superbes. On découvre des paysages de vastes collines, bientôt remplacées par des étendues de roches déchiquetées avec, par endroits, quelques îlots de verdure.
La route, assez peu empruntée, traverse plusieurs hameaux tranquilles avant de longer le village de *Torrès*. Celui-ci repose au bord d'une plage de galets sur laquelle sont installés deux petits cafés. C'est l'occasion de s'arrêter et de siroter un thé à la menthe en contemplant les circonvolutions des barques de pêcheurs.
Il ne reste plus que 4 km pour gagner Cala Iris, qui apparaît subitement en contrebas, ramassé autour de son petit port de pêche. La vue est splendide. Juste avant d'arriver au village, on longe un *camping* désaffecté où il est possible de planter sa tente. Dans ce cas, il faut penser à se munir de jerricans pour aller chercher de l'eau au robinet public de Torrès. Penser à purifier l'eau avant de la boire.
Dans Cala Iris, les plus assoiffés peuvent se désaltérer dans un petit *café* situé à l'entrée du port. Des pêcheurs proposent des balades en barque pour voir les falaises impressionnantes du *massif des Bokkoyas* qui tombent à la verticale dans la mer.
Une balade à ne pas rater et un véritable remède au stress.

> *La route d'Al-Hoceima à Kassita* est magnifique (52 km). Ceux qui disposent d'une voiture pourront aller coucher à Nador (pas très amusant) et, le lendemain, faire la balade jusqu'au *cap des Trois-Fourches* (voir plus loin la rubrique « Dans les environs de Melilla »).

🖐 *Izemmouren :* les routardes pourront visiter le souk réservé aux femmes dans le village d'Izemmouren, à une dizaine de kilomètres d'Al-Hoceima sur la route de Ketama.

QUITTER AL-HOCEIMA

En bus

🚌 *Gare routière CTM :* pl. du Rif. ☎ 039-98-22-73.
> *Pour Tétouan :* 2 bus par jour. 10 h de trajet.

➤ **Pour Chefchaouen :** 2 bus par jour. 8 h de trajet.
➤ **Pour Nador et Oujda :** plusieurs bus par jour. 7 h de trajet.
➤ **Pour Fès :** 1 bus par jour. 12 h de trajet.

En avion

✈ **Aéroport Charif-al-Idrissi :** à 17 km. ☎ 039-98-20-05 et 039-98-25-60. Vols pour Agadir, Casablanca, Marrakech, Ouarzazate, Rabat, Tanger, Tétouan. Transfert en taxi.
■ **Royal Air Maroc :** à l'aéroport. ☎ 039-98-20-63.

VERS LA FRONTIÈRE ALGÉRIENNE

MELILLA   65 000 hab.

Ville espagnole depuis 1497, Melilla connut son heure de gloire au début du XXᵉ siècle. Si l'exploitation des mines du Rif fut la principale raison de l'aménagement de son port de 1912 à 1914, son statut de zone franche lui valut un développement fort rapide. Mais l'indépendance du Maroc en 1956 devait bientôt la priver des richesses de son arrière-pays. Ce fut le début d'un long déclin pour la ville, consommé aujourd'hui avec la fermeture de la frontière algérienne. Désormais, l'essentiel de son trafic maritime sert à alimenter la contrebande avec le Maroc. Melilla n'est pas follement passionnant, même si la ville ancienne ne manque pas de charme. Le centre, très vivant, comprend quelques rues cossues à l'architecture coloniale. Beau point de vue sur les remparts depuis les hauteurs de la ville.
Ne pas oublier, non plus, si vous devez quitter le Maroc en partant de Melilla, que ce port vit à l'heure espagnole, donc avec 2 h de décalage en plus par rapport à notre horaire d'été. On en connaît beaucoup qui, faute d'y avoir pensé, ont dû attendre le bateau suivant.
Pour le shopping, c'est pareil. Rien d'ouvert le dimanche et à l'heure de la sieste. Enfin, n'oubliez pas que, sans papier spécial, vous ne passerez pas la frontière avec une voiture de location. Pour ne pas perdre de temps, il suffit d'aller voir un policier qui vous indiquera aussitôt le bon bureau. Évitez les vendeurs de formulaires : les douaniers donnent le même gratuitement au guichet. La frontière passée, un service de bus assure la liaison avec le centre-ville de 7 h à 22 h ; sinon, compter une bonne demi-heure à pied.

Adresses et infos utiles

🛈 **Office du tourisme :** Fortuny, 21 (dans le palais des congrès, derrière la plaza de Toros). ☎ (952) 67-54-44. Fax : (952) 67-96-16. ● dsi@camelilla.es ● Ouvert de 8 h 30 à 15 h. Fermé les samedi et dimanche.
■ **Banques :** sur la plaza de España, ou av. Juan-Carlos. La banque de la douane est ouverte tous les jours jusqu'à 22 h.

– Changeurs au noir partout. Ils vous font croire que la banque est fermée. Pour le Maroc, leur taux de change n'est pas très avantageux.
– En entrant dans Melilla, à droite après les douanes, une station *Shell*. Le patron échange les euros au taux normal.
▣ **Locutorio Telefonico El-Paso** (accès à Internet) : 23, General-Polavieja.

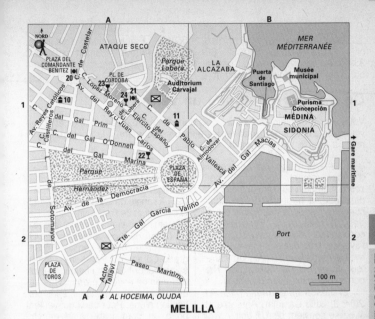

MELILLA

🛏 **Où dormir ?**	**21** Casa Solis
10 Hôtel Nacional	
11 Hôtel Anfora	**22** Heladería La Ibense
|◉| 🍸 **Où manger ?**	
Où boire un verre ?	**23** Cafetería Los Arcos
20 El Mesón de comidas	**24** Café Tropical Rudi

Où dormir ?

On peut à la rigueur garer son camping-car sur la plage. Camping sauvage très déconseillé. Vols fréquents dans les bagnoles, surtout lors de la sieste.

Bon marché

🛏 **Residencia de estudiantes y deportes :** à côté de l'estadio Alvarez Claro. ☎ (952) 67-00-08 ou (952) 67-51-80.

🛏 Les fauchés iront voir si la **Pension numéro 7**, dont on voit l'enseigne en haut de l'av. Juan-Carlos après la place ronde, les accepte.

🛏 Le syndicat d'initiative vous indiquera, si vous le demandez, une **chambre chez l'habitant** pas chère, s'il en reste...

Prix moyens

🛏 **Hôtel Nacional** (plan A1, **10**) : 10, calle José-Antonio-Primo-de-Rivera. ☎ (952) 68-45-40. Chambres doubles à 50 €. Propre, confortable et très central.

🛏 Deux **pensions** aussi chères que l'hôtel, bien fréquentées, dans la calle del Ejercito-Español.

Plus chic

Hôtel Anfora (plan A1, 11) : 16, calle Pablo-Vallesca. ☎ (952) 68-33-40. Au cœur de la ville. Compter près de 80 € pour une chambre double. Établissement très chic, pourvu de tout le confort moderne : TV, AC, ascenseurs... Chambres irréprochables.

Où manger ? Où boire un verre ?

Vous trouverez plein de *bars à tapas* dans le centre, économiques et conviviaux, ainsi que dans l'ex-zone des entrepôts qui mène à la frontière et à la mer : à retenir, le bar *Aragón*.

|●| La rue Santiago, près des quais d'embarquement, recèle un petit **resto** marocain où l'on vous cuit à la demande, à des prix défiant toute concurrence, plats marocains ou espagnols, poissons... Possibilité de commander des repas choisis à l'avance. Intérieur pas très propre...

|●| **Le Marrakech** : près du carrefour du port et de Melilla. Bon rapport qualité-prix, avec du choix.

|●| **El Mesón de comidas** (plan A1, 20) : 9, calle Castelar. Agréable et, si on se souvient bien, il doit y avoir l'air climatisé. Pas cher.

|●| **Casa Solis** (plan A1, 21) : calle Candido-Lobera, face à un cinéma. C'est une rue à droite de l'av. Juan-Carlos en montant. Compter autour de 3 € pour des tapas ou des *bocadillos*. Pour faire un repas de tapas arrosé de bière espagnole, dans une grande salle claire où des ventilateurs moulinent l'air chaud de Melilla.

Y **Heladería La Ibense** (plan A1, 22) : à l'angle de la calle del General-O'Donnell et de l'av. Juan-Carlos. Excellentes glaces et charmant accueil.

Y **Cafetería Los Arcos** (plan A1, 23) : sur le côté de l'église del Sagrado-Corazón. Pâtisserie marocaine décorée de mosaïques et de plafonds de couleur grenat. Très fréquentée par les habitants, sans distinction d'âge. Pour ceux qui veulent boire un dernier thé à la menthe avant de quitter le pays.

Y **Café Tropical Rudi** (plan A1, 24) : calle Lopez-Moreno. Café sympathique de style rétro, avec une petite terrasse sur la rue. Les tables s'organisent autour de hautes colonnes, sous de grands ventilateurs qui rafraîchissent la clientèle plutôt jeune.

À voir. À faire

🗽 Une plage, le farniente, un café *con leche*, la **vieille ville**. Les façades des maisons de la ville basse sont un mélange désuet de styles espagnol et colonial. Le carillon de la cathédrale est amusant.

Achats

🌐 Les boutiques photo, hi-fi, sont... près du commissariat de police. **Bazar Pepe**, **Málaga**, mais aussi **Shangaï**, **Kung-Fu**, etc. Allez lire les noms, et pénétrez dans l'une des caves sous les minuscules boutiques. Dans celle du **Bazar Canaries**, près de l'*hôtel Anfora*, on se croirait transporté d'un coup chez Ali Baba.

➤ DANS LES ENVIRONS DE MELILLA

🗽🗽 **Le cap des Trois-Fourches** : à 12 km environ. Une 4L est nécessaire car la piste n'est pas très bonne, mais c'est, avec la vallée du Dadès, l'un des plus beaux sites du Maroc. En bout de piste, au pied du phare, deux ou trois petites plages sublimes. Pour ceux qui plongent, beau fond sous-marin.

à voir. Camping sauvage possible mais peu recommandé. La population n'est pas très souriante dans le coin.

QUITTER MELILLA

➤ Pour **Nador** (13 km), vous devez payer environ 1 € si le taxi est complet, et 5 € si vous êtes seul ; un peu plus la nuit.
De Nador, bateaux pour l'**Espagne** (Malaga et Almeria), ainsi que pour la **France** (Sète).
➤ Plusieurs vols quotidiens pour **Malaga** et un pour **Almeria**.

OUJDA
490 000 hab.

Oujda joue un rôle important sur le plan politique, car c'était l'un des deux points de passage entre le Maroc et l'Algérie jusqu'à la fermeture de la frontière en 1995. Le second poste est à Figuig, à 360 km de là.
La région d'Oujda est la seule du pays où l'on puisse, en une journée, passer de la montagne à la mer et au désert. Malgré cela, elle est à l'écart des circuits et il y a peu de chances que vous y croisiez d'autres routards. À vrai dire, Oujda offre un intérêt touristique limité. Ceci explique cela.
La ville, fondée à la fin du Xe siècle par Ziri ben Attia, chef de la tribu des Meghraoua, fut convoitée par tous les chefs militaires désireux de s'assurer la maîtrise du Maghreb. Elle fut si souvent l'objet de luttes entre les conquérants almoravides, almohades, puis mérinides, que ses habitants lui attribuèrent le surnom de « Médina El-Haïra », la « cité de la peur ».
Oujda est devenue la sixième ville du Maroc. Elle est non seulement une ville frontalière mais aussi, et surtout, un centre commercial très actif au centre de la vaste plaine agricole des Angads. Elle profite par ailleurs de l'exploitation des riches mines de charbon, de zinc et de plomb de son arrière-pays. Cependant, la fermeture de la frontière a porté un rude coup à l'économie locale, laissant de nombreux jeunes sans travail. Ceux-ci espèrent un geste du gouvernement et l'amélioration des relations avec l'Algérie. En attendant, ils écoutent du raï et traînent désœuvrés dans les rues.

Adresses utiles

🛈 **Office du tourisme** (plan B1) : pl. du 16-Août-1953. ☎ 056-68-56-31. Fax : 056-68-89-90. Ouvert de 8 h à 12 h et de 14 h 30 à 18 h 30. Fermé les samedi et dimanche. Personnel très aimable.

✉ **Poste** (plan B1) : av. Mohammed-V. Sur la place du Palais-de-Justice. Ouvert de 8 h à 12 h et de 14 h 30 à 18 h 30. Fermé les samedi et dimanche.

▣ **Cyberclub Alf@net :** 48, av. Mohammed-V. ☎ 056-68-83-34.

■ **Institut français de l'oriental** (ex-Centre culturel ; plan A1, 1) : 3, rue de Berkane. ☎ 056-68-44-04 ou 056-68-49-21. ● IfoOujda@espace.net.ma ● Il assure une animation culturelle (médiathèque, spectacles). Accueil très sympathique et personnel compétent.

■ **Agence consulaire de France :** 16, rue Imam-Echafii. Il ne sert à rien d'appeler, le préposé ne répond pas au téléphone.

■ **Consulat d'Algérie :** bd de Taza. ☎ 056-68-37-40.

Transports

🚆 **Gare ferroviaire** (plan A1) : pl. de l'Unité-Africaine. Trains pour Casablanca, Fès et Tanger.

🚌 **Gare routière** (plan B1) : de l'autre côté de l'oued Nashef, à 15 mn de la gare ferroviaire.

Station des bus CTM *(plan B1)* : 12, rue Sidi-Brahim. ☎ 056-68-20-47.

Taxis de louage : à la gare routière ou pl. du Maroc. Service régulier pour Nador.

Air France : av. Mohammed-V. ☎ 056-68-53-59.

Aéroport des Angads : à 15 km. ☎ 056-68-20-84. Vols pour Paris, Marseille, Bruxelles et Casablanca.

Où dormir ?

Bon marché

Hôtel Tlemcen *(plan B1, 10)* : 26, rue Ramdane-el-Gadhi. ☎ 056-70-03-84. À l'entrée de la médina. Chambres doubles à 130 Dh (13 €). Petit hôtel sans prétention, avec des chambres simples et des sanitaires acceptables. Celles qui donnent sur la rue sont bruyantes. TV dans les chambres. Bon accueil.

Royal Hôtel *(plan A1-2, 11)* : 13, bd Zerktouni. ☎ 056-68-22-84. Dans le centre-ville, près de la gare. Chambres doubles avec douche et w.-c. à 150 Dh (15 €). La réception ressemble à un chalet de montagne vétuste transporté dans le Maghreb. Curieux ! Chambres vastes, propres, et confortables pour le prix. Choisissez celles qui donnent sur l'arrière du bâtiment, largement moins bruyantes que leurs homologues au-dessus du boulevard.

Hôtel Lutetia *(plan A1-2, 12)* : 44, bd Hassan-Loukili. ☎ 056-68-33-65. Parking. Compter 160 Dh (16 €) la double. Hôtel vieillot, sans aucun charme. Une quarantaine de chambres très simples. Bar.

Prix moyens

Hôtel La Concorde *(plan B1, 13)* : 57, av. Mohammed-V. ☎ 056-68-23-28. En plein centre-ville. Chambres doubles à 220 Dh (22 €). Excellent accueil, personnel serviable. 36 chambres confortables, avec balcon. Restaurant et bar.

Chic

Hôtel Al-Manar *(plan A1, 14)* : 50, bd Zerktouni. ☎ 056-68-88-55. Fax : 056-68-16-70. Près de la gare. Chambres doubles à environ 320 Dh (32 €) sans le petit déjeuner. Accueil correct. Hôtel cossu, bien tenu, aux chambres sobres très confortables.

Hôtel Ibis Moussafir *(plan A1, 15)* : pl. de la Gare. ☎ 056-68-82-02. Fax : 056-68-82-08. Compter 480 Dh (48 €) la chambre double avec le petit déjeuner. Hôtel de standing aux chambres impeccables. Au restaurant, cuisine très médiocre (menus entre 70 et 120 Dh, soit 7 à 12 €). Bar fréquenté, car on y sert de l'alcool. Piscine dans laquelle il est presque impossible de mettre un doigt de pied, à moins d'y aller tôt le matin ou tard le soir : elle est ouverte à la population de la ville et semble jouer le rôle de piscine municipale. Accueil distant. Cartes de paiement acceptées.

Où manger ?

Dans le souk, il existe un endroit où il n'y a que des gargotes mais ce n'est pas toujours très propre. Pour les mêmes prix et sans les risques, il faut préférer les très nombreux *petits restaurants* des rues piétonnes, derrière la *Banque du Maroc* et sur l'avenue Mohammed-V. On vous avertit, pas grand-chose à se mettre sous la dent à Oujda. Voici cependant quelques adresses.

OUJDA

■ **Adresses utiles**

- **ℹ** Office du tourisme
- 🚌 Gare routière
- ✉ Poste
- **1** Institut français

▲ **Où dormir ?**

- **10** Hôtel Tlemcen
- **11** Royal Hôtel

12 Hôtel Lutetia
13 Hôtel La Concorde
14 Hôtel Al-Manar
15 Hôtel Ibis Moussafir

🍽 **Où manger ?**

20 Restaurant National
22 Comme Chez Soi
23 Le Dauphin

Bon marché (moins de 80 Dh, soit 8 €)

🍽 ***Miss Poulet :*** av. Mohammed-V, en face du *Café de France* (qui est à éviter malgré sa carte extérieurement alléchante). Une bonne adresse pour les plus fauchés, mais il ne faut pas être trop exigeant au sujet de la décoration... minimaliste.

🍽 ***Restaurant National*** (plan A1-2, 20) : 17, bd Allal-ben-Abdellah. ☎ 056-70-32-57. Proche de la gare ferroviaire. On y sert dans la bonne humeur des tajines et des grillades pour un prix très raisonnable. Préférer la salle à l'étage, plus tranquille et décorée de moulures.

Chic (de 100 à 200 Dh, soit 10 à 20 €)

|●| *Comme Chez Soi* (plan A1, 22) : rue Sijilmassa. ☎ 056-68-60-79. Prendre la rue en face du commissariat, puis la 1re à gauche. Cuisine européenne et marocaine tout en finesse. Carte diversifiée. Notre meilleure adresse. On y sert de l'alcool. Excellent accueil de Nassira et Kouirou.

|●| *Le Dauphin* (plan A-B1, 23) : 38, rue de Berkane. ☎ 056-68-61-45. Bonne cuisine marocaine et excellent poisson. Une table recommandée, quoique l'accueil soit à améliorer.

Où manger dans les environs ?

Ceux qui disposent d'un véhicule pourront se rendre à 20 km d'Oujda, après l'aéroport, sur la route de Saïda. Le village de *Bni-Drar* est la plaque tournante de la contrebande légale. On y trouve de très nombreuses boucheries qui font aussi restaurants de grillades, tout le long de l'avenue principale. Ambiance très sympathique, surtout au retour de la plage.

Où manger des glaces et des gâteaux ?

|●| *Café Ouafae* : à l'entrée de la médina, juste à gauche de l'hôtel *Tlemcen*. Idéal pour prendre son petit déjeuner ou manger une pâtisserie. Excellents pains au chocolat

vraiment pas chers.

♥ *Iceberg* : bd El-Fetouaki. Salle et cour très agréables. Très fréquenté en été car c'est sur la route de la plage.

À voir. À faire

🏃 *L'ancienne médina* : de l'av. Mohammed-V, prendre la rue des bijoutiers (El-Mazouzi), longue et bien achalandée. Nombreux marchés grouillants d'une foule qui vaque à ses occupations. Ici, on n'est pas sollicité tous les cinq mètres. On trouve facilement le souk El-Ma, ou marché de l'Eau, une place où l'on vendait autrefois l'eau destinée à arroser les jardins. Le cours variait suivant la saison et la fréquence des pluies. Ce souk est dominé par le minaret de la mosquée Sidi Oqba.

🏃 *Les souks* proprement dits se trouvent en dehors de la médina, après la porte de Sidi Abd-el-Wahab. Ils sont immenses, et on y trouve tous les produits de contrebande ou non, venant d'Europe, de Melilla et d'Algérie (vêtements, chaussures, montres, etc.). Ils s'appellent d'ailleurs *souks Tanja, Melilla, Sebta, d'Algérie*. Pas de surprise, on annonce ainsi la provenance. Attention aux pickpockets !

🏃 *Bâb Sidi Abd-el-Wahab* : percée dans les remparts, cette porte menait à « l'exposition » des têtes des suppliciés suspendues le long des murailles. Oujda méritait bien son surnom de « cité de la peur », qu'elle garda pendant les siècles de son histoire mouvementée.

🏃 *La maison Dar Sebti* : donne sur le cours Maghrib-el-Arabi. Magnifique demeure offerte par le riche Sebti à la ville d'Oujda. Elle accueille aujourd'hui de nombreuses manifestations culturelles, comme des concerts de musique traditionnelle. Se renseigner sur la programmation sur place ou à l'Institut français (voir « Adresses utiles »). En dehors des spectacles, le gardien laisse le promeneur jeter un petit coup d'œil à l'intérieur du bâtiment. On découvre alors une enfilade de pièces décorées d'étoiles de zelliges bleus et blancs, flanquées de colonnes élancées finement sculptées.

🍴 Promenade, en fin d'après-midi, sur l'**avenue Mohammed-V** avec ses nombreux cafés (les meilleurs sont *Le Trésor*, *Bahia* et *Colombo*). Dans la journée, on peut aller chercher un peu de fraîcheur à l'ombre dans les **parcs Lalla Meriem** (le long des remparts) et **Lalla Aïcha**, qui abrite une piscine et un club de tennis.

– Aller au hammam : **El-Bali**, dans la médina, est le plus ancien de la ville. Voir aussi le hammam **Jardin**, derrière la porte Bâb-El-Gharbi, il est authentique et vous réservera un bon accueil.

Achats

La pénurie de touristes a fait disparaître la plupart des magasins de souvenirs ou d'objets artisanaux. On peut quand même aller chez **Mohammed**, dont le magasin est situé avenue Mohammed-V, non loin de l'office du tourisme (à droite du café *Galaxy*).

➤ *DANS LES ENVIRONS D'OUJDA*

LES SOURCES DE SIDI-YAHIA-BEN-YOUNES

À 6 km d'Oujda (sortir par le boulevard de Sidi-Yahia). La grande source est à sec, mais l'endroit abrite le mausolée du saint patron de la ville. Curieusement invoqué par les musulmans, les juifs et les chrétiens, il ne serait autre que saint Jean Baptiste. Ce site est très fréquenté. Beaucoup de Marocains habitant en Europe y viennent en pèlerinage.

SAÏDA

À 57 km (1 h de bus) d'Oujda, à la frontière algérienne, à l'embouchure de la Moulouya. L'endroit, très beau, est envahi l'été (200 000 visiteurs !) car c'est l'un des sites favoris des MRE (lisez Marocains Résidant à l'Étranger !). L'infrastructure est très insuffisante mais Saïda fait partie des 6 zones balnéaires prioritaires retenues par le gouvernement dans le cadre du plan Azur. La réhabilitation de sa kasbah est à l'étude. Les zones humides de l'embouchure de la Moulouya, qui accueillent des espèces d'oiseaux remarquables comme le goéland d'Audouin, la poule sultane ou le héron pourpré, sont devenues un site protégé.

|●| 🍷 *Kim Club :* sur la plage, endroit assez sélect mais prix raisonnables avec plage privée, café-restaurant et musique le soir. En hiver, la plage n'est fréquentée que par les pêcheurs et elle a alors beaucoup de charme.

LES MONTS DES BENI-SNASSEN

Compter une bonne journée pour cette excursion de 180 km qui permet de traverser tout le massif, de visiter les *gorges du Zegzel* et la *grotte du Chameau*. Les routes sont en mauvais état (déconseillé aux véhicules de tourisme), et on aura intérêt à se munir d'une bonne carte.
Promenades inoubliables dans la vallée du Zegzel. Montez jusqu'au village de Tafoughalt à partir de l'embranchement sur la route Berkane-Nador, et descendez toute la vallée ; vous ne le regretterez pas car les paysages, verts même l'été, sont splendides et l'oued a toujours de l'eau. Attention, beau-

coup de monde le dimanche (surtout des Espagnols de Melilla). En 4x4 ou à
VTT, autre possibilité : la piste des Crêtes à partir de la route d'Aïn Sfa,
jusqu'à la grotte du Chameau ; il y a là toute la variété des paysages méditerranéens. Ces montagnes sont le paradis du randonneur.

LE DJEBEL MAHCEUR

À 25 km au sud d'Oujda, sur la route de Touissite. Ce plateau tubulaire a dû
abriter une forteresse berbère en ruine. L'ascension vaut la peine car le
panorama sur les monts d'Algérie est exceptionnel. Source fraîche en cours
de route. Un ermite vit sur le flanc de la falaise.

CAP-DE-L'EAU

Sur la route d'Oujda à Melilla. À Berkane, au km 60, prendre la direction de
Cap-de-l'Eau (Ras-el-Ma). C'est un village de pêcheurs, un peu défiguré par
le béton, mais qui possède à la fois une longue plage de sable et des
falaises. En face, les îles Chafarines (espagnoles), fameux spot de plongée
sous-marine. De Cap-de-l'Eau, possibilité de rejoindre la plage de Nador par
la côte ; la route, très sinueuse, domine la mer et, de temps en temps, des
pistes permettent d'accéder à des plages isolées. Très beau panorama et
peu de risque de rencontrer des touristes !

▮●▮ *Restaurant du Port :* dans l'enceinte du port. Cuisine marocaine.
| Excellent poisson grillé. Propre et
très bon marché. Pas d'alcool.

FIGUIG

Magnifique oasis saharienne isolée à la frontière algérienne, à l'extrême
sud-est du Maroc. C'est une chance pour le voyageur, qui découvre ici une
oasis authentique, non pervertie par le tourisme de masse. Les habitants
sont accueillants et n'hésitent pas à vous conduire par pure gentillesse dans
le dédale de leur *ksar.* Figuig rassemble 7 *ksour,* habités autrefois par 7 tribus qui rivalisaient et combattaient entre elles. En période de paix, une partie des villageois se consacrait à l'élevage et aux cultures maraîchères, tandis qu'une minorité préférait les travaux intellectuels. Longtemps les
Berbères cohabitèrent avec une importante communauté juive spécialisée
dans la bijouterie, installée dans le *ksar* de Zenaga.
Mais la vitalité dont faisait preuve l'oasis tend aujourd'hui à disparaître. Si les
juifs ont quitté Figuig pour rejoindre le nouvel État d'Israël, ce sont les jeunes
désormais qui aspirent à un autre mode de vie. Depuis la fermeture de la
frontière, la ville n'offre plus beaucoup de possibilités aux Marocains, en
dehors de la cueillette des dattes et la culture de minuscules parcelles de
céréales.
Aujourd'hui, le cœur de l'oasis est occupé par un centre récent, qui regroupe
la municipalité, le collège, l'hôpital et les autres entités administratives. Tout
autour se répartissent les différents *ksour,* dont la plupart ont conservé un
cachet médiéval. Il faut alors se promener dans les ruelles, accompagné par
les canaux d'irrigation qui quadrillent toute l'oasis.
Précisons, pour les routards que la balade et le Sahara tentent, que Figuig
est la seule oasis saharienne aisément accessible où ne vont quasiment
jamais les touristes. Alors, si vous cherchez le dépaysement des terres invio-
lées... bonne route !

Comment y aller ?

➤ **D'Oujda :** 5 bus quotidiens. Compter 6 h de trajet. Prendre le premier en raison de la chaleur.

➤ **De Bouârfa :** les 70 premiers kilomètres sont difficiles. La route ne comporte plus qu'une seule voie, ce qui signifie qu'il est impossible de doubler ou de se croiser normalement. Dans ce cas, chaque véhicule doit rouler en partie sur le bas-côté, en partie sur le bitume. Inutile de préciser les risques encourus par les chauffards s'ils abordent trop rapidement les virages sans visibilité ! Sur les 30 derniers kilomètres, la route est bonne et à double voie. Les Marocains sont d'ailleurs en train d'élargir la chaussée (mais il est difficile de savoir quand ils atteindront Bouârfa).

Peu avant Figuig, les étrangers font l'objet d'un contrôle minutieux de la part de la gendarmerie. Il n'y a pas lieu de s'inquiéter, les gardes sont sympas et ne font que s'acquitter d'un travail de routine qui s'explique par la proximité de la frontière.

Adresses et info utiles

✉ **Poste :** à côté de la municipalité. Ouvert de 8 h 30 à 12 h et de 14 h 30 à 18 h. Fermé les samedi et dimanche.

■ **Banque Populaire :** ouvert du lundi au jeudi de 8 h 15 à 11 h 30 et de 14 h 15 à 16 h 30, et le vendredi de 8 h 15 à 11 h 45 et de 14 h 45 à 16 h 45.

■ **Hôpital de Figuig :** proche de la caserne. Il y a toujours un infirmier de garde. Le docteur, s'il est absent, habite la maison à côté, en cas d'urgence.

■ **Thérapie sableuse :** chez *Sassi Abderrahmane*, au *ksar* El-Hammam Foukani. ☎ 056-89-94-93. Ouvert du 1er juin au 15 septembre. Efficace, paraît-il, contre les rhumatismes. Sassi enterre les patients dans différents trous avant de les couvrir quelque temps avec des couvertures.

– **Souk :** le vendredi. Se tient à droite de la caserne.

Où dormir ? Où manger ?

🏠 |●| **Figuig Hôtel :** dans le centre. ☎ 056-89-93-09. Chambres doubles à 150 Dh (15 €) ; en dortoir, 60 Dh (6 €) par personne ; forfait camping à 50 Dh (5 €). Compter 70 Dh (7 €) pour un repas. Le seul établissement correct, qui dispose de 6 chambres simples, dotées de balcons. Attention aux hordes de moustiques affamés : prévoir une demi-heure de chasse chaque soir. On peut aussi choisir de dormir dans un dortoir ou préférer la solution du camping. Le restaurant propose une cuisine honnête. Accueil sympa. Le patron vous mettra en contact avec un guide pour visiter les *ksour* aux heures fraîches du matin. Le cadre de l'hôtel est très agréable, avec sa grande terrasse qui offre une vue grandiose sur la palmeraie, les *djebel* et la frontière. De loin l'endroit le plus agréable de la ville pour boire un thé en contemplant le coucher du soleil sur les montagnes. Piscine. Excellent rapport qualité-prix. Une bonne occasion de faire étape ici.

🏠 **Hôtel El-Meliasse :** à l'entrée de la ville, à côté de la station *Shell*. ☎ 056-89-90-62. Compter environ 100 Dh (10 €) pour une chambre double. Hôtel très vétuste avec la douche sur le palier, mais vu le peu de logements sur Figuig depuis la fermeture de la frontière, il n'y a guère le choix.

|●| Nombreux petits *cafés* qui font aussi resto. Ne pas s'attendre à des raffinements gastronomiques (c'est le moins que l'on puisse dire).

À voir

Pour effectuer le tour complet de l'oasis, un véhicule est indispensable. Compter une trentaine de kilomètres, dont la plus grande partie est constituée d'une mauvaise piste. Il n'est pas possible de pénétrer dans les *ksour* en voiture. On trouvera toujours quelqu'un pour se faire guider.

🏃 *La palmeraie :* près de 100 000 arbres. Les jardins, clos de murs d'argile, sont arrosés par des canaux souterrains *(feggaguir)*.

🏃 *Les sept ksour,* voici les principaux :
Le ksar El-Maïz, tout proche de la route, est l'un des plus facilement accessibles. On y voit une architecture en pisé assez rudimentaire, que l'on retrouve dans toutes les constructions de la région.
Le ksar El-Hammam Foukani possède une source d'eau chaude (33 °C) qui lui vaut son nom. Au milieu des ruines du vieux *ksar* se trouve une petite porte qui cache un escalier. Il faut se munir d'une lampe torche ou de bougies (demander de l'aide à n'importe quel habitant, ils sont si aimables) pour descendre une volée de 117 marches étroites et glissantes. On débouche alors sur une petite pièce voûtée qui abrite la source, où les anciens viennent encore faire leurs ablutions. On peut voir plus loin une ancienne *zaouïa*, sanctuaire dédié à un certain Bou-Amama qui, au début du XXᵉ siècle, souleva tout le Sud oranais contre la présence française.
Le ksar El-Oudarhir, à l'entrée de l'oasis, sur la droite entre les hôtels *Meliasse* et *Sahara*, possède aussi des sources d'eau, dont une salée. C'est le *ksar* le plus caractéristique, avec ses ruelles couvertes et sa curieuse mosquée au minaret rond en pierre de taille (on peut monter). L'été, au moment le plus chaud de la journée, les habitants ont l'habitude de se réunir sur le pas des portes pour bavarder à l'ombre. Des hammams souterrains sont accessibles par des escaliers et de longs couloirs *(bahbouha)*, mais il vaut mieux être accompagné par un guide que l'on trouve sur place. Vivement déconseillé aux claustrophobes.
Le ksar de Zenaga est le plus éloigné (5 km environ), le plus vaste et le plus prospère.

🏃 Superbe *vue sur la palmeraie* depuis le centre de Figuig. À droite de la caserne, prendre un chemin qui serpente à travers le *ksar* d'Azrou. On débouche sur une route en lacet qui descend brutalement vers le *ksar* de Zenaga. Vue sur les minarets qui émergent d'une mer de palmiers, et sur Béni-Ounif, ville algérienne qui apparaît plus loin entre deux montagnes.

🏃 On peut aussi, avec un véhicule tout-terrain, accéder au *djebel Grouz* (1 839 m), au *col de Zenaga*, entre le djebel Taghla (1 118 m), à l'est, et le djebel Zenaga (948 m) à l'ouest. À la sortie du col, belle vue d'ensemble sur la palmeraie, divisée en deux zones bien distinctes par une sorte de falaise.

➤ DANS LES ENVIRONS DE FIGUIG

🏃 À 15 km sur la route d'Oujda, la *rivière Arbal*, bordée de palmiers et de roseaux, est un lieu ombragé où les habitants viennent parfois se baigner et pêcher. En mai et juin, l'oasis est couverte de lauriers-roses (*defla* en arabe), qui lui ont donné son nom.

QUITTER FIGUIG

➤ *Pour Oujda :* 5 bus quotidiens quittent Figuig à 2 h, 5 h, 6 h, 7 h et 8 h.
➤ *Pour Er-Rachidia :* aucun bus direct. Il faut prendre les bus en partance pour Oujda et changer à Bouârfa.

LA CÔTE ATLANTIQUE
DE RABAT À SAFI

Rabat est la capitale administrative et l'une des villes impériales du pays. Difficile de résister au charme de cette grande ville chargée de souvenirs, magnifiquement située à l'embouchure de l'oued Bou Regreg et dotée d'admirables monuments. Elle doit à Lyautey d'avoir été choisie comme centre administratif du protectorat, ce qui a contribué à lui donner son visage d'aujourd'hui, celui d'une grande ville moderne et aérée, où les larges avenues longent les immenses remparts construits par Yacoub el-Mansour au XIIe siècle.

Salé, sa voisine et rivale, qui s'était rendue célèbre par ses corsaires redoutés sur toutes les mers, n'a conservé de son passé tumultueux qu'une belle médina blanche et animée, où l'ancien marché aux esclaves est devenu un souk d'artisans œuvrant à l'ombre d'une petite médersa, où il fait bon déambuler.

La capitale économique, Casablanca, « la Maison Blanche », doit son nom aux marchands espagnols qui, au XIXe siècle, faisaient commerce de la laine de mouton. Depuis, la petite ville s'est transformée en une vaste métropole de plus de 4 millions d'habitants. Son port, le plus important de toute l'Afrique du Nord, a été pendant longtemps le rendez-vous des trafiquants et des aventuriers. La ville s'est beaucoup développée sous le protectorat et est devenue un véritable conservatoire de l'architecture des années 1930. Casablanca, Casa pour les habitués, prend aujourd'hui une dimension religieuse avec sa mosquée Hassan-II, la plus fastueuse du monde arabe.

Entre deux visites culturelles, pourquoi ne pas se livrer aux joies du farniente et des sports nautiques en faisant étape sur l'une des nombreuses plages de la côte ? Les amateurs de fruits de mer prévoiront une halte à Oualidia pour y faire une cure d'huîtres arrosées d'un petit muscat blanc ou d'un gris de *Boulâouane* bien frais.

Ce ne sont pas les étapes qui manquent le long de l'océan. El-Jadida, réputé pour son climat et pour sa plage qui s'étire sur plus de 4 km, a conservé son vieux fort portugais si authentique qu'Orson Welles y tourna, en décor naturel, son *Othello*.

La kasbah de Boulâouane, à l'écart des itinéraires classiques, permettra à ceux qui ne peuvent se rendre dans le Sud de découvrir l'architecture des kasbahs.

Safi, premier port sardinier du monde, intéressera plus par son artisanat que par ses conserveries de pêche. Les potiers travaillent encore au tour, faisant naître sous leurs mains des œuvres d'une qualité exceptionnelle. Difficile de ne pas se laisser séduire par leurs productions.

RABAT   900 000 hab.

L'agglomération de Rabat-Salé est la deuxième du pays. Rabat, capitale politique et administrative du royaume, par rapport à Casa, c'est un peu Washington par rapport à New York. Plus sage et plus calme. Ville aérée, agréable et cosmopolite, percée de larges avenues fleuries plantées de palmiers, abritant un vaste palais royal, havre de paix et de traditions au cœur de l'activité d'une ville tournée vers la modernité. Une grande unité de style,

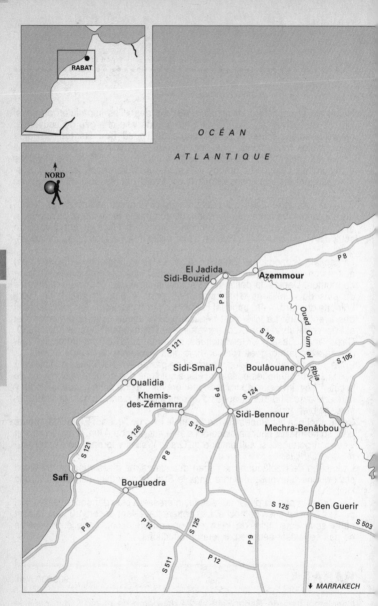

RABAT

OCÉAN

ATLANTIQUE

NORD

P 8

El Jadida
Sidi-Bouzid

Azemmour

Oued Oum el Rbia

P 8

S 105

S 105

S 121

Sidi-Smaïl

Boulâouane

Oualidia

Khemis-
des-Zémamra

P 9

S 124

Sidi-Bennour

Mechra-Benâbbou

S 126

S 123

S 121

P 8

Safi

Bouguedra

S 125

Ben Guerir

S 503

P 8

P 12

S 125

P 9

S 511

P 12

↓ *MARRAKECH*

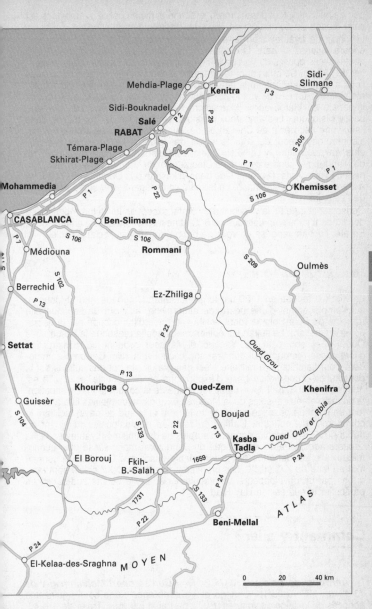

LA CÔTE ATLANTIQUE DE RABAT À SAFI

peu de buildings, tout paraît propre, ordonné et même policé. L'ambiance est celle d'une ville du sud-est de l'Europe, discrètement provinciale.

Le choix de Lyautey d'en faire le centre administratif du pays transparaît encore aujourd'hui dans la disposition des ministères, des ambassades et des services publics au voisinage de l'ambassade de France, dans le quartier de l'Agdal. Ce quartier offre une autre facette, puisque, riche de tous les lieux à la mode pour faire la fête, il ravira les amateurs de nuits endiablées! Mais gardez un peu de vos forces pour la journée car Rabat, quatrième ville impériale du Maroc après Marrakech, Fès et Meknès, possède un riche passé historique. Les amoureux d'histoire seront ravis de leur balade dans l'ancienne nécropole de Chellah ou de leur visite au musée archéologique, incontournable pour qui a aimé le site de Volubilis. Le *Chien de Volubilis*, plus vrai que nature, y veille sur quelques trésors tel le buste de Juba II, roi de Maurétanie, gendre de la reine Cléopâtre et de Marc Antoine. Point culminant de votre visite, la promenade dans la kasbah des Oudaïa vous conduira à boire un thé au *Café Maure* en laissant votre regard errer sur le panorama de l'estuaire.

Cerise sur le gâteau, la ville jouit d'un climat exceptionnel, le thermomètre ne descendant jamais en dessous de 6 °C et ne dépassant que rarement 30 °C. En été, l'océan vaporise un voile de brume qui adoucit l'éclat du soleil.

UN PEU D'HISTOIRE

La ville est fondée en 1150 par le grand sultan almohade Abd al-Moumin, sur l'emplacement d'une bourgade almoravide, au nord de l'antique cité romaine de Sala Colonia (dont le site est aujourd'hui occupé par la nécropole de Chellah). Le sultan fait édifier une citadelle (devenue la kasbah des Oudaïa) et son petit fils Yacoub el-Mansour ordonne la construction d'immenses remparts qui donnent son cachet à la ville. Cet amour immodéré pour l'architecture militaire n'est pas gratuit : le but des sultans est la constitution d'une solide base d'expéditions en Andalousie, et la ville est nommée Ribat al-Fath (« le camp retranché de la conquête »). Sa situation, là où les plateaux désolés de la Médersa étranglent les plaines littorales, en font un point de passage obligé entre le nord et le sud du pays, facilitant le commerce et l'industrie. L'afflux de réfugiés d'Andalousie, culminant au début du XVIIe siècle, lui donne un surplus de dynamisme. Lyautey en fait la capitale administrative et politique du protectorat mais, sur le plan économique, elle est détrônée par le formidable essor que Casablanca connaît tout au long du XXe siècle. Les premières années du XXIe siècle sont marquées par un développement tentaculaire de la ville vers le sud-ouest, en particulier le quartier de Hay Riad.

Comment y aller?

En avion

✈ **Aéroport de Salé :** ☎ 037-72-73-93 ou 037-73-03-16. Change et agences de location de voitures (*Europcar, Avis, Hertz*). 2 vols quotidiens pour la France *(RAM et Air France)*, 1 vol par jour pour Casablanca.

✈ **De l'aéroport Mohammed-V de Casablanca :** une bonne quinzaine de trains par jour. Trajet de 1 h 40, avec changement à Aïn-Sebaa, sauf pour les trains qui partent de Rabat le soir et reviennent de l'aéroport le matin, pour lesquels la correspondance est à Casa-Voyageurs.

En train

➤ *De Casablanca :* 1 ou 2 trains par heure, de 6 h à 19 h 30. Compter 1 h de trajet.

➤ *De Meknès :* 2 trains de nuit, 3 le matin, 3 l'après-midi.

En bus

➤ *De Casablanca :* départs toutes les heures de 6 h à 23 h 30. Durée : 6 h.

➤ *De Meknès :* nombreux départs quotidiens.

➤ *De Ouarzazate :* 1 départ par jour.

➤ *D'Er-Rachidia :* 1 départ par jour.

➤ *De Tineghir :* bus privés (2 par jour) et 1 bus *CTM* quotidien.

➤ *De Midelt :* 1 bus par jour.

En taxi collectif

➤ Des taxis collectifs partent de *Casablanca* et de *Meknès*.

Adresses utiles

Infos touristiques

■ *Office national marocain du tourisme (plan L'Agdal, B2) :* 11, av. Chari-al-Abtal, à l'angle de la rue Oued-Fès. ☎ 037-68-15-31 ou 32. Fax : 037-77-74-37. Ouvert du lundi au vendredi de 8 h 30 à 12 h et de 14 h 30 à 18 h 30. Quelques brochures et une poignée (mais vraiment une poignée) de bons conseils.

Poste et téléphone

✉ *Poste centrale (plan Centre, B3) :* av. Mohammed-V. Ouvert du lundi au vendredi de 8 h 30 à 12 h et de 14 h 30 à 18 h 30, et le samedi de 8 h 30 à 11 h 30.

Argent

■ *Distributeurs automatiques :* de nombreuses agences bancaires en sont pourvues. Les plus centraux, sur l'av. Mohammed-V, sont ceux de la *BMCI (plan Centre, A2, 1),* à l'angle de l'agence centrale de *Maroc Télécom,* et de la *Wafabank (plan Médina, A2, 2),* à l'angle du bd Hassan-II.

Représentations diplomatiques

■ *Ambassade de France (plan Agdal, B1, 1) :* 3, rue Sahnoun, Rabat-Agdal. ☎ 037-77-77-52 ou 037-77-78-22.

■ *Consulat de France (plan Centre, B2) :* 49, av. Allal-ben-Abdellah. ☎ 037-70-23-16 ou 037-70-38-24.

■ *Ambassade de Belgique (plan Centre, D3) :* 6, rue de Marrakech. ☎ 037-76-47-46 ou 037-76-70-03.

■ *Ambassade de Suisse :* sq. Berkane. ☎ 037-70-69-74. Service des visas : rue Ouezzane. ☎ 037-26-19-74 et 78. Fax : 037-70-17-74.

■ *Ambassade du Canada (plan Agdal, B3) :* 13 bis, rue Jaâfar-as-Saadik. ☎ 037-67-23-75 ou 037-67-28-80.

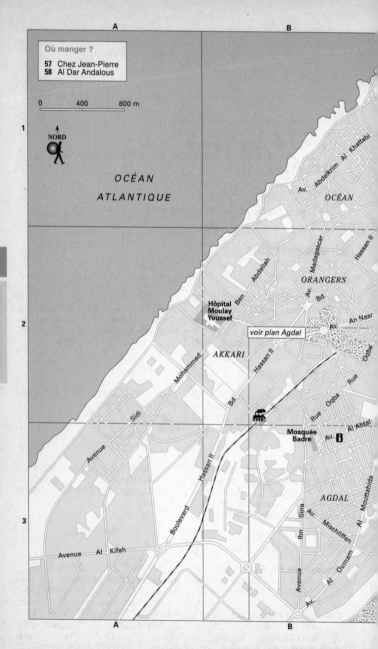

Où manger ?
57 Chez Jean-Pierre
58 Al Dar Andalous

0   400   800 m

NORD

OCÉAN
ATLANTIQUE

OCÉAN

Av. Abdelkrim Al Khattabi

Madagascar

Hassan II

ORANGERS

Abdallah

Av. Ben

Bd

Hôpital
Moulay
Youssef

An Nasr

Av.

voir plan Agdal

Oqba

AKKARI

Hassan II

Rue Oqba

Rue

Bd Mohammed

Al Abtal

Sidi

Mosquée
Badre

Av.

Avenue

Hassan II

AGDAL

Al Mouttahida

Ibn Sina

Av. Mischliffen

Al

Boulevard

Avenue   Al   Kifah

Avenue

Av.

Al   Ourman

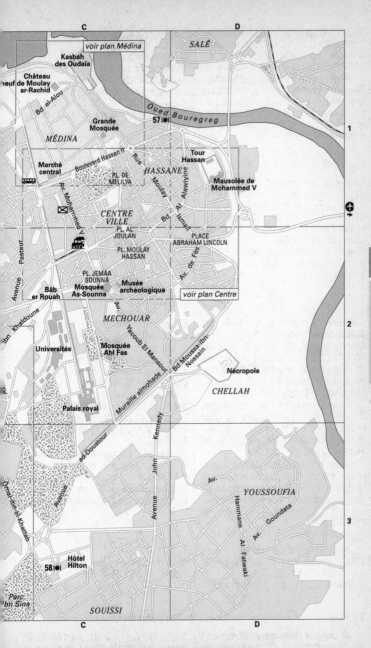

RABAT (PLAN D'ENSEMBLE)

Urgences, santé

■ **SOS Médecin :** ☎ 037-20-20-20. Intervention 24 h/24. Consultation à domicile pour 180 Dh (18 €) ; ou 250 Dh (25 €) la nuit et le week-end.

■ **Pharmacie de nuit :** rue Moulay-Slimane, à côté de la résidence Moulay-Ismaïl. Ouvert de 20 h à 8 h. Les autres pharmaciens assurent un roulement, ceux de garde étant affichés en devanture de leurs con-frères et indiqués dans les quotidiens.

■ **Pompiers :** ☎ 15.

■ **Secours routier :** ☎ 177.

■ **Hôpital Ibn-Sina** (aussi connu sous le nom d'*Avicenne ; plan Agdal, A3, 3*) : ☎ 037-67-28-71 à 74. Pour les urgences, demander le poste 211.

■ **Police :** rue Soekarno. ☎ 19.

Compagnies aériennes

■ **Royal Air Maroc** *(plan Centre, B2, 3)* : angle de l'av. Mohammed-V et de la rue Al-Amir-Moulay-Abdellah. ☎ 037-70-97-66, 037-70-96-57 et 58. Fax : 037-70-80-76. Réservation centrale : ☎ 037-70-97-10 et 66. Ouvert du lundi au samedi de 8 h 30 à 12 h 15 et de 14 h 30 à 19 h (18 h le samedi).

■ **Air France** *(plan Centre, B2, 4)* : 281, av. Mohammed-V. ☎ 037-70-77-28 ou 037-70-75-80. Permanence téléphonique de 15 h à 18 h : ☎ 037-70-33-63. Ouvert du lundi au vendredi de 8 h 30 à 12 h 15 et de 14 h 30 à 19 h, et le samedi de 9 h à 12 h.

Transports

🚃 **Gare ferroviaire centrale de Rabat-Ville** *(plan Centre, B2)* : av. Mohammed-V. ☎ 037-70-14-69 ou 037-73-60-60. Grande gare propre et modernisée. Journaux, consignes (tous les jours de 7 h à 22 h 30), téléphones et banque *BMCE*.

🚌 **Gare routière :** loin du centre. ☎ 037-79-51-24. Prendre le bus n° 30 (arrêt à côté de l'hôtel *Majestic*, dans une rue en retrait du bd Hassan-II) ou un petit taxi.

🚕 **Taxis :** il en existe deux sortes : – *les grands taxis,* seuls habilités à sortir de la ville. Vous devrez en particulier y recourir pour aller à Salé.

En général blancs, ce sont quasi-exclusivement des Mercedes ;
– *les petits taxis,* ou *taxis bleus,* sont tous des Fiat de couleur bleue. Si vous suivez les conseils donnés dans les « Généralités », vous ne devriez pas payer une course en pleine journée plus de 20 Dh (2 €). La station la plus importante se trouve à la gare ferroviaire *(plan Centre, B2)*.

■ **Garage Peugeot et Citroën :** 475, av. Hassan-II. ☎ 037-69-40-61 à 67. En direction de Casablanca.

■ **Garage Renault :** av. Hassan-II. En direction de Casablanca.

Location de voitures

■ **Budget** *(plan Centre, B2)* : gare *ONCF*, Rabat-Ville. ☎ 037-70-57-89. Fax : 037-70-14-77.

■ **Hertz :** 291, av. Mohammed-V.

☎ 037-76-92-27.

■ **Avis Car :** 7, rue Abou-Faris-el-Maini. ☎ 037-76-79-59.

Loisirs

■ **Journaux français et librairies :** av. Mohammed-V. On recommande notamment la très belle librairie *Aux belles images,* 281, av. Mohammed-V, qui recèle quelques perles et de beaux ouvrages sur le Maroc.

■ *Institut français de Rabat (plan Centre, B3, 5) :* 2, rue Al-Yanboua. ☎ 037-70-11-38 et 037-70-36-21. Fermé le lundi en août. Il propose des spectacles culturels et des concerts. Accueil aimable.

■ *Cinémas :* on trouve les programmes des salles dans tous les quotidiens. Ils se renouvellent tous les jeudis.

– *Le Renaissance :* 266, av. Mohammed-V.

– *Le Dawliz :* complexe comprenant 3 salles, plus cafés et restaurants, à la sortie de la ville, vers Salé, sur la rive droite du Bou Regreg.

– *Le 7ᵉ art :* av. Allal-ben-Abdellah.

Internet

@ *Cyber-Espace (plan Centre, B2, 7) :* 4, rue Tihama, appt. n° 32. À côté de l'hôtel *Balima.* Ouvert tous les jours de 9 h à 1 h. Compter 4,50 Dh (0,45 €) la demi-heure.

@ *ETSI (plan Centre, B2, 8) :* 12, av. du Prince-Moulay-Abdellah. En face du *McDo.* Ouvert du lundi au samedi

de 9 h à 22 h. Compter 3 Dh (0,3 €) le quart d'heure, 5 Dh (0,5 €) la demi-heure.

@ *Cyber Flamingo (plan Agdal, A2, 2) :* 3, pl. Abou-Bakr-Assadik. Dans le quartier de l'Agdal. Ouvert de 9 h à 22 h. Compter 10 Dh (1 €) l'heure. Il y a un café au rez-de-chaussée.

Divers

■ *Pressing :* 104, av. Allal-ben-Abdellah. Un autre au 4, rue Jeddah.

■ *Bains-douches :* bd Hassan-II ; à côté des remparts, juste au coin à gauche quand on les regarde.

■ *Supermarché Maro Marché :* 42, rue Al-Mourabitine. Réputé pour être le moins cher de la ville.

■ *Hypermarché : Marjane,* à la sortie de la ville en direction de Salé *(plan d'ensemble, D1).* Grande gale-

rie commerciale ouverte tous les jours de 9 h à 21 h.

■ *Mini-marché du centre (plan Centre, B2) :* rue de Damas (en arabe, Dimachq), derrière l'hôtel *Balima.* Mini, le choix l'est vraiment ! Vend essentiellement des boissons alcoolisées, tout comme celui situé sur la place Mohammed-V, sur la gauche en regardant la gare.

Comment se repérer?

La partie intéressante de la ville est vraiment à taille humaine. On peut *grosso modo* la diviser en quatre quartiers :

– *la vieille ville*, composée de la médina et de la kasbah des Oudaïa ; c'est la partie la plus touristique ;

PLACE
DU MELLAH

Rue Mohamed Lyazidi

Tour Hassan

Rue

Abdelmoumen

**Mausolée de
Mohammed V**

Rue

R. Al Mouwahidine

Rachid

Marinyine

Moulay Al

Alawiyine

Av. de la Tour Hassan

R. Moulay

Rue Moulay

Rue

Mekka

Al

R.

Idriss   Al   Akbar

Tunis

de

33 🏛

Avenue

Boulevard

Ismaïl

🏛 28

Rue

d'Oran

🍸
62

Rue Mohamed Lyazidi

PLACE
AL OUAHDA
AL AFRIQIA

🏛 32

Av.

d'Alger

PLACE
ABRAHAM
LINCOLN

🍴
53

R. d'Annaba

Rue

Chellah

de

Fès

Avenue

Tariq   Ibn

Ziad

Rue

de

de

Meknès

PL. MOULAY
ALI CHÉRIF

Av.

Tachine

*QUARTIER
DES   AMBASSADES*

Abdelaziz

R. Moulay Ali Chérif

Patrice

Ibn

Av. de

Ouarzazate

Av.

🍴 56

Youssef

Lumumba

Marrakech

Rue   de

0   200   400 m

RABAT ET ENVIRONS

RABAT (CENTRE)

– *le centre de la ville moderne*, qui s'articule autour de l'avenue Mohammed-V (axe nord-sud) et du boulevard Hassan-II (axe est-ouest longeant la médina) jusqu'au palais royal ; c'est là que vous trouverez l'essentiel des adresses que nous vous proposons ;

– *le palais royal*, immense espace au cœur de la ville, qui mérite une balade rapide, avec tout près, à l'est, la nécropole de Chellah ;

– *l'Agdal*, de l'autre côté du palais royal, au sud, près de l'ambassade de France. Ce quartier résidentiel et administratif s'offre une nouvelle jeunesse en abritant aujourd'hui la plupart des restaurants et des bars branchés de Rabat. C'est d'ailleurs son unique intérêt ! Pas vraiment dépaysant, mais les noctambules argentés y débuteront leurs soirées avec délice.

Où dormir ?

Camping

⊠ **Camping de la Plage :** à Salé, à 2 km au nord de Rabat. Compter 60 Dh (6 €) pour deux avec voiture et tente. Au bord de la mer, mais sans ombrage. Pas très bien entretenu, même si des efforts sont faits. Entouré d'un mur de 2 m de haut ! Douches chaudes payantes au-dessus de toilettes « à la turque ». Location à la semaine de bungalows pour 4 personnes. Plages « presque aussi pires » que sur la Côte d'Azur. Accueil jeune, et très sympa. Bar.

Très bon marché

Pas mal d'hôtels très bon marché sont dans la médina *(plan Médina, A2)*, quartier un peu dur avec parfois des gens un peu paumés et désœuvrés. Une certaine prudence s'impose. Ces hébergements sont regroupés dans deux rues :
– la première à gauche, qui longe les remparts, dès que l'on entre dans la médina par la rue Mohammed-V *(plan Médina, A2)*. Essayez *Le France, Les Voyageurs, L'Alger* ou *Le Saada*. S'attendre à un service et une propreté minimes. Cependant, agréables petits patios. Pour routards expérimentés !
– En descendant la rue Mohammed-V, à droite au niveau du 219, rue Sebbahi, le choix se joue entre le *Maghreb-al-Jadid,* le *Régina,* l'*Alalam* et le *Marrakech.*

🛏 **Auberge de jeunesse** *(plan Médina, A2,* **10**) : 43, rue Marrassa. ☎ 037-72-57-69. Sur le grand terre-plein, sur la droite après la porte bâb-al-Had. En juillet et août, ouvert de 8 h à 23 h ; hors saison, de 8 h à 10 h 30, de 12 h à 15 h et de 18 h à 22 h 30. Lits à 30 Dh (3 €) ; léger supplément pour ceux qui ne possèdent pas la carte. Super auberge sympa et très bien placée. Ils sont arrangeants sur les horaires et les sanitaires s'améliorent peu à peu, même si un effort reste à faire.

🛏 **Le Petit Vatel** *(plan Centre, A1,* **11**) : 13, bd Hassan-II. ☎ 037-72-30-95. Au fond d'un petit passage ; la réception est au 2e étage. Compter 70 Dh (7 €) pour deux, 90 Dh (9 €) pour trois, 100 Dh (10 €) pour quatre ; douche chaude à 5 Dh (0,5 €). Une vieille institution de Rabat, et sans doute l'hôtel le moins cher en dehors de la médina. Propose des chambres propres et bon marché. Accueil très sympa. Douches communes pas terribles.

🛏 **Le Marrakech** *(plan Médina, A2,* **12**) : 10, rue Sebbahi. ☎ 037-72-77-03. Fax : 037-20-25-83. Chambres doubles à 90 Dh (9 €) ; supplément pour la douche : chaude à 7,5 Dh (0,75 €), et froide à 4 Dh (0,4 €). Peint en rose bonbon et bleu vif. Sommaire, mais très propre. Petite cour intérieure calme. Très bon accueil, notre meilleure adresse dans cette catégorie dans la médina. Il donne sur une cour et s'élève sur plusieurs étages. Demandez bien une chambre avec fenêtre, car celles du rez-de-chaussée sont aveugles.

🛏 **Maghreb-al-Jadid** *(plan Médina, A2,* **13**) : 2, rue Sebbahi. ☎ 037-73-22-07. Chambres doubles à 90 Dh (9 €). Même propriétaire que *Le Marrakech,* même couleur rose bonbon, mêmes tarifs, y compris pour les douches, et tout aussi rudimentaire. Très propre. Accueil agréable également.

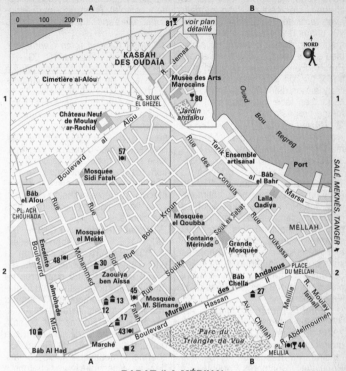

RABAT (LA MÉDINA)

■ Adresse utile	|◦| Où manger ?
2 Wafabank	43 El-Bahia
	44 Le Jour et Nuit
╩ Où dormir ?	45 Widad
	57 Dinajart
10 Auberge de Jeunesse	
12 Le Marrakech	▼ Où boire un verre ?
13 Maghreb-al-Jadid	44 Le Jour et Nuit
17 Hôtel Dorhmi	80 Café Maure
27 Hôtel Bouregreg	81 Café-restaurant La Caravelle
30 Riad Oudaya	
	|◦| Où manger une pâtisserie ?
	48 Pâtisserie Dar-el-Qortbi

Bon marché

╩ **Hôtel Mon Foyer** (plan Centre, B2, **14**) : 285, av. Mohammed-V. ☎ 037-70-97-34. Chambres doubles à 100 Dh (10 €) ; douche chaude à 10 Dh (1 €). Une super petite adresse méconnue, aux derniers étages d'un bel immeuble des années 1920, qui abrite également une école de coiffure. Chambres agréables et propres mais très simples. Accueil génial. Un bon rapport qualité-prix. Tatillon sur les couples mixtes.

╩ **Hôtel Splendid** (plan Centre, A1, **15**) : 8, rue Ghazza. ☎ et fax : 037-72-32-83. Chambres doubles à 125 Dh (12,5 €) sans douche, 185 Dh (18,5 €) avec. Dans une rue commerçante, un immeuble des années 1930, qui ne manque pas de charme. Très central. Patio intérieur avec terrasse, fontaine et palmiers. 40 chambres spacieuses et bien meublées, dont 2 donnent de plain-pied sur le patio. Toilettes à l'étage. Propre. Petit déjeuner servi dans le patio, où l'on peut également commander son dîner en provenance du resto d'en face, qui appartient à la même propriétaire.

🛏 **Hôtel Les Gaulois** (plan Centre, A1, **16**) : à l'angle du bd Mohammed-V et de la rue Hims. ☎ 037-72-30-22 ou 037-73-05-73. Fax : 037-73-88-48. Chambres doubles à 150 Dh (15 €) sans douche, 220 Dh (22 €) avec. Dans un beau bâtiment, un grand hôtel au charme vieillot. La poussière dans les escaliers ne doit pas vous inquiéter, les chambres sont très propres. Une adresse surtout intéressante pour ses chambres sans douche, d'autant que les salles de bains communes sont souvent plus propres que celles situées dans les chambres.

🛏 **Hôtel Dorhmi** (plan Médina, A2, **17**) : 313, av. Mohammed-V. ☎ 037-72-38-98. Après les remparts, sur la droite quand vous entrez dans la médina, au-dessus de la Banque Populaire. Chambres doubles à 120 Dh (12 €). Douche chaude commune en supplément. Ambiance fa-miliale sympa. Bonne adresse. Souvent complet. Attention aux réservations, elles ne sont pas toujours fiables.

🛏 **Hôtel Central** (plan Centre, B2, **18**) : 2, rue Al-Basra. ☎ 037-70-73-56. Il porte bien son nom. Situé à gauche de l'hôtel Balima. Chambres doubles à 100 et 150 Dh (10 et 15 €) ; on a le choix entre des chambres avec salle d'eau privée ou avec douche commune (payante) mais sans w.-c. Chambres lumineuses, propres, dotées d'une très bonne literie et vraiment pas chères. Attention, les chambres donnant sur l'arrière ont vue directe sur une discothèque : préférez celles de devant si vous voulez dormir ! Parking, mais pas donné.

🛏 **Hôtel Velleda** (plan Centre, B2, **19**) : 106, av. Allal-ben-Abdellah. ☎ 037-76-95-31. Tout près de la gare. Chambres doubles spacieuses à 160 Dh (16 €). 29 chambres au mobilier hétéroclite, situées au 5e étage d'un vieil immeuble. Chambres très simples mais agréables. Accès par ascenseur. Bon accueil. Le soir, on peut prendre le thé sur la terrasse qui domine les toits de Rabat. Un charme sympathique. Mais demandez à visiter plusieurs chambres avant de réserver. Sanitaires vétustes et pas propres.

Prix moyens

🛏 **Hôtel Majestic** (plan Centre, A1, **20**) : 121, bd Hassan-II. ☎ 037-72-29-97. Fax : 037-70-93-79. Chambres doubles à 250 Dh (25 €). Un bel hôtel qui a repris du galon depuis sa rénovation. Les chambres sont très fraîches. Double vitrage, ce qui n'est pas du luxe sur ce boulevard. Dommage toutefois que la propreté des sanitaires ne soit pas toujours

RABAT ET ENVIRONS

■ **Adresses utiles**

ℹ Office national marocain du tourisme
1 Ambassade de France
@ 2 Cyber Flamingo
3 Hôpital Ibn Sina

🍴 **Où manger ?**

10 La Graille
12 Chez El-Ouazzani
13 Café-restaurant Dada

14 El Rancho
15 Le Puzzle
16 Pizzeria Reggio
18 L'Entrecôte
19 Le Margot

🍸 🎵 **Où boire un verre ? Où sortir ?**

14 El Rancho
15 Le Puzzle
20 Arrabia
21 Le Ve Avenue

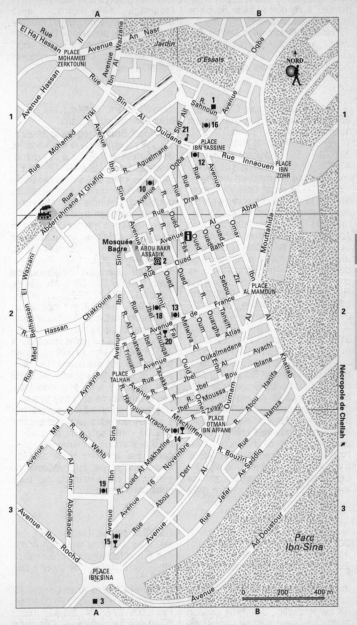

RABAT ET ENVIRONS

RABAT (L'AGDAL)

au rendez-vous ; n'hésitez pas à demander à ce que la salle de bains soit nettoyée, si besoin.

🛏 *Hôtel d'Orsay (plan Centre, B2, 24) :* 1, av. Moulay-Youssef ; pl. de la Gare. ☎ 037-70-13-19. Fax : 037-70-82-08. Chambres doubles correctes et propres à 270 Dh (27 €). A l'avantage d'être central, mais bruyant, avec la circulation routière et la proximité de la gare. Demander une chambre donnant sur la cour. Décoration marocaine discrète, et chambres agréables.

Chic

🛏 *Hôtel Balima (plan Centre, B2, 25) :* av. Mohammed-V. L'entrée est au n° 1 de la rue Tihama. ☎ 037-70-86-25 ou 037-70-79-67. Fax : 037-70-74-50. Chambres doubles à 420 Dh (42 €) sans le petit déjeuner. Joli corps de bâtiment en arche datant de 1926, dont l'intérieur a été revu en 1950. Les chambres « rétro » sont vastes et confortables. La terrasse de l'hôtel reste l'une des plus agréables et des plus fréquentées de la ville. En revanche, le cadre du restaurant est nul et la cuisine quelconque et chère. Demander les chambres en hauteur pour la vue sur Rabat, et de préférence d'angle car elles sont plus grandes. Cartes de paiement acceptées.

🛏 *Hôtel Royal (plan Centre, B1, 22) :* 1, rue Amann. ☎ 037-72-11-71 et 72. Fax : 037-72-54-91. Donne sur l'av. Allal-ben-Abdellah. Chambres doubles à 340 Dh (34 €), petit déjeuner compris. Grand hôtel ancien. Bel escalier en marbre et ascenseur en bois qui ne fonctionne plus depuis des années. Du coup, attention si vous êtes chargé, car le principal défaut de cet hôtel, c'est l'accueil : personne ne vous aidera, par exemple, à porter vos valises. Les chambres rénovées l'ont été avec goût et application. Propre, mais assez bruyant. Préférez les chambres donnant sur le parc.

🛏 *Hôtel Bouregreg (plan Médina, B2, 27) :* à l'angle de la rue Nador et du bd Hassan-II. Face à la médina. Chambres doubles à 400 Dh (40 €). Agréable, mais bruyant en raison de la mosquée voisine... sans parler du boulevard. Prendre les chambres sur rue, très bien isolées, très spacieuses et avec vue sur la médina et un petit bout de mer ; les autres sont aux mêmes prix, et donnent sur un terrain vague ou un mur.

🛏 *Hôtel Mercure Shéhérazade (plan Centre, D2, 28) :* 21, rue de Tunis. ☎ 037-72-22-26, 27 et 28. Fax : 037-72-45-27. ● r.mercure.sh @wanadoo.net.ma ● Un peu excentré, très proche du mausolée de Mohammed V. Chambres doubles à 400 Dh (40 €) sans le petit déjeuner. Situé dans une rue calme. Très propre. Un hôtel de la chaîne *Méridien* tout ce qu'il y a de plus classique. Les chambres ne sont pas très spacieuses. Très bruyant le samedi soir à cause du restaurant *Kangourou*. Pas de climatisation ni de piscine, mais ce manque est largement compensé par la bonne tenue de l'établissement et par la gentillesse du gérant, qui saura vous donner quelques bons conseils.

Très chic

🛏 *Riad Oudaya (plan Médina, A2, 30) :* 46, rue Sidi-Fatah. ☎ 037-70-23-92. Fax (en France) : 05-46-41-32-17. Chambres doubles à 1 300 Dh (130 €) ; prix négociables. Le premier *riad* de Rabat, dans la médina forcément. Monté par un Français de La Rochelle. Une belle maison marocaine avec quelques objets de décoration intéressants, notamment de très belles portes anciennes. Accueil très sympa. Un peu cher, certes, mais 10 % de réduction accordés à nos lecteurs sur présentation du *GDR*. Possibilité de dîner également.

🛏 *Hôtel Chellah (plan Centre, B3, 31) :* 2, rue d'Ifni. ☎ 037-70-10-51. Fax : 037-70-63-54. Situé tout près du Musée archéologique. Chambres doubles à 830 Dh (83 €). Moderne, fonctionnel et entièrement rénové.

Jolie vue sur la mosquée as-Sounna depuis les étages supérieurs. Assez bruyant. Très fréquenté par les groupes de touristes.

🛏 *Hôtel Sofitel Diwan* (plan Centre, C2, **32**) : pl. de l'Unité-Africaine (Al-Ouadha-al-Afriqia). ☎ 037-26-27-27. Fax : 037-26-24-24. Chambres doubles et simples à 1 800 Dh (180 €), plus 9 Dh (0,9 €) de taxe par personne. Le dernier né du groupe *Accor* à Rabat. Une architecture et une décoration dans un style européen, un peu zen, très tendance mais magnifique tout de même.

🛏 *Hôtel Méridien Tour Hassan* (plan Centre, C2, **33**) : 26, av. Chellah. ☎ 037-70-42-02 et 037-72-14-02. Fax : 037-72-54-08 ou 037-73-18-66. ● thassan@mtds.com ● Chambres de 1 800 à 12 000 Dh (180

à 1 200 €). Des jardins andalous jusqu'aux luxueux salons marocains, tout est fait pour vous éblouir. Cela vaut le détour quand on a les moyens.

🛏 *Le Dawliz* : av. du Prince-Héritier-Sidi-Mohammed, rive droite du Bouregreg, Salé. ☎ 037-88-32-77. Fax : 037-88-32-79. ● www.goodinfo.net.ma/dawliz ● Chambres doubles à 870 Dh (87 €). Situé en bordure du fleuve entre Rabat et Salé, pour les routards motorisés et en quête de luxe. Établissement, doté de 44 chambres spacieuses savamment décorées et avec air conditionné. Les nos 110 à 112 sont les mieux placées. Belle piscine au bord du fleuve. Piano-bar. 4 restaurants (cuisine internationale italienne, asiatique et pizzeria).

Où manger ?

Comme dans beaucoup de capitales, on trouve à Rabat de nombreux restaurants de styles très variés et pour tous les budgets. La médina et les environs de l'avenue Mohammed-V comptent pas mal de gargotes et de petits restos pas très chers qui se valent tous : nous vous indiquons nos préférés. On trouve aussi dans la ville moderne de bons restos agréables pour les budgets un peu plus élevés. Quant au quartier de l'Agdal, de l'autre côté du palais royal, c'est le quartier idéal pour commencer ses virées nocturnes... lorsque l'on a les moyens !

Dans la ville moderne

Très bon marché (moins de 50 Dh, soit 5 €)

🍽 *Ghazzah* (plan Centre, A1, **40**) : rue Ghazza. Petit resto rapide. Tout ce qu'il y a de plus classique au premier abord et pourtant, on peut déjeuner dans la cour de l'hôtel *Splendid* qui se trouve de l'autre côté de la rue, juste en face. Il y fait très frais, c'est très calme, avec une petite fontaine et des palmiers : un petit bonheur. Par contre, ne vous attendez pas à des miracles culinaires.

🍽 *La Comédie* (plan Centre, A2,

41) : 269, av. Mohammed-V. ☎ 037-72-14-90. Dans le bas de l'av. Mohammed-V. Menus corrects à partir de 40 Dh (4 €). Un restaurant-pâtisserie-salon de thé très soigné. On y sert de bonnes pâtisseries.

🍽 *Taghzout* (plan Centre, A2, **42**) : rue Jeddah. ☎ 063-86-19-71 (portable). À côté du précédent. Une bonne petite adresse, spécialisée dans le poisson. Accueil charmant et produits frais. Pas cher du tout.

Bon marché (moins de 100 Dh, soit 10 €)

🍽 *El-Bahia* (plan Médina, A2, **43**) : bd Hassan-II. ☎ 037-73-45-04. Dans la muraille des Andalous, sur la droi-

te en arrivant par l'av. Mohammed-V. Ouvert de 7 h à 22 h. Compter 80 Dh (8 €) pour un repas sans gloire. L'intérêt est ailleurs : passé la porte, on oublie le tumulte du boulevard Hassan-II et on s'étonne de cette oasis de calme. Petit jardin intérieur autour d'une fontaine et salon au 1er étage, beaucoup plus frais les jours de grosse chaleur.

|●| *Le Jour et Nuit* (plan Médina, B2, 44) : pl. Melilia. ☎ 037-72-03-34. Principal intérêt de ce petit resto sans prétention : ouvert 24 h/24 (comme son nom l'indique !), ce qui n'est pas fréquent à Rabat. Plats copieux et grande terrasse. Accueil sympa.

|●| *Le SISISI* (plan Centre, B2, 45) : 19, rue Moulay-Rachid. ☎ 037-72-43-78. Ouvert de 8 h à 23 h. Menus à partir de 45 Dh (4,5 €). Une excellente adresse, très prisée des jeunes. C'est bondé du midi jusqu'au

soir. On y mange des pizzas, hamburgers maison, crêpes et même des *panini*. Une adresse moderne qui peut être propice aux rencontres.

|●| *La Clef* (plan Centre, B3, 46) : dans la ruelle qui mène de l'av. Moulay-Youssef à la rue Baïtlahm, sur la gauche. ☎ 037-70-19-72. Au-dessus du bar du même nom, un petit resto à la déco simple et agréable. Carte internationale et marocaine variée. Bon rapport qualité-prix et accueil souriant. Une adresse sympa quand on n'est pas ennuyé à la sortie...

|●| *Equinox* (plan Centre, B2, 50) : 2, rue Tanta. ☎ 037-70-74-30. Menu entre 70 et 80 Dh (7 à 8 €). Petite adresse style snack moderne pour un repas copieux sur le pouce. Pas d'alcool.

Chic (de 100 à 200 Dh, soit 10 à 20 €)

|●| *Le Petit Beur* (plan Centre, B2, 49) : 8, rue de Damas (en arabe, Dimachq). ☎ 037-73-13-22. Derrière l'hôtel *Balima*. Géré par un couple jeune et dynamique, appuyé par un serveur au charisme surprenant. On y mange exclusivement marocain, dans une ambiance conviviale et un cadre plein de charme.

|●| *La Mamma* (plan Centre, B2, 50) : 6, rue Tanta. ☎ 037-70-73-29 ou 037-70-23-00. Derrière l'hôtel *Balima*. Ouvert jusqu'à 2 h du matin. Pizzas et grillades dans une bonne odeur de feu de bois, d'accord ce n'est pas typiquement marocain, mais c'est un resto vraiment sympa et très populaire donc toujours plein de monde. Livraison à domicile. Cartes de paiement acceptées.

|●| *Le Koutoubia* (plan Centre, B3, 51) : 10, rue Pierre-Parent. ☎ 037-70-10-75. Petite rue proche du *Musée archéologique* et de la *Maison de la Radio*. Cadre marocain, mais style moderne 1950, y compris les couleurs et les abat-jour... une vraie machine à remonter le temps ! Grand choix de très bons tajines. Accueil charmant. Une adresse recommandée.

|●| *Zerda* (plan Centre, B1, 52) : 7, rue Patrice-Lumumba. ☎ 037-73-

09-12. Cuisine juive marocaine soignée et variée, servie dans une petite salle chaleureuse. Deux musiciens se relaient chaque soir à partir de 22 h pour faire alterner *oûd* traditionnel et raï, et mettre plein d'ambiance. Du coup, le soir, le resto ne ferme que lorsque les clients ne suivent plus. Une excellente adresse pour des soirées animées.

|●| *L'Éperon* (plan Centre, C2, 53) : 8, av. d'Alger (en arabe : *Al-Jeza'ir*). ☎ 037-72-59-01 ou 037-70-76-31. Ne vous fiez pas à la façade, elle cache un cadre chaleureux et un restaurant qui propose une carte française avec plein de petits plats alléchants. Ambiance lumière tamisée sans tomber dans la carte postale du dîner aux chandelles. Et pour ne rien gâcher, un accueil sympathique. Une adresse pas très typique, certes, mais très agréable.

|●| *Le Père Louis, relais des Artistes* (plan Centre, B2, 54) : 5, rue de Damas (en arabe, *Dimachq*). ☎ 037-70-96-29. Ambiance rétro, dans un cadre très frais d'auberge à la française. Cuisine internationale. Bon, calme et service attentionné. On y aime la musique : à chaque plat de la carte, est associée une chanson française, anglaise ou

arabe. Tous les soirs sauf le dimanche, pianiste et chanteur oriental.

|●| **La Bamba** (plan Centre, B2, 55) : rue Tanta. ☎ 037-70-98-39. Juste derrière l'hôtel Balima. Menus de 85 à 125 Dh (8,50 à 12,50 €). Si l'odeur de poisson vous prend à la gorge en entrant, c'est parce que la maison en fait la grande spécialité de sa carte ! Pour les réfractaires, deux menus internationaux et un marocain, pour tous les goûts. Accueil chaleureux, mais les restaurateurs qui facturent le couvert plutôt que de l'inclure dans le prix du menu, ça nous énerve... Avec quelques efforts, notamment sur le cadre (les couleurs de la déco ont quelque chose d'assez... surprenant) et la transparence des prix, ça pourrait être une très bonne adresse.

|●| **Chez Jean-Pierre** (plan d'ensemble, C1, 57) : Tarik El-Marsa. ☎ 037-20-13-65 ou 061-50-64-32. C'est le café-restaurant du club Stade Marocain, mais vous pourrez être tenté d'en faire votre cantine ! Spécialités de poissons et de fruits de mer, très bien cuisinés. Accueil on ne peut plus empressé. Salle donnant sur l'oued par de larges baies vitrées. Les moustaches gauloises de Jean-Pierre et les flonflons de l'accordéon qui joue en sourdine vous rappelleront la douce France. Seul regret : c'est loin du centre, mais vous pouvez sauter dans un petit taxi, ça ne grèvera pas votre budget.

Très chic (plus de 200 Dh, soit 20 €)

|●| **Le Goéland** (plan Centre, C3, 56) : 9, rue Moulay-Ali-Chérif. ☎ 037-76-88-85. Fermé le dimanche. Une grande salle blanche ouvrant sur un patio couvert, envahi de plantes vertes. Carte qui mettrait en appétit les plus difficiles. Poissons et crustacés sont à l'honneur (joues de lotte à la provençale, filet de saint-pierre à l'oseille, sole farcie, loup grillé et flambé à l'anis, etc.). Service attentionné, mais accueil pas à la hauteur de ce type d'établissement. Cartes de paiement acceptées.

Dans la médina

Bon marché (moins de 100 Dh, soit 10 €)

|●| **Widad** (plan Médina, A2, 45) : 135, rue Souika (une des rares maisons de la rue à afficher un numéro, commerce oblige !) ; près de la mosquée Moulay-Slimane. ☎ 061-22-28-79 (portable). Menu autour de 100 Dh (10 €). Une volée de marches conduit à une gargote décorée de bric et de broc. Prenez l'apéro sur le minuscule balcon qui domine la rue et son spectacle coloré. Cuisine marocaine simple et savoureuse. Le menu convient à tous les appétits. Hospitalité venant du cœur. Le patron sera heureux de vous faire signer son Livre d'or. Une adresse bien agréable, même si l'on se dit que tout ça semble taillé sur mesure pour le touriste de passage.

Beaucoup plus chic (plus de 300 Dh, soit 30 €)

|●| **Dinarjat** (plan Médina, A1, 57) : 6, rue Belgnaoui. ☎ 037-70-42-39 et 037-72-23-42. En face de la kasbah des Oudaïa, sur l'av. El-Alou, à l'entrée d'une ruelle, vous trouverez une pancarte indiquant le restaurant. De là, le gardien, que l'on reconnaît à sa lanterne (s'il brille par son absence, il est en route, attendez-le et profitez-en pour préparer quelques dirhams qui rémunèreront son service), vous accompagnera jusqu'à un riad anonyme. Ce véritable palais des Mille et Une Nuits, mis en valeur par

l'éclairage, vaut le détour à lui tout seul. La carte propose 6 sortes de tajines dont « les envies de femme enceinte », deux variétés de couscous et du poulet aux amandes et oignons, ou aux citrons et aux olives confites, ou encore *djaj m'charmel*, c'est-à-dire mariné et doré. Mais les préparations sont inégales, la musique marocaine médiocre, et on n'y sert pas d'alcool. On regrette vraiment que l'établissement se repose sur son monopole de resto chic dans la médina.

À l'Agdal

Très bon marché (moins de 50 Dh, soit 5 €)

l●l *La Graille* (plan Agdal, A1, 10) : 66, av. Oqba. ☎ 037-77-88-76. Un fast-food banal pour routards démunis. Impossible de trouver moins cher pour cette qualité, surtout dans ce quartier. Les hamburgers y sont faits comme à la maison. Appréciez le costume de pingouin (nœud pap' et costume noir) des serveurs, qui détonne franchement dans le cadre snack...

Prix moyens (moins de 100 Dh, soit 10 €)

l●l *Chez El-Ouazzani* (plan Agdal, B1, 12) : pl. Ibn-Yassine. ☎ 037-77-92-97. Menu à 70 Dh (7 €) le soir. Mais le plus souvent, le prix est fixé à la tête du client : pas de carte, et addition faite de tête par le serveur. Même comme ça, pas de coup de fusil ! La base de l'offre est la brochette, mais on peut s'y faire servir quelques tajines. Décor intérieur typiquement marocain. Mais c'est à la terrasse que vous vous installerez pour vous délecter de son animation. Haut lieu de rassemblement des étudiants gauchistes dans les années 1970-1980. De nombreux Marocains continuent d'en faire leur cantine. Le service s'arrête quand il n'y a plus rien à manger. Logique, non ?

l●l *Café-restaurant Dada* (plan Agdal, A-B2, 13) : 36, av. de France. ☎ 037-77-61-30 ou 037-77-65-08. Autant vous prévenir tout de suite, il n'y a malheureusement aucun rapport avec le mouvement artistique Dada. C'est une petite bâtisse, précédée d'une modeste terrasse, avec un café ouvert sur l'extérieur au rez-de-chaussée et un étage où l'on dîne au calme, dans une bonne odeur de cuisine marocaine. Bon accueil et tarifs raisonnables, mais pas d'alcool.

Chic (de 100 à 200 Dh, soit 10 à 20 €)

l●l *Pizzeria Reggio* (plan Agdal, B1, 16) : à l'angle de la pl. Ibn-Yassine et de la rue Al-Achari. ☎ 037-77-69-99. Un excellent restaurant italien, bondé tous les soirs. Ses tables serrées les unes contre les autres ne le rendent pas vraiment propice aux discussions intimes, mais on s'en fiche : on est tous là pour ses bonnes pizzas et ses savoureux petits plats.

l●l *El Rancho* (plan Agdal, A-B3, 14) : 30, rue Michlifene. ☎ 037-67-33-00. Ouvert jusqu'à 1 h. Tous les jeunes branchés et argentés de Rabat semblent s'y donner rendez-vous pour y manger un morceau ou y boire un verre avant d'aller en boîte. L'ambiance est électrique le week-end. À l'heure du déjeuner, on y rencontre plutôt les salariés des entreprises du quartier en semaine, et le week-end les familles qui viennent y tester la cuisine tex-mex.

l●l *Le Puzzle* (plan Agdal, A3, 15) : 79, av. Ibn-Sina. ☎ 037-67-00-30. Réservation recommandée. Fermeture à 1 h. C'est le rendez-vous de la jet-set, pour dîner dans un cadre très tendance et chaleureux. Ça ne désemplit pas : de la jeunesse dorée aux jeunes cadres dynamiques qui y étalent leur réussite sociale. Une bonne adresse quand on a les moyens et que l'on peut montrer patte blanche...

Très chic (plus de 200 Dh, soit 20 €)

|●| *L'Entrecôte* (plan Agdal, A2, *18*) : 74, rue Al-Amir-Fal-Ould-Omeir. ☎ 037-67-11-08. Menus à partir de 170 Dh (17 €) ; compter le double à la carte. Dans une ambiance *cosy* et chaleureuse, une adresse gastronomique de Rabat. Y viennent riches Marocains et membres des cabinets ministériels en semaine, pour déjeuner, mais aussi quelques groupes touristiques le week-end (à éviter à ce moment-là, donc). Carte exclusivement internationale.

Beaucoup plus chic (plus de 300 Dh, soit 30 €)

|●| *Restaurant Le Margot* (plan Agdal, A3, *19*) : 20, av. Ibn-Sina. ☎ 037-67-26-02. Compter 300 à 350 Dh (30 à 35 €) pour un repas complet. À notre avis, c'est « l'adresse » chic et gastronomique de Rabat. Dans une petite maison, cernée d'un mur de chaux blanche et un petit gazon. La carte – plutôt cuisine française – est très variée et raffinée (plus surprenante que dans bien des restaurants en France). L'accueil du patron est excellent, ses conseils précieux, d'autant que c'est lui qui passe derrière la table, pour rendre les dames encore plus belles. Carte des vins, bien sûr.

|●| *Al Dar Andalous* (plan d'ensemble, C3, *58*) : hôtel *Hilton*, visible du carrefour des avenues Ad-Doustour et Omar-ibn-al-Khattab. ☎ 037-67-56-56. Ouvert de 20 h 30 à 1 h. Compter environ 300 Dh (30 €) pour un repas complet. Réservation recommandée. L'un des 3 restos de l'hôtel *Hilton*, tout au fond du hall à gauche. Cuisine marocaine haut de gamme, inventive et succulente. Déconseillé aux petites faims. Excellent rapport qualité-prix, bien meilleur que *Dinarjat* dans la médina. Décoration en clair-obscur riche d'ambiance orientale. Tout au long de la soirée, se succèdent un ensemble traditionnel marocain (*oûd*, violons quart de ton, *derbouka*, *tar* et hélas ! orgue électronique remplaçant la vièle *kamenjah*), une danseuse et plusieurs chanteurs. Hormis de rares clients de l'hôtel et quelques routards, la clientèle est exclusivement locale. C'est très bon signe !

Où manger une pâtisserie ?

|●| *Pâtisserie Maymana* : 5, rue Houarai. La patronne, Mme Berrada, est la sœur de Mme Alami, la célèbre pâtissière de Marrakech. C'est vraiment un don dans la famille, toutes deux réalisent sans conteste les meilleures pâtisseries du pays. Adresse incontournable.

|●| *Pâtisserie Majestic* (plan Centre, B2) : 14, av. Allal-ben-Abdellah. Ouvert de 6 h à 21 h. Salon de thé chic, très agréable, à des prix raisonnables et aux pâtisseries appétissantes.

|●| *Confiserie Poulhe* (plan Centre, B2) : av. Mohammed-V, juste après l'hôtel *Balima*. Goûter les bâtonnets au chocolat et aux amandes.

|●| *Pâtisserie La Comédie* (plan Centre, A1-2) : av. Mohammed-V, à l'angle de la rue Jeddah. Le cadre de ce salon de thé, qui dispose d'une salle à l'étage, est très soigné. Les pâtisseries qu'il propose aussi.

|●| *Pâtisserie Dar-el-Qortbi* (plan Médina, A2, *48*) : 5, impasse Ben-Ameur. Dans la médina, dans une impasse à gauche de la rue Mohammed-V après le marché central. Pas d'enseigne particulière (et un peu dur à trouver), car c'est un lieu de production artisanale qui fournit de

nombreux salons de thé de la capitale, ainsi que les connaisseurs. Il y a d'ailleurs une petite échoppe à deux pas. Excellents gâteaux marocains. Le patron est accueillant et passionné.

Où boire un verre?

Sans alcool

Dans la kasbah des Oudaïa

🍷 **Café Maure** (plan Médina, B1, 80) : halte incontournable à l'occasion de la visite de la kasbah des Oudaïa. Ferme quand le soleil se couche. Occupe deux terrasses séparées par une ruelle peu engageante, toujours bondées le week-end. En sirotant votre thé à la menthe, contemplez les murs de la kasbah et, de l'autre côté de l'oued, la ville de Salé. Observez le mouvement des barques des passeurs, les nageurs et les jet-skis qui slaloment entre les uns et les autres. Certains Rbatis sont persuadés que Mohammed VI, avant d'accéder au trône et de se voir affubler du sobriquet de Sa Majet-ski du fait de son amour de ce sport, venait en personne profiter des joies du site.

🍷 **Bar du restaurant La Caravelle** (plan Médina, B1, 81) : ouvert jusqu'à minuit. Possibilité de manger : compter 130 Dh (13 €) pour un repas, à vos risques et périls. dans une ancienne prison. Belle terrasse ornée de murs crénelés et de trois borjs, qui surplombe l'embouchure de l'oued. Vue plaisante sur Salé et l'océan. Le soir, ambiance intimiste, mais fréquentation pas toujours recommandable.

Dans la ville moderne

🍷 À la terrasse de l'**hôtel Balima** (plan Centre, B2, 25) : av. Mohammed-V, dans le centre de la ville moderne. À l'heure du pastis – même si on n'y sert pas d'alcool – difficile de trouver une table ; c'est plein d'habitués. En cas de fringale, évitez à tout prix le resto (cadre nul, et cuisine à l'avenant).

🍷 **Café Chawarma** : dans le petit jardin public, sur la place Bâb-Khebaz, à l'angle de l'av. Mohammed-V et de la rue Al-Mansour-Addahbi. Ouvert tous les jours de 6 h à 21 h. Petit café très agréable et très frais pour se reposer après une longue balade dans la vieille ville. On peut même apporter sa propre nourriture, une bonne occasion pour déguster tous les petits plats que vous aurez dégotés dans le souk.

🍷 **Cafétéria du 7ᵉ Art** (plan Centre, B2) : av. Allal-ben-Abdellah. Un super-café qui se veut la cafét' du cinéma du même nom, et qui est, en fait, bien plus que cela. Difficile de se croire au cœur de Rabat dans ce petit jardin organisé autour d'un bungalow. Le cadre est surprenant et très agréable ; pas étonnant que ce soit noir de monde dès les heures de bureau terminées.

🍷 **Le Jour et Nuit** (plan Médina, B2, 44) : pl. Melilia. Avis aux noctambules, ce café est ouvert toute la nuit, ce qui est rare au Maroc. La belle terrasse, sous un gigantesque banian, est très animée. Fait aussi restaurant (voir la rubrique « Où manger ? »).

🍷 **Le SISISI** (plan Centre, B2, 45) : 19, rue Moulay-Rachid. Un petit resto moderne surtout fréquenté par des jeunes et où l'on peut prendre un verre (voir la rubrique « Où manger ? »).

🍷 **Weimar Café** (plan Centre, A3, 61) : rue de Sanaa, dans les locaux de l'institut Goethe. ☎ 037-73-26-50. À deux pas de l'Institut français. Ouvert de 10 h à minuit. Fermé en août. Une terrasse de caractère au mobilier design, rendez-vous des étudiants de l'Institut et des coopérants. Également cuisine allemande et internationale, mais chère. Des petits concerts en soirée le week-end.

À l'Agdal

🍷 *Restaurant Arrabia (plan Agdal, A2, 20) :* 41, av. de France. ☎ 061-20-37-97 (portable). Ouvert tous les jours jusqu'à 23 h. *Chicha* (pipe à eau orientale) à 30 Dh (3 €). « La seule chicha de Rabat », annonce le patron, un Égyptien (une garantie de qualité !). Pour ne pas le vexer, faites semblant de le croire... On peut aussi y manger des petits tajines ou boire un café. À réserver toutefois aux routards chevronnés.

Avec alcool

Dans la ville moderne

🍷 *Mare Nostrum (plan Centre, C2, 62) :* 58, av. Moulay-Ismaïl. ☎ 037-20-76-77. C'est plein de monde tous les week-ends. Une petite maison sur deux étages, dans le style de ce que l'on voit dans le quartier de l'Agdal, mais un peu excentrée et, du coup, surtout fréquentée par des habitués. On vient y boire un verre en fredonnant des chansons, et il y a parfois des petits concerts à l'étage. On peut aussi y dîner, mais nous le déconseillons : il y a tellement de monde qu'on ne s'entend pas manger.

🍷 *Café Jefferson (plan Centre, B1, 63) :* à l'intersection de la rue Patrice-Lumumba et de la rue Moulay-Rachid. Rendez-vous plutôt populaire de la jeunesse locale. Très animé jusque tard dans la nuit.

À l'Agdal

🍷 *El Rancho (plan Agdal, A-B3, 14) :* 30, rue Mischliffen. Voir la rubrique « Où manger ? ». Un bar à la mode plein d'ambiance.

🍷 *Le Puzzle (plan Agdal, A3, 15) :* 79, av. Ibn-Sina. Voir la rubrique « Où manger ? ». Le rendez-vous de la jet-set rbati.

Où sortir ?

🎵 *Amnesia (plan Centre, B1-2, 64) :* rue de Monastir. Entrée : 100 Dh (10 €) avec une conso ; prévoir 80 Dh (8 €) pour les verres suivants. Pour tous les goûts, la boîte la plus à la mode, avec ou sans tenue (tee-shirt et baskets tolérés). Une déco magnifique qui n'a rien à envier aux boîtes de nuit les plus en vogue dans les milieux noctambules. On peut danser sur de la musique techno en évitant l'avion qui atterrit, prendre un verre dans un pub anglais ou manger une pizza aux fenêtres d'un bus scolaire américain. Sans conteste notre boîte préférée à Rabat.

🎵 *Le Ve Avenue (plan Agdal, B1, 21) :* pl. Ibn-Yassine, à côté du restaurant *L'Élysée*. Entrée : 100 Dh (10 €). Resto-pub-night-club. Une discothèque classique. Musique européenne et ambiance bon enfant. Le pub est assez agréable également.

🎵 *L'Arc-en-ciel (plan Centre, B2) :* à côté de l'hôtel *Balima*. Entrée à 100 Dh (10 €) pour les hommes, 80 Dh (8 €) pour les femmes. Alternance de musiques disco et live marocaines. À partir de minuit, ambiance très chaude. Déco pas trop rigolote.

🎵 *Jefferson's (plan Centre, B1, 63) :* à l'intersection de la rue Patrice-Lumumba et de la rue Moulay-Rachid. Techno et dance.

À voir

** Les murailles : longues de 5 263 m, érigées sur ordre du sultan almo-hade Yacoub el-Mansour à la fin du XIIe siècle, elles donnent à la ville un cachet particulier. L'idéal est de les suivre en voiture. Si vous n'êtes pas motorisé, un petit taxi ne vous coûtera pas plus de 35 à 40 Dh (3,50 à 4 €). Nous vous conseillons cette virée à la nuit tombante. Partir de la place Abra-ham-Lincoln *(plan d'ensemble, D2)* en direction du sud, *via* le boulevard Moussa-ibn-Nossain qui passe entre les murailles ocre rouge du Mechouar à droite et les murs crénelés de Chellah à gauche, tous brillamment éclairés. L'effet d'ensemble est magnifique. Lorsque le boulevard quitte les murailles qui continuent dans l'enceinte du palais royal (fermé à la circulation le soir), poursuivre jusqu'au *Hilton* et prendre à droite l'avenue Omar-ibn-al-Khattab vers l'Agdal puis l'avenue al-Oumam-al-Mouttahida vers bâb er-Rouah où l'on retrouve l'enceinte. Continuer tout droit en jetant des coups d'œil à tra-vers les nombreuses portes qui ouvrent sur le centre-ville puis sur la médina.

* La ville moderne : délimitée par le bd Hassan-II qui longe la médina et par l'av. Mohammed-V qui relie cette médina au palais royal. C'est le long de cette avenue que se trouvent les principaux commerces, les cinémas, la poste, la gare ferroviaire toute la vie, quoi ! Sur son vaste terre-plein central planté de palmiers et agrémenté de fontaines, les soirs de fin de semaine, des familles entières se prélassent sur les pelouses à jouir de la douceur de l'air. En bas, le *parc du Triangle-de-Vue (plan Centre, B1)* pourrait être une halte reposante au cœur de l'agitation. Mais ce jardin mal entretenu ferme tôt et l'on en est chassé à coups de sifflet dès 18 h, juste au moment où l'ombre bienfaisante de ses grands arbres commence à se faire sentir.

* La médina *(plan Médina)* **:** construite au XVIIe siècle pour accueillir les réfugiés d'Andalousie. Beaucoup moins pittoresque que celles de Fès et de Marrakech, elle n'en est que plus authentique, les produits de ses échoppes s'adressant surtout à une clientèle locale. En partant de la rue Moham-med-V, dans l'axe de l'avenue du même nom, allez flâner dans la rue Souika où s'entassent les commerces alimentaires, entrez dans le souk couvert *Es-Sebat* où sont groupés les marchands de chaussures. Prenez ensuite à gauche la rue des Consuls, qui fut jusqu'au début du XXe siècle la résidence des représentants des pays étrangers, et visitez ses boutiques de fringues, de tapis et d'objets artisanaux. Goûtez aux nougats aux amandes, au miel ou au chocolat, vendus dans de petites échoppes dans toute la médina, et particulièrement dans la rue des Consuls. En continuant, de la place du *Souk El-Ghezel* (souk de la laine), vous découvrez les remparts de la kas-bah des Oudaïa. Sur cette place, voilà trois siècles, on présentait aux ache-teurs éventuels les captifs chrétiens saisis en mer par les pirates. Si vous êtes en forme, avant de rentrer dans la kasbah, vous pouvez remonter à gauche le boulevard Al-Alou où vous trouverez les très pittoresques bou-tiques des vendeurs de laine.

** La kasbah des Oudaïa *(plan Médina, A-B1)* **:** le site préféré des Rbatis. C'est l'une des premières constructions arabes de la ville, bâtie au XIIe siècle sur un site occupé depuis l'époque romaine. Les Oudaïa, terrible tribu de pil-lards, se livraient à de telles exactions que le sultan Moulay Abderrahmane fit arrêter leur caïd en 1832, provoquant une révolte massive durant laquelle ils se rendirent maîtres de Fès avant d'en être délogés *manu militari*. Ils furent aussitôt dispersés dans le royaume et, en 1844, l'un des groupes échoua à Rabat dans cette kasbah alors à l'abandon. Ils y restèrent bien sages et furent même employés à surveiller les tribus Zaërs qui faisaient régner l'insécurité jusqu'aux remparts de la ville.

Aujourd'hui, le site, préservé des constructions modernes, a gardé tout son charme. Vous ne risquez pas d'en manquer l'entrée, car la porte des

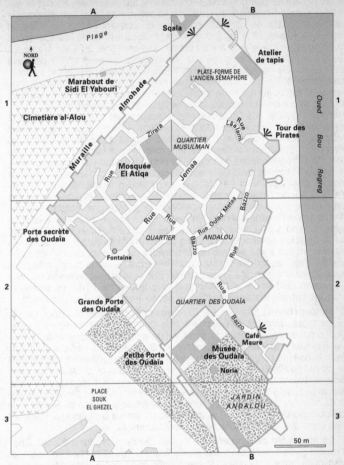

NORD

plage

Sqala

Atelier
de tapis

PLATE-FORME DE
L'ANCIEN SÉMAPHORE

Marabout de
Sidi El Yabouri

Cimetière al-Alou

Muraille

almohade

Zirara

Rue

QUARTIER
MUSULMAN

Rue Laâlami

Tour des
Pirates

Mosquée
El Atiqa

Jemaa

Oued

Bou

Regreg

Porte secrète
des Oudaïa

Rue

Rue

Bazzo

Rue Oulad Metaa

QUARTIER

ANDALOU

Bazzo

Rue

Fontaine

QUARTIER

Grande Porte
des Oudaïa

Rue

QUARTIER DES OUDAÏA

Bazzo

Café
Maure

Petite Porte
des Oudaïa

Musée
des Oudaïa

Noria

PLACE
SOUK
EL GHEZEL

JARDIN
ANDALOU

50 m

A   B

RABAT ET ENVIRONS

LA KASBAH DES OUDAÏA

Oudaïa, tout en pierre ocre sculptée, forme un ensemble assez étonnant,
même pour qui ne s'intéresse guère à l'architecture almohade. Cependant,
mieux vaut y pénétrer plutôt par la petite porte, située un peu plus bas, échappant ainsi aux « faux guides » qui guettent à la grande porte, prétendant parfois que l'entrée est interdite aux non-musulmans ou que le musée est fermé,
dans l'unique but de conduire le pigeon sur leur terrasse personnelle...
moyennant rémunération, bien sûr. Si cela vous arrive, passez outre fermement : ce quartier plein de charme ne se visite qu'avec ceux que l'on aime.
Passé la petite porte, devant vous, le ***musée***. Ouvert de 9 h à 11 h 30 et de
15 h à 17 h 30. Fermé le mardi. Entrée : 10 Dh (1 €), gratuit pour les Marocains le vendredi. Collections de poteries de Fès, de tapis, d'instruments de
musique et un riche ensemble de bijoux. Un intérieur marocain y a également été reconstitué. Il y a là quantité de choses que l'on aimerait s'offrir !
Derrière le musée, la fraîcheur du jardin andalou, planté d'une variété de
fleurs et d'arbres, envahi de chats faméliques et galeux, plaisant malgré

l'entretien anarchique qui laisse le champ libre aux mauvaises herbes et aux détritus divers. En sortant du jardin par la poterne du fond, l'incontournable *café des Oudaïa*, ou *Café Maure*, intime et ravissant (voir « Où boire un verre ? »). Passé 18 h, quand le jardin andalou est fermé, contournez le musée pour y trouver une autre poterne donnant accès au *Café Maure*.

Gentiment encouragé et guidé par les habitants qui vous voient perplexe dans ce dédale de venelles bordées de maisons peintes de blanc symbolisant l'unité et de bleu symbolisant la mer, gagnez la rue principale (rue Jemaa, c'est-à-dire rue de la mosquée). Elle sépare le quartier musulman, en haut autour de sa mosquée, du quartier andalou d'où vous venez. Vous y trouvez la *galerie des Oudaïa* et ses expositions, et elle vous conduit à la plate-forme de l'ancien sémaphore, un bon endroit pour rêver devant l'embouchure de l'oued et l'océan. Vous pouvez sortir de la kasbah au niveau du restaurant *La Caravelle* (une ancienne prison) et longer le pied des murailles almohades, le long de la plage de Rabat (un dimanche d'été, la concentration de baigneurs est effarante !) et du *cimetière el-Alou* aux tombes disposées vers La Mecque. On y trouve le tombeau de Sidi el-Yabouri, qui fait l'objet d'un culte assidu des femmes en mal de mari. Notez avec quelle désinvolture l'urbaniste moderne a tracé une rocade éventrant l'impressionnant alignement de tombes... Après l'angle de la muraille almohade, s'étend à gauche un terrain qui faisait partie du cimetière. La municipalité a voulu y aménager un parking souterrain. Mais durant l'été 2002, les travaux ont mis à jour des ruines almoravides oubliées et, lors de notre dernier passage, les fouilles continuaient. Remarquez aussi la toute petite porte dans la muraille, appelée Porte Secrète. Elle vous permet de revenir dans le quartier musulman de la kasbah puis vers la Grande Porte, en notant au passage la belle fontaine désaffectée depuis l'adduction d'eau courante.

🚶 *La tour Hassan* (plan Centre, D1) **:** près de la place Sidi-Makhlouf. De ses quatre faces, décorées différemment, trois sont roses et la dernière est grise, tannée par les brises marines. Ce minaret de la mosquée éponyme du XIIᵉ siècle, à jamais inachevé, aurait dû culminer à 80 m alors qu'il n'atteint que 44 m. Avec le parterre de colonnes de hauteurs inégales qui s'étend à son pied (on se croirait au Palais-Royal revu par Buren...), c'est tout ce qui reste d'un grandiose rêve du sultan Yacoub el-Mansour. Celui-ci, qui ne manquait pas d'ambition, avait projeté la plus vaste mosquée du monde, soutenue par 312 colonnes et 42 piliers de marbre, bref un digne concurrent de la Giralda de Séville et de la Koutoubia de Marrakech. Les travaux furent arrêtés à sa mort en 1199, et il n'en reste que ces soubassements impressionnants.

🕌 *Le mausolée de Mohammed V* (plan Centre, D1) **:** juste à côté. Chef-d'œuvre de l'art marocain traditionnel. Tout est luxe et raffinement, dans un festival de matériaux nobles : le sarcophage royal d'onyx blanc pakistanais a été dressé sous une coupole d'acajou et de cèdre du Liban, dorée à la feuille. Une galerie fait le tour du mausolée où reposent aussi, dans un coin, Hassan II et son frère Moulay Abdallah. Des militaires montent la garde, mais tout est bon pour tromper leur ennui ; ils sont les premiers à enfreindre le silence et le recueillement du lieu !

🕌 *Le Musée archéologique* (plan Centre, B3) **:** rue Al-Brihi. Pas facile à trouver, les habitants ne le connaissent pas ; demander l'hôtel *Chellah* ou la Radio-Télévision, c'est en face. Ouvert de 9 h à 11 h 30 et de 14 h 30 à 18 h 30 ; pendant les fêtes du ramadan, de 9 h à 17 h. Fermé le mardi. Entrée : 10 Dh (1 €). Les caisses ferment 1 h avant. Quand il n'y a pas beaucoup de visiteurs, ils ont tendance à fermer avant l'heure. Bien que le musée soit vieillot et pas très grand, les pièces présentées sont très belles, et les explications passionnantes et pédagogiques. Certains diront qu'on y apprend plus de choses qu'à Volubilis ; d'ailleurs, la plupart des pièces viennent de là-bas et de Chellah. Il vaut mieux, si l'on n'est pas féru d'histoire, se faire accompagner d'un guide.

Il faut absolument voir l'étonnante collection de bronzes romains. Le *Chien de Volubilis* est prêt à bondir, et on s'attend à l'entendre aboyer. L'*Éphèbe versant à boire* (copie de Praxitèle) rivalise de grâce avec l'*Éphèbe couronné de lierre* qui constitue la pièce la plus importante de ce musée. On y voit aussi de très beaux bustes, dont celui du *roi Juba II*, époux de la fille de la reine Cléopâtre et de Marc Antoine, et de somptueuses sculptures de visages d'enfants. Étonnants verres et très beaux bijoux de l'époque romaine.

🏛 ***Bâb Er-Rouah*** *(plan Centre, A3) :* cette porte dite des Vents rappelle un peu celle des Oudaïa, dont elle est contemporaine. Sur le bandeau, au milieu des arabesques et des entrelacs, une inscription du Coran en caractères coufiques. À l'intérieur, des coquilles Saint-Jacques gravées rappellent que l'on est au bord de la mer. Une galerie d'art y est installée.

🏛 ***Le palais royal*** *(plan d'ensemble, C2) :* lors des grandes fêtes religieuses (une ou deux fois par an), on peut voir le cortège royal se rendant vers 12 h 30 à la prière solennelle dans la mosquée Ahl-Fez. Le palais ne se visite pas, mais on peut traverser ses grandes cours formant le *méchouar*. Une petite balade agréable, mais pas indispensable.

🏛 ***Le parc Ibn-Sina*** *(plan d'ensemble, B-C3):* les Rbatis l'appellent *parc Hilton* car une entrée principale se trouve au niveau de cet hôtel. Ouvert dès 5 h 30 (6 h pendant ramadan). Ferme à la tombée de la nuit, mais attention : ne vous attendez pas à un rabattage par des gardiens munis de sifflets, sans quoi vous risquez de vous y faire enfermer ! Très belle plantation d'eucalyptus et de pins, le seul poumon vert de l'agglomération. Plaisant à toute heure de la journée. Fréquenté par les sportifs, les familles et les amoureux aux postures fort pudiques.

🏛🏛 ***La nécropole de Chellah*** *(plan d'ensemble, D2) :* à 2 km du centre-ville, entre le palais et l'oued Bou Regreg. Ouvert tous les jours de 8 h à 18 h. Entrée : 10 Dh (1 €); gratuit pour les Marocains le vendredi. Déclinez les offres des guides et préférez une flânerie à votre gré. Bâtie au XIVᵉ siècle sur l'ancienne cité romaine de Sala Colonia pour abriter les tombeaux de la dynastie mérinide, ceinte de belles murailles crénelées, la nécropole tomba en déliquescence lorsqu'un des sultans choisit Fès pour la remplacer. Visite incontournable pour les amoureux de vieilles pierres et les férus d'histoire, mais chacun trouvera son compte dans ce site enchanteur qui permet une balade bucolique et romantique. En effet, derrière une belle porte d'accès, la nature a conservé une partie de ses droits (certains diront que c'est mal entretenu, question de regard...).

Si les ruines romaines retiennent surtout l'attention des spécialistes, la nécropole mérinide mérite que l'on s'y attarde. Remarquez les vestiges d'une décoration d'un grand raffinement et les tombes de différentes tailles, regroupées par familles, ainsi que le vénérable minaret colonisé par les cigognes. Plusieurs marabouts sont érigés un peu plus haut, dans un bosquet qui abrite, d'avril à juillet, une impressionnante colonie de plusieurs centaines de hérons garde-bœuf. À la fin de la saison de reproduction, vous risquez à tout moment de marcher sur un jeune qui ne sait pas encore voler ! Des oiseaux morts se dessèchent dans les arbres ou les arbustes (quand on vous dit que la nature conserve ses droits...). Tout en bas, dans un bassin de pierre, évoluent poissons et anguilles sacrées. Il serait alimenté par une source miraculeuse où vivrait, selon la légende, un poisson couvert d'or. Les femmes déposaient des « offrandes » aux anguilles, pour attirer à elles la fertilité. Une vieille femme jettera certainement, pour votre plaisir et dans l'espoir de quelques dirhams, des œufs dans l'eau pour faire sortir les habitantes des trous de rocher où elles se cachent. Pour conclure la visite, montez sur les pentes au-dessus des ruines romaines ; la vue embrasse le site, les murailles ocrées, les marabouts, le bosquet aux oiseaux, le minaret aux cigognes, les collines avoisinantes où paissent quelques maigres troupeaux et l'oued Bou Regreg, en un tableau parfaitement composé, riche de culture et de traditions.

Achats

Dans la capitale, on trouve de l'artisanat provenant de toutes les régions du Maroc, du bois (thuya) au fer forgé, en passant par les poteries ou encore les broderies (aux motifs andalous) et les tapis (ils ont un motif central et des bords très travaillés). Dans la médina, et notamment la rue des Consuls *(plan Médina, B1-2),* on trouve plein d'échoppes pour ses achats de souvenirs et quelques boutiques destinées aux locaux dans les petites rues perpendiculaires.

⊛ **Ensemble artisanal** *(plan Médina, B1)* **:** rampe Tarik-al-Marsa, à gauche en sortant de la kasbah des Oudaïa. Le plus soigné du Maroc avec ses boutiques les unes à la suite des autres.

⊛ **Marché aux fleurs** *(plan Centre, B2)* **:** pl. Moulay-Hassan (ex-Pietri). Grand choix à prix modiques.

Randonnées

■ *La Division de la cartographie :* av. Hassan-II, près du centre de transfusion sanguine. Ouvert du lundi au jeudi de 8 h 30 à 11 h 30 et de 14 h 30 à 17 h 30 ; le vendredi, de 8 h 30 à 11 h et de 15 h à 17 h 30.

Prévoir une pièce d'identité. Édite des cartes couvrant tout le Maroc, à des échelles différentes (peu de cartes sont en vente libre, à part celles des zones montagneuses les plus touristiques).

Festival

– *Festival de Rabat :* ☎ 037-20-30-30. ● www.festivalderabat.ma ● Chaque année en juillet, festival international pluridisciplinaire (musique, cinéma, théâtre, photo), au cosmopolitisme avéré. Très fréquenté par la jeunesse qui se morfond de la pauvreté culturelle habituelle de la capitale. Renseignements et billets dans les tentes montées pour l'occasion avenue Mohammed-V.

➤ *DANS LES ENVIRONS DE RABAT*

SALÉ

À 3 km de Rabat, dont elle est séparée par le fleuve Bou Regreg. Traversée en barque ; sinon, services réguliers d'autobus et de petits taxis. En train, départ tous les quarts d'heure environ ; moins de 10 mn de trajet (le plus pratique). À pied, pas plus d'une demi-heure de marche.
Cette vieille implantation berbère, ancienne rivale de Rabat, a été rabaissée au rang de faubourg, mais sa visite est intéressante, beaucoup plus dépaysante que celle de la médina de Rabat. Il reste de nombreux de témoignages de la splendeur de ce port qui connut la prospérité jusqu'à la fin du XVIᵉ siècle.
Commencez la visite par la porte Bâb Mrisa, qui enjambait le canal et ouvrait sur l'arsenal maritime.

⚞ Suivez la rue Bâb-el-Khebbaz, qui conduit à l'ancienne médina avec ses souks. Le plus intéressant est le *souk El-Ghezel,* celui de la laine. Y aller de préférence le matin. Après avoir franchi deux passages voûtés et avoir obliqué sur la droite, on arrive à la grande mosquée.

🎯 *La médersa,* juste à côté, peut se visiter. Les travaux devaient durer jusqu'en 2003. On peut toutefois y entrer. Ouvert de 9 h à 18 h. Entrée : 10 Dh (1 €). À ne pas manquer : l'une des très rares médersas dont l'accès au dernier étage en terrasse est encore possible. De là, on découvre une vue magnifique sur Salé, l'estuaire du Bou Regreg et, dans le lointain, les remparts de la kasbah des Oudaïa. Mais surtout, on profite d'une vue plongeante sur la cour de la médersa.
En sortant de la médersa, passez sous l'arcade qui la relie à la mosquée et tournez à droite pour voir le marabout de Sidi Abdellah ben Hassoun, le patron de Salé.

🎯 Il faut également déambuler au gré de ses envies dans le *souk* (tous les jours sauf le vendredi, de 8 h à 21 h). On s'y balade « tranquillement », ballotté par la foule, enivré d'odeurs et de couleurs, au milieu des étalages et des femmes qui viennent y acheter produits maraîchers et soins traditionnels pour le corps. C'est un vrai marché, là où les Slaouis font leurs courses, loin de l'image d'Épinal et des produits spécial-touristes.
– Si vous avez la chance d'être à Salé la veille du *Mouloud,* vous assisterez à la procession des cierges portés par les barcassiers vêtus d'habits brodés. Le 6e jour du Mouloud, la fête recommence. Elle attire beaucoup de monde. Nombreux sont les musiciens qui passent la nuit à psalmodier d'anciens chants religieux.

🎯 On peut traverser le cimetière et aller jusqu'au *borj* nord-ouest ou revenir par le boulevard circulaire ou par la rue Kechachin. Sur le chemin, en front de mer, on aperçoit un tombeau à côté duquel se trouve, accolé aux remparts, un charmant petit *musée de la Céramique* qui offre aussi une belle vue sur Rabat. Fermé le mardi. Tout autour, on devine les vestiges de l'ancien cimetière et les restes des pique-niques dominicaux.

LE CENTRE ARTISANAL

Pour s'y rendre, bus n° 35 que l'on prend avenue Moulay-Hassan, près du numéro 31. En voiture, sortir de Rabat et prendre la direction de Meknès. Un fléchage « Complexe de poterie » indique la route. À environ 5 km de Rabat, à droite au croisement des routes de Meknès et d'Oujda. Ateliers de potiers et confection de tapis. Les prix sont marqués et corrects.

LES JARDINS EXOTIQUES DE SIDI-BOUKNADEL

À 12 km de Rabat sur la route de Kenitra, signalés par une simple inscription, à gauche de la route, sur un mur rouge. Prendre le bus n° 35 sur l'avenue Moulay-Hassan, près du numéro 31. 20 mn de trajet. Ouvert de 9 h à 18 h 30. Entrée payante. Sur 4 ha de plantations exotiques cohabitent des plantes du Japon, de Chine, d'Afrique, de Tahiti et d'Amérique du Sud. Malheureusement, les plantes qui ont pu résister survivent sans entretien, et les détritus envahissent les allées. Visite déconseillée aux filles seules car ces jardins sans surveillance sont un lieu de drague dure.

LE MUSÉE DAR-BELGHAZI

À 17 km sur la route de Kenitra. ☎ 037-82-21-78. Ouvert tous les jours de 8 h à 18 h 30, sauf pendant les fêtes. Entrée : 40 Dh (4 €) pour les salles principales et 100 Dh (10 €) pour l'ensemble de la collection ; demi-tarif pour les enfants de moins de 12 ans. Beaucoup plus cher que les musées nationaux, mais beaucoup plus à voir aussi (7 000 m² de surface). Les objets sont bien mis en valeur dans de grandes salles fraîches. Un musée ethnographique privé reconnu par l'État pour la qualité de ses collections consacrées aux arts traditionnels : bijoux, costumes, caftans, étoffes brodées, portes en bois sculpté, manuscrits, poteries, armes, instruments de musique et de mesure, etc.

Cette collection, très représentative de la richesse des arts marocains, a été rassemblée depuis trois générations par la famille fassie Belghazi. L'arrière-grand-père était astronome et collectionnait les manuscrits et les instruments de mesure astronomique ; le grand-père brodait du fil d'argent sur les selles des chevaux et s'intéressait naturellement aux tissus, puis ses filles aux bijoux et à la broderie, et ainsi de suite. Certaines pièces sont régulièrement prêtées pour des expositions internationales.

Bel ensemble d'éléments architecturaux et de mobilier lithurgique en bois de cèdre, comme ce *minbar* de l'époque mérinide (XIIe siècle). Magnifiques coupoles en bois sculpté du XVIIe siècle. Reconstitution surprenante d'un carrosse fassi du XVIIIe siècle en bois de cèdre. Salle consacrée à l'art juif.

LES PLAGES AU SUD DE RABAT

Celles de **Temara** (souk le samedi) ou de **Skhirat** sont les plus proches et aussi les plus sûres, parce que protégées par des criques ; dommage qu'il y ait des galets. Les plages de Temara (Gayville, Sables-d'Or, Val-d'Or) se succèdent le long de la route côtière, à 15 km de Rabat. Signalons aussi la plage de **Bouznika**, à 20 km, très appréciée des Marocains qui viennent y passer leurs vacances ; le village est agréable également.

Où dormir ? Où manger ? Où boire un verre ?

Hôtel La Felouque : plage des Sables-d'Or. ☎ 037-74-43-88. Fax : 037-74-40-69. ● www.ifrance.fr/maroc-online/hotelfelouque.htm ● Chambres doubles de 420 à 530 Dh, selon la saison (de 42 à 53 €). Compter environ 250 Dh (25 €) pour un repas complet. Carte *Visa* acceptée. 25 chambres en bungalows donnant sur la mer, avec terrasse privative et accès direct à la plage. Établissement plutôt chic, repris par des Français qui ont bien su tirer profit du site. Chambres simples mais correctes. Le restaurant est agréable. En saison, on mange sur la terrasse, qui offre une très belle vue. Piscine d'eau saumâtre (mi-douce, mi-salée), jardin, tennis et piano-bar. Beaucoup trop de monde le week-end, avec la piscine ouverte au public moyennant un droit d'accès. Discothèque. Accès à Rabat en car, qui passe devant l'établissement. Le propriétaire peut aussi vous y emmener en partant faire son marché du matin.

Motel Panorama des Sables d'Or : plage des Sables-d'Or. ☎ 037-74-42-89. Fax : 037-74-48-19. Chambres doubles à 320 Dh (environ 32 €). Un établissement au milieu des fleurs. Un endroit de verdure et de fraîcheur. Assez chaleureux, il dispose également d'une belle terrasse avec vue sur la mer, mais pas d'accès à la plage. Le restaurant, de qualité, est agréable, tout comme le pub surplombant la mer. Patron et personnel sympas. Catégorie chic, mais les prestations (surtout les chambres) ne sont pas à la hauteur.

La Kasbah : à Skhirat, Rose-Marie-Plage. ☎ 037-74-91-16 ou 33. Fax : 037-74-91-53. Chambres doubles autour de 520 Dh (52 €) avec salle de bains. Un hôtel très chic avec discothèque, piscine, tennis, night-club... Dans un décor façon kasbah, en terre rouge. Le cadre est chic, mais les chambres ne suivent pas toujours et les salles de bains carrément pas. À côté, restaurant agréable avec vue sur la mer – mais service pas terrible –, ainsi qu'un camping.

LES PLAGES AU NORD DE RABAT

⌐ Elles ont l'inconvénient d'être très dangereuses, particulièrement celle **des Nations** où l'on déplore de nombreuses noyades chaque année. Même chose pour **Mehdia-plage**, à la hauteur de Kenitra, à 40 km de Rabat, sur la route de Tanger. Plus que dans les vagues de l'océan, c'est dans les oueds que la baignade est dangereuse : sous des apparences calmes se cache un courant fatal, et les sauveteurs se trouvent vite débordés pendant les périodes de forte affluence estivale.

Où dormir ? Où manger ?

Camping

⌂ **Camping :** installé sur un terrain sablonneux, pas ombragé, mais à 300 m de la mer. Sanitaires corrects. Éviter la partie située à côté du dépôt d'ordures. Bruyant.

Plus chic

🛏 |❍| **Hôtel Firdaous :** plage des Nations, Sidi-Bouknadel, BP 4008, Salé. ☎ 037-82-21-31. Fax : 037-82-21-43. Chambres doubles à 600 Dh (60 €) très confortables. Les pieds dans l'eau, seul bâtiment sur une magnifique plage. Décoration psy- chédélique qui vaut le détour. Chambres confortables (préférer celles face à la mer). Piscine personnel soigné. Bonne cuisine. Dommage que la carte ne comporte aucun plat marocain.

LE LAC DE RABAT

À environ 20 km. Prendre la direction Meknès, et, à 7 km, tourner à droite vers Outa-Hacène. Recommandé aux amateurs de planche à voile.

LA FORÊT DE MAMORA

Principalement forêt de chênes-lièges. Un peu d'ombre et de calme, à quelques minutes de Rabat. Pour un circuit en voiture, prendre la direction de Meknès jusqu'à Sidi-Allal-Bahroui et tourner à gauche en direction de Kenitra. Et après la balade en forêt, retour à Rabat par la P2 et la P29.

QUITTER RABAT

En avion

✈ **Aéroport de Rabat-Salé** (hors plan d'ensemble par D1) **:** à 10 km, sur la route de Meknès. ☎ 037-81-02-21 ou 29. Liaisons avec Paris uniquement, 2 vols quotidiens (**Ram** et **Air France**). Change et location de voitures (**Europcar, Aris, Hertz**). Les grands taxis sont l'unique moyen de transport entre l'aéroport et la ville ; se faire confirmer le prix au départ (en principe 150 Dh, soit 15 €).

En train

🚄 Départs de la **gare centrale de Rabat-Ville** *(plan d'ensemble, C2)*.
➤ **Pour Casa-Port et Casa-Voyageurs :** de la gare de Casa-Voyageurs, à peu près un train toutes les heures, de 6 h 15 à 22 h 30. Environ 1 h de trajet. De la gare de Casa-Port, de 7 h à 20 h 30, un départ toutes les heures le matin, toutes les demi-heures l'après-midi.
➤ **Pour Tanger :** 1 départ le matin, 2 l'après-midi et 1 en soirée.
➤ **Pour Meknès et Fès :** 3 départs le matin, 3 l'après-midi et 2 en soirée.
➤ **Pour Marrakech :** 2 départs de nuit, 3 le matin, 3 l'après-midi et 1 en soirée. Durée : 4 h.
➤ **Pour Bouznika :** 1 train de nuit, 4 le matin et 2 l'après-midi.
➤ **Pour Kenitra :** aucun problème, départ toutes les demi-heures (voire plus) de 7 h à 23 h.

En bus

🚌 **Gare routière** *(hors plan d'ensemble par D1)* **:** loin du centre-ville, sur la route de Casablanca. ☎ et fax : 037-79-51-24. Prendre le bus n° 30 (arrêt à côté de l'hôtel *Majestic*, dans une rue en retrait au niveau du 121 av. Hassan-II) ou un petit taxi. Toutes les compagnies y sont présentes, et bien sûr la *CTM*. Consigne à bagages. Nombreux bus pour l'ensemble des villes marocaines (Casa, Tanger, Fès, Marrakech, Agadir).

DE RABAT À KHÉNIFRA

➤ Pour ceux qui disposent d'un véhicule, cette très belle incursion à l'intérieur du pays consiste à traverser le **massif des Zaërs Zaïane**, avec une halte à Oulmès.
Sortir de Rabat par la route de Kasba Tadla et, un peu avant Rommani, au km 75, emprunter sur la gauche la S106 jusqu'à Mâaziz, puis la S209 pour Oulmès. Paysages splendides avec des points de vue à vous couper le souffle. Peut-être y croiserez-vous des sangliers, qui affectionnent particulièrement les vallées sauvages et très boisées de la région.

🍖 **Oulmès :** célèbre pour son eau. La source jaillit à 43 °C. C'est elle que l'on retrouve sur les tables dans tous les restos du pays. Elle est mise en bouteille dans une usine de Tarmilate, juste à côté. Oulmès constitue une étape agréable, avec de nombreuses balades à faire aux alentours.

🏨 **Hôtel des Thermes :** ☎ 037-55-22-93. À Tarmilate, à 12 km, à partir du km 4 sur la route de Khemisset. Bâtiment des années 1950. Bonne literie, mais propreté relative. Demander une chambre donnant sur la campagne. Personnel attentionné et sympa. Cuisine européenne, copieuse et bonne. Très calme. Prix moyens.

➤ On peut continuer jusqu'à **Khénifra** pour rejoindre ensuite Fès ou Beni-Mellal, ou revenir à Rabat par un itinéraire différent : par **Moulay-Bouazza** et **Ez-Zhiliga**. Paysage particulièrement saisissant : la route serpente au milieu de forêts de chênes-lièges. Les plus blasés se laisseront toucher par le charme très particulier de la nature.
Si vous rencontrez un autre touriste au cours de cette balade (hormis ceux qui ont les mêmes lectures que vous), on veut bien vous payer des pistaches ! Mais ne divulguez pas trop ces itinéraires confidentiels, sinon dans peu de temps les cars de touristes vont encombrer les routes (déjà très étroites).

KENITRA

300 000 hab.

L'ancien Port-Lyautey, à 40 km au nord de Rabat, n'a rien de touristique, ni d'intéressant d'ailleurs, mais cette grande ville peut être une étape sur cette partie de la côte, lorsque la plupart des hôtels de la région affichent complet. Kenitra est surtout le centre d'une très importante base aéronautique. Le seul attrait de cette ville est la proximité de la plage de Mehdia, à une dizaine de kilomètres (voir plus haut la rubrique « Dans les environs de Rabat »). Elle s'anime toutefois en début de soirée, compte étrangement beaucoup de boîtes, de cafés et un cinéma. Nous proposons quelques hôtels pour tous les budgets, juste au cas où.

Adresses utiles

✉ **Poste :** à l'extrémité de l'av. Hassan-II.
■ **Distributeurs automatiques :** *BMCE*, à l'angle du bd Moham-med-V et de l'av. Hassan-II.
■ **Carburant :** stations *Agip* et *Total* sur le bd Mohammed-V.

Où dormir ?

Très bon marché

🏠 **Hôtel Marignan :** 185, rue Mohammed-Diouri. ☎ 037-36-34-24. À côté de la gare ferroviaire. De 20 à 40 Dh (2 à 4 €) par personne selon le nombre de lits, leur taille et le confort. Les douches sont froides. Un excellent rapport qualité-prix. Très propre, grandes chambres. Douches communes propres également.

Bon marché

🏠 **Hôtel de Commerce :** 12, rue El-Amira-Aïcha. ☎ 037-37-15-03. Dans la rue à gauche de l'hôtel de ville. Compter une centaine de dirhams pour deux (environ 10 €). Des chambres spacieuses et propres dans un petit hôtel très sympa. Bonne literie et grands lits. Douches chaudes payantes sur le palier, très propres également. Super accueil. Préférez les chambres donnant sur la rue où il n'y pas de boîtes de nuit.

Prix moyens

🏠 **Ambassy Hôtel :** 20, av. Hassan-II. ☎ 037-37-98-68 ou 037-37-99-78. Fax : 037-37-74-20. Chambres doubles autour de 200 Dh (20 €). Des tarifs pas nécessairement justifiés mais un bon hôtel tout de même, qui pèche surtout par ses sanitaires vraiment pas terribles. Les chambres sont propres et spacieuses, avec une mini-cuisine. On prend son petit déjeuner ou son apéro dans un petit jardin. Il y a même un billard.

Chic

▲ *Hôtel Mamora :* à l'angle de la pl. de l'Hôtel-de-Ville et de l'av. Hassan-II. ☎ 037-37-17-75 et 037-37-13-10. Fax : 037-37-14-46. Chambres doubles à 430 Dh (43 €). Compter 100 Dh (10 €) pour un repas complet. Hôtel très bien tenu, très animé, et une réception enjouée. Deux bars aux ambiances différentes mais toutes deux agréables, et une grande terrasse près de la grande piscine. Les chambres carrelées sont simples et impeccables, avec climatisation. Night-club. Le restaurant propose une cuisine essentiellement européenne, sans surprise. Parfait pour une nuit de repos. Un excellent rapport qualité-prix.

▲ *Hôtel Safir :* pl. Administrative ou de l'Hôtel-de-Ville. ☎ 037-37-19-21 à 23. Chambres doubles à 520 Dh (52 €) sans le petit déjeuner. Possibilité de négocier. Très bien tenu, mais un peu vieillot. Belles chambres. En demander absolument une côté piscine et éviter celles donnant sur la station-service.

QUITTER KENITRA

🚌 *Gare routière CTM :* bd Mohammed-V. Départs pour Tanger, Casablanca et Tétouan.

🚃 *Gare ferroviaire :* au sud de la ville. Liaisons avec Casablanca, Fès, Oujda et Tanger.

➤ *Liaison pour Mehdia :* taxis collectifs ou bus n° 9.

MOHAMMEDIA

100 000 hab.

À 28 km au nord de Casablanca, l'ancien Fédala fut rebaptisé en 1960 par Mohammed V. Ce port pétrolier fait partie du « Grand Casa ». Grâce à sa raffinerie, c'est aussi le troisième port du pays après Casa et Safi. On y trouve des hôtels de luxe, un champ de courses et un golf. Sa plage, de 3 km, pas très propre, abritée par une digue, est très prisée des Casablancais. Mer chaude, on se baigne dans un univers de terminaux pétroliers. Mohammedia est si encombré chaque été que les autorités ont réaménagé complètement la circulation en ville. Cela dit, évitez de prendre la voiture.

Adresses utiles

■ *Banques :* distributeur automatique à la *BMCE*, rue Rachidi (prolonge le bd Mohammed-V en direction de la mer).

■ *Institut français :* rue Sijilmassa, après le rond-point, en face de la pharmacie *Al-Faht.* ☎ 023-30-08-02.

■ *Pharmacie de nuit :* dépôt de médicaments en face de la mosquée du Mali.

▣ *Cyber Club :* av. des Forces-Armées-Royales (FAR).

Où dormir ?

Campings

⛺ *Camping Les Mimosas :* à Tilal, à 3 km de la ville, vers Rabat, juste à côté du *Complexe Skoura*. Compter autour de 50 Dh (5 €) pour deux avec voiture et tente, un peu plus cher avec une caravane ; ajouter l'électricité. Également location de bungalows à 700 Dh (70 €) pour 6 à 7 personnes. Dans un site ombragé et propre, mais sanitaires à l'abandon. Resto, snack, bar et billards.

⚊ *L'Océan Bleu :* par la piste côtière, à 2 km du camping *Les Mimosas*. Propose un forfait comprenant un emplacement, une tente, une voiture et l'électricité pour environ 70 Dh (7 €) ; prévoir en plus 20 Dh (2 €) par adulte. Un site ombragé et très

propre, idéalement situé face à la mer, mais assez excentré. Sanitaires vétustes. Évitez le restaurant.

⚊ *Camping Saïd :* à 2 km de Mohammedia en direction de Skoura, sur la gauche. Compter un peu moins de 90 Dh (9 €) pour deux avec voiture et tente ; eau et électricité comprises. Camping familial à l'écart des grosses unités touristiques du bord de mer. Sanitaires pas assez nombreux et prestations plus limitées, mais, l'accueil est sympathique et personnalisé.

Bon marché

🛏 *Hôtel Ennsser* (prononcer « Enasser ») *:* bd Moulay-Youssef, face à la kasbah. Chambres doubles à 160 Dh (16 €), plus 5 Dh (0,5 €) pour la douche ; discuter les prix. En haut d'un escalier étroit, un grand couloir très large ourlé de plantes vertes dessert 11 chambres rudimentaires dont 9 aveugles : on se croirait dans une maison communautaire. Lavabo dans les chambres, douche commune. Accueil chaleureux.

Prix moyens

🛏 *Hôtel de la Falaise :* rond-point Pasteur. ☎ 023-32-48-28. Chambres de 140 à 180 Dh (14 à 18 €) avec ou sans douche. Tenu par une Française taciturne. Toutes les chambres donnent sur un charmant jardin à l'ombre des bananiers. Très propre. Il est préférable de réserver.

Chic

🛏 *Hôtel Hager :* av. Ferhat-Hachad. ☎ 023-32-59-21. Fax : 023-32-59-29. Chambres doubles à 330 Dh (33 €), petit déjeuner compris. Au restaurant, menu à 120 Dh (12 €). L'hôtel propose des chambres petites mais ravissantes, avec des chaises en rotin et un mobilier de bois clair. Une porte-fenêtre ouvre sur un balcon d'où l'on peut voir la mer, si l'on a pris soin de demander les étages supérieurs. Les salles de bains sont bien décorées et d'une propreté irréprochable. Également un bar avec une agréable terrasse. Petit déjeuner parfait. Très bon accueil.

Très chic

🛏 *Complexe Skoura :* au bord de la plage, en dehors de la ville, en direction de Rabat. ☎ 023-31-19-93. Fax : 023-31-19-95. Propose une dizaine de grands appartements en duplex pouvant contenir jusqu'à 8 personnes pour 750 Dh (75 €) par jour. Mais attention, les propriétaires refusent de louer pour une durée inférieure à 15 jours. Tout y est impeccable et d'une propreté exemplaire. Vue panoramique sur la mer. Bon restaurant où l'on sert de l'alcool. Géré par une Allemande qui a su maintenir l'hospitalité marocaine et le charme de ce complexe admirablement situé au bord d'un petit golfe, mais assiégé par des campings.

Où manger?

– Succession de **snacks de poisson** dans l'avenue Ferhat-Hachad.

|●| **Restaurant Diner Grill :** 2, av. Ferhat-Hachad, en face de la station *Total*. ☎ 023-31-04-86. Menus autour de 45 et 75 Dh (4,5 et 7,5 €). Restaurant décoré sans goût, mais qui a l'avantage de posséder une agréable terrasse où le patron sympathique sert de copieux plats de poisson.

|●| **Bar-restaurant La Falaise :** au bout de la même avenue. Licence d'alcool; la bière y est consommée sans modération à toute heure de la journée. On y mange des sandwichs vraiment pas chers, accoudé au comptoir avec les soiffards du quartier.

Prix moyens

|●| **La Frégate :** rue Oued-Zem. ☎ 023-32-44-47. Dans une rue perpendiculaire à l'av. Ferhat-Hachad. Compter 160 Dh (16 €). Cet établissement aux murs chaulés agrémentés de marines propose une excellente cuisine, particulièrement bien présentée. Paella pour deux, énorme et digne des meilleures paellas madrilènes, poisson délicieux. Service rapide et élégant.

Chic

|●| **Restaurant du Port :** 1, rue du Port. ☎ 023-32-24-66. Prévoir autour de 300 Dh (30 €). La façade est surprenante, puisqu'on a donné à toute la partie avant du restaurant la forme d'une proue de navire. Cadre intérieur très agréable. Terrasse fleurie. Service très soigné et cuisine raffinée. Très bonne adresse tenue par des pieds-noirs. Langoustes et homards.

|●| **Restaurant Le Sans Pareil :** av. Ferhat-Hachad. ☎ 023-32-28-55. Compter 250 Dh (25 €). Déco classique assez réussie, composée d'un intérieur lambrissé et de gravures de bateaux accrochées aux murs. Sa terrasse est la plus fréquentée de la ville. Spécialités de poisson. Cuisine inégale.

Où boire un verre?

Nombreuses terrasses assez chic qui sortent des banales tables et chaises plastiques le long de l'avenue des FAR, dans le quartier des villas.
On peut notamment s'arrêter au **Café-glacier Patio Fleuri**, qui a le mérite de disposer d'une terrasse en angle très ombragée. Pour boire un café au frais, confortablement installé dans les fauteuils en rotin dotés de coussins.

À voir. À faire

⬦ **Les plages :** à celle de Mohammedia, surpeuplée et sale, préférer celle de **Dar-Bouazza**. Prendre le bus n° 7, dans le centre, derrière les PTT, en direction de la sortie sud de la ville; puis, au terminus du n° 7, prendre le n° 600 qui va vers El-Jadida; descendre au village de *Dar-Bouazza* et aller à pied au bord de l'océan. On peut aussi y aller en stop, ça marche assez bien. Sur la plage, belles vagues. Surf possible. La plage de **Bouznika**, à 17 km au nord, est magnifique elle aussi. Elle se situe à mi-chemin entre Casablanca et Rabat.

DE CASABLANCA À ESSAOUIRA

Si vous avez peu de temps ou si vous vous rendez pour la première fois au Maroc, sachez que le trajet côtier n'est pas d'un intérêt majeur. Pourtant, cette route qui relie les anciennes possessions portugaises – Azemmour, El-Jadida (ex-Mazagan), Oualidia, Safi, Essaouira, Agadir – comporte quelques curiosités uniques que les amoureux du Maroc prendront le temps de découvrir.

CASABLANCA
4 000 000 hab.

Le hameau d'Anfa abritait un repaire de corsaires lorsqu'il fut mis à sac en 1468 par les Portugais qui souhaitaient mettre fin aux trafics en tout genre dont il était le théâtre. Réduit à néant, il faudra attendre la fin du XVIIᵉ siècle pour que la ville connaisse une nouvelle jeunesse sous l'impulsion du sultan Mohammed ben Abdellah et sous le nom de *Dar-el-Beïda*, « la Maison Blanche », simplement traduit par *Casa Blanca* en espagnol. La ville n'a cessé de croître depuis, mais elle ne connaîtra son véritable essor qu'au milieu du XIXᵉ siècle, grâce aux échanges avec les Européens. Lyautey, qui créa le protectorat français au Maroc au début du XXᵉ siècle, contribua fortement à son développement, surtout portuaire. Il avait décidé, contre l'avis des experts de l'époque, d'en faire le pôle économique du Maroc. L'indépendance en fit l'un des plus grands ports d'Afrique. On ne s'étonnera donc pas que la capitale économique du pays semble être tournée vers son imposant port bordant le littoral atlantique.
La ville, qui ne comptait que 20 000 habitants environ en 1900, en abrite aujourd'hui plus de 4 millions (estimation officieuse), ce qui en fait la plus grande ville du Maghreb, et la quatrième d'Afrique. Casa est une ville jeune et dynamique, qui concentre près de 60 % des activités économiques du pays. Elle est le siège de grandes banques et de sociétés nationales et internationales. Casa ressemble beaucoup aux grandes agglomérations occidentales, contrairement aux autres villes marocaines, plus pittoresques, et sa modernité contraste avec des traditions très fortes. Cet essor est une arme à double tranchant, la zone urbaine s'étendant chaque jour afin de faire face à l'immigration rurale galopante. En trois générations, sa population a centuplé. L'architecture y est parfois étonnante, mais cette ville d'apparence opulente cache une grande pauvreté, dont l'omniprésence des enfants des rues n'est que la partie émergée, et la délinquance y est très élevée. Cependant, les efforts des autorités en cette dernière matière commencent à porter leurs fruits.

■ **Adresses utiles**

- **ℹ** Syndicat d'initiative
- **ℹ** Office national marocain du tourisme (ONMT)
- ✉ Poste
- 🚂 Gares
- 🚌 Gares routières
- **2** Banque SG
- **3** Consulat de France
- **4** Pharmacie de nuit
- **5** Institut français
- **6** Club alpin français
- @ **10** Casatelcop
- **100** Hammam Beidawa
- **101** Hammam Idéal

🛏 **Où dormir ?**

- **32** Hôtel Casablanca
- **35** Hôtel Ibis Moussafir

🍽 **Où manger ?**

- **56** Mogador
- **63** Le Port de Pêche
- **66** Le Bambou
- **67** Toscana
- **68** Ryad Zitoun

🍽 🍨 **Où manger une pâtisserie ? Où manger une glace ?**

- **82** Oliveri
- **83** L'Étoile d'Anfa

CASABLANCA ET ENVIRONS

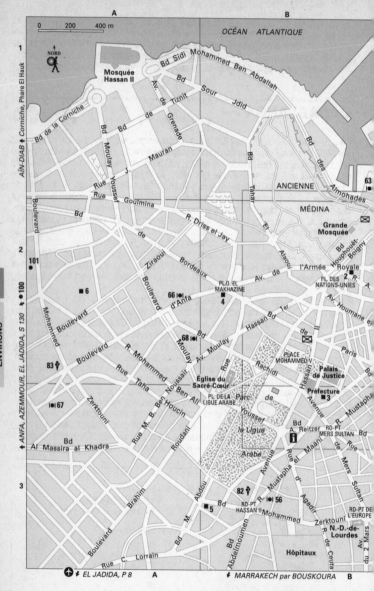

0   200   400 m

NORD

OCÉAN ATLANTIQUE

AÏN-DIAB ◄ Corniche, Phare El Hauk

Mosquée Hassan II

Bd Sidi Mohammed Ben Abdallah

Bd de Tiznit

Bd de la Corniche

Bd de Grenade

Mauran

Rue J. Moulay Youssef

Rue Goulmina

R. Driss el Jay

Sour Jdid

Bd Tahar

El Alsaoui

ANCIENNE MÉDIANE

Bd des Almohades

63

Grande Mosquée

Boulevard

Bd

Ziraoui

Boulevard d'Anfa

Bordeaux

Av. de l'Armée

Bd Houphouët-Boigny

Royale

PL. DES NATIONS-UNIES

2 R.

101

6

66

P.L.O. EL MAKHAZINE

4

Av. Houmane el

Hassan Bd Ier

de

Av. de

Mohammed

Boulevard

R. Mohammed

Moulay

Av. Moulay Rue

Rachidi

PLACE MOHAMMED V

Paris

83

68

Bd

Palais de Justice

Préfecture

3

67

Rue Taha

Rue M. B. Ben Ali

Zerktouni

Rue M. B. Ben Houcin

Roudani

Église du Sacré-Cœur

PL. DE LA LIGUE ARABE

Parc de Youssef

le Ligue Arabe

Avenue

Bd A. Reitzer

RD-PT MERS SULTAN

R. Mustapha

Rue de Mers

Al Massira al Khadra

Brahim

Bd

Abdou

M.

R.

Bd

5

82

56

RD-PT HASSAN II

Mohammed

Mustapha

R. Agadir

de

Sultan

Boulevard

Rue C. Lorrain

Bd Abdeimoumen

Bd

de Ceuta

N.-D.-de-Lourdes

Hôpitaux

RD-PT DE L'EUROPE

Zerktouni

Av. du 2 Mars

EL JADIDA, P 8   A

MARRAKECH par BOUSKOURA   B

ANFA, AZEMMOUR, EL JADIDA, S 130

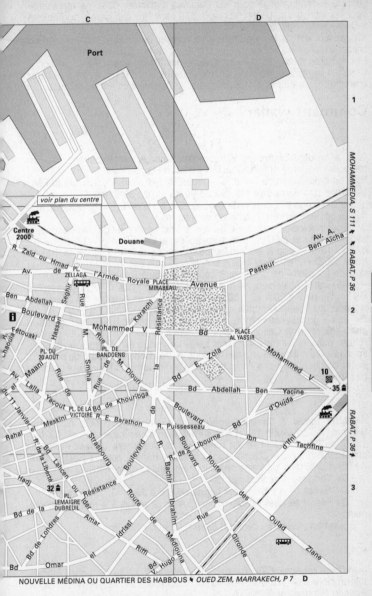

C   D

Port

voir plan du centre

Centre
2000

Douane

R. Zaïd ou Hmad de

Av.   PL
ZELLAGA   l'Armée Royale PLACE Avenue
MIRABEAU

Ben Abdellah

Boulevard

Chaoulia Fétouaki

Mohammed V Bd

PL. DU
20 AOÛT   PL. DE
BANDOENG   E. Zola

Av. el Maani Rue de M. Diouri Bd

du 11 Janvier Lalla Yacout PL. DE LA Bd de Khouribga Bd Abdellah Ben
VICTOIRE R. E. Barathon

Rahal el Meskini   R. Puissesseau

Hadj Bd Lahcen ou der Résistance

32 PL.
LEMAIGRE
DUBREUIL

Bd de la Amar Idrissi

Bd de Londres Riffi

Bd Omar   el Bd V. Hugo Médiouna

Pasteur Av. A.
Ben Aïcha

PLACE
AL YASSIR

Mohammed V

10

35

Yacine
d'Oujda

Boulevard Ibn d'Ifni Tachfine

Libourne

Route Libourne

Strasbourg Boulevard de R. de Bachir Boulevard Ibrahim Rue de Gironde des Oulad Ziane

NOUVELLE MÉDINA OU QUARTIER DES HABBOUS OUED ZEM, MARRAKECH, P 7 D

MOHAMMEDIA, S 111 RABAT, P 36

RABAT, P 36

1

2

3

CASABLANCA (PLAN D'ENSEMBLE)

Lieu de passage obligé pour les hommes d'affaires, Casa ne représente pour les touristes qu'un intérêt relatif. Elle peut être une halte – agréable et festive – entre Marrakech et Tanger.

Attention, il est parfois difficile de se repérer avec les noms de rues en arabe. De plus, les habitants leur attribuent parfois plusieurs noms.

Les routards motorisés devront s'accrocher à leur volant. La circulation à Casa est souvent dense, mais on trouve facilement des places pour se garer (parcmètres ou gardiens). La police est ici particulièrement pointilleuse.

Comment y aller ?

En avion

✈ *L'aéroport Mohammed-V*, le premier du pays par l'importance de son trafic, est moderne et fonctionnel. À 34 km du centre-ville.

Vols en provenance de Rabat, Essaouira, Al-Hoceima, Ouarzazate et Fès.

■ *Office des aéroports :* ☎ 022-53-90-40 et 022-53-91-40.

– Dans l'aérogare : bureaux de change, distributeurs de billets, office du tourisme, poste, agences de location de voitures.

➤ Pour rejoindre le centre-ville, des trains au départ de l'aéroport desservent les gares de Casa (Casa-Voyageurs et Casa-Port). ☎ 022-33-92-90, 022-27-18-37. Départs environ toutes les heures de 6 h 15 à 22 h 45. Prix du trajet : 30 Dh (3 €). C'est le plus simple et le plus économique : le train vous dépose au centre de la ville puis continue jusqu'à Rabat.

➤ Possibilité également de rejoindre le centre en bus *CTM* (départ toutes les heures de 7 h 30 à 22 h 30, puis à minuit) ou en aérobus qui effectue la tournée des hôtels. Compter environ 1 h de trajet.

➤ Les « grands taxis blancs » (Mercedes en général) assurent la liaison entre l'aéroport et Casa. Compter un minimum de 200 Dh (20 €) pour se rendre dans le centre-ville. Tarifs fixes. Le mieux est de trouver des personnes avec qui partager le taxi, et donc le prix. Dans la mesure du possible, éviter de chercher ces « co-voituriers » devant les chauffeurs, qui n'aiment pas toujours ça.

En train

🚆 *Deux gares : Casa-Voyageurs* (plan d'ensemble, D3), pl. Pierre-Sémard, ☎ 022-24-38-18 ; et *Casa-Port* (plan d'ensemble, C2), ☎ 022-27-18-37 ou 022-22-30-11. Il est préférable de descendre à Casa-Port, plus proche du centre que Casa-Voyageurs, située dans le quartier Roche-Noire. ATTENTION, tous les trains ne desservent pas la gare maritime.

➤ *De Tanger :* 4 départs par jour.

➤ *De Rabat :* 1 à 2 trains par heure, de 6 h à 19 h 30. 1 h de trajet.

➤ *De Fès et Meknès :* 8 départs quotidiens (2 la nuit, 3 le matin, 3 l'après-midi).

– Également, trains au départ d'*Essaouira* et de *Kenitra*.

En bus

🚌 *Gare routière CTM* (plan d'ensemble, C2) : 23, rue Léon-l'Africain. Informations : ☎ 022-45-88-00 ou 85. Proche de l'av. des FAR. Consigne. Agence *Wasteels* (billets *BIJ*).

🚌 *Gare routière des Oulad-Ziane* (plan d'ensemble, D3) : route des Oulad-Ziane. Les bus n⁰ˢ 10 et 11 permettent d'aller dans le centre-ville, pl. Mohammed-V ; arrêt devant la statue du maréchal Lyautey.

➤ *De Tanger :* avec la *CTM*, 4 liaisons quotidiennes en 6 h. Par la compagnie *Bradley*, départ toutes les heures excepté entre 1 h et 5 h.

➤ **De Rabat :** nombreux bus pour Casablanca.
➤ **De Fès :** 8 départs (4 dans la matinée, 3 l'après-midi et 1 la nuit).
➤ **De Meknès :** 7 bus par jour. Durée : 4 h.
➤ **D'Essaouira :** départ par *CTM*, tôt le matin et un autre vers minuit (7 h de trajet).
➤ **D'El-Jadida :** 1 bus toutes les 20 mn de 5 h 30 à 19 h.
➤ **De Ouarzazate :** 1 départ quotidien.
➤ **D'Er-Rachidia :** 1 départ par jour par les bus *CTM*.
➤ **De Tineghir :** 2 bus privés et 1 bus *CTM* par jour.
– Également des liaisons fréquentes de **Kenitra, Ceuta, Safi** et **Agadir**.

En taxi

– Grands taxis en provenance de **Tanger**.
– Des taxis collectifs partent d'**El-Jadida**.

Adresses utiles

Infos touristiques

▪ **Syndicat d'initiative** (plan d'ensemble, C2) : 98, bd Mohammed-V. ☎ 022-22-15-24. Ouvert tous les jours sauf le dimanche, de 9 h à 12 h et de 15 h à 18 h 30. Personnel serviable, mais il faut insister et, même en insistant, on n'obtient au final que peu d'informations.
▪ **Office national marocain du tourisme** (ONMT ; plan d'ensemble, B3) : 55, rue Omar-Slaoui. ☎ 022-27-11-77. Ouvert du lundi au vendredi de 8 h 30 à 12 h et de 14 h 30 à 18 h 30. Il s'agit en fait d'un petit bureau dans les locaux du ministère. On se contente de vous donner un prospectus. Ne vaut pas le déplacement.

Poste

✉ **Poste principale** (plan d'ensemble, B2) : pl. Mohammed-V. Ouvert du lundi au vendredi de 8 h 30 à 11 h 45 et de 14 h 30 à 18 h 30. Permanence téléphonique et télégrammes les samedi et dimanche.

Argent, banques, change

▪ **Distributeurs automatiques :** *Crédit du Maroc*, av. Hassan-II, à côté de la poste *(plan Centre A2, 1)*. Et au 48, bd Mohammed-V *(plan d'ensemble, C2)*.
▪ **Banque Marocaine du Commerce Extérieur** *(plan d'ensemble, C2) :* 241, bd Mohammed-V, BP 425. ☎ 022-30-41-80.
▪ **Banque SG Marocaine de Banques** *(plan d'ensemble, B2, 2) :* à l'angle de l'av. de l'Armée-Royale et de la rue Ben-Abdellah ; pl. des Nations-Unies. Change et guichet de retrait *Visa*.

Représentations diplomatiques

▪ **Consulat de France** (plan d'ensemble, B3, 3) : rue du Prince-Moulay-Abdellah, BP BA 18, Casablanca principal. ☎ 022-48-93-00. Ouvert du lundi au vendredi de 8 h 45 à 11 h 45 et de 14 h 40 à 16 h 45.
▪ **Consulat de Belgique** (plan d'ensemble, B2) : 13, bd Rachidi. ☎ 022-22-29-04.

CASABLANCA ET ENVIRONS

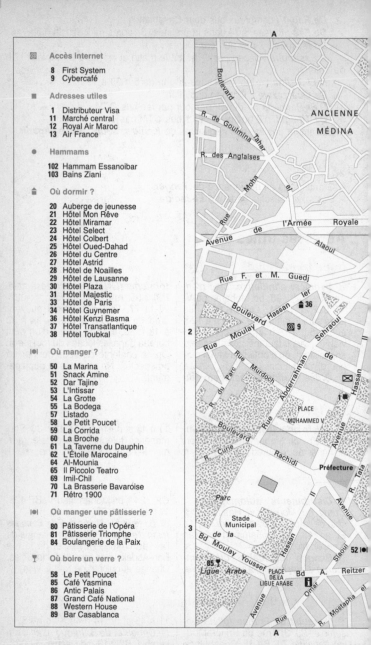

CASABLANCA ET ENVIRONS

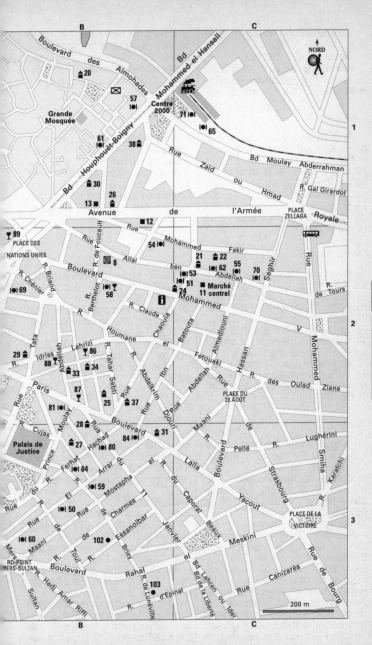

CASABLANCA ET ENVIRONS

CASABLANCA (CENTRE)

Urgences

■ *SOS médecins :* ☎ 022-44-44-44 (à domicile 24 h/24).

■ *Samu :* ☎ 022-25-25-25.

■ *Pharmacie de nuit* (plan d'ensemble, B2, 4) : bd d'Anfa, à l'angle de la pl. Oued-el-Makhazine. Ouvert tous les jours de 21 h à 7 h. Nombreuses pharmacies de garde. Liste publiée dans la presse.

■ *Médecins de garde :* ☎ 022-25-25-21. Croissant rouge marocain.

Internet

@ *First System* (plan Centre, B2, 8) : 62, rue Allal-ben-Abdellah. ☎ 022-49-20-17. Ouvert de 8 h 30 à 22 h. 5 Dh (0,5 €) la demi-heure, puis 15 Dh (1,5 €) les 2 h.

@ *Cybercafé* (plan Centre, A2, 9) : 21, bd de Paris. Très central. Ouvert de 9 h à 4 h du matin. Prévoir 10 Dh (1 €) l'heure.

@ *Casatelcop* (plan d'ensemble, D2, 10) : 9, résidence Ibn-Batouta ; angle bd Mohammed-V. Pas très central mais en face de la gare, donc très pratique pour consulter son courrier en attendant le train. Ouvert tous les jours de 8 h à 22 h. Compter 10 Dh (1 €) l'heure.

Compagnies aériennes

■ *Royal Air Maroc* (plan Centre, B1, 12) : 44, av. de l'Armée-Royale. ☎ 022-31-11-22. Réservation centrale : ☎ 022-31-41-41. Fax : 022-44-24-09. À l'aéroport : ☎ 022-51-91-00. Ouvert de 8 h 30 à 12 h et de 14 h à 18 h 50. Fermé les samedi après-midi, dimanche et fêtes.

■ *Air France* (plan Centre, B1, 13) : 15, av. de l'Armée-Royale. Réservations : ☎ 022-29-30-30. À l'aéroport : ☎ 022-33-91-10.

■ *Iberia :* 17, av. de l'Armée-Royale. ☎ 022-27-96-00. À l'aéroport : ☎ 022-33-92-60.

■ *Swiss International Airlines* (plan d'ensemble, B2) : tour des Habbous. ☎ 022-31-32-80.

■ *Alitalia* (plan d'ensemble, B2) : 50, av. de l'Armée-Royale. Tour des Habbous, 17e étage. ☎ 022-53-92-80.

Transports

■ *Garage Renault* (plan d'ensemble, C2) : pl. de Bandoeng. ☎ 022-30-51-91 ou 022-30-05-91.

■ *Garage Citroën-Peugeot* (plan d'ensemble, B3) : 320, rue Mustapha-el-Maani. ☎ 022-22-12-08 et 022-27-53-62.

■ *Location de voitures*

– President Car (plan d'ensemble, C2) : 27, rue Ahmed-el-Ghali (ex-rue Berthelot), bd Mohammed-V. ☎ 022-26-07-90 et 061-21-03-94 (ce numéro de portable est surtout valable entre 12 h et 14 h et les jours fériés). Fax : 022-27-96-07. Modèles récents. Prix intéressants. Personnel sérieux, sympathique et dynamique. Transfert aéroport gratuit à condition de les prévenir à l'avance pour qu'ils viennent vous chercher. Ne jamais se rendre à l'agence par un intermédiaire (concierge d'hôtel ou taxi). Téléphonez à l'agence, et le responsable ira vous chercher à votre hôtel.

– G. Renaissance Car : 3, rue El-Bakri (ex-rue Dumont D'Urville). ☎ 022-30-03-01 ou 022-31-44-29. Fax : 022-31-44-02.

– Euro-Rent : 30, rue Asaad-ibn-Zarara. ☎ 022-25-40-33.

– Mag-tour : 5, rue El-Amraoui-Brahim. ☎ 022-27-27-98. Fax : 022-27-05-14.

Tous les loueurs sont représentés à l'aéroport Mohammed-V, et la plupart disposent de bureaux av. de l'Armée-Royale. Difficile de vous en conseiller un plutôt qu'un autre – on vous donne les adresses ci-dessus uniquement à titre indicatif. Le parc automobile change très rapidement, et les prix sont toujours négociables en fonction de la période, de l'état de la voiture et, dans une moindre mesure, de la tête du client... Les grandes agences internationales sont également représentées, et offrent *a priori* quelques garanties supplémentaires, mais elles sont plus chères et plus contraignantes. Consulter 3 agences à l'inspiration, et surtout, décidez-vous uniquement après avoir vu les véhicules et vérifié le kilométrage. Ne signez qu'après vous êtes assuré que le tarif sur lequel vous vous êtes mis d'accord inclut bien les 20 % de taxes (un grand nombre de nos lecteurs les oublient) et, le cas échéant, la prise en charge à l'aéroport. Si vous louez depuis l'étranger, faites-vous confirmer par fax le maximum d'informations (prix TTC, assurance, kilométrage approximatif). Enfin, une relecture attentive de la rubrique consacrée aux locations, dans les « Généralités » de ce guide, vous évitera encore quelques désagréments.

Loisirs

■ *Institut français* (*ex-Centre culturel ; plan d'ensemble, B3, 5*) *:* 121, bd Mohammed-Zerktouni. ☎ 022-25-90-77 et 78. Ouvert du mardi au samedi de 9 h à 14 h 30. Projections, concerts, expositions, bibliothèque, vidéo. Le calendrier des activités du mois y est disponible.

■ *Librairie Gauthier* (*plan d'ensemble, A3*) *:* rue Moussa-Ibnou-Noussaïr. ☎ 022-26-44-26. On y trouve un grand choix de livres neufs et d'occasion. Ils vendent aussi le *GDR*.

■ *Cinémas :* pour les films en français, consultez le magazine gratuit *7 jours à Casa*, édité chaque semaine. Les principales salles du centre-ville sont *Le Dawliz*, av. de l'Armée-Royale, *Le Lutécia*, rue Tata, en face de l'*Hôtel de Lausanne*, et le cinéma *Lux*, 49, bd de Paris, à côté de l'hôtel *Majestic*.

■ *Piscines :* plusieurs établissements sur le boulevard de la Corniche.

■ *Billard* (*plan d'ensemble, A-B2-3*) *:* dans les cafés du parc de la Ligue-Arabe, et rue El-Hassar, à l'angle de l'av. Lalla-Yacout.

■ *Club alpin français* (*plan d'ensemble, A2, 6*) *:* 1, rue Aknoul, BP 6178, 20000. ☎ 022-27-00-90. Fax : 022-29-72-92. Près du lycée français Lyautey. Différentes activités sont proposées toute l'année aux adhérents du CAF dans les environs de Casa : randonnée pédestre, escalade, VTT, canoë-kayak, sports en eaux vives, canyoning, etc. Sorties d'une demi-journée à plusieurs jours. Participation aux frais en fonction des sports. Il faut retirer à l'avance un formulaire pour s'inscrire.

■ *Club hippique Le Barry :* route de Moulay-Thami, Dar-Bouazza (par Oulfa). ☎ 022-93-33-73 ou 061-119-59-37 (portable). À 6 km du centre-ville. Club d'équitation qui s'étend sur 1,5 ha. Organisations de balades. Très chouette. Demander Geneviève Habib.

■ *Ferme équestre Anfa :* route d'Azemmour, Aïn-Diab. ☎ 022-39-20-94. Plus proche de la ville et de la plage que le club précédent. Gestion reprise par des Franco-Marocains. Grands galops en bord de mer réservés aux initiés. Accueil sympa.

Hammams

■ *Hammam Beidawa* (*hors plan d'ensemble par A2, 100*) *:* 3, rue Abou-Kacem-Kattabari (ex-rue du Chevreuil). ☎ 022-27-10-63. Excentré, près de la mosquée Badr, dans le quartier de Bourgogne. Ouvert tous les jours de 5 h à 23 h ; dernière entrée à 21 h 30. Entrée à droite pour les femmes, mêmes horaires. Prix : 6 Dh (0,60 €) ; réduction enfants. Succession de salles carrelées et propres. Ne pas oublier sa

CASABLANCA ET ENVIRONS

culotte ou son maillot de bain, son savon et sa serviette. Éviter d'y aller le samedi après 18 h, c'est bondé.

■ *Hammam Idéal (plan d'ensemble, A2, 101)* : 9, rue d'Annaba (ex-rue Ramée), dans le quartier de Bourgogne. Proche du hammam *Beidawa*. Ouvert de 5 h à 23 h ; dernière entrée à 22 h. Entrée à droite pour les femmes, mêmes horaires. Prix : 6 Dh (0,6 €) ; réduction enfants. Identique au *Beidawa*.

■ *Hammam Essanoibar (plan Centre, B3, 102)* : 70, rue Essanoibar. Ouvert tous les jours de 6 h à 23 h. Entrée : 6 Dh (0,6 €) ; massage : 20 Dh (2 €). Plus central et aussi propre que les précédents. Entrée et salles distinctes pour les femmes et les hommes.

■ *Les Bains Ziani (plan Centre, B3, 103)* : 59, rue Abou-Regag (ex-rue de Verdun). ☎ 022-31-96-95. Ouvert de 7 h à 23 h ; dernière entrée à 22 h. Entrée : 30 Dh (3 €) du lundi au jeudi, 40 Dh (4 €) du vendredi au dimanche. 3 salles : l'une pour les hommes, l'autre pour les femmes, et enfin des bains avec ja-

cuzzi et salle de gym (entrée plus chère) réservés, selon les jours de la semaine, aux hommes ou aux femmes. Hammam de luxe à un prix raisonnable, quoique le massage soit dix fois plus cher que dans un hammam traditionnel. La propreté est impeccable et il y a toujours une odeur d'eucalyptus dans l'air. Une paire de sandales et un pagne vous sont fournis. Il est possible de louer des serviettes et des peignoirs ou d'acheter du savon. Vous pouvez même choisir votre masseur sur photo ! Bar, salle de repos, voiturier.

■ *Le Lido* : bd de la Corniche. ☎ 022-39-13-13, poste 13-30. Centre de thalassothérapie de l'hôtel *Riad Salam* (voir plus loin la rubrique « Où dormir ? Très chic »). Hammam de luxe à 120 Dh (12 €). Ouvert pour les hommes de 8 h 30 à 10 h et de 16 h 30 à 18 h 30, pour les femmes de 10 h à 16 h. Piscine. Restaurant diététique. Cadre très agréable au bord de l'océan. Les cures ne sont pas remboursées par la Sécurité sociale !

Divers

■ *Horloge parlante :* ☎ 172. En français.

■ *Prévisions météorologiques :* ☎ 022-90-24-24.

Circuler en ville

➢ *Bus :* nombreux, ils desservent non seulement le centre mais aussi la périphérie. Il existe sur les mêmes lignes des bus « ordinaires » déglingués et bondés, très appréciés des pickpockets, et des bus « plus » qui ne prennent aucun passager en surcharge. À peine plus chers, ils sont de couleur différente. Le principal terminus se trouve place Oued-el-Makhazine *(plan d'ensemble, B2)*. Autre terminus place Maréchal, à l'angle de la place des Nations-Unies et de l'avenue Moulay-Hassan-Ier *(plan d'ensemble, B2)*. Pour aller au bord de la mer à Aïn-Diab, plage et piscine, prendre le n° 9. Dernier retour à 21 h.

➢ *Taxis :* plus que jamais, relisez nos conseils dans les « Généralités ».

Où dormir ?

Campings

⋏ *Camping Oasis :* av. Mermoz. ☎ 022-25-33-67. De la gare *CTM* (près de l'av. des FAR), bus n° 31. Prendre le bd Brahim-Roudani qui

s'appelle ensuite Mermoz, direction El-Jadida. Bruyant, car situé entre deux avenues et deux stations-service. Interdit aux campeurs sans tente. Emplacements vastes, délimités par des eucalyptus. Sanitaires sales. Libre-service et boulangerie 100 m plus haut. Il y a un petit marché tout près. Quel dommage que ce camping ne soit pas mieux entretenu !

⚓ *Camping-caravaning interna-* *tional Tamaris II :* au km 16 de la route côtière d'Azemmour, à 15 mn de Casablanca. À l'ombre des eucalyptus, mais tout à fait isolé. À 100 m de la plage bondée d'une population locale bruyante. Possibilité de manger sur place. Épicerie. Ambiance familiale sympa.

Très bon marché

⚓ *Auberge de jeunesse (plan Centre, B1, 20) :* 6, pl. Ahmed-el-Bidaoui. ☎ 022-22-05-51. Aller jusqu'à l'entrée principale du port, puis tourner à gauche ; à 150 m, toujours sur la gauche, se trouve Bâb El-Bahr (porte de la Marine) ; l'auberge est sur la petite place, à droite. Ouvert de 8 h à 9 h 30 et de 12 h à 23 h. Lits en dortoir à 45 Dh (4,5 €) ; chambres doubles à 120 Dh (12 €), petit déjeuner compris. Carte non obligatoire. Entourée de murs, l'AJ donne sur une petite place avec deux cafés bien agréables ainsi qu'une petite poste avec des téléphones. L'entrée ne paie pas de mine, mais l'auberge est agréable et propre. Attention toutefois à la proximité de la mosquée. 80 lits en tout. Accueil déplorable. Douche froide et sanitaires pas très propres.

⚓ *Hôtel Mon Rêve (plan Centre, C2, 21) :* 7, rue Chaouia. ☎ 022-31- 14-93. À côté du marché central. Chambres doubles à 80 Dh (8 €) ; douche payante : 7 Dh (0,7 €). L'une des meilleures adresses de cette petite catégorie. Petit hôtel possédant le charme des vieilles bâtisses et des établissements qui ont dû être de qualité. Vraiment bien situé, mais très bruyant... La propreté des chambres et des draps laisse vraiment à désirer. Essayer de prendre les chambres ovales, qui font l'angle, avec vue sur le marché.

⚓ *Hôtel Miramar (plan Centre, C2, 22) :* 22, rue Léon-l'Africain. ☎ 022-31-03-08. À 50 m de la *CTM,* proche du marché central haut en couleur. Chambres doubles à 80 Dh (8 €) avec lavabo ; douche chaude payante. Sur trois étages. Sanitaires sales, confort minimal et accueil déplorable. Son seul intérêt est sa situation centrale. Vous voilà prévenu.

Bon marché

⚓ *Hôtel Colbert (plan Centre, B-C2, 24) :* 38, rue Chaouia (ex-rue Colbert). ☎ 022-31-42-41 et 022-31-47-11. Chambres avec ou sans douche de 90 à 130 Dh (9 à 13 €) ; douches chaudes payantes pour les chambres qui n'en ont pas : 10 Dh (1 €). Pas de petit déjeuner. Simple et calme si vous demandez une chambre qui donne sur un patio. Bon accueil. Vous y croiserez des routards.

⚓ *Hôtel Oued-Dahab (plan Centre,* *B2, 25) :* 17, rue Mohammed-Belloul. ☎ 022-22-38-66 ou 022-22-00-83. Chambres doubles à 100 Dh (10 €) avec lavabo, 120 Dh (12 €) avec douche ; sanitaires communs à chaque étage. Pas de petit déjeuner. Installé dans une ancienne clinique. Le coup de peinture sur les murs des chambres n'arrive pas à faire oublier la vétusté de l'établissement, d'autant que le ménage est loin d'être fait à fond.

Prix moyens

⚓ *Hôtel du Centre (plan Centre, B1, 26) :* angle de l'av. de l'Armée-Royale et de la rue Sidi-Belyout, en face de l'hôtel *Méridien.* ☎ 022-44- 61-80 et 81. Fax : 022-44-61-78. Chambres doubles avec bains à 250 Dh (25 €) sans le petit déjeuner. Chambres vieillottes mais propres, réparties sur 4 étages. Attention, celles donnant sur la rue sont très bruyantes.

🛏 **Hôtel Astrid** *(plan Centre, B3, 27)* : 12, rue du 6-Novembre. ☎ 022-27-78-03 ou 022-22-02-24. Fax : 022-29-33-72. Dans une petite rue perpendiculaire à la rue du Prince-Moulay-Abdellah. Chambres doubles avec bains à 280 Dh (28 €) sans le petit déjeuner. Une situation très centrale et pourtant calme. 22 chambres tout confort, bien tenues. Petit déjeuner copieux servi dans le salon de thé. Un petit hôtel charmant et qui offre un bon rapport qualité-prix. Quelques chambres avec balcon.

🛏 **Hôtel de Noailles** *(plan Centre, B2-3, 28)* : 22, rue du 11-Janvier. ☎ 022-20-25-54 et 022-26-05-89. Fax : 022-22-05-89. Chambres doubles à 300 Dh (30 €) avec bains, 230 Dh (23 €) avec douche ; petit déjeuner en supplément. Belles chambres carrelées spacieuses et fraîches (certaines plus récentes que d'autres). Bar très calme au 1er étage. En revanche, évitez les chambres côté rue, particulièrement bruyantes. Bon rapport qualité-prix, surtout pour les chambres avec douche. Le récent coup de peinture a redonné quelques couleurs et un peu de fraîcheur à cet établissement. Voilà une adresse correcte, à condition d'obtenir une chambre calme.

🛏 **Hôtel de Lausanne** *(plan Centre, B2, 29)* : 24, rue Tata. ☎ 022-23-86-90. Fax : 022-26-80-83. En plein centre. Chambres doubles à 280 Dh (28 €) avec bains ; petit déjeuner à

prix modique. Aux derniers étages d'un immeuble. Un charme un peu désuet pour un hôtel propre et pas désagréable. La propriétaire a longtemps vécu à Lausanne. Les chambres sont grandes et propres, certaines disposent d'une petite terrasse. Petit déjeuner copieux, servi dans le salon de thé. Accueil pas toujours excellent, dommage.

🛏 **Hôtel Plaza** *(plan Centre, B1, 30)* : 18, bd Félix-Houphouët-Boigny. ☎ 022-29-76-98 ou 022-29-78-22. À deux pas du port, de la médina et de la pl. des Nations-Unies. Chambres doubles à 300 Dh (30 €) avec bains ; 3 chambres sans bains à 220 Dh (22 €) ; petit déjeuner en supplément. Grand immeuble des années 1950, bien situé. Charme un peu vieillot. Vastes chambres confortables, sans plus. Celles des 3e et 4e étages ont un balcon avec vue sur la médina, la mer et la mosquée Hassan-II, et c'est bien sûr celles-ci qu'il faut obtenir.

🛏 **Hôtel Majestic** *(plan Centre, B3, 31)* : 55, bd Lalla-Yacout. ☎ 022-31-09-51. Fax : 022-44-62-85. Chambres doubles à 450 Dh (45 €) avec bains, petit déjeuner compris. Façade néo-classique et hall d'entrée typique, mais depuis les travaux de rénovation et une très forte augmentation des prix, le rapport qualité-prix n'est plus intéressant et l'accueil est même devenu désagréable. Prenez impérativement une chambre sur cour, sauf si vous avez un sommeil de plomb...

Chic

🛏 **Hôtel Casablanca** *(plan d'ensemble, C3, 32)* : 83-85, rue de la Liberté. ☎ 022-44-02-02. Fax : 022-31-84-04. Excentré, près de la pl. Lemaigre-Dubreuil, dans le quartier populaire de Ben-Jdia. Parking au sous-sol pour amateurs de sensations fortes seulement (« déclivité ahurissante » selon certains lecteurs !). Chambres doubles à 320 Dh (32 €) avec bains, TV et téléphone. Hôtel un peu vieillot et un peu sale, mais les draps sont propres et il offre un excellent rapport qualité-prix. Les

chambres sont confortables, mais sans caractère. Celles qui donnent sur la rue bordée par un marché sont bruyantes.

🛏 **Hôtel de Paris** *(plan Centre, B2, 33)* : 2, rue Ech-Cherif-Amziane. ☎ 022-27-38-71 ou 022-27-42-75. Fax : 022-29-80-69. En pleine rue piétonne, dans le centre-ville, à l'angle de la rue du Prince-Moulay-Abdellah. Chambres doubles confortables à 440 Dh (44 €) avec bains, TV et téléphone ; tarifs négociables en basse saison. Préférer les chambres donnant sur la cour, moins bruyantes. Bon rapport qualité-prix. Accueil agréable et déco un peu vieillotte mais pas désagréable. Souvent complet.

🛏 *Hôtel Guynemer (plan Centre, B2, 34)* : 2, rue Mohammed-Belloul. ☎ 022-27-57-64 et 022-27-76-19. Fax : 022-47-39-99. Chambres doubles à 460 Dh (46 €) sans le petit déjeuner ; possibilité de négocier en basse saison. Chambres avec bains, téléphone direct et TV (5 chaînes), mais petites et pas toujours très nettes. Bien vérifier si le prix annoncé inclut le petit déjeuner et, éventuellement, le parking de la voiture. Cartes de paiement acceptées.

🛏 *Hôtel Bellerive (hors plan d'ensemble par A1)* : 38, bd de la Corniche, à Aïn-Diab. ☎ 022-79-75-04 et 022-79-75-16. Fax : 022-79-76-39. • sonia@plvplus.net.ma • Chambres doubles avec bains à 520 Dh (52 €), petit dej' compris ; formule très intéressante pour 5 personnes partageant la même chambre. 35 chambres, la plupart avec vue sur la mer. Bruyant (discothèque). Propreté très moyenne. Piscine dans un agréable jardin avec vue sur l'océan. Parking gardé. 10 % de réduction sur présentation du *Guide du routard*.

🛏 *Hôtel Ibis Moussafir (plan d'ensemble, D2-3, 35)* : pl. de la Gare Casa-Voyageurs. ☎ 022-40-19-84. Fax : 022-40-07-99. Chambres doubles à 490 Dh (49 €) sans le petit déjeuner. Un 3 étoiles dont les prix correspondent à un 2 étoiles chez nous. Établissement à l'architecture marocaine moderne mais impersonnelle, tout comme les chambres. Beau jardin intérieur, mais pas de piscine. Bruyant à cause du train, et accueil pas terrible. Intéressant uniquement si l'on arrive très tard ou si l'on part très tôt.

Très chic

🛏 *Hôtel Transatlantique (plan Centre, B2, 37)* : 79, rue Chaouia. ☎ 022-29-45-51 ou 022-29-52-04. Fax : 022-29-47-92. Chambres doubles à 780 Dh (78 €). Dans un bâtiment très majestueux des années 1920, tombé en désuétude on ne sait pourquoi. Les chambres, et tout l'hôtel d'ailleurs, ne manquent pourtant pas de charme. Il y a 2 bars, une petite terrasse avec ses célèbres palmiers centenaires et une salle de resto. Un très bel hôtel et un excellent rapport qualité-prix pour cette catégorie.

🛏 *Hôtel Kenzi Basma (plan Centre, A2, 36)* : 35, rue Moulay-Hassan-Ier. ☎ 022-22-33-23 et 022-20-39-26 à 29. Fax : 022-26-89-36. Parking pour les clients. Tarifs spéciaux pour nos lecteurs : chambres doubles à 850 Dh (85 €), petit déjeuner compris ; taxe de 12 Dh (1,20 €) par personne. Certaines chambres, agréables, avec une vue magnifique sur la vieille médina et la mosquée Hassan-II ; préférer celles avec vue sur la mer. Restaurant avec un coin bar. Malheureusement, les prestations ne sont absolument pas à la hauteur de ce type d'établissement, et l'ensemble manque franchement de professionnalisme.

🛏 *Hôtel Toubkal (plan Centre, B1, 38)* : 9, rue Sidi-Belyout. ☎ 022-31-14-14. Fax : 022-31-11-46. En face du *Méridien*. Chambres doubles à 1 000 Dh (100 €) avec bains, AC, TV, téléphone, minibar, double vitrage et coffre-fort. Repris par le groupe *Best Western*. Clientèle de conférenciers. Hôtel confortable et central sans beaucoup d'âme. Accueil professionnel mais un peu impersonnel. Couleurs tristounettes. Préférer les chambres dans les étages. Night-club.

🛏 *Hôtel Riad Salam (hors plan d'ensemble par A1)* : à 3 km au sud de Casablanca, sur le bd de la Corniche, face à la mer. ☎ 022-39-13-13. Fax : 022-39-13-45. • www.riadsalam.co.ma • Chambres doubles à 1 950 Dh (195 €) ; petit déjeuner à 130 Dh (13 €). L'hôtel ondule autour d'un jardin enserrant la piscine à trois bassins. Chambres de deux tailles différentes ; les petites donnent directement sur la piscine.

Le midi, vous pourrez avoir le buffet au bord de la grande piscine. Prix d'un resto chic. Vous avez le choix entre les restaurants marocain, espagnol, italien, ou un pub anglais. Centre de thalassothérapie *Le Lido*, qui dépend de l'hôtel et qui est le premier centre de thalassothérapie d'Afrique (voir la rubrique « Hammams » dans « Adresses utiles »). Cependant, les peintures des couloirs et de certaines chambres mériteraient d'être refaites. Les bungalows sont très agréables mais un peu *cheap* au regard de la classe à laquelle prétend cet établissement. Bémol aussi pour l'accueil, pas toujours excellent. Réduction de 15 % sur le prix des chambres sur présentation du *GDR*, à demander dès votre arrivée.

Où manger ?

Même si la pratique tend à disparaître, dans certains restaurants de Casablanca, excepté les gargotes, on vous comptera en sus 20 % de taxes et 15 % de service. Pensez-y !

Très bon marché (moins de 50 Dh, soit 5 €)

|●| **La Marina** (*plan Centre, B3, 50*) : 93, rue El-Arrar (ex-rue Gay-Lussac). ☎ 022-27-98-10. À deux pas du centre-ville. Ouvert de 7 h à 20 h. Fermé le dimanche. Délicieux tajines à 20 Dh (2 €) ; petit déjeuner complet à 6 Dh (0,6 €). Notre adresse préférée dans cette catégorie, et de loin. On vous sert des petits plats comme à la maison. Fréquenté par des personnes qui travaillent dans le quartier. Une petite cantine, très propre, fraîche et agréable. Et un accueil parfait.

|●| **Snack Amine** (*plan Centre, C2, 51*) : 32, rue Chaouia (ex-rue Colbert). ☎ 022-54-13-31. Jouxte l'hôtel *Colbert*. Ouvert tous les jours jusqu'à 22 h. Bonnes fritures de poisson, simples, autour de 25 Dh (2,5 €) ; un repas tourne autour d'une quarantaine de dirhams (environ 4 €) ; réductions si vous êtes plusieurs. La formule est identique à celle de son *alter ego* populaire, ci-après ; mais ici, on est plus européen et on mange avec des couverts. C'est aussi un peu plus cher. Un snack classique somme toute, mais où l'on mange bien et copieusement.

|●| **Snack Amine** (*hors plan d'ensemble par A3*) : 9, bd El-Habacha (ex 35, rue Watteau). ☎ 022-98-72-04. Dans une ruelle donnant sur le bd Habacha, en face du *Snack Essaada*. Ouvert seulement le midi. Fermé pendant les fêtes religieuses. Dans le quartier populaire de Derb-Ghallef, proche du marché du même nom. Excentré. Ceux qui ne sont pas motorisés iront au *Snack Amine* du centre-ville. Une adresse connue des Casablancais pour ses grands plats de fritures mixtes de poissons (soles, merlans, calamars, crevettes) à un prix défiant toute concurrence : 25 Dh (2,5 €) par personne ! Les couverts sont en option. Également des plats à emporter. Bon et efficace. Pas d'alcool.

|●| **Dar Tajine** (*plan Centre, A3, 52*) : 98, av. Mers-Sultan. ☎ 022-47-65-79. Ouvert tous les jours, 24 h /24. Un petit resto sans prétention, mais où l'on peut manger des tajines ou du méchoui à 4 h du matin ! On vous sert sous une tente berbère, dans une ambiance décontractée. Accueil délirant du patron. Pas d'alcool.

|●| **L'Intissar** (*plan Centre, C2, 53*) : à l'angle de la rue Chaouia et de la rue Allal-ben-Abdellah. Ouvert toute la journée jusque tard en soirée. Des tables sur le trottoir, face au marché central. De nombreux jeunes Marocains fréquentent ce resto où l'on mange exclusivement du poulet rôti aux olives. Rapide et copieux.

|●| **Snack Essaada** (*hors plan d'ensemble par A3*) : 11, bd Habacha. ☎ 022-99-12-14. Compter 35 Dh (3,5 €) pour une friture avec trois sortes de poisson et crustacés. Un autre restaurant sans prétention, où l'on peut savourer des fritures de poisson.

Bon marché (moins de 80 Dh, soit 8 €)

|●| Nombreuses **rôtisseries** autour du marché central *(plan Centre, C2, 11)*, où l'on peut manger des poulets rôtis à la broche.

|●| *La Grotte (plan Centre, B2, 54)* : 18, rue Mohammed-Fakir. ☎ 022-26-80-82. Ouvert de 11 h 30 à 1 h 30. Une petite adresse rigolote, dans un cadre tout en paille et en bois clair. Grillades, sandwichs, hamburgers maison et un grand choix de salades. Accueil jeune et sympathique.

|●| *Niagara :* 5, rue Jean-Pierre-Favre. ☎ 022-27-55-07 et 022-26-90-94. Face au lycée Lyautey. Très propre et un peu branché. Beaucoup de jeunes. Sympa et économique.

|●| *Chez Isaac :* resto casher, juste à côté du précédent si celui-ci est complet. Mêmes prix.

Prix moyens (moins de 100 Dh, soit 10 €)

|●| *La Bodega (plan Centre, C2, 55)* : 129, av. Allal-ben-Abdellah. ☎ 022-54-18-42. Formules de 85 à 125 Dh (8,5 à 12,5 €). Compter 150 Dh (15 €) à la carte. Un bar à tapas sur 2 étages, qui fait partie des lieux à la mode du centre-ville. On y mange très bien, même si les boissons sont assez chères, du coup c'est le grand écran diffusant des scènes de corrida en permanence qui soûle un peu. Une bonne adresse, assez réputée chez les expats et les jeunes.

|●| *Mogador (plan d'ensemble, B3, 56)* : 361, rue Mustapha-el-Maani. ☎ 022-20-07-50. Dans un quartier d'affaires. Double spécialité : les crêpes et la cuisine italienne. Quelques plats de poisson. Décoration recherchée. Le seul alcool vendu est le cidre. Très bon rapport qualité-prix.

|●| *Listado (plan Centre, B1, 57)* : 133, bd Houphouët-Boigny. ☎ 022-29-32-43. Petit restaurant sans grande prétention, mais plutôt sympa et où l'on mange bien. Carte internationale et marocaine, avec une légère dominante de poisson. Jamais grand-monde, mais quelques couples assez jeunes et un service sympathique. Permet de manger assez vite et bien.

Chic (de 100 à 200 Dh, soit 10 à 20 €)

|●| *Le Petit Poucet (plan Centre, B2, 58)* : 86, bd Mohammed-V. ☎ 022-27-54-20. L'un des restaurants chic d'avant-guerre, qui fut créé en 1920, tombé aujourd'hui en désuétude mais qui conserve un certain charme. La première salle, gentiment *cosy*, a d'ailleurs gardé son cachet. Saint-Exupéry venait y manger. Il y a d'ailleurs aux murs des copies de lettres qu'il aurait écrites à la terrasse du resto. N'oubliez pas que Casablanca était une escale de l'Aéropostale sur la ligne Toulouse - Santiago-du-Chili. Ils servent un menu assez bon marché, mais la qualité ne suit pas. À la carte (cuisine européenne), on vous offre l'apéritif. Excellent accueil et service attentionné. Juste à côté, un petit bar assez drôle, genre bistrot parisien, avec une petite terrasse (voir plus loin la rubrique « Où boire un verre ? »).

|●| *La Corrida (plan Centre, B3, 59)* : 59, rue El-Arrar (ex-rue Gay-Lussac). ☎ 022-27-81-55. Fermé le dimanche et en septembre. Menu d'un bon rapport qualité-prix, même si taxes et service sont en supplément. Un superbe endroit qui a connu son heure de gloire. Le fondateur était le patron des arènes de Casablanca, ce qui explique la décoration ibérique et très tauromachique. Aujourd'hui, c'est beaucoup plus calme, et c'est justement pour ça qu'on y vient ! Petit patio ombragé. Cartes de paiement acceptées.

|●| *La Broche (plan Centre, B3, 60)* : 123, rue El-Arrar (ex-rue Gay-Lussac). ☎ 022-27-85-99. Un beau resto très bien tenu, dans le style provençal, qui propose une carte de plats français. Une grande salle divisée de manière intelligente par un

jeu de couleurs pastel. Service soigné. La carte, plutôt internationale, est variée.

|●| *La Taverne du Dauphin* (plan Centre, B1, 61) : 115, bd Félix-Houphouët-Boigny. ☎ 022-22-12-00 ou 022-27-79-79. Fermé le dimanche. Une vieille affaire de famille, tenue par des Marseillais, spécialisée dans le poisson et les fruits de mer. Ah, leurs crevettes grillées ! Tout est excellent. Le resto et le bar, où l'on peut aussi manger sur le pouce, sont séparés par la cuisine. Grand choix de vins et de bières étrangères. Arrivez tôt pour trouver une place ou réservez. Cartes de paiement acceptées.

|●| *L'Étoile Marocaine* (plan Centre, C2, 62) : 107, rue Allal-ben-Abdellah. ☎ 022-31-41-00. Plats à 60 Dh (6 €), auxquels il faut rajouter 20 % de taxe et le couvert (3 Dh, soit 0,3 €), mais ces surtaxes devraient disparaître (espérons que ce sera le cas lorsque vous y passerez). Très chouette intérieur typique. 16 tables seulement, mieux vaut réserver. Malheureusement, la cuisine est inégale et l'accueil moyen. Pas de vin. Cartes de paiement acceptées.

|●| *Le Port de Pêche* (plan d'ensemble, B1, 63) : ☎ 022-31-85-61. Prenez la direction « Port de Pêche », allez vers les douanes et tournez à gauche (avant la grille) ; tout droit jusqu'aux policiers, vous y êtes. À 3 mn du Centre 2000. Un restaurant qui brille par l'originalité de son appellation... L'atmosphère est simple, familiale et sympathique. À vous de décider entre le poisson en feuilleté, en gratin, en tajine, à moins que vous n'ayez envie de crustacés. Le poisson vous est présenté avant la cuisson. Malgré un personnel nombreux et très attentif, le service est un peu long. Si vous n'avez pas réservé, vous ferez parfois la queue dans l'escalier en attendant qu'une table se libère. Souvent bondé en soirée. Cartes de paiement acceptées. En face, *L'Ostréa* sert exclusivement du poisson et des huîtres en provenance d'Oualidia, mais c'est un peu plus cher (compter 280 Dh, soit 28 €).

|●| *Al-Mounia* (plan Centre, B3, 64) : 95, rue du Prince-Moulay-Abdellah. ☎ 022-22-26-69. Pas loin du consulat de France. Fermé le dimanche. Pavillon typiquement marocain avec un agréable patio et un cadre somptueux tout en zelliges et plafond en bois. Un des restos les plus agréables du centre de Casa, et l'une des meilleures tables marocaines de la ville. Si vous voulez une table dans le patio, sous le légendaire faux poivrier, mieux vaut arriver tôt ou réserver. Accueil très inégal.

|●| *Il Piccolo Teatro* (plan Centre, C1, 65) : Centre 2000. ☎ 022-27-65-36. Fermé toute l'année les samedi et dimanche midi, ainsi que le dimanche soir en été. Ce restaurant italien à la décoration chaude avec ses tentures et housses assorties, ses grands bouquets de fleurs et ses poteries, est une heureuse surprise au fond de ce centre commercial un peu ringard. Buffet d'*antipasti*, quelques plats de poisson. Service prévenant.

|●| *Le Bambou* (plan d'ensemble, A2, 66) : 44, bd d'Anfa. ☎ 022-26-29-37 ou 022-26-33-87. Pour ceux qui voudraient vraiment changer des tajines et des couscous. Restaurant asiatique tout ce qu'il y a de plus classique mais de grande tenue, à la décoration chargée et chatoyante. Cuisine et service très soignés. Cartes de paiement acceptées.

Très chic (de 200 à 300 Dh, soit 20 à 30 €)

|●| *Toscana* (plan d'ensemble, A3, 67) : 7, rue Yaala-Elifrani. ☎ 022-94-07-35 ou 022-36-95-92. Près du bd d'Anfa, dans le quartier Racine. Il est surprenant de trouver un restaurant italien à la mode en face d'un terrain vague. Tentures et fer forgé. Un peu chic et toujours bondé. La cuisine est sans surprises (pizzas, pâtes, escalope milanaise...) mais de qualité. La clientèle se partage entre les expatriés et les Casablancais dans le coup.

|●| *Ryad Zitoun* (plan d'ensemble,

A2, 68) : 31, bd Rachidi. ☎ 022-22-39-27 et 022-22-48-18. Fermé le samedi et le dimanche midi. Dans une rue résidentielle, au rez-de-chaussée d'un vilain bâtiment moderne. Décoration marocaine raffinée. Agréable petite terrasse au bord de la rue. Très bonnes spécialités comme le couscous au pigeon. Service prévenant et agréable. Réserver le soir en été pour dîner en terrasse.

|●| *Imil-Chil* (plan Centre, B2, 69) : 27, rue Vizir-Tazi. ☎ 022-22-09-99. Cuisine marocaine haut de gamme. Décor traditionnel chaleureux fait de belles mosaïques en zelliges et de stucs. Service attentif et discret. La pastilla y est meilleure qu'ailleurs. Excellent rapport qualité-prix.

|●| *La Brasserie Bavaroise* (plan Centre, C2, 70) : 133, rue Allal-ben-Abdellah. ☎ 022-31-17-60 et 022-45-08-17. En face du marché central, derrière la *Compagnie des Transports*. Le patron a fait ses armes chez *Vergé* à Mougins, chez *Bocuse* et chez *Lenôtre*, ce qui explique la qualité de sa cuisine. Belle carte variée et plats du jour. Les viandes sont grillées au charbon de bois. Dans les plats-brasserie : tripes, choucroute, tête de veau et civet de sanglier. Poisson selon le marché du jour. Une très bonne adresse, très réputée, et un joli cadre.

Encore plus chic (plus de 300 Dh, soit plus de 30 €)

|●| *La Réserve* (hors plan d'ensemble par A1) : bd de la Corniche, Aïn-Diab. ☎ 022-36-71-10. Dans un bâtiment très design au bord de la mer, un lieu jeune, chic et branché. À l'intérieur, les couleurs sont aussi chaudes que l'ambiance. On y mange une cuisine occidentale raffinée, et l'accueil est très sympa (ce qui n'est pas si courant dans ce genre d'endroit). C'est aussi une excellente adresse pour venir boire un verre et danser un peu, d'autant que les boissons sont plus abordables que la nourriture, assez chère.

|●| *À Ma Bretagne* (hors plan d'ensemble par A1) : bd Sidi-Abderrahmane. ☎ 022-36-21-12 et 022-39-79-79. À 5 km environ de la sortie de la ville, en suivant la route de la Corniche. En arrivant en voiture, vous remarquerez une mosquée bâtie sur un promontoire rocheux entouré par l'océan. Fermé le dimanche. Tenue par des Français, c'est l'une des meilleures tables de Casa, mais c'est aussi l'une des plus chères. Service irréprochable. Un magnifique jardin avec une terrasse donnant sur la mer ajoute au charme de l'établissement. Belle carte des vins proposant, outre les grands classiques français, des petits vins du Languedoc très agréables, ainsi que d'excellents vins marocains.

|●| *Le Cabestan* (hors plan d'ensemble par A1) : bd de la Corniche, au pied du phare d'El-Hank. ☎ 022-39-11-90 ou 022-39-37-55. Dans un cadre avec une vue magnifique sur la mer, l'un des autres restaurants chic de Casa, dans la pure tradition française. Service professionnel irréprochable. Une carte de produits de la mer variée et alléchante.

|●| *La Mer* (hors plan d'ensemble, par A1) : bd de la Corniche, au pied du phare d'El-Hank. ☎ 022-36-33-15 et 022-36-12-71. À côté du *Cabestan* ; même style. Restaurant spécialisé dans le poisson, les fruits de mer et crustacés. Décor agréable dans une villa située au-dessus de la mer. Beau cadre et table excellente. Essayez les huîtres de Oualidia gratinées au champagne. Service attentionné.

|●| *Rétro 1900* (plan Centre, C1, 71) : Centre 2000. ☎ 022-27-60-73 ou 022-20-58-28. Fermé le samedi midi, le dimanche et les jours fériés. Menus de 260 à 460 Dh (26 à 46 €) sans le vin. Jacky Rolling, un excellent chef français étoilé au *Michelin*, exerce son talent ici. La carte est magnifique, avec des spécialités bien de chez nous comme la soupe de poisson, le feuilleté d'escargots, les ris de veau, le filet de bœuf « vieux Strasbourg ». Poisson et crustacés selon la criée, dégustation

de foie gras cuisiné de cinq manières différentes. Une très belle étape gastronomique. Prix justifiés. Terrasse fleurie pour les beaux jours. Très chic. Très belle carte des vins.

|●| *Basmane* (hors plan d'ensemble par A1) : Aïn-Diad, bd de la Corniche ; un des derniers établissements sur la droite. ☎ 022-39-91-96. Un grand resto typiquement maro-

cain qui vous joue toute la gamme des couscous, tajines et autres pastillas – surprenant pour un resto marocain, non ? Avec un petit groupe de musiciens qui jouent des airs célèbres des années 1930. La carte est variée, mais malheureusement la nourriture n'est pas toujours terrible et la sympathie du personnel disparaît une fois que vous êtes assis. Dommage...

Où manger une pâtisserie ? Où manger une glace ?

|●| *Pâtisserie Bennis :* 2, rue Fkih-el-Gabbas. Dans le quartier des Habbous, dans une ruelle proche de la pl. Moulay-Youssef. La plus célèbre pâtisserie de Casablanca. On y mange des spécialités marocaines réputées dans tout le pays. Les gâteaux au miel sont divins. Pas donné tout de même. Autres succursales à Casa : 112, av. du 2-Mars et 26, rue de Constantinople, à l'angle du bd Victor-Hugo (dans le quartier des Habbous).

|●| *Pâtisserie de l'Opéra* (plan Centre, B3, 80) : 50, rue du 11-Janvier. Agréable salon de thé. Grand choix de pâtisseries françaises et marocaines.

|●| *Pâtisserie Triomphe* (plan Centre, B2, 81) : 98, rue du Prince-Moulay-Abdellah. Très bons gâteaux marocains et prix doux.

♟ *Oliveri* (plan d'ensemble, B3, 82) : 132, av. Hassan-II. Ouvert tous les jours jusqu'à 1 h du matin. Le glacier le plus connu de la ville, qui a

gardé longtemps le monopole de la glace à Casa. Une institution ! Le propriétaire a, depuis, conquis Marrakech. On dit qu'il a toujours été imité mais jamais égalé. Il faut avouer sans culpabilité que ses parfums sont excellents, même si le choix est restreint. La queue au comptoir pour les cornets ne le dément pas, même tard le soir.

♟ *L'Étoile d'Anfa* (plan d'ensemble, A2, 83) : angle des boulevards Mohammed-Zerktouni et d'Anfa. Ouvert tous les jours jusqu'à minuit. Excentré et très chic. Un ancien de chez *Oliveri* a voulu détrôner son patron. Les glaces sont un peu moins crémeuses et le décor moderne n'a pas le cachet des vieilles adresses, mais il faut lui donner sa chance.

|●| *Boulangerie de la Paix* (plan Centre, B3, 84) : 9-11, bd Lalla-Yacout. Ouvert tous les jours. Un salon de thé, très propre et bien achalandé. Choix de pâtisseries orientales et occidentales.

Où boire un verre ?

Dans la journée

♟ *Café Yasmina* (plan Centre, A3, 85) : dans le parc de la Ligue-Arabe. Très belle terrasse. Cadre agréable et beaucoup d'étudiants qui viennent y réviser leurs cours – comme dans les cafés alentour, d'ailleurs.

♟ *Antic Palais* (plan Centre, B2, 86) : rue Idriss-Lahrizi. Au-dessus de la pâtisserie *La Princière*. Il n'y a pas d'enseigne, mais prendre l'esca-

lier dans l'entrée à droite (enseigne « Crêperie »). Dans un immeuble à l'architecture hybride, salle baroque aux allures de café viennois, même si la télé est toujours allumée. Ce lieu a dû avoir son heure de gloire au temps du protectorat.

♟ *Grand Café National* (plan Centre, B2, 87) : angle du bd de Paris et de la rue du Prince-Moulay-Abdellah.

Ouvert tous les jours de 6 h 30 à 23 h. Belle salle Art déco lambrissée de bois du sol au plafond.

🍸 **Le Petit Poucet** (plan Centre, B2, 58) : 86, bd Mohammed-V. ☎ 022-27-54-20. Voir plus haut la rubrique « Où manger ? ». Un petit bar très agréable avec une petite terrasse, où l'on sert de la bière. Pas très cher, dans le style bistrot parisien. Simple et sans histoire.

🍸 **Western House** (plan Centre, B2, 88) : à l'angle de la rue du Prince-Moulay-Abdellah et Moufta-ker-Abdelkader ; au fond d'une petite cour. Un petit endroit très bien pour prendre un verre (sans alcool) ou faire un billard. Surtout fréquenté par des jeunes. Convivial et propice aux rencontres.

🍸 De nombreux **bars** sur la corniche, dont la terrasse donne sur l'océan et qui servent de délicieux jus de fruits variés : ananas, pomme, pêche...

🍸 Place des Nations-Unies, en face de l'hôtel Hyatt, **Café de Paris** ou **Café Vog**. Agréables terrasses ombragées pour regarder passer les gens.

Le soir

En soirée, tout se passe sur la Corniche où se trouvent aussi bien les bars que les boîtes, qui n'ont rien à envier à ceux que l'on trouve en Europe mais qui ont tous le défaut d'être un peu cher, et trop bien fréquentés au goût de certains.

🍸 **Le Petit Rocher** (hors plan d'ensemble par A1) : au pied du phare d'El-Hank, après avoir dépassé les restaurants chic. Ouvert tous les jours de 12 h à 15 h et de 19 h à 1 h ; le dimanche, brunch de 12 h à 16 h. Bière à 30 Dh (3 €). Possible de dîner ou de grignoter pour une soixantaine de dirhams (environ 6 €). Un lieu absolument magnifique, avec paillotes sur une grande terrasse, lumières tamisées et vue sur la mer et la mosquée Hassan-II. Tout le monde s'y presse et on y rencontre aussi bien des jeunes que des quadras, dans une ambiance genre *Café Del Mar*. Excellente musique.

🍸 **La Réserve** (hors plan d'ensemble par A1) : bd de la Corniche, Aïn-Diab. ☎ 022-36-71-10. Ouvert de 20 h à 1 h. Voir plus haut la rubrique « Où manger ? Encore plus chic ». Un bar-boîte très branché, où la jeunesse dorée et les jeunes expatriés viennent danser sur fond de musique rock et techno. Branchouille mais de qualité dans le style, d'autant que les boissons sont assez abordables.

🍸 **Le Balcon** (hors plan d'ensemble par A1) : 33, bd de la Corniche, Aïn-Diab. ☎ 022-36-72-05. Ouvert de 20 h 30 à 1 h. Hyper-chic ; par conséquent, tenue hyper-correcte exigée, vous voilà prévenu. Si vous arrivez à entrer, sachez qu'ils font aussi restaurant.

🍸 **Bar Casablanca du Hyatt Regency** (plan Centre, B2, 89) : pl. des Nations-Unies. Extinction des feux à 1 h. Décoré d'affiches et de photos du fameux film de Curtiz. On y boit sous le regard de Humphrey Bogart et d'Ingrid Bergman. Les serveurs sont habillés comme les personnages du film. Les consommations sont chères.

Où sortir ?

Évitez l'ancienne médina le soir, après la fermeture des boutiques.

♪ **Villa Fandango** (hors plan d'ensemble par A1) : rue Hubert-Giron. ☎ 022-39-85-08 et 09. Pour s'y rendre, suivre le bd de la Corniche et tourner à gauche (dans la rue sans nom) juste avant le restaurant *Croc Magnon* ; grand portail métallique blanc ; attention, les taxis ne connaissent pas toujours. Ouvert tous les jours de 20 h à 3 h. Entrée de la boîte à 100 Dh (10 €) avec une boisson, puis 70 Dh (7 €) les consos alcoolisées suivantes. Dans une villa sur deux étages. Rendez-vous de la jeunesse dorée. Il faut montrer patte blanche à l'entrée et être correctement vêtu. Le cerbère se montre intraitable. Décoration très réussie. Ambiance extraordinaire en saison.

♪ *Armstrong jazz-bar* (hors plan d'ensemble par A1) : bd de la Corniche, sur la gauche. Encore un lieu à la mode, bondé même en semaine. D'un côté une boîte chic et choc, de l'autre un piano-bar où il y a régulièrement de bons petits concerts et où l'on ne vous laissera jamais le verre vide (ce qui n'est pas nécessairement un plus, vu le prix des consos).

♪ *L'Unplugged* (hors plan d'ensemble par A1) : bd de la Corniche, dans un complexe sur la droite. Plus décontracté et plus jeune que les précédents. On peut y manger un morceau tout en gardant un œil sur la piste. Ils organisent aussi des petits concerts.

♪ *Jimmy's Bar* (hors plan d'ensemble par A1) : club de l'hôtel *Riad Salam*, sur la corniche, à 3 km au sud de Casa (voir plus haut la rubrique « Où dormir ? Très chic »). Repérable à la grosse voiture jaune qui fait office d'enseigne. Piano-bar et discothèque sélects. Jeunots, s'abstenir.

– En centre-ville, on peut également danser dans la boîte du *Hyatt*. C'est un peu cher toutefois, l'ambiance est un peu moins bonne que sur la corniche et il y a énormément de « filles » qui travaillent.

À voir. À faire

Ceux qui s'intéressent à l'architecture de la première partie du XXe siècle seront comblés car Casa a conservé intacts (pour combien de temps encore ?) des immeubles exceptionnels des années 1930. Peu de villes au monde ont su sauvegarder un ensemble d'une telle homogénéité. Il y a longtemps, en France, que bien des chefs-d'œuvre ont été détruits par la voracité de promoteurs gloutons. Il n'est pas possible d'énumérer tous les exemples de cette architecture si décriée vers les années 1950 et qui, depuis peu, semble être reconnue à sa juste valeur. Si nous avons un conseil à vous donner, promenez-vous dans le centre-ville et levez le nez. Vous serez surpris.

※ *Le centre-ville*, toujours animé, ne manque pas d'intérêt. Allez flâner rue du Prince-Moulay-Abdellah *(plan Centre, B3)*, voie piétonne qui relie le boulevard de Paris à la place du 16-Novembre. Là, vous pourrez faire une pause à la terrasse du café *La Chope*, face à la sculpture-fontaine de céramique rose, qui rappelle l'œuvre d'Henry Moore.

Un autre itinéraire permet, en suivant l'avenue Lalla-Yacout jusqu'à la place des Victoires, et en remontant la rue Mohammed-Silha, plantée de magnifiques palmiers, de faire le tour du centre-ville.

※ *Le marché central (plan Centre, C2, 11)* : bd Mohammed-V. Côté opposé à la poste centrale, et un peu plus loin. Ouvert tous les jours de 7 h à 14 h, sauf pendant les fêtes. Quelle bonne occasion de prendre ses distances avec la circulation automobile et la pollution que de flâner dans ce marché en partie couvert ! Fleurs, fruits, épices, viandes, poissons et crustacés sont tellement bien présentés qu'ils mettent en appétit. Ce qui explique peut-être le nombre de restaurants alentour et à l'intérieur. Une précaution cependant s'impose, en raison de l'animation : pas de signes ostentatoires de richesse, et surveillez vos affaires.

En face du marché, l'ancien hôtel *Lincoln*, avec sa belle façade hispano-mauresque qui tombe en ruine.

※ *L'ancienne médina (plan d'ensemble, B1-2)* : partir de la pl. Mohammed-V et emprunter la rue du Commandant-Provost *(plan d'ensemble, B2)*, derrière l'hôtel *Hyatt Regency*. Ne pas s'y rendre la nuit : l'endroit est dangereux. D'ailleurs, toutes les boutiques sont fermées. Impossible de conseiller un itinéraire dans cet enchevêtrement de ruelles corsetées dans de sobres et robustes remparts datant du XVIe siècle. Le contraste avec la ville nouvelle est frappant. De la Skala, un ancien bastion, on découvre le port de pêche et les bateaux de plaisance.

On a un faible pour la petite *place de Sidi-bou-Smara* avec son square, son marabout et ses tombes à l'ombre d'un banian. En sortant, si vous ne vous êtes pas égaré, vous arriverez près de la gare de Casa-Port et du Centre 2000, complexe commercial contemporain. La transition est brutale.

🦃 *La place des Nations-Unies (plan Centre, B2)* : ex-pl. Mohammed-V, appelée encore, parfois, pl. Houphouët-Boigny (vous suivez ?). À l'ombre de l'ancienne médina bat le cœur de la ville nouvelle, avec toutes les grandes artères qui convergent ici : Houphouët-Boigny, Armée-Royale, Mohammed-V, Hassan-II et Moulay-Hassan-Ier. Au milieu des immeubles blancs se détache la masse imposante de l'hôtel *Hyatt Regency*. Ceux qui veulent excuser cette scandaleuse construction la comparent à un grain de beauté noir sur le visage blanc d'une femme.

On se serait bien passé de ce grain et, pour l'oublier, allez donc faire un tour sur le boulevard Mohammed-V *(plan Centre, B-C2)*, voie très animée et commerçante qui a conservé quelques très beaux immeubles des années 1930, ou dans la rue A.-Briand qui mène à la rue du Prince-Moulay-Abdellah, en partie piétonne et très agréable. Les architectes ont su adapter le style de l'époque aux conditions climatiques du Maroc et à ses traditions. Les styles Art déco et néo-mauresque font bon ménage.

🦃 *Le Centre 2000 (plan Centre, B1)* : pour s'y rendre, prendre l'av. Houphouët-Boigny au départ de la pl. des Nations-Unies ; arrivé au bout, prendre à droite devant la gare de Casa-Port ; on trouvera un vaste centre commercial à l'occidentale où l'on peut déjeuner ou dîner, mais qui présente peu d'intérêt. La nuit tombée, on y croise beaucoup d'enfants des rues, juste histoire de nous rappeler une autre réalité du Maroc.

🦃🦃 *La place Mohammed-V (plan Centre, A2-3, B2)* : attention, cette place s'appelait auparavant place des Nations-Unies, et cette dernière Mohammed-V. On ne sait pas qui a eu l'idée saugrenue d'intervertir les noms de ces deux places, source de nombreuses erreurs sur toutes les cartes et tous les guides du monde entier. C'est le centre administratif de Casa, avec de très beaux immeubles conçus dans les années 1920 par un architecte français. L'ensemble est rythmé par d'élégants portiques et, sur les façades blanches, des pierres blondes apportent des notes chaudes. La place est bordée par l'imposant palais de justice.

La *préfecture (wilaya)* est flanquée d'une tour de 50 m qui permet d'avoir un beau coup d'œil sur la ville. Se renseigner, à l'entrée, sur les conditions d'admission. Normalement, on peut pénétrer à l'intérieur du bâtiment (photos interdites), pour le jardin tropical et deux grandes peintures de Majorelle (voir le jardin Majorelle à Marrakech). Cette préfecture fut inaugurée dans les années 1930 par le sultan de l'époque, accompagné du président de la République française, Albert Lebrun. La *fontaine* lumineuse et musicale (on ne se refuse rien), installée en 1976, devrait permettre d'admirer de savants jeux d'eau accompagnés de musique, mais elle est souvent à sec et sans voix. En revanche, elle fait la joie des pigeons qui y roucoulent.

Le consulat de France dissimule, derrière ses grilles, la *statue équestre de Lyautey*, qui se dressait auparavant au centre de la place. L'avenue Hassan-II conduit au parc de la Ligue Arabe.

🦃 *Le parc de la Ligue Arabe (plan d'ensemble, B2-3)* : véritable poumon de la ville, ce parc, que traverse une magnifique allée de palmiers, fut dessiné en 1918. On remarquera aussi un joli bassin parfois rempli de nénuphars roses. De très beaux arbres, parmi lesquels de splendides palmiers-dattiers et d'autres essences moins connues en Europe, des massifs de fleurs, des arcades et des tonnelles font de l'ensemble un lieu de détente et de repos idéal. L'endroit est tellement calme que de nombreux croyants venus de la mosquée toute proche y lisent même leurs prières tout en marchant ! À défaut, on peut aussi méditer assis aux nombreuses terrasses de café qui incitent à prolonger la pause aux côtés des étudiants venus y réviser leurs cours en groupe.

À proximité, dans la rue d'Alger se dresse la masse importante de l'*église du Sacré-Cœur*, construite en 1930. Mais cet ensemble architectural très original, qui aurait dû être un centre culturel, a été investi par des familles marocaines qui y ont vécu avant de laisser place aujourd'hui à des groupes de SDF.

🔍 *La nouvelle médina ou quartier des Habbous* (hors plan d'ensemble par C-D3) : bd Victor-Hugo, en face du palais royal. Pour y aller, bus n° 81 du boulevard de Paris. Si vous êtes en voiture, prenez l'avenue de Mers-Sultan puis l'avenue du 2-Mars, en vous arrêtant au passage devant la puissante masse de béton de l'*église Notre-Dame-de-Lourdes (plan d'ensemble, B3)*, construite par un Français en 1953. Ouvert le matin et l'après-midi. À l'intérieur, série de vitraux exceptionnels couvrant plus de 800 m².

En montant le boulevard Victor-Hugo qui longe le parc Murdoch, on aperçoit, après le palais royal, l'ancienne *Mahakma du pacha*, autrefois tribunal musulman et salon de réception du pacha de Casablanca. Décoration assez étonnante. L'édifice, terminé dans les années 1950, est un beau témoignage du talent des artisans marocains. Plafonds de bois sculptés, murs de stucs ouvragés, parois tapissées de carreaux de faïence et belles grilles de fer forgé. Et tout cela se répète dans une soixantaine de salles et de cours réparties autour d'un jardin intérieur, entouré d'arcades.

Le quartier des Habbous est un souk construit par des architectes français au début du XXᵉ siècle, où tout a été conçu pour essayer de conserver l'aspect d'une médina traditionnelle : ruelles étroites, petites places plantées d'arbres, arcades de pierre... On s'imaginerait presque dans un souk bâti pour les besoins d'un film hollywoodien. Nombreuses boutiques d'artisans, magasins de souvenirs spécial-touristes mais de qualité, et quelques cours où l'on ne vend que des olives en quantité et à toutes les sauces. C'est là que se trouve la *pâtisserie Bennis* (voir plus haut la rubrique « Où manger une pâtisserie ?... »), dont la façade est très discrète.

Si vous continuez votre chemin tout droit, et passez la ligne de chemin de fer, vous découvrirez un merveilleux et gigantesque souk où l'on a vraiment du mal à avancer tant il y a de monde, et ce, malgré la largeur des rues. On y voit toute la différence entre le typique et le pittoresque (au niveau des tarifs pratiqués aussi, d'ailleurs).

🕌🕌🕌 *La mosquée Hassan-II (plan d'ensemble, A1)* : la plus grande du Maghreb et la plus coûteuse, mais absolument somptueuse. ☎ 022-22-25-63. Visites guidées quotidiennes à 9 h, 10 h, 11 h et 14 h, sauf le vendredi (jour de la prière). La visite complète dure 1 h. Entrée : 100 Dh (10 €) ; étudiants sur présentation obligatoire de la carte : 50 Dh (5 €). D'accord, c'est très cher ; cependant, il n'est pas courant de pouvoir pénétrer dans une mosquée, et celle-ci est exceptionnelle par sa démesure et son luxe. Et comme chacun sait, le luxe ça se paie. Si vous ne voulez pas payer, pointez-vous une demi-heure avant la prière : les gardiens ouvrent les portes, et les touristes peuvent voir l'intérieur même sans y pénétrer. Possibilité de négocier avec les gardiens.

Après le siècle des cathédrales, voici celui des mosquées. Le roi Hassan II, chef religieux, voulait que la plus grande ville de son royaume soit dotée d'un monument digne de son règne. Et voici son legs à la postérité.

On n'a pas lésiné sur les moyens pour bâtir ce gigantesque vaisseau de prière posé sur la mer. Il fallut tout d'abord construire une digue de 800 m, qui fut détruite à l'achèvement des travaux, pour libérer les flots prisonniers de la forêt de pilotis sur laquelle repose l'ensemble. C'est vraiment la mosquée des records. Course contre la montre pour livrer au souverain, en temps prévu, pour son soixantième anniversaire en 1989, ce gâteau de béton recouvert de marbre, aux proportions babyloniennes, qui est désormais le monument religieux le plus vaste du monde après La Mecque. Malgré son gigantisme et ses murs aveugles, la mosquée est d'une légèreté surprenante. Elle occupe 20 000 m² et peut contenir 25 000 personnes dont 5 000 femmes – qui ont leur place réservée sur des mezzanines –, mais il y a encore beaucoup d'espace avec l'esplanade et les parvis prévus pour pouvoir accueillir 150 000 personnes. À l'heure de la prière, 80 000 pèlerins peuvent prier Allah sans avoir à se pousser du coude.

Le minaret qu'Hassan II voulut « le plus haut édifice de l'Islam » culmine à 200 m et se distingue à des dizaines de kilomètres. Ce « nouveau phare de l'islam » est équipé d'un ascenseur (actuellement en rénovation). On dit que Notre-Dame de Paris pourrait être reconstituée pierre par pierre à l'intérieur de la travée principale de la salle de prière de 200 m sur 100. Son toit en tuile d'aluminium, à 60 m du sol et pesant 1 100 t, peut s'ouvrir en 5 mn. Les arcatures en sont fermées, mais la lumière est diffusée par cinquante lustres en cristal de Murano de 15 m de haut, de 6 m de diamètre et de 1 200 kg chacun. Les murs sont en plâtre ciselé, les chapiteaux en marbre sculpté, les colonnes en granit (à l'exclusion de celles du *mirhab*, en marbre de Carrare), le sol en mosaïque de granit, onyx, marbre et travertin, et les plafonds en cèdre polychrome.

Profusion de zelliges, d'arabesques, de croissants et de lignes brisées. Les stucs sont finement travaillés. Les ornemanistes qui dessinent et réalisent ces motifs décoratifs sont les artisans les mieux payés, car leur travail est très long et méticuleux. Si les meilleurs artisans marocains ont été réquisitionnés, c'est un architecte français, Michel Pinseau, qui a établi les plans, et Bouygues qui a obtenu le chantier. Quant aux couleurs pastel qui ont été choisies pour habiller certains zelliges, elles rompent avec une tradition de couleurs plus vives, mais sont à l'origine d'un véritable engouement qui a remis au goût du jour ce type de décoration traditionnelle, assortie de colorations inédites (à voir dans certains grands hôtels).

Contrairement aux mosquées traditionnelles, la salle des ablutions est sous la salle de prière, décorée de grandes fleurs de lotus en marbre en guise de fontaine.

Le roi a ses appartements derrière le *mirhab*. Les bains turcs et le hammam qui se trouvent en dessous peuvent désormais se visiter.

Tout cela a coûté beaucoup d'argent : 450 millions d'euros, selon les estimations, et beaucoup de vies humaines – ce que les estimations prennent moins souvent en compte. Le roi avait demandé à chacun d'apporter son offrande. Les fonctionnaires furent « invités » à verser l'équivalent d'un mois de salaire, les commerçants à faire un don proportionnel à leurs recettes, et les paysans furent taxés à l'entrée des souks. « Le zèle des gabelous ne semble avoir épargné que très peu de Marocains. » Les donateurs reçurent en échange un beau diplôme ! C'est, pour une partie du peuple, une façon de s'assurer une bonne place dans l'au-delà en « achetant son ticket » dès maintenant. N'est-il pas écrit dans le Coran : « Celui qui construit une mosquée se verra construire par le Très-Haut une maison au paradis » ? L'entretien du site est financé par les loyers que l'État perçoit des hôtels et des commerçants du bord de mer à côté de la mosquée. 300 personnes y sont employées à temps plein.

➤ **Le tour de la Corniche :** bus n° 9 de la pl. de la Concorde (prolongement de l'av. de l'Armée-Royale). En voiture, partir de la pl. Mohammed-V, suivre le bd Houphouët-Boigny et tourner à gauche sur le bd Mohammed-ben-Abdellah. Le bd de la Corniche conduit au phare d'El-Hank (restaurants réputés mais chers) à 2 km, puis à l'institut de thalasso *Le Lido*, à Aïn-Diab (à côté de l'hôtel Riad *Salam*).

La station d'**Aïn-Diab** est très fréquentée par les Casablancais, surtout le week-end : sur les terrasses et dans les piscines l'après-midi, dans les discothèques en soirée.

🍴 *Le Derb Corea :* sur la route de la médina, quartier où tout est moins cher. Ce *derb* est connu pour être le lieu de rendez-vous des voleurs. Donc si on vous vole, allez faire un tour par là-bas. Si vous retrouvez vos affaires, surtout ne faites pas de scandale ! Contentez-vous de les racheter en marchandant. Dans ce quartier se trouve une rue minuscule bordée d'échoppes de bijoutiers.

🍴 *Le quartier d'Anfa (hors plan d'ensemble par A3) :* on s'y rend par le bd d'Anfa, *of course*. Ce quartier résidentiel, avec toutes ses villas entourées de jardins donnant sur de larges avenues, constitue une illustration de l'histoire de l'architecture de 1930 à nos jours.

C'est dans l'*hôtel d'Anfa* que se déroula l'entrevue historique entre Roosevelt et Churchill en janvier 1943, à l'un des moments cruciaux de la Seconde Guerre mondiale. Les deux hommes fixèrent, au cours de ces entretiens, appelés « conférence de Casablanca », la date et les modalités du Débarquement de Normandie de juin 1944.

Toujours dans le même quartier, de Gaulle rencontra, avant son éviction du comité de libération nationale, le général Giraud, commandant civil et militaire qui partageait alors le pouvoir avec lui.

🍴 *Le marché de Derb Ghallef (hors plan d'ensemble par A-B3) :* dans un quartier populaire au sud de la ville. Marché permanent en plein air, installé sur un terrain vague, où l'on peut trouver dans un bric-à-brac le pire comme le meilleur : vêtements et chaussures d'occasion, jeux vidéo, brocantes. Mosquée de fortune en tôle ondulée. Ce quartier est particulièrement pauvre et, près du marché, une décharge côtoie un bidonville.

Achats

◈ *Vita (plan Centre, B2) :* 17, rue Chaouia (ex-rue Colbert). Le fleuriste le plus célèbre de Casa, connu pour ses orangers et ses petits palmiers. La meilleure époque pour acheter se situe entre décembre et mars.

◈ *Marché central (plan Centre, C2, 11) :* extraordinaires bouquets à composer pour des prix dérisoires.

QUITTER CASABLANCA

En avion

✈ Pour se rendre à l'**aéroport Mohammed-V** (à 34 km), train au départ des gares de Casa-Port et Casa-Voyageurs. Départ, théoriquement, toutes les heures environ de 5 h 15 à 20 h 45, mais attention, il peut y avoir parfois jusqu'à 2 h 30 de battement entre deux trains ; il est donc impératif de se renseigner la veille, en fonction de l'heure de votre convocation à l'aéroport : ☎ 022-24-38-18 ou 022-27-18-37. ● www.oncf.org.ma ● Durée du trajet : environ 45 mn.

Également un bus *CTM* au départ de la gare routière. Départ toutes les heures (arriver 15 mn à l'avance) de 6 h à 22 h. Compter 1 h de trajet.

– Un aérobus effectue aussi la tournée des hôtels avant de prendre la direction de l'aéroport.

En bus

🚌 Départ de la *gare CTM* *(plan d'ensemble, C2)* pour toutes les destinations à travers le Maroc, et même vers les pays d'Europe. Informations : ☎ 022-44-81-30 et 27. Réserver au moins un jour à l'avance, surtout en été.

➤ *Pour Rabat :* toutes les heures de 6 h à 23 h 30 ; durée : 1 h.
➤ *Pour Tanger :* 3 bus par jour, de 6 h à 23 h 30 ; durée : 6 h.
➤ *Pour Fès :* 10 bus par jour, de 7 h à 20 h ; durée : 5 h.
➤ *Pour Meknès :* 10 bus par jour, de 7 h à 20 h 30 ; durée : 4 h.
➤ *Pour Marrakech :* 7 bus par jour, de 7 h 30 à 21 h ; durée : 4 h. 30.
➤ *Pour Agadir :* 7 bus par jour, de 5 h 30 à 23 h 15 ; durée : 9 h.
➤ *Pour Ouarzazate :* 1 départ le matin et 2 le soir ; durée : 7 h.
➤ *Pour Essaouira :* 3 départs quotidiens.

Refuser catégoriquement toutes les propositions d'automobilistes « draguant » les voyageurs autour de la gare routière pour les conduire à leur lieu de destination, moyennant une petite participation inférieure au prix du billet de bus. Arnaque assurée au cours du trajet !

🚌 *Gare routière de Benjdia (plan d'ensemble, C3) :* angle du bd Lachcen-ou-Ider et de la rue de Libourne. On y trouve toutes les compagnies indépendantes. Moins de confort que la *CTM*, mais plus économiques et, surtout, beaucoup plus de départs. Il y a cependant un revers à la médaille : les chauffeurs ne sont pas toujours qualifiés, et la sécurité n'est pas garantie à bord de certains bus.

En train

Pour tout renseignement sur les horaires précis, la durée des trajets et les tarifs, se reporter au site internet de *l'ONCF :* ● www.oncf.org.ma ●
🚂 Départs de la gare de *Casa-Voyageurs.*
➤ *Pour Marrakech :* 2 départs le matin, 2 l'après-midi et 1 de nuit. Compter 3 h 30 de trajet. Train neuf très confortable en 2e classe.
➤ *Pour Meknès :* 4 départs le matin, 2 l'après-midi et 3 en soirée.
➤ *Pour Fès :* 2 départs la nuit, 4 le matin, 3 l'après-midi, et 1 en soirée.
➤ *Pour Rabat :* toutes les heures environ, de 6 h 15 à 22 h 30. Compter 1 h de trajet.
➤ *Pour Tanger :* 1 départ la nuit, 1 le matin et 2 l'après-midi.
🚂 Départs de la gare de *Casa-Port.*
➤ *Pour Rabat :* de 7 h à 20 h 30, un départ toutes les heures le matin, toutes les demi-heures l'après-midi. Compter 1 h de trajet environ. Lorsque l'on vient d'El-Jadida ou de Marrakech, il faut obligatoirement changer de train à la gare de Casa-Voyageurs.

En taxi collectif

➤ *Pour Rabat :* départ du bd Hassan-Seghir *(plan d'ensemble, C2)*, derrière la gare routière *CTM*. Compter 1 h 15.
➤ *Pour El-Jadida :* se faire conduire au bd Laouïna. Départs fréquents. Compter 1 h 15.

AZEMMOUR

À 17 km d'El-Jadida, sur la route de Casablanca (nombreux bus). Cette petite ville toute blanche se dresse sur une falaise au bord d'une rivière au nom poétique de « Mère du Printemps ». La kasbah, à l'écart des circuits touristiques, est assez authentique avec ses souks pittoresques. Ses remparts portugais sont bien conservés, et on peut en faire le tour.
– *Souk :* le mardi. À voir.

Où dormir? Où manger?

🛏 *Hôtel de la Victoire :* 308, av. Mohammed-V. ☎ 023-34-71-57. À côté de la station de bus. Chambres doubles à 60 Dh (6 €); douches froides collectives. Chambres rudimentaires.

🍴 *Restaurant La Perle :* sur la plage d'Haouzia. ☎ 023-34-79-05. Menu à 130 Dh (13 €). Décor soigné, avec de vraies nappes et une terrasse donnant sur la plage. Bonne nourriture bien présentée, mais service lent. Une bonne étape sur la route. À éviter hors saison (pas assez de débit).

🍴 Petits *restos* simples mais économiques en ville. D'autres sur la place, devant l'entrée de la médina.

À voir. À faire

🔎 *La plage* est à *Haouzia*, à 2 km. Très longue et très populaire, elle est surtout fréquentée par des vacanciers marocains.

🔎 Jolie vue que celle de la *médina* qui se détache sur les flots verts de l'Oum-er-Rbia. Jolie vue également du pont et de la rive vers l'embouchure, à l'extrémité nord-ouest de la médina. Le passage à travers celle-ci montre quelques beaux encadrements de portes et des cheminées genre « pigeonniers » qui rappellent la Grèce.

🔎 D'Azemmour à El-Jadida, la côte est une immense plage, partout accessible par une route asphaltée, sûre et surveillée en été.

Fête

– *Moussem :* en août.

EL-JADIDA   180 000 hab.

En 1502, des marins portugais accostèrent sur la côte marocaine, où ils édifièrent en hâte un fortin. La place, jugée stratégique, fut dotée de puissantes fortifications inexpugnables jusqu'en 1769, date à laquelle le sultan Mohammed ben Abdellah s'en empara. L'ancienne Mazagan, que Lyautey considérait comme « la Deauville du Maroc », a bien changé depuis. Elle a cependant conservé de beaux vestiges du passé. Il ne faut pas manquer les remparts, flanqués de quatre bastions restaurés au XIXᵉ siècle, et la superbe citerne portugaise. El-Jadida, jumelé avec Sète, est un tranquille petit port de

■ **Adresses utiles**
  🛈 Syndicat d'initiative
  ✉ Poste
  🚌 Gare routière
  @ **1** Cyber club Galaxie Net

🛏 **Où dormir?**
  11 Hôtel Moderne
  12 Hôtel de Bruxelles
  13 Hôtel de Provence
  15 Hôtel Royal

🍴 **Où manger?**
  21 Restaurant La Portugaise
  22 Snack Ramsès
  23 Restaurant Chahrazad
  24 Café de la Broche

DE AZEMMOUR À SAFI

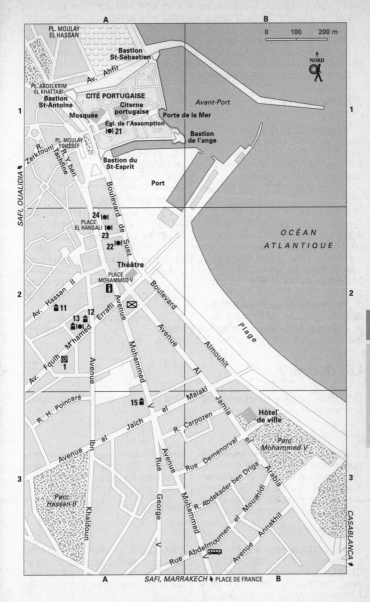

DE AZEMMOUR À SAFI

EL-JADIDA

pêche spécialisé dans les crustacés. Il a, en effet, raté son développement industriel, tout le trafic maritime convergeant vers le récent port très performant de Jorf-el-Lasfar.

La station balnéaire, équipée d'un golf, de manèges équestres et d'hôtels-clubs, est très appréciée des Marocains. Malheureusement, la plage, en saison, est vite transformée en une immense poubelle.

– *Souk :* le mercredi et le dimanche.

Adresses utiles

i ***Syndicat d'initiative*** *(plan A2) :* pl. Mohammed-V. Ouvert tous les jours de 9 h à 12 h 30 et de 15 h à 18 h 30 (19 h en été). Fermé le mercredi hors saison. Personnel serviable.

✉ *Poste (plan A2) :* pl. Mohammed-V.

■ ***Distributeurs Visa :*** *BMCE,* à l'angle des avenues Ibn-Khaldoun et Fquih-M'hamed-Errafii (en face de l'*hôtel de Bruxelles, plan A2*). *Crédit du Maroc,* 2, av. Jamia-el-Arabia (à côté de la poste, *plan A2*). *Wafa,* bd Mohammed-V (à côté de la poste, *plan A2*).

■ ***Pharmacie de nuit :*** dans l'Arrondissement. Ouvert de 21 h à 8 h.

■ ***Clinique El-Jadida :*** rue de Tunis. En cas de pépin de santé. Le médecin-chef a fait ses études en France. Personnel compétent. Locaux propres, ce qui n'est pas le cas de l'hôpital Mohammed-V, qu'il faut absolument éviter. Sinon, on peut essayer la récente clinique ***Les Palmiers,*** av. Al-Jabia-el-Arabia.

◉ ***Cyber club Galaxie Net*** *(plan A2, 1) :* 35, av. Fquih-M'hamed-Errafii. Monter au 2e étage, appartement n° 2. Compter 10 Dh (1 €) l'heure.

■ ***Centre artisanal*** *(plan A2) :* sur le plateau. De la pl. de la Poste, suivre l'av. Fquih-M'hamed-Errafii et monter sur la butte au-dessus du lycée Charcot. Prix fixes. Assez décevant.

■ ***Stations-service :*** *Mobil,* av. Hassan-II. *Shell,* av. Al-Jamia-el-Arabia.

Où dormir ?

Les hôtels, quoique nombreux, sont souvent complets, et il est recommandé d'arriver tôt.

Camping

⚐ ***Camping-caravaning International :*** à l'entrée d'El-Jadida en venant de Casablanca (après le restaurant *El-Khaima*). ☎ 023-34-27-55. À 20 mn à pied du centre-ville. Compter environ 60 Dh (6 €) pour deux avec tente et voiture. Propose aussi des bungalows à 280 Dh (28 €). Camping calme et bien tenu.

Bon marché

🛏 ***Hôtel Royal*** *(plan A3, 15) :* 108, av. Mohammed-V. ☎ 023-34-28-39. Chambres autour de 130 Dh (13 €) avec douche, 90 Dh (9 €) sans. L'hôtel est décoré de manière surprenante pour le prix, entièrement habillé de mosaïques et de frises de stuc sculpté. À l'étage, des salons au mobilier marocain occupent les couloirs qui desservent les chambres. Celles-ci, vastes et confortables, sont dotées de petits salons en rotin. Toutefois, celles qui donnent sur la rue sont assez bruyantes. Bon accueil.

🛏 ***Hôtel de Bruxelles*** *(plan A2, 12) :* 40, av. Ibn-Khaldoun. ☎ 023-34-20-72. Garage. Chambres doubles à 140 Dh (14 €) avec douche (chaude le matin) et w.-c. Un peu bruyant. Chambres sobres mais très propres. Bon rapport qualité-prix. Accueil sympathique.

🛏 *Hôtel Moderne (plan A2, 11)* : av. Hassan-II. Chambres doubles à 100 Dh (10 €) ; douche chaude gratuite sur le palier. Établissement qui

n'a de moderne que le nom. Chambres banales, de taille moyenne et assez bruyantes car proches des souks très animés le soir. Literie et sanitaires en piteux état. De plus, il faut payer d'avance. Malgré tout, très souvent complet.

Prix moyens

🛏 *Hôtel de Provence (plan A2, 13)* : 42, av. Fquih-M'hamed-Errafii. ☎ 023-34-23-47 et 023-34-41-12. Fax : 023-35-21-15. Dans le centre. Pas de parking gardé. Chambres avec bains à environ 300 Dh (30 €). Calme. Salon et salle de restaurant

confortables. Au fond, agréable terrasse nichée dans une cour intérieure. Chambres rustiques mais vastes et propres. L'hôtel est souvent complet, et les réservations ne sont pas prises en compte.

Très chic

🛏 *Royal Golf Hôtel (hors plan par B3)* : à 7 km, sur la route de Casablanca. ☎ 023-35-41-41 à 48. Fax : 023-35-34-73. Il faut débourser ici un peu plus de 1 500 Dh (150 €) pour une chambre double sans le petit déjeuner. Il s'agit, en fait, d'une villa du *Club Med* ouverte toute l'année au public. Situé dans un environnement exceptionnel, cet hôtel mitoyen d'un parcours de golf est bordé d'un côté par une forêt d'eucalyptus, et de l'autre par l'océan Atlan-

tique. Les 107 chambres, confortables et climatisées, sont réparties dans 3 bâtiments autour d'une très belle piscine avec solarium. Rien ne manque au confort de celui qui souhaite faire halte ici : hammam, sauna, tennis, jardins, 5 restaurants, 3 bars, sans oublier la traditionnelle animation du Club et sa table incontournable. Une étape idéale pour se refaire une santé dans un cadre très agréable.

Où manger ?

Très bon marché

🍽 *Restaurant La Portugaise (plan A1, 21)* : dans la cité portugaise, à quelques mètres de la première poterne rencontrée lorsqu'on vient du centre-ville. Le repas ne vous coûtera guère plus de 50 Dh (5 €). Petit restaurant très agréable, tenu par un restaurateur retraité qui ne tenait pas à perdre la main.

🍽 *Snack Ramsès (plan A2, 22)* : bd de Suez, à côté de l'*Hôtel du Port*. Plats à moins de 30 Dh (3 €). Petit établissement sans prétention, le *Snack Ramsès* a le mérite de proposer des plats corrects, servis dans une salle très propre. Effort de décoration. Bon accueil.

🍽 *Snacks* sur la pl. El-Hansali *(plan A2)*, réservée aux piétons et

animée mais particulièrement sale. Plusieurs snacks également le long de la plage.

🍽 *Restaurant Chahrazad (plan A2, 23)* : pl. El-Hansali. Nourriture locale copieuse pour 40 Dh (4 €) environ. Service efficace.

🍽 *Café de la Broche (plan A2, 24)* : pl. El-Hansali, près du cinéma *Le Paris*. Bons menus autour de 50 Dh (5 €), avec couscous et tajines. Petit restaurant avec très peu de tables. Service lent. Pas d'alcool mais on peut apporter sa bouteille.

🍽 *Stresa (plan B3)* : 110, av. Al-Jamia-el-Arabia. Face au parc Mohammed-V. Salon de thé, glacier, pizzeria (environ 50 Dh, 5 €) dans un décor moderne et chic.

Prix moyens

▮●▮ *Ali Baba :* av. Al-Jamia-el-Ara-bia. Sur la route de Casa. Menu autour de 90 Dh (9 €) ; compter au moins 130 Dh (13 €) à la carte. La salle de restaurant, ornée d'une cheminée et d'un beau buffet lorrain, est à l'étage et offre par conséquent une jolie vue sur la mer. Très bon accueil, bonne cuisine et service impeccable et rapide. Excellente adresse.

▮●▮ *Restaurant El-Khaima :* près du camping. ☎ 023-37-18-72. Compter un bon 170 Dh (17 €) pour un repas de poisson ou de fruits de mer, un peu moins pour un plat normal. Salle de restaurant à l'étage. Cuisine moyenne. Pas de carte des vins. Service parfois lent.

Chic

▮●▮ *Restaurant de l'hôtel de Provence (plan A2, 13) :* 42, av. Fquih-M'hamed-Errafii. Menu à 120 Dh (12 €), ou repas à la carte pour 150 Dh (15 €). Pour sa terrasse intime, son ambiance sympa et sa cuisine de qualité.

Où boire un verre ?

Agréables *terrasses* sur la place Mohammed-ben-Abdellah.

À voir

🏃 **Les remparts et la cité portugaise** *(plan A1) :* accès gratuit au chemin de ronde. Ne pas y aller aux heures creuses. Attention, les portes ferment le soir. Les remparts, édifiés au milieu du XVIIe siècle par un Italien à la solde des Portugais, devaient protéger la ville durant deux siècles. Ils comprenaient cinq bastions, dont quatre ont été reconstruits après le siège mené par les Arabes, en 1769, sous la conduite de Sidi Mohammed ben Abdellah. Le bastion du Saint-Esprit permet d'accéder au chemin de ronde. Du bastion de l'Ange, très belle vue sur la citadelle portugaise prise dans son corset de pierre. La porte de la Mer, aujourd'hui condamnée, servit à la fuite des assiégés. Elle donne d'ailleurs sur une petite plage où devaient les attendre les embarcations. À l'intérieur de l'enceinte, on peut voir encore quelques anciennes constructions avec des balcons de ferronnerie.

🏃 **La Citerne portugaise :** ouvert tous les jours de 10 h à 12 h et de 15 h à 18 h. Entrée : 10 Dh (1 €). Nous vous laissons la surprise de découvrir ce que l'on peut faire avec quelques colonnes, des voûtes et un peu d'eau. Le bâtiment faisait partie du château construit par les Portugais en 1514. On pense qu'il servit de magasin ou de dépôt d'armes, avant d'être transformé en citerne. La salle souterraine, presque carrée, comporte 6 nefs avec des voûtes d'arête reposant sur 25 colonnes ou piliers massifs. Ce qui est surprenant, c'est l'éclairage que procure une ouverture circulaire faite dans la voûte. Le reflet dans l'eau crée, à certaines heures, une impression de vision fantastique. C'est probablement ce qui séduisit Orson Welles lorsqu'il choisit d'y tourner certaines scènes de son *Othello*, en 1949.

Après le départ des Portugais, cette citerne souterraine fut abandonnée dans les décombres de la vieille ville. Plus personne ne connaissait son existence, jusqu'au jour de 1916 où un petit épicier, voulant agrandir son échoppe, s'attaqua à un mur et découvrit émerveillé cette vaste salle souterraine. À noter que l'architecte avait tout prévu et que les joints des carreaux du sol étaient en plomb afin d'empêcher l'eau de s'infiltrer.

Comme on peut le constater avec la maquette exposée dans l'entrée, la vieille ville était, à l'époque portugaise, une île.

Fête

– **Moussem** en l'honneur de Moulay Abdellah le 1er vendredi d'août. L'un des plus beaux du Maroc.

QUITTER EL-JADIDA

En bus

🚌 **Gare routière** *(plan B3)* : av. Mohammed-V ; à l'angle de la rue Abdelmoumen-el-Mouahidi. À 10 mn du centre, sur la route de Safi.
➤ **Pour Azemmour :** bus toutes les demi-heures de 7 h à 19 h.
➤ **Pour Casablanca :** bus toutes les 20 mn de 5 h 30 à 19 h.
➤ **Pour Essaouira :** 6 départs de 8 h à 14 h.
➤ **Pour Agadir :** 7 départs de 7 h à 18 h.

En taxi collectif

🚖 Les taxis collectifs pour **Casablanca** se trouvent au même endroit que la gare routière.

SIDI-BOUZID

Les routards motorisés peuvent se rendre à la plage de Sidi-Bouzid, à environ 7 km au sud de El-Jadida. Les autres prendront le bus n° 2, à partir du centre-ville. Cette plage serait agréable si l'eau n'y était pas froide et polluée ; la station étant dépourvue d'égouts, l'épuration se fait par puits perdus dans le sable, et à quelques mètres de la plage. Maladies de peau assurées au retour. Malgré cela, beaucoup de monde, c'est d'ailleurs devenu un endroit branché, surtout fréquenté par les jeunes. La plage est bordée par un village résidentiel où viennent en villégiature les Marocains aisés.

Où manger ?

🍽 **Auberge Beauséjour :** à la sortie de Sidi-Bouzid, sur la route côtière en direction de Jorf-el-Lasfar. Menus autour de 75 et 110 Dh (7,5 et 11 €). Excellent poisson servi en terrasse face à la mer, ou dans une salle agréable au plafond voûté.

DE EL-JADIDA À SAFI, PAR LA CÔTE

Si vous partez d'El-Jadida, la route côtière, la plus jolie, est bien indiquée. On passe par la plage de Sidi-Bouzid. Les deux routes se rejoignent près de **Jorf-el-Lasfar**, appelé cap Blanc en français, alors que le nom arabe signifie falaise Jaune. Des goûts et des couleurs, on ne discute pas !
Ce cap a été récemment doté d'un grand port minéralier très moderne qui gâche le paysage, mais sa taille impressionne. Il faut bien expédier à un endroit de la côte les phosphates qui (avec le tourisme) font vivre le pays. Un complexe pétrochimique y a été installé également.

Où dormir? Où manger?

🏠 🍴 *Hôtel-restaurant La Brise :* à 37 km d'El-Jadida. ☎ 023-34-69-17. Compter 350 Dh (35 €) en demi-pension (obligatoire). Menu autour de 100 Dh (10 €). Repas à base de poisson et de fruits de mer, servis dans un cadre agréable. Terrasse avec vue sur la mer et les marais salants. Une dizaine de chambres, correctes. Piscine payante, même pour les résidents : 30 Dh (3 €). Constitue un excellent dépannage lorsque tout est complet à Oualidia.

🏠 🍴 *Hôtel-restaurant Le Relais :* au km 26 sur la route côtière El-Jadida - Safi. ☎ 023-34-54-98. Chambres de 300 à 400 Dh (30 à 40 €). Menu à 130 Dh (13 €). Les chambres les plus récentes, spacieuses et décorées avec goût, bénéficient de petits balcons donnant sur la mer et sur une jolie plage de sable fin. Les moins chères, côté route, sont vraiment bruyantes. Dans la salle de restaurant, construite en arrondi les pieds dans l'eau, on y sert du poisson excellent. Le menu peut rassasier les plus affamés. Licence d'alcool. Forte affluence le week-end. Accueil chaleureux dans un cadre agréable.

LA KASBAH DE BOULÂOUANE

En dehors des grands axes, la kasbah de Boulâouane se trouve à 75 km d'El-Jadida et à 55 km de Settat, Settat étant lui-même à 60 km de Casablanca. Toutes ces précisions kilométriques pour vous expliquer que ce lieu vaut le détour, entre El-Jadida et Casablanca : d'abord, pour la kasbah elle-même ; ensuite, pour les paysages. Pour ceux qui n'iraient pas dans le Sud (route des Mille Kasbahs), ce crochet permettra d'avoir une idée de l'architecture des kasbahs.

Comment y aller?

L'accès à la kasbah se fait par la S128, une petite route sur la gauche, 5 km après Boulâouane. La direction est celle d'Im-Fout (27 km). Tourner ensuite à gauche, c'est signalé. On traverse une forêt d'eucalyptus. Très belle vue sur la kasbah avant l'arrivée. Parking près de la porte monumentale qui date de 1710.

À voir

🏛 *La kasbah :* un gardien fait visiter. Il vous dira où prendre les photos mais il a tendance à demander le double de ce qu'on lui donne ; il faut donc fixer le prix au départ. Intéressante visite d'une demi-heure jusqu'en haut du minaret de l'ex-mosquée, comprenant la traversée de quelques pièces des appartements du sultan, dont la décoration a disparu, et une promenade sur une partie des remparts.

🏛 Très beaux *points de vue* sur la campagne que traverse l'oued Oum-er-Rbia.

OUALIDIA

À 80 km d'El-Jadida, sur la route de Safi (66 km). Services de bus. Un site superbe, curieusement et heureusement épargné par les complexes hôteliers. On y trouve seulement une poignée d'hôtels ou des logements chez l'habitant, à des prix plutôt élevés. Charmante plage en anse, protégée de l'océan par une barre d'îlots. C'est la plage la plus calme de la côte atlantique (en ce qui concerne les vagues), mais en été, elle est très sale et bondée. Ses huîtres sont célèbres. Surveillance assurée par un maître nageur muni d'un Zodiac. L'océan forme une lagune attirante, mais attention, l'eau est froide et les deux goulets qui relient la lagune à l'océan sont dangereux. Beaucoup d'habitants de Marrakech, de Casablanca et de coopérants, l'été. Voir leurs bungalows ou leurs maisons plus somptueuses, en descendant vers la plage.

– **Souk :** le samedi. Important marché.

Où dormir ? Où manger ?

Comme partout sur cette côte, arriver très tôt dans la journée pour obtenir un lit. En plein été et le week-end, la capacité d'accueil est nettement insuffisante. Une occasion à ne pas rater : déguster de l'araignée de mer préparée devant vous, à même la plage, par les pêcheurs qui allument un feu pour l'occasion. Ce n'est pas une raison pour oublier de vous mettre d'accord sur le prix avant de vous asseoir autour du feu !

Camping

⚐ *Camping Les Sables d'Or :* au cœur d'Oualidia, proche de la plage. Prévoir autour de 50 Dh (5 €) pour deux avec tente et voiture ; ajouter 10 Dh (1 €) pour l'électricité. Sanitaires innommables. Le patron lui-même déconseille le site aux Européens. C'est tout dire !

Prix moyens

▣ ◉ *Hôtel-restaurant L'Initiale :* Oualidia-plage. ☎ 023-36-62-46. Tabler sur 300 Dh (30 €) la nuit en chambre double ; demi-pension possible. Compter au moins 100 Dh (10 €) pour un repas. Quelques chambres avec vue sur la mer. Propre et confortable. Salle de resto aménagée avec goût. On y dîne même aux chandelles. Spécialités de fruits de mer. Accueil aimable du patron, Ahmed, et de son personnel.

▣ *Motel-restaurant À l'Araignée Gourmande :* Oualidia-plage. ☎ 023-36-61-44 et 023-36-64-47. Réservation indispensable. Il faut descendre vers le camping au bord de la plage. Chambres à 300 Dh (30 €) par personne en demi-pension (obligatoire). Accueil sympathique. Propose 15 chambres (certaines donnent sur la mer) propres et vastes. On déconseille le restaurant.

▣ *Complexe S'Hems :* au bout de la rue qui mène à la plage. ☎ 023-36-69-52. Chambres doubles à 300 Dh (30 €) ; bungalows à 600 Dh (60 €). Les chambres, alignées comme à la parade le long de la plage, possèdent une grande porte-fenêtre qui ouvre sur un balcon surplombant la lagune. En revanche, le couloir qui dessert les pièces est carcéral, et leur aménagement intérieur franchement rudimentaire. Le complexe dispose d'un café en terrasse ouvert à tous.

▣ ◉ *Thalassa :* Oualidia-centre, dans la rue principale. Studios à 250 Dh (25 €) environ. Repas à 55 Dh (5,5 €) environ. Établissement familial qui propose des chambres aux murs chaulés propres et assez vastes. Possibilité de prendre ses repas (copieux) sur place, dans le petit restaurant du rez-de-chaussée. Ambiance populaire. Accueil sympathique. Bien recompter son addition.

◉ *Restaurant Ostrea II :* à droite à l'entrée de la ville en venant de Casa. On y sert des huîtres, bien sûr, mais aussi des spécialités de poisson ainsi que des fruits de mer. Bonne table. Licence d'alcool. La terrasse du restaurant jouit d'une très jolie vue sur la lagune.

Très chic

🛏 |●| *Hôtel-restaurant de l'Hippocampe :* fléché dans la descente, à 2 mn du *Thalassa.* ☎ 023-36-61-08. Fax : 023-36-64-61. Chambres doubles à 1 200 Dh (120 €) en demi-pension (obligatoire). L'hôtel donne directement sur la plage, et possède par conséquent une vue exceptionnelle sur la lagune. Jardin très fleuri, parfaitement entretenu. Piscine impeccable. De la terrasse des bungalows, on a la plus belle vue sur la baie. Reste une adresse tout de même très chère. Restaurant de poisson très fréquenté. Accueil inégal.

VERS SAFI

La route continue vers Safi. Impressionnantes cultures de tomates. Le paysage devient ensuite plus désertique, animé par des troupeaux de moutons qui côtoient des dromadaires sur fond d'océan. On comprend également, lorsque se lève, en été, la brume de mer (après 10 h-11 h), ce que veut dire l'expression « la mer est d'un bleu d'azur ». Tout au long de la route, grandes plages de sable rouge, désertes. Au cap Beddouza, belle petite auberge avec terrasse donnant sur la mer. 10 km avant Safi, au pied de la falaise.

⌂ *La plage de Lalla-Fatna :* on y accède par une petite route goudronnée de moins de 2 km. C'est indiqué. Petite auberge en haut.

SAFI

300 000 hab.

Safi, à l'instar de nombreuses cités de la côte marocaine, fut occupée par les troupes portugaises au début du XVIe siècle. Elle était convoitée pour sa situation idéale sur la route des colonies, et pour sa rade protégée qui en faisait un port très sûr pour les navires de commerce. Elle a été évacuée en 1541 par l'occupant portugais, que la chute d'Agadir menaçait. Le port de Safi a conservé un rôle prépondérant. Aujourd'hui, c'est un port sardinier important. Après une nuit de pêche, les bateaux déchargent leur cargaison de sardines aux usines de conserves qui les mettent en boîte.

Safi est aussi une ville industrielle. Une grande partie des phosphates destinés à l'exportation transite par son port. Du sulfate de calcium est produit par une usine de l'Office chérifien des phosphates, située à une dizaine de kilomètres au sud de Safi, en bordure de mer ; l'usine rejette d'ailleurs dans la mer des eaux chargées de cet acide, et ce, sans complexes.

Safi abrite quelques monuments portugais, un quartier de potiers et une médina très animée le soir. Juste de quoi vous inciter à aller jeter un coup d'œil.

– *Souk :* le lundi matin.

Adresses utiles

🛈 *Syndicat d'initiative* (plan B2) : av. de la Liberté. Ouvert du lundi au vendredi de 8 h 30 à 12 h et de 14 h 30 à 18 h 30.

✉ *Poste* (plan A1) : pl. de l'Indépendance. Ouvert du lundi au vendredi de 8 h à 12 h et de 15 h à 18 h, et le samedi de 9 h à 13 h.

■ *Téléphone* (plan B2) : poste centrale, pl. Administrative, dans la vieille ville. Ouvert tous les jours de 8 h à 21 h.

SAFI

DE AZEMMOUR À SAFI

■ **Adresses utiles**

　ℹ Syndicat d'initiative
　✉ Poste

🏠 **Où dormir ?**
　10 Hôtel Assif
　11 Hôtel Les Mimosas

　12 Hôtel Atlantide
　13 Hôtel de l'Avenir
　14 Hôtel Essaouira

🍴 **Où manger ?**
　20 Restaurant Gégène
　21 Café M'Zoughen

■ **Banques** *(plan A1) :* distributeurs automatiques à la *BMCE* et au *Crédit du Maroc*, sur la place de l'Indépendance.

■ **Consulat de France :** il n'y a plus de bureau à Safi. Il faut se déplacer à Marrakech ou contacter M. Siegel, correspondant du consu-

lat. ☎ 044-46-24-20 ou 21. Fax : 044-62-26-33.

■ **Pharmacie de nuit :** dépôt de médicaments en face de l'hôpital Mohammed-V.

■ **Station-service :** av. Moulay-Youssef.

Où dormir?

Camping

⚕ *Camping* (hors plan par A1) : à 3 km sur la route de Sidi-Bouzid. Ouvert toute l'année. Compter 70 Dh (7 €) pour deux avec tente et voiture. Douche chaude payante. Le terrain est ombragé et calme. En revanche, il est éloigné de la mer et du centre-ville. La piscine, accessible à tous, ferme à 17 h. Sanitaires mal entretenus.

Très bon marché

🛏 *Hôtel Essaouira* (plan A1, 14) : à l'intérieur de la médina, dans une ruelle pentue. ☎ 044-46-48-09. Compter au moins 80 Dh (8 €) pour une chambre double ; douche chaude payante : 5 Dh (0,5 €). Réductions pour les Bretons ! Petit hôtel typique organisé autour d'un patio très clair, décoré de céramiques. Chambres sommaires (avec lavabo), mais propres, tout comme les sanitaires.

🛏 *Hôtel Majestic* (plan A1) : rue des Remparts. ☎ 044-46-40-11. Fax : 044-46-24-90. Dans la médina, en face du château de la Mer. Chambres à 100 Dh (10 €) environ ; douche chaude collective à 5 Dh (0,5 €). Chambres très simples mais propres. Le slogan de cet hôtel est toujours « votre sommeil est notre raison d'être » ; pourtant, les chambres au-dessus du boulevard sont assez bruyantes. Personnel sympa. Bon rapport qualité-prix.

🛏 *Hôtel de l'Avenir* (plan A1, 13) : bd du Front-de-Mer, juste avant le terminus des taxis. ☎ 044-46-26-57. Chambres autour de 80 Dh (8 €). Chambres à peu près propres, avec douche froide et sanitaires. La robinetterie demanderait à être changée. Essayez d'avoir une chambre donnant sur la mer : la vue est superbe. Malheureusement, l'hôtel est proche de la voie ferrée, et les trains passent toutes les demi-heures...

Prix moyens

🛏 *Hôtel Les Mimosas* (plan B2, 11) : rue Ibn-Zaidoun. ☎ 044-62-32-08. Fax : 044-62-59-55. Compter 240 Dh (24 €) pour une chambre double. Propose des petits studios très propres, avec des banquettes confortables dans les chambres. Bon rapport qualité-prix.

🛏 *Hôtel Assif* (plan B2, 10) : av. de la Liberté. ☎ 044-62-29-40. Fax : 044-62-18-62. Chambres à 320 Dh (32 €) avec bains, 260 Dh (26 €) avec douche. Chambres spacieuses et confortables ; babouches amphibies pour la salle de bains... Resto au cadre agréable. Cuisine soignée et copieuse mais l'attente est assez longue. Assez bruyant. Bon acceuil.

Plus chic

🛏 *Hôtel Atlantide* (plan A2, 12) : rue Chaouki. ☎ 044-46-21-60. Fax : 044-46-45-95. Situé dans le quartier résidentiel et dominant la médina, à côté de l'hôtel *Safir*. Chambres doubles à 360 Dh (36 €). Cet établissement a le charme désuet des palaces de Deauville ou de Biarritz dans les années 1930. Il possède une salle de restaurant claire et confortable, flanquée d'une belle terrasse qui bénéficie d'une jolie vue sur la mer. Piscine récente. Personnel nombreux, accueillant et compétent. Vu le prix, il serait dommage de s'en priver.

Où manger ?

Bon marché

Grand choix de restaurants qui servent tous du poisson excellent. Il y en a pour toutes les bourses. Les plus modestes se contenteront de sardines grillées dans les souks, ou de tables simples dans le centre-ville comme :

|◉| **Restaurant de Safi** (plan A1) : 3, rue de la Marne. Près de la pl. de l'Indépendance. Plats à 30 Dh (3 €) environ. Petite rôtisserie populaire très bien et pas chère.

|◉| **Café M'Zoughen** (plan A1, **21**) : pl. de l'Indépendance. Agréable surtout pour ses pâtisseries. Nombreux jus de fruits.

Prix moyens

|◉| **Restaurant Gégène** (plan A1, **20**) : 8, rue de la Marne. ☎ 044-46-33-69. Compter 100 à 120 Dh (10 à 12 €) pour un repas, vins non compris. Petit établissement tranquille décoré de la même manière qu'une bonbonnière. *Gégène* accueille une clientèle d'habitués, essentiellement composée de cadres marocains détendus. On y sert des plats copieux et de bonne qualité, à base de poisson ou de spécialités italiennes. Service efficace.

|◉| **Restaurant de la Poste** (plan A1) : 40, pl. de l'Indépendance. ☎ 044-46-31-75. Au 1er étage au-dessus du *Café de la Poste*. Compter 100 Dh (10 €) sans les vins. Cuisine française et spécialités de fruits de mer de première fraîcheur.

|◉| **Refuge Sidi Bouzid** (hors plan par A1) : sur la route d'El-Jadida, à 3 km sur la gauche. ☎ 044-46-43-54. Fermé le lundi. Menu très copieux à 150 Dh (15 €). Bon restaurant de poisson en bordure de mer, avec une belle vue. Langouste à la carte.

Où sortir ?

♪ Les oiseaux de nuit peuvent aller danser au night-club du **Safir Safi**, rue Chaouki. L'établissement possède aussi un bar où des groupes jouent de la variété marocaine, à proximité d'une agréable terrasse qui domine la ville.

À voir

🕯 **Le château de la Mer** ou **Ksar El-Bahr** (plan A1) : en face de la place Sidi-Boudhab. Accès par un escalier dans un petit passage souterrain ; en remontant, franchir la grande porte. Entrée : 15 Dh (1,5 €). Des pièces d'artillerie, fondues en Europe, constituent la majorité des objets exposés. Belle vue panoramique sur la mer, où les bateaux attendent leur tour pour entrer dans le port.

🕯🕯 **Les fabriques de poterie** (plan A-B1) : à ne pas manquer. Elles sont toutes groupées dans le quartier de Bâb-Chaâba. Demandez à en visiter une. Il en existe de deux sortes : pour les objets de forme (vases, plats à tajine, etc.) et pour les tuiles. Essayez de visiter les deux et d'assister à toute la chaîne du trempage, séchage, pétrissage de l'argile et de la peinture des objets.

Mohammed Ftis, au 18 *bis* du souk de la Poterie, a inventé un ingénieux dispositif pour la fermeture de bonbonnières, permettant de savoir si les gamins ont chapardé ou non. Arrêtez-vous aussi au n° 7, et demandez à *Ahmed*

DE AZEMMOUR À SAFI

Serghini de vous montrer sa caverne d'Ali Baba. Il existe aussi des fabriques où l'on produit de la faïence « vieux Rouen » et autres copies, vendues à des antiquaires...

🎞 Allez flâner dans la *médina (plan A1)*. Une ruelle, qui donne à chaque extrémité dans la rue du Socco, regroupe les petits restos de poisson. Pas cher, mais il faut avoir le cœur bien accroché. Petits hôtels dans la médina. Restos et cafés place de l'Indépendance, face au château de la mer.

🎞 *La Kechla* ou *Borj El-Dar (plan B1)* **:** entrée, 10 Dh (1 €). Ancienne forteresse portugaise du XVIᵉ siècle, qui abrite un intéressant *musée de la Céramique*, grande spécialité de Safi. Ouvert tous les jours sauf le mardi, de 8 h 30 à 12 h et de 14 h à 18 h. Les céramiques de Fès, Meknès et Safi sont agréablement présentées.

🎞 Vous pouvez vous dispenser du reste, à l'exception, peut-être de la *chapelle portugaise* (entrée chère pour ce qu'il y a à voir : 10 Dh, soit 1 €) ou *El-Kanissa Elbourtogalia (plan A1)* **:** suivre le passage touristique qui débute dans la rue du Socco, dans la médina ; elle est souvent fermée. Rien à voir à l'intérieur.

QUITTER SAFI

En bus

🚌 *Gare routière (plan B2)* **:** av. du Président-Kennedy. Liaisons fréquentes avec Casablanca, Essaouira, Agadir et Marrakech. Nombreux bus en matinée.

En train

🚆 *Gare ferroviaire (hors plan par A2)* **:** au sud de la ville. Principalement réservée au trafic des marchandises. Changement obligatoire à Benguerir pour Casablanca et Marrakech.

En voiture

Pour gagner Essaouira, éviter la route principale qui passe à l'intérieur des terres. La route côtière, malgré les 8 premiers kilomètres désastreux à travers les conserveries, a d'abord l'avantage d'être beaucoup plus fraîche, balayée par le vent du large. D'autre part, on profite de beaux points de vue sur la mer qui se fracasse contre les falaises, et la route traverse des villages paisibles, loin de la circulation frénétique.

FÈS, MEKNÈS ET LE MOYEN ATLAS

Une grande partie de l'histoire du Maroc s'inscrit dans cet itinéraire prodigieux, au cœur du pays. Fès, ville mémoire, cité impériale, héritière de la culture andalouse et berceau de l'ex-empire chérifien, est un haut lieu béni des dieux. Cette ville-musée a su maintenir ses traditions avec son université, son artisanat et ses petits métiers, tout en devenant une cité moderne active et un haut lieu du tourisme marocain. Il faut voir, de la nécropole des Mérinides, le labyrinthe de sa médina inchangée depuis le Moyen Âge.

La fondation de Fès est due à un descendant du Prophète, Idriss Ier, tout juste arrivé d'Orient tandis qu'il fuyait la répression. Il mourra d'ailleurs empoisonné par un émissaire du calife de Bagdad. Entre-temps, il installa sa capitale à Fès à la fin du VIIIe siècle. Son fils maintint la tradition et développa la ville. Elle n'a cessé depuis de poursuivre son développement, devenant l'un des principaux centres de rayonnement du pays, et le berceau de la première dynastie musulmane du Maghreb, les *Idrissides*.

Fès-el-Bali est la plus vaste et la plus ancienne des médinas marocaines. Les quatorze portes d'accès mènent à un enchevêtrement de passages, de couloirs, d'escaliers, de petites cours où la lumière a parfois bien du mal à pénétrer. Tout cet univers fantastique s'est développé autour de la mosquée de Qaraouiyyîn, qui peut accueillir jusqu'à 20 000 pèlerins. Classée par l'Unesco au Patrimoine mondial de l'humanité, cette médina ne cessera pas de vous surprendre. Du souk aux épices, plein d'odeurs, à celui des dinandiers, bruyant à cause du martèlement des burins, vous passerez devant les étals de bouchers et devant ceux, plus appétissants, des pâtisseries dégoulinantes de sucre, avant d'arriver dans le quartier des tanneurs. D'une terrasse, vous découvrirez un univers difficile à imaginer, à l'aube du XXIe siècle, avec tous ces hommes qui foulent, jambes nues dans des cuves, les peaux avant de les teindre. On vous proposera probablement de respirer un bouquet de menthe pour échapper à l'odeur pestilentielle qui règne ici.

Quand les Mérinides s'emparent du pouvoir, au XIIIe siècle, ils construisent une ville nouvelle, hors les murs, pour leurs palais somptueux. C'est ainsi que naît Fès-el-Jédid, où se trouve aujourd'hui le Palais royal et le *méchouar*. La ville poursuit dès lors son ascension qui semble irréversible.

Meknès, ancienne ville impériale, doit quant à elle son essor à Moulay Ismaïl, aussi grand bâtisseur que tyran. Il entreprit, avec une ardeur inlassable, de la doter de monuments grandioses. Pendant un demi-siècle, palais, jardins, fontaines, terrasses allaient surgir du vaste périmètre des murailles. La main-d'œuvre avait été recrutée parmi les esclaves chrétiens. Malgré les attaques du temps, il reste encore des kilomètres de murailles ocre jaune, des portes monumentales aux faïences vertes, des écuries d'une taille démesurée, des arsenaux et des palais pour le harem. Ville d'un seul roi, mais dont le règne devait durer 55 ans, Meknès n'en finit pas de faire rêver.

Volubilis, la ville au nom de fleur, constitue le site romain le plus important du Maroc. Sur ses ruines plane encore le souvenir de l'éphèbe Juba II, roi de Maurétanie. Cette cité au pouvoir évocateur, avec son capitole, son arc de triomphe et ses villas décorées de précieuses mosaïques, se dresse comme un défi au temps au pied du mont Zerhoun.

La ville sainte de Moulay-Idriss, la cité aux toits verts qui surplombe les ruines de Volubilis, abrite le descendant de Mahomet venu porter l'islam au

FÈS

Sidi-Kacem

Volubilis

Salé
RABAT

P 2

P 29

Moulay-Idriss

P 1

P 1

MEKNÈS

P 21

P 22

P 1

Khemisset

S 106

Boufakrane

S 106

Rommani

Oulmès

S 331

P 24

Ez-Zhiliga

2516

Mrirt

P 22

Oued Grou

P 19

Khouribga

Oued-Zem

Khénifra

3485

Boujad

S 33

P 13

Oued Oum er Rbia

P 33

Kasba
Tadla

Oued

P 24

1902

Fkih-B.-Salah

A T L A S

MARRAKECH

P 22

Beni-
Mellal

M O Y E N

Oued el Abid

1903

P 24

Bin-el-Ouidane

Imilchil

Cascades d'Ouzoud

3445

Azilal

S 508

0   10   20   30 km

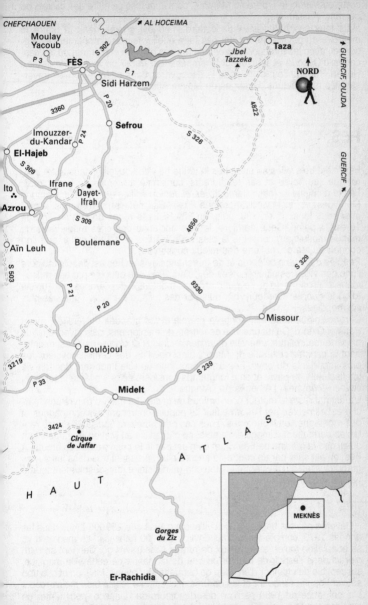

LE MOYEN ATLAS

cœur du Maroc, le « père du Maroc », dont le mausolée attire des milliers de pèlerins musulmans.

Mais tous ces hauts lieux de culture – où est gravée dans la pierre la mémoire du pays – ne doivent pas faire oublier leur environnement exceptionnel, avec les forêts de cèdres des régions d'Azrou et d'Ifrane, ou les cascades d'Ouzoud et leur décor champêtre qui aurait pu inspirer le peintre Hubert Robert. Tout cela, vous le découvrirez dans cette région en traversant les magnifiques paysages du Moyen Atlas.

FÈS
770 000 hab.

Fès, c'est trois villes en une : Fès la jeune (la ville nouvelle), sans autre intérêt que ses hôtels et ses restaurants, construite au temps du Protectorat ; Fès la demi-vieille (officiellement *Fès-el-Jédid*), édifiée au XIIIe siècle par les Mérinides ; et Fès la vieille, nommée *Fès-el-Bali*, bâtie en deux temps, le premier sous Idriss Ier en 789, puis, en 809, sous le règne de son fils âgé de 18 ans à peine. Cette dernière, la plus ancienne des cités médiévales du monde musulman, constitue la plus belle médina de toutes celles que l'on connaît au Maroc, et l'une des mieux conservées.

Peuplée d'artisans célèbres et de marchands avisés, Fès est depuis toujours l'une des villes les plus réputées de l'islam. Très vite peuplée par des musulmans d'Espagne (d'où le quartier des Andalous), des Arabes de Tunisie (d'où le quartier Qaraouiyyîn), puis par des juifs, c'est aussi l'une des plus cosmopolites.

Chronologiquement, elle abrita la première des grandes universités, avant Paris et Oxford. Ce fut une ville de lettrés, de théologiens, puis, avec le reflux hispano-mauresque, une ville d'artistes andalous et d'artisans. C'est maintenant la capitale culturelle du Maroc, ainsi que l'un des centres religieux les plus importants du pays. Fès a toujours joué un rôle important dans la vie intellectuelle du pays, et on a longtemps considéré cette « cité de la foi et du savoir » comme « l'Athènes de l'Afrique ».

L'artisanat reste le moteur économique de la cité. La main-d'œuvre bon marché est alimentée par l'énorme flux de population venant des campagnes et des montagnes environnantes. Tous ces petits métiers épuisants et peu rentables permettent d'imaginer l'ambiance d'une ville au Moyen Âge, mais font aussi que la médina de Fès vit, et ce n'est pas là le moindre de ses atouts. À Fès, on est saisi par un contraste encore plus saisissant que dans les autres grandes villes du pays entre un lieu chargé d'histoire mais résolument tourné vers la modernité.

FÈS EN PÉRIL

« Dévorée par ses habitants », la ville, qui n'avait que 250 000 âmes dans les années 1970, compte aujourd'hui environ 770 000 habitants. La médina a vu sa population tripler, avec l'afflux de ruraux sans travail qui viennent se réfugier ici dans l'espoir de profiter un peu de la manne de cette ville magique, susceptible de changer d'un coup de baguette leur avenir. Mais on oublie trop souvent que le clinquant et les dorures cachent une réalité bien moins rose... L'appel lancé en 1980 par l'un des directeurs de l'Unesco, pour tenter de sauver ce qui pouvait l'être encore, fut entendu. Les urbanistes hésitent toujours entre maintenir une cité vivante ou en faire une ville-musée.

Tout le monde se penche sur le problème de cette malade pour la maintenir en survie et sauvegarder tout ce que sa mémoire a pu emmagasiner, au cours de son existence prestigieuse.

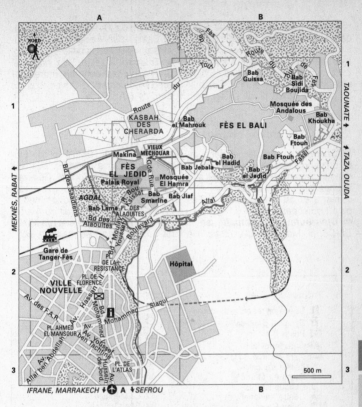

FÈS (PLAN D'ENSEMBLE)

Adresses utiles

Infos touristiques

Délégation régionale du tourisme *(plan Ville nouvelle, B2)* : immeuble Bennani, pl. de la Résistance. ☎ 055-62-34-60 ou 055-94-12-70. Fax : 055-65-43-70. De mi-septembre à mi-juin, ouvert de 8 h 30 à 12 h et de 14 h 30 à 18 h ; de mi-juin à mi-septembre, de 8 h à 15 h. Fermé les samedi et dimanche.

Syndicat d'initiative *(plan Ville nouvelle, B3)* : pl. Mohammed-V. Mêmes horaires que la Délégation, mais ouvre en plus le samedi de 8 h 30 à 12 h. Installations rudimentaires, mais renseignements précis. Guides officiels. Tarifs officiels : 150 Dh (15 €) la demi-journée, 250 Dh (25 €) la journée plus le repas, pour les guides nationaux ; une trentaine de dirhams (environ 3 €) en moins pour les guides locaux. Possibilité de prendre rendez-vous pour être sûr de faire la visite dans la langue désirée. Cela dit, peu de problèmes pour les francophones. Des cartes de la ville (peu précises) sont disponibles. Accueil agréable.

Poste et téléphone

✉ **Poste** (plan *Ville nouvelle, B2*) : dans la ville nouvelle, à l'angle de l'av. Hassan-II et du bd Mohammed-V. Bureau de poste restante. Ouvert du lundi au vendredi de 8 h 30 à 18 h 45 et le samedi de 8 h à 11 h. Bureaux de poste annexes pl. de l'Atlas (plan *Ville nouvelle, B4*) et, dans la médina, pl. Batha (plan *Fès-el-Bali, A3*). Ouverts aux mêmes heures.

■ **Téléphone** (plan *Ville nouvelle, B2*) : à la poste centrale. Entrée par le bd Mohammed-V. Ouvert tous les jours de 8 h à 21 h.

Argent, banques, change

■ **Change :** dans toutes les banques et, en dehors des heures d'ouverture, dans la plupart des grands hôtels aux mêmes tarifs. Si vous avez des difficultés, allez au *Grand Hôtel de Fès* ou à l'*Hôtel des Mérinides*.

■ **Distributeurs automatiques :** BMCE, pl. Mohammed-V (plan *Ville nouvelle, B3, 3*) ; BMCE, pl. de Florence (plan *Ville nouvelle, B2*) ; fait aussi le change ; *Société Générale Marocaine de Banques* (plan *Ville nouvelle, B3*), av. Mohammed-V, près de la *BMCE* ; *Crédit du Maroc*, angle bd Mohammed-V et rue Mokhtar-Soussi (plan *Ville nouvelle, B3*).

■ **Adresses utiles**

- 🛈 Délégation régionale du tourisme
- 🛈 Syndicat d'initiative
- ✉ Poste
- 🚂 Gare ferroviaire
- 🚌 Gare routière CTM
- 1 Institut français
- 2 Royal Air Maroc
- 3 Banque BMCE
- 4 Centre artisanal
- @ 5 Cyber Room
- @ 6 Gama World Systems

🛏 **Où dormir ?**

- 10 Auberge de jeunesse
- 11 Hôtel Volubilis
- 12 Hôtel Savoy
- 13 Hôtel Rex
- 14 Hôtel Central
- 15 Hôtel Royal
- 16 Hôtel Kairouan
- 17 Hôtel Amor
- 19 Hôtel Mounia
- 20 Hôtel Olympic
- 21 Hôtel Nouzha
- 22 Hôtel de la Paix
- 23 Hôtel Sofia
- 24 Volubilis-Framissima
- 25 Hôtel Ibis Moussafir
- 26 Hôtel Jnan Palace

🍴 **Où manger ?**

- 30 Sandwich Bajelloul
- 31 Sicilia
- 32 Al-Khozama
- 33 Maccarena Sandwich
- 34 Café Chaab
- 35 La Mamia
- 36 Restaurant Marrackech
- 37 Restaurant Mauritania
- 38 Café-restaurant Ten Years
- 39 Restaurant Chamonix
- 40 Restaurant Fish Friture
- 41 Café-restaurant Les Voyageurs
- 42 La Médaille
- 43 Chez Vittorio
- 44 La Cheminée
- 45 Restaurant Zagora

🍴 **Où manger une pâtisserie ?**

- 3 Salon de thé-pâtisserie L'Entente
- 14 Boulangerie-pâtisserie Oued Dahab
- 16 Boulangerie-pâtisserie Kairaouane
- 17 Boulangerie-pâtisserie de Florence
- 50 Boulangerie-pâtisserie Le Paris

🍷 ♪ **Où boire un verre ?
Où sortir ?**

- 24 Le Volubilis
- 26 Le Phœbus
- 60 Le Tivoli
- 61 Le Club WAF
- 62 Les Ambassadeurs
- 63 Le Wassim
- 64 Le Menzeh Zallagh

FÈS

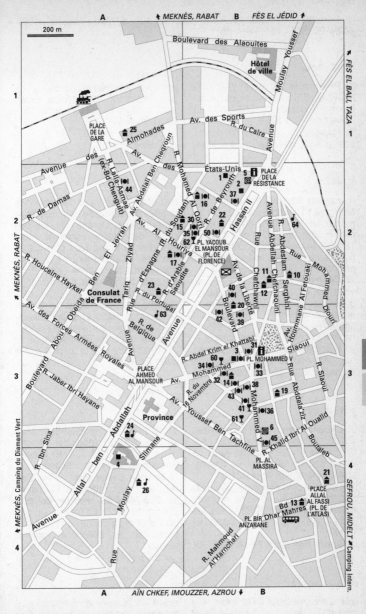

200 m

Boulevard des Alaouites

Hôtel
de ville

FÈS EL BALI, TAZA

1

Av. des Sports

R. du Caire

PLACE
DE LA
GARE

Almohades 25

Av. des

Avenue des

R. Laila Asmae
(ex-Bd Chenguiti)

Avenue

R. de Damas

R. Mohamed Al Qorri

R. Abdallah Ben Chaqroun

Av. Al Jourdan

R. de Beyrouth

Avenue

Moulay Youssef

Etats-Unis

1

PLACE
DE LA
RÉSISTANCE

5 @ ⓘ

2

44

30

15

35

62

17

R. El Jerrah

Ben

Tariq Ziyad

R. du

Av. Al Houriya

R. d'Espagne

R. d'Arabie Saoudite

16

37

22

50

PL. YACOUB
EL MANSOUR
(PL. DE
FLORENCE)

Hassan II

Avenue Abdallah Chefchaouni

R. Abdeslam Serghini

R. Chefchaouni

64

10

11

12

2

R. Houceine Hayker

Consulat
de France

23

R. du Portugal

R. de Belgique

63

40

20

42

39

Av. de la Liberté

Boulevard

Rue Hoummane Al Fetouaki

R. Mohammed Drou

Av. des Forces Armées Royales

Abou Obeida ben Abdallah

Avenue

R. Abdel Krim el Khattabi

31

3

PL. MOHAMMED V

ⓘ

Rue Slaoui

R. Slaoui

Boulevard

R. Jaber Ibri Hayane

R. Ibn-Sina

PLACE
AHMED
AL MANSOUR

Av.

R. du Mohammed

34

60

14

32

43

41

38

33

19

36

R. Abdela-Aziz

Mohammed

Province

Av. le Youssef Ben Tachfine

Allal

ben

Abdallah

Slimane

Moulay

24

4

26

61

6

@ 45

PL. AL
MASSIRA

R. Khalid Ibri Al Oualid

Boutaleb

21

PLACE
ALLAL
AL FASSI
(PL. DE
L'ATLAS)

Bd 13

PL. BIR
ANZARANE

Dhar Mahres

Avenue

Rue

R. Mahmoud
Al'Harnchati

MEKNÈS, RABAT

MEKNÈS, Camping du Diamant Vert

SEFROU, MIDELT ↘ Camping Intern.

FÈS

FÈS (LA VILLE NOUVELLE)

Représentation diplomatique

■ **Consulat de France** (plan Ville nouvelle, A2) : av. Abou-Abeida. ☎ 055-94-94-00. Fax : 055-94-94-36.

Urgences

■ **Pharmacie de nuit** (plan Ville nouvelle, B1) : à la Municipalité, av. Moulay-Youssef. ☎ 055-62-33-80. Ouvert de 20 h à 8 h.

■ **Hôpitaux :** ils sont nombreux, ainsi que les cliniques, mais n'offrent pas tous les mêmes garanties. Le plus important est l'*hôpital Ghassani*, quartier Dhar-Mehraz. ☎ 055-62-27-76 et 77.

■ **Pompiers :** ☎ 15.

■ **Police :** ☎ 19.

Loisirs

■ **Institut français** (ex-Centre culturel ; plan Ville nouvelle, B2, 1) : 33, rue Loukili. ☎ 055-62-39-21. Ouvert de 8 h 30 à 12 h 15 et de 14 h 30 à 18 h 30. Fermé le dimanche. Animation tous les jours. Leur demander le programme. Bibliothèque.

■ **Centre artisanal** (plan Ville nouvelle, A4, 4) : av. Allal-ben-Abdallah, à côté de l'hôtel *Volubilis*. Fermé entre 12 h et 15 h. L'un des plus agréables du Maroc. Prix raisonnables affichés. Très beaux tapis.

■ **Piscines :** celle de l'hôtel *Zalagh*, rue Mohammed-Diouri (plan Ville nouvelle, B2). Entrée payante, un peu cher. Nous vous déconseillons la piscine municipale, surpeuplée et sans hygiène. Durant l'été, les piscines des deux campings sont ouvertes au public (voir plus loin la rubrique « Où dormir ? »). Il existe également la *piscine des Trois Sources* sur la route d'Imouzzer, à 4 km de la ville.

■ **Cinémas :** *Rex*, à l'angle de l'av. Mohammed-Slaoui et du bd Mohammed-V. *Astor*, sur l'av. Hassan-II, près de la pl. de la Résistance et *Amal*, à l'entrée de la médina par la porte Er-Rsif.

Internet

@ **Cyber Room** (plan Ville nouvelle, B2, 5) : 52, av. Hassan-II, Appt n° 8. ☎ 055-94-41-55. Tous les jours de 9 h à minuit. 10 Dh (1 €) l'heure ; tarifs préférentiels après 21 h.

@ **Gama World Systems** (plan Ville nouvelle, B3, 6) : 34, bd Mohammed-V. ☎ 055-94-24-83. Tous les jours de 9 h à 2 h. 10 Dh (1 €) l'heure.

@ **Sport Net** (plan Fès-el-Bali, B3, 1) : 1, pl. de l'Indépendance, Batha. ☎ 068-68-78-78 (portable). Proche de la médina. 8 Dh (0,8 €) l'heure. Boissons chaudes et fraîches.

@ **London Cyber** (plan Fès-el-Bali, A3, 2) : 27, Kissariat l'Istiqual. ☎ 055-74-15-26. Proche du précédent. 10 Dh (1 €) l'heure. Un peu plus cher mais connexion rapide, et possibilité de téléphoner par le réseau.

Transports

🚌 **Gare routière CTM** (plan Ville nouvelle, B4) : pl. Allal-al-Fassi (ex-pl. de l'Atlas). Une gare routière flambant neuve, organisée comme un petit aéroport, mais peu généreuse en matière d'informations. Il est particulièrement recommandé de prendre ses billets à l'avance. Liaisons avec Casablanca, Rabat, Marrakech, Meknès, Tanger, Agadir, Tétouan, Chefchaouen, Ouezzane et Oujda. Ses bus desservent principalement le Moyen Atlas. Pour plus d'infos sur les fréquences, voir plus loin la rubrique « Quitter Fès ».

🚌 À proximité de Bâb Boujeloud, sur la pl. Baghdadi *(plan Fès-el-Bali, A3)*, **gare routière** pour les bus non *CTM*.

🚌 À Bâb Ftouh *(plan Fès-el-Bali, D3)*, **gare** principalement pour le Rif.

🚐 **Taxis collectifs :** grands taxis blancs à la gare routière *CTM* de la pl. Allal-al-Fassi.

■ **Royal Air Maroc** *(plan Ville nouvelle, B2, 2)* **:** 54, av. Hassan-II. ☎ 055-62-55-16 et 17. Réservations : ☎ 055-62-04-56 et 57. Comme il n'y a plus d'agence *Air France* à Fès, c'est là qu'il faut reconfirmer ses vols sur la compagnie

française, généralement 72 h avant le départ.

🚆 **Gare ferroviaire** *(plan Ville nouvelle, A1)* **:** rue Imarate-Arabia. ☎ 055-93-03-33. Liaisons de Rabat, Casablanca, Meknès, Oujda et Tanger. Pas de ligne directe en venant de Marrakech et il faut changer à Casablanca. Le bus n° 19 relie la gare à la place Rsif, donc à la médina. Vente de tabac, journaux et consigne à bagages.

✈ **Aéroport de Fès Saïs :** route d'Imouzzer, à 15 km. Standard : ☎ 055-62-48-00. *Royal Air Maroc :* ☎ 055-62-47-12 et 055-65-21-61. Principalement des vols intérieurs, mais aussi quelques vols internationaux. Bus n° 16 qui mène à la gare ferroviaire. Toutes les heures ; 30 mn de trajet. Voir la rubrique « Quitter Fès ».

Location de voitures

■ **Budget :** 53, barkein n° 55. ☎ 055-62-09-19. Fax : 055-65-21-62. À l'angle de l'av. Hassan-II.

■ **Avis :** 23, rue de la Liberté. ☎ 055-62-27-90.

■ **Hertz :** 7, rue Lalla-Meriem. ☎ 055-62-28-12.

■ **Europcar :** 47, av. Hassan-II. ☎ 055-62-65-45 et 055-62-64-51.

■ **Safloc :** hôtel *Sheraton.* ☎ 055-62-68-58 et 85. Fax : 055-62-68-73.

■ **Carburant :** station-service *Total,* av. des FAR ; en face du *Sheraton.* Ouvert 24 h/24. Station-service *Mobil,* à l'angle de l'av. Allal-ben-Abdellah et de la rue Abou-Jndar. Station-service *Shell,* bd Mohammed-V.

FÈS

NORD

A

B

Tombeaux
Mérinides

Bâb Guissa

🏛 20
Hôtel
des Mérinides

Médersa

1

**Borj Nord
(Musée d'Armes)**

Médersa Misbahiya

Cherabliyyín

Fondouq
des peaussiers

Hammam ech

40 |●| PL E
NEJJARI

Mosquée ech
Cherabliyyín

R.

PLACE
SMINE

Fontaine

Souk
des luthiers

Mzara de
Moulay Idriss

Tanneries
du Guerniz

Maison
d'Ibn Khaldun

Rue Souikat
ben Safi

2

**Kasba
en Nouar**

Zaouïa
Tijani

41 |●|
Dar Mnebhi

Bâb el
Mahrouk

Horloge

Medersa
Bou Inania

Petit Talâa

du

24 🏛

Bâb
Boujeloud

31
30 |●|

16 🏛
|●| 17

R.

Mosquée
Abou el Hassan

PLACE
PACHA
EL BAGHDADI

Mosquée
15 Sidi Lezzar

R. el Douch

11

Mosquée
Boujeloud

🏛 10

Dar Batha
(Musée)
Entrée

PLACE DE
L'ISTIQLAL

2 @

🏛 18

@ 1

3

🏛 22

A

Ville nouvelle

B

FÈS

Route du tour de Fès ◄ FÈS EL JÉDID, MEKNÈS

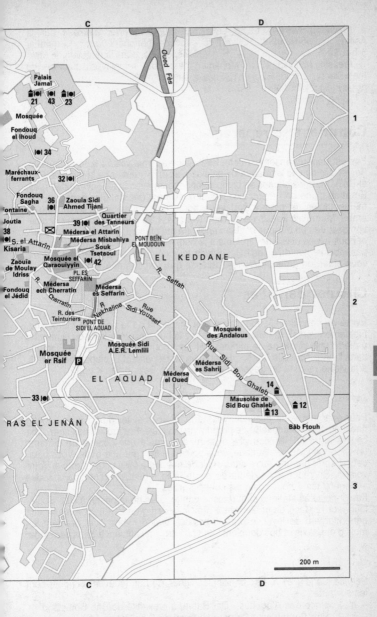

FÈS (LA MÉDINA : FÈS-EL-BALI)

Divers

■ *Pressing Nora :* 1, bd Lalla-Asma. ☎ 055-62-02-95. Ouvert de 8 h à 20 h.

■ *Pressing National :* 47, av. Mohammed-Slaoui. ☎ 055-62-54-61. Face au syndicat d'initiative. Ouvert de 7 h 30 à 20 h 30.

■ *Supermarché Makro :* sur la rocade périphérique n° 1, quartier Bensouda, dans la direction de Meknès. Pour remplir les placards du camping-car.

Comment se repérer?

Fès est déjà un ensemble complexe avec ses trois villes : la ville nouvelle, Fès-el-Jédid avec le quartier du palais royal, et le quartier de la médina (Fès-el-Bali). Mais les choses se compliquent encore avec la toponymie des rues. En effet, d'une part toutes possèdent quasiment des doubles noms, parfois même triples, et d'autre part leurs noms ne sont souvent inscrits qu'en arabe. Même les Fassis ne s'y retrouvent pas ! Ne vous affolez pas, l'indication des rues en bilingue est bien engagée maintenant, ça facilite les choses, et nous avons utilisé généralement le nom le plus commun. Avec un peu de patience, le plan du guide et les Fassis toujours (trop, diront certains) prêts à vous aider, on arrive à trouver l'adresse que l'on cherche. Courage !

Circuler dans Fès

Évitez de conduire si vous n'avez pas l'habitude de la conduite marocaine. Finalement, on s'y fait vite. Mais préférez le bus, les petits taxis ou la marche à pied : une vingtaine de minutes suffisent pour relier la place de Florence dans la ville nouvelle, autour de laquelle se dispersent la plupart des hôtels, à la vieille médina en traversant Fès-el-Jédid. Belle balade, non ?

Les petits taxis

Pour épargner votre essence, vos nerfs, et vous éviter de payer le parking habituel, on vous conseille de prendre un petit taxi. Pratique et pas cher. Une course entre la ville nouvelle et la médina coûte une dizaine de dirhams (environ 1 €). Autre avantage, vous pouvez entrer par une porte, vous balader, et sortir par une autre sans avoir de marche à faire pour retrouver votre voiture. Se reporter en début de guide, à la rubrique « Transports » des « Généralités » pour quelques conseils utiles.

Les principales stations sont dans le centre, près de la poste, à Bâb Boujeloud, sur la place de la Gare et à proximité des grands hôtels, mais il suffit généralement de lever le bras. Signalons quand même que, pendant les mois d'été, taxis et bus doublent leurs prix devant l'affluence de la demande.

Les bus

Service jusqu'à 21 h. Les principales lignes de bus (souvent bondés) sont les suivantes :
– *n° 1 :* place des Alaouites - Dar Batha, à proximité de Bâb Boujeloud.
– *n° 2 :* Bâb Semarrine - Quartier Hassani ou Sidi Brahim.
– *n° 3 jaune :* Bâb Ftouh - Place de la Résistance.
– *n° 3 blanc :* Bâb Ftouh - Gare.
– *n° 9 :* Dar Batha - Route de Séfrou.

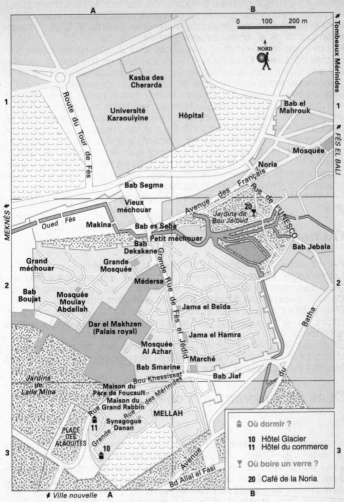

FÈS (FÈS-EL-JÉDID)

– *n° 10* : Bâb Guissa - Bâb Boujeloud - Gare.
– *n° 12* : Bâb Boujeloud - Bâb Ftouh.
– *n° 18* : Sidi Boujida - Bâb Ftouh - Dar Batha.
– *n° 19* : Place Rsif - Gare.

Attention!

Si vous venez en voiture à Fès avec votre véhicule ou avec une voiture de location, il se peut que vous soyez « pris en charge » aux abords de la ville, dès votre arrivée, par des motards qui vous proposeront leurs services pour vous guider, vous aider à trouver un hôtel et vous accompagner durant votre séjour. Il s'agit, bien entendu, de faux guides, qui touchent des commissions sur toutes les prestations qu'ils vous proposent; les menacer de les dénoncer à la police peut être l'argument final pour les faire partir. Soyez de toute façon très ferme et refusez catégoriquement toute aide.

Pas de « parano » cependant, mais relisez notre chapitre sur les guides non-officiels dans les « Généralités ». Vous trouverez un peu partout, en ville, des adolescents qui vous harcèleront jusqu'à vous gâcher le plaisir de la visite. Soyez ferme mais courtois, ils sont surtout victimes de la pauvreté et essaient de se faire un peu d'argent. Ils connaissent parfois même mieux la ville que certains guides officiels. Mais leur insistance à vous proposer leurs services vous énervera certainement. Une police touristique a été mise en place à cet effet. Elle a fait un énorme travail, de concert avec la Délégation régionale du tourisme, pour redorer le blason de la ville. Des inspecteurs en civil circulent même dans la médina pour chasser les importuns. Ils arrêtent tous les Marocains qui se promènent avec des touristes. D'ailleurs, si vous voulez visiter la ville avec un ami marocain, mieux vaut lui faire auparavant une lettre, et, éventuellement, le signaler à la police de la ville. Cela leur facilite un travail qui ne vise qu'à rendre la ville plus agréable aux visiteurs étrangers.

Où dormir ?

Pas d'illusion sur les catégories « très bon marché » et même « bon marché » : rudimentaires, manquant d'hygiène, à l'entretien aléatoire, c'est décourageant. Les hôtels de la ville nouvelle sont à peine mieux que dans la médina. On vous a sélectionné quelques adresses qui sortent légèrement du lot.

C'est pourtant dans la médina, que l'on trouve les fameux *riad*, incontournables, ne serait-ce que pour une nuit et pour les amoureux qui peuvent se le permettre.

En saison, les meilleurs hôtels étant souvent pleins, on ne peut voir la chambre que vers midi. Il est préférable de réserver, principalement lors des périodes de vacances scolaires et en été.

Dans les environs (proches)

Campings

⚡ *Camping du Diamant Vert :* sur la route d'Aïn-Chkeff. ☎ 055-60-83-67 ou 69. Fax : 055-60-83-68. À 5 km du centre-ville. De la ville nouvelle, prendre l'autoroute pour Rabat et sortir en direction d'Oujda; prendre tout de suite à gauche, dépasser la piscine du *Diamant Vert*, puis tourner à droite au croisement et continuer tout droit. Desservi par des bus jusqu'à 19 h (départ en face de la poste). Compter 70 Dh (7 €) pour deux avec voiture et tente. Camping très ombragé, à l'orée d'un bois. Douches chaudes payantes. Magasin d'alimentation et de boissons. Petit resto et sandwichs. La location donne accès au complexe touristique du même nom avec piscine, jeux, toboggans aquatiques. Le camping est bondé en juillet et août, surtout le week-end, malgré les prix élevés, qui incluent l'accès à la piscine. En saison, quelques faux guides à l'entrée du camping. Hors saison, les installations nautiques sont laissées à l'abandon. Il ne reste qu'un tapis d'eau verte dans le fond de la piscine.

⚡ *Camping International :* sur la route de Sefrou, à environ 3 km de la ville. ☎ 055-61-80-61. Fax : 055-61-81-74. Accès par le bus n° 38 au départ de la pl. de l'Atlas, à Fès-ville nouvelle. Compter environ 150 Dh (15 €) pour deux avec voiture et tente. Dans un site agréable et ombragé, une infrastructure moderne avec piscine (ouverte à tous et dont les campeurs profitent seuls à partir de 18 h 30), mais aussi musique et animations l'après-midi : adieu la sieste ! Accueil inégal.

Dans la médina

Très bon marché

🛏 *Hôtel du Commerce* (plan Fès-el-Jédid, A3, **11**) : pl. des Alaouites. ☎ 055-62-22-31. Chambres doubles à 90 Dh (9 €) ; douche froide commune. Rudimentaire mais propre. Les chambres n°s 2, 3, 4, 5 et 6 donnent sur la place, face au palais royal, ce qui est plus qu'agréable, mais elles sont bruyantes, ce qui est plutôt désagréable ! À vous de choisir.

🛏 *Hôtel du Jardin Public* (plan Fès-el-Bali, A3, **10**) : à côté de la porte Boujeloud, dans une ruelle à gauche en venant de la porte. ☎ 055-63-30-86. Chambres doubles à 70 Dh (7 €) ; douche froide commune (en fait, il y a de l'eau chaude mais ils la coupent en été ; essayez toujours de négocier, si vous le souhaitez vraiment). Dans une maison rigolote, calme, mais pas très bien entretenue. Quelques chambres ont un petit balcon. Bref, une petite adresse sans prétention mais pas désagréable pour ceux que les meubles branlants et les matelas défoncés ne dérangent pas.

🛏 *Hôtel Erraha* (plan Fès-el-Bali, A2, **11**) : avant Bâb Boujeloud, un peu avant le parking des bus. ☎ 055-63-32-26. Chambres doubles à 70 Dh (7 €). Faïence au sol et aux murs des w.-c. et de la douche (sans eau chaude). Lits en fer aux sommiers défoncés. Odeurs nauséabondes, éviter impérativement le 2e étage. Sommaire et sale. Vous voilà prévenu. Demander les cham-

bres derrière, plus calmes. Terrasse au dernier étage.

Il y a également 3 petites pensions à Bâb Ftouh (plan Fès-el-Bali, D3), une porte moins touristique et plus populaire. C'est nettement plus routard que les autres, mais vous ne trouverez pas moins cher. Impérativement prévoir un sac à viande, et parfois de ne pas dormir en couple non marié. Uniquement pour les budgets vraiment très serrés.

🛏 *Moulay Idriss* (plan Fès-el-Bali, D3, **12**) : 2, Bâb Ftouh. ☎ 055-64-91-86. Compter 90 Dh (9 €) la chambre double. Tenu par des femmes charmantes. Les chambres, rénovées depuis peu, sont réparties autour d'une petite terrasse. Hammam à l'étage.

🛏 *Hôtel Al Amrah* (plan Fès-el-Bali, D3, **13**) : Bâb Ftouh. Compter 25 Dh (2,5 €) par personne. Cet hôtel a une vue magnifique sur la médina, depuis la terrasse. Les chambres sont assez propres, mais pas les draps, mieux vaut prévoir un sac à viande. Douches froides.

🛏 *Hôtel Andalus* (plan Fès-el-Bali, D2, **14**) : dans la même rue que l'hôtel *Al Amrah*, sur la gauche. ☎ 055-64-82-62. Compter entre 25 et 30 Dh (2,5 à 3 €) selon la tête du client. Petit hôtel sans charme et sans prétention. Pas très propre et douches impraticables, mais il y a des bains publics dans la rue derrière. Petite compensation : il n'y a pas moins cher à Fès.

Bon marché

🛏 *Hôtel Mauritania* (plan Fès-el-Bali, A2, **15**) : 20, Serrajine. ☎ 055-63-35-18. Juste après la porte Boujeloud, à droite. Chambres doubles à 100 Dh (10 €) ; douche chaude payante à l'extérieur : 10 Dh (1 €). Petit

établissement de 9 chambres sans prétention mais propre. Literie correcte. Accueil simple mais agréable.

🛏 *Hôtel Cascade* (plan Fès-el-Bali, A2, **15**) : 26, Serrajine, Bâb Boujeloud. ☎ 055-63-84-42. Même genre, mêmes tarifs que le *Maurita-nia*. Deux terrasses panoramiques donnant sur la médina. Une seule douche (chaude) pour tout l'hôtel. Sanitaires d'une propreté toute relative. Repaire inégalable pour observer l'agitation qui règne à toute heure à l'entrée de la porte.

🛏 *Pension Talâa* (plan Fès-el-Bali, A2, **17**) **:** 14, rue du Petit-Talâa. ☎ 055-63-33-59. Juste après l'*hôtel Lamrani*, sur le trottoir d'en face. Il fait partie des plus propres, et les douches sont – pour une fois dans la médina – praticables. Linge impeccable. Les chambres sur le toit sont étouffantes quand il fait chaud.

🛏 *Hôtel Glacier* (plan Fès-el-Jédid, A3, **10**) **:** 9, pl. des Alaouites. ☎ 055-62-62-61. Dans une ruelle qui part de la grande rue des Mérinides, à droite au niveau de la place. Environ 120 Dh (12 €) pour 2. Un petit hôtel sans prétention. Des murs à la chaux blanche, rose clair et bleu ciel. De petites chambres avec des lits impressionnants. Très simple, sanitaires rudimentaires (douche froide payante, pas nickel). Mais un emplacement idéal : à mi-chemin entre la médina et la ville nouvelle, ce qui permet de profiter des deux rapidement et simplement. Reste toutefois une adresse de dépannage extrême.

Prix moyens

🛏 *Pension Batha* (plan Fès-el-Bali, A-B3, **18**) **:** 8, Sidi-Lkhayat-Batha. ☎ 055-74-11-50. Fax : 055-74-88-27. À ne pas confondre avec l'hôtel *Batha*. Chambres doubles de 180 à 200 Dh (18 à 20 €); eau chaude le soir et le matin uniquement. 6 chambres avec décorations murales en bois, possédant un certain cachet et donnant sur la rue (bruyante). L'une a même un plafond en stuc, et une autre donne directement sur la terrasse, souvent retenue pour de longs séjours. Mieux vaut réserver. Propreté limite. Pas de clim' ni de ventilo.

🛏 *Hôtel Lamrani* (plan Fès-el-Bali, A2, **16**) **:** au début de la rue du Petit-Talâa, à gauche. ☎ 055-63-44-11. Chambres doubles à 200 Dh (20 €) en haute saison. Sommaire mais bien situé. Literie propre. Salle de bains et w.-c. sur le palier. Les chambres derrière sont plus calmes. Bains turcs en face de l'hôtel.

Beaucoup plus chic

🛏 *Hôtel Le Méridien Mérinides* (plan Fès-el-Bali, A1, **20**) **:** Borj Nord. ☎ 055-64-52-26, 055-64-62-18 et 055-64-60-99. Fax : 055-64-52-25. • www.lemeridien-hotels.com • Chambres doubles de 1 500 à 2 300 Dh (150 à 230 €) selon la vue. À l'écart de la ville, l'hôtel domine la médina, offrant une vue exceptionnelle. C'est le point fort de l'établissement, avec sa piscine et sa terrasse panoramiques. Les chambres sont naturellement très confortables (TV, minibar, AC...) et la vue sur Fès-el-Bali est saisissante. Même si vous n'y dormez pas, prenez un verre à la terrasse du bar (compter 50 Dh, soit 5 €, pour un apéritif). 3 restaurants (international, marocain et italien; prévoir au minimum 250 Dh, soit 25 €, sans la boisson).

Night-club. Juste au-dessus de l'hôtel, il y a une petite terrasse avec la même vue, gratuite celle-là. Les taxis se prennent au rond-point, 300 m au-dessus de l'hôtel.

🍴 *Le Palais Jamaï* (plan Fès-el-Bali, C1, **21**) **:** ☎ 055-63-43-31. Fax : 055-63-50-96. • resa@palais-jamai.co.ma • Chambres doubles à 2 100 Dh (210 €) avec vue sur les remparts, 2 600 Dh (260 €) avec vue sur la médina; petit déjeuner à 160 Dh (16 €). Le *Palais Jamaï* est l'ancien pavillon de plaisance d'une grande famille fassie, bâti au XVIIIe siècle. Dans un magnifique jardin andalou sont disséminés des fontaines et des bassins aux motifs géométriques en zellige (céramique colorée). On peut déjeuner sur place dans le superbe restaurant marocain

Al-Fassia (voir la rubrique « Où manger ? »). Éviter l'autre resto de l'hôtel, international, cher et quelconque. À ce niveau de prestations et de prix, plus la peine de mégoter quelques dirhams : ne pas hésiter à se faire servir sur sa terrasse privée et à profiter de la vue sur la médina et sur ses mosquées. Seul défaut : l'accueil n'est vraiment pas à la hauteur de ce que l'on est en droit d'attendre de ce genre d'établissement. D'accord, on chipote, mais le faste ne fait pas tout...

Les *riad*

Pour l'instant, il n'y a qu'une demi-douzaine de *riad* à Fès. On vous indique nos préférés.

▣ *Riad-al-Bartal (plan Fès-el-Bali, B3, 22)* : 21, rue Sournas. ☎ et fax : 055-63-70-53. ● www.riadalbartal. com ● Selon le type d'hébergement, compter de 650 à 1100 Dh (65 à 110 €) pour deux, petit déjeuner marocain compris ; possibilité de négocier en basse saison. Repas complet à 150 Dh (15 €). Le plus « européanisé » des trois. Mireille et Christian vous accueillent dans ce *riad* somptueux, où la culture occidentale et marocaine se mélangent avec beaucoup de goût. Une demi-douzaine de chambres, avec poêle ou cheminée, et de très belles salles de bains. De plus, l'accueil est charmant et on vous file plein de bons plans.

▣ *L'Arabesque (plan Fès-el-Bali, C1, 23)* : 20, Derb-el-Miter. ☎ 055-63-53-21. Fax : 055-63-45-90. ● www. arabesquehotel.com ● Proche du *Palais Jamaï*. Pour s'y faire conduire, se présenter à l'accueil du *Palais Jamaï*. Chambres doubles de 1400 à 3000 Dh (140 à 300 €), petit déjeuner et *soft drink* compris. Un très beau bâtiment datant de 1925, décoré dans le plus pur style marocain, avec bien sûr des zelliges partout, des salles de bains en *tadelakt*, de beaux objets de décoration anciens et un service mené à la perfection par le maître d'hôtel, Mustafa. Ils font également restaurant (voir plus loin la rubrique « Où manger ? »).

▣ *Riad Fès (plan Fès-el-Bali, B2, 24)* : 5, Derb-ben-Selimane, Zerbtana. ☎ 055-74-10-12 ou 055-74-12-06. Fax : 055-74-11-43. ● www. riadfes.com ● Ils peuvent venir vous chercher à l'aéroport (ou à l'entrée de la médina) si vous le souhaitez. Chambres doubles de 1500 à 3000 Dh (150 à 300 €), petit déjeuner compris. Le plus grand, le plus chic et le plus traditionnel des trois. Ici, on se mettra en quatre pour vous servir et répondre à la moindre de vos demandes. Le bâtiment est somptueux, il y a une très belle terrasse où l'on peut prendre un verre avec vue sur les environs de Fès, et même une petite piscine magnifique. Petit restaurant sur réservation (menus de 260 à 380 Dh, soit 26 à 38 €, hors boisson). Le gérant est amoureux de sa ville et se fait toujours un plaisir de faire partager sa passion pour l'histoire fassie.

Dans la ville nouvelle

Très bon marché

Contrairement à l'habitude, il y a des pensions abordables dans la ville nouvelle, mais qui restent plus chères que dans la médina, sauf en haute saison, lorsque, devant l'afflux touristique, la médina augmente ses prix. Les pensions de la ville nouvelle sont plutôt mieux tenues que celles de la médina, mais elles restent peu nombreuses.

📶 *Auberge de jeunesse* (plan *Ville nouvelle*, B2, *10*) : 18, rue Abdeslam-Serghini. ☎ et fax : 055-62-40-85. Ouvert de 8 h à 9 h, de 12 h à 15 h et de 18 h à 22 h. Dortoirs de 3 ou 4 lits : 50 Dh (5 €) par personne sans la carte, 45 Dh (4,5 €) avec, petit déjeuner compris. Une très belle maison, avec des zelliges à dominante verte et pas mal de verdure. Agréable, mais les portes ferment à 22 h. Douches froides en été. Les dortoirs et sanitaires ne sont pas mixtes. Salles de bains impeccables. Salon de TV et cuisine disponible. En cas d'affluence, la priorité est donnée aux adhérents.

📶 *Hôtel Volubilis* (plan *Ville nouvelle*, B2, *11*) : 42, av. Abdellah-Chefchaouni. ☎ 055-62-04-63. Près de la station *Mobil*. Chambres doubles à 70 Dh (7 €) ; une chambre pour 3 à 5 personnes à 120 Dh (12 €), très intéressante. Souvent appelé le *Petit Volubilis*, pour ne pas le confondre avec l'autre, qui est très chic. Très simple, chambres propres, mais sanitaires peu attirants. Bon accueil. Les petites chambres ne vous ruineront pas, quoique le prix soit parfois établi à la tête du client. Douches froides à l'extérieur. Petit déjeuner succinct au *café Volubilis*, à côté. Un bon rapport qualité-prix.

📶 *Hôtel Savoy* (plan *Ville nouvelle*, B2, *12*) : av. Abdellah-Chefchaouni. ☎ 055-62-06-08. Chambres doubles à 70 Dh (7 €) ; douche chaude payante. Chambres agréables et propres. Pour le confort de vos oreilles comme celui de votre odorat, évitez celles qui surplombent la station-service !

Bon marché

📶 *Hôtel Rex* (plan *Ville nouvelle*, B4, *13*) : 32, pl. de l'Atlas. ☎ 055-64-21-33. Compter au moins 100 Dh (10 €) pour une chambre double. Petit hôtel sans prétention, très propre. De grandes chambres, hautes sous plafond, à la literie correcte. En choisir une sur la petite rue, celles donnant sur la place pouvant être bruyantes.

📶 *Hôtel Central* (plan *Ville nouvelle*, B3, *14*) : 50, rue Brahim-Roudani. ☎ 055-62-23-33. Près de la pl. Mohammed-V. Chambres doubles avec ou sans bains à 90 et 120 Dh (9 et 12 €). Calme. L'hôtel est loin d'être impeccable et mériterait un bon rafraîchissement général. Reste un bon rapport qualité-prix pour la ville nouvelle.

📶 *Hôtel Royal* (plan *Ville nouvelle*, A-B2, *15*) : 36, rue du Soudan. ☎ 055-62-46-56. Non loin de la gare *ONCF*. Chambres doubles à 160 Dh (16 €) avec douche, 140 Dh (14 €) avec toilettes sur le palier. Attention, les réservations ne fonctionnent pas toujours bien. Dans un immeuble calme des années 1970, de grandes chambres très simples mais avec de beaux meubles Art déco. Très frais. Propreté limite. L'accueil est réduit au strict minimum. Pas mal de faux guides sévissent dans le coin.

📶 *Hôtel Kairouan* (plan *Ville nouvelle*, B2, *16*) : 84, rue du Soudan. ☎ 055-62-35-90. À deux pas de l'hôtel *Royal*. Chambres doubles à 160 Dh (16 €) avec douche et w.-c. ; quelques chambres sans douche à 110 Dh (11 €). Jolie porte d'entrée en bois sculpté. À côté, café-pâtisserie du même nom au décor moderne, où l'on peut prendre le petit déjeuner. Demandez à voir plusieurs chambres, car elles sont plus ou moins calmes selon leur situation. Elles ont toutes en commun leur mauvais entretien. Les draps servent à plusieurs clients, et les w.-c. à la turque ne sont pas nettoyés chaque jour. Accueil impersonnel. En dépannage. Gardiennage payant des voitures dans la rue.

Prix moyens

📶 *Hôtel Amor* (plan *Ville nouvelle*, A2, *17*) : 31, rue d'Arabie-Saoudite. ☎ 055-62-27-24 ou 055-62-33-04. Chambres doubles à 200 Dh (20 €)

avec salle de bains. Derrière une belle façade en bois sculptée, 35 chambres récemment remeublées en pin et dotées d'une bonne literie. Sanitaires et salles de bains propres. Agréable petit patio plein de verdure sous une verrière, où est servi le petit déjeuner. Bar ouvert seulement pour les groupes. Une des rares adresses dans cette catégorie ayant un bar fréquentable. Bon rapport qualité-prix. Accueil moyen.

Chic

🛏 *Hôtel Mounia* (plan Ville nouvelle, B3, 19) : 60, rue d'Asilah. ☎ 055-62-48-38 et 055-65-07-71. Fax : 055-65-07-73. Chambres doubles à 390 Dh (39 €) avec le petit déjeuner, TV et AC. Menu à 120 Dh (12 €). Joli mais typique dans un bâtiment sans cachet. Les 95 chambres sont petites et plus sombres sur cour, mais bien plus calmes. L'hôtel a été récemment rénové. Accueil aimable. Restaurant avec spécialités internationales et marocaines sur commande. Parking payant.

🛏 *Hôtel Olympic* (plan Ville nouvelle, B2-3, 20) : à l'angle d'une petite rue et du bd Mohammed-V. ☎ 055-93-26-82 et 055-94-46-83. Fax : 055-93-26-65. Parking gardé. Chambres doubles à 350 Dh (35 €) en haute saison, avec bains, TV satellite et téléphone, petit déjeuner compris. Un beau 3 étoiles, stylé, avec de petites chambres bien décorées et surtout très propres. Mais bizarrement, toute la robinetterie va à vau-l'eau. Hall en marbre, salon marocain, restaurant pour les groupes.

🛏 *Hôtel Nouzha* (plan Ville nouvelle, B4, 21) : 7, rue Hassan-Dkhissi, pl. de l'Atlas. ☎ 055-64-00-02 ou 12. Fax : 055-64-00-84. Chambres doubles à 420 Dh (42 €). Une belle réception dans le style des palais fassis, qui cache cependant des prestations inégales et un hôtel un peu décadent. Malgré le prix, les sanitaires sont défectueux et la propreté douteuse. Une ambiance de fin de règne qui pourra séduire certains. Quelques chambres disposent d'un grand balcon sur rue. Agréable bar panoramique sur le toit. Nightclub.

🛏 *Hôtel de la Paix* (plan Ville nouvelle, B2, 22) : 44, av. Hassan-II. ☎ 055-62-50-72. Fax : 055-62-68-80. En plein centre-ville. Chambres doubles à 380 Dh (38 €), 420 Dh (42 €) avec le petit déjeuner. Beaux zelliges à la réception. L'hôtel est convenable dans l'ensemble, mais l'accueil comme le resto sont très moyens. Bref, à choisir en dépannage.

🛏 *Hôtel Ibis Moussafir* (plan Ville nouvelle, A1, 25) : pl. de la gare *ONCF*, av. des Almohades. ☎ 055-65-19-02 à 07. Fax : 055-65-19-09. Chambres doubles à près de 500 Dh (50 €), petit déjeuner compris. 125 chambres, dont certaines nécessiteraient une petite rénovation. En demander une sur cour, plus calme. Jolie piscine, au bord de laquelle on sert les repas, beau jardin, mais une déco et une ambiance typiques... des chaînes hôtelières. Buffet au dîner, assez moyen. Très souvent complet, nous vous conseillons donc de réserver. L'accueil s'améliore.

Très chic

🛏 *Hôtel Sofia* (plan Ville nouvelle, A2, 23) : 3, rue d'Arabie-Saoudite. ☎ 055-62-42-65 à 68. Fax : 055-62-64-78. Très bien situé. Chambres doubles à 760 Dh (76 €). Un 4 étoiles qui a augmenté ses tarifs et qui, du coup, perd un peu de son intérêt. Décoration moderne. Beau hall aux couleurs chaudes. Chambres spacieuses et confortables. Salles de bains agréables, avec des lavabos en marbre. Piscine, bar et night-club. Dommage que l'accueil ne soit pas meilleur.

🛏 *Volubilis-Framissima* (plan Ville nouvelle, A3, 24) : av. Allal-ben-Abdallah. ☎ 055-62-11-26 et 055-65-44-84 et 45. Fax : 055-62-11-25.

FÈS

Chambres doubles à 770 Dh (77 €). Catégorie 4 étoiles. L'entrée est très marocaine, avec une fontaine typique à l'intérieur. Les chambres, spacieuses et lumineuses, sont disposées autour du jardin et de la piscine, avec des petits balcons où l'on peut prendre son petit déjeuner. Par contre, si l'accueil est charmant, certaines chambres ont des murs en papier à cigarette et les petits déjeuners ne sont vraiment pas à la hauteur. Il s'agit d'un hôtel-club vendu en exclusivité par FRAM, et toute l'ambiance qui va avec...

🏠 **Hôtel Jnan Palace** (plan Ville nouvelle, A4, **26**) **:** av. Ahmed-Chaouki. ☎ 055-65-22-30 et 055-65-39-65. Fax : 055-65-19-17. ● jp@ fesnet.net.ma ● Chambres doubles à 1 850 Dh (185 €). Splendide établissement, construit sur 4 niveaux dans un magnifique parc de 6 ha, en plein cœur de la ville nouvelle, avec somptueuse piscine, tennis, boîte de nuit, magasins de luxe... Beau jardin. Service grand luxe. Vastes chambres, calmes, avec salle de bains en marbre et mosaïques. Plusieurs restaurants, dont un marocain : L'Herbier de l'Atlas. Cuisine traditionnelle mais inégale : la pastilla au lait est excellente, les tajines et les brochettes sont, en revanche, bien quelconques.

Où manger ?

À part quelques échoppes à l'hygiène parfois limite (un médecin fassi va même jusqu'à déconseiller la consommation de sandwichs dans la vieille ville !), on trouve surtout dans la médina des restos assez chic ou très chic. Ils sont un peu à la restauration ce que les riad sont à l'hôtellerie. Décor luxueux, service obséquieux en costume traditionnel, musiciens et, parfois, danseuses du ventre... Comme dans les riad, l'idée est de vous faire passer une soirée typiquement marocaine. Sauf que l'on tombe plus dans le pittoresque que dans le typique ! La nourriture est toujours la même : un menu marocain avec une sélection d'entrées, un tajine ou un couscous, et des pâtisseries marocaines, le tout arrosé d'une bonne dose de thé à la menthe. Les plats servis ne sont jamais spécialement raffinés, mais jamais immangeables. Nous avons essayé de faire ressortir les rares restos qui échappent un tant soit peu à cette logique.

Situés dans des maisons fassies qui valent à elles seules le détour, ces restaurants sont souvent envahis de touristes, et l'ambiance en dépend largement... À vous de voir et de choisir. Quoi qu'il arrive, ne manquez pas d'y faire au moins un repas.

Quant aux petits restos sympas, ils sont assez rares à Fès, et plutôt à chercher dans la ville nouvelle.

Dans la médina

Bon marché (moins de 80 Dh, soit 8 €)

Juste après Bâb Boujeloud à droite, ou après Bâb Ftouh (mais c'est loin !), on trouve des **échoppes de brochettes et petits plats** sur le pouce (soupes, etc.) lorsqu'on monte vers le quartier des Andalous, en traversant le pont Sidi-el-Aouad après la rue des Teinturiers, ou bien lorsqu'on monte la rue qui va de la porte El-Attarîn vers le palais Jamaï (il y en a plein la rue !). Hormis ces endroits, vous en rencontrerez relativement peu, car elles sont isolées, et donc plus difficiles à trouver. Les **petits bars** vendent aussi des pâtisseries et des jus d'oranges pressées avec une boule de glace au parfum de votre choix. Original. Si vous tombez sur un **marchand de nougat**, il est souvent bon et pas cher. Ces deux dernières spécialités sont plus faciles à trouver près de la mosquée El-Qaraouiyyîn et de la zaouiya de Moulay Idriss.

|●| *La Kasbah (plan Fès-el-Bali, A2, 31)* : 18, Bâb Boujeloud. ☎ 055-74-15-33. En face de la porte. Deux terrasses avec vue sur la porte et le spectacle des va-et-vient. Dans un beau décor et avec une belle vue sur la médina. On y mange des tajines copieux (surtout les végétariens), on peut y boire un thé ou un café, mais pas d'alcool. Décor marocain, zelliges et balcon en fer forgé.

Prix moyens (moins de 100 Dh, soit 10 €)

|●| *Restaurant Zohra (plan Fès-el-Bali, C1, 32)* : 3, Derb-Aïn-Nass-Blida. ☎ 055-63-76-99. Au cœur de la médina, proche de la médersa El-Attarîn. Menu à 70 Dh (7 €). Pas d'alcool, mais il est possible d'apporter sa propre bouteille, en demandant la permission. Une fois arrivé, on oublie la vie trépidante de la médina, assis sur des banquettes autour de petites tables dans un décor berbère. C'est le moins cher de tous les restos, mais c'est aussi celui où tous les guides non-officiels vous conduiront. Cuisine médiocre, vérifiez l'addition.

Chic (de 100 à 250 Dh, soit 10 à 25 €)

|●| *La Menara (plan Fès-el-Bali, C2-3, 33)* : 10, Derb-Ronda-Layon. ☎ 055-74-07-59. Proche de la Mosquée er-Rsif ; assez dur à trouver, c'est son principal défaut – mais peut-être aussi son avantage. Menus de 120 à 250 Dh (12 à 25 €). Une des meilleures adresses pour les restos de cette catégorie. Tenu par la famille qui habite la maison. Le service est agréable et spontané. L'ambiance y est également très familiale. Ils ne reçoivent que très rarement des groupes, et c'est tant mieux. Et pour ne rien gâcher, c'est l'un des plus beaux. Une adresse qu'on aime bien.

|●| *Dar Jamaï (plan Fès-el-Bali, C1, 34)* : 14, Foundouk-Lihoudi-Zenjfour. ☎ 055-63-56-85. Près du *Palais Jamaï*. Ils viennent vous chercher à la porte du palais. Menus de 120 à 250 Dh (12 à 25 €). Ils servent du vin. L'opportunité de manger relativement bon marché dans une maison fassie. Mais la qualité tant de la cuisine que de l'accueil semble avoir baissé.

|●| *Restaurant Asmae (plan Fès-el-Bali, B-C2)* : 4, Derb-Jeniara. ☎ 055-74-12-10. On vient vous chercher et on vous raccompagne si vous le souhaitez. Compter de 120 à 250 Dh (12 à 25 €). Pas d'alcool. Méchoui sur commande. La décoration est plus raffinée que les autres.

|●| *Restaurant Tijani (plan Fès-el-Bali, C1, 36)* : 51-53, Derb-ben-Che-kroune. ☎ 055-74-10-71. Les menus varient de 130 à 300 Dh (13 à 30 €). Possibilité de boire du vin, mais c'est très cher. Un établissement presque aussi connu que *Zohra*. Un accueil très convenable, un cadre agréable mais envahi de touristes à l'heure du déjeuner ; à fuir absolument à ce moment-là, préférer le soir. Plats copieux. Il y a un petit café très agréable à côté, à l'abri de l'agitation de la médina. Les Fassis viennent y jouer aux cartes sur fond de musique reggae.

|●| *Restaurant Zineb (plan Fès-el-Bali, B-C2)* : 3, Derb-el-Katek Zkak Romane. ☎ 061-19-91-93 (portable). Compter de 150 à 260 Dh (15 à 26 €). Un peu plus accessible que les autres. Malheureusement, ils ne servent pas d'alcool. Déco pas très raffinée, mais permet de profiter de la belle demeure et de jeter un œil sur la terrasse.

|●| *Dar Saada (plan Fès-el-Bali, C2, 38)* : souk el-Attarîn. ☎ 055-63-73-70. Ouvert uniquement le midi. Menus de 200 à 250 Dh (20 à 25 €). Ils servent de l'alcool. La salle donne sur un patio central avec une verrière. Ce fut une adresse tranquille, mais elle manque aujourd'hui de raffinement. Rapidement envahi par des groupes de touristes.

|●| *Palais Vizir (plan Fès-el-Bali, C2, 39)* : 35, Derb-Touil-Blida. ☎ 055-63-61-83. Fermé le soir. Menus de 160 à 200 Dh (16 à 20 €),

plus la taxe, plus le vin, plus les gâteaux, plus le thé... ça fait beaucoup pour des menus tout compris ! Belle salle marocaine aménagée dans un ancien palais fassi, mis en valeur par un éclairage judicieux et précédé d'un magasin de tapis. Spectacle le soir.

Encore plus chic (plus de 250 Dh, soit 25 €)

|●| *L'Arabesque* (plan Fès-el-Bali, C1, **23**) : 20, Derb-el-Miter. ☎ 055-63-53-21. Proche du *Palais Jamaï*. Téléphoner ou se présenter à la réception du *Palais Jamaï*. Menus à 250 et 350 Dh (25 et 35 €) sans le vin. Du vrai chic, raffiné, et un vrai service de qualité. Les entrées sont nombreuses et copieuses, et les tajines qui suivent tout simplement succulents. Frais, calme et reposant. Si vous voulez vous offrir un *riad*, et que vous en avez les moyens, c'est celui-là qu'il faut choisir. Voir la rubrique « Où dormir ? ».

|●| *Restaurant du Palais des Mérinides* (plan Fès-el-Bali, B2, **40**) : 36, Cherabliyyin. ☎ 055-63-40-28. Menus de 250 à 350 Dh (25 à 35 €). Ils servent de l'alcool. Magnifique palais du XIVe siècle très bien restauré. Il fut habité par des chefs religieux à l'époque mérinide, puis par des bourgeois fassis à partir du XVIe siècle. La salle est décorée de mosaïques, de zelliges et de panneaux de cèdre sculptés. Pastilla aux amandes et aux pignons, couscous aux sept légumes, méchoui sur commande. Copieux, d'autant que le thé et une pâtisserie sont parfois offerts en fin de repas.

|●| *Palais Mnebhi* (plan Fès-el-Bali, B2, **41**) : 15, Souikat-ben-Safi. ☎ 055-63-38-93. Attention, service uniquement sur commande. Il est possible d'appeler le jour même, en début de matinée pour le déjeuner et en début d'après-midi pour le dîner. Compter 150 Dh (15 €) pour une pastilla ou un couscous et une salade marocaine, 200 Dh (20 €) pour un tajine de poulet. Ils servent de l'alcool. Ce n'est peut-être pas la meilleure cuisine de Fès, mais c'est dans ce somptueux palais du XIXe siècle que Lyautey a vécu lorsqu'il est arrivé. Banquettes, tapis, stucs et zelliges décorent un vaste patio. Vue imprenable sur la médina depuis la terrasse. Sa capacité est de mille personne, c'est dire si vous ne serez pas embêté par la discussion des tables voisines. Revers de la médaille : c'est tellement grand qu'on se sent un peu perdu !

|●| *Restaurant marocain Al-Fassia, Palais Jamaï* (plan Fès-el-Bali, C1, **21**) : Bâb Guissa. ☎ 055-63-43-31. Voir la rubrique « Où dormir ? Dans la médina. Beaucoup plus chic ». Compter 400 Dh (40 €) à la carte. Là aussi, étonnant décor où l'on peut tout à loisir admirer les plafonds peints et les décorations de stuc. Dîner-spectacle avec musiciens et danseuses, plutôt meilleur qu'ailleurs. Carte intéressante. Cher, bien sûr. Service et taxe non compris. Spectacle le soir.

|●| *Le Palais de Fès* (plan Fès-el-Bali, C2, **42**) : 15, rue Makhfia. ☎ 055-76-15-90. À côté du cinéma *Amal*, à l'entrée de la médina par la porte er-Rsif. On vient vous chercher à votre hôtel sur simple appel téléphonique. Réservation obligatoire le soir. Le midi, à partir de 250 Dh (25 €) à la carte ; le soir, menus à partir de 350 Dh (35 €) sans les boissons. Ce restaurant sur plusieurs étages et avec de nombreuses terrasses domine la médina et est architecturalement splendide. On y mange très bien, mais ils reçoivent beaucoup de groupes, présentent des danseuses du ventre, n'hésitent pas surcharger la note et tentent de vous refourguer leurs « zolis » tapis... Même genre à côté avec le *Palais de la Médina*, mais vous connaissez déjà notre avis sur ce genre d'adresses...

|●| *Les Remparts de Fès* (plan Fès-el-Bali, C1, **43**) : 2, Arset-Jiar-Bâb-el-Guissa. ☎ 055-63-74-15. Dans la rue qui longe le *Palais Jamaï*, sur la gauche en venant de la porte. Menus de 260 à 510 Dh (26 à 51 €). Certainement le plus touristique de tous. De grandes tables, avec spectacles et danses du ventre le soir. Très cher.

Dans la ville nouvelle

Très bon marché (moins de 50 Dh, soit 5 €)

iei **Sandwich Bajelloul** *(plan Ville nouvelle, B2, 30)* **:** 2, rue d'Arabie-Saoudite. ☎ 055-62-06-41. À 50 m de l'hôtel *Kairouan*. Salade à 10 Dh (1 €), plat à 30 Dh (3 €). Pour un prix modique, on peut se restaurer rapidement de grillades ou de brochettes très fraîches, dans la grande salle ou sur la terrasse. Patron très sympa mais toujours aux fourneaux. On peut aussi faire un repas correct à l'occidentale. Bon rapport qualité-prix. Terrasse sur la rue.

iei **Sicilia** *(plan Ville nouvelle, B3, 31)* **:** 4, av. Abdellah-Chefchaouni. ☎ 055-62-52-65. Un petit resto à la mode, avec au choix snacks, pizzas et excellents sandwichs dans du pain délicieux. Une petite salle à l'étage. Super accueil.

iei **Al-Khozama** *(plan Ville nouvelle, B3, 32)* **:** 23, av. Mohammed-Slaoui. En face de l'hôtel *Jeanne d'Arc*. Ouvert non-stop de 8 h à 23 h. Compter 35 Dh (3,5 €). Petits déjeuners salés (original au Maroc) et menus fixes à des prix très raison-

nables. Une sorte de snack qui propose une cuisine copieuse et correcte, préparée devant vous. Bon accueil, surtout si vous êtes nombreux. Pas d'alcool.

iei **Maccarena Sandwich** *(plan Ville nouvelle, B3, 33)* **:** 43, av. Mohammed-Slaoui. ☎ 055-94-11-30. En face du syndicat d'initiative. Petit resto de nourriture à emporter, très appétissant et très frais. Accueil sympathique et possibilité de manger sur terrasse.

iei **Café Chaab** *(plan Ville nouvelle, B3, 34)* **:** 22, av. Mohammed-Slaoui. Un café qui ne paie pas de mine, pourtant frais et bien tenu. Menu pour les petits budgets. Pas d'alcool.

iei **La Mamia** *(plan Ville nouvelle, B2, 35)* **:** 53, pl. de Florence, à côté du café *Les Ambassadeurs*. Dans la plus authentique tradition des fast-foods américains, une grande variété de pizzas et de hamburgers. Les pâtes les moins chères de la ville.

Pour manger sur le pouce, nombreuses **sandwicheries** dans la rue d'Arabie-Saoudite (qui part de la place de Florence ; *plan Ville nouvelle, B2*). Nous vous conseillons particulièrement *Le Coin Sandwich*, au n° 26, pl. de Florence.

Bon marché (moins de 80 Dh, soit 8 €)

iei **Restaurant Marrakech** *(plan Ville nouvelle, B3, 36)* **:** 11, rue Omar-el-Mokhtar, qui donne dans le bd Mohammed-V. ☎ 055-62-25-27. Une adresse excellente et sans prétention. On y mange bien et rapidement de bonnes grillades. Ce sont des jeunes qui s'occupent du service. Ça ne désemplit pas. Ils ne servent pas d'alcool. Notre adresse préférée.

iei **Restaurant Mauritania** *(plan Ville nouvelle, B2, 37)* **:** 54, av. Hassan-II. ☎ 055-62-47-15. Menu à 42 Dh (4,2 €), tajine à 28 Dh (2,8 €). Pas d'alcool. Une excellente adresse

aussi. Un petit resto sans prétention, où l'on mange très bien sous les arcades. Bon tajine frais et viande excellente. Une grande salle de resto à l'étage et au rez-de-chaussée, mais on préfère la terrasse, très agréable. Une adresse uniquement fréquentée par des Marocains. Prenez des nouvelles de la ruche trouvée un jour par les serveurs sur le boulevard et écrivez-nous.

iei **Café-restaurant Ten Years** *(plan Ville nouvelle, B3, 38)* **:** 59, bd Mohammed-V. ☎ 055-65-48-32. Presque en face du cinéma. Pas de panique, la moyenne d'âge est au-

FÈS

dessus de 10 ans ! Un petit resto rigolo, au cadre sympathique et au service attentionné. Ne pas s'at-

tendre cependant à une cuisine exceptionnelle. Prix raisonnables.

Prix moyens (de 80 à 100 Dh, soit 8 à 10 €)

|●| *Restaurant Chamonix (plan Ville nouvelle, B3, 39)* : 5, rue Mokhtar-Soussi. ☎ 055-62-66-38. Dans une rue parallèle au bd Mohammed-V. Menu à 52 Dh (5,2 €), pizza à 35 Dh (3,5 €). N'ayez crainte, on ne vous propose pas de la tartiflette sous le soleil ! Son nom vient juste d'un jeu de mots que même nous, on vous épargne (c'est dire !). Cela dit, le menu est très correct et le service très sympa. Une toute petite salle agréable, deux tables en terrasse, en revanche, côté propreté, c'est pas ça. Pas d'alcool.

|●| *Restaurant Fish Friture (plan Ville nouvelle, B2, 40)* : 138, bd Mohammed-V. ☎ 055-94-06-99. Tajines à partir de 40 Dh (4 €), poisson de 45 à 80 Dh (4,5 à 8 €).

Grande variété de plats (poisson, pizza, et même pastilla...). Pas d'alcool. À l'intérieur d'une petite cour agrémentée d'une fontaine, une tentative de décoration agréable pour un résultat qui tient davantage du fast-food. Surtout fréquenté par de jeunes routards. Pas désagréable, sans plus.

|●| *Café-restaurant Al Moussafir (Les voyageurs, plan Ville nouvelle, B3, 41)* : 47, bd Mohammed-V. ☎ 055-62-00-19. Dans un cadre très sympa, ils proposent des plats marocains classiques, plutôt pas mal préparés, et servent des boissons alcoolisées, mais assez chères. Attention, service non compris. Une adresse à tenter, tout comme le bar qui lui est accolé.

Chic (de 100 à 200 Dh, soit 10 à 20 €)

|●| *La Médaille (plan Ville nouvelle, B3, 42)* : 25, rue Laarbi-Kaghat. ☎ 055-62-01-83. Dans une rue perpendiculaire au bd Mohammed-V, au niveau du marché central. Fermé le dimanche midi. Compter 180 Dh (18 €) environ sans le vin, un peu cher. Cuisine occidentale et marocaine sans surprises, servie dans un cadre un peu anonyme mais agréable. Présentation soignée et service très souriant. Une adresse tout à fait convenable. Cartes de paiement acceptées.

|●| *Chez Vittorio (plan Ville nouvelle, B3, 43)* : 21, rue Brahim-Roudani, ou rue Nador. ☎ 055-62-47-30. C'est dans la 1re rue à droite après la pl. Mohammed-V, en allant vers la gare *CTM*; juste en face de l'hôtel *Central*. Compter 50 Dh (5 €) pour une pizza, 150 Dh (15 €) pour un repas complet. Endroit intime avec lumière tamisée, mais très fréquenté et un peu bruyant. Typiquement italien. Petite musique d'ambiance. Cuisine italo-française. Grand choix de hors-d'œuvre et de pizzas. Bonne carte des vins. Une bonne adresse,

bien que l'accueil ne soit pas toujours aimable. Cartes de paiement acceptées.

|●| *La Cheminée (plan Ville nouvelle, A2, 44)* : 6, av. Lalla-Asma (ex-bd Chenguit). ☎ 055-62-49-02. À gauche sous les arcades, dans la rue qui descend de la gare ferroviaire vers la place Kennedy. Fermé le dimanche. Compter 150 Dh (15 €) par personne. Une ambiance tamisée et agréable, dans une discrète odeur de feu de bois. Cuisine marocaine et internationale. On y sert du vin. Accueil sympathique. Éviter impérativement la salle du fond, réservée aux groupes. Cartes de paiement acceptées.

|●| *Restaurant Zagora (plan Ville nouvelle, B3, 45)* : 5, bd Mohammed-V. ☎ 055-94-06-86. Au fond d'une allée. Menu à 140 Dh (14 €) avec *harira*, pastilla, tajine et dessert. Pas de vin. Dans un cadre moderne aux couleurs chatoyantes et à la lumière tamisée, un restaurant très ambitieux, fréquenté par des petits groupes et devenu assez touristique. Cuisine marocaine et internationale raffinée, bonne pas-

tilla. Dîner aux chandelles dans une salle climatisée. Service soigné. Une bonne adresse; pour preuve, le patron consent une réduction de 10 % à nos chers lecteurs sur présentation du *GDR*!

Très chic (plus de 200 Dh, soit 20 €)

|●| *Restaurant L'Anmbra (hors plan Ville nouvelle par B4) :* 47, route d'Imouzzer. ☎ 055-64-16-87. Menu à 350 Dh (35 €). Dans les quartiers périphériques de la ville nouvelle, étonnante suite de maisons particulières très luxueuses, conçues pour la plupart par de jeunes architectes marocains. Intéressant pour le cadre (grande maison traditionnelle) et l'étonnante collection d'objets ethnographiques anciens (bijoux, instruments de musique, etc.). Cuisine raffinée servie sur fond de musique andalouse. Excellente pastilla. Service attentionné.

Où manger une pâtisserie?

Nombreux *salons de thé* tout le long de l'av. Hassan-II; *pâtisseries* à l'ombre des orangers sur l'av. Mohammed-V.

|●| *Boulangerie-pâtisserie Le Paris (plan Ville nouvelle, B2, 50) :* 50, av. Hassan-II. Cette bonne pâtisserie très fréquentée sert des glaces mais aussi du salé dans le petit salon de thé qui y est aménagé.

|●| *Boulangerie-pâtisserie Kairaouane (plan Ville nouvelle, B2, 16) :* 84, rue du Soudan. Au rez-de-chaussée de l'hôtel *Kairouan*. Aucun jour de fermeture... normalement! Salle agréable au 1er étage pour déguster les bonnes pâtisseries typiques de cet établissement qui fait aussi salon de thé. L'un des rares endroits où l'on peut déguster un jus d'amandes.

|●| *Boulangerie-pâtisserie de Florence (plan Ville nouvelle, A2, 17) :* 1, av. de France. À côté de l'hôtel *Amor*. Excellente pâtisserie qui, en annexe, fait également fast-food. Accueil sympa et cadre agréable. Pour un prix ridicule, les petites pizzas sont succulentes.

|●| *Boulangerie-pâtisserie Oued Dahab (plan Ville nouvelle, B3, 14) :* 67, bd Mohammed-V. Juste à côté de l'hôtel *Central*. Excellents petits pains au chocolat. Délicieuses pâtisseries au kilo.

|●| *Salon de thé-pâtisserie L'Entente (plan Ville nouvelle, B3, 3) :* 85, bd Mohammed-V. Proche de la banque *BMCE*, sur la pl. Mohammed-V. Cadre un peu kitsch. Excellentes viennoiseries et pâtisseries. Ils servent de délicieux jus de fruits à base de lait et de pâte d'amandes.

Où boire un verre?

De moins en moins de bars où boire de la bière, et aucun à Fès-el-Bali ou Fès-el-Jédid.

🍷 *Café de la Noria (plan Fès-el-Jédid, B2, 20) :* dans le parc de Bâb Boujeloud, de l'autre côté des murailles. Pas d'alcool. Très agréable, autour d'une fontaine, calme et en retrait, au bord d'un petit oued dont l'ancienne noria rappelle le temps où les étudiants se retrouvaient là pour couper les roseaux pour leurs exercices de calligraphie. D'ailleurs, certains le font toujours. C'est aussi l'occasion, en passant par le petit *mechouar* en direction de la place des Alaouites, de traverser le souk où les Fassis viennent faire leurs courses. Et tant que vous y êtes, pourquoi ne pas prolonger par le *mellah*?

🍷 *Le Tivoli (plan Ville nouvelle, B3,*

60) : à deux pas de la pl. Moham-med-V. Un bar typiquement maro-cain, évidemment fréquenté exclu-sivement par des hommes. Les filles seules ne s'y sentiront pas néces-sairement très à l'aise. Autant vous prévenir... Les télés tournent non-stop, le volume est à fond, et l'am-biance plutôt bon enfant malgré le verbe un peu haut.

▼ *Le Club WAF (plan Ville nou-velle, B3, 61) :* dans le quartier Mou-lay-Raddi, en face de la Mission française. Une excellente adresse pour routards avertis – l'ambiance peut vite dégénérer. C'est en fait le bar officiel des supporters d'un im-portant club de foot de Fès, mais il n'en a pas du tout l'air. Dans une pe-tite cour ombragée et une excellente ambiance, on boit des bières très bon marché et on grignote des bro-chettes cuites au barbecue.

▼ *Les Ambassadeurs (plan Ville nouvelle, B2, 62) :* pl. de Florence. ☎ 055-65-26-73. Vaste café-salon de thé pour aller boire un verre en début de soirée. Décor à l'occiden-tale avec une mezzanine, en rouge et noir, dans un style très parisien. Il y a souvent du monde.

▼ Plusieurs *cafés avec terrasse* pl. Mohammed-V, comme *Le Cristal* et *Le Renaissance* (brasserie, mais pas d'alcool).

▼ Nombreuses *terrasses* sur l'av. Hassan-II.

Où sortir ?

♪ *Le Volubilis (ex-PLM ; plan Ville nouvelle, A3, 24) :* boîte de nuit de l'hôtel *Volubilis* (voir la rubrique « Où dormir ? Dans la ville nouvelle. Très bon marché »). Fermé le dimanche. Entrée et conso à 60 Dh (6 €). C'est l'une des moins chères et c'est là que se retrouvent tous les jeunes. Musique essentiellement internatio-nale. Le week-end, ça ne désemplit pas.

♪ *Le Phœbus (plan Ville nouvelle, A4, 26) :* boîte de l'hôtel *Jnan Palace* (voir la rubrique « Où dormir ? Dans la ville nouvelle. Très chic »). Fermé le lundi. Entrée et conso à 100 Dh (10 €). C'est nettement plus chic et le cadre est à l'avenant. Ambiance agréable et bonne musique. Le ren-dez-vous de la jeunesse fortunée.

♪ *Le Wassim (plan Ville nouvelle, A3, 63) :* rue du Liban. La boîte de l'hôtel du même nom. Entrée et conso à 60 Dh (6 €). Discothèque typiquement marocaine : musiques arabe, raï, rock... succèdent aux groupes de musiques locales. Petite déco quelconque.

♪ *Le Menzeh Zallagh (plan Ville nouvelle, B2, 64) :* 10, rue Moham-med-Diouri. La boîte de l'hôtel du même nom. Entrée à 100 Dh (10 €) et conso à 90 Dh (9 €). La fréquen-tation est un peu plus âgée. Spec-tacles orientaux tous les soirs dans cette discothèque qui se veut être un cabaret. Appréciée d'une partie de la population fassie.

Vue d'ensemble

À ceux qui ont la chance d'être motorisés, nous conseillons, pour mieux comprendre la ville, d'en faire le tour après avoir été la contempler depuis la terrasse des Mérinides. C'est la meilleure façon de l'appréhender, exacte-ment comme le faisaient les voyageurs qui, après des jours de marche, découvraient, émerveillés, ces longues murailles ocre partant à l'assaut des collines verdoyantes et surmontées de minarets ciselés. On conçoit alors que Fès ait pu rivaliser avec Cordoue ou Bagdad.
Quoique très différent de nos jours, le tour de la ville a conservé beaucoup de son charme. L'idéal serait de le faire à deux reprises : une fois très tôt le matin, et une seconde fois au coucher du soleil. Compter 15 km de circuit. Partir de l'avenue Hassan-II. Se munir d'un bon plan de ville et le suivre « au tracé », car il n'y a aucune indication et il très facile de se tromper de route.

Si vous ne voulez pas tenter l'aventure, il existe deux excellents points de vue sur la médina, l'un payant et l'autre gratuit : la terrasse de l'*hôtel des Mérinides*, où le thé coûte cinq fois plus qu'« en bas », et le site des tombeaux mérinides lui-même. Il en reste peu de chose, mais la vue demeure imprenable. Accès en taxi ou depuis la médina en sortant par Bâb Guissa et en grimpant la colline.

Il y a également de très beaux points de vue depuis l'esplanade du musée d'Armes *(plan Fès-el-Bali, A1)* au borj Nord ou sur les terrasses, juste au-dessus de l'*hôtel des Mérinides (plan Fès-el-Bali, A1, 20)*.

À voir

Dans la médina

Malgré la mise en place d'une « police touristique » en civil, le harcèlement des guides non-officiels et des rabatteurs est constant. Pour visiter tranquillement la médina, prenez un guide officiel, mais vous prenez le risque que celui-ci ne vous montre que les endroits qu'il a choisi de vous montrer et surtout, qu'il vous mène de commerce en commerce. Si vous tenez cependant à vous y rendre seul, le plan de Fès-el-Bali vous suffira pour trouver votre chemin. Sachez que le plus simple est de pénétrer par la porte Boujeloud (Bâb Boujeloud ; *plan Fès-el-Bali, A2)*. De ce côté, les ruelles sont en pente douce. Quelle que soit votre porte d'entrée, évitez de vous rendre dans la médina dans une tenue provocante qui risquerait de choquer les gens qui vivent ici. Les shorts et les épaules nues, principalement pour les femmes, sont déconseillés.

Il est très difficile de vous donner un véritable itinéraire à travers la médina. On s'y perd vite, mais avec plaisir...

Tout au long de cette balade, vous serez assailli, enivré par toutes sortes d'odeurs, de couleurs et de bruits. Ne craignez surtout pas de vous égarer dans ce labyrinthe où chaque pas sera l'occasion d'une découverte. Enfin, que l'on ait ou non l'intention d'acheter, on ne résiste pas à l'envoûtement de l'atmosphère incomparable de ce gigantesque bazar. Malgré le projet global de sauvegarde de la médina, l'activité d'artisanat, quoique toujours présente, disparaît peu à peu. Les boutiques sont de plus en plus souvent de simples points de vente, comme à Marrakech.

Le vendredi, jour de la prière, la médina est quasiment déserte, la plupart des boutiques sont fermées. Le contraste avec les autres jours de la semaine est saisissant.

– Sur la place Bâb Boujeloud, petit **marché** tous les jours. Nourriture beaucoup moins chère qu'ailleurs (agrumes, légumes, épices).

🏃🏃 *Dar Batha (plan Fès-el-Bali, A3)* : ouvert tous les jours sauf le mardi, de 8 h 30 à 12 h et de 14 h 30 à 18 h. Visite accompagnée d'un gardien. Cette construction hispano-mauresque possède l'un des musées d'art populaire les plus intéressants du Maroc : tapis aux points noués, bijoux berbères, dinanderies, poteries (les célèbres bleus de Fès) et panneaux de plâtre sculpté dans le plus beau style marocain. Si les prouesses artisanales vous laissent froid, vous apprécierez au moins le havre de calme et de verdure que constitue le jardin intérieur plus ou moins bien entretenu, planté de multiples essences. Ici, on entend les oiseaux.

Les médersas, très nombreuses à Fès, étaient des internats religieux construits à l'initiative des Mérinides. Elles abritaient des chambres, un oratoire, des salles d'études et une superbe cour, souvent pavée de marbre et d'onyx, équivalent de nos cloîtres, destinée à élever l'esprit.

🏃 *La médersa Bou-Inania (plan Fès-el-Bali, A2)* : en travaux, date de réouverture non communiquée. Mais si elle était de nouveau ouverte lors de votre séjour, voici les anciens horaires à titre indicatif : de 8 h à 18 h (19 h en été). Prodigieuse richesse intérieure, même si la salle de prière est interdite aux non-musulmans. À gauche de l'entrée principale, une porte plus modeste, dite « des va-nu-pieds », permettait à ceux-ci, grâce à une canalisation d'eau courante, de ne pas souiller le lieu saint.

🕴 *Le fondouq des peaussiers (plan Fès-el-Bali, B2) :* plus loin sur le Talâa, *mzara* de Moulay Idriss flanquée d'un minaret. Presque en face, dans une cour, les peaussiers enlèvent les poils des peaux prêtes à être tannées.

🕴 *La mosquée Ech-Cherabliyyîn (plan Fès-el-Bali, B2) :* en poursuivant, vous ne pourrez pas manquer le beau minaret décoré de faïences polychromes et de zelliges de cette mosquée. On peut voir de l'extérieur le mur de mosaïques entourant le *mihrab*.

🕴🕴 *Le musée Nejjarîn des Arts et Métiers du bois (plan Fès-el-Bali, B-C2) :* sur la pl. en-Nejjarîn. ☎ 055-74-05-80. Dans la rue du Grand-Talâa, après la mosquée Ech-Cherabliyyîn, prendre la ruelle à droite après les dernières marches, puis la 1re ruelle à gauche qui descend en escalier. Ouvert tous les jours de 10 h à 17 h. Entrée : 10 Dh (1 €). La place en-Nejjarîn est très silencieuse, avec sa fontaine protégée d'un auvent de cèdre sculpté. Elle regroupe les menuisiers qui travaillent le bois de cèdre.
Musée aussi intéressant pour les objets exposés que pour le lieu même, un magnifique caravansérail du XVIIIe siècle soutenu par des pilastres recouverts de stucs et de bois et orné de deux galeries en bois bien restaurées. À l'époque du protectorat, c'était un commissariat de police où étaient retenus des nationalistes marocains. Les objets en bois sont exposés sur trois niveaux, par thème : objets domestiques (étagères, belles chaises de mariée, jouets, coffres provenant de différentes régions...), éléments d'architecture sculptés, instruments de musique (beau *rbab*, une sorte de viole, incrusté de nacre), objets liturgiques. Vue sur les toits de la médina depuis la terrasse.

🕴 *Le souk du henné (plan Fès-el-Bali, B-C2) :* sur la place en-Najjarîn avec deux arbres et une fontaine, on vend non seulement des plantes servant à teindre les cheveux et les mains, mais divers colorants naturels utilisés pour le maquillage, tels que le khôl et le *ghassoul*, terre savonneuse employée pour se laver les cheveux.

🕴 *La médersa El-Attarîn (plan Fès-el-Bali, C2) :* ouvert tous les jours de 8 h à 17 h ; fermé le vendredi entre 12 h et 14 h. Entrée : 10 Dh (1 €). La plus intime, avec sa vasque de marbre blanc. Zelliges, stucs ornés de motifs végétaux et de versets du Coran. Bel auvent et arcades en bois de cèdre. Chapiteaux, pilastres et colonnes sculptés. Les chambres des historiens et des philosophes ne se visitent plus.

🕴 *La médersa Es-Sahrij (plan Fès-el-Bali, D2) :* dans le quartier des Andalous, ainsi appelé depuis que 8 000 familles, chassées d'Andalousie par le calife de Cordoue au IXe siècle, s'y installèrent. Avec les Kairouanais fuyant la Tunisie et les juifs regroupés au XIVe siècle dans le Mellah, ils représentaient l'élite intellectuelle de la ville. La médersa Es-Sahrij fut bâtie en 1321. À côté, la fontaine Najjasine, brillante et colorée, comme sur les cartes postales.

🕴 *La mosquée El-Qaraouiyyîn (plan Fès-el-Bali, C2) :* à droite de la médersa El-Attarîn. C'est la mosquée des Kairouanais, fondée au IXe siècle par une femme, Fatma Bint Mohammed el-Feheri ; ce fut l'une des plus grandes universités de l'islam, avec El-Azhar, au Caire et la Zitouna, à Tunis. Son minaret est le plus ancien du monde musulman. Sylvestre II, pape français né à Aurillac, étudia ici. Il est malheureusement impossible de visiter la Qaraouiyyîn ; toutefois, par les vantaux ouverts, on peut voir les vasques cerclées de mosaïques, les cours dallées de marbre et les deux kiosques, construits aux XVIe et XVIIe siècles, fidèles répliques de ceux de la cour des Lions de l'Alhambra de Grenade. De l'autre côté de la mosquée, une vieille porte en bois aux peintures effacées marque l'entrée réservée aux femmes.

🍴 *La mosquée des Andalous* (plan Fès-el-Bali, D2) : contemporaine de la Qaraouiyyîn, cette mosquée est surtout intéressante pour l'auvent de bois sculpté et peint qui surmonte sa grande porte.

🍴 *Dar Mnebhi* (plan Fès-el-Bali, B2) : aujourd'hui restaurant de luxe, ce fut en 1912 la résidence de Lyautey. Décoration très intéressante (voir plus haut la rubrique « Où manger ? Dans la médina. Encore plus chic »).

🍴 *La Joutia* (plan Fès-el-Bali, C2) : marché au sel, au poisson et aux œufs.

🍴 *Le souk des Tanneurs chouara* (plan Fès-el-Bali, C2) : difficile à trouver seul. En approchant de la médersa El-Attarîn, des rabatteurs vous proposeront de vous y conduire. En fait, quelques magasins de cuir ont des terrasses surplombant les tanneries. Malgré l'odeur difficilement supportable, du moins au début, il faut absolument monter sur l'une de ces terrasses, en versant son obole, pour saisir l'étendue de ces tanneries et le nombre d'artisans qui y travaillent. Le spectacle est fabuleux. Les peaux sont successivement débarrassées de leurs poils, trempées dans des cuves remplies d'excréments de pigeons, puis dans des cuves de chaux, ensuite lavées et enfin teintes grâce à des colorants, naturels pour la plupart. Elles seront alors tannées puis séchées.

🍴 *Le souk des Teinturiers* (plan Fès-el-Bali, C2) : le long de l'oued Fès, on trouve plusieurs échoppes où l'on teint les tissus de laine et de coton.

Dans Fès-el-Jédid

🍴 *Le vieux méchouar* (plan Fès-el-Jédid, A1-2) : près de Bâb Es-Seba. Certains soirs, on peut encore voir quelques bateleurs (danseurs et conteurs), mais la place a beaucoup perdu de son intérêt et de son animation pour des raisons de sécurité depuis que le palais royal a été agrandi.

🍴 *La grande rue des Mérinides* (plan Fès-el-Jédid, A3), qui traverse le ghetto juif *(mellah)*. Nombreux commerces (orfèvres notamment), puis *Bâb Smarine* (plan Fès-el-Jédid, B2), qui donne accès à la grande rue de Fès-el-Jédid. Nombreux souks très animés et moins fréquentés par les touristes que la médina. Balades très agréables où l'on n'est pas importuné.

🍴 Juste à côté, jetez un coup d'œil à l'émouvant *cimetière juif* (en contrebas du palais royal).

Fêtes et festivals

De nombreuses opérations sont en cours pour séduire les touristes. Se renseigner à la Délégation régionale du tourisme ou au syndicat d'initiative.
– Parmi celles-ci, on peut noter le *festival des Musiques sacrées* (en juin), qui rassemble des musiciens du monde entier et jouit d'une excellente réputation. Informations et réservation : ● www.festival.com ●

Achats

Tout le monde n'a pas les moyens d'acheter un tapis... Rabattez-vous sur les couvertures, après avoir consulté la rubrique « Achats » au début de l'ouvrage. Et si vous tenez absolument à acheter un tapis, sachez que les « henbel », au tissage plus ras, sont beaucoup moins chers. Fès est la capitale de l'artisanat, ne l'oubliez pas. Sachez aussi que les souks sont en général deux fois moins chers que ceux de Marrakech.

Une petite visite au centre artisanal peut vous permettre de vous faire une idée préalable des prix : à côté de l'hôtel *Volubilis,* av. Allal-ben-Abdallah. Fermé entre 12 h et 15 h et après 18 h 30.

– Les *poteries bleu et blanc* sont l'une des spécialités de Fès. Le quartier des potiers est à la sortie de la ville, sur la route de Taza, repérable d'assez loin grâce à la fumée de ses fours. On y accède par une mauvaise route (150 m seulement) sur la gauche. Grand choix, notamment chez *Fakhkhari Hamida,* qui a un magasin en sous-sol.

– Les *plateaux en bronze*, les *poufs*, les *vases en terre cuite recouverts de cuir*, etc., abondent. On rappelle qu'on paie moins cher et qu'on a de bons renseignements sur les différentes qualités en allant de préférence dans les magasins où travaillent les artisans.

– Les *essences de parfums* s'achètent près de la *zaouïa* de Moulay Idriss, du côté opposé à celui du souk du henné.

– La plupart des magasins sont situés dans le *Grand-Talâa* (ce qui veut dire « la Grande Montée »...) et les rues qui le prolongent, jusqu'à la Qaraouiyyîn. Mais, à moins d'un coup de chance, on paiera moins cher en s'éloignant un peu de ce piège à touristes. Voir les boutiques près de la *place Nejjarîn*, ou bien en remontant de la *Qaraouiyyîn* vers le palais Jamaï, ou encore dans le quartier proche de celui des tanneurs. On y trouve plusieurs coopératives de tissage de couvertures, qu'indiquent les gamins. N'achetez pas avec eux, bien sûr, revenez plus tard.

– À Fès se trouve le magasin d'argenterie le plus réputé du pays. *Berrada*, 40, bd Mohammed-V, est le fournisseur attitré du roi du Maroc et du roi d'Arabie Saoudite !

– ATTENTION, tous les artisans travaillant le bronze et le cuivre prétendent avoir participé à l'élaboration des portes du palais royal, ce qui leur permet de demander des prix injustifiés, parfois le double de ceux demandés dans d'autres villes pour un travail identique.

➤ DANS LES ENVIRONS DE FÈS

SIDI-HARAZEM

De Fès, prendre le bus n° 28. Si vous venez de Taza, vous passerez devant, à 15 km à l'est de Fès. Oasis avec source d'eau minérale, déjà connue du temps de Léon l'Africain (géographe arabe du XVIe siècle). Allez y piquer une tête. Pour quelques dirhams (droit d'entrée plus vestiaire), on peut nager dans une piscine d'eau thermale. Mais beaucoup trop de monde et c'est vraiment sale. Cet hideux complexe touristique se révèle intéressant car la population locale l'a récupéré en s'y installant. Les dirigeants marocains, qui ont voulu concurrencer le *Club Méditerranée*, ont raté leur coup. Justifie le détour au passage, mais pas l'excursion. Souk le mardi. On trouve des tapis et couvertures berbères dans une enceinte derrière le souk. Affaires possibles quand on prend le temps. Site peu attrayant mais, après vous être rafraîchi, allez faire une balade dans les montagnes alentour.

MOULAY YACOUB

À 15 km au nord-ouest de Fès, sur la route 15. Une petite station thermale très prisée des Marocains, mais sans grand intérêt. C'est un petit village posé à flanc de montagne dans un paysage magnifique, à la hauteur de celui que l'on traverse pour s'y rendre. Source thermale en bas du village, où beaucoup de Marocains se rendent pour soigner leurs rhumatismes. On se baigne dans la piscine publique (5 Dh, soit 0,50 €, pour la journée) ou dans un centre chic et très cher (80 Dh, soit 8 €, pour la demi-heure de piscine ou le quart d'heure de bain). On peut faire un saut si l'on a beaucoup de temps et un véhicule, mais cela ne mérite pas vraiment le déplacement, à la rigueur juste un détour... Quelques hôtels un peu chers aux alentours.

SEFROU

À 28 km au sud de Fès, sur la route P20 en direction de Boulemane. Ville de 38 000 habitants située au pied du Moyen Atlas, à plus de 800 m d'altitude. Elle fut renommée dès le XIIe siècle comme centre d'échanges entre le Nord et la plaine du Tafilalet. C'est encore aujourd'hui un centre agricole important. Chaque année, on y célèbre une importante fête des Cerises en juin et le *moussem* de Sidi Lahcen Lyoussi (un sage local) en août. Souk le jeudi. Sefrou se compose de deux parties : la ville moderne et la vieille médina, prise dans de beaux remparts anciens. Cette médina est traversée par l'oued Agaï qui coule dans une étroite gorge et sort régulièrement de son lit. La rivière sépare la vieille médina et ses souks du mellah, cet ancien quartier juif qui abritait encore 17 000 juifs dans les années 1950. Les derniers sont partis après la guerre des Six Jours, en 1967. Après la mosquée El-Kebir, traverser le pont pour aller voir les anciens moulins à eau, très endommagés lors de la crue de 1977. Sefrou est une ville où il fait bon flâner. Ne pas hésiter à s'aventurer dans les ruelles et dans les souks, très animés. On y rencontre très peu de touristes.

Où dormir ?

⚊ *Camping municipal :* à 2 km du centre. ☎ 055-67-33-40. Suivre la rue Ziad et tourner ensuite sur la gauche. Douches chaudes.

Où manger ?

|●| *Café-restaurant Oumnia :* bd Mohammed-V. ☎ 055-66-06-79. Dans la ville moderne, face au palais de justice. Décor marocain agréable et cuisine très correcte à prix moyens. Service souriant.

FÈS

QUITTER FÈS

En bus

🚌 *Gare routière CTM* (plan Ville nouvelle, B4) : pl. Allal-al-Fassi (ex-pl. de l'Atlas). Une gare routière flambant neuve, organisée comme un petit aéroport, mais peu généreuse en matière d'informations. Il est particulièrement recommandé de prendre ses billets à l'avance, surtout pour Marrakech, car les bus, peu nombreux, sont souvent complets.
➤ *Pour Casablanca et Rabat :* 4 bus dans la matinée, 3 l'après-midi et 1 la nuit.
➤ *Pour Marrakech :* 1 départ tôt le matin et 2 dans la soirée.
➤ *Pour Meknès :* 2 départs dans la matinée, 4 dans l'après-midi et 1 dans la nuit.
➤ *Pour Tanger :* 1 départ le matin, 1 l'après-midi, 2 dans la soirée et 1 dans la nuit.
➤ *Pour Agadir :* 1 départ en début de soirée.
➤ Et 3 liaisons par jour pour *Chefchaouen et Tétouan*, 4 pour *Oujda*.

En train

➤ *Pour Casablanca :* 8 départs quotidiens (2 de nuit, 3 le matin, 3 l'après-midi).
➤ *Pour Marrakech :* 6 départs (1 la nuit, 3 le matin et 2 l'après-midi).
➤ *Pour Oujda et Nador :* 3 départs (2 la nuit et 1 le matin).
➤ *Pour Meknès :* 9 départs (2 de nuit, 3 le matin, 4 l'après-midi) en 45 mn.
➤ *Pour Rabat :* 8 départs (2 de nuit, 3 le matin, 3 l'après-midi).
➤ *Pour Tanger :* 4 départs (1 de nuit, 1 le matin et 2 l'après-midi).

ATTENTION ! Les pieds nickelés jouent tous les jours au *Buffet de la gare :* commandez un café et une corne de gazelle, et il y a beaucoup de chances pour que vous vous retrouviez avec un menu « gastronomique » version couscous royal et facture à l'avenant. On exagère, mais l'arnaque est tellement énorme que ça en devient drôle – quand vous ne vous êtes pas fait piéger, et n'avez pas consommé ce qu'on vous a apporté ! Soyez vigilant sur l'addition également, d'autant que votre train partant dans quelques minutes, une occasion de plus pour que vous n'ayez pas le temps de négocier...

En voiture

➤ De Fès à Meknès, il n'y a que 60 km. Prendre la route d'Aïn-Chkef *(hors plan Ville nouvelle par B4).* Nous conseillons d'effectuer le parcours à l'heure du déjeuner pour s'arrêter à *Mhaya,* à 15 km de Fès. Tout au long de la rue principale de ce village, des boucheries vendent une viande excellente, que l'on mange sur place. Pour les amateurs de viande rouge, sachez toutefois que, pour des raisons sanitaires, il est préférable de la manger bien cuite ! Nombreux petits restaurants où l'on fait griller sur la braise des brochettes, des steaks, des entrecôtes succulentes. Ceux qui apprécient les abats pourront se régaler d'une tête de veau à la vapeur, mais sans sauce gribiche.

En avion

Desserte de l'aéroport de 6 h à 20 h par le bus n° 16 au départ de la gare *ONCF* (station devant l'hôtel *Moussafir*).
➤ *Liaisons intérieures* avec des vols pour Casablanca, Dakhla, Er-Rachidia, Laâyoune, Marrakech, Tanger et Tan-Tan.
➤ *Liaisons internationales* nombreuses : vols réguliers pour Lyon, Marseille, Nice, Paris et Toulouse, ainsi que pour Bruxelles, Genève et Zurich. Pour tous renseignements : *Royal Air Maroc,* ☎ (aéroport) 055-62-47-12 et 055-65-21-61.

IMOUZZER-DU-KANDAR

La route qui relie directement Fès à Azrou, en passant par Imouzzer-du-Kandar et Ifrane (la P24) est très agréable. Parfaitement goudronnée, elle traverse des paysages de moyenne montagne. Vous pouvez faire une halte à 40 km de Fès, dans cette station de montagne fréquentée surtout l'été par les Marocains en quête de fraîcheur. Le vieux village berbère, avec ses ruelles en terre, vaut le coup d'œil. Imouzzer peut constituer une étape pour ceux qui n'auraient pas trouvé de quoi se loger à Ifrane.
À l'intérieur de la kasbah des Aït-Seghrouchen, on voit encore quelques curieuses habitations souterraines.

Où dormir ?

On y trouve de très bons hôtels d'où l'on peut rayonner vers les rivières à truites et partir à la cueillette des champignons (ah, les cèpes ! oh, les morilles !).

Prix moyens

🛏 *Hôtel Royal :* sur la route, au centre du village. ☎ et fax : 055-66-30-80 ou 055-66-31-86. Confortable, mais sans charme.

🛏 *Hôtel Chahrazed :* 2, pl. du Marché ; vers la sortie de la ville en direction de Fès. ☎ 055-66-36-70. Fax : 055-66-34-45. Compter environ 320 Dh (32 €) pour une chambre double. Chambres très correctes. Les plus calmes sont celles du fond.

➤ *DANS LES ENVIRONS D'IMOUZZER-DU-KANDAR*

LES LACS DAYET AAOUA ET DAYET IFRAH

Accès en direction d'Ifrane. Ces lacs karstiques (ce que l'on appelle « dolines »), à l'exception de deux d'entre eux, sont à sec. Circuit d'environ 2 h. Les deux tiers du trajet se font sur une route goudronnée et la fin sur une piste carrossable. Le tout n'est pas toujours bien fléché. Permet de s'aventurer dans des contrées sauvages où ne vivent que quelques bergers.
Plus au sud, la montagne est aride ; la région est peu fréquentée par les touristes. Les villages comme *Aït-Ameur-Ouabid* et *Boulemane* semblent accrochés à la montagne. Prévoir de quoi se restaurer.

IFRANE

Cette station d'altitude (1 650 m) fut créée de toutes pièces en 1929. Ifrane ne présente qu'un intérêt relatif en dehors de la saison hivernale, où l'on peut y skier (les pistes sont à quelques kilomètres, à *Mischliffen*), et de la période estivale, où la ville est un havre de fraîcheur. Ifrane est une ville confortable et reposante qui dispose de villas étonnamment luxueuses, de chalets somptueux et d'un hôtel de grande classe. Le roi y a même un palais d'hiver. Dans les environs, forêts de cèdres. Le dépaysement est tel que l'on ne se croirait plus au Maroc. On est très loin des souks et des fragrances subtiles des épices. Parfait pour ceux qui recherchent le calme aseptisé !
Ifrane peut être le point de départ d'excursions intéressantes, comme le *circuit des Dayets* (lacs de cratères). Les pistes sont mauvaises et mal signalées (voir plus haut). Des guides de montagne, qui se disent formés par des professionnels de Chamonix, vous proposeront leurs services.

Adresses utiles

🛈 *Délégation provinciale du tourisme :* ☎ 055-56-68-21. Fax : 055-56-68-22. La directrice pourra vous conseiller et vous mettre en contact avec des accompagnateurs compétents.

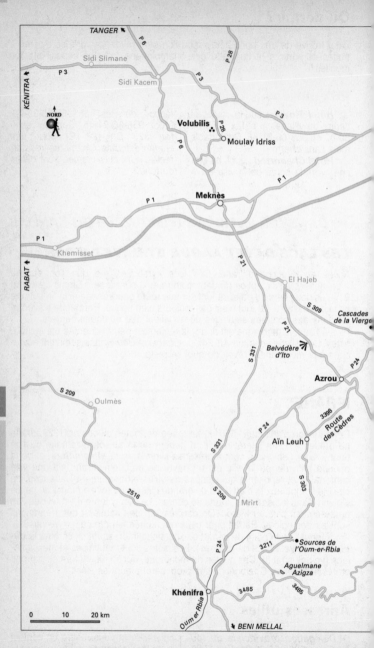

LE MOYEN ATLAS

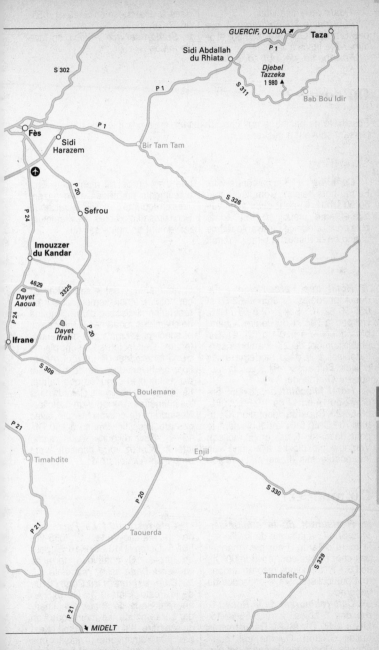

LA RÉGION DE FÈS-MEKNÈS

⊠ **Poste :** rue des Lilas.

■ **Pharmacie Mischliffen :** 7, rue des Érables. Ouvert le samedi et le dimanche jusqu'à 21 h.

■ **Pharmacie de nuit des Iris :** dans le marché municipal. ☎ 055-56-75-76.

■ **Station-service :** Mobil, en face de la poste.

Où dormir ?

Possibilité de passer la nuit chez l'habitant, mais prix injustifiés et propreté laissant souvent à désirer.

Camping

⚐ **Camping :** à 1 km du centre-ville. Fermé hors saison. Compter autour de 50 Dh (5 €) pour deux avec voiture et tente ; prévoir 10 Dh (1 €) de plus pour l'électricité (payante même quand on dort sous la tente ; il paraît que c'est un décret municipal). Emplacements ombragés avec gazon. Très fréquenté en juillet et août. Sanitaires déplorables. À éviter impérativement en haute saison.

Très chic

🛏 **Hôtel des Perce-Neige :** rue des Asphodèles. ☎ 055-56-63-50 et 055-56-62-10. Fax : 055-56-71-16. Un peu à l'écart du centre. Chambres doubles à 510 Dh (51 €). Bel établissement de 27 chambres confortables, à la déco moderne, mais petites. Fait aussi resto (voir la rubrique « Où manger ? »).

🛏 **Hôtel Mischliffen :** ☎ 055-56-66-07 ou 14 ou 17 ou 18. Fax : 055-56-66-23. Superbe décoration. Compter 700 Dh (70 €) la double sans le petit déjeuner (c'est un 5 étoiles). Véritable nid d'aigle avec une vue imprenable sur Ifrane et la région environnante. C'est le seul attrait de cet hôtel. L'établissement vit sur sa réputation. Il dispose d'une centaine de chambres modernes, confortables et spacieuses, mais pas bien entretenues. Des lecteurs se sont plaints d'une forte odeur de mazout. Attention, en hiver, une aile du bâtiment est moins bien chauffée que l'autre. Le service est négligent. Cafards dans les chambres. Dur pour un 5 étoiles. Restaurant de cuisine inégale, avec des prix injustifiés (menu à 150 Dh, 15 €). Petit déjeuner sans aucun intérêt. Vérifiez votre addition avant de payer. Accueil froid.

Où manger ?

|●| **Restaurant de la station-service Shell :** à la sortie de la ville sur la route d'Azrou. Pour bien manger pas cher (repas pour environ 60 Dh, soit 6 €). Nous vous recommandons tout particulièrement le couscous du vendredi.

|●| **Café-restaurant de la Rose :** 7, rue des Érables. ☎ 055-56-62-15. Menu à 60 Dh (6 €). Dégustez les truites d'Azrou. Cuisine très quelconque. Dommage, le cadre est plutôt sympa.

|●| **Café-restaurant La Paix :** av. de la Marche-Verte. ☎ 055-56-66-75. Compter 100 Dh (10 €) pour un repas. Sympathique terrasse couverte. Carte assez restreinte.

|●| **Café-restaurant du Centre :** rue de la Poste. Plats à 35 Dh (3,5 €) environ. Sorte de snack pour manger sur le pouce. Le moins que l'on puisse dire est que l'endroit n'est pas très romantique (il jouxte une station-service). Vraiment pas cher.

Plus chic

|●| *Hôtel des Perce-Neige :* rue des Asphodèles. ☎ 055-56-63-50 et 055-56-62-10. Un peu à l'écart du centre. Menu à 120 Dh (12 €). C'est la meilleure table de la station. Cuisine régulière. Maître d'hôtel stylé et compétent pour vous guider dans votre choix.

Où manger une pâtisserie ?

|●| *Boulangerie Le Croustillant :* la meilleure de la région, à condition de se contenter des pâtisseries marocaines. Certains coopérants viennent de Meknès pour y déguster ses excellents gâteaux et son pain... croustillant ! À ne pas manquer pour le petit déjeuner. Cadre agréable.

|●| *Cookie Craque :* av. des Tilleuls. Chaises contemporaines, photos de Doisneau au mur, on se croirait presque à New York. Bonnes pâtisseries et carte très variée (salades, pâtes, pizzas...). Prix un peu élevés. Il ne faut pas être pressé. Fréquenté par une clientèle jeune et m'as-tu-vu.

Où boire un verre ?

🍸 *Le Chamonix :* dans la rue principale. Simple et pas cher. Il abrite aussi un night-club.

🍸 *Café de la Paix :* dans le centre-ville. Grand choix de jus de fruits et de légumes de 8 à 15 Dh (0,8 à 1,5 €).

À voir

🔪 *Les cascades de la Vierge :* non fléché ; pour s'y rendre, le mieux est de prendre la route de Meknès en suivant le fléchage « Source Vittel ». Pour les plus téméraires, il est possible de prendre l'embranchement jusqu'à la source (grand espace dégagé sur la droite à environ 4 km), puis de remonter à pied le cours d'eau.

La source est aménagée. Il y a beaucoup de monde le week-end. Parking payant. Possibilité d'acheter des écrevisses.

On peut remonter le cours d'eau jusqu'à Ifrane. En arrivant à Ifrane, zone de bassins aménagés, promenades et aires de repos. L'ensemble est cependant un peu décevant en raison du nombre de détritus qui jonchent le sol. Pour les autres, continuer encore 3 km sur la route de Meknès en laissant la source sur la droite. On peut alors soit se garer immédiatement, soit descendre encore au pied de la cascade.

La route S309 qui continue vers Meknès est surprenante. On se croirait à certains endroits dans nos forêts domaniales. Le paysage alterne ensuite entre plaines arides et déserts de cailloux.

AZROU

À 80 km de Fès, petite bourgade en altitude, d'origine berbère, qui doit son nom à un gros piton rocheux (*azrou* signifie rocher). Il n'y a pas grand-chose à faire, mais ce peut être une halte reposante.

Pour ceux qui font la route entre Meknès et Azrou en passant par El-Hajeb, s'arrêter, à 15 km, au **belvédère d'Ito**. Beau point de vue sur les montagnes aux tons ocre jaune. Meilleur moment : le matin, quand on a le soleil dans le dos. Vendeurs de fossiles et de minéraux.

Originalité d'Azrou : les toits de tuiles vertes. Le « Megève paysan » est à 1 200 m d'altitude. Beaucoup de nids de cigognes sur les cheminées. Ne pas manquer la forêt de cèdres et ses singes. On peut aussi visiter la coopérative artisanale, en direction de Khénifra, après la kasbah. On y tisse des tapis et on y sculpte le bois de cèdre, mais la qualité du travail laisse souvent à désirer.

Adresse utile

■ *Banque :* BMCE, sur la place centrale. Distributeur automatique.

Où dormir ? Où manger ?

De très bon marché à bon marché

🛏 *Auberge de jeunesse :* en venant du centre-ville, sur la route de Midelt, en haut d'un chemin en mauvais état qui part sur la gauche. Ressemble à une auberge alpestre. 44 lits. Cela ne coûte que 20 Dh (2 €) par jour, à condition de posséder la carte internationale. Vue superbe sur la vallée. Terrasse. Accueil sympa, mais sanitaires en mauvais état et literie franchement spartiate. Couvre-feu à 23 h.

🛏 *Hôtel Ziz :* sur la place, en face de l'*Hôtel des Cèdres*, emprunter le passage piéton entre les échoppes, puis sur la petite place prendre à droite ; c'est à 50 m. Compter 70 Dh (7 €) pour une double. Établissement très simple, avec une douche froide sur le palier qui ne fonctionne qu'en saison.

🛏 ◖◗ *Hôtel Azrou :* route de Khénifra. ☎ 055-56-21-16. Fax : 055-56-42-73. Attention à ceux qui essaieront de vous détourner de cette adresse en prétendant qu'elle n'existe pas.

Chambres doubles à environ 150 Dh (15 €) avec douche, 100 Dh (10 €) sans. Chambres propres et confortables, mais les douches ne sont chaudes que de 6 h à 10 h et de 19 h à minuit. L'hôtel possède une agréable salle de restaurant dotée d'une belle cheminée qui réchauffe l'atmosphère en hiver. Une belle paire de fusils est suspendue au-dessus de la porte. On peut également prendre un verre au bar de l'hôtel (on y sert de l'alcool), tout en disputant une partie de billard. Accueil très sympathique.

◖◗ *Rôtisserie Echaab :* sur la grande rue, en face de la mosquée principale aux toits de tuiles vertes. Cantine populaire qui propose des brochettes ou du poulet grillé accompagnés de salade et de frites pour 25 Dh (2,5 €). Bon rapport qualité-prix.

◖◗ *Café-pâtisserie Azrou :* pour grignoter quelques gâteaux en terrasse, face à la grande mosquée.

De prix moyens à chic

🛏 ◖◗ *Hôtel Panorama :* à 500 m du centre. ☎ 055-56-20-10 et 055-56-22-42. Fax : 055-56-18-04. Compter 350 Dh (35 €) pour une chambre double. Menu à 130 Dh (13 €). Belle construction ancienne, située au calme à l'écart du centre-ville. 36 chambres avec douche, simples mais propres. Plomberie un peu défaillante. Bar avec jolie terrasse ex-

térieure. Accueil très moyen. Le parquet et la cheminée du restaurant lui confèrent certes l'atmosphère d'une auberge familiale, mais la cuisine est médiocre. Cartes de paiement acceptées.

– Éviter le restaurant *Atlas*, près du centre artisanal. Pas de prix affichés, et ceux demandés sont injustifiés.

Où boire un verre ?

Ⓨ **Café Beauséjour :** sur la place centrale d'Azrou. Sympathique, mais aurait besoin d'une petite rénovation.

DANS LES ENVIRONS D'AZROU

🏃 **Le belvédère d'Ito :** à 15 km sur la route de Meknès (voir plus haut).

🏃 **Le lac Afenourir et les sources de l'Oum-er-Rbia :** circuit de près de 195 km avec une partie qui n'est pas toujours très bonne. Sortir d'Azrou par la route de Midelt et, après 8 km, suivre l'indication « route touristique des Cèdres », qui va jusqu'à l'embranchement de la route d'Aïn-Leuh. La route est très belle. Le plus célèbre de ces cèdres ne mesure pas moins de 10 m de circonférence à la base. Compter 1 km de piste pour atteindre les rives du lac Afenourir. *Aïn-Leuh* est un gros village construit dans un vallon, réputé pour ses tissages. Voir le souk hebdomadaire.
On peut continuer la route (S303) sauf en saison des pluies, pour arriver, après 32 km, à proximité des sources. Il ne faut pas plus de 15 mn pour atteindre les sources (voir « Dans les environs de Khénifra »).
On peut revenir par cette ville et rejoindre Azrou par la route directe P24 qui traverse Mrirt.

🏃 **Mrirt :** à 32 km au sud-ouest, sur la route de Khénifra. Célèbre pour son grand marché du jeudi. Authentique. Intéressant pour se tremper dans l'ambiance en toute décontraction. Touristes absents, sauf ceux qui ont les mêmes mauvaises lectures que vous.

TAZA   100 000 hab.

LE MOYEN ATLAS

Véritable porte entre le Maroc occidental et le Maroc oriental, cette ville joua un rôle stratégique important dans le passé. Les Almoravides, fin Xe siècle, furent les premiers à doter la cité de solides murailles. Au fil des siècles, les différents maîtres de Taza s'employèrent à renforcer les défenses de la citadelle. Bou Hamara, prétendant au trône du Maroc, en fit sa capitale au début du XXe siècle, alors qu'il luttait âprement contre les armées du sultan. Aujourd'hui, malgré ses 100 000 habitants, ce n'est qu'une grande cité administrative répartie en deux quartiers distincts : la vieille ville, sur une colline, et, à 3 km, la ville nouvelle, sans intérêt.
Taza est surtout une ville étape pour la visite du *djebel Tazzeka*, circuit de 90 km environ, qui demande une journée complète (voir plus bas, « Dans les environs »).

Adresses utiles

🛈 **Office du tourisme :** av. de Tétouan, dans la ville nouvelle.
✉ **Poste :** rue de Fès, dans la ville nouvelle.

◼ **Pharmacie de nuit :** dépôt de médicaments rue de Nador, dans la ville basse. Ouvert de 22 h à 8 h.
◎ **Cyber Club Ennajah :** sous les

arcades à l'entrée de la médina, face à la poste. La boutique reste ouverte jusqu'à ce qu'il n'y ait plus de clients. Connexions : 10 Dh (1 €) l'heure en journée, 6 Dh (0,6 €) à partir de 20 h 30.

🚐 🚆 **Gares routière et ferroviaire :** dans la ville nouvelle.

■ **Pressing :** en face du *Café Majestic.*

■ **Piscines :** Taza possède une piscine municipale, qui n'ouvre qu'en saison. Sinon, profiter de celle de l'hôtel chic *Le Friouato,* accessible pour 40 Dh (4 €) environ.

Où dormir ? Où manger ?

🛏 **Hôtel de l'Étoile :** 39, av. Moulay-Hassan. ☎ 055-27-01-79. Sous les arcades à l'entrée de la médina. Compter 80 Dh (8 €) pour une double. Magnifique décor de pierres et de mosaïques avec des chambres agrémentées de cheminées donnant sur un patio. Douches froides collectives et gratuites. Très bon marché, mais très basique.

🛏 🍴 **Hôtel du Dauphiné :** pl. de l'Indépendance. ☎ 055-67-35-67. Chambres à 170 Dh (17 €) avec douche, 120 Dh (12 €) sans. Les sanitaires sont sur le palier pour tout le monde. Dans un immeuble Art déco. Vastes chambres avec des salles de bains comme on n'en fait plus, séparées des chambres par des verrières. Mobilier années 1950. Beaucoup de charme, mais beaucoup de poussière aussi. Salle de restaurant dans le même style.

🍴 **Café Majestic :** 26, bd Mohammed-V. Plats de 30 à 40 Dh (3 à 4 €). Restaurant populaire très fréquenté. Salle avec mezzanine. Accueil sympa. De toute façon, il n'y a guère le choix, à part la table de l'*Hôtel du Dauphiné.*

À voir

Uniquement la **médina.** Pour s'y rendre de la ville nouvelle, prendre le bus, place de l'Indépendance. Dans l'ordre, on verra :

🏹 **Le bastion :** au bout du bd de la Résistance. Édifice appartenant aux remparts de l'ancienne kasbah du XVIᵉ siècle. Ses murs en brique ont 3 m d'épaisseur et sont, à certains endroits, couverts de graffiti de bateaux.

🏹 **La mosquée des Andalous :** construite au XIIᵉ siècle, elle a conservé son minaret d'époque.

🏹 Juste à côté, sur la gauche, **maison de Bou Hamara,** avec quelques vestiges de son ancien décor en plâtre sculpté. Son propriétaire se proclama, en 1902, sultan de Taza. Il fut chassé par les armées chérifiennes, emprisonné à Fès et mis en cage comme un fauve avant de leur être donné en pâture, en 1908.

🏹 **Les souks :** autour de la mosquée du marché. Noter que le minaret de cette mosquée est plus large au sommet qu'à sa base. Ces souks ont l'avantage d'être assez peu fréquentés par les touristes.

🏹 **La grande mosquée :** tout au bout de la médina. Réputée pour sa magnifique coupole mais, à moins de vous convertir à l'islam, pas question d'y pénétrer.

➤ DANS LES ENVIRONS DE TAZA

LE CIRCUIT DU DJEBEL TAZZEKA

Excursion de 90 km qui demande une journée. Les paysages de la S311 entre Sidi-Abdallah des Rhiata et Taza sont splendides. La route étroite, sinueuse et asphaltée, peut être coupée entre décembre et mai. Ce parcours étonnant permet de voir le *gouffre de Friouato*, découvert par Norbert Casteret. Impressionnant. Il faut descendre 520 marches et les remonter ! De bonnes chaussures de marche et une lampe torche (ou mieux, frontale) sont indispensables pour une excursion sportive. Le sol est glissant. Accès payant. Le gardien qui vous accompagne propose 2 visites. La plus courte dure déjà 2 h (elle coûte 100 Dh, soit 10 €). Des concrétions tapissent les parois de ce gouffre exploré sur 750 m de longueur et jusqu'à une profondeur de 245 m.

Les *grottes du Chiker* voisines, explorées, elles aussi, par Norbert Casteret, ne peuvent être visitées. On a recensé plus de 200 grottes dans cette région, très belle, classée Parc national.

MEKNÈS

450 000 hab.

Meknès est la cinquième ville du Maroc par sa taille, et l'une des quatre villes impériales. Malgré ses 25 km de triples remparts un peu monotones, la ville est plus accueillante que Fès, qui n'est qu'à 65 km.

Ses minarets verts et ses portes monumentales lui confèrent une atmosphère que certains n'hésitent pas à qualifier de royale. Son artisanat est important et très diversifié.

Ancienne capitale chérifienne, et aujourd'hui grande ville de rassemblement des Berbères. Sans avoir le charme de Fès, Meknès en impose avec Bâb Jama-en-Nouar et Bâb Mansour-el-Aleuj, ses gigantesques portes. C'est la

---

■ **Adresses utiles**

- **i** 1 Office du tourisme
- **i** 2 Syndicat d'initiative
- ✉ Poste
- 🚂 Gare ferroviaire
- 🚌 Gare routière CTM
  - 1 Institut français et Le Bain des Jardins
  - 2 Banque BMCE
  - 3 Distributeur Wafa
  - 4 Crédit du Maroc
  - 5 Pharmacie centrale
  - 6 Pharmacie de nuit
  - 7 Distributeur Société Générale
  - 8 Les Bains Sequaya
  - @ 9 Easyeverything
  - @ 10 Cyber de Paris

🛏 **Où dormir ?**

- 20 Camping Agdal
- 21 Auberge de jeunesse
- 22 Hôtel Continental
- 23 Hôtel Toubkal
- 24 Touring Hôtel
- 25 Hôtel Majestic
- 26 Hôtel de Nice
- 27 Hôtel Palace
- 28 Hôtel Volubilis
- 29 Hôtel Bâb-Mansour
- 30 Hôtel Akouas
- 31 Hôtel Transatlantique
- 32 Hôtel Rif

🍴 **Où manger ?**

- 40 Marhaba
- 41 Rôtisserie La Boveda
- 42 Rôtisserie-restaurant Karam
- 43 Restaurant La Grotte
- 44 Restaurant Gambrinus
- 45 Restaurant Montana
- 46 Annexe du Métropole
- 47 La Coupole
- 48 Pizzeria Le Four
- 49 Le Dauphin
- 50 La Case

🍴 **Où manger une pâtisserie ?**

- 24 Café-boulangerie-pâtisserie La Renaissance
- 60 Pâtisserie Florence
- 61 Moosberger

🍸 **Où boire un verre ?**

- 70 L'Élysée et pâtisserie-café Le Rex
- 71 Café l'Opéra
- 72 Café Alpha
- 73 La Coupole
- 74 Café La Tulipe

🎵 **Où sortir ?**

- 29 Night-club de l'hôtel Bâb-Mansour
- 30 Le Diamant Bleu

MEKNÈS

A   B

R. El Mrinlyne

NORD

voir plan détaillé

Bab
el Berdaïn

Bab
Tizimi

Mausolée de
Sidi Ben Aïssa

1

Jardin
el
Haboul

Bab
es Siba

MÉDINA

Médersa
Bou Inania

Grande
Mosquée

Dar Jamaï

PLACE
LALLA

BERRIMA

PLACE
EL HÉDIM

DAR KEBIRA

2

Bab Mansour

AOUDA

VIEUX
MELLAH

Bab
el Khémis

Mausolée
de Moulay Ismaïl

Koubbet
el Khiyatin

Bab er Rih

Mosquée Sidi Bou Saïd ↖ *RABAT*

NOUVEAU
MELLAH

Golf

VILLE
IMPÉRIALE

Bab el Kari

BENI
MHAMMAD

Bassin
de
l'Agdal

3

Héri es
Souani

A   B   ↙ *AZROU*

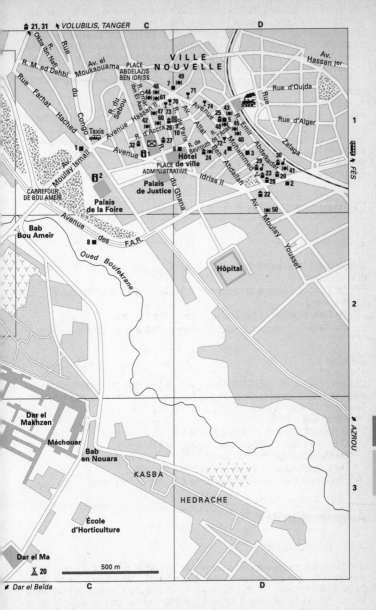

MEKNÈS (PLAN D'ENSEMBLE)

VILLE NOUVELLE

VOLUBILIS, TANGER

Av. Hassan Ier
Rue d'Oujda
Rue d'Alger
Zataga
Rue d'Oktba ibn Nafi
Rue M. ed Dehbi
Rue Farhat Hached
Av. el Moukaouama
Rue du Congo
PLACE ABDELAZIS BEN IDRISS
R. du Sebou
R. Omar ibn El Ass
Avenue Hassan II
Av. Allal
Avenue
Rue Emir Abdelkader
Rue de Paris
R. d'Accra
R. de Beyrouth
R. de l'Atlas
R. Mohammed V
Av. Ben Abdallah
Av. Moulay Youssef
Taxis
Av. Moulay Ismaïl
Avenue
PLACE de ville ADMINISTRATIVE
Palais de Justice
Rue du Ghana
Idriss II
CARREFOUR DE BOU AMEÏR
Palais de la Foire
Bab Bou Ameïr
Avenue des F.A.R.
Oued Boufekrane
Hôpital
Dar el Makhzen
Méchouar
Bab en Nouara
KASBA
HEDRACHE
École d'Horticulture
Dar el Ma
Dar el Beïda
FÈS
AZROU
MEKNÈS

500 m

ville d'un seul homme : Moulay Ismaïl, aussi tyrannique que génial. Avec une volonté inébranlable, il voulut faire une ville à son image et rasa l'ancienne kasbah mérinide et tout ce qui appartenait au passé pour réaliser son rêve de pierre. Ce souverain, contemporain de Louis XIV, voulut marquer son règne par une œuvre grandiose. Mais le charme de Meknès, ce sont aussi les paysages qui l'entourent, car la ville est plantée au cœur d'une belle région avec des arbres centenaires au pied du massif montagneux du Zerhoun.

Aujourd'hui Meknès est un important centre commercial. S'y mêlent les activités les plus variées : industries traditionnelles (cuir, poterie...), tourisme et agriculture. Mais la ville impériale de Meknès est beaucoup moins visitée que Fès, du coup les infrastructures touristiques y sont moins développées. Elle reste tout de même une étape très agréable, et propose de belles visites de sites culturels. D'autant que les autorités et les commerçants semblent déterminés à faire des efforts en terme de qualité d'accueil touristique.

Comment y aller ?

En train

Descendre à la station Émir-Abd-el-Kader. C'est la plus proche du centre de la ville nouvelle.

➤ *De Tanger :* 4 départs (2 dans la matinée, 1 en fin d'après-midi et 1 en fin de soirée).

➤ *De Casablanca :* 4 départs le matin, 2 l'après-midi et 3 de nuit.

➤ *De Rabat :* 3 départs le matin, 3 l'après-midi et 2 en soirée.

En bus

La gare routière de Bâb El-Khémis *(plan d'ensemble, A2)* est située sur la route de Rabat après la porte Bâb El-Khémis, à 2,5 km de la ville nouvelle. Le bus n° 17 relie la gare routière à la ville nouvelle.

➤ *De Midelt :* 4 bus par jour.

➤ *D'Erfoud :* un bus *CTM* qui part le soir.

➤ *D'Er-Rachidia :* 2 départs quotidiens. 6 h de trajet.

➤ *De Casablanca :* 10 bus par jour, de 7 h à 20 h ; durée 5 h.

➤ *De Chefchaouen :* 3 bus par jour ; 5 h de trajet.

➤ Également des bus en provenance d'*Asilah* et de *Rabat*.

Adresses utiles

Infos touristiques

🛈 **Office du tourisme** *(plan d'ensemble, C1, 1)* : pl. Batha-l'Istiqlal, ou pl. Administrative. ☎ 055-52-44-26 ou 055-51-60-22. Dans la ville nouvelle, à gauche de la poste. Ouvert du lundi au vendredi de 8 h 30 à 12 h et de 14 h 30 à 18 h 30 ; en été, de 8 h à 18 h 30. Personnel en nombre et serviable.

🛈 **Syndicat d'initiative** *(plan d'ensemble, C1, 2)* : palais de la Foire. ☎ 055-52-01-91. Juste à côté de la grande porte jaune. Ouvert toute l'année du lundi au vendredi de 9 h à 12 h et de 15 h à 18 h 30.

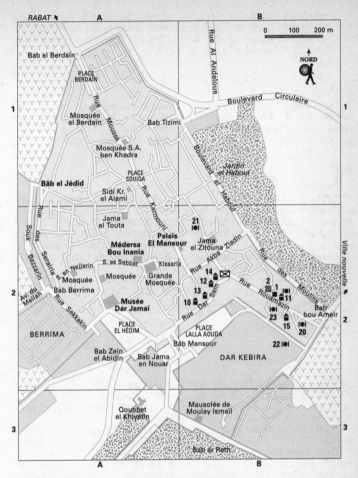

MEKNÈS (LA MÉDINA)

Adresses utiles

✉ Poste
1 Douches et bains publics
@ 2 Meetnet

Où dormir ?

10 Hôtel Nouveau
11 Hôtel de Paris
12 Hôtel Régina
13 Hôtel Meknès
14 Hôtel Agadir

15 Hôtel Maroc

Où manger ?

20 Restaurant Omnia
21 Restaurant Zitouna
22 Le Riad
23 Le Collier de la Colombe

Où manger une pâtisserie ?

11 Salon de thé La Comtesse

MEKNÈS

Poste

✉ **Poste** *(plan d'ensemble, C1) :* pl. Administrative. Ouvert du lundi au vendredi de 8 h à 15 h en été, de 8 h 30 à 12 h et 14 h 30 à 18 h 30 le reste de l'année, et le samedi matin. Permanence de la poste et du téléphone ouverte chaque jour de 8 h à 21 h.

Argent

■ **Distributeurs :** BMCE *(plan d'ensemble, D1, **2**)*, 88, av. des FAR. *Wafa (plan d'ensemble, D1, **3**)*, av. Mohammed-V. *Crédit du Maroc (plan d'ensemble, D1, **4**)*, av. Mohammed-V. *Société Générale (plan d'ensemble, C-D1, **7**)*, pl. Administrative ; fait aussi du change.

Urgences, santé

■ **Police :** ☎ 19.
■ **Pharmacie centrale** *(plan d'ensemble, D1, **5**) :* av. Mohammed-V. ☎ 055-52-11-81. Ouvert tous les jours.
■ **Pharmacie de nuit** *(plan d'ensemble, D1, **6**) :* à l'hôtel de ville. ☎ 055-52-26-64. Ouvert de 20 h 30 à 8 h 30.
■ **Hôpitaux :** Mohammed-V, ☎ 055-52-11-34. Moulay-Ismaïl, ☎ 055-52-28-05 et 06.

■ **Polyclinique Cornette-de-Saint-Cyr :** 22, esplanade du Docteur-Giguet. ☎ 055-52-02-62 et 63. Direction française et chirurgiens européens. Cette clinique semble préférable, en cas de pépin, aux deux hôpitaux.
■ **Dentiste :** Dr Mustafa Haffou, 5, rue de Taroudannt. ☎ 055-52-78-20.

Transports

🚌 **Gare routière CTM** *(hors plan d'ensemble par D1) :* av. des FAR, sur la route de Fès, à 15 mn à pied du centre de la ville nouvelle.
🚂 **Gare Abd-el-Kader** *(plan d'ensemble, D1) :* ☎ 055-52-27-63.
🚂 **Gare centrale** *(hors plan d'ensemble, D1) :* ☎ 055-51-61-35.
🚕 **Station de taxis** *(plan d'ensemble, C1) :* rue du Congo, en face du palais de la Foire.

■ **Garage Renault :** 4, av. Mohammed-V. ☎ 055-52-11-44.
■ **Garage Peugeot :** sur la route de Fès.
■ **Carburant :** stations-service *Mobil* et *Shell*, av. des FAR, au croisement avec la rue Abd-el-Kader.
■ **Royal Air Maroc** *(plan d'ensemble, D1) :* 7, av. Mohammed-V. ☎ 055-52-09-63 et 64.

Internet

🖥 **Easy-everything** *(plan d'ensemble, C-D1, **9**) :* 10, rue d'Accra. ☎ 055-52-15-12. Ouvert de 10 h à 1 h. 3 h (0,3 €) la demi-heure, 5 Dh (0,5 €) l'heure.
🖥 **Cyber de Paris** *(plan d'ensemble, C-D1, **10**) :* 8, rue d'Accra. ☎ 055-40-24-95. Ouvert de 9 h à minuit. 5 Dh (0,5 €) l'heure.

🖥 **Meetnet** *(plan Médina, B2, **2**) :* 42-44, rue Rouamazin. Dans la médina ; dans la « galerie commerçante », au 1er étage sur la gauche. 3 Dh (0,3 €) la demi-heure. Connexion par ligne spécialisée.

Loisirs

■ *Institut français, ex-Centre culturel (plan d'ensemble, C1, 1) :* rue Farhat-Hached, av. Hassan-II. ☎ 055-52-40-71. Fermé de mi-juillet à début septembre. Personnel très accueillant et très compétent. Programme mensuel des manifestations (concerts, ciné-club, théâtre, conférences, vidéo jeunes).

■ *Cinéma Camera (plan d'ensemble, C-D1) :* à l'angle du bd Allal-ben-Abdallah et de l'av. Hassan-II. ☎ 055-52-20-00.

■ *Piscines :* les deux piscines publiques sont à déconseiller en raison de leur manque d'hygiène. Toutes les piscines des hôtels sont accessibles moyennant un droit d'entrée. Voir, entre autres, celle de l'hôtel *Rif (plan d'ensemble, C1, 32),* en plein centre-ville.

Divers

■ *Bains turcs :* Le Bain des jardins *(plan d'ensemble, C1, 1),* à côté de l'Institut français. Pour les hommes et les femmes. Également *Les Bains Sequaya (plan d'ensemble, C2, 8),* av. des FAR, à côté de la polyclinique Ibn Rochd. Décorés de faïences. Récent.

■ *Douches et bains publics (plan Médina, B2, 1) :* à côté de l'*Hôtel de Paris* (pratique, vu qu'il n'a pas de douche), dans une rue perpendiculaire à la rue Rouamazin, juste à droite du salon de thé *La Comtesse.* Ouvert le matin et le soir pour les hommes, l'après-midi pour les femmes. Entrée : 5 Dh (0,5 €) ; massage : 20 Dh (2 €). Propre et accueil agréable.

■ *Ensemble artisanal :* av. Riad. ☎ 055-53-08-08 et 055-53-07-84. Tarifs réglementés, mais accueil lamentable. Tout est mal présenté, et les objets n'y sont pas toujours de bonne qualité.

Où dormir ?

En haute saison, la capacité hôtelière étant insuffisante, il est préférable d'arriver le matin pour chercher une chambre, ou de la réserver.

Campings

⚹ *Camping Agdal (plan d'ensemble, C3, 20) :* près des écuries de Moulay Ismaïl. ☎ 055-55-53-96. Un peu excentré, mais dans un coin magnifique. Bonne signalisation en ville. Bus nos 2 ou 3. Prévoir 61 Dh (6,1 €) pour deux avec tente et voiture. L'un des campings les plus agréables du pays. Ce qu'il y a d'extra, c'est qu'on est dans les murailles antiques de la ville impériale, avec vue sur l'ancien palais. Des arbres partout pour l'ombrage. Douche chaude (payante). Et pour ne rien gâcher, le camping est très bien entretenu et l'accueil est sympathique. Vin et bière à l'épicerie attirent beaucoup de passage...

⚹ *Camping de Moulay-Idriss :* pour les routards motorisés. Voir plus loin « Dans les environs de Meknès ».

MEKNÈS

Dans la ville nouvelle

Très bon marché

⛺ *Auberge de jeunesse (hors plan d'ensemble par C1, 21) :* av. Okba-ibn-Nafi ; près du stade municipal et, juste avant l'hôtel *Trans-atlantique,* sur la gauche. ☎ 055-52-46-98. De mai à septembre, réception de 8 h à minuit (22 h hors saison) ; horaires pas toujours respectés. Lits à 30 Dh (3 €) en dortoir, 35 Dh (3,5 €) en chambre. Carte des AJ obligatoire, sauf hors saison mais c'est alors un peu plus cher.

Bon marché

🛏 *Hôtel Continental* (plan d'ensemble, D1, **22**) : 92, av. des FAR. ☎ 055-52-54-71. À l'angle de l'av. Mohammed-V. Chambres doubles à 140 Dh (14 €) avec w.-c. sur le palier, 170 Dh (17 €) avec w.-c. dans la chambre ; petit déjeuner en supplément. L'hôtel conserve un certain cachet un peu désuet. Propre mais bruyant. Demander impérativement une chambre sur cour.

🛏 *Hôtel Toubkal* (plan d'ensemble, D1, **23**) : 49, av. Mohammed-V. ☎ 055-52-22-18. Pas évident à trouver, entre deux commerces. Chambres doubles à 100 Dh (10 €) avec lavabo ; douche chaude à 5 Dh (0,5 €). 23 chambres spacieuses et lumineuses. Grande salle de bains

Prix moyens

🛏 *Hôtel Majestic* (plan d'ensemble, D1, **25**) : 19, av. Mohammed-V. ☎ 055-52-20-35 et 055-52-03-07. Fax : 055-52-74-27. Chambres doubles à partir de 230 Dh (23 €). Ils ont aussi des chambres avec bains (plus chères bien sûr !) ; petit déjeuner (moyen) en supplément. Le gérant continue avec un certain succès à redonner vie à ce qui fut l'un des très bons hôtels de Meknès. Les chambres avec douche sont tout à fait convenables. Celles qui donnent sur la rue de l'Atlas sont bruyantes, préférez celles sur cour plus petites et moins agréables mais bien plus calmes. On aime beaucoup le patio marocain, refait récemment, où est servi le petit déjeuner. Consigne payante. Très bonne adresse, où nos lecteurs sont particulièrement bien accueillis. N'accepte pas les cartes de paiement.

🛏 *Hôtel de Nice* (plan d'ensemble, C1, **26**) : 10, rue d'Accra. ☎ 055-52-03-18. Chambres doubles à 225 Dh (22,5 €). Un grand hôtel très bien situé, très bien tenu et agréable. Grandes chambres. Il suffirait que certaines salles de bains soient bri-

Jolie petite AJ organisée autour d'un patio. Moderne. Quelques chambres. Ambiance agréable.

(payante) à l'étage, avec eau chaude. Confort réduit au minimum, mais propre. Très bruyant. Boules Quiès indispensables sur la rue. Ne jamais payer plusieurs nuits d'avance : cela vous empêcherait d'aller dormir ailleurs le cas échéant.

🛏 *Touring Hôtel* (plan d'ensemble, D1, **24**) : 34, av. Allal-ben-Abdallah. ☎ 055-52-23-51. Chambres doubles à 120 Dh (12 €) avec douche et lavabo, 125 Dh (12,5 €) avec douche et w.-c. Petit déjeuner au café d'à côté. Chambres spacieuses et plus calmes sur cour. Sanitaires très vieillots. Propreté limite. Une adresse honnête dans sa catégorie. Un beau bâtiment qui mériterait un bon coup de peinture.

quées à fond pour que cela devienne une excellente adresse.

🛏 *Hôtel Palace* (plan d'ensemble, C1, **27**) : 11, rue du Ghana. ☎ 055-51-12-60 et 055-51-41-58. Fax : 055-40-14-31. Chambres doubles à 190 Dh (19 €) avec douche, 230 Dh (23 €) avec bains. Pas de petit déjeuner. L'établissement est propre et les chambres toutes vertes ne sont pas très grandes. Accueil sympathique. Téléphone décoratif... et encore. Bar. Parking payant.

🛏 *Hôtel Volubilis* (plan d'ensemble, D1, **28**) : 45, av. des FAR. ☎ 055-52-50-82. Chambres doubles à 230 Dh (23 €) avec bains. Pas de petit déjeuner. Bel établissement Art déco, mais l'un des derniers à ne pas avoir entrepris de rénovation : les chambres et les salles de bains ne semblent pas avoir été refaites depuis les années 1950 ! Les prix ne se justifient donc pas. Chambres vastes ; décoration très « moquette ». En demander une sur cour, comme dans tous les hôtels de ce quartier, où il y a beaucoup de grandes artères.

MEKNÈS

Chic

🛏 *Hôtel Bâb-Mansour (plan d'ensemble, D1, 29)* : 38, rue Émir-Abdelkader. ☎ 055-52-52-39 et 40. Fax : 055-51-07-41. Hôtel moderne proposant des chambres doubles à 380 Dh (38 €) avec bains, TV, téléphone ; certaines avec AC (important en été à Meknès). Petit déjeuner compris. Très bonne literie. Salles de bains agréables. Excellent rapport qualité-prix, c'est d'ailleurs pour cela que les groupes descendent dans cet hôtel. Éviter le restaurant, qui leur est plutôt destiné, d'autant qu'il y a de très bonnes petites adresses à Meknès. D'ailleurs, le patron en connaît.

🛏 *Hôtel Akouas (plan d'ensemble D1, 30)* : 27, rue Emir-Abdelkader. ☎ 055-51-59-67 et 68. Fax : 055-51-59-94. Juste en face de l'hôtel *Bâb-Mansour*. Chambres doubles à 380 Dh (38 €) avec bains, TV, téléphone et AC. Chambres impeccables et confortables. Belle décoration marocaine. Petit bar très *cosy*. Accueil parfait. Fréquenté surtout par les hommes d'affaires. Le seul inconvénient : coincé entre le boulevard et la voie ferrée. Choisir les chambres situées sur le côté, moins bruyantes, ou, encore mieux, aux derniers étages. Rapport qualité-prix équivalent au *Bâb-Mansour*, en un peu plus moderne.

Très chic

🛏 *Hôtel Transatlantique (hors plan d'ensemble par C1, 31)* : rue El-Mriniyne. ☎ 055-52-50-50 à 55. Fax : 055-52-00-57. Situé tout près de l'auberge de jeunesse, mais pas vraiment les mêmes prix... Chambres doubles à 680 Dh (68 €) avec bains, TV, téléphone, minibar et AC. L'hôtel a une aile marocaine avec des chambres carrelées pleines de charme (porte en bois peint, zelliges et terrasse) et une aile moderne, qui supporte bien la comparaison avec des chambres très *cosy* (moquette, mobilier en bois). Quelle que soit l'aile que vous choisissiez, demandez une chambre donnant sur l'une des deux piscines et la médina. Tennis. Deux restaurants (marocain et international), buffet autour de la piscine, à côté des jardins.

🛏 *Hôtel Rif (plan d'ensemble, C1, 32)* : rue d'Accra. ☎ 055-52-25-91 à 94. Fax : 055-52-44-28. Chambres doubles très confortables à 530 Dh (53 €) avec bains, TV, téléphone et AC ; petit déjeuner en supplément. Hall de réception et couloirs décorés de meubles anciens. Un bel hôtel très rétro, voire vieillot, malgré la modernisation. Bon accueil. Belle terrasse avec piscine, agréable en plein centre-ville, même pour boire un verre. Se méfier des chambres au-dessus de la sortie du restaurant, bruyantes. Le plus sérieux avantage de cet établissement est de vous mettre à pied d'œuvre pour les visites, mais du coup, il travaille beaucoup avec les groupes.

🛏 *Hôtel Zaki (hors plan d'ensemble par D3)* : bd El-Massira ; à 3 km du centre-ville vers Azrou. ☎ 055-51-41-46 à 49. Fax : 055-52-48-36. Chambres doubles à 840 Dh (84 €) sans le petit déjeuner. Hyper-chic. Ce grand complexe hôtelier propose des chambres luxueuses, très confortables, agréablement décorées et climatisées, donnant sur des terrasses individuelles. Hall et salon marocain très colorés, trop sans doute pour les puristes. Jardin, piscine et night-club. Vue magnifique. Le restaurant n'est malheureusement pas à la hauteur de l'établissement.

Dans la médina

C'est dans la médina que le routard trouvera les chambres les plus abordables. La plupart se situent dans les rues Rouamazin et Dar-Smen.

Très bon marché

🛏 **Hôtel Nouveau** (plan Médina, B2, **10)** : 65, rue Dar-Smen. ☎ 067-30-93-17 (portable). Chambres doubles à 60 Dh (6 €) ; douches chaudes à 5 Dh (0,5 € ; négociables). S'il maintient ses tarifs, c'est vraiment la bonne adresse de la médina. Entièrement en céramique. Les chambres sont fraîches et, comme il n'y a pas de fenêtre sur la rue, c'est très calme, ce qui n'est pas du luxe ici. Terrasse avec une belle vue. Accueil très sympathique. Pourvu que tout cela dure...

🛏 **Hôtel de Paris** (plan Médina, B2, **11)** : rue Rouamazin, au-dessus du salon de thé La Comtesse, l'entrée est dans la rue à gauche. Pas de téléphone. Chambres doubles à 60 Dh (6 €). Un petit hôtel sans prétention et plein de charme. Accueil super sympa. C'est une bonne adresse, mais avec très peu de chambres ; du coup, c'est souvent complet. Un peu bruyant toutefois. Pas de douche, mais des bains publics dans la rue derrière (voir plus haut la rubrique « Adresses utiles »).

🛏 **Hôtel Régina** (plan Médina, B2, **12)** : 19, rue Dar-Smen. ☎ 055-53-02-80. Chambres doubles à 90 Dh (9 €). Dans un très bel immeuble, 45 chambres avec uniquement des grands lits. Calme, frais et très propre, sauf les draps qui, bizarrement, sont souvent sales (mieux vaut prévoir un sac à viande). Plus cher que les autres sans que cela soit justifié.

🛏 **Hôtel Meknès** (plan Médina, B2, **13)** : rue Dar-Smen. À côté de l'hôtel Nouveau. Chambres doubles à 70 Dh (7 €). Hôtel plein de charme, très frais avec ses carrelages bleu et blanc. Les chambres et les douches sont propres. Préférez celles qui donnent sur l'intérieur, car il manque des carreaux à certaines fenêtres et la rue est très bruyante.

🛏 **Hôtel Agadir** (plan Médina, B2, **14)** : 9, rue Dar-Smen. ☎ 055-53-01-41. Compter 70 Dh (7 €) pour une chambre double. Un petit hôtel sans prétention là encore, dans un bâtiment tout biscornu. Il est moins bien tenu que les autres, mais pourra dépanner.

Bon marché

🛏 **Hôtel Maroc** (plan Médina, B2, **15)** : au niveau du n° 7 de la rue Rouamazin, dans une impasse sur la gauche en montant la rue ; c'est indiqué. ☎ 055-53-00-75. Chambres doubles à 120 Dh (12 €) sans le petit déjeuner. Chambres et toilettes propres mais rudimentaires. Un petit hôtel plutôt calme et sympathique. Douche chaude moyennant un supplément. Demander une chambre sur le petit jardin intérieur. Patrons accueillants.

Où manger ?

Dans la ville nouvelle

Très bon marché (moins de 50 Dh, soit 5 €)

Quelques **bouis-bouis** dans la rue Sebta, qui descend vers la gare Abd-el-Kader. On peut y manger sur le pouce du poulet aux olives et des brochettes.

|●| **Marhaba** (plan d'ensemble, D1, **40)** : 23, av. Mohammed-V. Pour le déjeuner, ouvert de 11 h 30 à 15 h 30 ; pour le dîner, ferme à 20 h pétantes en hiver et à 21 h en été. Fermé pendant le ramadan. Ambiance très marocaine (céramiques, plafonds, lustres, chaleur le soir, mu-

MEKNÈS

sique couverte par le bruit de vaisselle et de chaises...). Ventilateurs.
Très bon petit resto, dont on vous
recommande spécialement la soupe
et les brochettes de viande. Service
rapide. On est prié de laisser la
place au suivant.

|●| *Rôtisserie La Boveda* (plan
d'ensemble, D1, **41**) : 35, rue Emir-
Abdelkader. On y mange sur le
pouce poulets rôtis au feu de bois.

salades variées, sandwichs, pour
trois fois rien. Salle propre, avec un
certain charme mais un peu froide.

|●| *Rôtisserie-Restaurant Karam*
(plan d'ensemble, C1, **42**) : 2, rue du
Ghana. ☎ 055-52-24-75. Tables en
terrasse ou au 1er étage. Gargote
pour se rassasier à peu de frais : salades, brochettes, hamburgers, poulets rôtis... rien que des produits
frais ! Plein de monde.

De prix moyens à un peu plus chic (moins de 100 à 120 Dh, soit 10 à 12 €)

|●| *Restaurant La Grotte* (plan
d'ensemble, D1, **43**) : 11, rue de la
Voûte. ☎ 066-58-90-69 (portable).
Ouvert toute la journée, de 8 h 30 à
21 h. Un petit resto au cadre charmant, essentiellement fréquenté par
des Marocains qui viennent y boire
un thé ou un café dans la journée.
La déco est agréable, l'accueil également, et, si elle n'a pas quitté le
Maroc, la cuisinière est un vrai cor-
don-bleu. Une excellente petite
adresse mais où, malheureusement,
on ne sert pas d'alcool.

|●| *Restaurant Gambrinus* (plan
d'ensemble, C1, **44**) : rue Charif-
Idrissi, à côté du *Métropole*, en face
du marché central. ☎ 055-52-02-58.
Décor grivois et rigolo comme tout.
Sur une grande fresque, on voit un
noble qui tire la jupe d'une belle, un
poisson qui fume le cigare, un co-
chon avec des lunettes et même une
bouteille de *Pastis 51*. Ajoutons que
le restaurant est bien tenu et qu'on y
mange fort correctement. Trois bonnes raisons d'y aller avec, en prime,
un excellent rapport qualité-prix. Pas
d'alcool.

|●| *Restaurant Montana* (plan d'en-
semble, D1, **45**) : 4, rue de l'Atlas ;
face à la pizzeria *Le Four*. ☎ 055-52-
68-43. Ouvert jusqu'à 1 h 30. Ac-

cueil sympathique et service rapide.
La carte est très variée, mais il
manque la plupart des plats. La
viande est bonne et les portions sont
copieuses. Ils servent de l'alcool.

|●| *Annexe du Métropole* (plan
d'ensemble, D1, **46**) : 11, rue Charif-
Idrissi. ☎ 055-52-56-68 ou 055-52-
25-76. Juste à côté du marché central, en face de l'enseigne *Renault*.
C'est « l'annexe » du bar *Le Métropole* (où l'on peut d'ailleurs prendre
des plats à emporter). Les plats y
sont copieux et l'ambiance est décontractée. Décor marocain très
agréable. Vaut plus pour le décor
que pour ce que l'on a dans l'assiette. Souvent des petits groupes.
Servent de l'alcool. Cartes de paiement acceptées.

|●| *La Coupole* (plan d'ensemble,
C1, **47**) : angle av. Hassan-II et rue
du Ghana. ☎ 055-52-24-83. Cadre
rétro, chic et raffiné, agrémenté d'un
piano-bar. Menus à prix fixe comprenant taxes et services. Carte européenne (rôti de veau, assiette an-
glaise), et une petite carte marocaine. Bon rapport qualité-prix. Idéal
pour les dîners en amoureux. Dommage que l'accueil ne soit pas toujours terrible.

De chic à très chic (de 120 à 250 Dh, soit 12 à 25 €)

|●| *Pizzeria Le Four* (plan d'en-
semble, D1, **48**) : 1, rue de l'Atlas.
☎ 055-52-08-57. C'est la première
rue sur la gauche en sortant de l'hôtel *Majestic*. Cadre agréable et bon
accueil. Toujours plein à craquer.
Petite salle au 1er étage. Spécialités

de pizzas rectangulaires, servies sur
une planche en bois. Mais il y a
aussi des plats de pâtes, de viande,
etc. Prix un peu trop élevés pour la
quantité et la qualité, qui n'est pas
constante. Ils servent de l'alcool.

|●| *Le Dauphin* (plan d'ensemble, D1,

MEKNÈS

49) : 5, av. Mohammed-V. ☎ 055-52-34-23. L'entrée du restaurant se fait par derrière, la salle donnant sur l'avenue étant réservée aux groupes. Une carte très riche. L'un des seuls restaurants de Meknès où vous trouverez un grand choix de poisson frais. Il y a souvent beaucoup de monde. Cuisine inégale, d'après certains routards. Accueil sympathique et service professionnel.

|●| *Palais Terrab (hors plan d'ensemble par D1) :* 18, av. Zerktouni. ☎ 055-52-14-56 et 055-52-61-00. Deux menus copieux à des prix abordables. Décor de type palais marocain. Bon rapport qualité-prix. Dommage que les groupes soient les privilégiés de ce restaurant.

|●| *La Case (plan d'ensemble, D1, 50) :* 8, av. Moulay-Youssef. ☎ 055-52-40-19. Fermé le lundi. Autrefois, le restaurant gastronomique de Meknès. On y mange des produits très frais dans une ambiance tamisée. Ça reste un peu cher, mais permet de manger des plats typiquement... français, et de faire une petite pause entre une *harira* et un tajine. Carte très étendue. Accueil loin d'être désagréable.

|●| *La Hacienda :* route de Fès. ☎ 055-52-10-92. À la sortie de la ville, loin du centre. Night-club, bars et piscine ouverte de juin à fin septembre. 2 restaurants : *El Coche* et *El Rancho*. Terrasse en été. Décor espagnol d'opérette. Recommandé surtout pour le déjeuner, ce qui permet de faire un plongeon dans la piscine l'après-midi, à condition que ses nombreuses fissures ne l'aient pas vidée ! Bonnes grillades au feu de bois. Une vue superbe sur le massif de Zerhoun, mais le cadre aurait pu être mieux exploité.

|●| *Annexe Metropole II (hors plan d'ensemble par C1) :* bd de Yougoslavie. ☎ 055-52-52-25. Sur la N4, prendre la direction Tanger - Moulay-Idriss. Décor typique, mais un peu surfait pour cet établissement tenu par les propriétaires du *Métropole*. Les plats y sont copieux, le service impeccable, mais la note, contrairement à la *harira*, est salée !

Dans la médina

Nombreuses **gargotes** très bon marché dans la rue Dar-Smen, qui donne sur la porte Bâb Mansour *(plan Médina, B2)*. Toutes se valent, mais on mange très bien au **Restaurant Économique** (n° 123) ou au **Restaurant Bâb Mansour** (n° 127). Compter 25 Dh (2,5 €) pour un tajine.

Bon marché

|●| *Restaurant Omnia (plan Médina, B2, 20) :* 8, rue Aïn-El-Fouki. ☎ 063-15-43-24 (portable). Menu à 65 Dh (6,5 €). Dans une petite rue perpendiculaire à la rue Rouamazin, juste au début à gauche. Dans une maison typiquement marocaine, cette ancienne bonne adresse ne fait plus l'unanimité. Service indifférent, mais peut-être sommes-nous tombés un mauvais jour. Également vente à emporter.

Prix moyens

|●| *Restaurant Zitouna (plan Médina, B2, 21) :* 44, Jamaa-Zitouna. ☎ 055-53-02-81. Près de la porte Bâb Tizimi. Évitez de vous y faire conduire par un rabatteur d'autant que c'est assez simple à trouver en partant de la rue Rouamazin. Plusieurs menus au choix de 110 à 170 Dh (11 à 17 €). Très bon accueil dans ce beau palais arabe avec petits jets d'eau. En fait, on vient plus pour le cadre que pour la cuisine correcte, sans plus. Adresse tout de même agréable quand elle n'est pas envahie par des groupes. Le patron réhabilite chaque année de nouvelles pièces de cette ancienne belle demeure bourgeoise marocaine. Pas de licence d'alcool.

MEKNÈS

Chic

|●| *Le Riad (plan Médina, B2, 22)* : 79, ksar Chaacha-Dar-Lakhina. ☎ 055-53-05-42 et 055-53-13-20. ● riad@iam.net.ma ● Menus de 110 à 250 Dh (11 à 25 €). Le jour, suivez le fléchage vert à partir du début de la rue Rouamazin. À la tombée de la nuit, si vous téléphonez avant, un guide vous conduira à travers les ruelles de la médina jusqu'au restaurant. Une oasis de calme et un cadre idyllique, caché au cœur de la ville impériale entre les remparts du XVIIᵉ siècle, et qui contraste dans ce quartier populaire. Une décoration agréable et typique de poteries, de coffres en bois sculpté et d'armes anciennes. Des salons sont ordonnés autour d'un patio fleuri. En revanche, la cuisine semble donner des signes de faiblesse (plats manquant sur la carte, qualité assez quelconque). Pas de vin. Accueil assez froid. Fait également chambres d'hôte.

|●| *Le Collier de la Colombe (plan Médina, B2, 23)* : 67, rue Driba. ☎ 055-55-50-41. Menus à partir de 95 Dh (9,5 €) ; compter le double pour un repas complet à la carte. Vins très chers. Élégant restaurant panoramique sur deux étages, avec vue superbe sur la vallée. Décor marocain récent. On y mange une cuisine typique ou internationale très variée et assez raffinée mais peu copieuse. Le personnel est sympathique et le service délicat.

Où manger une pâtisserie ?

|●| *Pâtisserie Florence (plan d'ensemble, C1, 60)* : 3, rue du Ghana. L'une des plus fréquentées de Meknès. Grand choix de pâtisseries. Très propre, très bon accueil.

|●| *Moosberger (plan d'ensemble, C1, 61)* : av. Hassan-II ; à côté du marché central. Spécialités de pâtisseries marocaines et françaises.

|●| *Salon de thé La Comtesse (plan Médina, B2, 11)* : rue Rouamazin. Juste en dessous de l'*Hôtel de Paris.* Salle propre et agréable. Fait aussi glacier.

|●| *Café-boulangerie-pâtisserie La Renaissance (plan d'ensemble, D1, 24)* : 32, bd Allal-ben-Abdallah. En face du *Touring Hotel.* Excellentes pâtisseries à déguster accompagnées de jus de fruits frais.

Où boire un verre ?

Ce ne sont pas les adresses qui manquent à Meknès. C'est une ville où les habitants ont l'habitude de s'asseoir à une terrasse pour boire un thé. Par contre, peu d'adresses sympathiques pour prendre un verre alcoolisé.

Ⴢ *L'Élysée (plan d'ensemble, C1, 70)* : 4, rue de Paris. Décor moderne. Très propre et pas cher. Bons petits déjeuners. Spécialités de jus de fruits. Billard.

Ⴢ *Pâtisserie-café Le Rex (plan d'ensemble, C1, 70)* : en face de *L'Élysée.* Petite salle où il est agréable de boire un verre en sortant du cinéma, par exemple.

Ⴢ *Café L'Opéra (plan d'ensemble, D1, 71)* : 7, av. Mohammed-V. Belle terrasse en plein air et en centre-ville. Excellentes pâtisseries.

Ⴢ *Café Alpha (plan d'ensemble, D1, 72)* : av. Mohammed-V, en face du restaurant *Marhaba.* Dans un décor de fast-food très coloré, on peut prendre le petit déjeuner ou déguster d'excellentes pâtisseries marocaines.

Ⴢ *La Coupole (plan d'ensemble, C1, 73)* : av. Hassan-II. Ambiance conviviale pour un bar à bières marocain. Un homonyme très agréable et un poil chic : le piano-bar du restaurant *La Coupole* (av. Hassan-II).

♛ *Café La Tulipe* (plan d'ensemble, D1, *74*) : rue Marraket-el-Heri. Agréable terrasse en retrait de l'av. Mohammed-V, au calme et loin du bruit.

Où sortir ?

♪ *Night-club de l'hôtel Bâb-Mansour* (plan d'ensemble, D1, *29*) : on y fait la fête dans une ambiance chaleureuse, au rythme d'un orchestre de musique arabe. Ambiance jeune et décontractée.

♪ *Le Diamant Bleu* (plan d'ensemble, D1, *30*) : en dessous de l'hôtel *Akouas* et en face de la précédente. Même ambiance que dans l'autre. Tout aussi sympathique.

À voir

La vieille ville, bâtie sur un plateau, est protégée par de gigantesques remparts. Pour visiter la médina, garer sa voiture sur le parking de Bâb Mansour, ou bien près du mausolée de Moulay Ismaïl *(plan Médina, B3)*. Une agréable manière de commencer la visite est d'apprécier une vue d'ensemble de la ville impériale depuis les jardins suspendus de Héri-es-Souani.

Dans la ville impériale

🏃🏃 *Héri-es-Souani* (plan d'ensemble, B3) : ouvert tous les jours de 9 h à 12 h et de 15 h à 18 h. Entrée : 10 Dh (1 €). Ces réserves de grains construites par Moulay Ismaïl possèdent des murs en pisé de 4 m d'épaisseur, qui préservent une température fraîche. L'éclairage rend le lieu irréel. On y voit aussi des puits qui ont donné à ces bâtiments leur nom de *Darel-Ma* (« maison de l'Eau »). Dans ces réserves furent tournées plusieurs scènes de *La Dernière Tentation du Christ*, de Martin Scorsese, d'après le livre de Nikos Kazantzaki, et de *À la Poursuite du diamant vert*, avec Michael Douglas ; ce que les gardiens ne manqueront pas de vous faire savoir, parfois photos à l'appui !

Les greniers de Moulay Ismaïl étaient assortis des écuries royales qui pouvaient accueillir plus de 10 000 chevaux, et dont il ne reste que des allées de colonnades. Au-dessus du Dar-el-Ma, la terrasse offre une vue imprenable sur toute l'ancienne cité impériale. Malheureusement, elle est actuellement fermée pour des travaux de consolidation. Au pied de la terrasse se trouve le bassin de l'Agdal. Il servait à abreuver cette grande cavalerie, mais était aussi un réservoir d'eau potable prévu en cas de siège de la ville (il était malin, le Moulay !). Ce bassin était alimenté par 20 km de canalisations souterraines provenant directement de la montagne. Ce réseau de greniers est aujourd'hui un lieu pittoresque de concerts occasionnels.

🏃 *Bâb Mansour-el-Aleuj* (plan Médina, A-B2) : la plus importante et la plus remarquable des portes de Meknès. Elle fut achevée en 1732 par le fils de Moulay Ismaïl. On dit qu'elle serait l'œuvre d'un chrétien converti à l'islam, ce qui lui vaut d'être appelée aussi la porte du Renégat.

🏃🏃 *Le mausolée de Moulay Ismaïl* (plan Médina, B3) : traverser le *méchouar*. Ouvert de 9 h à 12 h et de 15 h à 18 h (17 h 30 hors saison) ; le vendredi matin : réservé aux musulmans. Entrée gratuite ; vous pouvez laisser un pourboire, mais ce n'est en aucun cas une obligation (on insiste, car ils ont un peu tendance à vous forcer la main). Tenue correcte exigée. Il faut bien entendu se déchausser. C'est l'une des rares mosquées du Maroc que les non-musulmans peuvent visiter. Car, au cours d'une visite officielle, le maréchal Lyautey refusa de rester à l'entrée de la mosquée, alors que le sultan y pénétrait pour prier. Seul l'accès aux tombes est réservé aux musulmans, mais on peut les voir depuis la salle de prière.

Dans la première cour, une charmante fontaine sert pour les ablutions. Les plafonds, eux, sont en cèdre peint. La troisième cour, carrelée d'une belle faïence verte, possède une fontaine et des colonnes en marbre d'Italie supportant des arcs décorés de stucs, ainsi qu'un cadran solaire datant du XVIIᵉ siècle. Ensuite, pour pénétrer véritablement dans la mosquée, on doit enlever ses chaussures. On peut y voir des mosaïques sur lesquelles figurent des écritures coraniques. On retrouve les quatre couleurs des villes impériales dans les ornementations du *mihrab* : le bleu de Fès, le vert de Meknès, le jaune de Marrakech et le blanc de Rabat. À côté des tombeaux de Moulay Ismaïl, de ses deux fils et de sa femme, vous pourrez voir deux pendules offertes par Louis XIV. Moulay Ismaïl reçut ce don lorsque le roi refusa de lui accorder la main de sa fille. La frise en arabe décrit l'arbre généalogique de la famille royale. Mohammed VI est un descendant de la dixième génération de Moulay Ismaïl. Les colonnes en marbre qui supportent la salle ont été restaurées en 1957.

🍴 ***Qoubbet-el-Khiyatîn*** *(plan Médina, A3) :* ouvert de 9 h à 12 h et de 15 h à 18 h. Fermé les jours de fêtes. Entrée : 10 Dh (1 €). Un ancien pavillon où les sultans avaient l'habitude de recevoir leurs hôtes étrangers. Intérêt limité. À côté, on voit d'anciens silos transformés en prison souterraine, où croupirent de nombreux Marocains et des milliers d'Européens capturés lors des batailles navales de jadis. Ils ont d'ailleurs construit les murailles de la ville. D'ailleurs, en arrivant d'Azrou, vous en verrez d'imposantes ; on ne sait plus qui a voulu jouer aux Chinois pour relier Meknès et Marrakech. Ça n'a pas fait une longue muraille... Attention, pour voir, il faut prendre la route vers la ville nouvelle.

Dans la médina

🍴 Près du mausolée, des ***artisans*** sous les arcades travaillent la laine brute qu'ils battent pour pouvoir mieux la transporter puis la vendre.

🍴 ***Le marché de la médina*** *(plan Médina, A2) :* sur la gauche de la pl. El-Hedim, derrière les arcades de potiers, se trouve l'un des plus beaux et des plus animés marchés couverts du Maroc. Vous y trouverez de nombreux étals d'épices et d'olives très divers, mais aussi des oiseaux multicolores. Mieux vaut s'armer d'un bouquet de menthe pour affronter l'allée aux poules et aux moutons : le spectacle vaut le détour, mais les odeurs vous prennent à la gorge.

🍴🍴 ***Le musée Dar Jamaï*** *(plan Médina, A2) :* fermé pour rénovation. S'il rouvrait lors de votre passage, voici les anciens horaires à titre indicatif : ouvert de 9 h à 12 h et de 15 h à 18 h 30. Fermé le mardi et certains jours de fêtes religieuses. Entrée : 10 Dh (1 €). Peut-être le plus beau musée des traditions du Maroc, dans une splendide demeure typique de la haute bourgeoisie marocaine de la fin du XIXᵉ siècle. Les différentes salles du palais (cuisine, mosquée, chambres...) servent de salles d'exposition : *minibars* et coffres en bois d'olivier sculptés, céramiques, tapis, costumes, caftans, bijoux, métiers à tisser, armes. Magnifique salle du harem avec une fontaine. Elle est abondamment décorée de stucs et de zelliges. Au premier étage, la *koubba* est une très belle salle de réception, avec un plafond à coupole en cèdre finement travaillé. Elle repose sur une base carrée. Pas un centimètre

MEKNÈS

carré n'a été oublié. Le musée est intéressant, mais on peut regretter que les objets ne soient pas mieux mis en valeur. Beau jardin andalou avec des cyprès.

🌿 *Les souks :* au cours de votre balade dans les souks, essayez de voir les anciennes *kissaria*, mieux conservées que celles de Marrakech, en ce sens qu'elles n'ont jamais été remaniées. On y vend des tissus. Elles sont dans le coin situé entre la Dar Jamaï et Bou Inania, autour de la grande mosquée *(plan Médina, A2)*. Des ventes aux enchères ont lieu vers 14 h.

🌿 *Bâb El-Jédid (plan Médina, A1) :* vous y trouverez le marché aux puces. Ce sont des particuliers qui vendent leurs affaires. Possibilité de marchandage ou de troc. Également, le souk des instruments de musique, où l'on peut trouver des instruments traditionnels à prix défiant toute concurrence, fabriqués de manière artisanale (tambourins, luths, *derbouka*, *nafar*...). À côté se trouvent le marché au blé et le souk des tanneurs.

🌿 *La médersa Bou Inania (plan Médina, A2) :* ouvert tous les jours de 9 h à 12 h et de 15 h à 18 h. Fermé les jours de fêtes. Entrée : 10 Dh (1 €). On y retrouve l'architecture traditionnelle des médersas : une cour centrale bordée de galeries et d'une salle de prière. La place de l'imam a été creusée dans le mur. Bel auvent en bois d'olivier sculpté, stucs et mosaïques de faïence. Au-dessus, les petites cellules fermées par des portes en bois servaient à loger les étudiants de l'école coranique ; certaines sont aveugles. Un escalier au fond du couloir mène à une terrasse à hauteur des toits de la médina et du minaret en faïence verte de la Grande Mosquée.

🌿 *Le palais El-Mansour (plan Médina, A-B2) :* rue Karmouni. Nommée aujourd'hui palais des Idrissides, cette belle demeure bourgeoise du XIXe siècle abrite un magasin de tapis. Magnifique plafond en bois sculpté dans la salle attenante à la salle principale.

À voir encore

🌿 *Les haras de Meknès (hors plan d'ensemble par B3) :* ouvert de 9 h à 11 h et de 16 h à 17 h. Fermé les jours fériés. Gratuit. Assez loin du centre, sur la route d'Azrou, après l'Académie royale. Vous pouvez vous balader presque partout. Les employés sont très gentils. Les étalons sont dans les bâtiments à gauche de l'entrée. On peut les voir se promener tôt le matin (vers 8 h). Les juments sont évidemment plus loin, à presque 1 km par un chemin qui part du bâtiment des étalons. Cadre champêtre alors que l'on se trouve en pleine ville.

Fête

– *Le Mouloud de Meknès :* rassemblement gigantesque avec de nombreuses fantasias, devant les remparts de pisé de la ville. Séances de transes et cérémonies religieuses de la secte des Aïssaoua. L'une des fêtes les plus grandioses et les plus vraies. Elle commémore la naissance du prophète suivant le calendrier lunaire, donc pas à date fixe. Mais la fantasia n'a pas eu lieu depuis quelques années.

➤ DANS LES ENVIRONS DE MEKNÈS

MOULAY-IDRISS

Ville sainte, à 22 km de Meknès, et qui mérite le détour à partir de Volubilis (voir plus loin). De Meknès, bus toutes les heures. Départs de la gare routière près de Bâb Mansour. Le dernier bus repart de Moulay-Idriss vers 19 h. Des camionnettes assurent la liaison Moulay-Idriss - Volubilis pour une petite somme.

C'est ici qu'est enterré Moulay Idriss, le fondateur de Fès, et surtout l'arrière petit-fils de Mahomet, qui a réussi à convertir à l'islam les Berbères de la région. Il est aussi le fondateur de la première dynastie musulmane du Maghreb : les *Idrissides*.

Aujourd'hui, Moulay-Idriss est la ville la plus sainte du Maroc, et le pèlerinage jusqu'à ce village équivaut, chez les musulmans de condition modeste, au voyage à La Mecque. D'ailleurs, depuis plusieurs générations, c'est la première ville où se rend le nouveau roi après son accession au trône. On y a construit un minaret cylindrique qui n'a pas un charme fou, mais dont la forme est unique au Maroc. Souk le samedi matin. Un grand *moussem* national se déroule chaque année fin août-début septembre, à la mémoire du saint descendant du Prophète. Il dure près d'un mois. Beaucoup d'ambiance : cortèges, danses...

Le site est vraiment très chouette, mais on ne peut dormir que chez l'habitant car c'est une ville sainte. Pas d'hébergement commercial, aucun hôtel. Harcèlement des faux guides insistant pour vous conduire à la terrasse d'où l'on domine la ville et la plaine de Volubilis. Ils n'hésitent pas à jouer les agents de la circulation pour vous « guider » ensuite.

Il faut se perdre dans les petites ruelles jusqu'au sommet de la colline pour avoir une vision d'ensemble, et voir le tombeau depuis les hauteurs puisque son accès est interdit aux non-musulmans, puis redescendre dans le souk et son animation, après avoir respiré le calme d'en haut. Derrière le village, sur les hauteurs, on aperçoit une ancienne kasbah romaine avec sa piscine.

Vu de Volubilis, le village ressemble à un chameau blanc sur fond vert, avec une grosse bosse représentée par le centre-ville, et la tête par la deuxième partie du village.

Où dormir ? Où manger ?

Camping

Ⅹ |◉| *Camping Zermoune Belle Vue :* à 14 km de Meknès, sur la route de Moulay-Idriss (9 km). ☎ 068-49-08-99 (portable). Prévoir 60 Dh (6 €) pour deux avec tente et voiture. Piscine payante : 20 Dh (2 €), ou 90 Dh (9 €) avec le repas du soir. À proximité de trois sites touristiques importants, c'est un arrêt agréable, perdu en pleine nature, mais pour lequel il vaut mieux être motorisé. Un peu vétuste et délabré, mais ça lui donne justement un certain charme. Douches. Dommage que les sanitaires ne soient toujours pas refaits. Restaurant et allée avec jets d'eau, quand il y en a. Le patron, Abdou, a dû visiter l'Alhambra de Grenade. C'est sympathique et ombragé ; il y a même des orangers près de la maison du propriétaire. Bonne cuisine servie dans un décor typique.

Prix moyens

|◉| *Restaurant El-Baraka :* dans le haut de la ville de Moulay-Idriss. ☎ 055-54-41-84. C'est le seul « restaurant touristique » du village. Cadre très froid, sans grand charme. Mais accueil sympa.

|◉| Préférez les *gargotes* du « centre-ville ». Aucun conseil : elles se valent toutes, mais prix à la tête du client.

QUITTER MEKNÈS

En train

🚂 **Deux gares ferroviaires** desservent la ville : l'une, rue Emir-Abdelkader (rue parallèle à l'av. Mohammed-V, mais en bas ; *plan d'ensemble, D1*), avec consigne à bagages ; l'autre, av. des FAR, à la hauteur de la grande mosquée, à plus de 1 km du centre de la ville nouvelle. Renseignements : ☎ 055-52-27-63 ; ou ● www.oncf.org.ma ●

➢ **Pour Casablanca et Rabat :** 2 trains de nuit, 3 le matin, 3 l'après-midi.
➢ **Pour Fès :** 2 trains de nuit, 2 le matin, 4 l'après-midi, 1 en soirée. À notre avis, préférable au bus. Compter 45 mn.
➢ **Pour Tanger :** 1 train de nuit, 1 le matin, 2 l'après-midi.
➢ **Pour Marrakech :** 1 train de nuit, 3 le matin, 2 l'après-midi. Compter 7 h de trajet.
➢ **Pour Oujda :** 2 trains de nuit et 1 le matin.

En bus

🚌 **Les cars CTM intervilles** *(plan d'ensemble, D1)* partent du 47, av. Mohammed-V. ☎ 055-52-25-83. De la médina à la gare *CTM intervilles :* bus n° 7.
➢ **Pour Casablanca :** 7 bus par jour ; durée : 4 h.
➢ **Pour Chefchaouen :** compter 6 h, *via* Fès.
➢ **Pour Fès :** 7 bus par jour ; durée : 50 mn.
➢ **Pour Ifrane et Azrou :** 1 bus par jour.
➢ **Pour Ouezzane :** 2 bus par jour, *via* Fès.
➢ **Pour Rabat :** nombreux départs quotidiens.
➢ **Pour Tanger :** 1 bus par jour ; durée : 5 h.
🚌 **Compagnies privées** *(plan d'ensemble, A2) :* départs au-delà de Bâb El-Khémis. Pour **Volubilis**, aller à Moulay-Idriss ; faire ensuite du stop. Le bus s'arrête également à Meknès dans la ville nouvelle, au début de la rue du Congo, en face de l'entrée du Palais de la Foire *(plan d'ensemble, C1)*. Au même endroit se trouve également une station de grands taxis collectifs qui vont en direction de Volubilis et de Moulay-Idriss (tarif officiel : 7 Dh, soit 0,7 €, par personne).

En grand taxi

Mercedes jaune chargeant deux passagers à l'avant, quatre à l'arrière.
🚕 De la station située à proximité de Bâb El-Khémis *(plan d'ensemble, A2)*, liaisons pour **Fès**, **Moulay-Idriss** (et **Volubilis**) et **Beni Slimane**, ou **Rabat**, si le cœur vous en dit. Voir aussi la station à l'entrée du palais de la Foire.

En avion

Voir l'aéroport de Fès.

VOLUBILIS

Une ville au nom de fleur. Les ruines romaines les plus importantes du Maroc, sur lesquelles plane encore le souvenir de l'éphèbe Juba II, roi de Maurétanie, se dressent comme un défi au temps, au milieu de la plaine. Un « Éphèse marocain » au pouvoir évocateur avec son capitole, son arc de

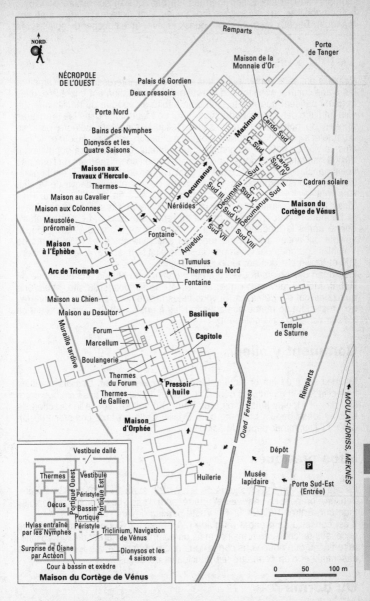

Maison du Cortège de Vénus

VOLUBILIS

triomphe de Caracalla, ses thermes, sa basilique et son artère principale bordée de villas aux précieuses mosaïques. Une visite magnifique, à ne pas manquer. Et deux moments magiques : le lever et le coucher du soleil sur le site...

UN PEU D'HISTOIRE

Volubilis est sans conteste l'un des sites les plus intéressants du Maroc sur les plans culturel et historique. La date de sa fondation est imprécise, mais certains pensent que le site était déjà habité à l'époque du néolithique. La ville fut l'une des capitales de Juba II, roi de Maurétanie dans les premières années de notre ère. Par la suite, Caligula, empereur célèbre pour sa cruauté et sa tyrannie, y aurait séjourné à plusieurs reprises. Aux IIe et IIIe siècles, la ville se dota de magnifiques monuments. On estime sa population à 20 000 habitants à l'époque. La ville était même l'aboutissement de l'une des voies principales du réseau routier, dont Tanger était le cœur. C'est la pression des tribus berbères sur les Romains qui entraîna le déclin de la cité. Ces tribus, christianisées, l'occupèrent jusqu'à la fin du VIIIe siècle. Puis Idriss Ier fut proclamé imam de la ville. Elle reprit alors le nom de Oualili (« Lauriers-Roses »), qu'elle portait au temps de Juba II. Le site fut abandonné après la fondation de Fès, « l'Athènes de l'Afrique ». En 1755, le séisme qui anéantit Lisbonne renversa aussi les quelques monuments de Volubilis épargnés par le temps. Un siècle plus tard, en 1874, le site fut identifié et fouillé par des archéologues français.

La plupart des objets trouvés ont été transférés au Musée archéologique de Rabat. Mais il faut savoir que, sur les 40 ha supposés du site, seuls une quinzaine ont été déblayés. Si vous faites rapidement le calcul, vous verrez qu'il reste tout de même quelques fouilles à entreprendre, qui pourraient se révéler riches d'enseignement.

Comment y aller?

Meknès est à 31 km et Moulay-Idriss à 5 km seulement. Des grands taxis collectifs font la navette au départ de Moulay-Idriss. Il y a aussi un bus entre Meknès et Moulay-Idriss (voir plus haut). En voiture, suivre la direction de Moulay-Idriss depuis Meknès, puis Oualili. Enfin en taxi, compter 200 Dh (20 €) l'aller-retour depuis Meknès.

Infos pratiques

Le site est ouvert tous les jours de 9 h à 12 h et de 14 h 30 à 18 h. En été, penser à prendre un chapeau et une réserve d'eau : pas d'ombre, et le soleil tape dur. Entrée : 20 Dh (2 €). Vaste parking devant l'entrée.

Il est conseillé de prendre un guide (20 Dh, soit 2 €) pour saisir toutes les richesses de cette cité romaine, mais on pourra se contenter de suivre l'itinéraire fléché que nous vous conseillons et qui permet de voir les monuments essentiels et d'en connaître les principales richesses.

Où dormir?

■ *Volubilis* : village Fertassa, en face de Volubilis. ☎ 055-54-44-05 à 08. Fax : 055-63-63-93. Chambres doubles à 650 Dh (65 €) côté jardin, 850 Dh (85 €) avec vue sur les ruines. Un établissement classé 4 étoiles A, offrant une vue superbe sur la plaine et le site de Volubilis.

42 chambres très calmes. Piscine. Mais pourquoi l'architecte a-t-il conçu des escaliers en colimaçon, qui rendent difficile l'accès à l'étage des routards un peu âgés ou porteurs de bagages lourds ? Propreté limite. Restaurant panoramique. Le lever de soleil sur le site, admiré depuis la terrasse de sa chambre en prenant son petit déjeuner, peut valoir à lui seul le détour... Accueil cependant peu aimable.

Où manger ?

|●| *Corbeille Fleurie :* à l'entrée du site. Les tajines sont très corrects. Service rapide et souriant. Un endroit idéal pour se rafraîchir d'un excellent jus d'oranges pressées ou acheter des boissons.

À voir

🎭🎭🎭 La visite commence par le quartier sud de la ville. Une *huilerie* sur la gauche rappelle que Volubilis tira une grande partie de sa richesse des oliveraies qui l'entourent. Les fouilles ont d'ailleurs révélé plus de 35 huileries sur le site. Les olives étaient pressées, et leur jus recueilli dans une rigole circulaire avant d'aboutir dans de grands bassins de décantation.

🎭 *La maison d'Orphée* est la plus riche de ce quartier. Elle tire son nom d'une mosaïque dans la salle de réception illustrant son mythe. À gauche de l'entrée, dans ce qui était la salle à manger *(triclinium)*, neuf dauphins s'ébattent dans les vagues. On peut aussi voir la mosaïque d'une fleur de Volubilis. Remarquez, au pied de la porte à droite, le gond en bronze.

🎭 *Les thermes de Gallien* étaient chauffés avec des chaudières en bronze. Il reste encore quelques salles chaudes et la piscine, ainsi que la salle de gymnastique. Modèle d'un pressoir à huile du IVe siècle.

🎭 Sur la droite s'élevait le *capitole*, dont quelques colonnes ont été relevées et reconstituées en partie.

🎭 *Le forum*, relativement petit, était le centre de la cité, mais il n'en reste plus grand-chose. La *basilique* qui jouxte le capitole, lieu de promenade couvert en cas de mauvais temps, servait aussi de tribunal et de salle de réunion pour la curie, c'est-à-dire le conseil municipal.

🎭 *La maison au Désultor* abrite une fresque représentant un *désultor*, un athlète se livrant à des acrobaties au cours d'une compétition. La règle du jeu consistait à sauter d'un char ou d'un cheval pendant la course et à remonter aussitôt. L'athlète représenté exhibe la coupe de la victoire et chevauche un âne, à l'envers. Également des scènes de chasse et de pêche.

🎭 C'est dans la *maison* voisine *du Chien* que les archéologues découvrirent la fameuse statue en bronze que l'on peut admirer au musée de Rabat.

🎭 En passant de la maison du Chien à l'arc de triomphe, on aperçoit la *fontaine publique*. Les trous dans le sol laissent apparaître les égouts, inventés par les Romains.

🎭 *L'arc de triomphe* s'élève sur l'avenue principale, le Decumanus Maximus, qui traversait toute la ville depuis la porte de Tanger. Le chemin était d'ailleurs celui qui était emprunté pour se rendre de Tanger à Rabat. Inutile de vous dire que c'était là que se trouvaient les plus belles demeures et le palais du procurateur. En témoignent de très belles mosaïques.

🎭 *La maison à l'Éphèbe* est surnommée ainsi car on y découvrit la très belle statue d'un adolescent. Celle-ci est exposée aujourd'hui, elle aussi, au musée de Rabat. Consolons-nous en admirant le pavement de la salle à manger, aussi somptueux qu'un tapis orné de motifs berbères et dont la partie centrale représente une déesse chevauchant un curieux animal marin.

❦ Passons ensuite dans la **maison aux Colonnes**, qui fait partie des grandes demeures de la ville, avec ses 1 700 m^2, et qui était consacrée aux fêtes. Ensuite, dans la **maison au Cavalier**, on voit Bacchus guidé par l'amour découvrant Ariane endormie sur la plage de Naxos. Tout un programme.

❦ **La maison aux Travaux d'Hercule** présente une décoration très recherchée. Dix des douze travaux sont encore bien conservés. Admirez le décor floral et le beau portrait du héros dans le médaillon carré central. Les plus érudits tenteront de se remémorer les 12 travaux, mais on n'est pas ici à « Questions pour un champion ». Au centre de la maison, un bassin sculpté aux formes arrondies permettait à ses habitants de prendre le soleil et de se baigner tout en se frottant le dos à la paroi pour se laver.

❦ D'autres mosaïques intéressantes décorent les **maisons de Bacchus** et **des Quatre Saisons**, ainsi que celle **du Bain des nymphes**.

❦ Ce que l'on appelle le **palais Gordien** devait être la résidence du procurateur romain, le gouverneur de la région. La demeure était vaste (4 700 m^2 ; pas mal, non ?) et somptueuse, mais il n'en reste pas grand-chose.

❦ Traversons le Decumanus Maximus, en jettant un œil sur la **porte de Tanger** à gauche et l'arc de triomphe à droite, et passons à la **maison de Vénus**, la plus riche de tout le site. On y trouva non seulement de magnifiques pavements de mosaïque, mais aussi de véritables trésors comme les bustes en bronze de Caton d'Utique et de Juba II, œuvres maîtresses du musée de Rabat (encore lui). Tous les pavements sont remarquables, principalement ceux représentant une course de chars attelés d'oies, de canards et de paons, une autre avec Bacchus et les quatre saisons, enfin Diane surprise au bain. Mais l'œuvre la plus intéressante, la *Navigation de Vénus*, a été transportée au musée de... et non, perdu : de Tanger.
Rappelons que les fouilles sont loin d'être terminées. La ville était entourée de remparts hauts de 6 m et qui s'étiraient sur près de 3 km. Au cours de la promenade, remarquez, dans les rues, les traces des roues des chars et celles des plaques d'égouts. De nouvelles fouilles permettront peut-être de mettre au jour, dans les années à venir, de nouveaux quartiers. Pour cela, les archéologues marocains attendent de nouvelles aides de l'Unesco.

KHÉNIFRA   13 000 hab.

Cette petite ville du Moyen Atlas, sur les rives de l'Oum-er-Rbia, a souvent été appelée « la ville rouge », ses constructions étant toutes de la couleur carmin de la terre que l'on trouve ici. L'intérêt de cette grosse bourgade est limité, mais elle constitue une étape pratique sur l'axe Fès - Marrakech. Pas grand-chose à voir à part une médina et une kasbah, très en ruine, près du pont de Moulay Ismaïl, sur l'autre rive.
– **Souk** : le dimanche. Vaut le coup d'œil. Animé.

Où dormir ? Où manger ?

🏠 |○| **Hôtel-restaurant de France** : quartier FAR, ouest Khénifra. ☎ 055-58-61-14. Simple mais correct. Gran- | des chambres avec douche (eau chaude) et w.-c. particuliers qui ont un peu vécu. Celles donnant sur l'arrière sont moins bruyantes. Au restaurant, cuisine marocaine copieuse et bonne. Pas d'alcool. Accueil sympa.

■ *Hôtel Salam Azzayani :* ☎ 055-58-60-20. Établissement de 58 chambres, situé au cœur des montagnes. Piscine et tennis pour cet hôtel malheureusement très mal entretenu. Catégorie chic.

➤ *DANS LES ENVIRONS DE KHÉNIFRA*

🕴 À 32 km au nord-est sur la route d'Aïn-Leuh, l'*Aguelmane Azigza* (« la source verte »), un superbe lac naturel entouré de chênes verts, constitue l'excursion dominicale favorite des habitants de Khénifra. Dans ce lac très poissonneux, on pêche aussi des écrevisses.

🕴 Il faut aller encore un peu plus loin sur la route d'Aïn-Leuh pour parvenir aux *sources de l'Oum-er-Rbia*, le plus long des fleuves marocains. 15 mn suffisent pour atteindre, à pied, le site où l'eau surgit entre les falaises dans un bouillonnement continuel. Le long du chemin qui mène à la falaise sont installées des tentes et des paillotes où on peut se reposer en prenant un thé à la menthe. On peut même y dîner et y passer la nuit. Il est très agréable d'y trouver la fraîcheur pendant les grandes chaleurs de l'été.

➤ La petite route secondaire (de la 3485 à la 3398), qui relie *Khénifra* à *Azrou* en passant par les sources, offre un spectacle saisissant : vallées verdoyantes, cèdres et singes. Magnifique.

BENI-MELLAL
140 000 hab.

Cette ville est une bonne étape entre Fès et Marrakech (à 190 km au sud) même s'il y fait très chaud en été. C'est l'une des villes les plus en mouvement du pays, mais il y a très peu de touristes. La région n'est qu'un immense verger qui bénéficie des nombreuses sources et de la proximité du barrage de Bin-el-Ouidane, ainsi que d'une irrigation intensive. On y cultive, entre autres, des céréales, des oranges et des olives. Charles de Foucauld, au XIXe siècle, vantait déjà la richesse de ses plantations. Les oranges sont réputées pour être parmi les meilleures du Maroc.

Orientation

La ville est traversée d'est en ouest par le boulevard Mohammed-V. Deux grands axes lui sont perpendiculaires : d'abord, quand on vient de l'est, l'avenue des FAR que l'on prend sur la droite à hauteur de la kasbah et qui descend jusqu'à la gare routière. En face de celle-ci, on trouve côte-à-côte les hôtels *Charaf, Zidania* et *Kamal*. Plus loin sur le boulevard Mohammed-V et toujours sur la droite, l'avenue Hassan-II qui devient ensuite route de Fquih-ben-Salah. Il est possible d'éviter le centre en prenant la rocade qui passe au nord de Beni-Mellal.

Adresses utiles

✉ *Poste :* bd Mohammed-V. Ouvert du lundi au vendredi de 8 h 30 à 12 h et de 14 h 30 à 18 h 30.

■ *Banques :* toutes les grandes banques marocaines ont une agence bd Mohammed-V. Presque toutes changent de l'argent *(BCDM, BMCE)* et possèdent un distributeur automatique de billets.

🚌 *Gare routière :* terminal *CTM.*
■ *Stations-service :* station *Mobil* à l'angle du bd Mohammed-V et de l'av. Hassan-II ; une autre bd Mohammed-V, après l'intersection avec le bd des FAR. Elle accepte les cartes de paiement.

■ *Pharmacie : Salama,* av. Hassan-II, en face de l'hôtel *Beni-Mellal Atlas.*
■ *Clinique des Oliviers :* 21, av. Hassan-II. ☎ 023-70-69-46.

Où dormir ?

Bon marché

🛏 *Hôtel Aïn-Asserdoun :* bd. des FAR. ☎ et fax : 023-48-34-93. Compter 150 Dh (15 €) pour une chambre double. Menu à 85 Dh (8,5 €). Établissement de 24 chambres, le long du souk. Douche chaude et toilettes dans les chambres. Propre. Cuisine pour touristes. Accueil sympa.

🛏 *Hôtel Charaf :* angle du bd des FAR et de l'av. du 20-Août. ☎ 023-48-12-21 et 023-48-43-59. En face de la gare routière. Prévoir 120 Dh (12 €) pour une chambre double. 24 chambres correctes, dont la moitié avec douche.

🛏 *Hôtel Zidania :* bd. des FAR, face à la gare routière. ☎ 023-48-18-98. Chambres doubles à 120 Dh (12 €). Bruyant mais propre et bien entretenu. On y profite d'une jolie vue.

🛏 *Hôtel Kamal :* av. des FAR, face à la gare routière. ☎ 023-48-69-41. Prévoir 120 Dh (12 €) pour une chambre double. Bon accueil de Latifa. 20 chambres au joli mobilier et aux sanitaires corrects mais parfois capricieux. Quelques cafards. Les chambres sur rue sont bruyantes, mais quel spectacle !

🛏 *Hôtel Tasmmet :* dans la kasbah, rue Dazhra, perpendiculaire au bd Ahmed-el-Hansali. ☎ et fax : 023-42-13-13. Chambres doubles à 70 Dh (7 €) avec sanitaires communs, 120 Dh (12 €) avec douche et w.-c. Chambres modestes mais très propres. Bon rapport qualité-prix.

Prix moyens

🛏 *Hôtel Beni-Mellal Atlas :* à l'angle de la rue Hassan-II et de la rue Chawki. ☎ 023-48-92-11. Fax : 023-48-82-98. Compter 270 Dh (27 €) pour une chambre double, petit déjeuner compris. Menu à 100 Dh (10 €). 25 chambres pas très clean, avec douche et AC, assez bruyant, car donnant sur un axe très fréquenté. Resto servant des spécialités locales. Cartes de paiement acceptées.

Chic

🛏 *Hôtel-restaurant Al-Bassatine :* à la sortie sud de Beni-Mellal, sur la route de Fquih-ben-Salah (ou de Casa). ☎ 023-48-22-47. Fax : 023-48-68-06. Chambres doubles à 330 Dh (33 €). Menu à 130 Dh (13 €) et carte. Demi-pension obligatoire assez chère à certaines périodes de l'année (se renseigner avant pour éviter les surprises). 63 chambres climatisées (demander celles de la nouvelle aile). Piscine. Établissement sans charme et sans chaleur, moyennement entretenu. Restaurant correct mais cher. Pas de licence d'alcool. Beaucoup de groupes. Cartes de paiement acceptées.

Où manger?

|●| *Restaurant S.A.T Agadir :* 155, bd El-Hansali. ☎ 023-48-14-48. Situé entre les restaurants *Sandwiches Noumdia* et *Zeriab*, dans la kasbah. Compter entre 30 et 40 Dh (3 à 4 €). Préférer l'étage, pour sa fraîcheur et sa vue sur la petite place avec fontaine en céramique bleue. Repas très copieux, nourriture et cadre plaisants. Tout cela pour un prix incroyablement dérisoire. Il vaut mieux arriver tôt pour éviter la foule, car ce restaurant est bondé aux heures des repas.

|●| *Restaurant de l'Hôtel de Paris :* à 10 mn du centre en direction de Kasba Tadla. ☎ 023-28-22-45. Grand restaurant avec terrasse. Bonne cuisine, soit en buffet servi dans la salle principale (beaucoup de groupes), soit dans une autre salle, agrémentée d'une fontaine. Spécialités de poisson. Service attentionné mais établissement bruyant, en raison du bar. On y sert la *kémia* (sorte d'amuse-gueule à base de pomme de terre, d'oignon, assaisonné de vinaigrette).

Où dormir? Où manger dans les environs?

🏠 |●| *Hôtel Ouzoud :* à 3 km sur la route de Marrakech, BP 93. ☎ 023-48-37-52. Fax : 023-48-85-30. Compter 750 Dh (75 €) pour une chambre double ; petit déjeuner cher, frôlant les 70 Dh (7 €). Menus à 160 et 170 Dh (16 et 17 €). L'hôtel vient d'être entièrement rénové, d'où la forte augmentation des prix. Heureusement, ils se discutent et il y a parfois des tarifs promotionnels. Le restaurant a fière allure et la cuisine servie y est plus que correcte. Piscine et merveilleux jardin. Tout ici est propre et calme. Cartes de paiement acceptées.

Où manger une pâtisserie?

|●| *Salon de thé El-Afrah :* pl. d'Afrique. Pâtisseries excellentes et très bon jus d'orange.

|●| *Pâtisserie-salon de thé Zohour :* 241, bd Mohammed-V. Il est agréable de manger une pâtisserie ou de déguster une glace dans un joli petit salon marocain embaumé par de délicieuses odeurs. L'un des endroits les plus agréables de la ville.

Où boire un verre?

🍸 *Terrasse du restaurant de l'Hôtel Beni-Mellal Atlas :* il y a un café-bar d'où l'on peut voir passer et s'agiter les gens.

🍸 *Terrasses des cafés* de l'av. Hassan-II, près de la fontaine qui fait l'angle avec le boulevard Mohammed-V, et notamment *Le Jour et Nuit*, amusant avec ses mille et une glaces qui meublent tous les recoins de la salle.

🍸 *Cafés* de la pl. Massira... pour se dorer au soleil !

À voir. À faire

🦌 *Aïn Asserdoun :* au-dessus de Beni-Mellal, à 3,5 km du centre. Appelée aussi « source du Mulet ». Prendre un petit taxi à l'aller et redescendre à pied. On peut aussi s'y rendre en bus. Demander « La Source ». Elle approvisionne la ville. Un jardin public a été aménagé autour de cette source. Dommage que ce soit si mal entretenu.

De là, une petite route en lacet de 1 km monte au *borj* de ***Râs-el-Aïn***, d'où l'on a une magnifique vue sur toute la plaine du Tadla. Champs d'oliviers et vergers se succèdent jusqu'à l'horizon. Pour les routardes seules, ne pas prendre la route qui part à droite en descendant du point de vue, mais celle de gauche avec trottoirs et lampadaires.

🔌 ***La kasbah :*** elle a été construite lors du règne de Moulay Ismaïl, à la fin du XVIIᵉ siècle. Depuis, elle a de nombreuses fois été retouchée. Cependant elle est d'un intérêt relatif. Dans le centre-ville, non loin de la place du Marché, on trouve des échoppes très colorées et accueillantes. Souk intéressant le mardi. On peut y acheter de grandes couvertures berbères aux teintes vives *(henbel)*.

➤ ***Circuit touristique :*** il est indiqué à l'entrée de la ville par un panneau. C'est une route qui vous emmène, au sud de la ville, faire le tour de l'olive-raie de Beni-Mellal, de la source d'Aïn Asserdoun, et de la kasbah en ruine de Râs-el-Aïn, entourée de jardins, d'où l'on a une superbe vue sur la région.

➤ *DANS LES ENVIRONS DE BENI-MELLAL*

LE SOUK SEBT DES OULED NEMÂA

Si vous êtes à Beni-Mellal un samedi, ne manquez pas ce souk important et très intéressant, à 35 km au sud-ouest. Pour s'y rendre, prendre la route de Marrakech et, à 21 km, emprunter sur la droite la S134. Les panneaux de signalisation portent l'indication « Souk Sebt ». Service régulier de bus. Pratiquement pas de touristes.

LE BARRAGE ET LE LAC DE BIN-EL-OUIDANE

À une soixantaine de kilomètres au sud-ouest de Beni-Mellal en direction des cascades d'Ouzoud. Paysage étonnant. La couleur de l'eau de ce lac de retenue de 3 735 ha sort tout droit d'une carte postale. Ce barrage ambitieux, le plus grand du Maroc, achevé en 1955, a permis de développer considérablement les cultures dans la région. Il fournit aussi en énergie une grande partie du centre du Maroc.

Où dormir ? Où manger ?

🛏 |●| ***Auberge du Lac :*** hôtel-bar-restaurant. Au bord de l'oued el-Abid. Douches chaudes mais confort très sommaire, et tout se dégrade. Nourriture très quelconque et mauvais rapport qualité-prix. L'auberge profite de sa situation de monopole près du lac pour arnaquer les touristes. Adresse à éviter, vous l'aurez compris. Heureusement que le paysage est là pour faire oublier tous ces désagréments.

AZILAL

Toujours sur la route des cascades d'Ouzoud, à 27 km après le barrage de Bin-el-Ouidane et 38 km avant d'arriver aux cascades. Ville sans grand intérêt de plus de 40 000 habitants, située à 1 360 m d'altitude. Souk le jeudi. Azilal est le point de départ des excursions dans le massif du M'goun.

Adresse utile

■ *Association des Guides de Montagne de la région Tadla-Azilal (AGMRTA) :* av. Hassan-II. ☎ et fax : 028-45-94-80. ● agmrta@hot mail.com ● Circuits organisés à la carte et réalisés par des professionnels de la montagne. Très sérieux.

Où dormir?

🛏 *Hôtel du Dadès :* à l'entrée de la ville, dans la rue principale. 12 chambres très simples mais propres, avec salles de bains collectives. Accueil chaleureux et prix très doux.

KASBA-TADLA

À 30 km sur la route en direction de Rabat et de Casablanca. Sa citadelle, l'une des plus importantes du Maroc, et son pont à dix arches qui enjambe l'oued Oum Er-Bia, valent un petit détour. Souk le lundi.

Où manger?

|●| *Restaurant Salem :* av. Mohammed-V. Simple mais bons tajines et brochettes. Moustache, le proprio, est un personnage pittoresque. Un peu cher toutefois.

EL-KSIBA

Entre Kasba-Tadla et Beni-Mellal, sur la route secondaire 319.

Où dormir? Où manger?

⚐ 🛏 |●| *Auberge des Artistes :* à 50 km de Beni-Mellal, sur la route d'Imilchil. ☎ et fax : 023-41-54-90 ou 062-11-94-05 (portable). Chambres doubles à 290 Dh (29 €) avec salle de bains, ou à 150 Dh (15 €) en utilisant les sanitaires du camping. Possibilité de louer une tente pour 50 Dh (5 €). Les campeurs munis de leur propre matériel paient 30 Dh (3 €) par personne. Menu à 120 Dh (12 €). Terrain montagneux où l'on peut camper sous des tentes classiques ou berbères (pas d'eau chaude). Patricia et François, les proprios, louent aussi 8 chambres confortables. Sanitaires simples et propres. Côté resto, cuisine simple et de bonne qualité (on se souvient encore des brochettes). Accueil sympathique.

LE MOYEN ATLAS

À faire

➤ Belles *balades* à faire dans le coin, comme les cascades de Tit-in-Ziza ou encore l'arène des Ours pour les spéléos. Demandez à François de l'*Auberge des Artistes* de vous indiquer le chemin.

QUITTER BENI-MELLAL

- 🚌 *Gare routière :* ☎ 023-48-20-35.
- ➤ *Pour Marrakech :* liaisons très fréquentes (27 par jour) de 0 h 15 à 18 h. Durée du trajet : 3 h 30.
- ➤ *Pour Fès :* au moins 9 liaisons quotidiennes de 0 h 45 à 23 h 30 en 5 h.
- ➤ *Pour Casa :* par *Kasba Tadla,* pas moins de 35 liaisons journalières.

LES CASCADES D'OUZOUD

Situées à 120 km au sud-ouest de Beni-Mellal, à 150 km au nord-est de Marrakech et à 38 km d'Azilal, ces étonnantes chutes d'eau de 110 m de hauteur, classées parmi les plus beaux sites du Maroc, constituent l'une des attractions naturelles les plus remarquables de l'Atlas marocain. L'endroit, peu à peu, devient connu et trop fréquenté, surtout l'été (on y vient pour trouver la fraîcheur à 1 068 m d'altitude). Les alentours commencent à être jonchés de détritus, sans oublier les marchands de souvenirs et les faux guides. De nombreux promoteurs guettent le coin mais, jusqu'à présent, tous leurs projets, heureusement, ont échoué. Les étudiants marocains connaissent l'endroit et sont nombreux à y camper. Évitez d'y aller le week-end en été, il y a trop de monde. N'oubliez pas d'emporter une bonne paire de chaussures de marche.

Comment y aller ?

En bus

- ➤ *De Beni-Mellal :* prendre le bus pour Azilal, à 81 km (départs, en principe, à 5 h, 10 h, 12 h et 16 h), puis continuer en grand taxi ou en stop pour les 38 km restants. Pour revenir à Beni-Mellal, le dernier bus part d'Azilal à 14 h 30.
- ➤ *De Marrakech :* prendre un bus pour Azilal et descendre 22 km avant le terminus. De là, trouver un taxi ou tenter le stop. Attente plus ou moins longue.

En voiture

- ➤ *De Beni-Mellal :* compter 120 km si l'on suit l'itéraire par Azilal (voir ci-dessus « En bus »). Mais il y a plus court : suivre la route P24 en direction de Marrakech pendant 45 km et la quitter sur la gauche pour Khemis-des-Oulad-Ayad. On passe 25 km plus loin à Aït-Attab puis, la route étroite (tronçons récemment goudronnés) grimpe avec, en contrebas à droite, les magnifiques gorges de l'oued El-Abid, qui valent bien le lac de Bin-el-Ouidane. On gagne 20 km par rapport à la route d'Azilal.
- ➤ *De Marrakech :* sortir par la route principale vers Fès. 4 km après la traversée de Tamelet, prendre à droite la direction Azilal. Traverser Attaouia, et, 27 km plus loin, laisser à droite l'embranchement vers Demnate et continuer en laissant sur la droite la route du barrage. Après 40 km, soit 20 km avant Azilal, prendre à gauche vers les cascades. Toutes ces routes sont en bon état, et il y a 5 ou 6 stations-service sur le parcours.

Où dormir ? Où manger ?

Campings

⊼ **Camping de la Rivière :** en face de l'hôtel *Riad Cascades d'Ouzoud*, cadre sympa sous les orangers. ☎ 023-45-96-59. Mais le camping est extrêmement bruyant. Les sanitaires ne fonctionnent pas toujours bien. Douche froide. Il y a quand même 2 chambres, totalement nues, à un tarif imbattable : 60 Dh (6 €) la double.

⊼ |◉| **Camping Relax :** le premier à droite en descendant. Dans un verger, avec sanitaires très sommaires sur le site et possibilité de douches payantes à l'auberge située plus haut. Ne peut convenir qu'à d'authentiques routards pas trop regardants. Bons petits plats.

⊼ Plusieurs autres petits *campings* très sommaires, souvent surchargés, avec des conditions d'hygiène lamentables et, bien entendu, sans électricité. Le camping sauvage dénature le site, principalement dans le bas de la cascade, squatté par des campeurs sans scrupules qui s'y construisent de véritables abris.

Bon marché

|◉| Plusieurs *cafés* le long du sentier. Il faut savoir que ces cafés n'ont pratiquement rien à proposer hors saison. Il faut souvent se contenter d'une omelette. Les conditions d'hygiène y sont souvent ignorées. Prudence de rigueur. Ne boire que des boissons capsulées ou du thé dont l'eau a été bouillie. Nous vous recommandons toutefois *La Rivière des Cascades :* au départ du chemin des moulins, à droite de la place. Ce snack est tenu par Marouane, un père de famille sympa qui connaît bien sa ville.

Plus chic

🛏 |◉| **Riad Cascades d'Ouzoud :** non loin du parking, en prenant le sentier de droite qui surplombe les cascades. ☎ 023-45-96-58 et 062-14-38-04 (portable). Fax : 023-45-88-60. ● www.ouzoud.com ● Chambres doubles avec douche et w.-c. à 600 Dh (60 €), petit déjeuner en plus ; compter 900 Dh (90 €) avec la demi-pension ; réductions en juin et novembre. Menu à 125 Dh (12,5 €). Tenu par Patrick et Francis, deux Français. L'hôtel propose 6 chambres tout confort, joliment décorées, avec cheminée. Un petit nid douillet où l'oranger distille ses effluves à souhait. Bonne cuisine. Peut-être irez-vous moudre l'orge au moulin de la cascade pour faire un couscous ? Excursions proposées. Initiation au parapente, au canoë et au trekking, etc. Réservation indispensable.

À voir

La route débouche sur un vaste terre-plein avec deux parkings payants (5 Dh, soit 0,50 €). Depuis l'installation d'un poste de police sur la place de mai à septembre, les faux guides, faux étudiants, dragueurs, etc. se font de plus en plus discrets. Ils sont inutiles pour visiter la chute.

En empruntant l'escalier de droite qui surplombe la cascade, on découvre, à quelques mètres, les anciens moulins à eau. En continuant la descente par cette rive naturelle, on arrive vers le lieu-dit « jardin des Singes » et le bas de la cascade.

Le sentier de gauche cimenté, qui commence entre le parking et l'hôtel, est le chemin touristique où se succèdent de petits cafés qui se disputent la clientèle (ils sont très inégaux, et n'offrent pas tous les mêmes garanties d'hygiène).

🐒🐒 C'est à proximité que vous pourrez atteindre le ***promontoire***, au milieu de la cascade, et voir l'eau se précipiter dans une cuvette verdoyante au milieu d'un arc-en-ciel quasi permanent. Spectacle féerique que celui de ce voile liquide qui se déchire et s'écoule sur deux niveaux distincts non visibles d'en haut. En continuant à descendre vers le fond de la vallée, on atteint les bords d'un lac circulaire. Il existe des petites embarcations pour traverser, appelées *Le Titanic*, *Le France*, etc. Donner 2 ou 3 Dh (0,20 ou 0,30 €) pour le trajet. N'essayez pas d'imiter certains Marocains qui plongent dans le bassin : il n'y a pas de profondeur, et de nombreux accidents sont à déplorer chaque année. On tient à conserver nos lecteurs !

Le nom d'*Ouzoud* vient du mot berbère *izide* qui signifie « délicieux », et c'est vraiment l'adjectif qui convient lorsqu'on se baigne dans les eaux fraîches du lac sous la douche de la cascade. Les amateurs de pêche peuvent essayer d'attraper quelques poissons. L'idéal est de faire le tour complet, c'est-à-dire de rejoindre le parking par l'autre rive (la droite).

En remontant la rivière jusqu'à sa source, vous rencontrerez des tortues, des crabes, dans un cadre superbe : falaises rouges, figuiers de Barbarie, lauriers-roses. Avec un peu de chance, on peut aussi surprendre des familles de singes de l'Atlas. On les verra plus facilement au coucher du soleil, vers la chute.

➤ *DANS LES ENVIRONS DES CASCADES D'OUZOUD*

➤ À ceux qui voudraient rayonner dans la région, le guide officiel de montagne Lahoucine Khallouk pourra proposer des ***balades pédestres*** jusqu'au confluent de l'*oued El-Abid* et de l'*oued Ouzoud* en passant par le village, dit mexicain, de *Tanaghmalt*.

MARRAKECH ET LES MONTAGNES DU HAUT ATLAS

On ne peut concevoir un séjour au Maroc sans visiter cette ville impériale surnommée la « Perle du Sud ». Selon la légende, son origine est due à un homme bleu, du nom de Youssef ben Tachfine, qui avait planté sa tente ici pour un court séjour ; mais ce nomade mangea tant de dattes qu'il fit surgir une palmeraie autour de son campement. C'était en 1062 ou en 1070, selon les sources. S'il revenait aujourd'hui, il ne reconnaîtrait rien de son oasis, transformée en une grande cité grouillante et parée de magnifiques monuments. Marrakech ne peut laisser indifférent, mais il faut savoir l'aborder et s'imprégner de l'atmosphère qui règne dans sa médina, dans ses souks et dans ses monuments religieux comme les tombeaux saadiens. Il faut savoir oublier les hordes de touristes qui ne font que passer et le côté factice de certains spectacles qui leur sont destinés. Pour bien comprendre Marrakech et l'apprécier, il faut y séjourner un peu. Alors cette ville impériale apparaît comme un joyau serti dans l'écrin naturel que forment autour les montagnes du Haut Atlas. À moins d'une heure de la capitale des Almoravides, lorsque les chaleurs de l'été rendent toute visite insupportable, il est possible de goûter aux joies de la montagne sur les pentes de l'Oukaïmeden et de suivre la vallée de l'Ourika en longeant le lit de son oued capricieux. (Voir plus loin le chapitre « Les montagnes du Haut Atlas ».)

MARRAKECH

> Pour le plan d'ensemble, les plans « Médina », « Jemaa-el-Fna » et « Guéliz »
> de Marrakech, voir le cahier couleur.

Des dizaines de cars déversant leurs flots quotidiens de toutouristes (et autant d'hôtels et de restos pour les caresser dans le sens du poil !), des échoppes vendant quelques babioles de piètre qualité... autant d'aspects qui tendent à faire de Marrakech une ville défigurée par le tourisme. Mais routards, ouvrez les yeux, car nombreux sont les charmes que dévoile cette cité ! Marrakech, c'est d'abord, avec Fès, sa rivale fondée deux siècles et demi plus tôt, le cœur historique du Maroc. Marrakech (*Marrakush* en arabe), Marocco, le nom du pays vient de là. Son emplacement est idéal, puisqu'elle se trouve à égale distance de la côte atlantique et des premières dunes du Sahara. Cette situation stratégique explique d'ailleurs la domination de la ville pendant plusieurs siècles et son statut, dans l'histoire, de capitale méridionale du Maghreb. Rappelons qu'elle fut, du XIe au XIIIe siècle, la capitale berbère d'un empire qui englobait l'Espagne musulmane, d'abord sous les Almoravides (fin du XIe siècle, début du XIIe siècle), puis sous les Almohades. En s'emparant de la ville en 1147, ces derniers ne furent pas loin, pour des raisons religieuses, de la détruire totalement afin d'éliminer toute trace des Almoravides, mauvais musulmans selon eux. Ils se contentèrent de raser les mosquées et les palais almoravides pour reconstruire, sur

les ruines, des édifices comme la Koutoubia. Par la suite, Marrakech connut des hauts et des bas : une brève renaissance au XVIe siècle avec les Saadiens qui l'érigèrent en capitale avant que les Alaouites (la dynastie régnante actuelle) ne l'abandonnent pour Meknès au XVIIe siècle. Devenue capitale secondaire au XVIIIe, elle a retrouvé une nouvelle jeunesse au XXe siècle grâce au développement du tourisme.

Marrakech, c'est aussi la porte du Sud marocain. Son ambiance, ses couleurs et son climat rappellent que le désert n'est pas loin. Une légende dit que, lorsqu'on a planté la Koutoubia au cœur de la ville, celle-ci a tellement saigné que tous les murs des maisons en ont gardé cette couleur rouge, omniprésente, qui constitue le fond du drapeau marocain. Malgré tout, la végétation y abonde ; en effet, les parcs publics, les jardins et les arbres fruitiers le long des grandes artères ont toujours été perçus par les Marocains comme autant de défis à l'aridité. Marrakech, c'est enfin un ensemble archi-

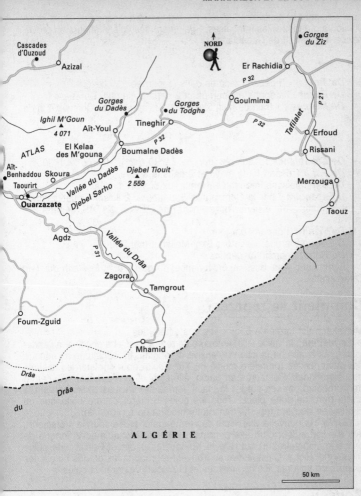

MARRAKECH ET LE SUD DU MAROC

tectural fascinant. La grande place Jemaa-el-Fna et son agitation (de jour comme de nuit!) vaut à elle seule le déplacement. Mais ce sont aussi ses souks colorés et bruyants, sa Ménara paisible, ses mosquées et ses quelques autres monuments millénaires qui offrent au voyageur la griserie d'un envoûtement inoubliable.

Comment y aller?

En avion

✈ *L'aéroport* est situé à 6 km au sud de Marrakech. ☎ 044-36-85-20. Pas de navette. Il faut prendre le bus n° 11 (attention pour les routards chargés, l'arrêt se trouve à 800 m de l'aéroport) ou un taxi. Compter entre 70 et 90 Dh

MARRAKECH

pour rejoindre le centre-ville (7 à 9 €). Vols en provenance de Paris et de plusieurs grandes villes françaises. Également des vols intérieurs en provenance d'Agadir et de Casablanca.

En train

➤ *De Tanger :* 3 départs répartis dans la journée.
➤ *De Rabat :* 7 départs en journée et 2 départs de nuit. Durée : 4 h.
➤ *De Meknès :* 1 train de nuit, 3 le matin, 2 l'après midi. Compter 7 h de trajet.

En bus

➤ *De Casablanca :* 7 bus par jour, de 7 h 30 à 21 h. Durée : 4 h 30.
➤ *De Fès :* 1 départ tôt le matin et 2 dans la soirée.
➤ *De Safi :* liaisons fréquentes. Nombreux bus en matinée.
➤ *D'Essaouira :* par la Compagnie *Supratours*, 2 liaisons quotidiennes, 1 tôt le matin, l'autre dans l'après-midi. Par *CTM* et *SATAS*, départs fréquents.
➤ *De Tiznit :* 3 départs par jour.
➤ *D'Erfoud :* le bus passe par Beni-Mellal et met 7 h.
➤ *De Rabat :* nombreux départs.
➤ Également, des bus en provenance d'*Agadir* et d'*Er-Rachidia* (*via* Ouarzazate).

Comment se repérer ?

Marrakech est formé de deux villes très différentes :
– *La médina :* la vieille ville, entourée de remparts. Cette enceinte à l'andalouse, qui avait une fonction défensive à l'origine, fut construite à l'époque des Almoravides (première moitié du XIIe siècle) pour contenir les assauts des Almohades. Restaurée en partie, elle symbolise Marrakech. Au centre de la médina bat son cœur : la place Jemaa-el-Fna. Les souks bordent la partie nord de cette place. Tous les pôles d'intérêt d'ordre historique ou culturel se trouvent répartis dans cette médina ou à proximité.
– *Guéliz :* la nouvelle ville. Hors des remparts et créée sous le protectorat, elle s'étend autour d'un axe principal : l'avenue Mohammed-V, longue de plusieurs kilomètres et qui relie la Koutoubia au *djebel* Guéliz, une petite montagne sèche. C'est là que se trouvent regroupés les grands hôtels, les loueurs de voitures, les commerces et la plupart des grands cafés.

Conseil

– En cas de changement de numéro de téléphone, le ☎ 160, très efficace, vous indiquera, si besoin est, le nouveau numéro.

Attention, arnaques

– « Bonjour, vous êtes français ? Voulez-vous participer à un jeu gratuit ? ». C'est ainsi que vous aborderont des jeunes gens bien propres sur eux, ils possèdent maintenant des kiosques dans tout Guéliz et vous proposeront des cartes à gratter où l'on gagne curieusement très souvent. Et quoi ? Une semaine prétendument gratuite dans un hôtel de luxe, moyennant l'achat d'une chambre en multipropriété *(time sharing)*. Si vous ne refusez pas, alors bienvenue au royaume de l'arnaque ! Et surtout ne laissez pas votre adresse, car vous seriez alors harcelé de courriers. Suite aux très nombreuses plaintes de touristes, une loi va restreindre la marge de manœuvre légale de ces escrocs. Des avertissements doivent être affichés à la réception des hôtels, et le démarchage sur la voie publique est interdit (mais il reste légal quand il est pratiqué depuis un kiosque!). Alors, libre à vous, mais on vous aura prévenu!

– Les arnaques liées au Net sont proportionnelles au développement de ce nouvel outil au Maroc : CON-SI-DÉ-RA-BLES! On ne compte plus les propositions de tours, expéditions et autres excursions proposées sur la toile par des agences « virtuelles ». Ce sont très souvent des « associations » ou des « structures », et les prix sont naturellement imbattables. Un bon test pour flairer l'entourloupe : demandez-leur une adresse fixe, leurs numéros de téléphone et de fax. Si elles ne le peuvent pas... c'est une arnaque! Et ces pseudo-agences n'acceptent que des sommes en liquide (naturellement). Le plus grave, c'est qu'en cas d'accident au cours d'un de ces tours vendus virtuellement, aucune aide n'est apportée et on vous laisse dans la panade... Vous n'avez plus alors aucun recours. Fin de partie.

Comment se déplacer dans Marrakech?

En bus

La compagnie qui assure les transports publics a mis en service de nouveaux bus, confortables et climatisés. Les tickets se prennent dans les bus, et leur prix est de 3 Dh (0,3 €) pour un trajet en centre-ville. Il y a *une trentaine de lignes* en tout. Voici les principales :
– *n° 1 :* de la pl. Jemaa-el-Fna à l'entrée de la palmeraie. Elle suit l'av. Mohammed-V et relie la ville ancienne à la ville nouvelle (Guéliz);
– *n° 8 :* de la pl. Jemaa-el-Fna, suit l'av. Mohammed-V, dessert Bâb Doukkala, l'av. Hassan-II et la gare *ONCF*;
– *n° 11 :* à 200 m de la pl. Jemaa-el-Fna (tout près du centre artisanal), conduit aux jardins de la Ménara et à l'aéroport. Attention toutefois pour les routards chargés de bagages, l'arrêt se situe à environ 800 m de l'aéroport! Dessert au passage l'av. Mohammed-V jusqu'à la poste centrale à Guéliz. Suit l'av. Hassan-II puis l'av. de France en longeant l'Hivernage;
– *n°s 5, 9 et 15 :* de la pl. Jemaa-el-Fna, autour des remparts, Bâb Debbagh, Sidi-Youssef-ben-Ali;
– *n°s 3, 10, 13 et 14 :* comme la ligne n° 8 en passant par la poste centrale;
– *n° 6 :* de la pl. Jemaa-el-Fna à la route de Targa en suivant l'av. Mohammed-V jusqu'au lycée Victor-Hugo. Elle dessert l'Institut français de Marrakech. Ligne assez bondée (les taxis essaient d'en profiter);
– *n°s 14 et 28 :* de la poste centrale (Guéliz) vers la gare *ONCF* puis Massira 1.

En taxi

Ils ne sont pas moins de 2 000 à sillonner les rues de Marrakech. On les trouve un peu partout, principalement pl. Jemaa-el-Fna, à la gare routière et sur l'av. Mohammed-V. Les plus nombreux sont les « petits taxis » (pour la plupart des Fiat Uno ou des 205 surmontées d'une galerie). Ceux-ci ne peuvent se rendre à la périphérie de Marrakech, mais ils conviendront pour la plupart des adresses indiquées dans le guide.
– En principe, une course moyenne en ville coûte entre 8 et 12 Dh (0,8 à 1,2 €); c'est plus cher pour la palmeraie ou une destination périphérique. Restez ferme et ayez l'appoint, ce qui abrège généralement les palabres.
– Les « grands taxis » (de vieilles Mercedes bien souvent) sont nettement plus chers et peuvent sortir de l'agglomération.

En calèche

Pour les nostalgiques, une autre façon de se déplacer en ville, à condition de bien débattre le prix et d'en fixer le montant avant le départ. Il existe un tarif officiel affiché (parfois) dans les calèches : aux dernières nouvelles, 80 Dh (8 €) l'heure, ou environ 30 Dh (3 €) pour une course. Bien entendu, les cochers semblent l'ignorer. Si vous donnez un billet de 100 Dh (10 €), ils ne vous rendront pas la monnaie si vous n'insistez pas, tendant à considérer le pourboire comme un dû. Ce tarif peut servir de base à des négociations serrées. Il est préférable de discuter un forfait pour tel ou tel circuit plutôt que de payer à l'heure. En effet, dans ce dernier cas, on se retrouve inévitablement avec un cheval fatigué ou rhumatisant, qui avance lentement ou qui, comme par hasard, s'arrête devant un magasin où vous êtes attendu... Quoi qu'il en soit, refusez de grimper si votre monture vous paraît dans un piteux état.
– Station principale face au *Club Méditerranée*, à côté de Jemaa-el-Fna *(plan couleur d'ensemble, C2)*, ou place de la Liberté, à la jonction des quartiers de l'Hivernage et de Guéliz *(plan couleur d'ensemble, B2)*.
– Nombreuses autres stations à proximité des grands hôtels. À signaler que Marrakech est l'une des rares villes du Maroc à avoir pu conserver ce mode de transport, plein de charme. On peut monter à 4 personnes.

À deux-roues

– ***Location de vélos :*** les Marrakchis en sont de fervents utilisateurs. Mais la circulation étant dangereuse, nous vous déconseillons ce moyen de transport. Si vous souhaitez cependant louer un vélo, compter en moyenne 70 Dh (7 €) la demi-journée.
Entre autres lieux, vous trouverez des loueurs devant l'hôtel *Siaha Safir* (quartier de l'Hivernage).

En voiture

La circulation à Marrakech est anarchique. Les embouteillages sont fréquents et le code de la route rarement respecté. Il faut donc souvent s'armer de patience et redoubler d'attention. Évitez absolument de pénétrer dans la médina, où les ruelles sont trop étroites : vous risqueriez de déranger ! Sinon, pas de problème, vous trouverez à vous garer grâce au gardien (2 à 5 Dh le jour, soit 0,2 à 0,5 €, et 10 Dh pour la nuit, soit 1 €). Ils dépendent de la municipalité mais ne touchent aucune rémunération. Ce qui est versé par les automobilistes leur tient lieu de salaire.
– ***La fourrière*** (oui, cela existe !)... Il vous en coûtera une amende modeste mais également plusieurs heures de patience, dont une à attendre que l'on retrouve le policier détenant les clés de l'armoire à PV. Authentique ! Pour la récupération, pas de panique. Se munir de tous les papiers du véhicule (y compris le contrat de location), du passeport, et faire une photocopie de chaque document. Se rendre ensuite au *commissariat central*, remettre les photocopies et le règlement de l'amende. On vous donnera en échange un « bon de sortie ». Ensuite, direction la fourrière. Donner le bon et régler les frais de remorquage, plus une taxe communale.
ATTENTION : ne jamais se garer place Jemaa-el-Fna, c'est formellement interdit !
– ***Location de voitures :*** méfiance ! Certaines agences se prétendent recommandées par nous. Il en existe plus de 400, et la plupart traitent en sous-location. Ne conclure aucun contrat sans avoir vu et examiné le véhicule (état des pneus, présence d'une roue de secours, du cric et d'une manivelle, fermeture du coffre, fonctionnement des feux, etc.).
Et n'attendez pas la dernière minute pour louer votre véhicule, si vous ne l'avez pas fait par l'intermédiaire de votre voyagiste avant le départ. Pendant

les périodes de pointe, comme pour les chambres d'hôtels, la demande est largement supérieure à l'offre. Les loueurs n'hésitent pas alors à faire venir de Casablanca, de Rabat ou de toute autre ville, des véhicules en état douteux pour ne pas manquer des locations.

Voici les agences de location qui semblent donner actuellement le plus de satisfaction à nos lecteurs tout en offrant les meilleures garanties, ce qui ne veut pas dire les prix les plus bas (il est préférable d'avoir un véhicule en bon état à quelques dirhams de plus et d'accepter si on vous la propose le surcoût, parfois prohibitif, d'une assurance tous risques) :

■ *Pampa Voyage Maroc (plan couleur Guéliz, A-B2, 7)* : 219, av. Mohammed-V. ☎ 044-43-10-52 et 044-43-87-30. Fax : 044-44-64-55 et 044-43-87-31. ● www.pampamaroc. com ● pampa@iam.net.ma ● Dans l'immeuble Jassim, au rez-de-chaussée. Loueur sérieux offrant des conditions intéressantes et tous les services touristiques classiques. Bon accueil. Les véhicules sont bien entretenus. Attention aux faux guides et rabatteurs à l'entrée de l'immeuble. Louent aussi des véhicules avec chauffeur. Réservation possible de France ou de Belgique. Cartes de paiement acceptées.

■ *Concorde Car (plan couleur Guéliz, A1, 12)* : 154, av. Mohammed-V, 2ᵉ étage, nº 4. ☎ 044-43-11-16 (24 h/24) et 044-43-99-73. Portable : ☎ 061-13-42-85. ☎ et fax : 044-44-61-29. Comptoir à l'aéroport. Excellente réputation pour ce loueur qui possède un parc de véhicules récents, bien entretenus et révisés régulièrement. Il loue aussi des 4x4 Pajero, indispensables quand on veut faire de la piste, et assure un véritable service auprès de la clientèle (disponibilité 24 h/24, assistance réelle en cas de pépin, dépannage rapide, transferts, etc.). Il propose enfin de bonnes conditions d'assurance sans franchise. De plus, l'accueil est chaleureux et les prix sont d'autant plus raisonnables qu'il accorde 15 % de remise sur le plein tarif, sur présentation du *Guide du routard*. Réservation possible depuis la France.

■ *Missil Car (plan couleur Guéliz, A1, 12)* : 154, av. Mohammed-V, 2ᵉ étage, nº 3. ☎ 044-43-74-28. Portable : ☎ 061-34-15-77. ☎ et fax : 044-44-74-35. Cette société, affiliée à *Concorde Car*, est spécialisée dans la location des 4x4 avec ou sans chauffeur. Assurance tous risques sans franchise. Le client est assuré techniquement durant toute la durée de la location. Renseignements et réservations depuis l'étranger ainsi qu'au comptoir de *Concorde Car* à l'aéroport de Marrakech.

■ *Najm Car (plan couleur Guéliz, A1, 13)* : Galerie Jakar, magasin nº 9, à l'angle de l'av. Mohammed-V et de la rue Mohammed-el-Beqal. ☎ 044-43-79-09. Portable : ☎ 061-15-61-12. Fax : 044-43-78-91. Encore une bonne adresse sérieuse et économique, qui donne entière satisfaction à nos lecteurs avec son assistance réelle 24 h/24, ses transferts gratuits vers l'aéroport ou l'hôtel, son accueil chaleureux, ses forfaits intéressants à la semaine et ses véhicules en bon état (ils ont leur propre garage pour l'entretien de leur parc automobile). Location de 4x4 climatisés avec ou sans chauffeur. Pour plus de six jours de location, livraison et reprise dans un rayon de 300 km autour de Marrakech.

■ *Horse Car (plan couleur Guéliz, A1, 14)* : 44, rue de la Liberté, 3ᵉ étage, appartement 1. ☎ 044-43-84-55. Fax : 044-44-92-62. ● horsecar@iam.net.ma ● Amabilité et compétence sont les maîtres mots de cette agence aux prix compétitifs.

■ *Lune Car (plan couleur Guéliz, A2)* : 111, rue de Yougoslavie. ☎ 044-44-77-43 et 044-43-43-69. Fax : 044-43-73-54. ● lunecar@iam. net.ma ● À côté du restaurant *Bagatelle*. Demander Rachid. Louent aussi des 4x4 et des vélos. Agence très sérieuse, qui assure un excellent service. Nos lecteurs en sont satisfaits depuis des années.

■ *Carole Rent-a-Car (plan couleur Guéliz, A1, 11)* : rue de la Liberté.

Immeuble Moulay-Youssef au-dessus la *pâtisserie Zohor* au 5ᵉ étage. ☎ et fax : 044-43-27-67. Permanence au ☎ : 061-61-01-98 (portable). Ils disposent d'un parc varié et en bon état. Louent aussi du 4x4. Possibilité de réserver par fax depuis la France.

■ *Cobracars (plan couleur Guéliz, B2) :* 5, rue Zallaka, villa Hillal. ☎ et fax : 044-42-13-08. ● cobratours@menara.ma ● À la hauteur du restaurant *Al Fassia* en venant de Jemaa-el-Fna, prendre à droite, puis la 3ᵉ

à droite. L'agence loue des 4x4 de luxe, climatisés, avec chauffeur et organise des excursions à la journée ainsi que des circuits de plusieurs jours en collaboration avec son agence de voyages basée à Mirleft.

■ *Atis-Car (plan couleur Guéliz, A1) :* 76 bis, av. Mohammed-Abdelkrim-el-Khattabi (c'est la route de Casablanca à partir de l'avenue Mohammed-V). ☎ et fax : 044-43-48-16. Tarifs intéressants, parc automobile assez varié et excellent service.

Adresses utiles

Infos touristiques

🄸 *Office national du tourisme marocain (plan couleur Guéliz, A1) :* à l'angle de l'av. Mohammed-V et de la pl. Abd-el-Moumen-ben-Ali. ☎ 044-43-61-31 et 79. Fax : 044-43-60-57. Bus n° 1. Ouvert, en principe, de 8 h 30 à 12 h et de 14 h 30 à 18 h 30 ; pendant le ramadan et en été, de 9 h à 15 h. Bonne adresse lorsque l'on

n'a besoin de rien... Permanence de guides officiels assurée pour la visite de la ville. Tarifs : 150 Dh (15 €) la demi-journée et 250 Dh (25 €) la journée ; 300 Dh (30 €) pour une journée en dehors de Marrakech. Ajouter le prix du repas et celui du logement s'il s'agit d'un circuit.

Poste et télécommunications

✉ *Poste centrale (plan couleur Guéliz, B2) :* pl. du 16-Novembre, à Guéliz ; et bureau de la médina, pl. Jemaa-el-Fna *(plan couleur Jemaa-el-Fna, A1).* Ouvert du lundi au jeudi de 8 h 30 à 12 h et de 14 h 30 à 18 h, et le vendredi de 8 h 30 à 11 h 30 et de 15 h à 18 h. Permanence téléphonique et télégraphique assurée à la poste centrale jusqu'à 21 h, week-ends et jours fériés inclus.

● *Téléphone :* nombreuses cabines publiques. On trouve aussi un peu partout des téléboutiques avec des téléphones à pièces au même tarif, en théorie du moins, que la poste. Assurent la vente des timbres. Ouverts tous les jours jusqu'à 22 h en principe. Font aussi fax (cher) et photocopies.

■ *Internet*
– *Dans la médina :*
🄰 *Cyber-Koutoubia (plan couleur Jemaa-el-Fna, A2, 6) :* rue de Bâb-

Agnaou, Kissariat Essalam. ● cyberkoutoubia2000@hotmail.com ● Dans la rue piétonne, en face de la place et au fond d'une petite arcade commerciale. Ouvert tous les jours de 9 h 30 à minuit.

🄰 *Cyber de la Place (plan couleur Jemaa-el-Fna, A1, 29) :* juste à côté de l'hôtel *Ichbilia.* ● ariha989@iam.net.ma ● Ouvert de 9 h à 23 h. Fermé le vendredi de 12 h à 14 h. Attention à la tête en descendant !

– *Dans Guéliz :*

🄰 Pas mal de nos lecteurs ont aussi trouvé refuge dans le *passage El-Ghandouri (plan couleur Guéliz, A1),* au début de la rue de Yougoslavie, qui ne compte pas moins de 4 adresses quasiment toutes au même tarif. En voici deux :

🄰 *Cyber Colisée (plan couleur Guéliz, A1, 17) :* passage El-Ghandouri n° 13, juste en face du cinéma dans le passage commercial. ☎ 066-

01-55-11 (portable). Ouvert tous les jours de 9 h 30 à 23 h.

@ **Internet Venus** *(plan couleur Guéliz, A1, 17)* : 25, passage El-Ghandouri. ☎ 044-42-02-26. Bien aussi.

Argent, banques, change

Le change et le retrait s'effectuent dans presque toutes les banques. Elles sont nombreuses à Guéliz et dans la médina, généralement ouvertes du lundi au vendredi de 8 h 15 à 11 h et de 14 h 30 à 16 h 30, sauf pendant le ramadan. Elles disposent presque toutes de distributeurs automatiques, mais attention, ceux-ci sont souvent vides le week-end en haute saison. Certaines disposent également d'un guichet de change, ouvert un peu plus longtemps que les banques elles-mêmes.

– La banque **BCM** *(plan couleur Guéliz, B3, 80)* dans le quartier de l'Hivernage, située à côté de l'hôtel *Impérial Borj* et du restaurant *Alizia*, est ouverte le samedi matin de 9 h 15 à 12 h 30 (pendant le ramadan, de 10 h 30 à 12 h 30) ; en revanche, elle est fermée le lundi matin.

– Change possible à la réception des grands hôtels et au syndicat d'initiative, av. Mohammed-V (ouvert jusqu'à 19 h) ou, juste à côté, à la *BMCI* (jusqu'à 20 h), ainsi qu'à l'aéroport.

Représentations diplomatiques

■ **Consulat de France** *(plan couleur Jemaa-el-Fna, A1, 8)* : rue Ibn-Khaldoun ; à côté de la Koutoubia. ☎ 044-44-17-48 et 044-44-40-06. Ouvert de 8 h 30 à 11 h 45.

■ **Consulat de Belgique :** pas de représentation, s'adresser à Casablanca.

Santé, urgences

■ **Pharmacies de garde** *(plan couleur Guéliz, B1, 10)* : chez les pompiers (☎ 044-43-04-15), rue Khalid-ben-el-Oualid, perpendiculaire à l'av. des Nations-Unies qui relie la poste centrale à Bâb Doukkala ; et aussi dans le quartier industriel, à côté des bureaux de la communauté urbaine et de l'administration de Marrakech, mais c'est très loin du centre et difficile à trouver. On trouve aussi des médicaments en urgence la nuit place Jemaa-el-Fna (en face de la poste), mais il faut patienter longtemps.

■ **Médecins généralistes**
– *Dr Haraki el-Mehdi (plan couleur Guéliz, A-B2, 7)* : Saada-IV, M'Hamid. ☎ 044-36-05-29 (cabinet), ☎ 044-36-05-53 (domicile) et ☎ 061-16-84-93 (portable). Excellent professionnel, sympathique, et pratiquant des tarifs raisonnables.

– *Dr Béatrice Peiffer-Lahrichi :* résidence Lafrasouk (à côté du commissariat central). ☎ 044-43-53-29. Ce médecin français est également spécialisé en pédiatrie et se déplace à domicile.
– *Dr Frédéric Reitzer :* immeuble Moulay-Youssef, Guéliz (à côté du marché central). ☎ 044-43-95-62. Portable : ☎ 061-17-38-03. Médecin agréé par le consulat, se déplace également en cas de besoin.
■ **Gastro-entérologues** *(plan couleur Guéliz, A-B2, 7)*
– *Dr Benzakour :* 213, av. Mohammed-V, 4e étage. ☎ 044-43-10-50 et 044-43-85-68 (cabinet), ☎ 044-30-90-59 (domicile), ☎ 061-13-42-55 (portable). Excellent professionnel, sympathique et pratiquant des tarifs raisonnables.
– *Dr Hajouji Idrissi :* rue Mauritania, immeuble Moutawakil, 1er étage, à

Guéliz. ☎ 044-43-31-32 ou 061-21-69-16 (portable).

■ *Kinésithérapeute :* Dr Didier Godeau, 36, lotissement Assania, Guéliz. ☎ 044-44-63-74. Portable : ☎ 061-52-36-41. Excellent praticien, adepte de la thérapie manuelle et psycho-corporelle. Peut se déplacer si vous ne le pouvez pas.

■ *Ophtalmologiste (plan couleur Guéliz, A-B2, 7) :* Dr Jamali-Azzedine, 213, av. Mohammed-V, 1er étage. ☎ 044-44-95-25.

■ *Dentiste (plan couleur Guéliz, A-B2, 7) :* Dr El-Qabli-Hicham, 213, av. Mohammed-V, 2e étage. ☎ 044-44-86-04 (cabinet) et 044-31-34-88 (domicile).

■ *Polyclinique du Sud (plan couleur Guéliz, A1, 5) :* 2, rue de Yougoslavie. ☎ 044-44-79-99 et 044-44-37-24. N° Vert gratuit pour tout le Sud marocain : ☎ 0800-0-25-25. Fax : 044-43-24-24. À l'angle de la rue Ibn-Aïcha. La meilleure adresse pour se faire soigner, mais c'est très cher. Ils sont correspondants de *Inter Mutuelles Assistance.*

■ *Clinique Ibn Tofaïl (plan couleur Guéliz, A1, 19) :* rue Ibn-Abdelmalik. À ne pas confondre avec l'hôpital du même nom, situé à proximité. ☎ 044-43-87-18 et 044-43-63-53. Portable : ☎ 061-18-13-70. Équipe de médecins très compétents. Urgences assurées 24 h/24. Consultations spécialisées en pédiatrie, urologie et chirurgie générale. Clinique recommandée par beaucoup de résidents.

■ *SOS Médecins-Maroc :* ☎ 044-40-40-40 (tous les jours, 24 h/24). Consultations médicales à domicile (et bien entendu dans les hôtels et résidences touristiques). Transport médicalisé. Compter 400 Dh (40 €) la visite.

Transports

■ *Gare routière (plan couleur d'ensemble, B1) :* pl. El-Mourabitoun. ☎ 044-43-43-52. Dans le quartier de Bâb Doukkala, à l'extérieur des remparts. De grands taxis assurent au départ de la gare routière le transport vers la gare *ONCF* et vers la place Jemaa-el-Fna. Nous conseillons d'aller prendre le billet la veille et de vérifier les horaires. La gare est fonctionnelle et bien organisée.

■ Juste à côté, nombreux *taxis collectifs* pour Essaouira, Agadir, etc. À vous de choisir.

■ Les bus de la *CTM* partent du bd Mohammed-Zerktouni, près du *Café de la Renaissance (plan couleur Guéliz, A1).* ☎ 044-44-83-28. ● www.ctm.co.ma ●

■ *Gare ferroviaire (plan couleur Guéliz, A2) :* à Guéliz, av. Hassan-II. ☎ 044-44-77-03 et 044-44-77-68.

■ *Aéroport (hors plan couleur d'ensemble par B3) :* à 6 km au sud. ☎ 044-36-85-20. Pas de navette. Compter entre 70 et 90 Dh (7 à 9 €) depuis le centre-ville, mais 150 Dh (15 €) depuis la palmeraie.

■ *Royal Air Maroc (plan couleur Guéliz, A-B2, 7) :* 197, av. Mohammed-V. ☎ 044-44-64-44 (réservations) et 044-43-62-05. Fax : 044-44-60-02. ● www.royalairmaroc.com ● Ouvert de 8 h 30 à 12 h 15 et de 14 h 30 à 19 h. La seule agence officielle de la *RAM,* incontournable pour la reconfirmation de vos billets retour.

Garages, réparations

■ *Sud Transmission (plan couleur Guéliz, A2) :* 8-10 bis, av. Moulay-Rachid. Pièces détachées et accessoires auto (sauf pneus et chambres à air). Très honnête.

■ *Garage Secovam (hors plan couleur d'ensemble par A1) :* 180, av. Mohammed-Abdelkrim-Khattabi. ☎ 044-44-61-12. Réparations à des prix tout à fait convenables. De plus, l'accueil y est agréable et les déplacements ainsi que la prise en charge de votre véhicule sont gratuits.

■ **Garage Renault** (hors plan couleur d'ensemble par A1) : route de Casablanca, après le carrefour de Safi. ☎ 044-43-30-89. Fait aussi Land Rover. Bien vérifier sa facture car on vous interdit d'assister à la réparation et ils ont tendance à vous facturer des travaux non exécutés.

Agences de voyages

Elles sont très nombreuses mais spécialisées pour la plupart dans les voyages de groupe. Nous en avons sélectionné quelques-unes :

■ **Pampa Voyage Maroc** (plan couleur Guéliz, A-B2, **7**) : 219, av. Mohammed-V. ☎ 044-43-10-52, 044-43-87-30 et 044-43-87-31. Fax : 044-44-64-55. ● www.pampamaroc. com ● pampa@iam.net.ma ● Dans l'immeuble Jassim, au rez-de-chaussée. Cette agence, dirigée par une équipe belgo-marocaine, offre tous les services touristiques classiques mais surtout une découverte du pays en profondeur et personnalisée. Des voyages à la carte organisés par des professionnels expérimentés qui aiment ce splendide pays et veulent faire partager leur passion. Toutes prestations, en voiture de location avec ou sans chauffeur, en 4x4, à pied, avec des mulets ou des chameaux pour partir à la découverte du pays et de ses habitants. Chambres d'hôtels et de *riad* dans tout le pays à des tarifs attrayants. Ils assurent le transport depuis l'aéroport, les visites guidées et les excursions qui contribueront à la réussite de votre voyage. Sachez enfin que leurs prestations sont en vente UNIQUEMENT dans leur agence et que vous pouvez les contacter avant le départ pour tout renseignement.

■ **Mountain Safari Tours** (hors plan couleur d'ensemble par A1) : 64, lot Laksour. À la sortie de Marrakech, sur la route de Casa à droite. ☎ 044-30-87-77. Fax : 044-30-88-11. ● safari@atlasnet.net.ma ● Comme l'agence n'est pas facile à trouver, il suffit de téléphoner et on vient vous apporter la documentation à votre hôtel. Prestations sérieuses et de qualité. Circuits hors des sentiers battus à pied, à cheval, en véhicule tout-terrain, à VTT ou encore à moto. Prix étudiés selon votre budget. De préférence à partir de deux personnes, mais les individuels peuvent également faire appel à leurs compétences. Équipe passionnée et sympathique. Le meilleur accueil sera réservé à nos lecteurs.

■ **Nouvelles Frontières** (plan couleur Guéliz, A1) : 34 *bis*, rue de la Liberté (perpendiculaire à l'av. Mohammed-V). ☎ 044-43-36-05. Fax : 044-43-11-34 et 044-44-87-41. Ouvert du lundi au vendredi de 8 h 30 à 12 h et de 14 h à 18 h, et le samedi de 8 h 30 à 12 h. Il y a un représentant à l'hôtel *Tropicana* : ☎ 044-43-83-29.

■ **Atlas Voyages** (plan couleur Guéliz, A1, **20**) : 131, bd Mohammed-V. ☎ 044-43-03-33. Fax : 044-44-71-85. ● tvidal@atlasvoyages.co. ma ● Correspondant du voyagiste français *Étapes Nouvelles*. Peut vous fournir, sur place, toutes prestations : réservations d'hôtels, méharée, trekking, location de voitures, etc. Possibilité, pour ceux qui n'ont pas de véhicule, de se joindre à des groupes pour certaines excursions.

■ **Association Nationale des Guides et Accompagnateurs en Montagne du Maroc** (ANGAMM : plan Jemaa-el-Fna, A1-2) : rue Bani Marîn, appt 12, Bureau 6. ☎ 044-42-75-80. Fax : 044-42-75-81. Cette association sérieuse propose des randonnées, mais elle peut aussi vous aider à concocter votre propre itinéraire. N'hésitez pas à les contacter avant votre départ.

■ **Itinérance Plus** (plan couleur Guéliz, A1) : à l'angle du bd Mohammed-V et de la rue de la Liberté. ☎ 044-44-99-65. Fax : 044-43-13-66. Propose des randonnées à VTT, à pied ou en 4x4, à la carte à travers tout le Maroc, ainsi que des séjours à Marrakech.

Culture

■ **Institut français de Marrakech** (hors plan couleur Guéliz par A1) : route de Targa, djebel Guéliz ; juste après le lycée Victor-Hugo et l'école Renoir, dans une rue à droite. ☎ 044-44-69-30. Fax : 044-44-74-97. ● ifm@mbox.azure.net ● Ouvert de 8 h 30 à 12 h et de 14 h à 18 h 30. Fermé le lundi et en août. Se renseigner sur les programmes édités chaque mois : expositions, théâtre, cinéma. Son architecture est particulièrement réussie. Bibliothèque (nombreux ouvrages sur le Maroc et la France), salles de conférences, théâtre, cinéma, un amphithéâtre pour les représentations de plein air. Une sorte de mini-centre Pompidou, avec des activités ouvertes à tous. La **cafétéria** (mêmes horaires d'ouverture) est un lieu idéal pour rencontrer de jeunes Marocains qui s'intéressent à notre culture.

■ **Matisse Art Gallery** (plan couleur Guéliz, A1) : 61, rue de Yougoslavie, passage El-Ghandouri. ☎ 044-44-83-26. Exposition de peintres marocains contemporains et d'œuvres d'orientalistes du début du XXᵉ siècle. Bon accueil.

■ **Riad Tamsna** (plan couleur Jemaa-el-Fna, B2, à côté de 96) : rue Riad-ez-Zitoun-el-Jdid, 23, derb Zanka-Daïka. ☎ 044-38-52-72. Fax : 044-38-52-71. ● tamsna@cybernet.net.ma ● Un salon de thé-restaurant dans le style des anciens caravan-sérails et installé dans un magnifique riad. Mais cette initiative pleine d'imagination est aussi une librairie avec un large éventail de livres d'art et un salon-vente d'artisanat reflétant toutes les couleurs de l'Afrique. Par ailleurs, Meyrianne Loum Martin, la propriétaire, organise régulièrement des expositions d'artistes du monde entier. On peut également y déguster un excellent brunch à 100 Dh (10 €) sur la terrasse et déjeuner dans le riad. Menu unique à 350 Dh (35 €). Le lieu est vraiment exceptionnel.

■ **Dar Chérifa** (plan couleur Médina, C1-2, 11) : 8, derb Cherfa-Lakbir. ☎ 044-42-64-63. Fax : 044-42-65-11. ● www.marrakech-riads.net ● dzillije@iam.net.ma ● Dans le quartier Mouassine, à quelques mètres de la Fontaine. Ne quittez pas la médina sans visiter ce dar (accès gratuit), fidèlement restauré par Abdellatif Aït ben Abdallah, un amoureux de l'architecture marrakchie. Vous pourrez voir une exposition temporaire et, surtout, admirer l'architecture de cette ancienne médersa de l'époque saadienne. Une halte reposante et enrichissante au cœur de la médina. Et les routards les plus fortunés pourront même y acquérir un riad. En effet, Marrakech Riads, dont les bureaux sont situés à l'étage, en propose plus d'une centaine à la vente. Mais c'est une autre histoire !

Cinémas

Certaines salles amputent tellement les films qu'elles pourraient vous en projeter deux en une seule séance. Le son est souvent si mauvais que l'on ne comprend qu'un ou deux mots par phrase. Un cinéma se détache du lot :

■ **Colisée** (plan couleur Guéliz, A1) : bd Mohammed-Zerktouni. ☎ 044-44-88-93. Équipement technique excellent (rénové récemment et offrant trois salles) et programme de bons films récents !

– Nombreux cinémas populaires programmant des films arabes et hindi à proximité du square de Foucauld (plan couleur Médina, A1). Uniquement pour l'ambiance de la salle. Attention à votre portefeuille.

Loisirs

■ **Librairie Chatr Ahmed** (plan couleur Guéliz, A1) : 19, av. Mohammed-V. ☎ 044-44-79-97. Un choix complet d'ouvrages sur le Maroc. Si vous avez oublié ou égaré votre *GDR*, ils pourront vous dépanner.

■ **Librairie du Musée de Marrakech** *(plan souks)* : à côté de la médersa Ben-Youssef. ☎ 044-39-09-11 et 12. Ouvert tous les jours de 9 h à 18 h. Ce point de vente situé à l'entrée, face à la cafétéria, offre un très grand choix de livres sur le Maroc et de cartes postales artistiques. Également votre *GDR* préféré.

■ **Librairie ACR** *(Arts-Création-Réalisation ; plan couleur Guéliz, A1)* : 55, bd Mohammed-Zerktouni. ☎ et fax : 044-44-67-92. Au fond de l'impasse. Ouvert de 9 h à 12 h 30 et de 15 h à 19 h. Un très grand choix de livres divers sur le Maroc et les orientalismes.

■ **Librairie Ghazali** *(plan couleur Jemaa-el-Fna, A1)* : 51, rue de Bâb-Agnaou. ☎ 044-44-23-43. À deux pas de la pl. Jemaa-el-Fna. Une boutique toute petite mais bien approvisionnée. Pas mal d'ouvrages de poche d'auteurs marocains traduits en français.

■ **Presse** : nombreux kiosques dans la médina et à Guéliz, dans l'avenue Mohammed-V, principalement à proximité du marché et de l'office du tourisme, mais également dans les grands hôtels.

■ **Matériel photo** *(plan couleur Guéliz, A1)* : Wrédé et Cie, 142, av. Mohammed-V. ☎ 044-43-57-39. Grand choix. Compétents et serviables. Ils sont aussi opticiens et spécialistes de lentilles cornéennes.

Sports

■ **Tennis** : tous les grands hôtels ont un court réservé à leurs clients. Voir le **Royal Tennis-Club** *(plan couleur Guéliz, B2)*, rue Ouadi-el-Makhazine. ☎ 044-43-19-02. Fax : 044-44-93-40. Moyennant un droit d'inscription de 600 Dh (60 €).

■ **Piscine municipale** *(plan couleur Médina, A2, 10)* : rue Abou-el-Abbès-Sebti, entre Bâb Makhzen et le centre artisanal, pas très loin de la Koutoubia. ☎ 044-38-68-64. Deux superbes bassins, entourés de palmiers. Grand plongeoir. Très bon marché. Vérifier toutefois l'état de l'eau. Rien que des hommes. Certains grands hôtels acceptent, moyennant un droit d'entrée, l'accès à leur piscine. Les filles y sont plus à l'aise. Tenue correcte exigée.

■ **Ski** *(pourquoi pas ?)* : sur les pistes de l'Oukaïmeden, à 80 km de Marrakech. Beaucoup de monde le week-end (surtout le dimanche) de janvier à avril.

■ **Équitation** : *Djbel Atlas, club Boulahrir*. Route de Meknès, km 8, La Palmeraie. ☎ 044-32-94-51 et 52. Fax : 044-32-94-54. Pour les débutants ou les cavaliers confirmés. *Atlas à cheval* : Villa 107, n° 2, Issil. ☎ 044-31-20-10 et 063-61-53-39 (portable). Fax : 044-30-85-87. ● at las.cheval@wanadoo.net.ma ● Excellente adresse pour les cavaliers.

Organise aussi des sorties de plusieurs jours.

■ **Montgolfière, ULM** : *Ciel d'Afrique*. ☎ 044-30-31-35. Fax : 044-30-31-96. ● www.cieldafrique.net ● Comme le dit si bien leur pub, « Joignez l'agréable à l'agréable ». Départ de l'hôtel très tôt le matin et transfert en 4x4 jusqu'au lieu de décollage. Vol d'une heure environ et collation chez l'habitant, retour aux environs de midi. Également, vols à la carte et programme « désert ». Réservé aux routards aisés. Ne fonctionne pas l'été.

■ **Quad** : pour les non-initiés, ce sont des motos à quatre roues. Contacter l'hôtel *Palma-Riva* dans la palmeraie. ☎ 044-30-58-54. Portable : ☎ 061-15-32-50. Circuits organisés dans la palmeraie même. Sport également onéreux. Également, *Maroc Quad* qui organise des raids à la carte de 1 à 8 jours dans l'Atlas. ☎ 044-38-12-37. Portable : ☎ 066-72-00-14. ● marocquad@wa nadoo.net.ma ●

■ **Golf** : au moins trois terrains pour les adeptes. À noter que leur nombre grandissant assèche la nappe phréatique. Pour la première fois, on a vu mourir des plantations d'oliviers. Le golf, c'est bien, à condition qu'il n'y en ait pas trop !

Hammams

Dans les hammams indiqués ci-dessous, le prix d'entrée (autour de 5 Dh, soit 0,5 €) n'inclut pas le massage ; celui-ci vous sera facturé aux alentours de 20 Dh (2 €).

■ *Hammam Salama (plan couleur d'ensemble, B1) :* bd de Safi ; derrière la station-service, vers les jardins Majorelle. Deux parties : l'une réservée aux femmes, l'autre aux hommes.

■ *Hammam Semlalia :* sur la route de Casablanca, à la fin de l'av. Mohammed-V, à 500 m du feu.
■ *Hammam Iman-Raha :* sur la route de Safi, près de la mosquée.

Certains hôtels ont leur propre hammam, mais on s'y retrouve entre touristes et tout le charme est rompu.

Henné

– *Tatouages au henné :* vous serez inévitablement abordé sur la place Jemaa-el-Fna par des femmes, souvent assez agressives et qui exigeront un prix prohibitif pour des tatouages de piètre qualité. Pourquoi ne pas prendre votre temps tranquillement installé dans votre hôtel ?
Une adresse sûre (mais, bien entendu, d'autres pourront vous être données sur place par des amis marocains) :

■ *Zoubida Bioudi :* à Bâb Doukkala D8, Arset Aouzal n° 123. ☎ 066-07- 51-24 (portable). À partir de 50 Dh (5 €) selon les dessins demandés.

Divers

■ *Épiceries :* nombreux petits supermarchés à Guéliz, av. Mohammed-V et dans les rues adjacentes. On y trouve tous les produits de première nécessité.
■ *Hypermarché Marjane :* sur la route de Casa, à 4 km de Guéliz. ☎ 044-31-37-24. Ouvert tous les jours de 9 h à 22 h. On y trouve de tout et surtout ce qu'on ne trouve pas ailleurs : alcool, charcuterie, etc. Cartes de paiement acceptées.
■ *Fruits et légumes :* à Bâb Doukkala et pl. Jemaa-el-Fna, entre le *CTM* et le *Café de France.* Grand choix et bon marché.
■ *Fleurs :* au marché de Guéliz. Superbes bouquets composés et la centaine de roses pour 100 Dh (10 €), qui dit mieux ?

■ *Cordonniers :* rue Mohammed-el-Beqal *(plan couleur Guéliz, A1-2)* et rue de la Liberté *(plan couleur Guéliz, A1),* près de la pâtisserie de *Alami.* Utiles si vos chaussures vous lâchent.
■ *Salon de coiffure pour femmes :* L'*Univers de la Femme,* 22, rue de Bâb-Agnaou (médina). ☎ 044-44-12-96.
■ *Bureaux de tabac ouverts toute la nuit :* gare routière, près de Bâb Doukkala et gare *ONCF.* Pour ceux qui seraient en manque.
■ *Pressing :* juste à côté de l'hôtel *Toulousain,* rue Tarik-ibn-Ziad, rue de la Liberté, à peu près en face de la pâtisserie *Alami,* et 64, rue Mohammed-el-Beqal, près du restaurant *Petit Poucet.*

Lieux de culte

– *Catholique :* église des Saints-Martyrs, rue El-Imam-Ali. ☎ 044-43-05-85.

– *Protestant :* temple, 89, bd Moulay-Rachid. ☎ 044-43-14-79.
– *Israélite :* synagogue Beth, im-

passe des Moulins à Guéliz. ☎ 044-44-87-54. La synagogue Bitoun (rue Arset-El-Maâch, Médina. ☎ 044-44-82-66) ne sert plus qu'à l'occasion des fêtes religieuses.
– *Musulman :* plus de 300 mosquées.

Où dormir ?

ATTENTION : en haute saison, en période de vacances scolaires françaises et le week-end, ne jamais arriver à Marrakech sans avoir réservé, tous les hôtels risquant d'être complets. La capacité d'accueil s'avère très nettement insuffisante en période de pointe. D'autre part, les réservations par téléphone, dans les hôtels qui ne disposent pas d'un fax, ne sont pas très fiables. Et même si on a passé un fax de réservation, un petit coup de téléphone pour prévenir de l'heure d'arrivée ne peut pas faire de mal. Nous indiquons aux campeurs deux adresses, assez loin de la ville toutefois. L'idéal est d'être motorisé.

Campings

⚓ *Camping-caravaning international Sidi Rahal-Herbil (hors plan couleur d'ensemble par A1) :* à 7 km sur la route de El-Jadida et Safi. ☎ 044-44-65-79. Pour s'y rendre : bus toutes les 2 h de 6 h 45 à 21 h ; départs de la gare routière de Bâb Doukkala. Grands taxis 24 h/24. Compter 12 Dh (1,20 €) pour une tente et 15 Dh (1,50 €) pour un camping-car. Les douches sont gratuites mais pas l'électricité. Pas très propre. Épicerie bien approvisionnée, y compris en alcool. Dispose également de 4 bungalows avec terrasse privée, salle de bains et cuisine équipée à 350 Dh (35 €) la nuit. L'ombre est encore assez chiche (on attend que les arbres poussent !).

⚓ *Camping-caravaning Ferdaous (hors plan couleur d'ensemble par A1) :* à 13 km sur la route de Casablanca, à gauche juste avant la station-service *CMH.* ☎ 044-31-31-67 et 061-13-21-08 (portable). Les routards non motorisés vont faire la grimace car les petits taxis n'ont pas l'autorisation d'aller aussi loin du centre ; pas de bus ; reste les grands taxis. Compter environ 65 Dh (6,50 €) pour deux avec un véhicule, électricité comprise. Sanitaires propres et douches froides. Réveil au chant du coq. Ils ont une véritable basse-cour et il y a même du gazon sur les emplacements. Épicerie et café sur place. Accueil sympa.

Dans la médina

Nous mentionnons ici les hôtels. Pour les *riad,* se reporter en fin de rubrique.

Très bon marché

Tous nos hôtels de cette catégorie sont regroupés dans le secteur du *derb* Sidi-Bouloukat *(plan couleur Jemaa-el-Fna, A1 et B1).* Pour s'y rendre, de la place Jemaa-el-Fna, longer l'hôtel *CTM,* franchir la voûte, suivre le *riad* Zitoun-el-Kédim et tourner dans la 1re ruelle à droite, à 100 m environ. On arrive directement aux hôtels *Médina* et *Essaouira.* On peut aussi accéder à ce quartier, de l'autre côté, en empruntant la rue piétonne de Bâb-Agnaou qui part de la place Jemaa-el-Fna, sur le côté droit de la banque *Al Maghrib.* Tourner ensuite dans la première ruelle à gauche où se trouve l'hôtel *Central.* Les hôtels se succèdent ensuite dans un périmètre très restreint. Quel que soit l'établissement recherché, ne jamais demander son chemin. Le coin, surtout l'entrée par Bâb-Agnaou, est plein de rabatteurs qui exigent des hôteliers une commission pour vous avoir guidé à leur établissement. Le plan de Jemaa-el-Fna vous évitera d'avoir recours à leurs services.

MARRAKECH

■ *Hôtel Imouzzer* (plan couleur Jemaa-el-Fna, A1, 36) : 74, derb Sidi-Bouloukate. ☎ 044-44-53-36. Autour de 40 Dh par personne (4 €) et 5 Dh (0,50 €) pour la douche chaude. Petites chambres très propres, toutes avec lavabo, donnant sur la cour centrale. Douches impeccables et grande terrasse panoramique. Accueil sympa.

■ *Hôtel Chaellah* (plan couleur Jemaa-el-Fna, B2, 25) : 14, riad Zitoun-el-Kédim, derb Skaya. ☎ 044-44-29-77. • kamalarrad@yahoo.fr • Quand on est dans le *riad* Zitoun-el-Kédim, tourner dans la 2ᵉ rue à droite ; il faut s'engager assez profondément dans cette ruelle très étroite. Accessible aussi depuis l'hôtel *Gallia*. Compter 50 Dh (5 €) par personne. Douche chaude 10 Dh (1 €). Agréable établissement de 10 chambres à l'étage (et trois grandes en bas), réparties autour d'un patio carrelé avec une fontaine entourée de quatre orangers. Très calme. Meublé de bric et de broc, mais assez propre. Terrasse. Bon accueil.

■ *Hôtel Médina* (plan couleur Jemaa-el-Fna, B1, 22) : 1, derb Sidi-Bouloukate. ☎ 044-44-29-97. À côté de l'hôtel *Essaouira*, et même propriétaire. Environ 50 Dh (5 €) par personne ; moitié prix sur la terrasse. Servent le petit déjeuner. Établissement de 15 chambres, qui ressemble plus à une habitation marocaine qu'à un hôtel. Accueil sympathique. Chambres avec lavabo et douche chaude payante sur le palier. Patio recouvert de céramique, portes et vérandas joliment décorées. Terrasse où l'on peut dormir. Éviter, toutefois, la chambre n° 5, sans fenêtre. Une excellente adresse.

■ *Hôtel Eddakhla* (plan couleur Jemaa-el-Fna, A1, 24) : 43, derb Sidi-Bouloukate. ☎ et fax : 044-44-23-59. Portable : ☎ 061-51-41-75. En continuant la même ruelle et en tournant deux fois sur sa gauche après l'hôtel *Afriquia*. Compter 50 Dh (5 €) par personne (10 Dh, soit 1 € en plus avec douche). Petit déj' à 30 Dh (3 €), pas terrible. Vaste patio ouvragé. Plafonds peints. 30 chambres, avec murs carrelés et lavabo,

mais draps suspects. Certaines sur patio sans fenêtre, les autres en ont une toute petite. Les *singles* sont vraiment minuscules. 3 douches payantes avec eau chaude. Accueil indifférent.

■ *Hotel Provence* (plan couleur Jemaa-el-Fna, A1 en face du 24) : 16, derb Sidi-Bouloukate. ☎ 044-44-35-39. Compter 50 Dh (5 €) par personne. En face de l'*Eddakhla* donc. Globalement propre et aéré, plus calme que pas mal de ses collègues.

■ *Hôtel Essaouira* (plan couleur Jemaa-el-Fna, B1, 21) : 3, derb Sidi-Bouloukate. ☎ 044-44-38-05. Fax : 044-42-63-23. À partir de 40 Dh (4 €) par personne sans le petit déjeuner pour les plus petites chambres. On en trouve une trentaine avec lavabo, réparties autour d'un patio très agréable (plafonds, portes, vérandas abondamment décorés). Possibilité de dormir sur la terrasse pour 25 Dh (2,50 €). Cinq douches chaudes (payantes), dont une dans les w.-c. La literie est neuve. Accueil sympa. On peut bronzer ou prendre une consommation sur la terrasse, bien agréable, avec, en prime, une belle vue sur la médina et la Koutoubia. Petite bibliothèque de prêt. Change. Bon rapport qualité-prix et une de nos meilleures adresses dans cette catégorie. Possibilité de se restaurer (tajine sur commande).

■ *Hôtel Aday* (plan couleur Jemaa-el-Fna, B1, 38) : 11, derb Sidi-Bouloukate. ☎ 044-44-19-20. Doubles à 80 Dh (8 €). En face de l'hôtel *Essaouira*. Même genre. Bien tenu. Céramiques et portes peintes. Possibilité de dormir sur la terrasse. Pas de petit déjeuner, mais on peut aller le prendre en face ou au *Médina*.

■ *Hôtel Smara* (plan couleur Jemaa-el-Fna, A-B1, 39) : 77, derb Sidi-Bouloukate. ☎ 044-44-55-68. Compter 50 Dh (5 €) par personne. Modeste, tranquille, bien managé, moins plein que les autres (une chance quand les autres sont complets). Sur la carte de visite, y'avait marqué « profession hôtelier ». C'était vrai !

■ *Hôtel Mimosa* (plan couleur Jemaa-el-Fna, B1, 35) : 16, rue des Banques, près du *Café de France*. ☎ 044-42-63-85. Chambres doubles à 100 Dh (10 €). Beaucoup avec plafond en stuc sculpté. Établissement qui propose 16 chambres, dont deux un peu plus chères avec douche et sanitaires, les autres avec douche chaude collective. Carrelage partout. Belle terrasse d'où l'on aperçoit la Jemaa-el-Fna.

Bon marché

▣ **Hôtel Souria** (plan couleur Jemaa-el-Fna, A2, **27**) : 17, rue de la Recette. ☎ 044-42-67-57 ou 061-55-22-11 (portable). • hotelsouria @yahoo.fr • Pour s'y rendre, en partant de Jemaa-el-Fna, prendre la rue de Bâb-Agnaou et tourner dans la 2ᵉ ruelle étroite sur la gauche ; c'est au fond à droite. Chambres doubles à 120 Dh (12 €). Petit déjeuner (en sus) servi sur commande à partir de 8 h 30. Repas possible aussi. Un petit hôtel de 10 chambres, certaines équipées d'un lavabo avec eau froide. Douche froide gratuite et douche chaude payante. Sanitaires un peu fatigués. Petit patio un poil kitsch. Possibilité de dormir sur la terrasse.

▣ **Hôtel La Gazelle** (plan couleur Jemaa-el-Fna, A2, **28**) : 12, rue Bani-Marîn. ☎ 044-44-11-12. Fax : 044-44-55-37. Dans la rue qui part de la place Jemaa-el-Fna, entre la banque Al-Maghrib et la poste. Chambres doubles à 120 Dh (12 €). 28 chambres avec lavabo autour d'un beau patio couvert. Douches chaudes communes. L'établissement est tenu par des Berbères sympas. Au dernier étage, une toute petite terrasse avec vue sur la Koutoubia. Télé dans le patio jusqu'à 22 h (plus tard les soirs de foot).

▣ **Hôtel Afriquia** (plan couleur Jemaa-el-Fna, A1, **23**) : 45, derb Sidi-Bouloukate. ☎ 044-44-24-03 ou 066-16-32-27 (portable). À quelques pas de la place. Prendre dans la rue de Bâb-Agnaou la 1ʳᵉ à gauche et c'est dans une ruelle sur la droite, après l'hôtel Central Palace. De 100 à 150 Dh (10 à 15 €) pour deux (petit déjeuner en plus). 7 chambres avec douche et 22 avec lavabo réparties autour d'un patio arboré. La plupart des chambres sont carrelées. Deux douches chaudes collectives gratuites. Bibliothèque à disposition. Belle terrasse « à la Gaudí » sur le toit pour bronzer et prendre son petit déjeuner. Patron et personnel sympa.

▣ **Hôtel Central Palace** (plan couleur Jemaa-el-Fna, A1, **33**) : 59, derb Sidi-Boulakate. ☎ 044-44-02-35 ou 061-58-27-65 (portable). Fax : 044-44-28-84. • hotelcentralpalace @hotmail.com • Doubles de 150 Dh (15 € ; sanitaires communs) à 300 Dh (30 € ; avec salle de bains). Récemment rénové. Joli patio au décor mauresque avec fontaine. Là aussi, tout est carrelé. La plupart des chambres donnent sur le patio. Agréables terrasses.

▣ **Hôtel El Amal** (plan couleur Jemaa-el-Fna, A1, **26**) : 93, derb Sidi-Bouloukate. ☎ 044-44-50-43 ou 062-49-49-64 (portable). Au fond d'une ruelle qui se prend presque en face de l'hôtel Essaouira. On y demande 120 Dh (12 €) pour deux (petit dej' en sus). Cet établissement propose 18 chambres très propres avec lavabo, réparties sur 3 étages. Literie en bon état. Douche chaude payante. Possibilité de dormir sur la terrasse. Patio recouvert de céramique et terrasse très agréables, mais accueil assez business.

▣ **Hôtel Ichbilia** (plan couleur Jemaa-el-Fna, A1, **29**) : 1, rue Bani-Marîn. ☎ 044-39-04-86. Chambres doubles à 140 Dh (14 €). 27 chambres avec lavabo (douche chaude sur le palier). Petit déjeuner en sus. Elles sont très bruyantes car elles donnent sur un couloir et sur la rue. De plus, de petites fenêtres sans rideaux donnent sur la lumière du hall. Mais terrasse agréable sur le toit, avec vue sur la médina.

▣ **Hôtel Ali** (plan couleur Jemaa-el-Fna, A1, **30**) : rue Moulay-Ismaïl. ☎ 044-44-49-79. Fax : 044-44-05-22. • hotelali@hotmail.com • À 50 m de la pl. Jemaa-el-Fna, sous les arcades. Compter 150 Dh (15 €) pour une chambre double, petit déjeuner compris ; 40 Dh (4 €) par personne en dortoir sur la terrasse. Buffet à 70 Dh (7 €) par personne (moins cher pour les clients de l'hôtel). Malheureusement, ici, le nombre de chambres a augmenté au détriment du confort et du calme. On entasse, on entasse, à la recherche du profit. Il semble que les meilleures chambres soient toujours réservées pour les groupes. Certaines sont climatisées et possèdent des balcons. Les nos 125 et 126 sont à proscrire car situées au-dessus de la cuisine et infestées de cafards. À notre avis, adresse de dépannage exclusivement, car outre l'entassement en haute saison, aucun effort n'est fait pour entretenir ou rénover et ça se dégrade fortement. Restaurant cependant avec un menu raisonnable. Le soir, buffet de spécialités marocaines. Grande terrasse avec vue sur toute la ville. Évitez leurs excursions. Change. Cartes de paiement acceptées. Attention aux rabatteurs postés à l'entrée et qui

tenteront de vous diriger vers le *Grand Hôtel Tazi* (vivement déconseillé). Si l'hôtel *Ali* est complet, la direction vous conseillera leur autre établissement, l'hôtel *Farouk* à Guéliz. Refusez.

📍 *Hôtel CTM* (plan couleur Jemaa-el-Fna, B1, 32) : pl. Jemaa-el-Fna. ☎ 044-44-23-25. Chambres doubles à 150 Dh (15 €), petit déjeuner compris. Ainsi nommé en souvenir de la gare des bus qui se trouvait à côté. Les chambres, réparties autour d'un grand patio, possèdent pour la plupart salle de bains ou douche, mais les draps sont douteux et l'ensemble paraît bien fatigué ! Évitez celles donnant sur la place, trop bruyantes. Pour profiter du spectacle, immense terrasse dominant toute la place. En résumé, vraiment pas terrible et à n'utiliser que si l'on n'a rien trouvé d'autre.

Hôtels de charme à prix moyens

📍 *Hôtel Gallia* (plan couleur Jemaa-el-Fna, A2, 31) : 30, rue de la Recette. ☎ 044-44-59-13. Fax : 044-44-48-53. • hotelgalliamarrakech@menara.net.ma • Réservation indispensable. Pour s'y rendre, emprunter la rue qui longe l'hôtel *Tazi* sur la gauche et tourner à gauche devant le dispensaire de l'Arsa Mokta. Possibilité de se garer à proximité. Chambres doubles avec douche et toilettes à 320 Dh (32 €) ; quelques chambres avec douche collective, moins chères ; petit déjeuner en sus. Souvent complet, succès oblige. L'établissement appartient à une Française. Il comprend 20 chambres, dont 16 équipées d'une salle de bains, 7 avec AC. Toutes ne sont pas aussi agréables, certaines sont même assez quelconques, voire plutôt sombres quand elles sont au rez-de-chaussée. Demander à les visiter. Elles possèdent le chauffage central. Beau double patio central avec des murs de céramique rose, un splendide palmier et tout un environnement de plantes vertes autour d'une petite fontaine. Salon marocain. Bon petit déjeuner.

📍 *Hôtel Shehrazade* (plan couleur Jemaa-el-Fna, B1, 34) : 3, derb Djama, riad Zitoun-el-Kédim. ☎ et fax : 044-42-93-05. • sharazade@iam.net.ma • Chambres doubles de 190 Dh (19 €) sans sanitaires à 500 Dh (50 €) avec douche et toilettes ; attention : majoration de 50 et 100 Dh (5 et 10 €) par chambre en haute saison ; petit déjeuner à 35 Dh (3,50 €). Hôtel de charme de 21 chambres, dont 15 avec douche individuelle, les autres avec douche commune. Préférez celles du 1er étage, plus lumineuses. La n° 21, un peu plus chère que les autres, possède un charme particulier et une salle de bains très agréable. Installé dans un *riad* très bien restauré. Tout est ordonné autour de deux très beaux patios bleu et blanc. Décoration intérieure riche et soignée. Terrasse particulièrement agréable, avec vue panoramique. Attention cependant aux chambres situées au niveau de la terrasse supérieure. Elles cohabitent sévèrement avec les haut-parleurs de la mosquée toute proche (réveil assuré à 5 h du matin !).

📍 *Hôtel Jnane Mogador* (« Jardins de Mogador » ; plan couleur Jemaa-el-Fna, B1, 56) : riad Zitoun-el-Kédim, derb Sidi-Bouloukate. ☎ et fax : 044-42-63-23. • jnanemogador@hot

MARRAKECH

mail.com ● Facile à trouver, juste à droite, à l'entrée du *derb*. Même direction que l'hôtel *Essaouira*. Compter de 300 Dh (30 €) la double sans petit déjeuner à 440 Dh (44 €) pour quatre. Établissement de 17 chambres avec sanitaires et douches privés, réparties autour du patio. Lits en fer forgé et douches en *tadelakt*. Salle de bains assez exiguë. Hôtel

Spécial folies !

⌂ **La Maison Arabe** *(plan couleur Médina, B1, 40)* : 1, derb Ashebe. ☎ 044-38-70-10. Fax : 044-38-72-21. À deux pas de la grande mosquée de Bâb Doukkala. Dans une maison légendaire, qui fut d'abord un restaurant et que les nouveaux propriétaires ont transformée en magnifique hôtel de charme, discret mais somptueux. En basse saison (de mi-juin à mi-septembre), de 1 500 à 3 000 Dh (150 à 300 €) pour une chambre double et de 2 300 à 3 500 Dh (230 à 350 €) pour une suite, petit déjeuner et thé inclus ; en haute saison, ajouter entre 300 et 500 Dh (entre 30 et 50 €) aux tarifs ci-dessus. Le décor et l'ameublement ne sont pas sans évoquer un Orient de rêve. L'ensemble s'articule autour de deux patios fleuris où embaument les jasmins. La piscine se situe à 10 mn de l'hôtel, dans un magnifique jardin. Transfert assuré par l'établissement. Parking à proximité. Possibilité de manger sur place. Les prix sont en rapport avec le côté exceptionnel de cette adresse (une des plus prestigieuses de Marrakech aujourd'hui). Une folie certes, mais quand on aime, on ne compte pas !

⌂ **Villa des Orangers** *(plan couleur Médina, B3, 41)* : 6, rue Sidi-Mimoun. ☎ 044-38-46-38. Fax : 044-38-51-23. ● www.villadesorangers.com ● De 2 500 à 4 500 Dh (250 à 450 €) pour la grande suite. Sont inclus : les transferts aéroport, le petit déjeuner, le bar (sans alcool), la blanchisserie, un déjeuner léger et les taxes. Un établissement *Relais et Châteaux*. Réalisation de grand standing. Tout s'organise autour de deux grands patios fleuris. Salons richement décorés, certains

respectant vraiment l'architecture traditionnelle. En outre, le patron fait travailler exclusivement des artisans (portes et meubles en bois sculpté). Terrasse fort plaisante (qui devrait abriter de nouvelles chambres et sera donc plus petite !). Personnel sympa et discret. Une de nos adresses préférées, c'est dit !

avec cheminée, meubles de style, boiseries, stucs, rien ne manque. Les vastes chambres ne sont pas en reste, douillettes et très confortables. Piscine sur le toit-terrasse.

⌂ **Hôtel La Mamounia** *(plan couleur Médina, A3, 42)* : av. Bâb-el-Jedid. ☎ 044-44-89-81. Fax : 044-44-46-60. ● www.mamounia.com ● Pour une chambre double avec vue sur la cour, il vous faudra débourser au minimum 2 000 Dh (200 €) en basse saison, 3 000 Dh (300 €) en haute saison ; pour avoir vue sur la Koutoubia, la piscine ou le parc, il faut encore mettre la main au portefeuille ; quant aux suites (dont certaines à thème !), n'en parlons pas... Un détail : le petit déjeuner, à ce prix, n'est pas compris : 190 Dh (19 €) par personne. Probablement le plus luxueux de tout le continent africain. En tout cas, le plus chargé d'histoire. Winston Churchill y passa une partie de sa retraite à y peindre (mal) des palmiers. Il faut dire que le parc de 5 ha, entretenu par 70 jardiniers, est plein de curiosités botaniques avec ses oliviers centenaires, son palmier à deux têtes, ses bougainvillées et ses amarantes à plumes. Le palace, construit pour les chemins de fer entre 1925 et 1929, a été restauré par un Français, André Paccard, dans un style « nouveau riche », qui assombrit par endroits le charme « mauresco-Art déco » d'origine. À défaut de pouvoir s'y offrir une suite, on peut toujours aller au piano-bar, l'un des endroits les plus agréables de Marrakech. On peut prendre son verre sur le piano (la consommation la moins chère est à 35 Dh, soit 3,50 €). Cela dit, des cerbères, à l'entrée de l'hôtel, interdisent bien souvent l'accès à ceux

MARRAKECH

qui n'y ont pas de chambre. S'habiller correctement si l'on veut franchir le seuil. Sinon, on peut toujours se consoler sur le site web.

🔲 **Les Jardins de la Médina** (hors plan couleur Médina par C3) **:** 21, rue Derb-Chtouka. Au sud des *Tombeaux Saadiens.* ☎ 044-38-18-51.

Fax : 044-38-53-85. • www.lesjardinsdelamedina.com • À partir de 1 500 Dh (150 €) la double. 31 chambres et 5 suites donnant sur un jardin merveilleux. Architecture rappelant parfaitement les *riad* d'autrefois. Hammam.

Dans Guéliz (ville nouvelle)

Si l'on doit rester plusieurs jours à Marrakech, il est préférable de descendre dans un hôtel de Guéliz.

Auberge de jeunesse

🔲 **Auberge de jeunesse** (IYHF; plan couleur Guéliz, A3, **33**) **:** rue El-Jahid. ☎ 044-44-77-13. À 5 mn de la gare. Bus n°s 3 et 8 devant la gare pour aller en ville. Attention aux horaires : les portes ouvrent de 8 h à 9 h et de 14 h à 23 h 30. Compter 40 Dh (4 €) par personne et par nuit. Carte de membre indispensable. Douche chaude (petit supplément). Capacité d'accueil limitée : 50 places en dortoirs de 4, 5 et 6 personnes. Le quartier est calme. Propre. Cour intérieure et terrasse.

Bon marché

🔲 **Hôtel Franco-Belge** (plan couleur Guéliz, A1, **23**) **:** 62, bd Mohammed-Zerktouni. ☎ 044-44-84-72. Chambres doubles à 150 Dh (15 €) avec douche et toilettes. Pas de petit déjeuner. Les chambres donnent sur un patio où l'on peut se reposer à l'ombre des orangers. Très calme. Il y en a 14 avec douche collective payante et 7, un peu plus chères, avec douche et toilettes individuelles. Literie et sanitaires assez fatigués.

🔲 **Hôtel des Voyageurs** (plan couleur Guéliz, A1, **22**) **:** 40, bd Mohammed-Zerktouni. ☎ 044-44-72-18. Chambres doubles à 140 Dh (14 €). Pas de petit déjeuner, mais nombreux cafés juste à côté. Façade étroite et curieusement décorée. La plupart des 26 chambres (dont 16 avec douche individuelle) donnent sur le couloir intérieur et n'ont donc pas de fenêtres sur la rue. Elles ne sont bruyantes que si les voisins le sont. Propreté acceptable. Il y a de l'espace, mais le mobilier est vieillot. Évitez les chambres qui donnent sur la façade. La plus agréable est celle qui ouvre sur la terrasse.

Prix moyens

🔲 **Hôtel Toulousain** (plan couleur Guéliz, B1, **21**) **:** 44, rue Tarik-ibn-Ziad. ☎ 044-43-00-33. Fax : 044-43-14-46. Réservation conseillée. Chambres doubles à 190 Dh (19 €) avec douche et toilettes, 160 Dh (16 €) avec sanitaires communs, sans le petit déjeuner. Très souvent complet. Très calme parce que construit un peu en retrait de la rue, autour de deux patios très agréables ; l'un possède un beau palmier. 32 chambres au total, dont 13 avec douche individuelle carrelée, mais la plomberie date un peu. Malheureusement victime de son succès, les prix ne cessent de grimper et les prestations de décevoir. Quel dommage ! Quelques places de parking pour voitures et motos (ferme à 23 h pour préserver le sommeil des clients), qu'il est prudent d'utiliser.

MARRAKECH

Chic

▲ **Ryad Mogador Marrakech** (plan couleur d'ensemble, B1, **19**) : angle bd du 11-Janvier et bd du Prince-Moulay-Abdallah. ☎ et fax : 044-43-86-46. ● hotelaswak@iam.net.ma ● Doubles à 350 Dh (35 €). Situé en face de la gare routière, pas loin de Bâb Doukkala. Hôtel récent d'une centaine de chambres. Peut-être y a-t-il désormais une enseigne. Archiclassique, pas de charme en soi, mais fonctionnel et confortable. Malgré le double vitrage, les sommeils légers demanderont quand même une chambre à l'arrière. Parking en principe surveillé devant. Ce n'est à l'évidence pas un hôtel de séjour (point de chute de pas mal de groupes), mais il se révèle bien pratique pour deux-trois jours ou si tout est plein ailleurs. En outre, on rentre très facilement à pied de la médina ou en petit taxi de Jemaa-el-Fna (10 Dh, soit 1 € maxi). Petit déjeuner-buffet inclus et correct.

▲ **Hôtel Tachfine** (plan couleur Guéliz, A1, **26**) : bd Mohammed-Zerktouni ; à l'angle de la rue Mohammed-el-Beqal. ☎ 044-44-71-88 et 044-44-81-46. Fax : 044-43-78-62. Chambres doubles à environ 400 Dh (40 €). Petit déjeuner en plus. Menu à près de 150 Dh (15 €). Établissement de 50 chambres. Salles de bains aux murs de céramique bleue (certaines assez petites). Chaque chambre a son balcon, le téléphone, la TV et l'AC. Au dernier étage, terrasse et solarium. Restaurant et bar décorés avec goût. Mais petit déjeuner cher et chiche. Un peu cher pour le confort proposé malgré les 15 % de réduction à nos lecteurs sur présentation du GDR. Cartes de paiement acceptées.

▲ **Hôtel Hasna** (plan couleur Guéliz, B2, **36**) : 247, av. Mohammed-V. ☎ 044-44-99-72 et 73. Fax : 044-44-99-94. Au cœur de la ville, à mi-chemin entre la médina et de la ville nouvelle. Parking exigu (15 Dh, soit 1,5 €). Chambres doubles à près de 500 Dh (50 €) sans le petit déjeuner. Celles donnant sur l'avenue sont très bruyantes ; leur préférer les autres. Petite piscine et deux restaurants offrant une belle variété de plats. Accueil moyennement sympa.

▲ **Hôtel El Harti** (plan couleur Guéliz, A2, **28**) : 30, rue El-Qadi-Ayad. ☎ 044-44-80-00. Fax : 044-44-93-29. Juste derrière la poste. Chambres doubles à environ 450 Dh (45 €), petit déjeuner compris ; attention, les prix sont bien souvent à la tête du client. 54 chambres climatisées, avec téléphone. Certaines sont petites. À chaque étage, les nos 7 (107, 207, 307, etc.) sont plus vastes. Évitez celles côté rue, particulièrement bruyantes. Propreté acceptable. Petite piscine sur la terrasse. La table est correcte mais peu variée. Bon accueil.

▲ **Hôtel Ibis Moussafir** (plan couleur Guéliz, A2, **29**) : av. Hassan-II, pl. de la Gare. ☎ 044-43-59-29 à 32. Fax : 044-43-59-36. Chambres doubles à 500 Dh (50 €), petit déjeuner compris. Une centaine de chambres, avec AC pour la plupart. Jardin bien entretenu, avec belle piscine (ouverte aux non-résidents, moyennant participation). Demander une chambre sur le jardin, si possible éloignée de l'ascenseur ; les autres sont trop bruyantes. Comme dans tous les établissements de cette chaîne, la décoration est très réussie et tout est fonctionnel. Bar et restaurant. Mauvaise insonorisation. Accueil inégal. Cartes de paiement acceptées.

▲ **Hôtel Amine** (hors plan couleur d'ensemble par A1) : av. Mohammed-Abdelkrim-el-Khettabi, Semlalia. ☎ 044-43-63-76 et 044-43-81-45. Fax : 044-43-81-43. ● hotel.amine@cybernet.net.ma ● À la sortie de la ville en direction de Casablanca, à 5 mn à pied de Guéliz et 10 mn en bus ou en taxi de Jemaa-el-Fna. Garage à disposition. Prix spécial pour nos lecteurs sur présentation du Guide du routard : autour de 820 Dh (82 €) la chambre double. Buffet à 210 Dh (21 €). Établissement calme de 174 chambres, réparties dans des pavillons de 3 étages. Insister pour obtenir une chambre rénovée. Agréable piscine. Hammam, salles de massage et de musculation. Beaucoup de verdure. L'hôtel est fréquenté par des groupes, mais comme ils sont en excursion dans la journée, ce n'est pas trop gênant. Accueil agréable à la réception. Bar. Cartes de paiement acceptées.

🛏 *Hôtel du Pacha* (plan couleur Guéliz, B1, **25**) : 33, rue de la Liberté. ☎ 044-43-13-27. Fax : 044-43-13-26. Derrière le marché central. Compter environ 400 Dh (40 €) pour une chambre double, petit dej' compris. Menu autour de 100 Dh (10 €). Établissement de 39 chambres, le moins cher de cette catégorie mais pas le meilleur. Les chambres donnant sur le patio intérieur sont calmes et plus agréables. Sanitaires vieillots. La moitié de l'hôtel est climatisée, mais cela ne fonctionne pas toujours très bien. Restaurant agréable. L'accueil à la réception n'est pas très chaleureux.

Éviter par ailleurs l'agence de location de voitures à l'entrée : nombreuses plaintes de lecteurs.

🛏 *Hôtel Ayoub* (hors plan couleur d'ensemble par A1) : lotissement Lamhita-Semlalia, en face de la faculté de médecine. ☎ 044-44-80-66 et 99. Fax : 044-44-84-34. À 800 m de la pl. Abd-el-mou'men-Ben-Ali, près de l'office du tourisme. Compter un peu plus de 500 Dh (50 €) pour une chambre double ; petit déjeuner à 50 Dh (5 €). Établissement de 110 chambres climatisées ; certaines ont un balcon. Décoration intérieure de style marocain très agréable. Beau portail peint. Malheureusement cette façade contraste avec le manque d'entretien des chambres. Restaurant de cuisine internationale. Snack, bar, terrasse et piscine. Le quartier est calme, et néanmoins proche d'avenues où l'on trouve un petit taxi à toute heure.

Très chic

🛏 *Hôtel Kenzi Semiramis* (hors plan couleur d'ensemble par A1) : sur la route de Casablanca, quartier Semlalia, BP 525. ☎ 044-43-13-77. Fax : 044-44-71-27 et 044-44-72-00. Chambres doubles à partir de 1 050 Dh (105 €), en basse saison et 1 350 Dh (135 €) en haute saison, petit déjeuner compris ; ajouter 15 Dh (1,5 €) de taxes par personne. Compter 220 Dh (22 €) pour un repas. Les 181 chambres sont vastes, luxueuses, et disposent de deux lits de 1,40 m. AC et terrasse donnant sur les superbes jardins. Patios intérieurs. Piscine hollywoodienne au milieu de la verdure. Au petit déjeuner, buffet avec de succulentes crêpes marocaines. 4 restaurants, dont un au bord de la piscine. Aire de sport avec tennis, tir à l'arc et pétanque. Discothèque et karaoké.

🛏 *Hôtel El Andalous* (plan couleur d'ensemble, B3) : av. du Président-Kennedy. ☎ 044-44-82-26. Fax : 044-44-71-95. À partir de 850 Dh (85 €) pour deux ; suites jusqu'à 2 500 Dh (250 €). Un hôtel de très belle facture, situé entre la Ménara et la médina, dans un quartier très calme. Belles et confortables chambres, 3 restaurants, salon de thé, hammam, sauna et grande piscine. Personnel sympathique. Beaucoup de groupes cependant.

🛏 *Les Idrissides* (plan couleur Guéliz, A2, **35**) : av. de France. ☎ 044-44-87-77. Fax : 044-44-67-23 et 044-43-80-60. Dans le quartier de l'Hivernage. Compter non loin de 1 000 Dh (100 €) pour une chambre double. Construit dans le style traditionnel du pays, les bâtiments aux couleurs ocre-rose contournent les jardins et la piscine bordée de palmiers. Les chambres, réparties sur 6 étages, offrent un excellent confort : climatisation, TV, téléphone et petit salon marocain. Certaines peuvent accueillir des familles. Bel atrium de style mauresque avec fontaine au milieu. Trois restaurants. Réservation auprès de *Fram* (se reporter à la rubrique « Les organismes de voyages » dans le chapitre « Comment y aller ? » en début de guide).

Maisons d'hôte

📱 **Villa Hélène** (plan couleur Guéliz, B2, **32**) **:** 89, av. Moulay-Rachid. ☎ et fax : 044-43-16-81. À Paris : ☎ 01-43-20-41-60. Fax : 01-43-20-41-80. ● www.villahelene.com ● En plein centre de Guéliz. Un appartement pour deux est loué 1 060 Dh (106 €) la nuit, petit déjeuner compris ; tarif demi-pension également. Compter 200 Dh (20 €) pour un repas. Possibilité de louer toute la maison (pour 10 maximum) du 15 juin au 20 septembre. Il s'agit d'une grande villa de type colonial datant de 1930, entourée d'un magnifique jardin et disposant d'une vraie piscine. Très belle décoration intérieure, grandes pièces (l'appartement à l'étage fait 80 m^2), ameublement de qualité. Le propriétaire, un sympathique Français installé à Marrakech, saura vous initier à sa ville d'adoption. Possibilité de manger sur place : Fatima, cordon bleu émérite, prépare une véritable cuisine familiale et un menu différent chaque jour ! Une adresse rare. Réduction de 10 % pour nos lecteurs possédant le *GDR*.

Résidences

Si vous devez séjourner un certain temps à Marrakech, cette formule de location offre de nombreux avantages : autonomie et liberté de prendre ses repas sans avoir à fréquenter quotidiennement le restaurant. L'office du tourisme possède la liste des résidences de la ville. Nous en avons sélectionné deux :

📱 **Résidence Ezzahia** (hors plan couleur Guéliz par A1) **:** av. Mohammed-Abdelkrim-el-Khattabi. ☎ 044-44-62-44 et 54. Fax : 044-43-00-28. Sur la route de Casa. Studio simple à 380 Dh (38 €), jusqu'à 1 000 Dh (100 €) pour 2 à 5 personnes. 44 studios répartis sur les quatre étages de ce bâtiment, desservis par ascenseur. Chaque studio possède entrée, salle de bains, cuisine équipée, salle de séjour avec lit d'appoint, chambre et balcon ; TV satellite. Le ménage est fait chaque jour. Piscine. Cafétéria et restaurant. L'environnement n'est pas très beau et les studios donnant sur l'avenue sont assez bruyants, mais tout est bien entretenu. Cartes de paiement acceptées.

📱 **Résidence Gomassine** (plan couleur Guéliz, A1, **34**) **:** 71, bd Mohammed-Zerktouni. ☎ 044-43-30-86 et 044-43-84-54. Fax : 044-43-30-12. Bien située au cœur de Guéliz, cette résidence de cinq étages propose des chambres doubles et des petits appartements à partir de 320 Dh (32 €) et jusqu'à 730 Dh pour 5 personnes (73 €) par jour ; possibilité de négocier ; les longs séjours bénéficient d'un tarif très avantageux. Tous les appartements sont différents, il vous faudra donc en visiter plusieurs ; certains possèdent même un balcon. Clim', TV satellite et cuisine équipée. Calme et propreté assurés. Piscine. Réduction pour nos lecteurs sur présentation du *GDR*.

RIAD

Au cœur de la médina, il est possible de loger dans des *riad*, maisons traditionnelles qui font chambres d'hôte avec petit déjeuner. ATTENTION : les prix que nous indiquons correspondent à une chambre double ; on préfère le préciser car, compte tenu des tarifs, on aurait parfois tendance à imaginer qu'il s'agit du *riad* en entier. Cela dit, rien n'empêche les routards au portefeuille bien garni de louer l'ensemble de la demeure. La formule convient particulièrement à ceux qui comptent séjourner en famille ou avec des copains dans un cadre authentique. Une excellente façon de découvrir la ville de l'intérieur, hors des circuits balisés, et de savourer à l'ombre des orangers cet art de vivre qui fait encore la réputation de Marrakech. En flânant dans les ruelles de la médina, vous passerez peut-être à côté de l'un de ces *riad* que rien ne distingue à l'extérieur, sans vous douter que derrière des murs sans grâce se cache une merveille.

Toutefois, si vous séjournez en individuel ou en couple, ce style d'hébergement peut aussi vous apporter quelques surprises pas toujours agréables. La plupart du temps, vous ne bénéficierez pas de l'indépendance d'une chambre d'hôtel. Le patio autour duquel les chambres sont disposées représente une véritable caisse de résonance, alors si une famille avec des enfants réside en même temps que vous dans la maison, adieu tranquillité et grasses matinées ! Enfin, les claustrophobes se sentiront très mal à l'aise car ces maisons entourées de hauts murs bénéficient rarement d'ouvertures extérieures et par grosses chaleurs, l'absence fréquente de clim' peut rendre l'atmosphère étouffante. En outre, si vous avez des enfants qui courent et grimpent partout, être particulièrement vigilant ! En effet, nombre de ces maisons-jardins, pour respecter leur intégrité architecturale, ne possèdent souvent pas de garde-fous sur leur terrasse, ni de rampes dans les escaliers. Sachez aussi que ce n'est pas un mode d'hébergement bon marché si vous êtes en couple et encore moins si vous voyagez seul. ATTENTION : les catégories de prix de notre bonne vieille rubrique « Budget » n'ont plus cours ici et correspondent à une échelle de prix supérieure.

Pour réserver un *riad*, deux possibilités : passer par une agence ou contacter une adresse. Voici notre sélection :

Les agences et leurs principaux *riad*

En passant par une agence, vous bénéficierez de garanties telles que le contrôle régulier des prestations et de l'entretien de la maison. La plupart des *riad* proposés sont leur propriété, ou gérés par eux en exclusivité, ce qui limite les mauvaises surprises. En cas de litige, vous aurez donc une possibilité de recours.

■ **Marrakech Riads** (*plan couleur Médina, C1-2, 11*) : dar Chérifa, 8 derb Cherfa-Lakbir. ☎ 044-42-64-63 ou 061-16-36-30 (portable). Fax : 044-42-65-11. • www.marrakech-riads.net • dzillije@iam.net.ma • Dans le quartier Mouassine. Abdelatif Aït ben Abdallah, qui a une longue pratique de la réhabilitation du patrimoine bâti, restaure, vend et loue de belles demeures. Il propose à la location cinq *riad* très différents, qui peuvent aussi être réservés dans leur totalité. Pour ces adresses, possibilité de commander des repas. Service parfait à tous points de vue. Mais, attention : en haute saison, les prix sont majorés de 20 %. Réduction de 10 % pour nos lecteurs sur présentation du *GDR*.

■ **Dar Sara** (*plan couleur Médina, B1, 37*) : Arset Awsel, à Bâb Doukkala. Compter de 500 à 600 Dh (50 à 60 €) la chambre double, petit déjeuner compris. 6 chambres, en rez-de-chaussée et en étage, disposées comme toujours autour du patio avec fontaine. Deux des chambres ont une salle de bains commune ; les autres ont leur salle de bains attenante. L'ambiance y est résolument familiale et décontractée. Tente sur la terrasse pour déguster le thé à la menthe. Nouveau : une extension à travers le **Dar Sara Srira**, un adorable petit *riad* de trois chambres (avec salle de bains) et un beau hammam en *tadelakt* rouge feu. Doubles à 600 Dh (60 €) et *riad* complet à 1 500 Dh (150 €).

■ **Riad Zellij** (*plan couleur d'ensemble, C1, 20*) : chambres à 1 000 Dh (100 €). Un véritable petit palais du XVIIe siècle, superbement rénové et aux lignes très épurées. Vastes salons très hauts de plafond. Et quels plafonds ! Une merveille de bois peint admirablement travaillé. 4 chambres confortables et aménagées avec goût, avec salle de bains attenante, dont deux avec terrasse privée.

🏠 **Dar Baraka** *(plan couleur Médina, B1, 59) :* doubles à 600 Dh (60 €) et 2 500 Dh (250 €) le *riad* entier. Fort bien situé dans le quartier de Dar-El-Pacha. 5 chambres avec salle de bains. Salon avec cheminée et plafond en bois peint, adorable *b'hou* donnant sur le patio, différents niveaux de terrasses. Tente et hammam.

🏠 **Dar Yasmin** *(plan couleur d'ensemble, C1, 60) :* doubles de 500 à 600 Dh (50 à 60 €) et 2 000 Dh (200 €) le *riad* entier. 4 chambres avec salle de bains. Salon marocain avec cheminée, salle à manger, galerie, terrasse et bassin en *tadelakt* et *zellige*.

🏠 Enfin, le **Riad El Jazira** qui devrait ouvrir au printemps 2003. Il propose une quinzaine de chambres avec salle de bains réparties sur trois patios. Le premier avec une salle à manger donnant sur un grand bassin islamique chauffé à l'énergie solaire et un hammam. Le plus grand datant du XVIIIe siècle, avec quatre galeries bordées de moucharabiehs et le troisième avec deux galeries, un *b'hou* et un grand salon avec cheminée. Plusieurs niveaux de terrasses avec tente et vue sur la médina et sur l'Atlas.

■ **Riads au Maroc** *(plan couleur Médina, A1, 12) :* 1, rue El-Manjoub-Ermiza, Marrakech-Ménara, Guéliz. ☎ 044-43-19-00. Fax : 044-43-17-86. ● riadomaroc@iam.net.ma ● www.riadomaroc.com ● Cette agence propose pour l'ensemble du Maroc (Tanger, Rabat, Fès, Essaouira, Ouarzazate et le désert) un choix de *riad*, de chambres d'hôte ou de villas à louer à la nuit ou à la semaine. Les maisons sont classées de 1 à 5 lanternes environ. Compter entre 300 Dh (30 €) pour une chambre double « 1 lanterne » et 3 000 Dh (300 €) pour une suite « 5 lanternes prestige ». Pour certaines maisons, notamment *Dar Bahia* et *Dar Loubna* (1 et 2 lanternes), une réduction de 10 % est accordée à nos lecteurs sur présentation du *Guide du routard*. Agence très attentionnée, joignable 24 h/24, et qui se charge d'accueillir ses hôtes à l'aéroport. Voici une petite sélection :

🏠 **Dar Bahia :** à 5 mn à pied de la pl. Jemaa-el-Fna, dans une charmante maison traditionnelle, voisine du palais de la Bahia. Compter 350 Dh (35 €) la chambre double, 450 Dh (45 €) la suite. Petit déjeuner compris et personnel permanent de jour. La maison, qui bénéficie d'un petit patio-salon, accueille jusqu'à 10 personnes avec ses deux chambres et ses deux suites. Des repas peuvent être préparés par la cuisinière marocaine. La moins chère de sa catégorie.

🏠 **Dar Loubna :** admirablement situé, à deux pas de la place Jemaa-el-Fna. Dans un quartier très calme, *Dar Loubna* est une véritable oasis de calme et de fraîcheur. Décor sobre de maison traditionnelle marocaine. Une galerie supportée par de belles colonnes sur trois côtés lui donnent un air de théâtre miniature. Patio, fontaine, terrasse, rien ne manque. Capacité totale de 7 personnes dans une suite et deux chambres.

🏠 **Riad Habib :** au cœur du quartier Mouassine. Compter de 800 à 1 350 Dh (80 à 135 €). Le propriétaire, hôtelier de métier, a voulu offrir un service et un bien-être de qualité à ses hôtes. Deux suites et deux chambres qui donnent sur le patio, salon avec cheminée et TV, une terrasse avec une vue panoramique sur la médina. Lorsque résonne l'appel du muezzin, le soir, on est transporté dix siècles en arrière.

🏠 **Riad Laïla :** à quelques minutes de la pl. Jemaa-el-Fna, tout près du restaurant *Dar Yacout*, une oasis de rêve plantée d'orangers, de mandariniers et de palmiers que se disputent les oiseaux. Une belle piscine, un grand salon avec cheminée sous des arcades majestueuses. Deux suites merveilleusement aménagées et, en annexe, une *douirya* (petite maison) de 4 chambres. Luxe, confort et bien-être définissent parfaitement cette magnifique demeure.

■ *Maroc Loc'appart :* 125, av. Mozart, 75016 Paris. ☎ 01-45-27-56-57. Fax : 01-42-88-38-89. ● maroclocappart@wanadoo.fr ● Permanence téléphonique du lundi au vendredi de 14 h à 19 h. Cette agence de professionnels, qui a fait ses preuves depuis plusieurs années en Italie et à Paris, propose désormais Marrakech et Essaouira à son catalogue avec des *riad*, des studios et des chambres d'hôte sélectionnés avec le plus grand soin. Ici, pas de mauvaises surprises. Vous serez accueilli à l'aéroport, et leur correspondante, sur place, veillera au bon déroulement de votre séjour. Si vous souhaitez effectuer des excursions, des achats ou louer un véhicule, elle pourra s'en occuper. Et vous donnera aussi de bons conseils pour des restaurants.

♦ *Riad Al Nour (plan couleur Médina, B1, 63) :* à Bâb Doukkala. Compter entre 880 et 1 210 Dh (88 à 121 €). D'un accès très facile, ce petit *riad* nous a séduits par son charme. Les quatre chambres, au nom de parfums d'Orient, sont réparties sur deux étages autour du patio planté de grands orangers, véritable havre de fraîcheur. La propriétaire, longtemps antiquaire à Paris, a mis tout son savoir-faire dans la décoration particulièrement chaleureuse de sa maison. Grand salon d'hiver avec de profonds sofas autour d'une belle cheminée et salon d'été ouvrant sur la fontaine. Meubles hispano-mauresques, objets anciens, tapis moelleux, tentures de soie, bouquets de roses, bibliothèque, jeux de société, télévision, et terrasse pour la sieste. L'hôtesse peut, sur demande, vous faire découvrir les subtilités et les raffinements de la cuisine marocaine. Toutes les chambres, très *cosy* et différentes les unes des autres, sont dotées de belles salles d'eau en *tadelakt*. Difficile de s'arracher au charme de cette adresse exceptionnelle classée trois portes.

♦ *Dar Habibi (plan couleur Jemaa-el-Fna, B2, 62) :* dans le quartier Dabachi, à deux pas de la pl. Jemaa-el-Fna. Prévoir entre 610 et 760 Dh (61 à 76 €) la chambre double ou 1 750 Dh (175 €) la nuit pour le *riad* en entier. Ce petit *dar*, parfaitement restauré, a été aménagé avec un goût très sûr par ses propriétaires. Confortable et d'une sobriété raffinée, cette « *maison de mon amour* » (traduction dans le texte) comporte trois chambres : une au rez-de-chaussée avec salle d'eau, et deux autres au premier se partageant une salle d'eau commune. Cette adresse est aussi idéale pour une famille ou une petite bande de copains ; elle peut recevoir six personnes dans d'excellentes conditions. Agréables salon et patio. Et aux dernières heures du jour, dans le soleil couchant, relaxation absolue sur la terrasse face aux sommets de l'Atlas. Femme de chambre à disposition et repas traditionnels de cuisine familiale sur demande. En résumé, une adresse de charme classée deux portes et dédiée au bonheur de vivre à Marrakech.

♦ *Riad Améthyste (plan couleur d'ensemble, C1, 61) :* accès facile en voiture. Les chambres doubles se louent à 610 ou 760 Dh (61 ou 76 €). Pour tout le *riad*, compter 2 200 Dh (220 €) la nuit. Ce *riad* de 1903 est resté « dans son jus » sur le plan architectural. Les six pièces, toutes de plain-pied, s'ouvrent sur le grand patio arboré et son bassin central. Le grand salon-living possède une cheminée pour l'hiver. Le *menzeh*, petit salon d'été, a conservé son plafond d'origine en bois peint. La vaste terrasse fleurie constitue le second lieu de vie de cette maison avec son solarium sans vis-à-vis, sa pergola et sa douche en plein air, très appréciable lors des grandes chaleurs. Ce grand *riad* de plus de 200 m² au sol comprend deux chambres doubles, deux chambres simples, une salle de bains et une petite salle de douche. Agréable mobilier de rotin, armoires de bois peint, tables de fer forgé, télévision et stéréo vous rendront le séjour particulièrement agréable dans ce lieu authentique classé deux portes, et qui peut recevoir jusqu'à six personnes.

■ *Marrakech-Médina (plan couleur Médina, C1, 13)* **:** renseignements et réservations à Paris, ☎ et fax : 01-43-25-98-77 ; à Marrakech, 102, rue Dar-el-Pacha (dans un ancien *foundouk*). ☎ 044-44-24-48. Fax : 044-39-10-71. ● www.marrakech-medina.com ● rak.medina@cybernet.net.ma ● *Marrakech-Médina*, la plus ancienne agence de location, propose des *riad* à louer en service hôtel, pour un minimum de 3 nuits en basse et moyenne saison et de 7 nuits en haute saison. Compter de 800 Dh (80 € ; 1 palmier) à 2 400 Dh (240 € ; 4 palmiers) la nuit pour deux en basse saison, presque le double en haute saison ; pour 12 personnes, de 2 500 à 6 600 Dh (250 à 660 €) la nuit en haute saison. Service hôtelier à domicile. On vient vous chercher à l'aéroport. Une cuisinière est à votre disposition. Des stages d'initiation à la cuisine marocaine peuvent même être organisés. L'agence peut aussi vous réserver, pour des séjours combinés, des maisons près de la mer, choisies avec le même souci d'authenticité. *Marrakech-Médina* propose également des menus de fête et des musiciens pour animer vos soirées. Ils ont aussi quelques chambres d'hôte. Plusieurs coups de cœur :

■ *Riad Beldi :* riad de 200 m² très confortable, entièrement rénové dans le respect de la tradition architecturale. Patio arboré avec une ancienne fontaine en marbre. Deux salons permettant de déjeuner à l'intérieur et à l'extérieur. Deux chambres dont l'une avec deux lits doubles. Cheminée et TV. Grande terrasse sur le toit avec vue sur l'Atlas.

■ *Riad Lazrak :* vaste demeure bourgeoise du XIXᵉ siècle, ce *riad* possède le charme d'un palais à moitié abandonné. Son grand jardin est envahi d'orangers, de bananiers et de figuiers. 10 chambres toutes simples et un grand salon au plafond polychromé et de belles terrasses. Pour ceux qui voyagent en groupe et qui n'ont pas peur de partager les salles d'eau.

■ *Dar Tibibt :* la main de Fatima vous accueille dès la porte d'entrée. C'est une maison tout en hauteur. Petit patio très frais. 3 chambres pouvant accueillir un maximum de 6 personnes, avec salle de bains, cheminée et terrasse bien aménagée.

■ *Dar Touvir :* petit *riad* à l'architecture traditionnelle, rénové avec goût. 3 chambres à l'étage. Séjour et salle à manger autour du patio, et sur le toit un salon abrité sous une toile blanche.

■ *Dar Essekaya :* ce *riad* « de la Fontaine » offre deux ou trois chambres dans une maison ocre jaune dont les belles boiseries sont peintes en bleu.

■ *Dar el Kharaz :* 5 chambres avec salle de bains autour du patio, pouvant accueillir un total de 10 personnes, une autre sur le toit-terrasse sous le regard séculaire du minaret de la Koutoubia. Des galeries d'arcades courent sur les quatre côtés. Sols de chaux lissée aux couleurs naturelles. Bois, laine, paille tressée, seuls les orangers s'offrent des libertés dans ce décor de lignes pures.

■ *Dar el Qadi :* ancienne demeure d'un juge passionné d'astronomie, ce qui explique la tour d'observation qui domine les quartiers centraux et les souks. Hammam traditionnel chauffé au bois. 12 personnes peuvent y séjourner.

■ *Dar Kawa :* ancienne demeure du XVIIᵉ siècle, dont les subtiles harmonies de gris et de blanc soulignent les proportions harmonieuses d'une architecture andalouse. 5 chambres au confort raffiné pour cette adresse classée 4 palmiers, et dont les vastes terrasses dominent la médina.

MARRAKECH

Riad proposés par des particuliers

La mode des *riad* a désormais multiplié les possibilités. Devant le succès de ce type d'hébergement (on compte plus de 400 *riad* transformés en chambres d'hôte à Marrakech) de nombreux propriétaires se sont improvisés « hôteliers » sans en avoir la formation. De plus, ils ne sont pas assurés et vous n'aurez donc aucun recours possible en cas d'accident ou même de différend. On ne compte plus le nombre de touristes mécontents qui ont vu leurs vacances gâchées par les agissements de certains propriétaires dénués de scrupules : chambres ne correspondant nullement à ce qui avait été promis lors du versement de l'acompte, petit déjeuner se résumant à une tasse de café (la seconde est payante), cuisinière absente au moment des repas qui ont cependant été payés, sa mère étant souffrante (elle serait déjà morte plusieurs fois, selon les voisins), facturation des extras à des tarifs qui frisent l'arnaque, accueil déplorable en guise de bienvenue « Vous arrivez bien tard, j'avais envie d'aller me coucher », suivi de « Attention à ne pas érafler mes murs ». On pourrait multiplier les exemples qui alimentent notre courrier des lecteurs. Ces comportements font de plus en plus scandale à Marrakech, à tel point que le roi lui-même a récemment demandé plus de réglementation en ce domaine.

Certains propriétaires n'hésitent pas à augmenter leurs tarifs de 20 ou 30 % en cours de saison, en fonction de la demande, et exigent d'être réglés en liquide ou en devises à l'étranger. Bien entendu, ils ne fournissent pas de facture ! Vous n'avez donc aucun recours en cas de litige. Ne parlons pas du coût exorbitant des prestations (repas ou consommations). D'autres vous inciteront à acquérir un *riad* (une ruine, le plus souvent) en vous recommandant de bien passer par leur intermédiaire pour son achat et sa rénovation. Nous avons veillé à éliminer les adresses qui donnent une mauvaise image de ce type d'hébergement.

Plusieurs critères ont déterminé notre sélection : le charme, l'originalité et le rapport qualité-prix le plus intéressant, bien sûr, mais aussi la conformité aux lois marocaines. Malgré la rigueur de notre sélection, des dérapages peuvent encore se produire ; n'hésitez pas à nous signaler toute anomalie rencontrée lors de votre séjour.

Prix moyens

▲ **Riad Yasmina** (*plan couleur Jemaa-el-Fna, B1, 52*) **:** 47, derb Sidi-Boufdail-Kennaria. ☎ et fax : 044-42-65-19 et 061-24-29-25 (portable). ● ryadyasmina@yahoo.fr ● Chambres doubles de 600 à 800 Dh (60 à 80 €) sans le petit déjeuner. Abdou et Maryem vous reçoivent dans ce petit *riad* de 6 chambres avec, pour chacune, un espace douche et toilettes. Le tout est très propre et bien entretenu. La proximité de la place Jemaa-el-Fna est un atout non négligeable.

▲ **Riad Zerka « La Maison Bleue »** (*plan couleur d'ensemble, C1, 64*) **:** 38, derb Kaâ-Akhlidj, Sidi-ben-Slimane, derb Tizeguarine. ☎ 061-34-04-63 (portable). Chambres doubles à 400 et 650 Dh (40 et 65 €), location du *riad* entier pour 1100 Dh (110 €). Une petite maison rénovée et bien tenue, avec 2 chambres au

premier sur patio, desservies par le balcon. Chacune avec sa salle d'eau, w.-c. (détachée de la chambre) et penderie personnelle. Possibilité, sur demande, d'utiliser les banquettes du grand salon du rez-de-chaussée pour des enfants. Terrasse aménagée. Le jeune proprio reçoit fort chaleureusement, connaît bien la ville et est très serviable. Une bonne petite adresse économique pour deux couples (ou une famille) cherchant une véritable immersion dans un quartier populaire.

▲ **Riad Essaoussan** (*plan couleur Médina, C2, 65*) **:** 25, derb El-Ganayez, El-Mouassine. ☎ et fax : 044-44-49-12 et 066-25-40-22 (portable). ● essaoussan@hotmail.com ● Doubles de 400 à 600 Dh (40 à 60 €), petit déjeuner compris. Rien à voir avec le *Ksar Essaoussan* de la rubrique « Où manger ? ». À 5 mn de la place Jemaa-el-Fna, au cœur d'un vieux quartier. De Bâb Ftouh, descendre la ruelle qui va vers la mosquée et la fontaine Mouassine. À droite, dans un recoin, petite entrée sous une pancarte « Palais des Almoravides ». Après une arche, on passe derrière un marchand de tapis, puis une porte en fer à cheval et une double arche. Le chemin musarde encore sur 10-15 m, jusqu'à une impasse à droite. C'est là au fond. *Riad* familial de 9 chambres d'un certain charme (dont 5 avec salle de bains privée). Fort bien managé et accueil sympa du jeune gérant Youssef Hamiza. Décor marocain chaleureux. Au rez-de-chaussée, 3 chambres (dont deux un peu sombres et petites). Préférer celles du premier étage. La meilleure chambre (à 600 Dh ; 60 €) possède une entrée indépendante. Belle terrasse avec vue sur le vieux quartier et possibilité d'y dîner sur commande. Youssef est également guide de montagne, ça intéressera certains lecteurs. De ce fait, impérativement réserver, car le *riad* peut être occupé par de petits groupes de randonneurs ou de montagnards.

■ *Riad de l'Orientale* (plan couleur Médina, C2, 53) : 8, derb Ahmar, dans le quartier Laksour, à 150 m de la pl. Jemaa-el-Fna. ☎ 044-42-66-42 et 061-14-21-03 (portable). • www.riadorientale.com • Compter entre 550 et 650 Dh (55 à 65 €) pour une double, et 850 Dh (85 €) pour la suite. Ce *riad*, construit il y a deux siècles et transformé en maison d'hôte, propose 8 chambres confortables et agréablement décorées dans le style mauresque. Des repas, sur commande, peuvent être servis dans les salons ou dans le patio.

■ *Riad Chouia Chouia* : 40, rue Fahel-Zefriti, El-Ksour. ☎ 044-42-66-34 ou 062-09-36-29 (portable). • riadolive@yahoo.fr • À deux pas de la Koutoubia et de la Jemaa-el-Fna. Doubles à partir de 540 Dh (54 €). Beau *riad* tenu par un Français qui y vit. Bon accueil. Propose 5 chambres (dont 4 climatisées avec salle de bains). Appréciable, une

belle piscine dans le patio. Des terrasses, belle vue sur la médina. Possibilité de louer le *riad* entièrement.

■ *Riad Dalia* (plan couleur Médina, B1, 43) : 40, derb Tizeguarine, rue Dar-el-Pacha, Bâb Doukkala. ☎ 044-44-21-96 et 044-37-80-04. Fax : 044-42-90-36. • dalia.riad@caramail. com • De 650 Dh (65 €) la chambre double à 950 Dh (95 €) pour la suite, sans le petit déjeuner. Mohammed, l'adorable propriétaire dont les miniatures ornent les murs de cette demeure de charme, propose 5 chambres sympathiques et agréablement meublées. Très belle restauration sans jamais tomber dans le piège du pompeux. Organisation de soirées hors du folklore à touristes : poésie, chanteurs arabo-andalous, etc. Facilités de restauration grâce à une cuisinière marocaine experte. Enfin, les jours de clarté, prendre son petit déjeuner sur la terrasse, face à la Koutoubia avec pour décor la majestueuse chaîne de l'Atlas, est un véritable moment de bonheur. Ici, la passion de l'hospitalité, la tradition et le confort riment avec un excellent rapport qualité-prix. De plus, réduction de 10 % pour nos lecteurs sur présentation du *GDR*.

■ *Dar Naïma* (plan couleur Médina, B1-2, 44) : 1, derb Ouartani, Mouassine. ☎ 044-44-28-50. Fax : 044-44-58-51. • www.more-nostrum.com • À 5 mn de la pl. Jemaa-el-Fna et accessible en voiture. En basse saison, de 500 à 1100 Dh (50 à 110 €) ; ajouter environ 10 % pour la haute saison ; transferts aéroport et petit déjeuner compris. Encore une belle maison de charme ! Deux grands patios, l'un aux murs blanchis à la chaux et boiseries bleues évoquant Essaouira, l'autre aux chaudes couleurs de Marrakech, orné d'une fontaine. 8 chambres portant des noms féminins, au confort douillet. Toutes possèdent une particularité, ici une mezzanine, là une cheminée ou un salon *cosy*. Toutes les chambres sont équipées de superbes salles de bains. Solarium, hammam, terrasse, salon télé et accès Internet. Vous pouvez également vous initier aux secrets des

MARRAKECH

petits plats marocains dans une cuisine adaptée. Réduction de 10 % pour nos lecteurs, à partir de la 2e nuit.

🏠 *Dar Nimbus (plan couleur d'ensemble, C1, 66)* : 40, Diour-Jdad, Zaouïa Sidi-Bel-Abbès. ☎ 044-38-58-57. • nimbus@iam.net.ma • Compter entre 450 et 600 Dh (45 à 60 €) par jour pour deux, petit déjeuner compris. Repas pour 150 Dh (15 €). Un petit *riad* sans prétention et bien agréable, disposant de 7 chambres plutôt simples mais au décor chaleureux, réparties sur deux maisons. Certaines donnent sur un jardin, auquel on peut accéder sur demande. Également trois salles de bains séparées. Omar, le cuisinier, est aux petits soins pour ses clients. Petit bassin où l'on peut faire trempette. Terrasse. Calme absolu. Possibilité de louer une des deux maisons (ou l'ensemble) à un prix intéressant. Parking sûr. Sur présentation du *GDR*, réduction de 10 % à nos lecteurs sur la base d'une semaine.

🏠 *La maison Alexandre-Bonnel (plan couleur Médina, B2, 45)* : 4, derb Sania, Laksour Médina. ☎ et fax : 044-42-98-33 et 063-05-39-49 (portable). Tout près du restaurant *Ksar Essaoussan*. Chambres doubles à 600 Dh (60 €). Dans une petite maison, Christophe et Valérie Crouzet redonnent toute sa valeur à la formule « chambre d'hôte » : ici, on n'est pas à l'hôtel. Intérieur joliment décoré, couleurs claires qui se marient à la lumière marrakchie. 3 chambres climatisées, 2 salons, une belle terrasse et l'incontournable patio où vous échangerez vos impressions avec les propriétaires. Accueil à l'aéroport.

🏠 *Dar El Aïla (plan couleur d'ensemble, C1, 69)* : 160, derb El-Ferane, Sidi-Ahmed-Soussi. ☎ 044-38-59-08; en France : ☎ 06-81-68-33-54 (portable). Fax : 01-53-33-31-32. • perso.club-internet.fr/laro/ • En plein cœur de la médina. De 550 à 770 Dh (55 à 77 €) la nuit en chambre double, petit déjeuner compris ; 1 400 Dh (140 €) pour la suite. Possibilité de louer le *riad* dans son ensemble. Ce *dar* (avec, c'est inhabituel, une seule galerie au premier), restauré par un couple de Français dans la pure tradition marocaine, comprend 11 chambres avec bains, et une suite, dans la *douirya*, offrant un magnifique plafond. Composée d'une chambre avec cheminée, d'un grand salon avec bois peints et *gebs*, d'une belle salle de bains et d'une cuisine. Les deux patios, l'un avec jardin et fontaine l'autre avec petite piscine, un hammam, une belle terrasse et quatre salons, forment les parties communes de cette agréable maison d'hôte où l'accueil est assuré par les propriétaires, Catherine et Philippe. Repas sur commande servis sur les terrasses ou dans les patios. Parking privé et gardé. L'accueil et le transfert aéroport sont compris pour les séjours d'une semaine.

🏠 *Riad Moucharabieh (plan couleur Médina, A1, 50)* : 27, derb l'Hôtel (sic). ☎ 044-38-72-12. Fax : 044-38-73-33. • morocco.saga@cybernet.net.ma • Dans le quartier de Bâb Doukkala. De 2 160 à 3 760 Dh (216 à 376 €) la semaine selon la saison. Le *riad* peut être aussi loué par chambre : compter alors de 500 à 1 000 Dh (50 à 100 €) environ, selon la saison. Dans ce *riad* du début du XXe siècle, joliment rénové, 3 chambres et une suite junior permettent d'accueillir une dizaine de personnes.

🏠 *Dar Kenzamen (plan couleur d'ensemble, C1)* : 35, derb Ibahane, quartier Jazouli, Sidi-Ben-Slimane. ☎ 065-35-09-44; et en France : ☎ 06-14-69-84-74 (portables). Compter 600 Dh (60 €) la double, petit déjeuner compris. Petit *riad* se déployant sur trois niveaux dont un en terrasse. Au total 6 chambres. Une adresse où l'on regrette la surexploitation des espaces en chambres. Seul un réduit pour lilliputiens fait office de salon, et le patio est malheureusement encombré par une grande table. Facilités de parking à 30 m. Réduction de 10 % pour nos lecteurs sur présentation du *GDR*.

🏠 *Dar Hanane (plan couleur d'ensemble, C2, 67)* : derb Lalla-Azzouna n° 9. ☎ 044-37-77-37 et 063-

83-92-92 (portable). Fax : 044-37-70-74. • www.dar-hanane.com • À deux pas de la médersa Ben-Youssef. Chambres de 650 à 1000 Dh (65 à 100 €) ; suite avec mezzanine de 1200 à 1400 Dh (120 à 140 €) selon la saison ; petit déjeuner compris. Françoise, la propriétaire, vous accueille dans son *riad* récemment rénové dans le respect des traditions. Mais les éléments contemporains contribuent au charme reposant de cette adresse, qui fait aussi table d'hôte sur demande. Chacune des quatre chambres, très confortables, dispose d'une belle salle de bains. Possibilité aussi de louer ce *dar* dans sa totalité, avec du personnel. Un salon-bibliothèque avec cheminée et des terrasses offrant une vue grandiose de la Koutoubia sur fond d'Atlas complètent le charme indéniable de cette demeure.

🏠 *Dar Dounia (plan couleur d'ensemble, C2, 68)* **:** près de la médersa Ben-Youssef, au cœur d'un des plus anciens quartiers de la médina. ☎ et fax : 044-37-70-65 et 061-76-52-63 (portable). • info@dardounia.com • Accès en voiture et taxis à 300 m. Compter 800 Dh (80 €) la chambre double, petit déjeuner compris, 1200 Dh (120 €) la suite. Possibilité de louer toute la maison pour 8 personnes : compter 3500 Dh (350 €) en haute saison, 3000 Dh (300 €) en basse saison. Ce joli *riad*, dont le patio est ombragé par quatre orangers centenaires, abrite 3 belles chambres et une grande suite comprenant chambre, salon avec cheminée, hall, salle de bains et terrasse privative. Une salle commune avec TV, hi-fi, jeux de société, bibliothèque et terrasse aménagée à la disposition des hôtes. Service assuré par deux personnes, dont une cuisinière émérite. Réduction de 10 % sur présentation du *GDR*.

🏠 *Riad Dar Lalla (plan couleur d'ensemble, C1)* **:** 42, derb Sidi-Messaoud, Sidi-Ben-Slimane. ☎ et fax : 044-37-85-34 et 067-23-89-89 (portable). • www.marrakechriad. com • Doubles à 800 Dh (80 €), petit déjeuner compris. 2000 Dh (200 €) le *riad* entier (majoration de 20 % en haute saison). Charmant petit *riad* à la décoration épurée, d'une intimité et d'un charme très particuliers. Tenu par une Française. Trois chambres avec salle de bains en *tadelakt*. Beau patio et deux terrasses avec vue sur l'Atlas. *Cosy* petits salons. Possibilité de dîner. Transfert depuis l'aéroport sur demande.

🏠 *Riad Chorfa :* 6, derb Chorfa, El-Kebir, quartier Mouassine. ☎ 044-44-30-05 et 063-42-88-58 (portable). Doubles de 750 à 950 Dh (75 à 95 €). Réduction en basse saison (été). *Riad* restauré avec goût et proposant 7 chambres claires et spatieuses. Cheminée et fort belles salles de bains en *tadelakt*. Excellent accueil de Bernard, le propriétaire, ancien architecte. Possibilité de dîner.

🏠 *Riad Auggy (plan couleur Médina, C1, 69)* **:** 125, derb Snane, quartier Mouassine. ☎ et fax : 044-44-06-94. Doubles à 900 Dh (90 €) et mini-suites à 1100 Dh (110 €). À moins de 10 mn de la place Jemaa-el-Fna. Facile à trouver : depuis Bâb Ftouh descendre jusqu'à la rue Sidi-el-Yamani, tourner à gauche et première ruelle à droite. Pour les taxis, demander Bâb Ksour. Petit *riad* rénové offrant 3 chambres et 2 mini-suites de bon confort. Terrasse panoramique et mini-piscine.

De chic à très chic

🏠 *Dar Mouassine (plan couleur Médina, B1, 55)* **:** 148, derb Snane, Mouassine. ☎ et fax : 044-44-52-87. À deux pas de la célèbre fontaine Mouassine. Compter de 850 à 1200 Dh (85 à 120 €) pour une chambre double. Une magnifique maison du XIXᵉ siècle, rénovée dans un harmonieux mélange oriental et colonial. 3 suites et 2 chambres au doux confort, certaines avec cheminée et toutes avec salle de bains. Salon vidéo et coin piscine très original. Repas mitonnés avec soin sur demande.

🛏 *Riad Zina (plan couleur Médina, C1, 57)* : 38, derb Assabane, riad Laarousse. ☎ 044-38-52-42. • www.riadzina.ma • Compter 1 800 Dh (180 €) pour la suite climatisée, 980 et 1 100 Dh (98 et 110 €) pour les 2 chambres doubles, petit déjeuner compris. Ici, le confort moderne se marie parfaitement avec le style ancien. Le plafond en bois peint de la suite – qui comprend chambre avec cheminée, salle de bains luxueuse, salon et salle à manger – mérite à lui seul la visite. Petit salon avec télé pour les accros, et vaste terrasse très bien aménagée. Beaucoup d'idées originales et un souci du détail extraordinaire ; bougeoirs fabriqués avec des verres à thé, tambours transformés en lampe, etc.

🛏 *Riad Karmela (plan couleur Médina, C1, 70)* : 10, rue El-Farrane. ☎ et fax : 044-38-79-37 et 061-36-53-06 (portable). • riadkarmela@iam.net.ma • Doubles à 1 100 Dh (110 €), suites de 1 500 à 1 800 Dh (150 à 180 €). Dîner à 150 Dh (15 €). Possibilité de louer le *riad* dans sa totalité. Au vrai cœur de la médina ce très beau *riad*, rénové récemment avec goût par Patrick Letailleur, offre autour du traditionnel patio arboré, une dizaine de chambres de charme, toutes personnalisées et d'excellent confort. Le souci d'authenticité a été poussé très loin, dans la préservation du style, l'architecture, le décor et la recherche des matériaux. Accueil affable. Terrasse fort reposante où la communication passe bien avec les autres hôtes. Hammam traditionnel et jacuzzi en terrasse. Que demander de mieux ?

🛏 *Riad L'Orangeraie* : 61, rue Sidi-Yamani, Mouassine. Réservations depuis la France : ☎ 06-14-39-41-44 ou 06-12-31-16-37 (portables). De Bâb el-Sour, continuer sur 300 m dans la médina, le *riad* est en face de la pharmacie. À partir de 1 100 Dh (110 €) la double, petit déjeuner inclus. Repas sur simple demande. Les deux frères propriétaires de ce *riad* ont arpenté les ruelles de la médina durant 3 ans avant de découvrir cette ancienne demeure marrakchie, située à côté du quartier des Antiquaires, à 300 m de la place Jemaa-el-Fna. Patio jardin aux arbres centenaires et piscine. 3 suites et 4 chambres. Le joyau de cette maison est sans doute la terrasse, offrant une vue imprenable sur les sommets enneigés de l'Atlas. Possibilité d'accéder en voiture jusqu'à la porte du *riad*. 10 % de réduction pour nos lecteurs.

🛏 *Dar Nejma (hors plan couleur Médina par C3)* : douar Garoua, 18, Tikhizrt. ☎ 044-37-73-79. Fax : 044-37-73-75. Compter 1 500 Dh (150 €) la double. Nadège Schneider, d'origine niçoise, vous accueillera dans son beau *riad* comprenant 6 chambres réparties sur deux niveaux autour d'un patio planté d'orangers et de petits oliviers. Les chambres, toutes différentes, sont climatisées et décorées avec recherche. Il en va de même pour les salles de bains où le *tadelakt* flamboie de ses couleurs turquoise, cannelle, sienne, bleue. Vous y trouverez peignoir et babouches ; petites attentions dignes d'un 5 étoiles. Deux salons, dont un d'été, ouvrent sur le patio. Sur le toit, belle terrasse aménagée pour le repos avec une tente caïdale. Repas sur commande. Le prix est justifié, compte tenu du raffinement de cette adresse et de la qualité des prestations.

🛏 *Riad Tinmel (plan couleur d'ensemble C1)* : 1-4, derb Khettara, Kâa el-Mechrâa. ☎ 044-38-93-71 et 066-39-70-25 (portable). Fax : 044-38-04-88. • www.riad-tinmel-marrakech.com • Au nord de Bâb el-Khémis, dans l'ancien quartier du caïd el-Cayadi. Doubles à 1 420 Dh (142 €) et suites à 1 520 Dh (152 €), petit déjeuner inclus. Réduction de 30 % en basse saison. Un ancien *riad* restauré dans le style hispanomauresque, composé de deux grands patios ombragés de palmiers et d'orangers, avec fontaine et piscine. Chambres avec salle de bains et chauffage. Hammam, terrasses fleuries et belle vue sur l'Atlas. Possibilité d'y dîner.

🛏 *Riad al Wafa* : 203, derb Arset-Aouzat, Bâb Doukkala. ☎ 068-16-49-73 (portable). En France : ☎ 03-21-87-08-84. • www.chez.com/lwm

maroc/index.htm • flo.euch@voila.fr • malloom@wanadoo.fr • Compter entre 610 et 760 Dh (61 à 76 €) la double avec le petit déjeuner et le transfert aéroport. Prix dégressifs pour la semaine. À deux pas des souks, le *riad* propose 5 chambres (dont 2 triples) avec salle de bains. Grande terrasse pour bronzer tranquille. Personnel discret et attentionné. Dîners et spectacles sur demande.

Très chic

🛏 *La Villa Nomade (plan couleur d'ensemble, C1) :* à proximité de la pl. Bâb-Taghzout. Réservations depuis la France : *Comptoir du Maroc,* ☎ 01-53-10-21-90, • www.comptoir.fr ; et *Voyageurs du Monde,* ☎ 01-42-86-17-90, • www.vdm.com • Sur place, au ☎ 044-43-48-08. Superbe *riad* organisé autour d'un vaste patio arboré. Il comprend 12 chambres et suites dédiées à un explorateur célèbre : *Marco Polo, Théodore Monod, Saint-Ex...*, réparties sur deux niveaux autour d'un vaste patio aux grandes arcades ouvragées. Déco d'ailleurs inspirée des pays qu'ils ont traversé. Chaque chambre, climatisée, dispose aussi du chauffage central, téléphone direct, TV satellite et d'une belle salle de bains aux murs rehaussés de *tadelakt*. Vaste terrasse pour profiter du soleil et de la vue. Une petite piscine ornée de zelliges et un hammam ont été construits dans la *douyria* contiguë. 10 % de réduction pour nos lecteurs en réservant en direct.

🛏 *Riad Kaïss (plan couleur Jemaa-el-Fna, B2, 46) :* 65, derb Jdid, riad Zitoune-Kedim. ☎ et fax : 044-44-01-41. • www.riadkaiss.com • En tout, 8 chambres de 1 300 à 1 500 Dh (130 à 150 €) pour deux, petit dej' compris. Repas sur commande (spécialités françaises et marocaines) : compter aux alentours de 300 Dh (30 €). Il s'agit en fait de deux *riad* accolés, qui allient avec bonheur tradition et confort. Patios merveilleux, envahis de fleurs et d'arbres, superbes et vastes chambres, toutes bien décorées et dotées d'une magnifique salle de bains. Petits salons, alcôves, recoins, collection de tableaux. Salle de sport, hammam et piscine. Réduction de 10 % pour nos lecteurs sur présentation du *GDR*.

🛏 *Riad Noga (hors plan couleur Médina par C2) :* 78, derb Jdid, Douar-Garoua. ☎ 044-37-76-70. Fax : 044-38-90-46. • riadnoga@iam.net.ma • Prévoir de 1 400 à 2 000 Dh (140 à 200 €) la double ; petit déjeuner, thé et café à discrétion, service et taxes compris. Des repas peuvent être commandés pour 125 Dh (12,5 €) le midi et 175 Dh (17,5 €) le soir, sans la boisson. Une belle maison, mais qui n'a plus grand-chose à voir avec un *riad* traditionnel. On a résolument choisi un style très nouveau. Volumes modifiés et confort poussé jusqu'à la prise Internet et la télé dans chaque chambre. Zelliges et bois se marient avec des couleurs vives et des matériaux plus modernes. Les chambres très confortables et désignées par des couleurs possèdent salle de bains, chauffage et/ou climatisation, mini-chaîne, etc. Certaines ouvrent sur une terrasse privée ou directement sur le patio.

🛏 *Dar El-Assafir (plan couleur Médina, B1, 48) :* 24 bis, Arset el Hamed, Bâb Doukkala. ☎ 044-38-73-77. Fax : 044-38-68-48. Compter entre 1 300 et 2 000 Dh (130 à 200 €) pour deux, petit dej' compris. Très bien situé (parking facile d'accès, ce qui est rare). Un *riad* vraiment différent, de style résolument mauresque et au cadre très intime. Superbes arcades ornées de bougainvillées multicolores, jardin luxuriant embaumant la maison, grande piscine, rien ne manque. Seuls les oiseaux – auxquels le *riad* doit son nom – viendront troubler votre quiétude. Une dizaine de suites luxueuses, réparties autour du patio et à l'étage. Possibilité également de louer un bel appartement en duplex à un prix à peine plus élevé et avec réduction à la semaine. Remise de

MARRAKECH

10 % pour nos lecteurs sur présentation du *GDR*.

▪ *Riad 72* (plan couleur Médina, *B1, 51*) : 72, Arset-Awsel, Bâb Doukkala. ☎ et fax : 044-38-76-29. ● riad.72@wanadoo.net.ma ● Compter de 800 à 1 400 Dh (80 à 140 €) la chambre, 2 750 Dh (275 €) la suite, petit déjeuner compris ; le *riad* peut être loué en totalité pour 6 300 Dh (630 €) par jour. Ce beau *riad* de 4 chambres a été réaménagé avec beaucoup de soin. Toutes les pièces, réparties autour d'un patio arboré et fleuri, bénéficient du chauffage central. La chambre *Yasmina*, la moins chère, est équipée d'une salle de douche. La vaste suite *Amira* possède un très beau plafond de bois et une salle de bains en *tadelakt* qui justifient son prix. Excellent service. Thé avec pâtisseries marocaines l'après-midi. Hammam traditionnel avec massage et gommage. Les salons du rez-de-chaussée, dont un à l'extérieur sous la galerie, incitent à la détente et à la lecture. La terrasse est aménagée avec un solarium, un coin repos et un petit bassin. Excellent service.

▪ *Riad Enija* (plan couleur Médina, C2, *58*) : rue Rabha-Kédima, derb Mesfioui 9. ☎ 044-44-09-26. Fax : 044-44-27-00. ● riadenija@hotmail. com ● À 2 mn de la pl. Jemaa-el-Fna. De 2 350 à 3 000 Dh (235 à 300 €). Quel talent et quel savoir-faire pour marier si harmonieusement la tradition millénaire et le confort occidental ! Le raffinement est poussé à l'extrême. La paix du vaste jardin-patio n'est troublée que par le chant des hirondelles. Les 9 suites possèdent chacune un charme bien particulier. Lits à baldaquin, meubles dessinés par des artistes avisés, terrasses privées. Tout ici est pensé pour le délice de l'œil et le confort du corps. Ursula, la propriétaire, vous recevra avec simplicité et vous comblera d'attentions. Personnel discret, souriant et très efficace. Repas sur commande. Certes, les prix sont très élevés, mais à la hauteur de cette adresse extraordinaire.

▪ *Riad El-Cadi* (plan couleur Médina, C2, *47*) : 59, derb El-Cadi, Azbezt, BP n° 101. Pas de téléphone pour éviter les curieux. Fax : 044-37-84-78. ● riyadelcadi@iam.net.ma ● À quelques minutes de la pl. Jemaa-el-Fna. Informations, prix et réservations uniquement par fax ou e-mail. Possibilité de location à la chambre ou par patio. Pour vous donner une idée, compter autour de 1 800 Dh (180 €) la chambre double. Un minimum de 3 nuits est demandé. Une somptueuse résidence privée dans un cadre de musée : anciennes boiseries marocaines, collection de costumes berbères, objets d'art islamique. 12 suites d'un goût exquis, avec salle de bains. 5 patios ombragés ou ensoleillés, avec plusieurs salons et salles à manger. Grande piscine, hammam, bibliothèque avec une collection fournie de livres sur le Maroc. Terrasses bénéficiant d'une vue imprenable sur le Haut Atlas. Indéniablement l'un des plus beaux *riad* de Marrakech, mais les repas (sur commande) et les extras y sont vraiment très chers.

▪ *Riad les Yeux Bleus* : 7, derb Ferrane, Bâb Doukkala. ☎ et fax : 044-37-81-61 et 061-42-26-82 (portable). ● despin@wanadoo.net.ma ● Doubles à 1 700 Dh (170 €). Séjour minimum de deux nuits. Prix majoré à certaines périodes (Noël, Jour de l'An). Possibilité de location en entier. Superbe, transformé en maison d'hôte, dans un quartier tranquille, pas loin des souks. Tenu par un couple de Français qui vit ici. L'ensemble a été restauré dans un grand respect de l'architecture traditionnelle et décoré avec beaucoup de goût. Patio arboré avec piscine. 5 chambres, toutes différentes (2 possèdent une cheminée), avec salle de bains en *tadelakt* dans les tons ocre rosé. Belle terrasse avec hammam et solarium. Accueil discret, mais chaleureux. Possibilité de repas sur commande.

Où dormir dans les environs ?

Maison d'hôte

🛏 **Boughdira :** route d'Amizmiz, km 9. ☎ 061-17-36-23 et 061-18-08-04 (portables). Fax : 044-33-09-99. À l'intersection Taroudannt-Amizmiz, prendre cette dernière et à 4 km après la station *Mobil* à gauche, il y a une borne « Oued N'Fis 25 km » ; là débute la petite piste que vous devez emprunter. Compter 950 Dh (95 €) pour la suite et 660 Dh (66 €) pour la chambre sur la base de deux personnes, la troisième ne payant que 150 Dh (15 €). Dans un parc de 2 ha, au cœur d'une oliveraie aux arbres centenaires, se niche ce havre de paix.

Architecture traditionnelle en pisé et décoration de très bonne facture. Cheminée, petit salon et une superbe salle de bains pour chaque chambre. Pergola noyée dans un immense jardin, verger qui alimente les confitures maison, plans d'eau, pigeonnier et une vraie grande piscine. Et quand vous aurez découvert la touchante gentillesse de Michèle et Youssef, vous posséderez tous les ingrédients d'un merveilleux séjour. Réduction de 10 % sur l'ensemble du séjour au-delà de 5 jours pour nos lecteurs sur présentation du *GDR*.

Où manger ?

Dans la médina

Très bon marché

Le soir, à partir de 18 h, la place Jemaa-el-Fna *(plan couleur Jemaa-el-Fna, A-B1)* devient un vaste restaurant de plein air où de nombreuses **gargotes** proposent à des prix très bas des grillades, des brochettes et des poissons cuits devant vous. Une bonne cinquantaine de restaurateurs ambulants, regroupés par « spécialité » (les escargots dans un coin, les grillades – brochettes, merguez, *kefta*... – dans un autre, les desserts au gingembre un peu plus loin) forment un grand rectangle bien ordonné au-dessus duquel flotte la fumée des braseros. On s'installe sur de petits bancs et on déguste. Tarifs imbattables : pour 30 Dh (3 €), un repas complet. Mais les prix affichés ne tiennent pas compte des sauces, des épices et du pain servis d'office dès que l'on s'assoit. Ce qui fait grimper l'addition. À recommander : le resto n° 14, une bonne table pour le poisson. Y venir les lundi, jeudi et samedi, jours d'arrivage ; les nᵒˢ 1 et 29 pour la fraîcheur des salades, viandes et merguez ; enfin le n° 15 pour ses couscous. Attention, les règles d'hygiène ne sont pas toujours bien respectées, bien que les services sanitaires effectuent désormais des contrôles réguliers. En tout cas, vu l'affluence, ça n'a pas l'air d'effrayer grand-monde. En été, la chaleur n'arrange pas les choses. Souvent, on vous sert de la brebis pour du mouton. C'est moins cher, mais quelle « tourista » !

D'autres **gargotes** spécialisées dans le méchoui et la *tanjia* (un ragoût qui a mijoté des heures durant sur la braise) se trouvent à droite de l'entrée du souk. Copieux.

🍴 **Snack-café-laiterie Toubkal** *(plan couleur Jemaa-el-Fna, B1, 91)* **:** en face de l'hôtel *CTM*, juste avant la rue Riad-ez-Zitoun-el-Kédim. Compter 35 à 50 Dh (3,5 à 5 €) pour un repas complet. Bon petit déjeuner à 15 Dh (1,5 €). Brochettes, soupes et, bien entendu, des yaourts excellents. Terrasse agréable pour observer l'animation de la place. Ça tourne, ça vire mais on peut manger vite et bien. Évitez la salle du 1ᵉʳ étage en été, à moins que vous n'aimiez l'ambiance hammam. Une excellente adresse.

|●| *Café N'Zaha* (plan couleur Jemaa-el-Fna, B1, **91**) : à gauche de la laiterie *Toubkal*. Mêmes prix que chez le voisin : 30 Dh (3 €) par personne. Le lait d'amande (fait sur place) est un pur délice. Pas de prétention gastronomique, mais ici on mange vite et correctement. La terrasse est un peu moins bien que celle du *Toubkal*.

|●| *Chez Chegrouni* (plan couleur Jemaa-el-Fna, B1, **92**) : une adresse légendaire où l'on mange bien pour 50 Dh (5 €) maximum. Terrasse agréable, salle qui l'est également.

Choix de tajines, couscous, grillades, quelques salades. Son succès est tel qu'il devient hélas difficile de trouver une place en terrasse.

|●| *Café-restaurant Tiznit :* Kassabine n° 28, sur la pl. Jemaa-el-Fna. Vers l'entrée du souk des chaussures. Pas d'enseigne, mais n° 28 peint au mur. Au 1er étage d'un immeuble. Environ 25 Dh (2,5 €) le plat. Un minuscule resto de 4 tables où on mange de délicieux tagines et couscous pour trois fois rien. C'est d'ailleurs là que les commerçants du souk viennent manger. Une adresse confidentielle !

Pas loin de la place Jemaa-el-Fna on peut manger pour pas trop cher. Le repas classique se compose de grillades de mouton avec un morceau de pain et une délicieuse sauce aux oignons, le tout accompagné d'un verre de thé à la menthe. Une aubaine pour les fauchés qui ont bon appétit. Les prix sont toujours affichés. Allez rue Bani-Marîn *(plan couleur Jemaa-el-Fna, A1-2)*, qui commence sous une arcade entre la poste et la banque *Al-Maghrib*. Nous avons testé pour vous quelques adresses aux prix assez proches : environ 45 à 50 Dh (4,5 à 5 €) pour un repas.

|●| *El Bahja, chez Ahmed* (plan couleur Jemaa-el-Fna, A2, **28**) : juste à côté de l'*Hôtel de la Gazelle*, au n° 41. ☎ 044-44-03-43. Intérieur carrelé, bien tenu. On y mange non-stop toutes les spécialités marocaines. Honnête, mais pas transcendant.

|●| *Restaurant du Progrès :* même style et mêmes prix que *Chez Ahmed*. Propre, et cuisine pas trop grasse.

|●| *Chez Haj Brik :* dans le même coin. Uniquement des grillades, brochettes, méchoui et merguez. Clientèle marocaine.

|●| *Casse-croûte des Amis, chez*

Elamouni Elghassi : au n° 32, un peu plus haut en remontant la rue. Des tajines qui ravissent plus d'un lecteur. Brochettes.

|●| *Mabrouka* : cadre propre pour manger pâtes, salades, grillades et pizzas.

|●| *La Lune d'Or :* rue Bâb-Agnaou, à côté de la librairie *Ghazali*. Dans ce café-resto, on peut manger sur le pouce des brochettes, des salades, des *kefta* pour 20 Dh (2 €). C'est propre et une terrasse donne sur cette rue piétonne. Très fréquenté. Propose aussi sandwichs et poulets rôtis à emporter.

Bon marché

|●| *Nid'Cigogne* (plan couleur Médina, C3, **94**) : 60, pl. des Tombeaux-Saadiens. ☎ 044-38-20-92. Ouvert à midi tous les jours. Compter 80 Dh (8 €) maximum. Adresse pratique pour ceux qui visitent les tombeaux. On mange tout en haut sur une agréable terrasse fleurie protégée et bien aérée (face

à un nid de cigogne, ça va de soi). Chouette vue en outre sur la mosquée et alentour. Nourriture bonne, simple, et servie généreusement. Salades et brochettes.

|●| *Restaurant de l'hôtel Ali* (plan couleur Jemaa-el-Fna, A1, **30**) : rue Moulay-Ismaïl, sous les arcades. 4 menus de 50 à 100 Dh (5 à 10 €).

Le soir, buffet marocain à volonté à 70 Dh (7 €) avec, certains jours, musique et chants traditionnels en prime. Pas d'alcool. Très correct. Internet attenant.

Prix moyens

|●| *Dar Mimoun* (plan couleur Jemaa-el-Fna, B2, **94**) : riad ez-Zitoun el-Kédim, 1, derb Ben-Amrane. ☎ 044-44-33-48. Ouvert de 8 h à minuit. Compter autour de 100 Dh (10 €) le repas. Ce restaurant, bien caché au cœur de la médina, est situé dans un grand *riad* qui a appartenu au Glaoui de Marrakech. Joli cadre (voir le *diwan* avec ses belles poutres polychromes). Fréquenté le week-end (le restaurant peut se louer pour des festivités). On mange dans l'immense patio arboré ou dans un petit salon autour du patio. Pas d'alcool. Fait aussi salon de thé toute la journée. Dommage que la cuisine soit inégale (notre tajine-poulet ce soir-là était sec comme un coup de trique ! Mais des lecteurs ont semblé satisfaits) et qu'il leur soit difficile de gérer au-delà de dix clients ! Attention, ne pas manger trop près des musiciens également (musique assez omniprésente).

Dans Guéliz

Très bon marché

|●| *Café de l'Escale* (plan couleur Guéliz, A2, **52**) : rue Mauritania ; près de l'office du tourisme. Un repas vous coûtera à peine 40 Dh (4 €). Qui dit mieux ? Très bon poulet grillé et brochettes accompagnées de frites succulentes. Déconseillé aux non-fumeurs et aux fervents défenseurs de la ligue anti-alcoolique. On y sert de la bière et du vin. Dieu est parfois loin. Calme au déjeuner, et possibilité de manger en terrasse. Le soir, il est préférable de venir avant 20 h. L'adresse, qui a perdu de son authenticité, est devenue assez touristique. On s'attendre ni à un accueil chaleureux ni à un service rapide !
|●| Signalons aussi à ceux qui se trouvent dans le quartier, rue Ibn-Aïcha, en haut de l'avenue Mohammed-V (plan couleur Guéliz, A1), plusieurs petits *restaurants de grillades* avec des tables sous les arbres, en saison, et qui pratiquent des prix très doux. Pas d'alcool. Essayer en particulier *Chez Bej Gueni* (plan couleur Guéliz, A1, **53**), tout le monde connaît. Simple à trouver, ils sont trois les uns à côté des autres, l'un est plus plein que les autres, alors devinez ? Excellentes grillades et salades de toute fraîcheur pour moins de 30 Dh (3 €). Ambiance très décontractée et service vraiment sympa.
|●| *Café Agdal* (plan couleur Guéliz, A1, **50**) : 86, av. Mohammed-V. ☎ 044-44-87-07. Menu à 40 Dh et tajines à 35 Dh (respectivement 4 et 3,5 €). Imbattable ! Petits déjeuners copieux et économiques également.
|●| *La Gourmandise* (plan couleur Guéliz, A1, **74**) : 151, rue Mohammed-el-Beqal. ☎ 044-42-06-57. Ouvert midi et soir, jusqu'à 22 h, tous les jours. Plusieurs menus traditionnels à partir de 35 Dh (3,5 €). Viandes diverses, *burgers*, salades. Copieux. Très propre, et terrasse au soleil.

Bon marché

|●| *Le Niagara* (hors plan couleur d'ensemble par A1) : 31-32, centre commercial Annakhil, plus connu par les Marrakchis sous le nom de Petit Marché ; sur la route de Targa. ☎ 044-44-97-75. Prendre l'av. Mohammed-V et dépasser le croisement avec le bd Mohammed-Abdelkrim-Khattabi ; c'est juste après, sur la droite. Ouvert à partir de 12 h 30. Fermé le lundi. Pizzas autour de 35 Dh (3,5 €) ; compter 80 Dh (8 €)

MARRAKECH

pour un repas complet. Cadre agréable et accueil impeccable. Pizzas, pâtes, salades et grand choix de plats à des prix raisonnables. Très fréquentée : mieux vaut donc réserver le soir.

|●| *Restaurant 33 (plan couleur Guéliz, A1, 56) :* 33-35, av. Mohammed-V. Ouvert tous les jours. Compter environ 70 Dh (7 €) pour un repas complet ; service de 10 % en plus. Cuisson au feu de bois. Salle très propre. Un bon rapport qualité-prix.

|●| *Le Liberty's (plan couleur Guéliz, A-B1, 75) :* 23, rue de la Liberté. ☎ 044-43-64-16. Spécialités de pâtes, tajines et pizzas avec de copieuses salades en entrée. Service affable et prix vraiment très raisonnables. Jardin intérieur. Pas de vin. N'accepte pas les cartes de paiement. Juste à côté, sandwicherie et pizzas à emporter pour les pressés.

|●| *La Marjolaine (plan couleur Guéliz, B2, 54) :* immeuble Zahir, av. Mohammed-V. ☎ 044-43-10-49. Ouvert midi et soir jusqu'à minuit. Compter moins de 100 Dh (10 €). Pas d'alcool. Cadre propre, ouvert et aéré pour une très bonne cuisine de snack : grillades au feu de bois, brochettes, pizzas, pâtes diverses... Fort copieuse salade maison. Terrasse prise d'assaut.

|●| *Aladdin Space (plan couleur Guéliz, B2) :* 9, rue Imam-Chafii, Kawkab Center. ☎ 044-42-01-53. ● aladdinspace@caramail.com ● Un havre de paix qui propose salades et sandwichs à prix modiques qu'on peut manger sur la grande terrasse abritée donnant... sur le stade de foot.

De prix moyens à chic

|●| *Catanzaro (plan couleur Guéliz, B1, 57) :* rue Tarik-ibn-Ziad ; à côté de l'hôtel *Toulousain,* derrière le marché central. ☎ 044-43-37-31. De 100 à 150 Dh (10 à 15 €) pour un repas complet à la carte. Ce restaurant ouvert midi et soir jusqu'à 23 h (sauf le dimanche et en août) est spécialisé dans les grillades au feu de bois et dans les pizzas. Les propriétaires, un couple de Français, règnent sur un personnel discret et efficace. Clientèle réjouie. Grand choix de pâtes fraîches maison, dont les excellentes tagliatelles aux crevettes et calamars, ainsi que les lasagnes (notamment celles du pêcheur). Sinon, gratin de poisson, crevettes *pil-pil,* etc. Très bon café qui ravira les amateurs. Vins et bières. Le restaurant ne désemplit pas, bien que l'on serve jusque tard dans la soirée. Il est indispensable de réserver si l'on ne veut pas faire la queue dans l'entrée. Cartes de paiement acceptées.

|●| *La Concha (plan couleur Guéliz, B1, 71) :* à l'angle de la rue Loubnan et de la rue Sourya. ☎ 044-43-64-71. Compter 150 Dh (15 €) pour un repas complet (et beaucoup moins pour les tapas) dans un cadre évoquant Bayonne et la corrida. Accueil pro. Belle carte de poissons et de viandes grillées *a la plancha,* fruits de mer et paella. Pourquoi ne pas céder à la tradition espagnole avec les petits plats *(raciones)* et les amuse-gueules *(pinchos)* accompagnés de vin ou de sangria ? Terrasse ombragée et fond musical de circonstance.

|●| *Bagatelle (plan couleur Guéliz, A2, 58) :* 101, rue de Yougoslavie. ☎ 044-43-02-74. Ouvert à midi et le soir jusqu'à 22 h 30. Fermé le mercredi. Compter de 100 à 150 Dh (10 à 15 €) par personne. Un bon restaurant, qui existe depuis les années 1950, comme en témoigne le décor d'origine. La patronne, une Provençale, mitonne de bons petits plats. Il faudrait goûter à tout : foie de veau, langue de veau sauce ravigote, tripes maison, filet de mérou à l'orange... En saison, on mange dans un magnifique jardin intérieur couvert de vigne. Une table recommandée pour la qualité de sa cuisine franche et sans prétention. Réservation indispensable pour avoir une table dans le jardin. Cartes de paiement acceptées.

|●| *Alizia (plan couleur Guéliz, B3, 80) :* à l'angle des rues Echchouada et Ahmed-Chaouqi. ☎ 044-43-83-60.

Ouvert tous les jours midi et soir. Compter 150 Dh (15 €) pour un repas complet. Cadre agréable : petite salle climatisée et terrasse ensoleillée au milieu des bougainvillées, pour déguster une excellente cuisine d'inspiration italienne préparée par la chef, madame Rachida, qui vous reçoit avec le sourire. Très bons poissons. Il est préférable de réserver pour dîner sur la terrasse. Cartes de paiement acceptées.

|●| *Le Jacaranda (plan couleur Guéliz, A1, 59)* : 32, bd Mohammed-Zerktouni ; au carrefour des cafés, en face des *Négociants*. ☎ 044-44-72-15. Fermé le mardi toute la journée et le mercredi midi. 3 menus de 85 Dh (8,5 € ; au déjeuner uniquement) à 360 Dh (36 €) ; à la carte, on ne s'en tire pas à moins de 250 Dh (25 €) pour un repas complet. Cuisine française. Cadre très agréable (couleurs pastel), terrasse incorporée à la salle. Plats de qualité et service stylé. Nous avons apprécié le menu du marché à 180 Dh (18 €),

qui offre un bon rapport qualité-prix. Quelques spécialités évoluant au gré des saisons bien sûr : l'artichaut gratiné, la brochette d'huîtres au magret de canard, l'aïoli de la mer et tant d'autres... Lieu d'exposition permanent d'artistes peintres marocains. Cartes de paiement acceptées.

|●| *La Pergola (plan couleur Guéliz, B2, 62)* : pl. du 16-Novembre, à l'angle des avenues Yacoub-el-Marini et Oued-el-Makhazine. ☎ 044-43-58-48. Ouvert midi et soir jusqu'à 23 h. Fermé le dimanche soir. Autour de 100 Dh (10 €) par personne pour un repas complet. Cadre moderne et agréable, salle climatisée et terrasse verdoyante. Cuisine sans grand élan créateur, mais qualité régulière et bien servie. Carte de bonne brasserie, salades, pizzas et choix de viande et de poisson. Quelques spécialités : osso-buco, pâtes maison, gratin de fruits de mer, crevettes à la provençale. Bières, vins. Il est facile de se garer à proximité.

Très chic

|●| *Le Jardin des Arts (hors plan couleur d'ensemble par A1)* : 67, rue Sakia-el-Hanra. ☎ 044-44-66-34. Dans le quartier Semlalia, à proximité des grands hôtels. Fermé le lundi. Menus à partir de 90 Dh (9 €), servis au déjeuner en semaine uniquement ; menu-enfants à 50 Dh (5 €) ; à la carte, compter 250 Dh (25 €) pour un repas complet de trois plats, sans la boisson. Belle salle de restaurant, avec service dans un très agréable jardin. Excellente cuisine gastronomique, réalisée par un chef français. Il prépare chaque jour un nouveau bouquet de saveurs avec sa cuisine inventive où l'on trouve, par exemple, du croustillant de chair d'araignée parfumé au miel de romarin, de la soupe printanière et truffe blanche en croûte, etc. Pour les poissons, on aura le choix, entre autres, selon les arrivages, entre le rouget farci aux crevettes et le filet de saint-pierre poêlé en écaille de pomme de terre. Les amateurs de viande ne seront pas en reste n'ont plus. Gardez cependant

une petite place pour finir sur une note sucrée avec les desserts. Belle carte de vins marocains et français. Cartes de paiement acceptées.

|●| *Comptoir Paris-Marrakech (plan couleur Guéliz, B3, 70)* : av. Echchouhada, dans le quartier de l'Hivernage. ☎ 044-43-77-02. Ouvert du lundi au vendredi de 16 h à 1 h et les samedi et dimanche de 12 h à 1 h. Compter 250 Dh (25 €) au minimum pour un repas sans la boisson. Dans le très beau décor d'un immeuble des années 1930, c'est le rendo de la jeunesse dorée de Marrakech et des résidents français. Cuisine globalement acceptable, mais guère à la hauteur des prix (en clair, on paye le cadre et le côté branchouille !). Le restaurant est doublé d'un bar-salon de thé et d'un patio verdoyant où il est possible de prendre un plat ou une salade près d'un bassin de roses. Carte des vins et grand choix d'alcools et de cocktails. À la boutique, vous trouverez une bonne sélection des produits de l'artisanat local.

|●| *L'Amandier (plan couleur Guéliz, B3, 76)* : angle av. de Paris et av. Echchouhada. ☎ 044-44-60-93. Dans le quartier de l'Hivernage. Compter aux alentours de 500 Dh (50 €). Une bonne table qui propose des plats français généreux et riches en saveur. Le jardin est particulièrement agréable. Bonne cave et personnel stylé. Cartes de paiement acceptées.

RESTAURANTS TYPIQUEMENT MAROCAINS

Nous avons éliminé tous ceux qui présentent des spectacles folkloriques et sont envahis chaque soir par des cars de touristes. Ils sont généralement d'une médiocrité affligeante, et les prix demandés exorbitants.

|●| *Al Fassia (plan couleur Guéliz, B2, 65)* : 222, av. Mohammed-V. ☎ 044-43-40-60 ou 044-44-72-37. Réservation conseillée. Menu le midi à 120 Dh (12 €). Le soir, à la carte, compter au minimum 200 à 300 Dh (20 à 30 €) pour un repas complet, sans les taxes et la boisson. Beau décor typique avec deux grands salons marocains, en bordure d'un jardin avec de petits kiosques. Cuisine de qualité. Le midi, ils servent un menu touristique très honnête, qui constitue une excellente introduction à la cuisine marocaine. Le soir, carte seulement : pastilla au pigeonneau, tajines (dont un d'agneau au coulis de tomate sucrée), sans oublier l'épaule d'agneau dorée aux amandes, salade d'orange à la cannelle, etc. Service féminin d'une grande efficacité. Possibilité également de commander une pastilla à emporter. Terrasse ombragée. Cartes de paiement acceptées.

|●| *Dar El Baroud (plan couleur Médina, B2, 95)* : 275, av. Mohammed-V. ☎ 044-42-60-09. Face à la Koutoubia et près d'une pharmacie. Ouvert tous les soirs à partir de 19 h 30. Réservation obligatoire. Menu à 400 Dh (40 €) ou carte. Dans une belle maison marocaine avec plafond en bois peint et petits salons ornés de zelliges, on déguste de bons petits plats traditionnels (couscous, tajines, pastilla), précédés de nombreux hors-d'œuvre. Lumières tamisées des bougies et joueurs de luth pour ceux et celles de nos lecteurs qui en ont vraiment les moyens, car ça reste quand même assez cher pour une cuisine somme toute très classique. Cartes de paiement acceptées.

|●| *Dar Mima (plan couleur Jemaa-el-Fna, B2, 96)* : 9, derb Zaouia-el-Kadiria, rue Riad-ez-Zitoun-el-Jdid. ☎ 044-38-52-52. À proximité du *Dar Si Saïd*. Ouvert le soir uniquement. Fermé le mercredi. Compter 200 Dh (20 €) sans la boisson pour un repas complet. D'abord, cadre délicieux : salle à manger donnant sur un beau patio. Élégant décor de céramiques et stucs ajourés. Les repas étant à la carte, on peut se contenter d'un plat unique, notamment celui du jour. Rien n'est imposé. Dans ce *riad* rénové du XIXe siècle, vous pourrez découvrir toutes les facettes de la cuisine marocaine. Vous aurez le choix, après les salades, la *harira* ou les *briouat*, entre différents couscous, le poulet aux citrons confits, des tajines, les sardines farcies, la pastilla au pigeon ou la *tangia* « marrakchia ». Vous pourrez conclure par un assortiment de pâtisseries marocaines ou par une pastilla au lait. Jolies petites salles au premier étage. Réservations souhaitées. Un de nos plus beaux rapports qualité-prix sur Marrakech !

TABLES D'HÔTE

Des adresses exceptionnelles, mais faites vos réservations vous-même. ÉVITEZ LES INTERMÉDIAIRES de tout genre tels que concierges ou employés d'hôtels, guides, calèches, taxis. Lors de votre réservation téléphonique, on vous dira comment venir. Les chauffeurs de taxi à qui vous demandez de vous conduire au restaurant X ont toujours quantité d'arguments pour vous conduire chez Y même si vous avez réservé chez X. De cette façon, ils touchent une commission chez Y qui ne figure pas dans nos adresses recommandées ! Dernière remarque : les tables d'hôte ne sont pas conseillées pour les familles ayant des enfants en bas âge. Pas de menu les concernant et surtout, ce sont des espaces feutrés, inadaptés pour les jeux et encore moins pour les cris ! Par ailleurs, évitez s'il vous plaît les tenues débraillées ou les shorts. Pour finir, si vous décidez de dîner dans un de ces restaurants hors du commun, ne prenez pas un menu pour deux, c'est mesquin, dérangeant, et le *GDR* offre suffisamment d'adresses pour choisir selon votre budget.

|●| *Ksar Essaoussan* (plan couleur *Médina, B2, 98*) : ☎ 044-44-06-32. Fermé le dimanche et en août. Accès facile par l'av. Mohammed-V : à la hauteur du feu après l'*Artisanat*, tournez à gauche si vous venez de Guéliz, puis tout droit ; passez un stop et sous une voûte, 100 m plus loin, à droite, un portier vêtu de rouge vous attendra à l'entrée de la rue des Ksour (pluriel de *ksar*). 3 menus d'importance croissante, selon votre appétit, de 350 à 550 Dh (35 à 55 €) ; tous comprennent l'apéritif, une demi-bouteille de vin sélectionné, l'eau minérale et le thé à la menthe. Rien à voir avec le *Riad Essaoussan* de la rubrique « Où dormir ? ». Dans l'oubli des ruelles de la médina, ce *ksar* tombait en ruine. Jean-Laurent Graulhet, un Français, l'a découvert au hasard de ses promenades et en est tombé amoureux. Il l'a acheté et lui a redonné vie. Les dîners sont servis soit dans le patio où coule une fontaine, soit dans les petits salons qui ont retrouvé leur splendeur d'antan. Dans ce cadre, Kébira prépare une cuisine marocaine de grande qualité. On vous invitera certainement à visiter les terrasses, face à la Koutoubia. L'ambiance, amicale, est d'une élégante simplicité. Un fond musical classique, choisi avec un soin particulier, se marie parfaitement à ce cadre exceptionnel. Cartes de paiement acceptées.

|●| *Dar Moha* (plan couleur *Médina, B1, 99*) : 81, rue Dar-el-Bacha. ☎ 044-38-64-00. Menu à 420 Dh (42 €) le soir, et, à la carte, compter 220 Dh (22 €) le midi. Ici, les boissons ne sont pas inclues dans les prix des menus. Située dans l'ancienne maison d'un grand couturier au goût raffiné, cette nouvelle table d'hôte contentera les gourmets les plus exigeants. Moha, le jovial propriétaire et cuisinier, est un passionné de vieilles recettes qu'il adapte au goût du jour. Le midi, on goûte dans le jardin de délicieuses grillades à l'ombre des arbres qui entourent la très originale piscine. Vins sélectionnés. Accueil charmant d'Ilham, ainsi que de tout le personnel. Douces notes arabo-andalouses distillées par deux merveilleux musiciens. Une excellente adresse à tous points de vue. Cartes de paiement acceptées.

|●| *Le Tobsil* (plan couleur *Médina, B2, 100*) : 22, derb Abdallah-ben-Hessaien-Ksour. ☎ 044-44-40-52, 044-44-15-23 et 044-44-45-35. Fermé le mardi. L'accès est facile. On vous expliquera comment vous y rendre lors de votre réservation. Le forfait soirée est de 550 Dh (55 €), apéritif et vin compris. Christine Rio vous recevra comme des invités dans un petit *riad* très bien restauré. Le cadre est chaleureux et raffiné, comme la cuisine préparée par des femmes qui se transmettent les recettes de génération en génération. C'est une cuisine subtile, authentique et réinterprétée de façon originale. Le menu change tous les jours. Service discret et efficace. Deux musiciens gnaoua accompagneront votre repas. Comme il n'y a que douze tables, il est indispensable de réserver. Le cadre intimiste, la qualité de la cuisine et des prestations vous laisseront un souvenir inoubliable. Cartes de paiement acceptées.

|●| *Dar Yacout* (« la Maison de Saphir » ; plan couleur d'ensemble, C1) : 72, rue Sidi-Ahmet-Soussi. ☎ 044-38-29-29. Fermé le lundi. Réservation obligatoire. Accessible en

voiture depuis Bâb Doukkala. On vous dira comment trouver l'endroit. Compter 700 Dh (70 €), boisson comprise. Palais restauré par Bill Willis. Très belle piscine entourée de bambous. On débute la soirée en prenant un verre dans les salons du premier étage. Un chanteur accompagnera de sa guitare de vieilles mélodies andalouses. On dîne au rez-de-chaussée ou dans le patio en été. Spécialités d'épaule d'agneau à la vapeur et de tajine de poisson. Encore une excellente adresse pour une soirée exceptionnelle, mais un peu trop chère. Cartes de paiement acceptées.

|●| **Dar Marjana** (plan couleur Médina B1, 97) : rue de Bâb-Doukkala, 15, derb Sidi-Ali-Taïr. ☎ 044-38-51-10 et 044-38-57-73. Ouvert le soir. À partir de 660 Dh (66 €), boisson comprise pour un repas. Réservation obligatoire. Splendide palais dans la médina, dont le nom signifie « Maison de Corail ». L'apéritif est servi dans le patio à la belle saison. On peut en profiter pour admirer les somptueuses boiseries datant du milieu du XIXe siècle, en écoutant les vieilles mélopées arabes d'un étonnant musicien. Plusieurs fausses notes cependant : la danseuse du ventre, qui vient briser l'enchantement de cette soirée et qui rend le repas encore un peu plus cher... Sa prestation nous fait basculer du monde des Mille et Une Nuits dans celui de Pigalle !

|●| **Dar Fez** (plan couleur Médina, C1) : 8, rue Boussouni, riad Laarous-el-Gza. ☎ 044-38-23-40, 044-38-22-13 ou 061-34-42-33 (portable). ● www.darfez.com ● Compter 480 Dh (48 €) sans le vin. Apéritif offert. Découvrez la cuisine fassie au cœur de la médina de Marrakech. Pastilla au pigeon, briouat, festival de salades, couscous aux sept légumes, etc., arrosé de vin de Meknès. Sharif le propriétaire, un ex-pharmacien, a préféré les « marmites aux potions et aux cornues ». Dans les beaux patios de ce riad noyé de verdure, on dîne à la lueur des chandelles avec un fond musical discret et original.

Où manger une pâtisserie ? Où manger une glace ?

Dans la médina

|●| **Pâtisserie Mik-Mak** (plan couleur Jemaa-el-Fna, A1, 30) : rue Moulay-Ismaïl, à côté de l'hôtel Ali. À quelques pas de la pl. Jemaa-el-Fna. Ouvert jusqu'à minuit sans interruption. On aime cette adresse qui propose un grand assortiment de gâteaux orientaux et européens bon marché. Goûter absolument le lait d'amande et les yaourts. Service aimable et souriant. Possibilité de déguster quelques douceurs à l'étage.

|●| ♥ **Pâtisserie des Princes** : 32, rue de Bâb-Agnaou. ☎ 044-44-30-33. À deux pas de la pl. Jemaa-el-Fna. Vaste choix de pâtisseries marocaines, de petits fours et de chocolats. Excellentes glaces et délicieux lait d'amande. Plus cher que les autres adresses de cette rubrique, mais le salon au fond du magasin constitue un cadre agréable et confortable. Dommage que ce ne soit pas climatisé et que l'on vous demande de passer une seconde commande si on reste assis plus de 30 mn. Détail important, il faut demander la clé pour les toilettes (elles pourraient être mieux entretenues).

|●| **El Badi** (plan couleur Médina, B2) : rue Fatima-Zohra, qui part du Club Med et mène jusqu'à Bâb Doukkala. On achète et on consomme sur place des pâtisseries marocaines et de bons jus d'amande. Bon petit déjeuner également.

|●| ♥ **Café-restaurant Argana** (plan couleur Jemaa-el-Fna, A1, 112) : sur la pl. Jemaa-el-Fna. Les yaourts, sorbets et les glaces sont un régal. Par-

fums variés. Goûtez au jus d'orange avec une boule de glace à la vanille nappée de chantilly. À se damner! Très touristique tout de même. Le restaurant, en revanche, peut être évité (on confirme après notre dernière visite!).

Dans Guéliz

|●| *Al Jawda, chez Mme Alami Hakima (plan couleur Guéliz, A2, 66) :* 11, rue de la Liberté. ☎ 044-43-38-97. Ouvert de 8 h à 20 h 30. La façade est si petite qu'on peut passer à côté sans la voir. « Le prix attire la clientèle, mais la qualité la retient », dit leur publicité. Excellentes pâtisseries marocaines (uniquement). Spécialité de *feqqa* à la crème fraîche. A aussi la réputation de préparer la meilleure pastilla de la ville (sur commande uniquement).

|●| *Amandine (plan couleur Guéliz, A2, 78) :* 97, rue Mohammed-el-Beqal. ☎ 044-44-96-12. Ouvert de 7 h à 21 h (sauf du lundi au jeudi : fermé de 13 h à 16 h). Salon de thé ou vente à emporter. Viennoiseries excellentes, et des chocolats comme vous n'en trouverez nulle part ailleurs. Prix plus élevés que la moyenne, mais toute la marchandise, le chocolat notamment, sont importés.

♀ *Glacier Oliveri (plan couleur Guéliz, A1, 72) :* bd El-Mansour-Ed-dahbi ; complexe KACM, au bout de la rue, sur la gauche avant d'arriver au croisement. ☎ 044-44-96-88 et 89-13. Ouvert de 7 h à 23 h tous les jours. Une dynastie de glaciers dont la maison mère est à Casablanca. Excellentes viennoiseries et très bons petits déjeuners. Grande salle confortable style années 1950 et longue banquette moelleuse. Une adresse incontournable.

|●| *Pâtisserie Belkabir (plan couleur Guéliz, A1, 69) :* 25, rue El-Houria. ☎ 044-43-83-39. À l'angle de la rue Tarik-ibn-Ziad. Ancienne maison honorablement connue depuis plusieurs générations.

|●| ♀ *Arabesque (plan couleur Guéliz, B2, 79) :* av. Mohammed-V, résidence Al-Mourad. ☎ 044-43-98-50. Ouvert tous les jours de 7 h à 22 h. Petit déjeuner servi jusqu'à 11 h. Salon de thé agréable avec une décoration originale et une agréable terrasse où l'on peut déguster des quiches, de bonnes glaces et d'excellentes pâtisseries.

Où boire un verre? Où prendre le petit déjeuner?

Dans la médina

Nombreuses terrasses de café qui dominent la place Jemaa-el-Fna. Spectacle permanent. Citons celles de l'*Hôtel de France* ou de l'*Argana*, où le thé à la menthe est excellent. Évitez désormais celle du *Glacier*, littéralement squattée par les groupes. Même chose pour la terrasse du rez-de-chaussée, tous les bus y stationnent et ne crachent pas que leurs troupeaux de touristes... Possibilité de boire un jus d'orange, de préférence sans glaçon, sur la place Jemaa-el-Fna, en passant. Ne pas en abuser : gare à la « tourista ». Vous trouverez dans la médina un havre de paix décrit dans la rubrique « Culture » des « Adresses utiles » :

|●| *Ryad Tamsna (plan couleur Jemaa-el-Fna, à côté de 96) :* rue Riad-ez-Zitoun-el-Jdid, 23, derb Zanka-Daïka. ☎ 044-38-52-72. Brunch sur la terrasse à 100 Dh (10 €) et menu à 350 Dh (35 €). Un lieu exceptionnel.

Dans Guéliz

Ce ne sont pas les endroits qui manquent, à commencer dans l'ordre par la place de la Liberté *(plan couleur Guéliz, B2)*.

Les angles du carrefour de l'avenue Mohammed-V et du boulevard Mohammed-Zerktouni *(plan couleur Guéliz, A1)* sont occupés par des *cafés*. Vous pouvez choisir votre terrasse à l'ombre ou au soleil.

▼ *Safran et Cannelle (plan couleur Guéliz, A2) :* 40, av. Hassan-II. ☎ 044-43-59-69. Ouvert tous les jours tard la nuit (au moins jusqu'à 1 h 30). Au 1ᵉʳ étage, *l'Hacienda*, son bar-resto populaire chez les Marocains branchés de 25-35 ans. Atmosphère relax, bon enfant et, surtout, l'un des karaokés les plus fameux de Guéliz (et pas du tout ringard). Quand la patronne s'empare du micro, c'est génial !

▼ *Glacier Oliveri (plan couleur Guéliz, A1, 72) :* bd El-Mansour-Eddahbi. Voir plus haut, dans la rubrique « Où manger une pâtisserie ? Où manger une glace ? ».

▼ *Café Les Négociants :* à l'angle des bd Mohammed-V et Mohammed-Zerktouni. ☎ 044-43-57-62. Grand café à la parisienne avec chaises en osier. Excellent petit déjeuner. Terrasse très agréable quand il n'y a pas trop de circulation.

▼ *Café le Siroua :* 20, bd Mohammed-Zerktouni, à côté du cinéma *Colisée*. ☎ 044-43-01-74. Ouvert jusqu'à 1 h tous les jours. Excellents petits déjeuners. Jus d'orange frais et bons cafés. Les glaces sont très bonnes. Petite salle au 1ᵉʳ étage.

Où sortir ?

Discothèques

À savoir : les boîtes sont relativement vides en début de semaine et pendant le ramadan. Elles peuvent fermer plusieurs jours à l'occasion de fêtes religieuses. En revanche, beaucoup de monde le week-end. Sans être parano, méfiez-vous de certaines propositions. Porte-monnaie garni bienvenu !

♪ *Paradise :* night-club de l'hôtel *Pullman Mansour Eddahbi (plan couleur d'ensemble, A2).* Dans le quartier du Palais des Congrès. Grosse machine pour inconditionnels du genre boum-boum. Assez prisée des expatriés, tout comme le *New Feeling* dans la Palmeraie.

♪ *Le Diamant Noir (plan couleur d'ensemble, B2) :* discothèque de l'hôtel *Marrakech*. L'entrée se fait par une rue parallèle. Ouvert tous les soirs. Boîte gentiment gay en semaine, pour tout public le week-end. Attention, on nous a signalé des escadrons de professionnelles. À côté, une pizzeria pour noctambules comblera vos faims nocturnes.

♪ *Le Shéhérazade (plan couleur d'ensemble, B1) :* boîte de l'hôtel *Kenza*, av. Yacoub-el-Mansour (y aller en taxi et le faire attendre pour voir si on vous laisse entrer). Un autre genre de boîte, à ne pas mettre entre toutes les mains. Mesdemoiselles, n'y allez surtout pas sans être accompagnées, trouvez une bande de vaillants gardes du corps noctambules. Cette boîte est un lieu de perdition où Allah n'a pas son mot à dire. Fréquentée exclusivement par des Marocains et des jeunes filles dont la vertu semble microscopique, le *Shéhérazade*, animé par un orchestre de musique arabe, permet un défoulement total : les hommes dansent entre eux (c'est ici une attitude amicale), draguent, boivent comme des trous et fument le kif comme des pompiers. L'ambiance est excellente. Néanmoins, autant vous prévenir, ça tourne parfois au vinaigre : bastons, descente de flics, tout le monde au poste et fermeture pour quelques semaines. Et puis la vie reprend, et le *Shéhérazade* repart pour de nouvelles rasades.

Casinos

■ Deux **casinos** (plan couleur d'ensemble, B-C3) : l'ancien, près de l'hôtel *Es-Saadi* et le nouveau dans l'hôtel *La Mamounia*, où vous pourrez tenter quelques dirhams dans les machines à sous.

Dîners-spectacles folkloriques

Ils sont souvent frelatés et artificiels. Voir plutôt, à notre rubrique « Où manger ? », nos tables d'hôte recommandées.

À voir

Nous vous présentons les principaux centres d'intérêt dans l'ordre dans lequel il est logique de les découvrir. Mais si vous ne devez rester à Marrakech qu'une seule journée (ce qui, soit dit entre nous, serait un crime), il ne faut manquer sous aucun prétexte les deux hauts lieux que sont la place Jemaa-el-Fna et les souks.

Marrakech n'est pas une ville qui séduit toujours au premier abord ; il faut savoir la mériter un peu, surmonter ses premières impressions et oublier les sollicitations de ses guides. Ceux-ci, d'ailleurs, ont pratiquement disparu depuis la création de « brigades touristiques » aux méthodes musclées. Arrestations et emprisonnements se sont multipliés ces dernières années. On n'y va pas par quatre chemins ! Vous pouvez désormais vous balader tranquille sur la place Jemaa-el-Fna et dans les souks. Si vous avez pris un guide officiel (voir « Infos touristiques » dans « Adresses utiles »), définissez bien le programme avant le départ et exigez qu'il soit respecté pendant la visite.

Dans la médina

🌴🌴🌴 *Le minaret de la Koutoubia* (plan couleur Médina, B2) : la tour Eiffel locale. Tout le monde le connaît et il sert de point de repère. De nombreux Marrakchis s'y retrouvent le vendredi matin pour la prière commune. Beaucoup plus vieux que notre fringante centenaire puisqu'il date du XIIe siècle, le minaret servit de modèle à la Giralda de Séville et à la tour Hassan de Rabat.

Lorsque les Almohades s'emparèrent de Marrakech en 1147, ils détruisirent les palais almoravides, ainsi que la mosquée centrale parce qu'ils jugeaient son orientation incorrecte. Pourtant, cette mosquée représentait sans doute ce qui s'était fait de mieux en matière d'orientation. Est-ce à dire que les savants almohades étaient des nuls ? Sans doute pas plus que les autres ! La question devait être plus politique que scientifique. Dans les régions du Maghreb, les prières avaient été dirigées vers le sud depuis l'arrivée des premiers Arabes. Changer d'orientation revenait à invalider les prières de plusieurs générations. L'orientation choisie par l'Almoravide Ali ben Youssef avait provoqué à l'époque un grand mécontentement populaire, dont les Almohades avaient su tirer parti pour rassembler autour d'eux les populations berbères.

C'est donc sur l'emplacement d'un palais almoravide que Abd el-Moumen, le nouveau maître du Maroc, fit édifier la Koutoubia. Tournant le dos au luxe de l'art andalou, il opta pour la simplicité. Cette tour (69 m jusqu'au sommet du lanternon, 77 m jusqu'au sommet de la flèche), aussi haute que celles de Notre-Dame de Paris, est couronnée d'un lanternon surmonté de quatre boules dorées. La légende, qui embellit tout, voudrait nous faire croire qu'elles sont d'or pur et que l'influence des planètes leur permet de tenir en équilibre !

Après sa restauration, il apparaît plus que jamais dans toute sa splendeur. Il faut le voir aussi illuminé, le soir. Le décor extérieur en est différent sur chaque face : réseaux d'entrelacs sculptés dans le stuc, ornements floraux, bandeaux de céramique, arcs et décor épigraphique. Par la simplicité de ses formes, l'équilibre de ses proportions, la Koutoubia est considérée comme un des plus beaux monuments d'Afrique du Nord. On ne visite pas l'intérieur, avec ses six salles superposées autour desquelles une rampe permettait, autrefois, d'atteindre la plate-forme à cheval. La mosquée de la Koutoubia ou « des Libraires » doit son nom aux bouquinistes (il y en aurait eu 200 !) qui se tenaient autour au XIIe siècle. Plus large que profonde, avec 17 nefs perpendiculaires à la *qibla* (le mur vers lequel les fidèles se dirigent pour la prière), elle ne se visite pas non plus.

Vers 1950, des fouilles effectuées dans les ruines de la première mosquée ont révélé un savant mécanisme qui servait à faire apparaître, puis à escamoter dans le sol, des parois qui créaient un espace réservé pour le sultan en face du *mihrab*. Les traces des tranchées sont encore bien visibles.

🎭🎭🎭 **La place Jemaa-el-Fna** *(plan couleur Médina, C2)* : son nom signifie peut-être « Assemblée des morts », en mémoire de l'époque où les criminels y étaient exécutés et leur tête exposée pour servir d'exemple. D'autres proposent comme signification « Place du néant » ou encore « Place de la mosquée anéantie », en référence à une mosquée de l'époque saadienne. C'est aujourd'hui le quartier le plus vivant de toute la ville. Tout tourne autour d'elle : premier centre d'intérêt touristique, proche des souks, point de repère essentiel d'où partent les promenades qu'on effectue dans la ville. N'hésitez pas à fréquenter les terrasses de l'*hôtel de France* et de l'*Argana*, qui permettent d'avoir le meilleur point de vue sur l'ensemble de cette place.

La place Jemaa-el-Fna est un immense théâtre de plein air, au spectacle continu. Si vous voulez vraiment profiter de l'ambiance, il faut vous y rendre à partir de 17 h en hiver et 18 h en été (dans la journée, ce n'est qu'un lieu de rendo, il ne s'y passe pas grand-chose). C'est le soir que la fête commence. Jusqu'au début des années 1980, c'était à la fois la gare routière et un marché aux puces permanent, installé dans des baraques de bois qui faisaient de cet endroit une véritable extension des souks. Un incendie très opportun suivi d'un décret chassa tous ces marchands du temple. Mais ce lieu a vite retrouvé son animation avec des « ambulants » qui assurent la permanence du spectacle, attirant nombre de badauds. Pour ceux qui ont connu la glorieuse époque de la gare routière (que l'on voit d'ailleurs dans le film d'Hitchcock *L'Homme qui en savait trop*), la place d'aujourd'hui est devenue trop occidentalisée, avec ses vendeurs de jus d'orange bien alignés et ses restaurants numérotés qui délimitent la place. Autre sujet d'irritation pour les « anciens » : certains cafés (comme le *café du Glacier*, au coin de Bâb-Agnaou) font désormais acheter obligatoirement la boisson avant d'accéder à la terrasse. On fait ainsi la queue dans une sorte de goulet (et longuement quand il y a du monde). À côté, une barrière bloque la sortie de la terrasse et pas question d'y accéder par là. Un côté rentabilisation à tout prix qui gâche quelque peu le plaisir !

Pour les autres, on citera cette phrase de Paul Bowles : « Sans la place Jemaa-el-Fna, Marrakech ne serait qu'une ville comme les autres. » D'ailleurs, depuis le 18 mai 2001, elle a été déclarée par l'Unesco « chef-d'œuvre du Patrimoine oral de l'humanité » grâce au travail de Juan Goytisolo, écrivain espagnol vivant à Marrakech, et au soutien de l'*Association des amis de la place Jemaa-el-Fna*. Cette reconnaissance permettra aux Marocains et aux touristes de porter un autre regard sur la vie intense de ce lieu. C'est vrai que malgré le côté désormais quasi institutionnel de la place, elle conserve indéniablement beaucoup de son pouvoir de séduction ancestral. D'ailleurs, elle continue d'être majoritairement fréquentée par les autochtones et, la plupart du temps, les contacts avec les touristes demeurent toujours ouverts et chaleureux. Donc, foin d'aigreur, la magie opère toujours...

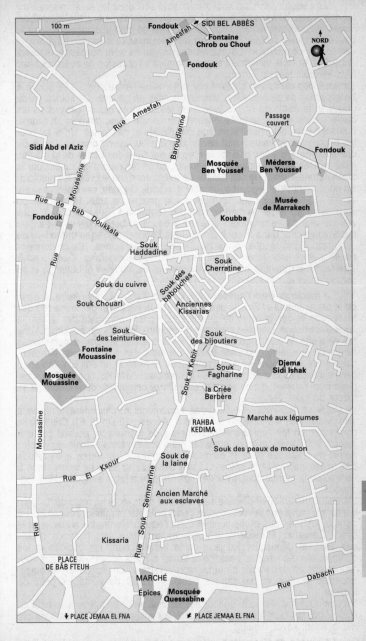

100 m

Fondouk ↗ SIDI BEL ABBÈS
Amesfah
Fontaine
Chrob ou Chouf

NORD

Fondouk

Rue   Amesfah

Baroudienne

Passage
couvert

Sidi Abd el Aziz

Fondouk

Mosquée
Ben Youssef

Médersa
Ben Youssef

Rue de Bab Doukkala

Mouassine

Rue

Musée
de Marrakech

Koubba

Souk
Haddadine

Souk
Cherratine

Souk du cuivre

Souk Chouari

Souk des babouches

Anciennes
Kissarias

Souk
des teinturiers

Souk
des bijoutiers

Fontaine
Mouassine

Souk el Kebir

Souk
Fagharine

Djema
Sidi Ishak

Mosquée
Mouassine

la Criée
Berbère

Marché aux légumes

RAHBA
KEDIMA

Souk des peaux de mouton

Mouassine

Souk de
la laine

Rue   El Ksour

Souk   Semmarine

Ancien Marché
aux esclaves

Rue

Kissaria

PLACE
DE BÂB FTEUH

MARCHÉ

Épices

Mosquée
Quessabine

Rue   Dabachi

⬇ PLACE JEMAA EL FNA   ⬇ PLACE JEMAA EL FNA

MARRAKECH

MARRAKECH (LES SOUKS)

🏃🏃🏃 **Les souks** (plan des souks) : pénétrer seul dans les souks relevait, il y a encore peu, de l'exploit, avant la mise en place d'une brigade touristique. Faites toujours vos achats seul, car la présence d'un accompagnateur a le pouvoir singulier de faire progresser les prix, puisque le marchand devra lui verser une commission. La plupart des magasins sont fermés le vendredi entre 11 h et 16 h. Ils ferment tous également à l'occasion de certaines fêtes (*Aïd el-Kébir*, fête du Trône).

Le souk des teinturiers s'atteint par la fontaine Mouassine : il se trouve à l'intersection de deux ruelles ; empruntez celle de gauche. Ce souk a perdu une grande partie de son activité avec les teintures industrielles, mais les quelques ateliers subsistants fonctionnent encore d'une manière artisanale. Il change d'aspect selon l'étendage des étoffes et des laines. Un régal pour les photographes, mais il faut savoir attendre ou revenir pour obtenir le cliché superbe. Peut-être plus facile d'accès par l'une des portes de la médina (Bâb ed-Debbagh), le long des remparts, qu'en remontant les ruelles par la place Jemaa-el-Fna. Ne pas hésiter à s'aventurer dans les venelles alentour. En continuant vers la gauche, on atteint le souk *Chouari*, celui des vanniers et des tourneurs sur bois. Toujours sur la gauche, le souk *Haddadine,* où vous serez guidé par le martèlement des ferronniers. Sur la droite, le *souk des cuivres*, où les dinandiers cisèlent, à coups de burin, plateaux et autres petits souvenirs. Dans le souk *Smata* (des babouches) règne une odeur de cuir frais. C'est là que, dans de minuscules échoppes, les cordonniers cousent leurs babouches suivant des méthodes ancestrales. Dans le souk *Cherratine*, on travaille aussi le cuir, mais ici les modèles ont changé et se sont adaptés aux touristes.

🏃🏃 **La médersa Ben-Youssef** (plan des souks) : pour s'y rendre, à partir de la place Jemaa-el-Fna, le plus simple est de rejoindre, par le marché des fruits secs et des grilleurs de cacahuètes, l'artère principale des souks, le souk *Semmarine*. L'ancien souk des maréchaux-ferrants est aujourd'hui une rue couverte, la plus large des souks, où se trouvent les grands commerces de tissus et quelques grands bazars de tapis. En suivant cette direction, c'est-à-dire plein nord, on traverse le souk *El-Kebir* et on finit par arriver au centre même de la médina, près de la médersa, de la Koubba et de la mosquée Ben-Youssef, qui ne se visite pas. On se contentera donc d'admirer sa toiture de tuiles vertes.

La *médersa Ben-Youssef* est l'un des monuments les plus intéressants de la ville. Visite tous les jours de 9 h à 18 h. Accès : 20 Dh (2 €). Cette école coranique, en fait l'université traditionnelle de Marrakech, pouvait contenir jusqu'à 900 élèves, que l'on entassait dans une centaine de cellules visibles au rez-de-chaussée et au 1er étage. Ils partageaient leur temps entre l'étude des textes sacrés et la prière. On voit d'ailleurs la salle de prière, face à l'entrée de la grande cour, avec ses colonnes de marbre supportant les chapiteaux.

L'architecture arabo-andalouse se montre ici dans toute sa maturité. Le plan est simple, ainsi que les volumes, le décor précieux et raffiné. Tout se trouve dans la justesse des proportions et dans l'équilibre entre les surfaces et le décor. En visitant la médersa, il faut regarder partout, sols, plafonds, détails des arcs, et débusquer les jeux de la lumière dans les couloirs et les chambrettes. Admirez au passage le travail du bois sculpté, sur lequel subsistent encore des traces de la peinture d'origine. En particulier, à l'étage, superbes poutres et balustrades ciselées, autour de véritables puits de lumière.

Ne pas oublier d'aller faire un tour aux latrines, elles se trouvent au bout du couloir qui fait face à l'entrée. Là aussi, les maîtres-d'œuvre saadiens ont déployé leur savoir-faire !

🏃🏃 **Le musée de Marrakech** (plan des souks) : à côté de la médersa Ben-Youssef. ☎ 044-39-09-11. Fax : 044-39-09-12. ● musee.de.marrakech@

iam.net.ma ● Ouvert tous les jours de 9 h à 18 h. Fermé le 1er mai et lors des fêtes religieuses. Entrée : 30 Dh (3 €) ; quelques réductions.

Le *palais Dar M'Nebhi*, l'un des plus beaux de la fin du XIXe siècle, (demeure du ministre de la Défense du sultan de l'époque puis, à l'indépendance, première école de filles de la ville) a été transformé en musée et en lieu d'accueil pour des activités culturelles. Expos d'art contemporain changeant chaque trimestre (photo, céramique, peinture, etc.) et une grande expo à thème (pour 2003, « Rituels et pratique du thé au Maroc »). Grande cour, couverte par une toile en forme de dôme géant, colonnes aux beaux chapiteaux ajourés, lustre immense au milieu, sol en petits carreaux de céramique polychrome... Le hammam du palais offre de petites salles d'exposition supplémentaires. Superbes murs en *tadelakt*, zelliges et coupoles décorées de plâtre sculpté et peint. Une occasion de découvrir ce qu'était un palais d'une superficie de 2 000 m², niché au cœur de la médina et comme il en reste peu. Intéressantes librairie et boutique. Petit café avec terrasse. Une visite à ne pas manquer.

🍖 *La Koubba almoravide :* à côté du musée. Ouvert de 9 h à 12 h et de 14 h 30 à 18 h. Fermé le 1er mai et lors des fêtes religieuses. Entrée : 10 Dh (1 €). Ce « kiosque » qui ne paie pas de mine de l'extérieur est considéré, pour l'extraordinaire décor de sa coupole, comme l'un des sommets de l'art musulman. C'est aussi le seul témoin de l'art des Almoravides dans leur capitale, Marrakech. Cette *koubba* servait en fait d'abri au bassin des latrines de la mosquée Ben-Youssef. Tant par sa forme que par son décor intérieur d'un extrême raffinement, cette construction ne semble pourtant pas correspondre à son usage de toilettes publiques. Édifié au XIIe siècle, ce bâtiment pourrait être la fontaine d'ablutions d'une mosquée primitive que le sultan fit détruire pour en construire une un peu plus au nord, plus belle, plus grande.

🍖 *Dar Bellarj (la Maison des Cigognes) :* 9, Toualat-Zaoulat, Lahdar. ☎ 044-11-45-55. Juste après la médersa, à gauche, une curieuse porte montre le profil d'une cigogne. C'est la porte secondaire de la *fondation Dar-Bellarj*, qui s'est donnée pour mission de défendre et de mettre en valeur les arts traditionnels du pays. Avant que cette maison ne soit construite, se trouvait là un ancien *foundouk* où un amoureux des oiseaux avait installé une sorte d'hôpital pour ses protégés. Des cigognes blessées pouvaient y passer leur convalescence. Les grandes salles qui entourent le patio abritent des expositions temporaires.

🍖🍖🍖 *Retour aux souks (plan des souks) :* revenir par le *souk el-Kebir*, où les maroquiniers tiennent boutique. À droite s'ouvrent les *kissaria*, réservées au commerce des étoffes. Ce sont les mieux conservées de tout le Maroc avec celles, plus petites, de Meknès. Certains plafonds ont encore leur charpente de bois de cèdre. Nos chères lectrices pourront s'attarder dans le souk suivant, le *souk des bijoutiers*. Mais il faut savoir distinguer l'argent de ses imitations, sinon, on a de fortes chances de se faire rouler.

En obliquant sur la gauche, on débouche sur la *place de Rahba-Kedima*, ancien marché aux grains et... aux esclaves. Ce dernier ne cessa son horrible commerce qu'en 1920. On y négocie maintenant des poules, des légumes, des peaux de chèvre, des fripes et des ustensiles de cuisine. Sur le côté droit, plusieurs boutiques, avec dans leurs bocaux des plantes médicinales. On vous fournira des explications sur les propriétés de chacune. Si vous perdez vos cheveux, essayez le *rhassoul* qui, dilué dans de l'eau tiède, forme une boue à placer sur la tête pendant cinq minutes. Vous pouvez aussi remplacer votre dentifrice habituel par des bâtonnets d'écorce de noyer avec lesquels vous frotterez désormais vos petites canines. Le *zoac*, récipient de terre cuite enduit de poudre de coquelicot, tiendra lieu aux coquettes de fard et de rouge à lèvres. N'oublions pas les aphrodisiaques, comme la *cantharide-coléoptère*, dont la poudre se dilue dans une tasse de café, ou encore des thés propices à réveiller certains membres paresseux. Les plus circonspects se contenteront de quelques mélanges d'herbes pour barbecue, comme celui appelé « tête de magasin » (*ras el hanout* en arabe) et qui contient treize épices différentes.

Sur le côté gauche de cette place très animée, un immeuble couvert de tapis indique l'entrée du souk *Zrabia*, dit la Criée berbère (tous les jours sauf le vendredi, l'après-midi, entre la troisième et la quatrième prière). Il n'est pas nécessaire d'être accompagné, mais si vous êtes avec un ami arabe (pas un guide), vous pourrez acheter des cuirs, des caftans et des tapis deux à trois fois moins cher que dans les boutiques. Votre parcours se terminera au souk *Semmarine*, qui aboutit au marché des fruits secs et à celui des potiers, avant de revenir place Jemaa-el-Fna.

Cet itinéraire n'est qu'une proposition, et nous espérons que vous vous serez perdu maintes fois pour faire des découvertes personnelles.

LES AUTRES MONUMENTS DE LA MÉDINA

Partir de la porte Bâb Agnaou *(plan des Palais, A2)*, l'une des plus belles des remparts de la ville, avec sa pierre d'un séduisant gris bleuté. Son nom signifierait « porte du Bélier sans corne », et viendrait du fait qu'elle a perdu les deux tours qui l'encadraient auparavant. Selon d'autres, l'étymologie renverrait à la traduction de « Guinéen » *(agnaw)*.

🏃 **La mosquée d'El-Mansour** *(plan des Palais, A2)* **:** dite aussi « mosquée de la Kasbah ». Elle se repère aisément à son minaret aux entrelacs de couleur turquoise, qui se détache du ciel. Vous ne pourrez rien voir d'autre puisque la mosquée, dont la salle de prière ne comprend pas moins de onze nefs, est réservée aux musulmans.

Cette construction paraît toute neuve, mais elle est, en fait, aussi âgée que la Koutoubia. Yacoub el-Mansour la fit édifier entre 1185 et 1190 sur un plan peu habituel puisqu'elle est presque carrée, mais elle fut reconstruite après une explosion en 1569. On lui donna alors aussi le nom de mosquée « aux pommes d'or » car les boules de sa lanterne auraient été réalisées avec l'or ou des bijoux de l'épouse de Yacoub el-Mansour.

🏃🏃🏃 **Les tombeaux saadiens** *(plan des Palais, A2)* **:** la porte d'entrée est au fond d'une petite impasse sur la gauche, après le mur de la mosquée. Ouvert de 9 h à 11 h 45 et de 14 h 30 à 17 h 30 ou 18 h. Fermé le mardi en principe. Accès payant. Comme ces tombeaux n'étaient accessibles que par la mosquée, ils furent préservés jusqu'en 1917, date à laquelle on eut l'idée de faire percer une porte favorisant leur accès sans avoir à traverser l'enceinte sacrée. Bien joué ! L'ensemble comporte plusieurs *koubba* autour d'un cimetière envahi de fleurs.

Le premier mausolée est composé de trois salles. La première, reposant sur quatre colonnes, possède un riche *mihrab*. La deuxième, la salle centrale, abrite la tombe de Moulay Ahmed el-Mansour, mort de la peste à Fès en 1603, et qui repose, entouré de ses fils, sous une coupole de cèdre doré que supportent douze colonnes de marbre de Carrare. La troisième salle, dite des Trois Niches, abrite des tombes d'enfants. Elle est aussi richement décorée. Le second mausolée, à droite dans le jardin, abrite sous sa coupole à stalactites peintes la tombe très vénérée de la mère de Moulay Ahmed el-Mansour.

Sous les tombes de marbre et les coupoles dorées, c'est toute l'histoire d'une famille qui repose, une dynastie loin d'être paisible. Assassinats, empoisonnements, luttes fratricides, les Saadiens n'étaient pas des enfants de chœur ! Le jardin, en revanche, est un véritable havre de paix (le matin de bonne heure, après c'est la foule bien sûr).

🏃🏃 **Le palais El-Bâdi** *(plan des Palais, B2)* **:** ouvert de 8 h 30 à 12 h et de 14 h 30 à 17 h 45, sauf pendant l'Aïd el-Kébir et l'Aïd el-Seghir. Entrée :

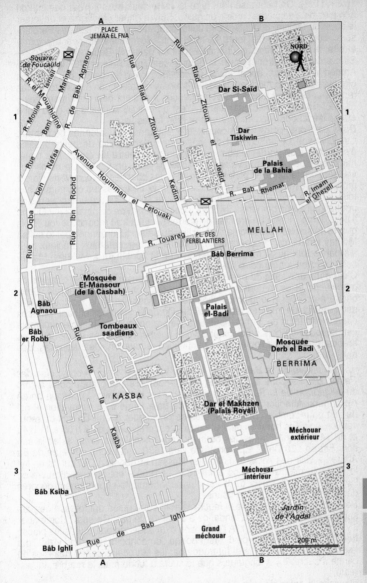

MARRAKECH (LES PALAIS)

10 Dh (1 €). On peut aisément faire la visite seul, mais il n'est pas interdit non plus de s'adjoindre l'aide d'un guide. Suivre l'itinéraire fléché et traverser le souk du Mellah, le quartier des Juifs, pour atteindre la place des Ferblantiers, dominée par les tours de pisé entre lesquelles s'ouvre une porte étroite, la Bâb Berrima, qui donne accès au palais El-Badi.

Sitôt arrivé sur le trône, après la bataille des Trois Rois (1578), le Saadien Ahmed el-Mansour aurait lancé la construction d'un palais de réception gigantesque. À sa mort, en 1603, les travaux n'étaient pas encore tout à fait terminés ; pourtant, des fêtes somptueuses y avaient déjà été organisées. *El Badi* signifie « l'Incomparable ». C'est un des 99 surnoms de Dieu qui a été utilisé ici pour décrire une œuvre bien terrestre.

Deux pavillons, couverts de coupoles et supportés de colonnes de marbre, s'y élevaient. Le sol couvert de mosaïques était creusé de petits bassins d'eau vive. L'un portait le nom de pavillon d'or, l'autre de cristal. Les matériaux les plus précieux avaient été achetés jusqu'en Chine. De nombreux visiteurs ont raconté les plafonds incrustés, les chapiteaux recouverts d'or, la profusion de marbres noirs et blancs, des onyx de toutes les couleurs. L'histoire raconte que le jour de l'inauguration, le sultan, se retournant vers son bouffon, lui aurait demandé : « Et toi, que penses-tu de ce palais ? » « Quand il sera démoli, il fera un gros tas de pierres ! », lui aurait répondu le fou. Trois quarts de siècles plus tard, la destruction du palais fut ordonnée par le sultan Moulay Ismaïl, qui récupéra les marbres et autres matériaux précieux pour les palais tout aussi mégalomanes qu'il se fit construire à Meknès. Malgré cela, l'endroit a beaucoup d'allure.

C'est dans une salle du palais en ruine qu'est conservé un chef-d'œuvre de menuiserie et de marqueterie : le *minbar* de la mosquée-cathédrale. Cette chaire à prêcher a longtemps servi dans la mosquée de la Koutoubia. Elle est l'œuvre de maîtres ébénistes de Cordoue. Impressionnant par ses dimensions (plus de 3 m de hauteur et de profondeur), ce meuble vénérable est composé de bois précieux et d'ivoire finement ouvragés en de savantes arabesques. Il a fait l'objet d'une minutieuse rénovation. Des terrasses, très belle vue.

🐾🐾 **Le palais de la Bahia** (« *de la Belle », surnom de la favorite ; plan des Palais, B1*) : aucune signalisation à l'extérieur ; c'est la grande porte à côté du *restaurant de la Bahia*. Pour accéder à l'entrée, suivre le chemin bordé d'orangers. Attention, en mai 2002, le palais a fermé pour rénovation et nul ne sait pour combien de temps. Bien se renseigner avant. En cas de réouverture, voici les horaires de visite qui étaient pratiqués : de 8 h 30 à 11 h 45 et de 14 h 30 à 17 h 45. Ces horaires peuvent toutefois varier selon la saison. Entrée : 20 Dh (2 €). Construite vers 1880, cette riche demeure de Ba Ahmed – vizir des souverains Moulay Hassan et Abdelaziz, et qui fut en fait le véritable maître du Maroc entre 1894 et 1900 – est un chef-d'œuvre de l'art marocain. Sur plus de 8 ha, des appartements superbement décorés débouchent sur des patios fleuris.

Pour profiter de cette visite, il faudra ralentir votre guide qui, pressé de passer au client suivant, aura tendance à accélérer le pas. Ce serait dommage ; il y a tant de choses à voir. À l'exception d'un appartement, toutes les pièces furent conçues de plain-pied, étant donné l'embonpoint du grand vizir. Tout le marbre provient d'Italie et fut troqué par les Marocains contre des kilos de canne à sucre. Il y a longtemps que le sucre a fondu mais le marbre, lui, est resté.

On visite le salon de réception, la salle du Conseil avec son plafond exceptionnel, l'appartement de la favorite et la grande cour autrefois réservée au gynécée du vizir Ba Ahmed qui ne possédait pas moins de 4 épouses et 24 concubines. Quel tempérament !

On peut toujours avoir plusieurs femmes, mais l'autorisation écrite de la première est nécessaire pour en obtenir une deuxième, une troisième, etc. Lyautey, qui n'avait pas mauvais goût, avait fait de ce palais sa résidence.

🔌 **Dar Si-Saïd** (plan des Palais, B1) **:** en sortant du palais de la Bahia, prendre la rue Riad-ez-Zitoun-el-Jédid puis obliquer sur la droite. Visite payante accompagnée tous les jours sauf les mardi et jours fériés, de 9 h à 12 h et de 14 h 30 (14 h 45 le vendredi) à 17 h 45. Cette ancienne maison du frère du vizir Ba Ahmed fut construite à la même époque et avec les mêmes artisans que le palais de la Bahia. Si Saïd profita des richesses de son frère, mais il fut aussi entraîné dans sa chute. En effet, il mourut la même année que le vizir, dans des conditions bien mystérieuses.

Aujourd'hui, cette maison renferme un musée d'art marocain. On ne va quand même pas détailler les collections pièce par pièce, mais on conseille la chambre de l'épouse favorite, pour ses splendides tapis. Les amateurs d'armes et de bijoux berbères ne seront pas déçus.

Dans l'entrée, un tableau donne des précisions intéressantes sur l'artisanat de la région de Marrakech et du sud du Maroc.

🔌 **Dar Tiskiwin** (plan des Palais, B1) **:** 8, rue de la Bahia. ☎ 044-38-91-92. Entre le palais de la Bahia et le musée Dar Si-Saïd. Pas bien signalé, mais insister pour trouver cette maison dont l'enseigne en fer forgé peinte en jaune est assez discrète. Ouvert de 9 h 30 à 12 h 30 et de 15 h 30 à 18 h 30. Entrée : 15 Dh (1,5 €). Frapper à la porte. On vous remettra un texte très bien fait pour commenter la visite.

Bert Flint, un Hollandais installé au Maroc depuis 1957, a rassemblé dans cette belle maison du début du XXᵉ siècle les matériaux et les techniques utilisés par les artisans marocains. Chaque matière est représentée par une seule région ou une seule ville. Très intéressant pour mieux connaître l'art de ce pays. D'ailleurs, l'architecture de la maison justifie à elle seule sa visite. La fondation Bert-Flint organise des expositions temporaires thématiques d'un grand intérêt.

FLÂNER DANS LA MÉDINA

Avec plus de 600 ha, c'est la plus étendue du Maghreb. On dit que s'y concentre près de la moitié de la population de la ville, soit près de 400 000 habitants, avec une densité de 60 000 Marrakchis au km². Bien que ce soit possible, il est déconseillé d'y pénétrer en voiture. Vous trouverez difficilement une place de parking dans le coin, et il est formellement interdit de stationner sur la place Jemaa-el-Fna. Ce ne sont pas les soi-disant gardiens qui empêcheront que l'on conduise votre véhicule à la fourrière ou qu'on lui pose un sabot. Il existe un grand parking gardé près de la Koutoubia, l'entrée se trouve en face de la piscine municipale. La médina, vous nous avez compris, se visite à pied. Elle est le complément indispensable des monuments de la ville et des souks.

C'est dans le dédale de la médina que bat le vrai cœur de Marrakech : dans ses ruelles sinueuses, dans les anciens *foundouk* (caravansérails) qui entourent les souks, et autour de ses patios, de ses fontaines, de ses jardins d'orangers, au cœur de ses maisons dont le calme offre le plus rafraîchissant contraste avec le tumultueux désordre des souks. N'hésitez pas à passer la tête sous les grandes portes à arcades qui bordent certaines rues, à vous engager dans les ruelles... À Marrakech, il faut oser se perdre un peu.

Il y a deux sortes de rues dans la médina. D'abord les rues principales, bordées de commerces et de boutiques. Elles mènent toujours quelque part, vers les portes des remparts ou vers la place. Puis il y a les ruelles qui desservent les quartiers, ou *derb*. Ce sont des ruelles étroites et pittoresques, cernées de murs et de portes. Parfois couvertes par des pièces d'habitations (*saba*), on n'y trouve aucune boutique. Ce sont, pour la plupart, des impasses qui ne mènent qu'aux maisons. Elles sont numérotées de droite à gauche ; la première porte à gauche vous indique donc le nombre de maisons du *derb*. Si vous êtes perdu au fond d'une de ces ruelles, une seule solution : faites demi-tour, puis à chaque embranchement prenez la voie qui semble la plus fréquentée. C'est d'ailleurs un bon truc si vous cherchez à rejoindre la place Jemaa-el-Fna : choisissez à chaque hésitation la rue la plus animée. En fin d'après-midi, les Marrakchis se dirigent en masse vers la place ; vers 20 h ou 21 h, le flux s'inverse !

Chaque quartier de la médina s'organise autour de sa mosquée, de sa fontaine, de son hammam et de son four. Chaque maison est centrée sur son patio ou son jardin – ces maisons construites autour d'un jardin sont appelées *riad* – et ce sont toutes ces constructions collées les unes aux autres qui forment la médina comme un tissu horizontal quasi continu dans lequel se faufilent les ruelles, un curieux tapis de terre et de chaux d'où émergent, çà et là, un minaret ou la tête ébouriffée d'un palmier.

Difficile de comprendre Marrakech sans avoir goûté l'ambiance de ses *riad*, sans être monté voir, des terrasses, l'étonnant spectacle de la ville.

La médina de Marrakech a été classée par l'Unesco sur la liste du Patrimoine mondial. On espère beaucoup que ce sera l'occasion pour les Marrakchis de prendre des mesures pour enrayer le processus de destruction lente des quartiers anciens, empêcher les constructions sauvages sur les toits, le morcellement des maisons et le dépeçage des anciens palais dont on retrouve les portes et les plafonds en pièces détachées dans les bazars. Ceux qui ne sont pas trop fauchés pourront même habiter ici et vivre d'une façon princière en louant un *riad* (voir la rubrique « Où dormir ? »). Ce sera la meilleure façon de découvrir l'âme de Marrakech et la façon de vivre de ses habitants. Une expérience inoubliable.

Nous vous proposons un itinéraire qui vous permettra de découvrir des sites peu fréquentés. Celui-ci peut vous paraître *a priori* bien compliqué avec ses changements « à droite, à gauche, etc. ». Le *Guide du routard* en main, laissez-vous guider en prenant tout votre temps. Et fiez-vous au proverbe marocain qui dit : « Un homme pressé est déjà mort ! »

Médina buissonnière

De la place Jemaa-el-Fna à la médersa Ben-Youssef

🏃🏃 Cet itinéraire débute derrière le café-restaurant *Argana*, sur la place Jemaa-el-Fna. Un petit coup d'œil pour commencer sur le vieil hôtel au-dessus de la pharmacie de Bâb Ftouh. Hôtel toujours en activité pour les Marocains peu argentés, la nuit coûtant moins de 5 Dh. Sur votre droite, des vendeurs de fleurs et de menthe, là s'ouvre le *foundouk El Fatmi*.

Engagez-vous sous le porche jusqu'à cette grande cour au fond. Véritable caverne d'Ali Baba à ciel ouvert, on y trouve de tout ; bijoux, poteries, cuir, boiseries et une multitude d'articles très originaux. La grande majorité des articles exposés proviennent du *Bled.* Au 1er étage, au coin, *Chez Ali* (boutique 31) propose une belle collection de théières anciennes. Ressortir et encore sur votre droite, un nouveau caravansérail *Ben Chaba*, frappé du n° 31. Moins intéressant que le premier malgré tout. Revenir ensuite sur ses pas et sur la gauche sous une belle arche de stuc, au n° 56, un troisième *foundouk* avec plus d'articles neufs qu'anciens. Une exception toutefois, au 1er étage, au n° 33, *Bel Haj* possède une impressionnante collection de bijoux en argent, coraux du Yémen, etc. Difficile de ne pas craquer !

En sortant, sur votre gauche un dernier caravansérail-hôtel. Observer à l'entrée l'alignement des emplacements pour cuisiner son tajine. Continuer tout droit jusqu'à une place où se trouve le mausolée de l'un des sept saints de Marrakech. Le jeudi après-midi, c'est le rendez-vous des voyantes et diseuses de bonne aventure. Contourner le mausolée ; à gauche, l'arche qui mène au restaurant *Ksar Essaoussan* ; à droite, le quartier du *Mouassine*. Tourner à droite après la fontaine pour admirer une belle perspective de la *porte Mouassine*, de style almohade. Vous suivez toujours ?

N'hésitez pas à emprunter les venelles adjacentes pour y découvrir des petites merveilles d'architecture. Passer deux portes et tourner à gauche devant la célèbre « FNAC Berbère » et franchir de nouveau une très vieille porte. Sous l'affiche d'une boutique « Palais des Almoravides », s'engager sous le porche et tourner à droite au moment où celle-ci s'élargit. Ensuite, au premier embranchement, prendre à gauche, et au deuxième encore à gauche sous un passage couvert. Puis encore à gauche sous une arcade, on retombe sur l'une des entrées de la *mosquée Mouassine*, et sur une belle *fontaine* datant des Saadiens.

Laisser ensuite le *souk des teinturiers* à droite et continuer tout droit. Passer le *derb El-Foundouk* à droite et au niveau du n° 192, un *foundouk* avec des sculptures en cèdre intéressantes et une vénérable porte rouge cloutée. Presque en face, au n° 145, une belle porte en fer à cheval (et vantaux également cloutés), encore un de ces caravansérails ne manquant pas de charme. Le passage en face étant réservé aux musulmans, tourner à droite dans la ruelle. On pénètre alors dans le quartier de *Sidi-Abdel-Aziz*.

À droite à 100 m, sous une arche, au fond d'un trou, la « chaudière » d'un hammam (nourrie à la sciure). Le soir venu, lorsque le feu est à son comble, on assiste à une véritable vision d'enfer.

Ne pas se laisser troubler et prendre la première à gauche, une ancienne *zaouïa* (un hospice qui abritait les disciples des saints) malheureusement dans un piteux état. De très belles portes et façades s'alignent tout au long de la rue. On laisse la mosquée à gauche et on tourne tout de suite à droite dans la rue Amesfah. On peut aussi continuer tout droit pour rejoindre la *médersa Ben-Youssef*.

Vers la porte Sidi-bel-Abbès

🚶🚶 En sortant de la médersa Ben-Youssef, descendez tout droit (on laisse à droite la mosquée) jusqu'à une porte de ville en brique (vers la droite). De là, longue et sinueuse ruelle (la rue Amesfah) pleine de vie et de superbes clins d'œil architecturaux. Rien ne semble avoir changé ici depuis des siècles. Le but : la magnifique *fontaine Chrob n'Chouf*. Au passage, à droite, un pittoresque et vénérable *foundouk*. Cour remplie de petites charrettes, linge séchant entre les élégantes arcades... Quelques dizaines de mètres plus bas, dans le coude de la rue à gauche, très belle porte ouvragée, mais hélas en partie ruinée. Noter la finesse du décor qui s'efface de façon dramatique. On continue dans le sens de la ruelle vers la droite, puis passage d'une arche ogivale. Enfin, à gauche, c'est la merveilleuse et monumentale fontaine *Chrob n'Chouf*, littéralement « Bois et regarde ». Elle présente un bel auvent à stalactites en bois de cèdre sculpté, avec inscriptions coufiques. Toujours en service aujourd'hui.

Après la fontaine, tourner à gauche sous une voûte dans la *rue Diar-Sabon*, le lieu où se regroupaient les vendeurs de savon. On débouche alors sur la place de Bâb Taghzout, tout en longueur, avec des arbres au milieu et une station de petits taxis au début. Ici, le flux touristique s'est nettement tari. Continuer tout droit pour atteindre la porte de Sidi-bel-Abbès qui date de l'ancienne enceinte almoravide. Quartier très populaire qui tient son nom de Sidi bel Abbès (né à Ceuta en 1130, mort en 1205) le plus célèbre des sept saints de la ville. Il avait la réputation de guérir les aveugles et d'être très généreux avec les pauvres. Plein de ruelles à parcourir dans le coin. Ici, la frontière avec le quartier de *Sidi-ben-Slimane* qui le jouxte n'est guère perceptible et on passe facilement d'un quartier à l'autre.

Le quartier et la mosquée de Sidi-bel-Abbès

🚶🚶🚶 Après **la place Bâb Taghzout** *(plan couleur d'ensemble, C1)*, tourner immédiatement à droite et passer sous une arche. On parvient à l'un des plus séduisants portails du quartier. En forme de fer à cheval, avec une façade en stuc ciselé, surmonté d'un auvent à stalactites. Il s'ouvre sur un passage à arcades livrant un remarquable jeu de portes en enfilade. Tout au fond, la fameuse *mosquée de Sidi-bel-Abbès*. Ce passage à arcades est, paraît-il, réservé aux non-musulmans, mais la pancarte semble être tombée et n'a jamais été replacée (depuis longtemps ?). En tout cas, il ne nous a pas été fait de réflexions (par l'usage, les gens du coin ont peut-être oublié cette interdiction ou font montre de tolérance). Au fait, à droite de cette belle porte, au n° 26, un trou noir d'où s'exhale une bonne odeur de pain chaud. C'est l'entrée du boulanger local. Les habitants du quartier apportent leur pain à cuire dans des paniers d'osier recouverts d'un linge. Au sous-sol de la boulangerie, possibilité d'observer le savoir-faire millénaire de l'artisan (ne pas oublier la p'tite pièce à la fin !).

Prenons le passage vers la mosquée de Sidi-bel-Abbès. Au débouché de ce dernier, un bout de rue avec l'alignement traditionnel des mendiants. Continuer tout droit. Arrivée sur une petite place fermée. À l'entrée de la place, la *zaouïa* où se réunissent les aveugles pour psalmodier les versets du coran et recevoir dons et nourriture. Magnifique façade ouvragée de cette mosquée du début du XVII⁰ siècle (bien sûr, interdite aux non-musulmans), avec auvent à stalactites polychromes. En dessous, décor de stucs ciselés, délicate et harmonieuse composition, faïences en bas pour finir. Toit de tuiles vertes vernissées. De chaque côté, colonnettes de marbre. En vis-à-vis, une belle fontaine arborant une grille ouvragée et un auvent couvert de zelliges colorés. Un passage, avec grille à gauche, mène à une nouvelle cour avec tombeau de marabout. Nous vous invitons à prendre l'autre passage à droite de la mosquée. Il mène à une enfilade de voûtes débouchant sur une rue. Prendre ensuite la première à droite. Ruelle étroite en zig-zag, voûtes de brique, portes cloutées cachant probablement de beaux *riad*, passages couverts au plafond de troncs d'arbres... Continuer. Tiens, sur la gauche, l'œil est immanquablement attiré par une succession de voûtes très basses en arcs brisés (attention à la tête !). C'est le charme de cette ville que d'être sans cesse aspiré vers d'autres choses. Résister à cet appel (ou revenir sur ses pas après) et maintenir le cap tout droit vers une nouvelle succession de voûtes débouchant à nouveau sur la voie menant à la mosquée. La boucle est bouclée ! Pittoresque marché de quartier, près de la mosquée (sur le chemin du *Dar Nimbus*, voir « Où dormir ? »).

Vers les tombeaux de Sidi ben Slimane et Sidi Ahmed Soussi

👥 Là aussi pour s'y rendre, on parcourt un très intéressant quartier. Déjà familier à ceux qui auront la chance de résider dans les *riad Zerka (la Maison Bleue)*, *Dar Nimbus*, *Zellij* ou *El Aïla* (voir la rubrique « Où dormir ? »). Du temps du protectorat, c'était le quartier des mauvais garçons et des plus célèbres chefs de bande de la ville (la rue de Lappe et ses Apaches au début du XX⁰ siècle à Paris, en quelque sorte). Aujourd'hui, c'est un quartier populaire comme les autres, treillis invraisemblable de ruelles, avec pourtant toujours des petits reliquats de cette réputation sulfureuse (lire à ce propos le passionnant récit de Jean-Michel Bouqueton, *Medina entre rive et noyade*, dans l'*Autrement* consacré à Marrakech).

Depuis la place Bâb Taghzout *(plan couleur d'ensemble, C1)*, voici l'itinéraire le plus simple pour retrouver les prestigieux tombeaux de *Sidi ben Slimane* et *Sidi Ahmed Soussi*. Partir de la place en prenant la ruelle qui part à la perpendiculaire de la station des petits taxis (à gauche donc de la place, face à Bâb Taghzout). Arrivée à un carrefour en T (bon repère : au coin droit, une petite école avec des dessins colorés de Dingo et Donald en façade). Tourner à gauche, passer sous une voûte, tourner à droite, repasser sous une voûte, aller tout droit jusqu'à un nouveau carrefour en T. Tirer à pile ou face. Face, à droite, pile, à gauche ! Face, va donc pour *le tombeau de Ben Slimane*. Apparaît de suite un passage couvert en arc brisé présentant une délicieuse façade, vestige d'une ancienne médersa. Au milieu, fenêtre avec restes de faïences peintes et quelques tuiles vertes vernissées au-dessus. Tiens, d'où vient donc cette bonne odeur de pain chaud ? De part et d'autre de ce passage couvert, côté gauche, une boulangerie traditionnelle avec son vénérable four. Sous le passage, à droite, l'entrée d'un hammam. Continuer, légère courbe vers la gauche, nouveau passage couvert qui débouche sur une charmante placette. À gauche, élégante porte en fer à cheval décorée. Juste à côté, vénérable fontaine avec auvent en bois sculpté. Enfin, au fond de la place, la *zaouïa de Ben Slimane* (on ne visite pas). *Sidi Mohammed ben Slimane el-Jazouli*, pour être complet, fut le fondateur du soufisme marocain au XVe siècle, grand homme politique en son temps et pourfendeur des Portugais. Extrêmement vénéré par les fidèles. Mausolée datant de l'époque saadienne, mais remanié à la fin du XVIIIe siècle.

Repartons en sens inverse vers l'intersection en T où vous fîtes tout à l'heure votre pile ou face. Au passage, achat d'un morceau de pain tout chaud à l'un des deux boulangers, puis arrivée sur une nouvelle placette en triangle. À droite, au fond de la place, jolie porte en fer à cheval ornée de stucs, avec auvent en tuiles vertes vernissées. Continuer la ruelle, prendre la première à droite. Après deux coudes, arrivée à un passage couvert. Tourner à droite sous un autre passage couvert (boulanger en dessous) et aller tout droit. Vous y êtes !

Le *tombeau de Sidi Ahmed Soussi* se trouve dans une petite impasse à droite. On enjambe trois belles colonnes de marbre servant de marchepied et provenant sans doute du sac des palais saadiens. Lorsque les portes en sont ouvertes, admirer les superbes plafonds et murs de stuc (mais on ne rentre évidemment pas) ; les portes ne sont pas en reste, avec leurs merveilleux détails sculptés. Au-dessus, trois petites baies ajourées. Revenir ensuite sur ses pas jusqu'à la ruelle principale et tourner à droite. Tout droit, vous pouvez rejoindre le centre-ville.

Des itinéraires comme celui-ci, vous pouvez vous en inventer un nouveau chaque jour, alors n'hésitez pas et perdez-vous, c'est le meilleur moyen de saisir tout le charme de cette ville si pudique et secrète.

🎥🎥 **Le quartier des tanneurs** *(plan couleur d'ensemble, D1-2)* : plus loin, de part et d'autre de la rue Bâb-ed-Debbagh (vers la porte du même nom), c'est le quartier des tanneurs. Pas toujours évident de trouver. Des gens se proposent de vous y emmener (avec bakchich au bout, ça va de soi). Comme ils n'insistent guère, il n'y a pas encore trop à craindre le retour des faux guides. Cependant, vigilance, l'un d'eux nous ayant affirmé que le matin les ouvriers traitaient les peaux et que, à partir de 12 h, les mêmes fabriquaient de belles choses, c'était à l'évidence une invitation à visiter une boutique à la fin (intuition qui au bout du compte s'est révélée tout à fait exacte). Cependant, balade instructive à tout point de vue. Le quartier est situé à l'est, comme en beaucoup de villes, à cause de l'utilisation de l'urine d'animaux, de fientes et autres produits nauséabonds (les vents dominants viennent de l'ouest). À voir le matin ; après 13 h, l'activité cesse. On est bien sûr guidé par les odeurs. On fait séjourner les peaux dans de la chaux pour en enlever les poils puis, après les avoir lavées, on les met pendant deux semaines dans de la fiente de pigeon pour les assouplir. On les lave de nouveau et on les trempe dans des bassins contenant de l'écorce de chêne et des déchets de blé pour chasser les odeurs. Enfin, on leur fait subir un dernier bain dans une eau contenant du mimosa du Brésil (ce dernier est cultivé au Maroc, c'est quand même plus économique). À propos, laissons tomber le brin de menthe prétendument efficace contre la puanteur et assumons la visite. Même pas la peine d'être un syndicaliste endurci pour noter les conditions de travail et de logement incroyables de ces damnés de la terre, à des salaires misérables (inutile de décrire ici). On se dit, comme ça, que la tradition elle a parfois bon dos !

🌿 **Le pèlerinage des sept saints :** à moins d'être musulman, vous n'irez sans doute pas à Marrakech en tant que pèlerin, mais il n'est pas inutile de savoir que beaucoup de Marocains y vont parce que c'est, à sa manière, une **ville sainte**. Le pèlerinage, comme celui de La Mecque, toutes proportions gardées, obéit à un rituel précis : le pèlerin doit visiter 7 tombeaux, dont 5 situés dans la médina.
– On commence à l'extérieur des remparts par la *zaouïa* (« marabout ») de *Sidi Youssef ben Ali (plan couleur d'ensemble, D2)*, le saint des lépreux, consulté pour les problèmes médicaux.
– Le deuxième lieu saint est celui consacré à *Cadi Ayad*, entre Bâb Aylen et Bâb ed-Debbagh *(plan couleur d'ensemble, D2)*.
– Le saint le plus populaire et le plus vénéré est le troisième : *Sidi bel Abbas Sebti*, grand mystique du XIIIe siècle. Son mausolée, situé dans le nord de la médina *(plan couleur d'ensemble, C1)*, contient le sanctuaire proprement dit et des chambres pour les nombreux visiteurs.
– *Ibn Souleyman el-Jazouli*, organisateur de la résistance contre les chrétiens à la fin du XVIe siècle, et *Sidi Abdelaziz at-Tabbaa* sont l'objet des 4e et 5e visites : le premier a son mausolée près de Bâb Doukkala, le second au bout de la rue Mouassine *(plan des souks)*.
– *Abdallah al-Ghazouani* (le patron des palais) et *Imam Assouhaïly* (appelé *Sidi es-Soheyli*), érudit andalou dont le mausolée se situe à l'extérieur de Bâb Agnaou *(plan couleur d'ensemble, C3)*, sont les deux derniers marabouts de ce que Tahar Ben Jelloun a appelé « la Ronde sacrée ».

🌿🌿 **Le mellah** *(plan couleur d'ensemble, D3)* **:** l'ancien quartier juif de Marrakech. Accès par la *place des Ferblantiers* (Bâb Berrima). Ou alors tout au bout de la rue *Riad-ez-Zitoun-el-Jedid*. Il y eut, dit-on jusqu'à 36 000 juifs dans la ville. De 1956 à 1967, la plupart partirent en Israël, en France et à Montréal. D'après le responsable de la synagogue, il en resterait environ 250, dont 25 seulement demeurant dans le *mellah*. La communauté juive était réputée jadis pour son sens de la récupération. À partir de vieux pneus, des artisans confectionnaient des savates qu'achetaient les Chleuh en raison de leur prix modique. D'autres, à partir de vieux bidons, fabriquaient des objets domestiques en fer-blanc (d'où la place des Ferblantiers), mesures diverses, entonnoirs, et, surtout, de belles lanternes ajourées et ornées de verres colorés. Bien sûr, on trouvait aussi nombre de bijoutiers. Aujourd'hui, le quartier a été investi par la population la plus déshéritée de la ville. Beaucoup de ruelles encore en terre battue, entassement dans les maisons, mais une vie locale encore très riche, nombreux enfants jouant dans la rue, vénérables échoppes de proximité... Peu de touristes (balade déconseillée de nuit). Des nombreuses synagogues d'antan, une seule se visite encore. Difficile à trouver (pas de signe distinctif sur la porte), demander à un gamin. Cependant, attention aux « fausses synagogues » (comme pour les faux Touareg et autres faux trucs au Maroc !) proposées par des petits malins. La première soi-disant synagogue qu'on a visitée (sous un passage couvert) n'était en fait qu'une ancienne demeure (sûrement de famille juive, on le concède), seulement ornée de quelques portraits de rabbins, photos et affiches. Jolie maison d'ailleurs, mais de synagogue point ! La vraie se fait visiter par un gentil vieux monsieur (on y a été amené par un gamin honnête). Pour vous repérer, elle se trouve dans la ruelle au niveau du n° 33 de la *rue Bâb-Rhemat* (qui longe le palais de la Bahia). Elle donne sur un beau patio aux tons bleus. Émouvant sanctuaire où tout est en l'état et bien entretenu. On laisse d'ailleurs avec plaisir une bonne obole pour la préservation des lieux. En principe, prière du vendredi à 19 h.

🌿 **L'ensemble artisanal** *(plan couleur Médina, B2, 9)* **:** av. Mohammed-V. Ouvert de 10 h à 19 h. Vous y trouverez, sur un espace concentré, ce que vous trouvez dans les souks. Il n'y a pas les plaisirs de la flânerie au hasard des ruelles, mais si vous êtes pressé... Les artisans tiennent de petites boutiques, numérotées. Les prix sont indiqués. Parmi les métiers représentés : souffletier, lanternier, ciseleur sur cuivre, exciseur sur cuir, dinandier, boisselier, feutrier. Sans oublier les classiques : bijoutier, ébéniste, armurier, tisserand, etc. Les produits sont de qualité et théoriquement à prix fixes. On a même pensé à la buvette.

Dans Guéliz

C'est la ville nouvelle créée, en dehors des remparts, par les Français sous le protectorat. L'avenue Mohammed-V, longue de 3 km, tracée par un architecte du maréchal Lyautey, relie ce quartier moderne à la médina. C'est là que se trouvent les sièges des compagnies, les principales administrations, les agences de voyages, tous les commerces de luxe, les grands cafés, la poste et le marché central. Il n'y a pas grand-chose à voir mais il ne faut cependant pas manquer ce qui suit.

🍴 *Le marché couvert (plan couleur Guéliz, A1, 8) :* av. Mohammed-V. Ce ne sont pas les souks, bien entendu, mais il y a encore des marchands vendant des produits locaux. Les prix sont parfois plus élevés que dans les souks, même après marchandage. Tout autour, ce ne sont plus que boutiques pour touristes, où l'on propose tous les plagiats de marques célèbres au quart de leur prix européen. Attention au retour, avec les lois sur les contrefaçons.

🍴 *La place Abd-Moumen-ben-Ali (plan couleur Guéliz, A1) :* pour ses terrasses de café (dont *Le Renaissance*), qui occupent trois de ses quatre angles. Les principaux hôtels et restaurants se trouvent à côté, boulevard Mohammed-Zerktouni, rue de la Liberté et rue de Yougoslavie.

🍴 *L'Hivernage (plan couleur d'ensemble, B2) :* un quartier résidentiel où se situent la plupart des grands hôtels. Beaucoup de verdure et de calme. Un endroit idéal pour se promener, loin du bruit. De nombreuses calèches y stationnent.

🍴 *Le Palais des congrès (plan couleur d'ensemble, A2) :* av. de France. Cet ensemble récent, bâti sur 5 niveaux, ne contient pas moins de 6 salles, dont la plus grande, l'Impériale, contient 2 800 places (plus que l'Opéra de Paris).

🍴🍴🍴 *Le jardin Majorelle (plan couleur d'ensemble, B1) :* bus n° 4 sur la pl. Jemaa-el-Fna. Mais il est d'usage de s'y rendre en calèche. Pour ceux qui s'y rendent en voiture, prendre, dans l'avenue Yacoub-el-Mansour, la dernière rue à gauche avant le croisement avec l'avenue El-Jadida. Ancienne propriété d'Yves Saint Laurent. Un seul tiers est accessible aux visiteurs. Le jardin est ouvert de 9 h à 12 h et de 15 h à 19 h en été, de 9 h à 12 h et de 14 h à 17 h en hiver. Entrée : 20 Dh (2 €). Les enfants ne sont pas admis, les chiens non plus !
L'ancien atelier du célèbre décorateur nancéien, qui était venu soigner ici sa tuberculose, a été transformé en petit *musée de l'Art islamique.* Il est fermé le lundi et en août. Accès payant, là aussi. On y voit également des aquarelles de Majorelle consacrées à des paysages du Sud marocain. C'est lui qui avait eu l'idée audacieuse de peindre les murs de sa villa d'un bleu mauve, qui contraste avec la végétation luxuriante. Idéal pour une promenade en fin d'après-midi. Jardin exceptionnellement entretenu : cactus splendides et palmiers d'une grande diversité. Bancs ombragés. Dommage qu'il ferme aussi tôt. Attention à l'arnaque des taxis à la sortie : ils ne veulent jamais mettre le compteur. Prenez-en un plutôt sur la grande avenue, à 50 m du jardin.

🍴 *Le tour des remparts :* il faut un véhicule pour longer les 19 km de murailles couronnées de 200 tours carrées et percées d'une quinzaine de portes. Suivre les flèches portées sur le plan d'ensemble de Marrakech. Les parties les plus intéressantes de cette ceinture de pisé rose sont celles de l'Hivernage et du souk de Bâb el-Khémis.

Le circuit conduit ensuite au *jardin de l'Agdal*, vaste verger planté d'oliviers et d'arbres fruitiers. Fermé aux visiteurs, excepté le vendredi et quelquefois le dimanche.

Fêtes et événements

– *Festival national des Arts populaires de Marrakech :* a généralement lieu entre juin et août. Se renseigner auprès de l'office du tourisme. Il permet de mesurer la richesse et l'importance du folklore marocain, que ce soit par les danses, les chants ou les costumes. Une vingtaine de troupes différentes se produisent dans le palais El-Badi, qui peut accueillir plus de 2 000 spectateurs.

– *Festival international du Film :* en septembre.

– *Moussem :* à Ourika, début août ; à Asni, début juillet ; à Moulay-Brahim, début février.

➤ DANS LES ENVIRONS DE MARRAKECH

🎥 *Le tour de la palmeraie :* emprunter la route de Casablanca pour effectuer ce circuit de 22 km. Sur plus de 13 000 ha, une immense palmeraie souvent bordée de murs en pisé. On estimait à environ 150 000 le nombre de palmiers irrigués par un réseau de canalisations souterraines, dites *khettara*. Ce système très ancien permet de capter l'eau des nappes phréatiques et de la remonter en surface.

Depuis quelques années, une grande partie de cette palmeraie est livrée aux promoteurs, et on ne voit plus du tout l'intérêt de cette promenade. Il y a, hélas, autant de maisons que de palmiers. De plus, la sécheresse de ces dernières années n'a pas arrangé les choses.

🎥 *La Ménara :* nous conseillons plutôt le tour du bassin de la Ménara, surtout au soleil couchant. La voie d'accès ferme à la tombée de la nuit. Agréable et moins loin que la palmeraie (à 2 km de Bâb el-Jédid). On peut y aller à pied (45 mn de la place Jemaa-el-Fna) ou prendre le bus n° 11, derrière la Koutoubia. C'est la promenade des amoureux, en fin d'après-midi. Normal, quand on sait que le pavillon servait aux rendez-vous galants des sultans qui, si l'on en croit la légende, avaient l'habitude de se débarrasser de l'heureuse élue en la noyant au petit matin dans les eaux du bassin. L'accès au balcon est payant et sans grand intérêt.

Ce lieu est un havre de paix après le tumulte de la place Jemaa-el-Fna, sauf le soir où l'endroit devient un vrai boulevard. Beaucoup de Marocains viennent y savourer un peu de tranquillité et se promener en couple d'une façon romantique, en se tenant par la main.

🎥🎥 *La vallée de l'Ourika :* voir ci-après « Les montagnes du Haut Atlas ».

QUITTER MARRAKECH

En bus

🚌 Les bus partent de la *gare routière* (plan couleur d'ensemble, B1), pl. El-Mourabitin à Bâb Doukkala, à 1 km de la gare ferroviaire. ☎ 044-43-43-52.

– Bureaux de la *CTM* dans la gare routière : ☎ 044-44-83-28.

🚌 Les bus de la compagnie *Supratours* (☎ 044-43-55-25), qui dépend de *l'ONCF*, partent d'une *petite gare routière* située 200 m à gauche de la gare ferroviaire *(plan couleur d'ensemble, A2)*. Prenez garde que l'on ne vous fasse pas payer les bagages à main.

|◙| Possibilité de manger à la gare routière. Plusieurs échoppes proposent de la nourriture à manger sur le pouce.

Lignes de la CTM

➤ *Pour Fès :* 8 h 15 de trajet. 3 départs quotidiens. Les bus desservent, entre autres, *Beni-Mellal, Khénifra* et *Azrou*.

➤ *Pour Casa :* une douzaine de bus par jour, dont un certain nombre de nuit. Compter 4 h de trajet. Avec les autres compagnies, une vingtaine de bus par jour.

➤ *Pour Agadir :* compter 4 h 15 de trajet. 2 départs par jour (ligne directe). 8 autres liaisons de 14 h à 3 h 35 du matin, mais en provenance de Casa (le bus peut donc être déjà complet).

➤ *Pour Essaouira :* ligne souvent chargée ; départ à 7 h 30. 3 h 30 de trajet. Il s'agit d'un omnibus qui s'arrête partout. Il est préférable d'utiliser *Supratours* (voir ci-dessous). Nombreuses autres liaisons assurées par d'autres compagnies : une dizaine de 4 h à 17 h.

➤ *Pour Ouarzazate :* nombreux bus. Environ 4 h de trajet. Réserver sa place. Partir tôt pour éviter la chaleur. La route est superbe. Essayer d'avoir une place à gauche, les paysages sont plus chouettes. La route passe par le plus haut col du Maroc, le Tizi-n-Tichka, à 2 260 m d'altitude. Après Ouarzazate, le premier bus (4 h 45) continue en direction d'*Er-Rachidia via Skoura, Kelaa M'Gouna, Boumalne, Tineghir, Goulmima*. Compter 10 h de trajet pour Er-Rachidia.

Lignes Supratours

Les bus *Supratours* ne partent pas de la gare ferroviaire, mais d'un emplacement spécial juste à côté *(plan couleur d'ensemble, A2)*. Consigne. Petite restauration et téléboutique à proximité.

➤ *Pour Agadir :* 2 départs par jour.

➤ *Pour Essaouira :* 2 départs quotidiens.

En train

🚂 *Gare :* plan couleur d'ensemble, A2.

➤ *Pour Casablanca ou Rabat :* 8 trains par jour de 1 h 30 à 20 h 30. Compter environ 3 h pour Casa et 1 h de plus pour Rabat, sans changement. C'est le moyen de transport idéal entre Marrakech et la capitale. ☎ 044-44-65-69. ● www.oncf.org.ma ●

En avion

✈ Pas de navettes pour se rendre à l'*aéroport* (à 6 km). ☎ 044-44-78-62. ● www.onda.org.ma ● Négocier le prix avec un petit taxi. Compter entre 70 et 90 Dh (7 à 9 €) depuis les hôtels du centre-ville et de l'Hivernage. Se renseigner auparavant auprès de la compagnie aérienne ou de l'office du tourisme sur le tarif raisonnable. Le bus n° 11 conduit à 800 m de l'aéroport de Marrakech. Il part toutes les 20 mn à proximité de la place Jemaa-el-Fna. Très rare le samedi et le dimanche.

MARRAKECH

➤ La RAM (Royal Air Maroc) assure des liaisons intérieures pour *Agadir* (plusieurs vols hebdomadaires) et *Casablanca*, ainsi que des vols à destination des principales villes françaises : *Bordeaux*, *Lyon*, *Marseille*, *Nice*, *Paris*, *Strasbourg* et *Toulouse*.
➤ Air France assure aussi de nombreux vols pour Paris.

LES MONTAGNES DU HAUT ATLAS

Elles forment une barrière naturelle au sud de la ville impériale. Il est difficile d'imaginer plus beau diadème que les sommets enneigés sur lesquels la lumière joue selon les heures du jour. Mais c'est au soleil couchant que cette parure devient particulièrement belle, lorsque les montagnes du Haut Atlas se transforment en une immense palette de toutes les teintes de rose et de rouge.

Les routes du Tizi-n-Test et du Tizi-n-Tichka sont incontestablement les deux plus belles routes de montagne du Maroc. La première relie Marrakech à Taroudannt, et la seconde Marrakech à Ouarzazate. À 2260 m d'altitude, le col du Tizi-n-Tichka constitue le plus haut passage routier du pays.

L'orage catastrophique qui s'est abattu sur le versant nord de l'Atlas, de la route du Tizi-n-Tichka jusqu'à l'ouest de celle du Tizi-n-Test, en août 1995, a beaucoup modifié les paysages. La plupart des victimes étaient des vacanciers qui campaient au fond de la vallée, le plus près possible de l'oued. Or en cas d'orage l'eau monte tellement vite (jusqu'à 6 m en 2 ou 3 mn !) qu'il est impossible de s'échapper ; les versants sont trop escarpés pour pouvoir être escaladés. C'est pourquoi les Berbères de la région ont toujours construit leurs maisons sur les hauteurs, à l'abri. Évitez de passer la nuit au fond de la vallée, au bord de l'eau, et même de vous engager dans ces vallées lorsque le temps est orageux et menaçant. Cette recommandation vaut également pour les gorges du Dadès et du Todgha, sur l'autre versant de l'Atlas.

À Setti-Fatma se déroule un important *moussem* à la mi-août. C'est aussi le point de départ de randonnées en altitude. Des guides peuvent vous faire découvrir les montagnes du coin : *plateau de Yagour*, *djebel Meltsen* et des villages comme *Timichi* ou *Tacheddirt*. Compter au moins 2 jours et un équipement approprié. S'adresser au bureau des guides (voir plus loin nos recommandations).

Où dormir ? Où manger ?

Nos adresses sont indiquées en fonction de leur distance par rapport à Marrakech. Nous conseillons *Dar Piano* ou l'auberge *Le Maquis* pour ceux qui souhaitent au moins passer une nuit dans la vallée. Réservation conseillée, si le téléphone fonctionne, car les liaisons sont parfois très difficiles dans la vallée.

Dans tous les petits restaurants, il est impératif de se faire préciser les tarifs des prestations avant de passer commande, et de contrôler les additions. Attention aussi à la fraîcheur des aliments. Les réfrigérateurs sont rarement branchés, même quand il y a de l'électricité.

Randonnées : infos utiles

Un document indispensable pour ceux qui veulent randonner : la brochure *GTAM* de renseignements pratiques qui répertorie les listes des guides spécialisés, des gîtes d'étape, des refuges, et les tarifs officiels (accompagnement, hébergement, portage, transports...).

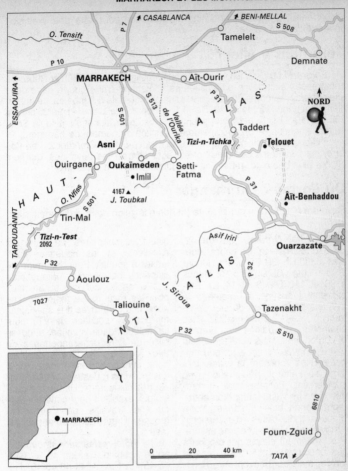

MARRAKECH ET LES MONTAGNES DU HAUT ATLAS

– Pour se la procurer, écrire à : *ministère du Tourisme DAI/BDTR,* 64, av. Fal-Ould-Oumeir, Rabat.
– Les cartes à grande échelle sont difficiles à obtenir : il faut se rendre à Rabat à la *Division de la cartographie...* ou s'adresser en France à des librairies spécialisées, tels *Le Vieux Campeur* ou *L'Astrolabe* à Paris. Demander « Oukaïmeden-Toubkal » (1/100 000) ou « Djebel Toubkal » (1/50 000).

LA VALLÉE DE L'OURIKA

Cette excursion, à ne pas manquer si l'on dispose d'un peu de temps, permet de pénétrer dans l'Atlas et de découvrir une vallée habitée par des tribus berbères. La route ne présente pas de difficulté. Le point extrême, *Setti-Fatma*, est à 65 km de Marrakech. Une journée suffit si l'on part tôt le matin.

LE HAUT ATLAS

L'idéal serait d'y passer une nuit, au minimum, pour faire une excursion pédestre dans la vallée.

Comment y aller ?

➤ **En grand taxi,** car il n'y a pas de bus régulier à prendre Bâb er Robb. De nombreuses excursions organisées se contentent d'une courte halte dans une auberge, le temps de déjeuner, sans aller au-delà d'Aghbalou, ce qui est bien dommage. Compter 12 Dh (1,2 €) pour une place et au minimum 100 Dh (10 €) si la personne souhaite le taxi pour elle seule jusqu'à Setti-Fatma. Attention, le prix augmente en fonction du nombre de bagages.
➤ L'idéal est d'avoir son propre moyen de locomotion. Compter 2 h **en voiture,** mais sans les nombreux arrêts pour admirer les paysages, qui sont encore plus beaux au retour, dans la lumière de fin d'après-midi.

Où dormir ? Où manger ?

Par ordre d'apparition sur la route (et non pas selon notre classement habituel) :

📧 |●| *Hôtel Ourika :* au km 42, BP 870, Marrakech. Chambres doubles à 350 Dh (35 €) ; petit déjeuner un peu cher : 35 Dh (3,5 €). Menus à 90 et 140 Dh (9 et 14 €). Établissement destiné à l'origine à la clientèle de la station de ski. Construction sans personnalité. Les chambres avec balcon sont propres et confortables mais auraient besoin d'être rénovées : literie un peu fatiguée. Elles dominent la vallée, très large à cet endroit. Eau chaude avec supplément. Petite piscine ombragée dans un vaste jardin bien entretenu. Bonne cuisine variée. Nombreuses possibilités d'excursions. Ambiance agréable et calme assuré. Prix finalement élevés par rapport à ses concurrents plus haut dans la vallée, mais qui peuvent être négociés selon la saison.

📧 |●| *Auberge le Maquis :* au km 45, au carrefour de l'Oukaïmeden, continuer tout droit ; c'est à 1 km. ☎ 044-48-45-31. Fax : 044-48-45-61. ● www.lemaquis.com ● 5 chambres doubles très confortables avec bains à 560 Dh (56 €) pour deux en demi-pension. Également dortoir pour 6 personnes au prix de 260 Dh (26 €) par personne en demi-pension ; tarifs dégressifs selon le nombre de personnes et la durée du séjour. Menu à 120 Dh (12 €). On y sert du vin. Un couple franco-marocain adorable, Saïda et Jean-Pierre, a repris cette affaire bien située. Progressivement, ils modernisent les chambres. La literie est excellente et les couettes moelleuses à souhait. Petit hammam traditionnel, balançoires, pataugeoire, bac à sable, cabane et animaux pour les enfants. Le resto propose aussi une carte avec des spécialités marocaines. Location de VTT pour les balades dans la vallée, et possibilité de faire des randonnées de deux jours sur le plateau du Yaghour, intéressant entre autres pour ses gravures rupestres. Leur accueil est très chaleureux. Un rapport qualité-prix excellent pour cette adresse qui ne travaille pas avec les groupes. Cartes de paiement acceptées.

📧 |●| *Hôtel-restaurant Amnougour :* après Aghbalou, au km 49. ☎ 044-48-45-45. Fax : 044-48-45-46. Réservation à Marrakech : ☎ 044-30-45-02. Fax : 044-30-29-13. Chambres doubles avec bains à 200 Dh (20 €). Certaines bénéficient d'un petit balcon. Menu à 125 Dh (12,50 €). Dans un beau paysage. Vue imprenable sur la vallée de l'Ourika. Une trentaine de chambres avec chauffage et eau chaude. Travaille essentiellement avec les groupes. Restaurant (terrasse l'été, en salle l'hiver) d'un mauvais rapport qualité-prix.

📧 |●| *Auberge de Ramuntcho :* après Aghbalou, au km 50. ☎ 044-48-45-21. Fax : 044-48-45-22. Chambres doubles avec salle de bains à 250 Dh (25 €) ; demi-pension à

380 Dh (38 €) par personne. Menu à 190 Dh (19 €). Cette étape classique, assez chère, possède 14 chambres avec douche. Très belle salle de restaurant. Le midi, beaucoup de groupes mais la terrasse, très agréable, est réservée aux individuels. Dommage que la cuisine ne soit pas à la hauteur de la réputation de l'établissement. Bar avec alcool. Cartes de paiement acceptées.

🏠 ⊪⦿⊪ *Dar Piano :* à 5 km au-delà d'Aghbalou, au km 52, à l'entrée d'Oulmès. ☎ 044-48-48-42 ou 061-34-28-84 (portable). • darpiano@wanadoo.net.ma • Fermé de juin à août. Compter 250 Dh (25 €) par personne à la chambre double en demi-pension. Petit déjeuner à 40 Dh (4 €). Pour les hôtes de passage, menus à 100 et 150 Dh (10 et 15 €). Il s'agit d'une maison d'hôte très accueillante, tenue par un couple de Français qui proposent 4 chambres. Dans la salle de séjour au plafond de bois peint, vous pourrez déguster une excellente cuisine marocaine préparée par Hayat (ce qui signifie « la vie » en arabe). Si vous préférez les spécialités françaises, comme à la maison, elles seront cuisinées sur commande par Danièle. Pour les balades, Jean et Danièle vous procureront un guide compétent au village voisin et vous conseilleront pour découvrir la région. De la terrasse qui surplombe la maison, vue magnifique sur les montagnes environnantes. C'est là que sont servis petits déjeuners et repas à la bonne saison. Cheminée avec feu de bois pour les soirées fraîches. Une étape conseillée pour son ambiance conviviale et la qualité de sa table. Cartes de paiement acceptées.

🏠 ⊪⦿⊪ *Hôtel Asgaour :* à Setti-Fatma (km 61), chez Lahcen Chiboub. Prévoir 70 Dh (7 €) pour une chambre double. Compter 50 Dh (5 €) le repas. Établissement de 20 chambres rudimentaires mais propres. Sanitaires avec douche sur le palier. Sympa. Au restaurant, tajines avec entrée. Notre meilleure adresse à Setti-Fatma.

🏠 ⊪⦿⊪ *Refuge Tafoukt :* à 3 km avant Setti-Fatma. 6 chambres simples à 60 Dh (6 €) pour 2 ou 3 personnes. Le repas revient à moins de 40 Dh (4 €). Simple, mais terrasse agréable. Nourriture correcte : salade, tajine. Excellent accueil de Slimane Bouahlih, qui pourra vous conseiller et même vous renseigner pour visiter la région ou randonner dans l'Atlas.

🏠 ⊪⦿⊪ *La Perle d'Ourika :* le dernier hôtel-restaurant au fond de la vallée, sur la gauche. ☎ 044-44-90-88. Chambres à 160 Dh (16 €) avec salle de bains commune (eau chaude). Menu complet à 80 Dh (8 €). Pas de vin. Une petite adresse sympathique à prix très doux. On peut y manger sur commande ou siroter un thé sur la terrasse ombragée dominant l'oued. 5 chambres simples. Éviter la première à gauche, qui ne dispose que d'une minuscule fenêtre. Au rez-de-chaussée, un salon qui peut servir de dortoir pour une dizaine de personnes. Accès direct à la rivière et aux petits jardins. Accueil chaleureux.

À voir

De nombreux Marrakchis ont des résidences secondaires dans la vallée de l'Ourika ou viennent se réfugier dans ses hôtels, lorsque la température de leur ville devient difficilement supportable. Il fait ici 10 à 15 °C de moins. Cette excursion, si l'on dispose de très peu de temps, peut être combinée avec celle de l'Oukaïmeden, la première partie de la route étant commune.

🚶 Au km 29, la route passe à 3 km de *Jemaa-d'Rhmat*, qui abrite un ancien mausolée et où se tient un souk le vendredi. Puis, au km 34, on peut faire encore 3 km sur une petite route à gauche, pour trouver, au bord de l'oued, le souk de *Tnine-l'Ourika*, l'un des plus intéressants des environs de Marrakech, qui se déroule chaque lundi. Les agences y déversent leurs flots de touristes. S'y rendre tôt le matin si l'on veut profiter de l'ambiance, et fuir dès l'arrivée des autobus.

🚶 Juste après la plaine du Haouz débute la vallée, succession de points de vue exceptionnels et de petits *douar* (villages) aux maisons en pisé. En contrebas, l'oued Ourika serpente entre une mosaïque de vergers, de jardins et de champs.

🚶 Après *Khemis*, la route passe par **Asguine** et se scinde en deux. Laisser sur la droite celle qui monte à l'Oukaïmeden pour continuer par **Aghbalou** et **Asgaour**. De la bifurcation à Setti-Fatma, 16 km de route surplombant l'Ourika. Ceux qui ont un peu de temps en profiteront pour explorer les villages de la vallée à pied. Excursions d'une journée ou d'une semaine ! Se renseigner à *Dar Piano* (voir plus haut « Où dormir ? Où manger ? »). Ils connaissent des accompagnateurs qui vous feront découvrir, après quelques heures de marche, un Maroc encore authentique, aux portes de Marrakech. Aghbalou, juste après l'auberge *Le Maquis*, est un village boisé bordé de belles maisons en pierre.
Plus haut à 6 km, **Oulmès**, tout en longueur avec de nombreux cafés-restaurants sur le bord de la route et sur les berges de l'Ourika.

🚶 À *Setti-Fatma*, à 1 500 m d'altitude, un guide proposera de vous conduire jusqu'aux 7 cascades. La première est accessible en 1 h de marche aller-retour. Pour les autres, comptez environ 2 h 30 de montée avec un bon dénivelé. Mais pauses dans des petits bois propices au pique-nique, et superbe vue sur le village de Setti-Fatma en redescendant de l'autre côté. Baignade possible dans les cascades. Bonnes chaussures de marche préférables aux baskets. Emportez de l'eau fraîche. Venir tôt, après beaucoup de touristes envahissent le lieu.
Si vous voulez entreprendre des excursions plus longues vers les villages et les sommets, contactez le **bureau des guides officiels**, qui se trouve au bout de la route, sur la droite, à environ 200 m de l'hôtel-restaurant *Asgaour*. ☎ (répondeur) et fax : 044-42-61-13 ; ou ☎ 068-56-23-40 (portable). ● abdoumandili@hotmail.com ● Informations auprès de Abderrahin Mandili. Balade à dos de mule (entre 2 h et 4 h pour 100 Dh, soit 10 €).
Attention : les guides officiels sont concurrencés par des faux guides qui vous arrêtent à l'entrée du village, vous affirment que la route est finie et que vous ne pouvez pas vous garer plus loin, ce qui est faux. Si vous les croyez, vous ne verrez pas le bureau des guides officiels situé plus haut et où les tarifs sont affichés. Ces guides clandestins n'hésitent pas à vous suivre malgré votre refus et, même, à vous insulter. Soyez ferme. Ils proposent la visite pour des prix prohibitifs (jusqu'à 800 Dh, soit 80 €) sans offrir les mêmes garanties de sécurité. Il existe aussi un trafic entre les chauffeurs de taxis et les guides clandestins. Une véritable mafia ! Certains lecteurs, excédés de ces pratiques, n'ont eu qu'une hâte : repartir. Un prix raisonnable est de 50 Dh (5 €) pour visiter la première cascade. Compter 100 Dh (10 €) pour la visite complète de 4 h 30.
La route se poursuit sur 7 km après Setti-Fatma jusqu'à Tadrart (VTT et 4x4 de préférence).

L'OUKAÏMEDEN

À 74 km de Marrakech, cette station de ski, la plus haute d'Afrique, est aussi la mieux équipée du Maroc (télésiège et 6 téléskis) pour un petit domaine skiable de 300 ha avec des pistes de tous les niveaux (noires, rouges, bleues et vertes). L'enneigement, très variable selon les années, est en moyenne de 120 jours entre mi-décembre et mi-avril. L'altitude varie entre 2 600 m (le plateau) et 3 270 m (le sommet) que l'on atteint en télésiège. Vue splendide sur l'Atlas et le Toubkal. La table d'orientation a été fabriquée en

Auvergne. Le climat, très agréable en raison de l'altitude, attire de nombreux Marrakchis. On peut aussi faire de l'escalade ou partir à la découverte de gravures rupestres sur le plateau. Le télésiège facilite la pratique du vol libre en parapente ou deltaplane. Attention, il ne fonctionne pas souvent hors saison. Le lac, situé à l'entrée de la station, a été aleviné récemment pour permettre aux touristes de passage d'aller taquiner la truite entre deux randonnées. Renseignements à l'hôtel *Kenzi Louka*.

Enfin, pour les amateurs de chemins pédestres, il en existe un qui part de l'Oukaïmeden et arrive au sud d'Asni, puis route pour Marrakech. Nombreuses possibilités de randonnées. Se renseigner au chalet du Club alpin français, à droite en arrivant à la station. Dommage que le plateau ressemble à une immense décharge sauvage. Les déchets polluent même les sources en amont de la gare de départ du télésiège. Les nombreux cars scolaires venus en excursion en sont en partie la cause. Les autorités locales devraient régler le problème d'urgence. Sur la route qui monte à l'Oukaïmeden, à mi-chemin entre Aghbalou et la station, une piste sur la droite conduit jusqu'à Tahanaoute. Elle est assez difficile, mal entretenue et déconseillée aux voitures, mais accessible aux véhicules tout-terrain. On peut obtenir des renseignements à l'hôtel *Ourika* (km 42). Les paysages sont grandioses et certains passages demandent d'avoir le cœur bien accroché. *Moussem* de 3 jours, chaque année, vers le 10 août.

Comment y aller ?

La route qui monte à l'Oukaïmeden est splendide, surtout au-delà du km 43 où elle quitte la vallée de l'Ourika. Elle longe les vallées et permet de découvrir, en surplomb, de nombreux villages construits à flanc de montagne. Les habitations indiquent un grand dénuement et la précarité de la vie des paysans (et surtout des paysannes, beaucoup plus actives que les hommes...). La route est d'abord bordée par des agaves et des figuiers de Barbarie, qui laissent ensuite la place à des champs de pierres ocre. Vous croiserez de nombreuses femmes berbères aux vêtements très colorés, d'innombrables enfants qui surgissent de nulle part et demandent 5 dirhams dès que vous vous arrêtez pour prendre une photo du paysage. Pas d'essence là-haut. Partir avec le plein. Un droit d'accès de 10 Dh (1 €) vous sera demandé.

Si vous avez loué un 4x4 et que vous disposez d'une journée entière (environ 10 h pour boucler l'un et l'autre des circuits), nous vous conseillons deux itinéraires :

➤ *De Marrakech :* rejoindre, par la route, Tahanaoute. De là, une piste rejoint la route goudronnée environ 17 km avant l'Oukaïmeden. Cette piste permet de découvrir de somptueux villages.

➤ L'autre solution (notre préférée) est de se rendre à *Asni* par la route, puis de prendre la piste qui rejoint la route goudronnée 17 km avant l'Oukaïmeden. Le départ de la piste se situe au niveau de la place du souk (demandez à un habitant). Cet itinéraire est absolument superbe, la piste est très bien entretenue, la beauté des paysages est à couper le souffle. Un bémol tout de même : le comportement des enfants qui s'amusent à s'accrocher aux voitures lors des traversées de village. S'il vous plaît, perdez l'habitude de distribuer des stylos aux enfants... Attention aussi à ne jamais s'engager sur ces pistes si l'orage menace, il y a de forts risques de glissement de terrain.

Où dormir ? Où manger ?

Hors saison, éviter les petits restaurants où la faible fréquentation ne garantit pas la fraîcheur des aliments.

De bon marché à prix moyens

🛏 🍴 *Refuge du Club alpin français :* ☎ 044-31-90-36. Fax : 044-31-90-20. ● ouka@cafmaroc.co.ma ● Réservé en priorité aux adhérents, mais accepte aussi les non-adhérents. Environ 115 Dh (11,5 €) par personne en hiver si on dort dans un chalet et 65 Dh (6,5 €) l'été en refuge ; réductions pour les 5-15 ans ; réduction de 25 % sur le tarif public aux porteurs du *Guide du routard*, mais les membres « cafistes » bénéficient d'un tarif encore plus avantageux, les veinards. Autour de 90 Dh le repas hivernal (9 € ; moins cher l'été). Une cinquantaine de lits. Repas sur commande avec menus variés et cuisine soignée. Bar avec alcool. Bon accueil.

🛏 *Terrain de caravaning*, mais pas de camping possible.

Très chic

🛏 🍴 *Hôtel Kenzi Louka :* ☎ 044-31-90-80 à 86. Fax : 044-31-90-88. Fermé parfois à l'automne. Mieux vaut téléphoner avant. Compter 900 Dh (90 €) la nuit en chambre double ; ajouter les taxes de 12 Dh (1,2 €), mais des tarifs promotionnels sont régulièrement proposés. N'hésitez pas à demander. L'architecture et la décoration intérieure mettent l'accent sur les matériaux de la région. Chambres confortables avec vue sur les montagnes. Tout au long de la journée ou au retour des activités sportives (randonnée, escalade, ski, VTT), chacun peut profiter de la piscine extérieure couverte et chauffée, ainsi que de la salle de remise en forme. La cheminée en cuivre, au centre du salon-bar, réchauffe majestueusement les débuts de soirée. Le chef prépare aussi bien des spécialités marocaines qu'internationales. Cet établissement n'a rien à envier à ceux de nos stations de sports d'hiver. Pour les randonnées, des guides professionnels sont disponibles à l'hôtel, et on vous conseillera sur toutes les activités possibles.

SUR LA ROUTE D'IMLIL

Imlil est l'une des excursions les plus fabuleuses à entreprendre autour de Marrakech (64 km). Compter 2 h en raison de l'état de la route. On pourrait se contenter d'aller seulement jusqu'à Asni, mais ce serait se priver d'une grande partie de l'intérêt de l'itinéraire. Imlil est le point de départ des randonnées dans le parc national du Toubkal et de l'ascension de ce sommet.

Comment y aller ?

➤ *De Marrakech :* par la route de Taroudannt, dite route du Tizi-n-Test. Pour se rendre à Imlil sans voiture, prendre le bus à Marrakech pour Asni. Départ presque toutes les heures dans la journée. Continuer ensuite en taxi collectif. On peut aussi prendre un taxi collectif depuis Marrakech (ils partent de Bâb er Robb). À Tahanaoute, à 34 km, souk le dimanche ; devenu très touristique.

ASNI

À 47 km d'Imlil.

Où dormir ?

🏠 *Auberge de jeunesse :* au bout du village. Ouvert toute l'année. Accepte même ceux qui ne sont plus jeunes depuis longtemps. Confort très sommaire. Sac de couchage indispensable. De plus, il fait très froid en hiver.

À voir

Asni est un village berbère à 1 150 m d'altitude, au pied du *djebel* Toubkal, dont le sommet atteint 4 165 m. C'est d'ailleurs le plus haut de tout le Maghreb.

Ceux qui le peuvent assisteront au souk du samedi matin. Le troc y est très prisé. Attention cependant aux prix demandés pour les bijoux, très supérieurs à ceux proposés à Imlil.

On vous invitera peut-être aussi à manger dans une famille pour pouvoir vous vendre quelque chose ensuite. Le scénario est très au point. En fait, il n'y a malheureusement plus grand-chose de typique. Y aller tôt car les groupes de touristes gâchent tout. Conséquence inévitable, les enfants et les faux guides sont devenus très collants.

➤ DANS LES ENVIRONS D'ASNI

🍴 D'Asni, on peut se rendre à *Moulay-Brahim*, à 5 km. Avec ses ruelles, le village pourrait avoir un certain charme. Mais que d'échoppes qui gâchent tout !

C'est un lieu de pèlerinage réputé pour les femmes stériles qui accrochent aux branches des arbres de petits rubans. La légende veut que, lorsque ceux-ci se détachent, la femme peut espérer devenir mère. L'endroit, assez mal fréquenté, est connu pour être un lieu de débauche. Moulay-Brahim est également célèbre pour son *moussem*, qui a lieu une ou deux semaines après l'anniversaire de la naissance du Prophète (Mouloud).

– Attention, pour revenir d'Asni vers Marrakech, le bus part en réalité de Moulay-Brahim ; s'il est complet, il ne fait pas le détour par Asni. On risque de l'attendre un certain temps avant de comprendre qu'il ne s'agit pas de l'approximation marocaine des horaires...

IMLIL

Pour continuer vers Imlil (17 km), s'enfoncer dans les superbes gorges. Après 10 km de goudron, la route se transforme en mauvaise piste. Elle est régulièrement réparée, mais les crues lui sont fatales et après de fortes pluies elle est parfois difficile, voire impraticable. Mais cela ne dure guère. À la bonne saison, tout le monde passe. Juste avant de quitter la partie goudronnée, remarquez à gauche, jouissant d'un superbe panorama, une maison-palais appartenant à un riche Californien qui y vit seul, au milieu des montagnes.

Ceux qui n'ont pas de véhicule devront prendre les nombreuses fourgonnettes qui circulent toute la journée. Pour redescendre sur Asni, le dernier transport quitte Imlil à 16 h.

Où dormir? Où manger?

Bon marché

🛏 🍽 *Hôtel-café El Aïne :* à l'entrée du village sur la droite. Une dizaine de chambres rudimentaires mais propres et calmes, avec douche commune. Demander de préférence une chambre à l'étage, la 17 (la mieux) ou, à défaut, la 16 ou la 18. Petit patio avec un noyer au centre. Dans le séjour, une bibliothèque contenant, entre autres titres on ne peut plus variés, le *Larousse gastronomique* de 1938. La cuisine de Mohammed, très simple et faite devant vous sur un brasero, ne doit rien à cet ouvrage mais elle est goûteuse. Une adresse sympa et bon marché.

🛏 *Gîte de Mohammet Aït Idder :* à 500 m du refuge du CAF. 4 chambres propres avec 2 toilettes et 2 douches (eau chaude). Terrasse. Cuisine.

🛏 🍽 *Café Aksoual :* en face du refuge du CAF. Chambres bon marché, avec sanitaires collectifs. Eau froide. Poussiéreux en saison sèche, étant en bordure de piste. La propreté n'est pas la qualité première de cette adresse rudimentaire, mais bonne nourriture copieuse et le fumet des tajines vous met en appétit. Organisation d'excursions par des guides sympas et disponibles.

🛏 *Refuge du CAF :* on peut réserver (ou tout du moins annoncer son passage) auprès du refuge de l'Oukaïmeden (voir plus haut). ☎ 044-31-90-36. Fax : 044-31-90-20. • ouka@cafmaroc.co.ma • Une quarantaine de places. Très bon marché. L'accueil est sympa. Le CAF de Casablanca gère encore 4 autres refuges dans le massif du Toubkal : ceux de l'Oukaïmeden, du Toubkal, de Tazarhart et de Tachdirt. Ils sont tous gardés, équipés de couchettes avec matelas mais sans couverture. Il vaut mieux prévoir son matériel de cuisine. Chaque refuge dispose d'un équipement sommaire de secours. Si l'on ne possède pas la carte de membre du CAF, les prix sont majorés. Mais réduction de 25 % pour nos lecteurs sur présentation du *Guide du routard*.

Prix moyens

🛏 🍽 *Atlas Gîte :* ☎ et fax, 044-48-56-09. Le gîte est au départ du sentier, à la sortie du village, dans une grande bâtisse en pierre ouvrant sur le vallon et ses noyers centenaires, et entourée d'un beau jardin. Compter 300 Dh (30 €) la demi-pension pour deux, 450 Dh (45 €) le studio et 65 Dh (6,5 €) la nuit par personne en dortoir. Le gîte comprend 3 chambres doubles avec salle de bains (détachées de la chambre), ainsi que 2 chambres communes et deux studios de 35 m^2 avec un salon, une chambre, une salle de bains et une terrasse privée. La cuisine est faite à base de produits maison. Jean-Pierre, qui vit depuis de nombreuses années au contact des Berbères, vous conseillera pour les balades et vous recommandera des accompagnateurs qui travaillent avec lui.

🛏 🍽 *La Kasbah du Toubkal :* se garer dans le parking d'Imlil, poursuivre à pied et prendre à gauche à la sortie du village ; c'est fléché. Compter 10 mn de marche ou demander à un muletier du village de vous conduire (pour environ 10 Dh, soit 1 €) dans cette ancienne kasbah qui se dresse au-dessus d'Imlil. ☎ 044-48-56-10 et 11. Fax : 044-48-56-36. • www.kasbahdutoubkal.com • Cette ancienne demeure du caïd a été magnifiquement restaurée par les habitants du village pour le compte d'une compagnie irlandaise installée depuis des années dans la région. Compter 200 Dh (20 €) par personne en dortoir. Également des chambres doubles entre 1200 et 1500 Dh (120 à 150 €) selon le confort, petit déjeuner compris. Repas à 150 Dh (15 €) pour les résidents, plus cher si on n'est pas client. Pas d'alcool. Gestion franco-marocaine pour cette auberge composée de dortoirs et de 8 chambres avec salle de bains, de grands salons berbères, hammam, biblio-thèque, etc. Accueil chaleureux. Impeccable et même confortable. Organisation de promenades à dos de mule et excursions dans le Haut Atlas.

Randonnées au départ d'Imlil

Désormais, une cinquantaine de guides officiels brevetés officient à Imlil. S'adresser à eux est une garantie. Il y a trop de risques avec les autres (la montagne peut être très dangereuse pour qui ne la connaît pas bien). Même parmi les guides brevetés, tous n'offrent pas les mêmes garanties ni les mêmes prestations. Certains, mais c'est la minorité, sont devenus très racoleurs et même arnaqueurs. Cependant, la majorité des guides font correctement (et même mieux que cela) leur travail. Voir aussi le bureau des guides qui se trouve près de l'hôtel *Asgaour* à Setti-Fatma. La plupart ont été formés à Briançon.

Le tarif officiel est de 250 Dh (25 €) par jour pour un guide (nourriture et hébergement en plus). Pour un mulet et son muletier (toujours hors nourriture et hébergement), il faut compter 100 Dh (10 €) minimum. Ce prix risque encore de grimper en raison de la sécheresse qui règne depuis plusieurs années. Pour les randonnées en groupe et durant plusieurs jours, le guide proposera un forfait pour l'ensemble de la prestation (accompagnement, portage, intendance, hébergement). Toujours consacrer un peu de temps à bien préciser ce qui est compris et ce qui ne l'est pas. À discuter en toute amitié, simplement pour que tout soit clair. Le guide se charge généralement de recruter mulets, porteurs, cuisiniers et accompagnateurs.

Procurez-vous *La Grande Traversée des Atlas marocains*, éditée par le ministère du Tourisme, ainsi que les cartes topo « Toubkal » au 1/50 000. Attention toutefois à certaines cartes, dont les mises à jour sont souvent si anciennes que les sentiers muletiers indiqués n'existent plus. Nous vous suggérons quelques randonnées mais si un guide propose autre chose, ne pas refuser *a priori*. Les possibilités de promenade à partir d'Imlil sont si nombreuses qu'elles pourraient faire l'objet à elles seules d'un petit guide.

Aremd et Sidi-Chamarouch

À Imlil, vous louerez sans difficulté une mule avec un guide pour atteindre le *cirque d'Aremd*, à 1 h de marche, qui marque l'entrée du parc. Beau village étagé sur sa moraine caractéristique. On nous a dit du bien du petit camping *Chez Omar le Rouge*. Trekking organisé par Omar à partir de son camping. À 1 h 30, ne pas manquer le sanctuaire de Sidi Chamarouch, au bord du torrent descendant du Toubkal, vers 2 300 m d'altitude. Pèlerinage toute l'année (on peut y louer de petites chambres propres mais sans aucun confort). En fait, le village est sans doute plus intéressant que le sanctuaire, celui-ci n'étant accessible qu'aux musulmans. Les habitants berbères sont chaleureux et offrent volontiers du thé et discutent facilement avec les touristes.

L'ascension du Djebel Toubkal *(4 165 m)*

La plus haute montagne d'Afrique du Nord. Le Toubkal est plus facile à gravir que la Tazarhart ; de plus, on y est rarement seul sur la voie normale. Attention toutefois, l'ascension présente en condition neigeuse des dangers spécifiques réels (il y a des morts chaque année, généralement faute d'équipement adéquat). On voit trop souvent des gens attaquer le sentier en milieu d'après-midi en short et espadrilles, sans aucune expérience de la montagne. Et s'il y a de la neige, certains vont même jusqu'à envelopper leurs espadrilles de sacs en plastique : dévissage garanti.

Suivre le chemin muletier jusqu'au refuge *Neltner*. Compter 4 h pour l'atteindre. Ensuite, il faudra suivre le sentier jusqu'au sommet ou, mieux, suivre les traces d'un groupe. Au cours de l'ascension, on découvre des panoramas exceptionnels sur tout le Haut Atlas. Deux possibilités : en un jour, à dos de mule, jusqu'au *refuge Neltner* (3 200 m), puis à pied (3 h de montée et 2 h de descente ; départ à 4 h, retour à 17 h) ; ou tout à pied, en deux jours avec logement au *refuge Neltner,* récemment restauré et bien entretenu. Chambres collectives très propres et belle terrasse. Du sommet, belle vue sur l'ensemble du massif et sur le Siroua.

La haute vallée de Tachdirt

À 4 h de marche d'Imlil. À ne pas manquer. Site magnifique avec des villages berbères préservés à 2 400 m d'altitude, au cœur d'un cirque de montagnes grandioses. *Refuge du CAF* à l'entrée du village. Petite cuisine à disposition. Il existe aussi deux gîtes à *Ouaneskra*, en dessous de *Tachdirt*. Possibilité de rejoindre l'Oukaïmeden en 3 h.

Le plateau de la Tazarhart

Il s'agit là d'une véritable course en montagne, qui nécessite de l'expérience et un équipement adéquat, particulièrement en hiver (vêtements, chaussures, piolet, crampons, voire corde... et la manière de s'en servir). Cette sortie plus technique doit être faite en compagnie d'un guide breveté ou de quelqu'un connaissant parfaitement les voies. De plus, à éviter en cas de temps incertain. Compter au minimum 2 jours. Nuit au *refuge Lépiney*, à 3 000 m d'altitude. La Tazarhart culmine à 3 980 m, et le plateau sommital est unique dans l'Atlas.

La vallée de l'Azzadene

Une mini-randonnée de 3 jours (de mars à octobre) au pied du *djebel* Toubkal, qui évite les rudes ascensions des cols et sommets de la haute montagne. Pas de difficulté particulière.

– Le 1er jour, passage du *col Tizi M'zik* (2 490 m, 2 h 30). Très belle vue sur les hauts sommets de l'Atlas. Descente tranquille jusqu'aux bergeries des *Azib Tamsoult* (2 250 m) où il est possible de bivouaquer. L'après-midi, balade jusqu'aux *cascades d'Irhoulidene* (2 h) et poursuivre jusqu'au *refuge Lépiney* (attention, le gardien est souvent au village de Tizi-Oussem). Il est possible aussi de descendre passer la nuit au gîte d'étape du village.

– Le 2e jour, descente de la *vallée de l'Assif N'Ouissadene* parmi cultures et villages. Nuit possible en gîte à *Tiziane* (1 450 m). 4 h de marche.

– Enfin, dans la matinée du 3e jour, retour par des gorges boisées au pied du massif du Takherkhart (réserve de mouflons), vers *Ouirgane*, gros bourg sur la route du Tizi-n-Test (voir plus loin). Transfert à Marrakech par bus ou taxi.

Une variante permet de revenir sur Imlil par le Tizi-n'Oudite.

LA ROUTE D'AMIZMIZ

Peu fréquentée, à l'écart des circuits touristiques, cette route constitue une excursion très agréable et facilement réalisable dans la journée au départ de Marrakech. Des taxis collectifs partent de Bâb er Robb.

➢ Sortir de Marrakech au sud de la ville par la S501, sur la route du Tizi-n-Test décrite dans l'itinéraire suivant. Elle est en bon état et peut être empruntée par toute voiture de tourisme. Après 5 km, prendre, sur la droite, la S507 en direction d'Amizmiz. Suivez-la pendant 19 km avant de prendre la première route sur la droite qui dessert *Tameslouht*. Ce gros village fut un ancien centre religieux fondé par son chérif Abdallah ben Hossein el-Hassani, un sage réputé pour ses miracles et qui était d'ailleurs appelé « l'homme aux 366 sciences ». Les deux sanctuaires qu'il avait fondés ne se visitent pas, mais le village construit au milieu des orangers et des oliviers mérite cependant le détour. On y verra une coopérative de potiers très active, dont la production est vendue dans les souks de Marrakech. Souk le vendredi à Tameslouht.

➢ Il faut revenir sur ses pas et reprendre la S507, qui permet de découvrir au passage d'intéressantes kasbahs au-dessus du village d'Oumnas avant de traverser un pont sur l'oued N-Fiss. Vous arrivez ensuite au *barrage de Lalla-Takerkoust*, appelé jadis barrage Cavagnac, édifié sous le protectorat. Sa digue de 357 m de long sur 62 m de haut permet de retenir les eaux d'un véritable lac artificiel de 7 km de long. Nous ne sommes qu'à 30 mn des portes de Marrakech, mais le dépaysement est grand au bord de cette magnifique pièce d'eau. Lalla-Takerkoust est le point de départ de nombreuses pistes pour 4x4.

Où dormir ? Où manger ?

🛏️ |◉| *Le Relais du Lac :* à Lalla-Takerkoust, à 35 km de Marrakech, sur la route d'Amizmiz (dans la province d'El-Haouz). ☎ 044-48-49-24 (à l'auberge) ou 044-48-49-43 (au bivouac). Portables : ☎ 061-18-74-72 (Jean-Charles) ou 061-24-24-54 (Daniel). ● hotel-relaisdulac-marrakech.com ● Ouvert toute l'année. Compter 400 Dh (40 €) par personne en demi-pension à l'auberge, 300 Dh (30 €) au bivouac (on y dort sous des tentes berbères). Menu du déjeuner à 130 Dh (13 €). Attention, mieux vaut téléphoner avant de vous y rendre, surtout le week-end, car le lieu est très apprécié, aussi bien des voyageurs que des Marocains. Un endroit idyllique où l'on peut venir simplement déjeuner ou carrément passer quelques jours : l'auberge possède 6 chambres, quelques appartements très bien tenus, auprès d'une charmante piscine de poche (on peut aussi se baigner dans le superbe lac de barrage), ainsi que des tentes berbères. Déjeuner au bord du lac avec en arrière-plan les montagnes enneigées de l'Atlas : magique, on se croirait au bord de la... mer, et tout ça à trois quarts d'heure de Marrakech ! Idéal quand on veut faire une halte paisible après l'agitation marrakchie. Dîner préparé à l'auberge par Jean-Charles, ancien cuisinier d'une table réputée de Casablanca. Et les activités ne manquent pas pour découvrir les alentours : pédalo, canoë, quad, excursion à dos de mule dans les montagnes... Un lieu exceptionnel et, vous l'aurez compris, un vrai coup de cœur.

AMIZMIZ

À 60 km de Marrakech. Gros village formé de plusieurs agglomérations, au milieu d'une oliveraie. À *Regragra*, sur la droite, village entièrement consacré à la poterie. On verra les pièces sécher devant les ateliers et les maisons regroupées au pied d'une ancienne kasbah et d'un *mellah*. Amizmiz est surtout remarquable pour son site avec son manteau d'oliviers couvrant les flancs du *djebel* Erdouz. Le souk du mardi rassemble à Amizmiz tous les Berbères de cette partie du sud de l'Atlas et permet d'admirer les productions locales. Léon l'Africain vantait déjà dans ses écrits, en 1550, son blé qui donnait une farine parfaite.

LA ROUTE DU TIZI-N-TEST

La première partie a été décrite plus haut dans l'itinéraire « Sur la route d'Imlil » jusqu'à Asni.

Une des plus belles et une des plus impressionnantes routes de montagne du Maroc. Elle relie Marrakech à la P32, entre Taroudannt et Taliouine. Compter environ 5 h en voiture pour parcourir les 176 km qui séparent Marrakech de Taroudannt, et un peu plus en bus. En principe, un ou deux bus partent de Marrakech tôt le matin pour Taroudannt. D'autres desservent Taliouine et Ijoukak. La route peut être coupée suite à des chutes de neige entre les mois de novembre et avril. Se renseigner auparavant, notamment auprès de la gendarmerie d'Asni. ☎ 044-31-92-04.

Le trafic n'est pas intense car les Marocains préfèrent, pour rejoindre Taroudannt, passer par la route d'Agadir. Attention toutefois aux camions qui fréquentent la route du col et la rendent très dangereuse.

OUIRGANE

À une soixantaine de kilomètres de Marrakech, station de repos où sont encore exploitées quelques salines dans un beau paysage alpestre. C'est aussi un point de départ pour des randonnées pédestres, notamment dans les *gorges du N'Fis*. Coin recherché l'été par les Marrakchis pour sa fraîcheur.

Où dormir ? Où manger ?

Bon marché

🏠 |●| *Auberge Le Mouflon, chez Farid :* sur le bord de la route, à la sortie de Ouirgane en direction du col. ☎ 044-48-57-22 et 068-94-47-24 (portable). Compter 120 Dh (12 €) pour deux personnes sans le petit déjeuner, et 80 Dh (8 €) pour deux sous la tente berbère. Autour de 75 Dh (7,50 €) pour un repas complet à la carte. Farid a repris l'auberge de ses parents. Le cadre est agréable avec une source qui coule au milieu d'un potager fleuri. Accueil sympa.

Prix moyens

🏠 |●| *Chez Momo :* dans le village. ☎ 044-48-57-04 et 061-58-22-95 (portable). Fax : 044-48-57-27. ● chezmomo@iam.net.ma ● Compter de 250 à 500 Dh (25 à 50 €) environ la chambre double, petit déjeuner compris. Repas à environ 120 Dh (12 €). Mohammed Idel Mouden vous recevra dans son gîte d'étape qui comprend 2 petites chambres, 2 appartements de deux pièces et 2 petites suites avec cheminée et vue imprenable sur l'Atlas. Il vous faudra déjà arriver à joindre Mohammed, de préférence sur son portable, et savoir si le gîte est disponible... Mais le lieu autant que la cuisine – faite avec des produits du terroir – sont exceptionnels. Piscine impeccable, ce qui n'est pas évident ici.

Chic

🏨 |●| *La Bergerie :* Marigha, route de Marrakech, km 59. BP 64, 42150 Asni. ☎ 044-48-57-16 et 17. Fax : 044-48-57-18. ● www.passionma roc.com ● Ouvert toute l'année. Compter entre 880 et 1 250 Dh (88 et 125 €) en demi-pension pour deux. Menu à 150 Dh (15 €) sans la boisson. Belle auberge située sur un terrain de 5 ha, qui s'intègre parfaitement dans le paysage avec ses murs en pisé. Les 8 très belles chambres, et les 2 suites, sont réparties autour d'un patio verdoyant.

Toutes disposent d'une salle de bains, d'une cheminée et d'un jardin privatif. Également 3 bungalows dispersés dans la nature, avec aussi un jardin privatif. Salle de restaurant avec pierre apparente très agréable. Bar avec alcool, piscine avec vue panoramique, location de VTT, ping-pong, jeux de société. Rien ne manque pour faire de cette auberge de charme, tenue par un couple de Français, l'une des bonnes adresses des environs de Marrakech. Cartes de paiement acceptées.

➤ Après Ouirgane, la route pénètre dans les gorges de l'oued N'Fis avant de franchir, une trentaine de kilomètres après Ouirgane, l'oued Agoundis à *Ijoukak.* Dans toute cette région, on voit des kasbahs qui appartenaient aux Goundafa, puissante tribu qui contrôlait le col et toute la région au XIXᵉ siècle.

TIN-MAL

À 40 km environ après Ouirgane. Tin-Mal est célèbre pour sa mosquée, contemporaine de la Koutoubia et construite en hommage à Ibn-Toumert, fondateur de la dynastie des Almohades, au début du XIIᵉ siècle. La piste (1 km) part sur la droite.

À voir

🗡 *La mosquée :* une des très rares que les non-musulmans peuvent visiter. Pas de droit d'entrée fixé pour l'instant, mais le gardien-guide très sympathique qui vient vous ouvrir mérite ses 10 Dh (1 €) par personne.
Abandonnée depuis des siècles, elle tombait en ruine mais a été classée Monument historique, ce qui a permis sa réhabilitation. Les travaux sont en cours. Commencés en 1991, ils doivent s'achever en 2006. Lorsque ceux-ci seront terminés, la mosquée sera ouverte comme un musée.
Une occasion de découvrir son architecture intérieure d'une très grande pureté de lignes (dans sa première version, la mosquée n'avait aucun décor en raison de l'austérité des Almohades), son décor de stuc ouvragé, ses beaux arcs lobés et son minaret, détruit à mi-hauteur et, chose rarissime, situé au-dessus du *mirhab* et du *minbar.*

🗡 Plus loin, sur la gauche, surplombant le village de Mouldikht, se dressent les *ruines de l'ancienne kasbah de Tagoundaft,* construite au milieu du XIXᵉ siècle sur un piton rocheux de plus de 100 m. On est frappé ensuite par l'opposition entre le vert de la vallée et, juste de l'autre côté de la route, l'austérité désertique des montagnes de différents rouges allant du rose au mauve.

Où dormir ? Où manger dans le coin ?

🏨 |●| Après le passage du Tizi-n-Test (2 100 m), arrêtez-vous 1 km

plus bas au *café-restaurant La Belle Vue* d'où, comme son nom l'indique, la vue sur la plaine du Sous est magnifique. Le patron peut vous servir une omelette-salade très bonne (demander le prix avant).

10 chambres doubles rudimentaires à 60 Dh (6 €). Calme assuré. Prévoir de quoi se couvrir.

➤ La route descend ensuite à travers les arganiers vers la région du Sous, longeant sur la gauche les flancs du *djebel* Siroua : 30 km de descente assez impressionnante jusqu'à la plaine.

LA ROUTE DU TIZI-N-TICHKA

Cette route de 198 km, qui franchit le Haut Atlas, est l'une des plus belles du Maroc et le passage obligé, de Marrakech, pour atteindre Ouarzazate. Elle ne présente aucune difficulté particulière, et certaines agences programment l'aller-retour en une seule journée, avec un arrêt pour déjeuner à Ouarzazate. Cela dit, le parcours montagneux n'est qu'une succession de virages. Le parcours de Marrakech à Tizi-n-Tichka est plus difficile que Ouarzazate – Tizi-n-Tichka.

En hiver, se renseigner toutefois avant le départ, en téléphonant à la gare *CTM*, à la gendarmerie ou à l'office du tourisme de Marrakech, le col pouvant être fermé entre janvier et avril.

Faire le plein avant le départ. Les stations-service sont pratiquement inexistantes sur le parcours (sauf à Aït Ourir).

UN PEU D'HISTOIRE : LE GLAOUI

Dernier « seigneur de l'Atlas », El Hadj Thami el Mezouari el Glaoui (ouf !), 1875-1956, fut une personnalité très controversée. On visite ses demeures, symboles de sa richesse, mais sait-on qui il était exactement ? Frère du grand vizir de Moulay Hafid, le sultan qui signa le traité de protectorat en 1912, il profita d'un choix tactique fait cette même année : alors que les tribus du Sud se révoltaient contre l'envahisseur chrétien, il prit le parti des Français en sauvant des prisonniers qui lui avaient été confiés. Lyautey, résident de 1912 à 1925, apprécia ce « grand caïd » et ne fit rien pour s'opposer à sa montée en puissance en tant que pacha de Marrakech et sa région.

À la fois immensément riche (grâce à des revenus tirés de l'exploitation de mines de sel, de taxes diverses perçues dans tous les domaines, incluant même la prostitution à Marrakech, sans oublier le pillage de ses administrés) et immensément endetté, mais constamment remis à flot par l'administration coloniale, on le considérait comme indispensable : véritable roi dans le royaume, avec 600 000 sujets sous ses ordres. Il donnait des réceptions fastueuses, jouait au golf, voyageait en voiture de luxe et œuvrait même en sous-main contre la dynastie alaouite.

Lorsque, en 1953, le sultan Mohammed V a été déposé par les autorités françaises, ce fut en grande partie en raison de l'hostilité personnelle du Glaoui envers le sultan du Maroc. Il avait soulevé Berbères et marabouts contre ce roi jugé impie.

Mais le vent tourna bientôt : l'exil du sultan ne fut pas populaire et les autorités françaises allèrent le chercher à Madagascar pour le réinstaller sur le trône. Ce fut l'humiliation pour le Glaoui, qui dut aller implorer le pardon de son souverain, à genoux, face contre terre. Le pardon fut accordé. Mais la même année, le Glaoui mourut, ses biens furent confisqués et ses fils emprisonnés. Grandeur et décadence...

Comment y aller?

➤ *De Marrakech, en voiture :* sortir de Marrakech en suivant les indications « Fès » ou « Ouarzazate » (route de la palmeraie). Environ 5 km après le rond-point de sortie de Marrakech, la route se divise en deux : tout droit, c'est la route de Fès ; à droite, c'est la route de Ouarzazate. Compter environ 2 h 15 de trajet pour atteindre le col depuis Marrakech et environ 1 h 30 pour gagner Ouarzazate depuis le col.

➤ *En bus :* plusieurs services quotidiens de bus relient Marrakech à Ouarzazate en 5 ou 6 h. Certains continuent vers Tineghir et d'autres vers Zagora. Il faut compter alors près de 14 h de voyage, les bus effectuant toujours une escale technique à Ouarzazate avant de poursuivre l'itinéraire.

À voir. À faire

➤ La vue commence à être très chouette à partir du *col du Tizi-n'Aït-Imquer* (1 470 m) avec, comme fond de décor, le *djebel* Tistouit dominant un cirque de montagnes enneigées. En contrebas, des kasbahs et des petits villages. La route passe à *Taddert*, où il y a de nombreux petits restos réservés aux estomacs aguerris.

Les étals des marchands de minéraux se succèdent de virage en virage (surtout quand on a tendance à freiner...). On vous proposera de superbes géodes peintes au Mercurochrome ou au permanganate de potassium, ou mieux encore, les Marocains étant passés maîtres dans l'art de la contrefaçon, de véritables « géodes » entièrement reconstituées à partir d'une orange imprégnée de plâtre avec des cristaux de sel ou de khôl pour faire plus vrai que nature ! Et des fossiles sont réalisés avec des moulages de polyester et de poudre de calcite. Du grand art ! Mais ne vous y laissez pas prendre, surtout que certains vendeurs se montrent désormais agressifs en cas de refus d'achat.

Vous verrez des étals pratiquement jusqu'au col, le passage routier le plus élevé du Maroc avec ses 2 260 m d'altitude. Attention, il y souffle souvent un vent qui décoiffe. Ce *col des Pâturages* marque la frontière entre les provinces de Marrakech et de Ouarzazate.

|●| Petit *café-restaurant* où l'on se régale de brochettes et d'un tajine à un prix défiant toute concurrence.

TELOUET

Après le col, une petite route goudronnée, sur la gauche, conduit en 20 km à l'ancien fief du pacha de Marrakech, qui rendit ici son dernier soupir. Il mena une vie étroitement liée à l'histoire de son pays, durant toute la première partie du XXe siècle. Le village est un gros bourg agricole de plus de 6 000 habitants. Souk le jeudi.

Du palais du « dernier seigneur de l'Atlas », il ne reste plus que deux pièces richement décorées qui témoignent de la splendeur dans laquelle vivait ce grand chef berbère. Il est vrai que la main-d'œuvre ne coûtait pas cher. On dit que 300 ouvriers travaillèrent durant trois années pour sculpter les plafonds et les murs. Il est scandaleux que le Maroc, pour des raisons politiques, ait négligé totalement l'entretien de cette merveille, victime de rivalités historiques.

Les verrières abritant les quelques salles ont été détruites, les vasques servant à l'éclairage brisées. Les tuiles de la toiture disparaissent à vue d'œil, avec certaines complicités locales. Le gardien qui règne sur les lieux fixe lui-même le prix de la visite. Bientôt, il ne restera plus rien à voir qu'un amas de ruines. Mais que fait la police ?

Où dormir ? Où manger ?

🛏️ 🍴 *Gîte du Lac, chez Mohammed Bennouri :* à 500 m du centre du village, après avoir traversé la place du souk en suivant le chemin. ☎ 044-89-07-22. Une adresse très simple, pas évidente à trouver. 6 chambres, 1 douche et 2 toilettes. Dommage que l'ensemble ne soit pas mieux entretenu. Accueil familial dans ce gîte d'étape où l'on vous proposera une cuisine rustique. Mohammed Bennouri est accompagnateur de montagne et a fait un stage de guide à Chamonix. Le demander au *café Kasba*, sur la place centrale. On peut lui écrire : BP 14, 45252 Telouet.

🛏️ 🍴 *Auberge de Telouet, chez Ahmed Boukhas :* juste en face de la *kasbah du Glaoui*. ☎ 044-89-07-17. Fax : 044-63-18-39. Chambres simples, mais propres. Bons tajines, un peu chers. Ahmed connaît parfaitement l'histoire du Glaoui. Il insistera, peut-être, pour vous faire découvrir la région. N'hésitez pas si vous avez le temps.

🍴 *Maison d'hôte A Foulki :* traverser la place du marché puis tourner tout de suite à gauche. ☎ et fax : 044-89-07-14, ou en France : ☎ 06-16-79-87-75 (portable). • jkevork@yahoo.fr • Compter 100 Dh (10 €) par personne pour la nuit et 70 Dh (7 €) pour le repas. *A Foulki* signifie « beauté » en berbère. Cette maison traditionnelle, qui appartient à une Française, comprend 4 chambres et 2 salles de bains, ainsi que plusieurs salons où l'on peut prendre ses repas. Bonne cuisine berbère préparée par Hassan et Malika.

À voir encore sur la route du Tizi-n-Tichka

➤ La route P31, après l'embranchement de Telouet, descend vers *Igherm-n'Ougdal*.

🍴 *Café-restaurant Chez Abdou :* en face de la poste d'Igherm, à gauche en venant du col. ☎ 067-59-59-52 (portable). Compter 80 Dh (8 €) le menu. On y mange des tajines cuits au charbon de bois. Abdou organise également avec Hocine des excursions pédestres, notamment pour les gravures rupestres de Tainant.

🌾 À la sortie d'Igherm, un grand *grenier collectif* de pisé rouge servait, jusqu'à son effondrement partiel vers 1990, à conserver les denrées périssables de chaque famille. Fort heureusement, le grenier a bénéficié, en 1997 et 1999, d'une exceptionnelle restauration menée et financée par le ministère des Affaires culturelles du Maroc. À l'intérieur, les portes des cellules sont décorées de motifs berbères et fermées par des serrures de bois. Plus original et plus artistique que nos tristes coffres de banque. Les visites (prix facultatif de 20 Dh, soit 2 €, par adulte), permettent de découvrir, avec les guides-gardiens villageois, l'agencement des 84 cases familiales privatives, naturellement climatisées par l'épaisseur des murs de terre. Ces greniers-forteresses, appelés aussi *agadir*, permettaient de bénéficier d'une surveillance collective. On les retrouvait dans les villages du Sud, mais ils ont généralement tendance à disparaître.

🛏️ 🍴 *Maison d'hôte I Rocha :* à 25 km après Igherm, à mi-chemin entre l'embranchement de Telouet et celui d'Aït-Benhaddou, à 800 m de la route par une piste carrossable. ☎ 067-73-70-02 (portable). • www.maroc-riads.com • Compter 270 Dh (27 €) par personne en demi-pension. Déjeuner à 100 Dh (10 €), un peu moins cher pour les résidents. Cette belle maison berbère, qui surplombe toute la vallée, s'articule autour d'un patio central. Les chambres, très propres, sont toutes équipées d'une salle de douche (eau chaude). Bonne cuisine marocaine et méditerranéenne (pain et confiture maison, entre autres).

Catherine et Ahmed reçoivent chaleureusement dans cette maison d'hôte hors des sentiers battus, qui permet de découvrir un Maroc authentique et d'apprécier l'hospitalité berbère.

➤ La route passe à *Amerzgane*, puis à **El-Mdint**, facilement repérable grâce à sa belle kasbah de pisé rose dont les tours sont décorées de motifs en relief, avant d'arriver à l'embranchement d'Aït-Benhaddou (km 176). Ce *ksar*, qu'il faut visiter absolument, n'est qu'à 9 km. Voir ci-après.

➤ De même pour la kasbah de **Tiffoultoute**, que l'on peut rejoindre en empruntant, au km 191, la route directe pour Zagora, ce qui évite la traversée de Ouarzazate.

Randonnées

➤ Les randonnées pédestres dans la région peuvent se faire entre avril et octobre.

En partant du village de *Tighza*, on peut remonter l'oued Iounil ou Ounila, jusqu'à sa source. Peu à peu, la verdure de la vallée cède la place à un paysage de montagne aux couleurs contrastées, royaume des bergers. Compter 4 h de marche pour atteindre le **lac de Tamda**, qui regorge de truites. Cette excursion est réalisable dans la journée.

➤ De Telouet, il est possible, à certaines époques de l'année, d'atteindre directement *Aït-Benhaddou* en suivant l'ancienne route des caravanes, passant par la *kasbah d'Anemiter* qui se dresse à une dizaine de kilomètres dans un très beau site. Tout le parcours, à l'écart des circuits traditionnels, est magnifique. Compter au minimum 4 h pour parcourir les 35 km en 4x4. Ne pas essayer de passer avec un véhicule de tourisme. Se renseigner auparavant sur l'état de la piste, qui n'est pas praticable toute l'année en raison des glissements de terrain et des nombreux gués infranchissables pendant la saison des pluies. Dès que cette piste est mouillée, elle devient très dangereuse et doit alors être considérée comme impraticable. En août et en septembre, si l'orage menace, ne pas s'y engager en raison du risque de montée brutale des eaux. Certains habitants de Telouet vous affirmeront toujours que « ça passe ». Il n'en est rien. Au contraire, ça casse !

Note : cette piste étant de plus en plus fréquentée par les groupes en 4x4, les enfants s'accrochent souvent aux voitures et n'hésitent pas à faire parfois jusqu'à deux kilomètres accrochés à votre roue de secours. Plutôt que de jouer les « Reines du carnaval » en distribuant à tour de bras bonbons et stylos, faites halte dans une des nombreuses écoles qui jalonnent le parcours et donnez ce que vous avez apporté (cahiers, stylos, etc.) à l'instituteur (en dehors des heures de classe, bien évidemment...).

AÏT-BENHADDOU

Le village se trouve 30 km avant Ouarzazate en venant de Marrakech. Se méfier des premiers panneaux indiquant « Aït-Benhaddou » et qui correspondent à une piste impraticable pour une voiture de tourisme, avec des oueds à traverser ! La route goudronnée, un peu plus loin, vous mènera tranquillement jusqu'au village. Il n'existe pas vraiment de liaison de bus régulière.

Non seulement Aït-Benhaddou est l'une des kasbahs les mieux préservées de tout le Sud marocain, mais il serait impardonnable de manquer la visite de ce *ksar*, qui vous laissera des photos impressionnantes et des images plein la tête. D'ailleurs, les réalisateurs de *Lawrence d'Arabie*, entre autres, ne s'y sont pas trompés et ont filmé ici quelques scènes. Cependant, ces dernières années, des pluies torrentielles se sont abattues sur la région, et ont partiellement abîmé cette forteresse de terre et de roseaux, qui, depuis lors, s'effrite lentement.

Enfin, méfiez-vous des nombreux rabatteurs et exigez de visiter seul.

Les autorités, conscientes de la valeur de ce chef-d'œuvre en péril, ont réussi à le faire inscrire sur la liste du Patrimoine mondial protégé par l'Unesco. Les travaux de restauration doivent durer des années. Malheureusement, cela semble avoir éloigné les habitants puisqu'il n'y aurait plus que 3 familles qui y vivent.

Où dormir ? Où manger ?

Bon marché

🛏 🍴 ***Auberge Étoile Filante :*** ☎ 044-89-03-22. Fax : 044-88-61-13. Dans le village sur le côté gauche de la route, 400 m environ après l'auberge *Al Baraka*. Chambres à 150 Dh (15 €). Menu à 70 Dh (7 €). Dans un bâtiment récent. 9 chambres correctes avec douche (eau chaude) et w.-c. Bonne cuisine à découvrir dans la salle à manger traditionnelle. Excellent accueil des deux associés, Rachid et Mohammed. Location de VTT. Abdessanod pourra vous faire découvrir les kasbahs voisines et vous parler avec passion de son pays.

🛏 🍴 ***Auberge Al Baraka :*** ☎ 044-89-03-05. Fax : 044-88-62-73. Environ 100 Dh (10 €) pour deux. 13 chambres doubles avec douche et w.-c. Terrasse avec une belle vue sur la kasbah. Grand restaurant, tentes à l'extérieur. Organise aussi des bivouacs et des balades à dos d'âne ou de dromadaire.

Prix moyens

🛏 🍴 ***Hôtel-restaurant de la Kasbah :*** ☎ 044-89-03-02 et 08. Fax : 044-88-37-87. Sur la droite de la route, au bord du chemin qui descend vers l'oued et vers le vieux *ksar*. Chambres doubles à 280 Dh (28 €). Tabler sur 440 Dh (44 €) pour deux en demi-pension. Menu à 90 Dh (9 €). Au début, ce n'était qu'un modeste café tenu par Mohammed Tebbou, c'est maintenant devenu un établissement de 68 petites chambres propres, mais avec pour unique vue la chambre d'en face. La plupart sont climatisées (celles qui ne le sont pas sont moins chères). Superbe terrasse ombragée qui domine le *ksar*. Bons repas, avec plusieurs menus aux choix. On peut aussi y boire un verre de thé (pas d'alcool). Accueil sympa de la réception. Cartes de paiement acceptées.

Ils ont comme annexe l'*auberge El Ouidane*. ☎ 044-89-03-12. Elle comporte 8 chambres confortables avec vue sur le *ksar*, et 9 autres simples et économiques.

À voir

🍴 **Le vieux ksar et le vieux village :** pour la visite, traverser l'oued à gué ou à dos de chameau, moyennant quelques dirhams. La construction d'un pont est toujours à l'étude.

Avant de franchir l'oued, il est intéressant de voir le vieux *ksar* d'Aït-Benhaddou depuis le nouveau village. Les meilleurs points de vue se situent avant l'arrivée par la route, sur le côté droit (les cars s'y arrêtent et il y a toujours des marchands installés avec leur pacotille), et des terrasses de l'*auberge El Ouidane*. Le spectacle est étonnant le soir, quand on surplombe cette mosaïque de cultures avec la longue procession des femmes portant les herbes coupées sur la tête. Le vieux *ksar* passe par toutes les teintes de rose avant de s'empourprer, à mesure que le soleil disparaît. Au lever du soleil, ce n'est pas mal non plus. Alors, si vous voulez notre avis, passez une nuit à Aït-Benhaddou. Vous serez doublement récompensé. Vous éviterez le flux (et le reflux) des touristes, incessant de 8 h à 17 h. On voit même des 4x4 s'élancer du nouveau village pour traverser l'oued et se garer au pied des remparts...

Le village, où ne subsistent que quelques foyers, est un dédale de ruelles et de passages couverts. La majorité des maisons sont en ruine. Les familles se sont installées dans le nouveau village. Le vieux *ksar* n'en reste pas moins une aubaine pour les cinéastes. Six films furent tournés dans ce décor naturel prestigieux. Pour *Le Diamant du Nil*, les décorateurs construisirent trois portes supplémentaires, dont la plus massive fut en partie détruite par un avion qui devait, selon le scénario, quitter le village par cette porte. David Lean y tourna plusieurs scènes de son fameux *Lawrence d'Arabie*. On y filma Carlos dans une pub *Oasis*. L'Unesco a d'ailleurs prévu de démolir tous les ajouts apportés par les décorateurs de cinéma.

➤ DANS LES ENVIRONS D'AÏT-BENHADDOU

TAMDAGHT

À 6 km, sur la route goudronnée. C'est une balade merveilleuse à faire à pied, car le paysage est magnifique. C'est un vrai bonheur de découvrir Tamdaght et sa kasbah par le bas du village. La splendeur du site, avec cette citadelle où des cigognes ont élu domicile, est à couper le souffle. Elle servit souvent, elle aussi, de décor de cinéma, notamment pour *Gladiateur*. En 2002, on y tournait *Alexandre le Grand*, une super-production hollywoodienne. Bahia, une jeune femme dont la famille habite la kasbah depuis des générations, vous fera visiter la citadelle avec beaucoup de gentillesse, moyennant 10 Dh (1 €).

Où dormir ? Où manger ?

Defat Kasbah : à 2 km de Tamdaght, dans le *douar* d'Asfalou. ☎ 044-88-80-20. Fax : 044-88-64-85. Compter de 90 à 150 Dh (9 à 15 €) en chambre double, selon le confort. Et 30 Dh (3 €) par personne en petit dortoir. Tenu par de jeunes Français et Marocains, ce gîte d'étape dispose de 12 chambres doubles, dont 9 avec salle de douche. Terrasses équipées avec des tentes berbères, piscine et restaurant. Menu du jour et carte. Ambiance chaleureuse. Le soir, il n'est pas rare que des musiciens de la vallée débarquent et improvisent un concert. L'auberge, qui constitue un bon point de départ pour les randonnées, est une excellente adresse.

Auberge des Cigognes : Bahia Monatasri (☎ 044-89-03-71) réserve un excellent accueil aux visiteurs de passage. Compter 110 Dh (11 €) par personne. Il dispose de 4 chambres et d'un dortoir. C'est simple, mais propre.

Kasbah Ellouze : à côté de l'*auberge des Cigognes*. ☎ 067-96-54-83 (portable). ● www.kasbahellouze.com ● Compter de 600 à 650 Dh (60 à 65 €) la double en demi-pension. Déjeuner à partir de 100 Dh (10 €). Cette belle maison d'hôte construite en pisé dans le style du pays, avec 4 tours et une cour intérieure, possède 5 chambres. Elles sont confortables et équipées d'une salle de bains. Un patio, un salon avec cheminée, un hammam et une terrasse permettent de goûter tout le charme de cette maison d'hôte simple et authentique, qui associe le confort contemporain à la tradition berbère. Deux cuisinières du village réalisent des repas typiquement marocains. Tandis que Dominique, une hôtesse française, fera tout pour que vous gardiez un excellent souvenir de votre séjour. Pas d'alcool, mais on peut apporter sa bouteille. Une adresse hors des sentiers battus.

➢ Puis la route goudronnée s'arrête et se transforme en piste étroite. Compter près de 40 km pour atteindre Telouet. L'itinéraire est décrit dans « La route du Tizi-n'Tichka ». Un véhicule tout-terrain est indispensable, et bien se renseigner auparavant sur l'état de la piste.

D'ESSAOUIRA À TAN-TAN

Qui n'a jamais rêvé d'aller vers le Grand Sud et ses déserts de sable ? Cet itinéraire, qui longe la côte atlantique à partir de l'ancienne Mogador, vous conduira jusqu'à la frontière mauritanienne. Un parcours de plus de 1 500 km. Mais il n'est pas nécessaire d'aller aussi loin pour trouver le dépaysement.

Essaouira, le point de départ, est encore habité par des Gnaoua, descendants des esclaves noirs venus du Soudan. C'est une ville très attachante, qui a conservé de nombreux vestiges de son passé. Elle jouait déjà un rôle important dans l'Antiquité grâce à ses mollusques dont on extrayait la pourpre, destinée à teindre les vêtements des Césars.

Agadir, connue du monde entier pour sa plage magnifique et son ensoleillement exceptionnel, retiendra le temps d'une halte les routards fatigués, histoire de se refaire une santé.

Tiznit, porte du Sud, conduit à Guelmim, la ville des hommes bleus. Nous suivrons ensuite la route qu'empruntaient les caravanes chargées d'or, d'épices et d'esclaves provenant du Niger, de Mauritanie et du Sénégal.

Tan-Tan doit sa célébrité à la fameuse Marche verte de 1975. La réputation de Cap Juby est beaucoup plus ancienne. C'est dans cette escale fameuse de l'Aéropostale que Saint-Exupéry écrivit *Courrier Sud* en 1927. Il avait trouvé le titre de son premier livre sur un sac de courrier à destination de Dakar.

La piste conduit ensuite à Laâyoune et aux provinces sahariennes. Le voyage devient alors aventure...

ESSAOUIRA
70 000 hab.

> « Du haut du promontoire d'Azelf qui surplombe
> Essaouira, la ville me parut au bord de l'eau, comme un
> mirage flottant entre ciel et terre. »
>
> Frédéric Damgard.

Avec son corset de murs fortifiés, son port de chalutiers et ses envols de mouettes, comment ne pas évoquer Saint-Malo ? Mais les maisons blanches aux toits plats, les huisseries bleues et les minarets nous rappellent vite que nous sommes loin de la Bretagne. Essaouira est une ville hors du temps, qui envoûte et enserre ses hôtes, vite prisonniers de ses remparts. Difficile alors de s'échapper, le charme opère et ne nous lâche plus. Mais qui s'en plaindrait ? Oubliez Marrakech la folle, la trépidante ; les engins à moteur n'ont pas droit de cité ici, adieu également pollution ! Un bienfait n'arrivant jamais seul, la ville rutile, de gros efforts ayant été faits pour son nettoyage quotidien. Alors, prenez lentement le rythme, ne vous pressez surtout pas.

Installez-vous par exemple place Moulay-Hassan à l'une des nombreuses terrasses de café, à l'ombre des arbres-caoutchouc, pour siroter un thé et prendre le pouls de la ville. La température y est presque toujours de 25 °C,

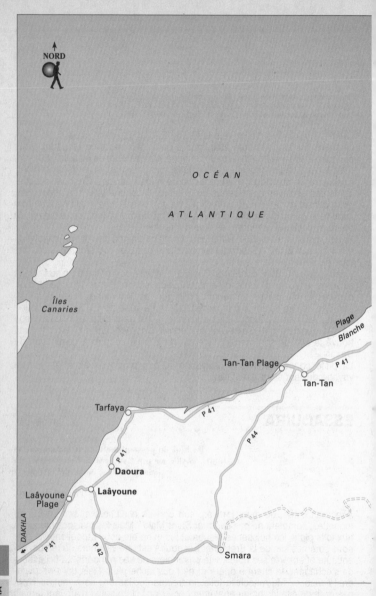

NORD

OCÉAN

ATLANTIQUE

*Îles
Canaries*

Plage
Blanche

Tan-Tan Plage

P 41

Tan-Tan

Tarfaya

P 41

P 44

P 41

Daoura

Laâyoune

Laâyoune
Plage

DAKHLA

P 41

P 42

Smara

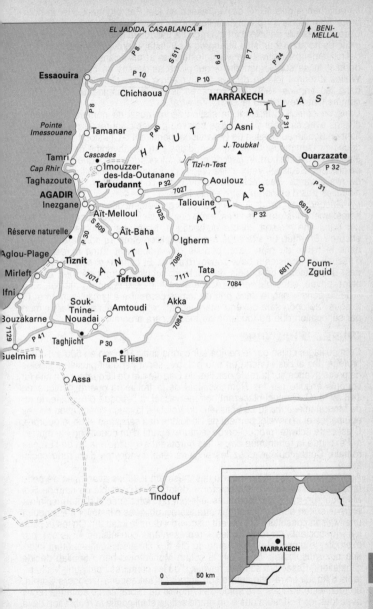

ce qui change des 40 °C de Marrakech en été. Pas étonnant que de nombreux Marrakchis s'y précipitent, fuyant les fortes chaleurs.

L'étonnant climat de ville d'art qui règne à Essaouira (prononcer « Swira ») a incité de nombreux artistes étrangers à s'y installer provisoirement ou même définitivement. Peintres, écrivains, cinéastes et musiciens viennent profiter de la « muse supplémentaire » qui plane au-dessus de cette cité. Orson Welles a tourné ici l'un de ses plus célèbres films, *Othello*; Jimi Hendrix, dans les années 1960, attira une partie de la communauté hippie, tout comme Cat Stevens ou le *Living Theatre*.

Dans un domaine différent, la station séduit aussi de nombreux véliplanchistes avec sa magnifique plage balayée par les célèbres alizés qui, soufflant en boucle au-dessus de l'Atlantique, permirent à Christophe Colomb de découvrir l'Amérique. Cela explique, d'une part, le labyrinthe de ses ruelles étroites et, d'autre part, le *haïk* de grosse cotonnade dans lequel les femmes se drapent. Seuls les yeux et les pieds apparaissent dans cette architecture de plis savants. Pas facile de savoir à qui l'on a affaire! Quant à vous, n'oubliez pas d'emporter votre petite laine.

L'ex-Mogador est l'endroit rêvé pour ceux qui veulent décompresser après le harcèlement des grandes villes, avoir des contacts avec la population et flâner dans une médina encore authentique. Mais pour combien de temps encore ? En effet, un site situé à quelques kilomètres au nord a été retenu dans le cadre du plan Azur, pour le développement d'une infrastructure d'accueil de touristes à haut pouvoir d'achat. Et comme si cela ne suffisait pas, des rumeurs de projets destructeurs circulent : front de mer, casino, plage privée, sans oublier la récupération immobilière de sa médina... La « petite perle » risque dans peu de temps de perdre à jamais son âme. Et lorsque l'aéroport sera devenu international, ce qui ne saurait tarder, la mort par suffocation due au tourisme de masse sera programmée.

UN PEU D'HISTOIRE

Ce mouillage, utilisé par le navigateur carthaginois Hannon en 500 av. J.-C., protégé des alizés et riche en eau potable, servit pendant plusieurs siècles de poste avancé sur la route des îles du Cap-Vert et de l'Équateur. Le site fut conquis ensuite par les Romains, lors de la troisième guerre punique en 146 av. J.-C. Ceux-ci placèrent comme vassal, à l'époque d'Auguste, le roi de Maurétanie, Juba II. Le bâtisseur de Volubilis favorisa l'installation de ses équipages et le développement de l'industrie des salaisons et de la pourpre. C'est cette activité (production de teinture à partir d'un coquillage : le murex) qui explique la renommée des « îles purpuraires » jusqu'à la fin de l'Empire romain. Cette couleur, chez les anciens, était synonyme d'un rang social élevé.

Au Moyen Âge, les marins portugais mesurent tous les avantages de cette baie et baptisent la ville « Mogador », déformation probable du nom de Sidi Mogdoul, un marabout local. Les juifs ont un statut spécial d'intermédiaires entre le sultan et les puissances étrangères, obligées d'installer à Essaouira une Maison consulaire (il y en eut jusque dix dans la kasbah). On les appelle les « négociants du roi » ou les « représentants consulaires ». Ils ont, par exemple, le monopole de la vente du blé aux chrétiens, celle-ci étant interdite aux musulmans. En 1764, le sultan Mohammed ben Abdellah décide d'installer à Essaouira sa base navale, d'où les corsaires iront punir les habitants d'Agadir en révolte contre son autorité. Il fait appel à Théodore Cornut, un architecte français à la solde des Anglais de Gibraltar. Le sultan le reçoit avec tous les honneurs dus à un grand artiste et lui confie la réalisation de la nouvelle ville « au milieu du sable et du vent, là où il n'y avait rien ». Cornut l'Avignonnais, qui avait été employé par Louis XV à la construction des fortifications du Roussillon, travailla trois ans à édifier le port et la kasbah, dont le plan original est conservé à la Bibliothèque nationale de Paris. Il semblerait que la seconde ceinture de remparts et la médina aient été dessinées bien après le départ de Cornut. Le sultan n'avait pas souhaité prolonger leur collaboration, reprochant au Français d'être trop cher et d'avoir travaillé pour l'ennemi anglais. Avec son plan très régulier, la ville mérite bien son nom actuel d'*Es Saouira*, qui signifie « la Bien Dessinée ». L'importance d'Essaouira n'a cessé de croître jusqu'à la première moitié du XIXe siècle, et la ville connut une formidable prospérité grâce à l'importante communauté juive. On y compta jusqu'à 17 000 juifs pour à peine 10 000 musulmans. La bourgeoisie marocaine accourait y acheter des bijoux. Le commerce y était florissant. Mais la plupart des juifs partirent après la guerre des Six Jours. Aujourd'hui, il ne subsisterait qu'une dizaine de familles juives dans la ville.

Pendant des années, ce fut le seul port marocain ouvert au commerce extérieur. Le déclin commença avec la colonisation française et le développement d'autres ports (Casablanca, Tanger, Agadir). Handicapé par ses eaux peu profondes et ne pouvant pas recevoir les gros bateaux modernes, Essaouira se tourna alors vers la pêche avec succès.

Essaouira est aujourd'hui le chef-lieu d'une province de 500 000 personnes, pour la plupart agriculteurs. La ville est unie par une opération de coopération avec Saint-Malo, sous l'égide de l'Unesco.

■ Adresses utiles

- **ℹ** Syndicat d'initiative
- 🚍 Bus Supratours
- ✉ Poste
- 🚖 Station de Taxis
- **3** Banque Crédit du Maroc
- **4** Église
- **5** Banque BMCE
- **7** Librairie Jack's
- **8** Galerie Frédéric Damgard
- **9** Vente d'alcool
- **10** Pharmacie
- **11** Hammam

⌂ Où dormir ?

- **7** Jack's Appartements
- **20** Résidence Essaouira
- **21** Hôtel Central
- **22** Hôtel Agadir
- **23** Hôtel Pension Smara
- **24** Hôtel Majestic
- **25** Hôtel des Remparts
- **26** Hôtel Tafraout
- **27** Chez Brahim
- **28** Hôtel Souiri
- **29** Hôtel El Dar Qdima
- **30** Hôtel Riad Nakhla
- **31** Hôtel Cap Sim
- **32** Le Poisson Volant
- **33** Hôtel Beau Rivage
- **34** Hôtel Shehrazad
- **35** Hôtel Sidi Magdoul
- **36** Hôtel Sahara
- **37** Hôtel du Grand Large
- **38** Hôtel Émeraude
- **39** Dar Adul
- **40** Résidence Hôtel Al Arboussas
- **41** Riad Al Zahia et Les Terrasses d'Essaouira
- **42** Riad Malaïka
- **43** Dar Loulema
- **44** Hôtel Tafoukt
- **45** Casa Lila
- **46** Riad Marosko
- **47** Casa Del Mar
- **48** Maison du Sud
- **49** Riad Gyvo
- **50** Hôtel Riad Al Madina
- **51** Hôtel Palazzo Desdemona
- **52** Villa Maroc
- **53** Hôtel Sofitel Mogador
- **54** Riad Es Salam
- **55** Maison traditionnelle à louer

◖◗ Où manger ?

- **23** Restaurant Les Alizés
- **37** Restaurant de l'Hôtel du Grand Large
- **43** Taros Café-restaurant-galerie
- **53** Restaurant et bar du Sofitel Mogador
- **60** Vivaldi
- **61** Chez Françoise
- **62** Es Salam
- **63** Barbecues de poisson grillé
- **64** Laâyoune
- **65** Restaurant Ferdaouss
- **66** Chez Mermoz
- **68** La Licorne
- **69** El Minzah
- **71** Chalet de la Plage
- **72** Dar Loubane
- **73** Riad Bleu Mogador
- **74** Chez Driss
- **75** Dolce Freddo

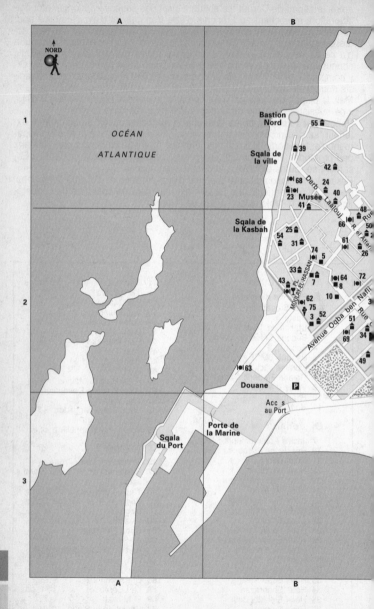

NORD

OCÉAN

ATLANTIQUE

1

Bastion
Nord

55

39

Sqala de
la ville

42

Derb Laalouj

68
24
40
23 Musée
41

Sqala de
la Kasbah

48

25
66
50

54
31
61
26

74
5

33
64
72
43
7
8
10

MOULAY-EL-HASSAN
62
75
52
3

Avénue Oqba ben Nafii

Rue

51
69
34
49

2

63

Douane   P

Acc s
au Port

Porte de
la Marine

Sqala
du Port

3

A   B

ESSAOUIRA

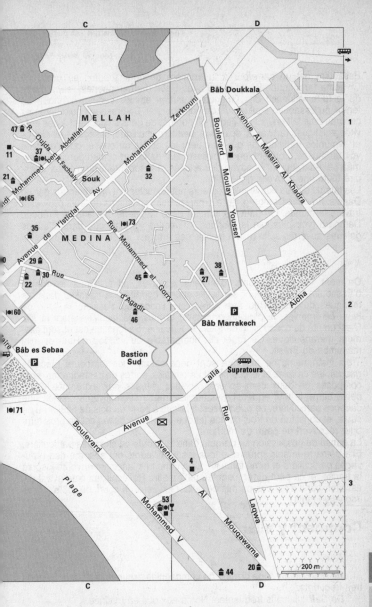

Bâb Doukkala

MELLAH

Zerktouni

Boulevard Moulay Youssef

Avenue Al Massira Al Khadra

47 R. Ouida ben Abdallah

37 R. Fechtaly

11

21

65

Av. Mohammed

Souk

9

32

35

MEDINA

73

Rue de l'Istiqlal

Avenue de l'Istiqlal

29

30 Rue

22

60

45 Rue Mohammed el Gorry

38

27

d'Agadir

46

P

Bâb Marrakech

Aicha

Bâb es Sebaa

P

Bastion Sud

71

Lalla

Supratours

Boulevard

Avenue

Rue

Avenue

Al

4

Plage

Mohammed V

53

Al Mouqawama

Laqwa

44 20

200 m

ESSAOUIRA

ESSAOUIRA

CARREFOUR CULTUREL ET CITÉ DES ARTS

> « Toute grande civilisation est métissage. »
>
> Léopold Sédar Senghor.

Essaouira est un carrefour à la frontière de deux tribus : au nord, les Chiadma (arabophones), et au sud, les Haha (berbérophones), sans parler de la forte influence des Gnaoua et autres ethnies venues d'Afrique au temps où Essaouira était le port de Tombouctou. Ce brassage de différentes cultures en a fait un lieu privilégié, où nombre de gens s'adonnent à des activités artistiques (artisanat, sculpture, peinture, musique, tissage). Les signes et symboles traditionnels qui marquent les objets du passé, que l'on peut voir au musée, trouvent leur aboutissement dans l'art contemporain. Boujemâa Lakhdar, qui fut le doyen des artistes et le fondateur du musée, a inspiré toute une nouvelle génération.

Les talents de ces nouveaux créateurs autodidactes ont été défendus par un Danois, Frédéric Damgard, qui a organisé des expositions de leurs œuvres à travers le monde. On peut les admirer dans la galerie des arts de Frédéric Damgard (voir plus loin la rubrique « Galeries »), ainsi que dans d'autres galeries ouvertes suite au succès de ces artistes.

Les Gnaoua

Ce sont les descendants d'anciens esclaves noirs. Dans la région d'Essaouira, jusqu'au XVIe siècle, ils étaient nombreux à travailler dans les fabriques de sucre. Peut-être aurez-vous l'occasion d'assister à l'une de leurs cérémonies, la plus importante et la plus spectaculaire étant la *lila*. C'est un rite de possession de tradition africaine. Sa fonction est essentiellement thérapeutique. Ce rituel est comparable au vaudou d'Haïti et à la macumba du Brésil.

Trois instruments de musique sont nécessaires : les tambours (appelés *ganga*), les *crotales* et le *guembri*. Les *crotales*, sortes de castagnettes, sont composés de deux demi-sphères aplaties, situées aux extrémités d'une petite barre, le tout en fer. Le joueur les frappe alternativement selon une cadence particulière. Le *guembri* est fabriqué à partir du bois de figuier ou de saule, et constitué de trois cordes tendues. Enfin, le *ganga* est un gros tambour recouvert de peau de mouton.

La danse de possession se déroule dans la *zaouïa* ou chez des particuliers. Elle démarre le soir après que tous les participants ont absorbé des breuvages particuliers et fumé force kif. Le rythme très lancinant envoûte jusqu'à la transe, et ça peut durer jusqu'au petit matin. Réfléchissez bien avant d'y assister, car il n'est pas permis de quitter les lieux en cours de route... Très impressionnant !

Comment y aller ?

En bus

➤ *De Marrakech :* une dizaine de compagnies assurent la liaison. Départs très fréquents.

➤ *De Safi :* liaisons fréquentes. Nombreux bus en matinée.

➤ *De Taroudannt :* 1 bus quotidien.

➤ *De Tiznit :* 3 départs quotidiens.

➤ Également une liaison avec *Agadir*, apparemment pas tous les jours. Bien se renseigner. Le mieux est encore le taxi collectif, plus fréquent et plus rapide que le bus.

ESSAOUIRA

Adresses utiles

Infos touristiques

🏠 **Syndicat d'initiative** *(plan B2)* : rue du Caire. ☎ 044-47-50-80. ● www.essaouira.com ● Ouvert de 9 h à 12 h et de 15 h à 18 h 30 ; ces horaires peuvent varier selon la saison et le personnel présent.

Poste et télécommunications

✉ **Poste** *(plan C3)* : av. Al-Mouqawama. Ouvert du lundi au vendredi, de 8 h à 12 h et de 14 h à 18 h en saison. Il existe un second bureau *(plan B1)*, rue Laalouj, près du musée.

■ **Téléphone :** une cabine à carte av. Oqba-ben-Nafi, à gauche de la porte intérieure de la ville ; mais aussi de nombreuses téléboutiques avec fax ouvertes souvent tard dans la nuit.

@ **Internet**
– *Mogador Informatique (plan C2)* : av. de l'Istiqlal. Au 2e étage, au-dessus du cabinet du Dr Haddad.
– *Essaouira Informatique (plan C2)* : 127, bd Mohammed-el-Gorry. ☎ 044-47-36-78. ● esinfo@iam.net.ma ● Le seul réel cybercafé, dans une maison ancienne superbe. Petits boxes et possibilité de café, thé, snack, etc. Super-accueil.

Argent

■ **Banques**
– La *BMCE (plan B2, 5)* est la plus centrale et la plus importante. Ouvert du lundi au jeudi de 8 h 15 à 11 h 30 et de 14 h 15 à 16 h 30 et le vendredi de 8 h 15 à 11 h 15 et de 14 h 45 à 16 h 45. Possibilité de retrait avec la carte Visa.
– Le *Crédit du Maroc (plan B2, 3)*, pl. Hassan-II, est ouvert du lundi au samedi de 8 h 15 à 14 h 15.

– La *Wafabank (plan C2)*, av. de l'Istiqlal. Ouvert du lundi au samedi de 9 h à 13 h et de 15 h à 18 h 30 ; possède également un bureau de change et un distributeur automatique.
– En dehors des horaires d'ouverture, change à l'hôtel *Tafoukt* et au magasin *No Work Team*, à côté du restaurant *Chez Françoise (plan B2, 61)*.

Urgences, santé

■ **Commissariat de Police** *(plan C2)* : ☎ 044-78-48-80.
■ **Médecins :** Dr Saïd El Haddad, sur l'av. de l'Istiqlal, un peu avant la *Wafabank*, sur la gauche *(plan C2)*. ☎ 044-47-69-10 ou 061-19-19-98 (portable). Téléphoner ou passer pour prendre rendez-vous. Médecin sachant allier compétence et accueil. *Dr Mohammed Taddrarat*, en face de la poste *(plan C3)*. ☎ 044-47-59-54.
■ **Dentistes :** Dr Elacham, 1, bd de Fès. *(hors plan par D2)*. ☎ 044-47-47-27. Allez-y en toute confiance, car tous les résidents sont unanimes sur les soins de qualité et le professionnalisme de ce dentiste. Voir également le *Dr Sayegh*, 4, pl. Chefchaouni *(plan B2)*. ☎ 044-47-55-69. Très compétent, ce dentiste irakien a fait ses études en France. Cabinet d'une propreté exemplaire.
■ **Pharmacies**
– *Hamad Ismail (plan B2, 10)* : pl. Chefchaouni, appelée aussi place de l'Horloge. Diplômé de la faculté de Toulouse. Bon choix de médicaments et conseils judicieux.
– *Pharmacie des Dunes :* av. Aqaba, sur la route qui traverse le nouveau

quartier. La seule à faire des analyses.
– Les pharmacies de garde sont toujours affichées.

■ *Hôpital (plan D3) :* av. Al-Mouqawama. ☎ 044-47-46-27 (urgences).

Transports

■ *Station de taxis :* sur l'av. Oqbaben-Nafi, à l'intersection de la rue du Caire *(plan B2),* et à Bâb es-Sebaa *(plan C2).* Pour se rendre à la gare routière, compter 4 Dh en journée (0,4 €), 5 Dh de nuit (0,5 €). Les petits taxis sont bleus et rares. Au départ d'un endroit fréquenté, cela peut aller, mais pour revenir de la périphérie, c'est difficile. La nuit, ils sont quasiment inexistants.

■ *Location de VTT et de vélos :* voir dans la vieille ville, au souk Ouaka ainsi qu'à l'hôtel *Shehrazad (plan B2, 34).*

■ *Location de voitures (hors plan par D3)*

– *Essaouira Wind Car,* dans le quartier des Dunes, rue Princesse-Lalla-Amina. ☎ et fax : 044-47-28-04 ou ☎ 061-34-71-34 (portable). Bonnes voitures et accueil sympa. Mais n'oubliez pas, comme le conseille leur publicité, « l'important n'est pas

de louer, mais de rouler en toute confiance ».
– *Tassout Cars,* dans le même quartier, rue Moulay-Ali-Echriff, juste en face de *Al-Jasira Hôtel.* ☎ et fax : 044-47-42-42 ou ☎ 061-14-29-29 (portable). Une nouvelle agence, tenue par une équipe dynamique. Mêmes tarifs que chez *Essaouira Wind Car.*

■ *Parkings (plan B2) :* à côté de la pl. Moulay-Hassan. Le plus central. 10 Dh (1 €) le ticket, valable toute la journée. ATTENTION : ce parking est très apprécié des faux guides ! Il y en a un autre à Bâb es-Sebaa *(plan C2)* et Bâb Marrakech *(plan D2).* Cependant, ils sont nettement insuffisants en saison. Évitez absolument de vous garer sous un réverbère, si vous ne souhaitez pas retrouver votre véhicule maculé de déjections de mouettes. Attention aux stationnements interdits : la police est intransigeante.

Loisirs

■ *Journaux, livres, fax et téléphone (plan B2, 7) :* Librairie *Jack's,* sur la pl. Moulay-el-Hassan. ☎ 044-47-55-38. Vous y trouverez, entre autres, le *Guide du routard.* Très bon choix d'ouvrages sur le Maroc. La presse française arrive vers 13 h.

■ Certains lecteurs ont apprécié éga-

lement dans le souk, rue Mohammed-el-Gorry, la toute petite boutique d'un *bouquiniste,* avec quelques revues et bouquins en français. Pittoresque et anachronique.

■ *Galerie Aïda (plan B2) :* voir plus loin la rubrique « Achats ». Le plus grand choix de livres à Essaouira.

Sports

■ *Magic Fun Surf Station (hors plan par D3) :* sur la plage d'Essaouira, au *K-Fé Fanatic,* à 200 m du *Sofitel.* ☎ et fax : 044-47-38-56 et 061-10-37-77 (portable Bruno) ou 061-88-30-13 (portable Catie). ● ma gicfunafrika@hotmail.com ● Ouvert tous les jours de 9 h à 18 h. Fermé en novembre, janvier et février. École de windsurf, surf et kitesurf. Cours assurés par des professionnels qua-

lifiés. Location de matériel neuf (flotteurs Fanatic et gréement Neil Pryde), surf et bodysurf. Animations : beach volley, stretching, excursions. Organise aussi des séjours comprenant le transfert, la location de voiture et l'hébergement. Accueil très sympathique.

■ *L'UCPA* propose de nombreuses activités avec location de matériel, des stages d'une semaine mini-

ESSAOUIRA

mum. Planche à voile, fun-board, fly-surf et découverte de la région à travers la pratique d'un sport. Pour tous renseignements : ☎ 044-44-65-28.

■ *Équitation :* voir l'*Auberge de la Plage* à Sidi-Kaouki.

■ *Cap Sim Trekking :* douar Ghazoua, à 8 km sur la route d'Agadir. ☎ 062-20-18-98 (portable). Fax : 044-47-43-23. ● www.essaouira.fr ● Que vous soyez intéressé par le VTT, les randonnées en chameau, la pêche, la découverte de la faune, les deux Français qui ont créé cette agence sauront vous conseiller pour des vacances sportives. Une approche intéressante du Maroc.

■ *Cap Quad :* ☎ 066-20-42-37 (portable de François). Randonnées d'une demi-journée en quad. Bonne ambiance.

■ *Matériel et vêtements pour le surf*

– *Gypsy Surfer :* 14, rue de Tétouan (rue de la kasbah ; *plan B2*). ☎ 061-94-70-92 (portable). Très belle boutique. Accueil sympa.

– *No Work Team :* 7 bis, rue Hommane-el-Fetoiki. ☎ 044-47-52-72. Fax : 044-47-69-01. À côté de *Chez Françoise* (plan B2, *61*).

– Autre succursale à côté du *Taros* (plan B2, *43*), 2, rue de la Sqala. Vous y trouverez tout le nécessaire pour les sports nautiques. Grand choix mais prix européens, donc assez élevés. Font aussi le change, en dépannage.

■ *Magic Fun Surf Shop :* ☎ 067-23-20-53 (portable de Thomas). Voilerie. Réparations rapides voiles et flotteurs. Matériel d'occasion. Accessoires. Dépôt du matériel à *Magic Fun Surf Station* (voir adresse plus haut).

Hammams et thalasso

■ *Hammam Lafou :* en dehors des remparts, près du collège du Prince-Héritier. Sur ce que l'on appelle ici l'autoroute. S'y rendre en petit taxi. Des lectrices se sont plaintes de la propreté.

■ *Hammam, Mounia bains maures* (plan C1, *11*) : rue Oum-Errabii (elle commence avec l'*Hôtel du Grand Large*). ☎ 067-64-64-78 (portable). Ouvert de 12 h 30 à 18 h 30 pour les femmes, de 18 h 30 à 22 h 30 pour les hommes. Nouvelle réalisation, beaucoup plus luxueuse que le hammam traditionnel. Au rez-de-chaussée, les bains sont chauffés au gaz pour supprimer les fumées. Au 1er étage, salle de détente où l'on peut se res-taurer avec des salades et des petits plats. Le prix (50 Dh, soit 5 €) comprend savon, serviette et gommage. Propreté irréprochable.

■ *Thalassa Sofitel Mogador* (plan C3, *53*) : bd Mohammed-V. ☎ 044-47-90-00. Fax : 044-47-90-30. ● www.thalassa.com ● Les soins (quatre par jour) sont accessibles aux non-résidents de l'hôtel, à la journée (800 Dh, soit 80 €) ou au forfait (4 200 Dh pour 6 jours, soit 420 €). Hammam (100 Dh, soit 10 €). Hydrothérapie, douche sous-marine ou à affusion, bain hydromassant, massage, aquagym... Conseillé de réserver assez longtemps à l'avance.

Divers

■ *Coiffeur pour hommes* (plan B2) : dans la même rue que *Chez Driss* (plan B2, *74* ; voir plus loin « Où manger une pâtisserie ? »), juste dans l'axe de la rue Sidi-Mohammed-ben-Abdallah. Très propre. Ses instruments sont désinfectés après chaque coupe. Bon accueil. Autre adresse recommandable, dans la rue Sidi-Mohammed-ben-Abdallah (la deuxième boutique avant le magasin *Bata*). Il affiche « Haute Coiffure ». Là aussi, les instruments sont désinfectés et la propreté est irréprochable. Accueil tout aussi agréable.

■ *Tailleur* (plan B2) : pl. de l'Horloge, en face de la pharmacie. La porte est discrète et l'échoppe microscopique. Mais le tailleur a beaucoup de talent. Il peut réaliser des vêtements pour homme sur mesure en 48 h. Il a un stock de tissus, mais on peut aussi apporter celui de son choix.

■ *Vente d'alcool* (plan D1, 9) : dans une *épicerie* du bd Moulay-Youssef ; également en retrait du bd Mohammed-V, à la hauteur de la station-service *Mobil*, ainsi que bd El-Massira-al-Khadra. Boutiques ouvertes de 10 h à 19 h. Fermeture le vendredi.

■ *Épicerie* (plan B2) : au début de la rue Sidi-Mohammed-ben-Abdallah, sur la gauche. Très centrale, on y trouve un grand choix avant d'aller se rendre dans les souks. Ouvert très tard le soir.

■ *Alimentation générale*
– 17, av. de l'Istiqlal (plan C2). ☎ 044-47-67-52. On y trouve ce qui manque à Essaouira, du pâté (en boîte), des sauces pour les pâtes, de la moutarde et de la mayonnaise. Prix équilibrés et dates de péremption à jour. Rare au Maroc.

– *FATH*, supermarché *BORJ* (derrière la *Villa Quieta* ; *hors plan par D3*), en bordure de l'autoroute. Il y a tout, du camembert aux raviolis pur porc en passant par le cassoulet.

■ *Laverie-pressing* (plan B2) : à l'angle des rues Derb-Laalouj et Sidi-Mohammed-ben-Abdallah. On peut y donner son linge à laver et/ou à repasser. Travail de qualité, rapide et à prix doux. Ils s'occupent également des travaux de couture, ourlets, accrocs, etc. Autrement, *Lavomatic* avec 5 machines dernier cri au 13, rue des Artistes.

■ *Agences immobilières* : depuis quelques années, les agences immobilières se sont multipliées. Elles offrent à la vente des maisons dont les prix ont plus que doublé en peu de temps. La plus grande prudence s'impose avant de prendre une décision. Ces agences proposent aussi en location des maisons souvent achetées et rénovées par des Européens, mais le prix de la commission est la plupart du temps très élevé.

Où dormir ?

Gros problèmes d'hébergement pendant la saison d'été et le week-end, malgré le nombre d'hôtels qui se sont ouverts ces dernières années. Le succès d'Essaouira est tel que la demande est toujours supérieure à l'offre en saison. Du coup, les prix s'envolent... Le syndicat d'initiative affiche une liste de tous les hébergements. Attention à certains petits établissements très mal entretenus. Nous les avons bien sûr éliminés de notre sélection. En saison, il faudra se loger chez l'habitant si tout est complet. Ceux qui souhaitent rester quelques jours auront intérêt à louer un petit appartement. C'est, à notre avis, la meilleure formule. Se méfier toutefois des propositions alléchantes des rabatteurs sévissant sur les parkings.

Camping

⚐ *Camping Sidi Mogdul* : à 2 km sur la route d'Agadir. ☎ 044-47-21-96. Compter environ 50 Dh (5 €) pour deux avec voiture et tente. Entouré de hauts murs, il est bien protégé du vent et bien gardé. Mais peu d'ombre. L'accueil est sympa.

Très bon marché

🛏 *Résidence Essaouira* (plan D3, 20) : av. Al-Mouqawama, BP 226. ☎ 065-10-97-62 (portable). Compter 50 Dh (5 €) par personne. Situé 250 m avant l'église et l'hôtel *Sofitel*

quand on se dirige vers la ville. C'est un genre d'AJ horizontale offrant une dizaine de chambres proprettes à 3 ou 4 lits. Devant, un petit jardin-terrasse avec quelques chaises pour regarder passer les nuages le soir. Cafétéria où l'on prend son petit déjeuner et ses repas pour pas cher. Bon accueil.

🛏 *Hôtel Central (plan C1, 21)* : 5, rue Dar-Dheb, dans une petite impasse donnant dans la rue Sidi-Mohammed-ben-Abdellah. Compter 40 Dh (4 €) par personne. Certes, la literie est loin d'être douillette et la plomberie laisse bien à désirer. Cependant, le grand figuier qui trône au milieu du patio aux arches de pierre centenaires et le plus bas prix d'Essaouira en font le lieu de rendez-vous des routards désargentés du monde entier.

🛏 *Hôtel Agadir (plan C2, 22)* : 4, av. de l'Istiqlal. ☎ 044-47-51-26. Compter environ 50 Dh (5 €) par personne. Chambres grandes mais très simples, et dont le mobilier ne trouverait même pas acquéreur sur le trottoir d'une brocante. Deux douches seulement pour les 16 chambres. L'eau chaude vous coûtera 5 Dh (0,50 €). Muezzin à côté. À ce prix-là, il ne faut pas trop en demander. Accueil pas trop sympa.

Bon marché

🛏 *Hôtel Pension Smara (plan B1, 23)* : 26, rue de la Sqala. ☎ 044-47-56-55. Dans la vieille ville, le long des remparts. Prévoir de 94 à 124 Dh (9,4 à 12,4 €) pour deux. Tout de blanc repeint. 17 chambres, dont trois (les nᵒˢ 8, 9 et 10) donnent sur la mer et les remparts. Les chambres nᵒˢ 18 et 19, au dernier étage, disposent d'une terrasse avec une jolie vue. Évitez celles donnant sur la salle intérieure : elles n'ont pas de fenêtre et sont très humides. Sanitaires carrelés.

🛏 *Hôtel Majestic (plan B1, 24)* : 40, rue Laalouj. ☎ 044-47-49-09. Face au musée. Chambres doubles avec lavabo de 130 à 250 Dh (13 à 25 €), mais les prix varient selon la tête du client. Les 19 chambres sont réparties sur 3 étages. Certaines (comme la nᵒ 1) sont insalubres et à éviter. Il n'y a que 2 douches pour tout l'hôtel. Belle terrasse. Réception assez nulle (on joue aux cartes, le client n'existe pas !). Ce fut le siège du tribunal français de Mogador, inauguré en 1914, comme l'indique la plaque sur le côté gauche de la porte d'entrée.

🛏 *Hôtel des Remparts (plan B2, 25)* : 18, rue Ibn-Rochd. ☎ 044-47-51-10. Compter de 80 à 100 Dh (8 à 10 €). Hôtel quasi à l'abandon depuis de nombreuses années. Il faudrait que tout soit complet à 20 km à la ronde pour que nos lecteurs les plus fauchés consentent à y dormir !

Prix moyens

🛏 *Hôtel Tafraout (plan B2, 26)* : 7, rue de Marrakech. Dans la médina, juste derrière le rempart. Compter de 150 à 250 Dh (15 à 25 €). 27 chambres, dont 12 avec douche ; les autres avec lavabo et bidet. L'hôtel a subi un lifting complet, du mobilier en passant par les peintures et la plomberie. Depuis, l'atmosphère est devenue quelque peu monacale. Préférer les chambres ouvrant sur l'extérieur, plus sympathiques. Propreté et accueil irréprochables.

🛏 *Chez Brahim (Maison d'hôte ; plan D2, 27)* : 41, rue El-Morabitine. ☎ et fax : 044-47-25-99 ou ☎ 066-93-29-37 (portable). Compter de 150 à 220 Dh (15 à 22 €). Repas sur demande avec, entre autres, un couscous réputé à 45 Dh (4,50 €). Un hôtel modeste mais propre, de 11 chambres réparties sur trois niveaux avec une salle de bains par étage. Deux chambres donnent sur une petite rue calme, les autres ouvrent sur la cour intérieure. Les plus chères possèdent leur propre salle de bains. En principe, bientôt six nouvelles chambres avec douche. La gentillesse de Brahim, le propriétaire, et la bonne tenue de l'établissement vous feront vite oublier le manque de charme de l'ensemble. Mieux vaut réserver car l'adresse commence à être connue.

🛏 *Hôtel Souiri (plan B2, 28)* : 37, rue El-Attarine. ☎ et fax : 044-47-53-39. Chambres doubles de 150 à

250 Dh (15 à 25 €), avec ou sans salle de bains. Appartements à 600 Dh (60 €) ; tous ces prix comprennent le petit déjeuner. L'ensemble est bien tenu (murs roses, mobilier en bois blanc, salles de bains carrelées). Excellent accueil de Soufiane.

🛏 *Hôtel El Dar Qdima, L'ancienne Maison (plan C2, 29)* : 4, rue Malek-ben-Ramal. ☎ 044-47-38-58. Fax : 044-47-41-54. Réservation indispensable. Chambres doubles de 300 à 450 Dh (30 à 45 €) sans le petit déjeuner ; 2 chambres simples à 250 Dh (25 €). Un bel hôtel de 15 chambres dans une maison souririe de caractère. Confort et bon goût s'harmonisent parfaitement. Toutes les chambres, de bonne taille, possèdent une agréable salle de bains, et certaines ont un petit salon. Superbes portes et boiseries peintes, mobilier original et couleurs contrastées. Terrasse panoramique.

🛏 *Hôtel Riad Nakhla (plan C2, 30)* : 2, rue d'Agadir. ☎ et fax : 044-47-49-40. ● riad-nakhla@essaouira net.com ● Doubles à 300 Dh (30 €). *Riad* classique avec patio sur colonnes de pierre. Les deux chambres sur patio au rez-de-chaussée nous ont semblé un peu trop sombres. Choisissez plutôt celles à l'étage, plus claires. Terrasse agréable.

🛏 *Hôtel Cap Sim (plan B2, 31)* : 11, rue Ibn-Rochd. ☎ et fax : 044-78-58-34. Même direction que l'hôtel *Souiri*. Chambres doubles de 160 à 260 Dh (16 à 26 €), petit dej' compris. Les chambres, correctes (avec ou sans salle de bains), sont réparties autour d'un patio qui fait un peu caisse de résonance. Salle avec TV. Rénové et assez clair. Cartes de paiement acceptées.

🛏 *Le Poisson Volant (plan C1, 32)* : 34, rue Labbana. ☎ 044-47-21-50. Fax : 044-47-21-52. Compter entre 200 et 300 Dh (20 et 30 €) pour une chambre double. Un véliplanchiste français, Jérôme, a transformé une belle maison traditionnelle au cœur de la médina. Il propose 8 chambres de style bizarre, mélange de styles hippie et Art déco (céramiques, meubles peints). Certaines ont des tableaux intéressants

aux murs. Salle de bains à partager pour deux chambres. Au premier, on aime bien une des moins chères, vraiment claire et spacieuse. Le soir, sur commande, couscous ou tajine servis dans un des petits salons du rez-de-chaussée. Possibilité aussi d'y regarder une vidéo ou de jouer au baby-foot. On a apprécié cette adresse décontractée et calme, qui pourrait cependant être mieux entretenue. Parking gardé à proximité.

🛏 *Hôtel Beau Rivage (plan B2, 33)* : pl. Moulay-el-Hassan. ☎ 044-47-59-25. Chambres doubles de 130 à 230 Dh (13 à 23 €). Moins cher en basse saison. Une des adresses les plus centrales (et pour cause !). Plusieurs catégories de chambres, certaines avec salle de bains. Celles donnant sur la place sont bruyantes, mais quel spectacle ! On se croirait au théâtre. Dans l'ensemble correct, mais sans plus ! Accueil indifférent.

🛏 *Hôtel El Andalous (hors plan par D1)* : El Minzeh Borj 3, n° 47. ☎ et fax : 044-47-29-51. Compter 250 Dh (25 €) pour une chambre double. Petit déjeuner en sus. Un hôtel bien pratique lorsque l'on arrive un peu tard. Il n'est qu'à 2 mn de la gare routière. À l'intérieur, assez impressionnant, tout est carrelé dans toutes les nuances de bleu. Plafonds en plâtre sculpté. 20 chambres un peu petites mais fonctionnelles et d'une propreté irréprochable. Salles de bains avec serviettes et savon. Accueil charmant et dirigé comme des pros.

🛏 *Résidence Vent des Dunes (hors plan par D3)* : villa n° 20, quartier des Dunes, à proximité de la *Villa Quieta* et de l'hôtel *Al Jasira*, dans un quartier très calme. ☎ et fax : 044-47-53-91. ● ventdesdunes @essaouiranet.com ● Parking. Compter 320 Dh (32 €) la double en haute saison. 14 chambres, dont 6 avec salle de bains individuelle ; petit déjeuner à 35 Dh (3,5 €). TV satellite dans toutes les chambres. Propre, mais ni charme ni caractère particuliers. Petit déjeuner servi sous une tente berbère ou sur la terrasse. En face, la *Villa Sarah*, appartenant au même propriétaire, offre 11 grands studios. Compter 600 Dh (60 €) en haute saison ; tarif dégressif selon la durée du séjour. Différemment aménagés (certains avec mezzanine), tous équipés d'une petite cuisine ; deux bénéficient d'une grande terrasse. Si besoin, voiture de service avec chauffeur à disposition.

🛏 **Résidence Océan Vague Bleue** (hors plan par D3) : 67, av. Moulay-Alt-Ghrif, à deux pas du Vent des Dunes. ☎ 044-47-23-24. Fax : 044-47-64-19. ● www.essaouiranet.com/vague-ocean-bleu ● Doubles à 260 Dh (26 €). Petit déjeuner en sus. Même genre que la Résidence Vent des Dunes, mais un poil mieux. Grosse demeure particulière offrant là aussi 11 chambres agréables et spacieuses (salle de bains carrelée). Fort bien tenu. Demander celle sur la terrasse avec vue. Accueil sympa. Possibilité de dîner.

🛏 **Hôtel Shehrazad** (plan B2, 34) : 1, rue Youssef-Fassi. ☎ 044-47-29-77. Fax : 044-47-64-36. Compter 210 Dh (21 €) la double. Sur les 11 grandes chambres, très hautes de plafond, 8 bénéficient d'une salle de bains privée. Cet établissement vieillot, qui a pour lui une situation privilégiée à quelques mètres du syndicat d'initiative (ce qui explique pourquoi il est souvent complet), pourrait être mieux aménagé. Restaurant au rez-de-chaussée.

🛏 **Les Matins Bleus** (plan B2) : 22, rue du Drâa, derrière l'hôtel Souiri. ☎ 044-78-53-63 ou 066-30-88-99

Chic

🛏 **Hôtel du Grand Large** (plan C1, 37) : 2, rue Oum-Errabii. ☎ 044-47-28-66 ou 062-73-16-40 (portable). Fax : 044-47-30-61. ● www.essaouiranet.com/legrandlarge ● Plusieurs catégories de chambres, toutes avec salle de bains, de 300 à 450 Dh (30 à 45 €), petit déjeuner compris. Les 10 chambres ont été aménagées avec beaucoup de goût sur les trois étages de cette vénérable demeure souirie. Bon rapport qualité-prix. De plus, réduction de 10 % aux lecteurs présentant le GDR.

🛏 **Hôtel Émeraude** (plan D2, 38) : 228, rue Chbanate. ☎ et fax : 044-

(portable). Compter à partir de 250 Dh (25 €). Au cœur de la médina, cette demeure du XVIIIe siècle, entièrement rénovée, a su garder charme et authenticité. Elle offre, autour de son patio, 2 suites et 6 chambres doubles dont 4 en terrasse. Plusieurs salons et une belle terrasse aménagée agrémenteront votre séjour dans cette maison d'hôte offrant le service d'un hôtel.

🛏 **Hôtel Sidi Magdoul** (plan C2, 35) : 21, rue Sidi-Abdesmih. ☎ et fax : 044-47-48-47. ● magdoul@iam.net.ma ● Doubles à 360 Dh (36 €), petit déjeuner compris. Nouvel hôtel offrant 8 chambres s'ordonnant sur deux étages autour du patio. Sans caractère particulier, mais très propre. Au premier étage, joli plafond à poutres bleues. Salles de bains carrelées.

🛏 **Hôtel Sahara** (plan B2, 36) : av. Oqba-ben-Nafil. ☎ 044-47-52-92. Fax : 044-47-61-98. À l'entrée de la vieille ville. Chambres doubles de 200 à 290 Dh (20 à 29 €) sans le petit déjeuner ; également une dizaine de chambres avec salle d'eau commune, moins chères. Sans aucun charme, accueil et atmosphère particulièrement impersonnels. La plupart des chambres donnent sur un patio central et sont, de ce fait, assez bruyantes, surtout qu'elles sont souvent occupées par des groupes. Les autres ont vue sur les remparts. À garder exclusivement comme recours si tout est plein ailleurs.

47-34-94. ● www.essaouirahotel.com ● Après la petite porte de Bâb Marrakech (et son grand parking gardé), dans une ruelle à gauche. Compter 350 Dh (35 €) la double, petit déjeuner compris. Petit hôtel de 12 chambres astucieusement aménagées et réparties sur trois étages autour de la cour-patio d'un dar du XVIIIe siècle. Chambres assez petites, mais la literie est très confortable et la propreté irréprochable. Terrasse avec chaises longues et canapés en osier pour se prélasser au soleil, ou petit salon aux arches de pierre au rez-de-chaussée. Copieux petit déjeuner.

Repas sur commande (un plat à 60 Dh, soit 6 €, ou repas complet à 100 Dh, soit 10 €). Réduction de 10 % pour nos lecteurs sur présentation du *GDR*.

🛏 ***Dar el Baraka*** *(plan C2) :* 12, rue Chefchaouen, derb Agadir. ☎ 044-47-56-82 ou 062-83-50-70 (portable). ● dar_el_baraka@hotmail.com ● Prévoir environ 300 Dh (30 €) pour deux et entre 300 et 800 Dh (30 à 80 €) l'appartement selon la saison et le nombre de personnes. Petit dej' à 25 Dh (2,50 €). C'est une belle maison située au fond d'une impasse qui donne sur la rue d'Agadir, au cœur de la médina. Tenue par une Française et trois Marocains. Au rez-de-chaussée des chambres avec cuisine et salle de bains commune, deux appartements pouvant accueillir jusqu'à 7 personnes et une belle terrasse avec vue sur la mer. Propreté irréprochable. Possibilité de prendre le petit déjeuner et de déguster les fameuses *msemen*, crêpes locales, faites par Aïcha. Repas sur commande. Accueil très chaleureux.

🛏 ***Dar Adul*** *(plan B1, 39) :* 63, rue Touahen. ☎ et fax : 044-47-39-10. ● dar-riad@bigfoot.com ● Dans l'avant-dernière ruelle à droite au bout de la rue Laalouj. À partir de 550 Dh (55 €) pour deux, petit déjeuner compris (les moins chères, un poil étroites). Une belle rénovation pour cette ancienne demeure de notaire qui tombait en ruine. Bien située, tout près des remparts de la Sqala, elle offre des chambres très confortables, toutes avec salle de bains et certaines avec cheminée. Le patio, orné d'une belle fontaine et inondé de fleurs, peut se fermer le soir pour les frileux. Brigitte, la propriétaire, également décoratrice, a su apporter une touche supplémentaire grâce aux meubles chinés chez les antiquaires. Vaste terrasse avec vue sur la mer. Restauration et demi-pension sur demande. Comme toujours, possibilité de louer toute la maison, maximum 10 personnes. Le transfert peut être assuré depuis Marrakech. Accueil absolument charmant de Latifa. Une adresse séduisante à tous points de vue.

🛏 ***Résidence Hôtel Al Arboussas*** *(plan B1, 40) :* 24, rue Laalouj. ☎ 044-47-26-10. Fax : 044-47-26-13. ● arboussas@essaouira.com ● Compter 400 et 550 Dh (40 et 55 €) pour une double (petit déjeuner compris). Dans une ruelle au calme, en face du musée. Hôtel de 9 chambres toutes équipées d'une salle de bains, dont deux avec une petite fenêtre en hauteur. Agréable lieu aux couleurs vives (tonalités jaunes et bleues) et décoré avec goût mais sans excès. Belles photos noir et blanc aux murs. Certaines chambres cependant sont un peu étroites, les visiter avant de choisir. La n° 5 est particulièrement sympathique, ainsi que la n° 9 sur la terrasse. Accueil chaleureux et un de nos meilleurs rapports qualité-prix. Réduction accordée à nos lecteurs sur présentation du *GDR*.

🛏 ***Riad Al Zahia*** *(plan B1, 41) :* 4, rue Mohammed-Diouri. ☎ 044-47-35-81. Fax : 044-47-61-07. ● zahia1 @iam.net.ma ● Compter 650 Dh (65 €) la chambre double avec le petit déjeuner. Cette belle maison d'hôte, décorée avec goût et parfaitement entretenue par leurs propriétaires, Pascale et Alain, comprend 6 chambres et 2 suites, toutes différentes, portant des noms de princesses des *Mille et Une Nuits.* On y trouve tous les éléments de confort (belles salles de bains avec chauffage) et les éléments familiers qui confèrent à chacune un cachet personnel. Petits salons douillets, dont un avec une belle cheminée, qui s'organisent autour du patio central et de sa fontaine. Une belle terrasse aménagée sur le toit domine la mer et la médina. Une excellente adresse de charme, dans une maison souirie repensée pour être confortable et accueillante. *Al Zahia* signifie d'ailleurs « joie de vivre ». Excellent petit déjeuner. Un de nos grands coups de cœur, c'est dit ! N'accepte pas les cartes de paiement.

🛏 ***Riad Malaïka*** *(plan B1, 42) :* rue Zayan. ☎ et fax : 044-47-38-61. Compter de 500 à 800 Dh (50 à 80 €) pour une chambre double, 1 000 Dh (100 €) pour la suite. Très agréable maison d'hôte décorée avec goût, composée de 9 chambres toutes différentes (les moins chères sont classiques et assez petites). C'est tout blanc, bien lumineux, avec un patio sur quatre fines colonnes de pierre. Fontaine qui glougloute. À chaque étage, salon de détente. Belle suite, véritable appartement avec salon, coin cuisine et terrasse aménagée. Encore une excellente adresse de charme.

≜ *Dar Loulema (plan B2, 43)* : 2, rue Souss. ☎ 044-47-53-46 ou 061-24-76-61 (portable). ● rlami@iam. net.ma ● Dans la médina, face au port, à deux pas de la grand-place ; juste à côté du *Café Taros.* Compter 850 Dh (85 €) pour une chambre. Belle et lumineuse demeure, avec 6 chambres personnalisées et décorées avec goût suivant des thèmes orientaux (ah, la « Mogador » toute bleue et la « Marrakech » ocre-rouge...), disposées harmonieusement autour du patio central fleuri, où murmure la fontaine. Le patron a mis un point d'honneur à n'utiliser que des matériaux et artisans locaux. Adorable salon marocain. Superbe terrasse avec la plus belle vue qui soit sur le port.

≜ *Hôtel Tafoukt (plan D3, 44)* : 58, bd Mohammed-V. ☎ 044-78-45-04 et 044-47-25-05. Fax : 044-78-45-05. ● h.tafoukt.essa@wanadoo.net. ma ● À 15 mn de marche de la vieille ville. À partir de 550 Dh (55 €) la demi-pension (obligatoire en haute saison) pour deux. 390 Dh (39 €) la chambre (mais 150 Dh, soit 15 €, en plus pour la vue). Petit déjeuner compris. En demander une ouvrant sur la plage, pour profiter du coucher de soleil sur l'île de Mogador ; les autres donnent sur un terrain vague. Les chambres sont un peu petites, mais les sanitaires carrelés sont propres et en bon état. Bon accueil. Restaurant correct, mais dommage qu'ils imposent la demi-pension pour rentabiliser leur cuisine. Il est plus agréable de dîner à l'extérieur. Une adresse ne possédant pas un immense intérêt (à part celui d'être face à la plage), chic plus par ses prix que par son cadre.

≜ *Casa Lila (plan C2, 45)* : 94, rue Mohamed-el-Gorry, Bâb Marrakech.

☎ et fax : 044-47-55-45 ou ☎ 061-10-88-49 (portable). ● casalila@cara mail.com ● Doubles à 630 Dh (63 €) et mini-suites à 830 Dh (83 €). Petit déjeuner à 60 Dh (6 €) Tout nouveau, très central, un mignon petit *riad* transformé en maison d'hôte, qui donne sur l'une des ruelles les plus pittoresques et animées de la ville. Les proprios ont conservé un maximum du charme du passé : céramiques anciennes, plafonds en treillis de bois, etc. Teintes pimpantes, festival de mauves, violets, lilas (bien sûr) pour la touche contemporaine... Salles de bains en *tadelakt*, cheminées qui fonctionnent dans chaque chambre, etc. Attention particulière apportée au confort (draps brodés, couettes en lin). De la terrasse, belle vue sur la médina et petite « tour » abritant une chambre pour les amoureux. Solarium. Au rez-de-chaussée, un sympatique salon de thé-galerie.

≜ *Riad Marosko (plan C2, 46)* : 66, rue d'Agadir, au fond d'une impasse. ☎ 044-47-54-09. ● www. essaouira.com/riadmarosko ● Doubles à 500 Dh (50 €). Pour ceux et celles en voyage de noces, la n° 4 en suite pour 600 Dh (60 €). Petit *riad* bien caché dans un quartier populaire intéressant, loin des fracas touristiques et en même temps guère éloigné de l'animation urbaine. Un certain charme, chaque étage possédant sa couleur (jaune au rez-de-chaussée, puis fauve, bleu et rouge pour la terrasse). Certains éléments du passé ont été conservés. Beau *salon gnaoua* décoré d'instruments de musique. Bon accueil.

≜ *Casa del Mar (plan C1, 47)* : 35, rue d'Oujda. ☎ et fax : 044-47-50-91 ou ☎ 068-94-38-39 (portable). ● laca sa-delmar.com ● Compter 600 Dh (60 €) la double avec le petit déjeuner. Belle maison tenue par un jeune couple espagnol parlant plusieurs langues. Cette *casa*, décorée dans le style méditerranéen, offre 4 chambres confortables avec leur propre salon et leur salle de bains bien équipée. Deux chambres possèdent même une cheminée. Grande terrasse avec vue sur la mer. Bon, bien dans l'ensemble, mais prix un poil surestimé quand même pour ce qui est proposé. Cuisine méditerranéenne servie au rez-de-chaussée ou sur la terrasse. Possibilité de louer la maison.

Très chic

🛏 ***Villa Quieta*** *(hors plan par D3) :* 86, bd Mohammed-V. ☎ 044-78-50-04 et 05. Fax : 044-78-50-06. ● www.villa-quieta.com ● À 50 m de la plage et à 10 mn de la vieille ville. Parking gardé. Compter 480 Dh (48 €) par personne en chambre double avec vue sur jardin, 590 et 640 Dh (59 et 64 €) avec vue sur mer ; suites à 1 280 Dh (128 €) ; également 3 chambres dans le jardin, à partir de 400 Dh (40 €), à réserver longtemps à l'avance ; petit déjeuner à 65 Dh (6,5 €). Cette grande maison privée, appartenant à un notable, a été transformée en hôtel. Les 14 grandes chambres, dont deux suites et un appartement, sont toutes décorées différemment et dotées de belles salles de bains carrelées. Le comble du raffinement est de prendre son petit déjeuner dans le grand salon marocain de 400 m². Mais rassurez-vous, il y a aussi d'autres petits salons plus intimes avec des coins cheminée et une terrasse donnant sur le jardin fleuri pour observer les couchers de soleil. Petit déjeuner très copieux. Excellent service et accueil chaleureux des propriétaires, Imane et Mourad, qui n'ont d'autre souci que votre tranquillité. Ici, tout est fait pour que vous vous sentiez comme chez vous. Possibilité de dîner sur place en réservant la veille. Une de nos meilleures adresses dans cette catégorie. 10 % de remise accordés à nos lecteurs sur présentation du *GDR*.

🛏 ***Maison du Sud*** *(plan B2, 48) :* 29, rue Sidi-Mohammed-ben-Abdallah. ☎ 044-47-41-41. Fax : 044-47-68-83. ● maisondusud@iam.net.ma ● Compter 620 Dh (62 €) pour une chambre double. Cette résidence-hôtel de 14 chambres, dont 11 en duplex, a été récemment créée dans une ancienne maison souirie coincée entre deux boutiques. La rénovation, faite avec de beaux matériaux, est particulièrement réussie. Les salles de bains sont petites mais décorées de jolies céramiques. Belle terrasse aménagée avec mobilier de jardin en teck. Personnel attentionné. Dîner servi sur réservation dans un agréable salon.

🛏 ***Al-Jasira Hôtel*** *(hors plan par D3) :* 18, rue Moulay-Ali-Chrif, BP 1026. ☎ 044-78-44-03 et 044-47-59-56. Fax : 044-47-60-74 et 044-47-65-93. ● aljasira@iam.net.ma ● Dans le quartier des Dunes, à 80 m de la plage. Parking gardé. Compter de 440 à 760 Dh (44 à 76 €) selon la saison, petit déjeuner compris. Smail Diki propose 32 chambres confortables et bien décorées réparties dans deux bâtiments, ainsi que 7 mini-suites. Jardin avec piscine. Accueil chaleureux du personnel qui est à la disposition des hôtes 24 h/24. Cuisine marocaine au restaurant. Pas d'alcool. Terrasse café-snack. Voiture avec chauffeur à disposition. Cartes de paiement acceptées, sauf *American Express*.

🛏 ***Riad Gyvo*** *(plan B2, 49) :* 3, rue Mohammed-ben-Messaoud. ☎ et fax : 044-47-51-02 ou ☎ 061-68-61-56 (portable). ● www.riadgyvo. com ● Parking à proximité. Compter de 600 à 800 Dh (60 à 80 €) pour un studio ou un appartement ; petit déjeuner à 60 Dh (6 €). Cette ancienne demeure souirie, adossée à la muraille, a été transformée en une oasis de quiétude à deux pas de la médina et du port. Ce *riad* comprend 3 studios, 2 appartements et une garçonnière (pour les âmes romantiques) en terrasse au dernier étage. La plupart sont équipés d'une kitchenette. Superbe terrasse avec vue imprenable sur la baie d'Essaouira. Service attentionné et propreté exemplaire.

🛏 ***Hôtel Riad Al Madina*** *(plan B2, 50) :* 9, rue El-Attarine. ☎ 044-47-57-27 et 044-47-59-07. Fax : 044-47-66-95. ● riadalma@iam.net.ma ● Compter 670 Dh (67 €) pour une chambre double standard, 870 Dh (87 €) pour une suite, petit déjeuner compris. L'architecture de ce *riad* construit en 1871 est particulièrement réussie, principalement le patio. Les chambres standard au dernier étage n'ouvrent que sur le grand patio. Elles sont très ordinaires, assez sombres et humides... Elles n'en sont cependant pas moins chères pour autant, ce qui en fait, dans cette catégorie, le plus mauvais rapport qualité-prix de la ville ! Sur le petit patio (avec la balustrade bleue), chambres plus acceptables, mais prix encore trop surestimés par rapport à certains *riad*. Accueil limite (bon, tout peut plaire !).

🏠 *Hôtel Palazzo Desdemona (plan B2, 51)* : av. Oqba-ben-Nafi (Youssef-el-Fassi). ☎ 044-47-22-27. Fax-répondeur : 044-78-57-35. Compter de 700 Dh (70 €), petit dej' compris, à 900 Dh (90 €) pour la suite la plus chère. Établissement dont les 10 chambres, toutes différentes, sont bien décorées. Deux chambres sont éclairées seulement par un puits de lumière. Les suites possèdent un lit à baldaquin et une cheminée. Au rez-de-chaussée, hall spacieux et confortable avec d'élégantes arches de pierre et un beau plafond traditionnel. Même direction que l'*Auberge de Tangaro*. Malgré son appellation, cet établissement tient plus de la maison d'hôte que de l'hôtel.

🏠 *Villa Maroc (plan B2, 52)* : 10, rue Abdellah-ben-Yassin. ☎ 044-47-61-47. Fax : 044-47-58-06. ● www.villa-maroc.com ● Dans une ruelle longeant les remparts, juste derrière la tour de l'Horloge. Compter 670 Dh (67 €) pour une chambre double et de 1 100 à 1 320 Dh (110 à 132 €) pour une suite ou un appartement pour 4 personnes, petit déjeuner compris. Le dîner est à 160 Dh (16 €). Un décorateur anglais a réhabilité avec talent ces deux maisons du XVIIIe siècle (il paraîtrait que l'une d'elles était une maison de plaisir). Les 6 chambres et 6 suites, d'un confort très inégal, ouvrent sur un beau patio intérieur. Demander une chambre sur le toit. Des terrasses, vue exceptionnelle sur la mer. En saison fraîche, évitez les chambres du rez-de-chaussée. Struc-

ture de pierre apparente, murs blanchis à la chaux et boiseries bleues se marient à la perfection. Ensemble de meubles anciens dans les trois salons agrémentés de cheminées. Les repas, à commander à l'avance, vous sont servis dans celui de votre choix. Réservation indispensable.

🏠 *Hôtel Ryad Mogador (hors plan par D3)* : route de Marrakech, BP 368. ☎ 044-78-35-55. Fax : 044-78-35-56. Compter 800 Dh (80 €) la chambre double sans le petit déjeuner. 137 chambres et 16 suites climatisées, réparties dans plusieurs résidences autour d'un grand jardin. Petit déjeuner-buffet. Piscine, hammam et salle de remise en forme. Hall et salle à manger surdimensionnés et décor particulièrement tape-à-l'oeil. Plage à proximité. Tout serait parfait si les rares clients de cet établissement classé 4 étoiles n'étaient privés d'alcool. On croit rêver ! En outre, pourtant ouvert depuis peu, on a noté que les murs se fissuraient et que la peinture extérieure se craquelait déjà sur les bâtiments des chambres (qui restent cependant très confortables). Un gros effort serait également à faire du côté de l'accueil.

🏠 *Hôtel Sofitel Mogador (plan C3, 53)* : bd Mohammed-V. ☎ 044-47-90-00. Fax : 044-47-90-30. Réservations : ☎ 044-47-90-90. Compter 1 400 Dh (140 €) pour une double. Le tout dernier-né et le plus confortable des hôtels d'Essaouira. C'est d'ailleurs le seul établissement de classe internationale. Ses 117 chambres (dont 8 suites) peuvent satisfaire les plus exigeants (AC, ligne téléphonique directe, minibar, etc.). Et l'artisanat marocain n'a pas été oublié : on y trouve de beaux meubles en racine de thuya et des zelliges dans les salles de bains. Chaque chambre possède un balcon sur la mer ou sur la piscine. L'établissement propose deux restaurants, un bar, une piscine d'eau douce avec solarium, une plage privée, un hammam, une salle de gymnastique, une boutique et surtout un institut de thalassothérapie avec tous les soins traditionnels. Excellent service. Très bonne table. L'archi-

ESSAOUIRA

🛏 **Les Terrasses d'Essaouira** (plan B1, **41**) : 4, rue Mohammed-Douiri. ☎ 044-47-51-14. Fax : 044-47-51-23. ● www.les-terrasses-essaouira.com ● Compter 1 320 Dh (132 €) pour chaque suite. Intéressant forfait week-end. Une Française, native de Saint-Malo, a eu un coup de foudre pour ce *riad* en ruine situé dans la rue de l'ancienne ambassade de France. Elle a engagé des travaux considérables pour le sauver et en faire un établissement de charme. Les 15 suites comprenant chambre, salon avec cheminée, salle de bains et w.-c. indépendants, réparties sur trois étages, bénéficient de tout le confort (lit de 160, téléphone, mini-bar, TV satellite) d'un 4 étoiles. Trois suites à deux lits. Elles sont toutes dans des teintes pastel ou acidulées qui contrastent avec les zelliges. On n'a pas craint de mélanger les styles pour créer un univers raffiné où aucun détail n'a été laissé au hasard. Deux salons avec bibliothèque et cheminée ouvrent sur le patio du rez-de-chaussée, et la terrasse bénéficie d'un espace relaxation et bronzage avec un coin bar. Massage et balades à cheval. 10 % de réduction sur présentation du *Guide du routard*.

Location d'appartements

Si vous voyagez à plusieurs ou si vous décidez de rester quelques jours à Essaouira, cette formule est intéressante financièrement et beaucoup plus agréable. Une occasion de vivre comme des Souiris et d'avoir sa propre maison dans le labyrinthe des ruelles. Plus dépaysant que l'hôtel et plus amusant. Nous vous recommandons des adresses de qualité, pour lesquelles il est impératif de réserver parfois longtemps à l'avance. De nombreux Souiris proposent maintenant des chambres d'hôte ou de petits appartements. Renseignez-vous à l'office du tourisme, mais aussi auprès des commerçants. Les prix varient selon la saison et le confort des appartements.

🛏 **Jack's Appartements** (plan B2, **7**) : pl. Moulay-el-Hassan. ☎ 044-47-55-38. Fax : 044-47-69-01. ● apartments@essaouira.com ● Compter de 300 à 1 000 Dh (30 à 100 €) la nuit ; prix spéciaux en basse saison et pour longs séjours. Avant de faire son choix, il est possible de voir des photos de ces studios à l'accueil de la librairie et sur le site Internet. Grand choix d'appartements très confortables, décorés avec beaucoup de goût et admirablement entretenus. Tous ont vue sur la mer. Le ménage et les lits sont faits chaque jour. Possibilité aussi de se faire livrer de la cuisine marocaine. Incontestablement, cette agence tenue par des professionnels propose le meilleur parc locatif de la station.

🛏 **Riad Es Salam** (plan B2, **54**) : s'adresser au restaurant du même nom, pl. Moulay-el-Hassan. ☎ 044-47-55-48. Fax : 044-47-62-42. Séjour minimum de 2 nuits. Compter 500 Dh (50 €) la nuit ; prix négociable sur de longs séjours et en très basse saison. Demander Mohammed, le patron, propriétaire d'une authentique maison souirie qui abrite 3 appartements très différents, pouvant convenir chacun jusqu'à 4 personnes. Ils sont dotés d'une petite cuisine. Sur demande, une cuisinière pourra même vous dévoiler les secrets des recettes marocaines. Les appartements du 2e et du 3e étage, nettement plus agréables, possèdent chacun une petite terrasse privée. La terrasse commune, sur le toit, domine les remparts. On peut réserver par fax.

🛏 **Maison traditionnelle à louer** (plan B1, **55**) : 10, rue du Yémen, au cœur de la médina. Renseignements et réservations à Paris : ☎ 01-43-

45-46-90. ● www.essaouira.org ● Compter 5 500 Dh (550 €) la semaine jusqu'à 6 personnes, femme de ménage-cuisinière comprise. Au rez-de-chaussée, patio, salle à manger, cuisine et douche. Au 1er étage, sur un puits de lumière, deux chambres. Au 2e, chambre avec très belle vue sur la mer. Au 3e, beau salon, salle à manger avec panorama et terrasse protégée. Au-dessus, autre terrasse dominant toute la ville. Décor et ameublement marocains. Draps et couvertures fournis (électricité en sus). Réduction de 10 % aux lecteurs du *GDR*.

– Voir aussi les agences de location de *riad* que nous vous recommandons à Marrakech dans la rubrique « Où dormir ? » et qui proposent des *riad*, des chambres d'hôte ou des appartements à Essaouira.

🛏 *Abdelfattah Maazouz & Matthieu Schneider (plan B2) :* 8, rue Ibn-Rochd. ☎ et fax : 044-47-23-96 ou ☎ 061-58-19-54 (portable). ● www. essaouiraexperience.com ● Face à l'hôtel *Cap Sim (plan B2, 31).* À partir de 500 Dh (50 €). Location d'appartements bien rénovés et confortables dans la médina, certains avec vue sur la mer. Bon accueil. Prix négociables selon la durée du séjour.

Où dormir dans les environs?

Prix moyens

🛏 *Cap Sim Trekking :* Douar Ghazoua, sur la route d'Agadir. ☎ 062-20-18-98 (portable). Fax : 044-47-43-23. ● www.capessaouira.com ● À 10 km d'Essaouira. À partir du restaurant *km 8,* emprunter une petite piste sur la droite. Prévoir 180 Dh (18 €) pour une chambre double, petit déjeuner compris. Tenu par un couple de Français. 5 chambres simples et propres. Sanitaires communs. Petite piscine et cuisine équipée où l'on peut préparer ses repas moyennant un léger supplément.

🛏 *Dar Kenavo :* à 13 km d'Essaouira. ☎ 061-20-70-69 (portable). ● www.darkenavo.com ● Route d'Agadir, ensuite prendre l'embranchement de Marrakech sur la gauche. Liaisons directes en bus ou grands taxis. Compter de 280 à 300 Dh (28 à 30 €) la double, petit déjeuner berbère ou européen compris. Thérèse et Aziz vous recevront chaleureusement dans leur maison construite en bordure de l'oued. Les chambres sont réparties autour d'un beau patio, véritable cœur de cette maison d'hôte berbéro-bretonne si sympathique. Ils proposent aussi 2 bungalows et une tente caïdale. Une adresse idéale pour découvrir la vie quotidienne et les traditions berbères en parcourant à pied ou à dos de chameau les petits chemins au milieu des arganiers. Pour ceux qui préfèrent se reposer : piscine, sieste dans le jardin, sur la terrasse ou dans le salon avec TV.

🛏 *La Maison du Chameau :* sur la route de Marrakech (km 7), une piste de 2 km conduit à la maison. ☎ 044-78-50-77. Fax : 044-78-59-62. ● www.maisonduchameau. com ● Chambres doubles de 240 à 320 Dh (24 à 32 €) selon la saison, petit déjeuner compris. Repas entre 90 et 110 Dh (9 et 11 €). En fait de maison, il s'agit d'un *douar* de trois fermes avec 4 chambres agréablement restaurées, chacune autour d'un patio. Une salle de bains par maison, deux grandes pièces communes et des jardins au milieu de 4 ha de champs et d'oliviers. Dans un style purement traditionnel et très confortable, voilà un véritable havre de paix. On peut également louer à la chambre ou toute la maison. C'est également le lieu idéal pour l'apprentissage de la conduite du chameau. Cours à l'heure ou à la journée, avec pique-nique et même stage. L'équipe de méharistes est très compétente et vous emmènera visiter des coins insoupçonnés.

Très chic

▣ **Baoussala** (la Boussole) : village d'El-Ghazoua ; à mi-chemin entre Essaouira et Sidi-Kaouki. À 3 km de la route principale. ☎ et fax : 044-47-43-45 ou ☎ 066-30-87-46 (portable). ● www.baoussala.com ● Compter de 500 à 650 Dh (50 à 65 €) pour une chambre double, petit déjeuner compris ; location possible à la semaine. Repas sur commande, à 100 Dh (10 €). Cette maison d'hôte, à l'architecture délicieusement décalée, rappelle un peu les belles demeures en adobe du Nouveau-Mexique (type Taos). Dirigée par un couple de Français, elle se compose de 4 chambres avec cheminée (qui fonctionne), salle de bains et toilettes. Là aussi, cadre de charme. Des teintes pour tous les fantasmes, bleu, fauve... On adore la rouge... Comme le grand salon, elles donnent toutes sur le patio. Le toit-terrasse a été aménagé avec un solarium et un coin-sieste sous une tente berbère. Le jardin de 5 000 m² est clos de murs. Un endroit idéal pour vivre tranquille au rythme des Berbères et se reposer en pleine nature à 3 km seulement, à vol d'oiseau, de l'océan.

▣ **Villa Argana** : village d'El-Ghazoua ; à mi-chemin entre Essaouira (11 km) et Sidi-Kaouki. ☎ 044-47-43-65 ou 061-61-85-32 (portable). ● agrgw@excite.com ● Prendre la petite piste à gauche, à 2,7 km de la route principale. Tajines sur commande. Compter aux alentours de 500 Dh (50 €). Douce folie née de l'imagination de deux artistes anglais. Les 3 chambres troglodytiques sont assez surprenantes. Imaginez une salle de bains où la baignoire fait place à des rochers ; au-dessus, le dôme du plafond est percé de minuscules ouvertures multicolores, il n'y manque que le bruit de la cascade ! Pas d'électricité, ce qui ajoute encore au côté magique. Attention, évidemment cher pour le confort proposé. L'eau peut assez souvent avoir du mal à venir ou à s'écouler... Une adresse plus rustique que chic pour routards bohèmes, on paye avant tout l'originalité du décor.

▣ **Auberge de Tangaro** : quartier Diabat, à 5 km, en direction d'Agadir. ☎ 044-78-47-84. Fax-répondeur : ☎ 044-78-57-35. Tourner immédiatement après le pont ; ensuite, il reste 700 m de route. Pour ceux qui n'ont pas de véhicule, le bus n° 1 part de Bâb es-Sebaa 5 fois par jour ; les grands et petits taxis desservent Tangaro pour 40 Dh (4 €) environ. Ouvert toute l'année. Demi-pension obligatoire : compter de 550 à 1 000 Dh (55 à 100 €) selon la chambre. L'auberge comprend 17 chambres agréables, avec salle de bains et eau chaude (capricieuse parfois dans certaines). Dîner aux chandelles (normal : il n'y a pas d'électricité) dans une grande salle avec cheminée. Alcool servi aux résidents. Malheureusement, quelques gros problèmes d'accueil et de service peuvent intervenir parfois (du fait de l'absentéisme du patron). Lors de notre visite cependant, les chambres étaient propres... et le patron loin. Comme quoi ! Cartes de paiement acceptées.

▣ **Villa Damonte** : village d'El-Ghazoua, au km 8. ☎ 044-47-47-32. Fax : 044-47-61-98. Réservations : ☎ 061-51-45-64 (portable). ● www.net-tensift.com/damonte ● Compter 750 Dh (75 €) pour une double ; réductions possibles. Immense villa coloniale transformée en hôtel et tenu par des Marocains. Composé d'une trentaine de chambres et construit à proximité de la route. Piscine. Accueil sympathique et bon petit déjeuner. Belle déco intérieure.

Où manger ?

Attention à certaines adresses recommandées par le passé, qui ont changé de propriétaire et ne sont plus conseillées. Elles affichent encore des couvertures du *GDR*, espérant récupérer quelques lecteurs distraits ou qui voyagent avec une ancienne édition. Certains de ces établissements sont aujourd'hui vivement déconseillés pour manque d'hygiène, entre autres raisons. Bon à savoir aussi : Essaouira, victime de son succès, est la ville du Maroc où les prestations des restaurateurs sont les moins régulières. À part quelques adresses, trop rares, sûres et constantes depuis des années, les autres alimentent abondamment notre courrier des lecteurs. Ne vous étonnez donc pas si telle table recommandée s'avère médiocre, voire mauvaise, le jour de votre passage. Comme pour le vent, nous ne pouvons rien vous garantir. Les rares restaurants qui ont la licence d'alcool proposent le *El Mogador*, un vin de la région créé par un Français originaire du Maroc et vigneron à Châteauneuf-du-Pape.

De très bon marché à bon marché

|●| *Restaurant Les Alizés (plan B1, 23)* : 26, rue de la Sqala, au rez-de-chaussée de l'hôtel *Smara*. ☎ 044-47-68-19. Menu à 75 Dh (7,5 €). Vin au verre ou en bouteille. Tenu par un couple marocain charmant et plein de bonne humeur qui a décoré avec un goût très sûr cette ancienne maison à arcades du XIXe siècle (grandes voûtes de pierre tranchant sur le blanc). Le soir, dîner aux chandelles. La cuisine servie est bonne (*kefta*, couscous, brochettes, poisson fort bien cuit) et le prix exceptionnellement bas. Propreté exemplaire et accueil chaleureux. Une adresse incontournable, qui est devenue en peu de temps l'une des meilleures de sa catégorie. Réservation indispensable.

|●| *Vivaldi (plan C2, 60)* : 13, rue Mohammed-El-Ayachi. ☎ 044-47-68-13. À droite du restaurant *Le Mechouar*. Compter moins de 60 Dh (6 €). Pas d'alcool. Contrairement à l'enseigne, pas de cuisine transalpine, il s'agit bien d'un restaurant marocain ; en fait Ali, le patron, est un fan invétéré du compositeur. Si la salle se révèle sans grand charme, (murs tristes, brasero et fleurs de plastique), la cuisine en revanche est tout à fait honnête. Les tajines ou le couscous préparés par la mère du propriétaire sont excellents. N'oubliez pas de les commander à l'avance. Terminez votre repas par un yaourt maison dont vous nous direz des nouvelles ! Prix très doux, service dolent et accueil courtois.

|●| *Chez Françoise (plan B2, 61)* : 1, rue Hommane-el-Fetouaki. Fermé le dimanche. Menu à 70 Dh (7 €). Pas d'alcool. Françoise et son mari Belaïd, aquarelliste, tiennent cette enseigne aux couleurs de la mer et du soleil. Ils proposent des salades marocaines, des tajines, des tartes salées et sucrées, ainsi que des crêpes et d'excellentes soupes de légumes. Une bonne association des recettes locales et des incontournables spécialités des salons de thé français. Françoise prépare aussi de la cuisine à emporter. Ses plats étant faits tous les matins (ils nécessitent des heures de préparation), il arrive parfois que le soir le choix soit limité ou même qu'il n'y ait plus rien ; le restaurant doit alors fermer ses portes, succès oblige (vous nous avez compris, il s'agit surtout d'un resto pour déjeuner). Une excellente adresse qui ne vous ruinera pas trop. Accueil au niveau de la qualité de la cuisine. N'accepte pas les cartes de paiement.

|●| *Restaurant-snack de l'Océan Vagabond :* sur la plage. ☎ 044-47-48-80. Ouvert tous les jours de 8 h à 18 h. Dans un chalet aux couleurs des îles, mêlant les Caraïbes et la tradition marocaine. Le rendo des surfeurs. Salades variées, charcuterie, omelettes à composer soi-même, plats du jour. Les assiettes sont copieuses et les prix plus qu'abordables. On s'y régale également au petit déjeuner, face à la mer sur la terrasse abritée du vent. Ambiance jeune et décontractée.

|●| *Restaurant de l'Hôtel du Grand Large (plan C1, 37)* : rue Oum-Rabii. ☎ 044-47-28-66. Un repas complet vous coûtera moins de 80 Dh (8 €). Une belle salle aux

arches de pierre avec poutres au plafond ou salon marocain au fond. Plats italiens et marocains copieux. Quelques spécialités : tajine berbère, pâtes aux fruits de mer, poissons grillés au *charmoula*, couscous (les vendredi, samedi et dimanche), pizzas, etc. Excellent accueil pour ce lieu très convivial. Musique discrète.

|●| *Ramsès* *(plan B2, face au 31)* : 18, rue Ibn-Rochd. ☎ 061-74-73-33 (portable). Face à l'hôtel *Cap Sim*. Ouvert uniquement le soir jusqu'à 23 h. Menu à 80 Dh (8 €). Dans une belle demeure du XVIIIe siècle (élégante arche de pierre) joliment décorée, ce restaurant propose un menu du jour (pas de repas à la carte) avec plusieurs choix de plats ; soupes, brochettes, tajine d'émincé de veau, pajeot aux carottes, congre aux raisins secs et bons desserts (goûtez les carottes fruitées !). On y dîne aux chandelles sur fond de musique douce. Cartes de paiement acceptées.

|●| *Es Salam* *(plan B2, 62)* : pl. Moulay-el-Hassan. ☎ 044-47-55-48. Ouvert tous les jours de 8 h à 15 h et de 18 h à 22 h. En saison, réserver. Premier menu autour de 40 Dh (4 €). Pas d'alcool. Les repas se composent d'une salade variée ou d'une soupe, d'un plat et d'un dessert. Malheureusement, la cuisine n'est plus ce qu'elle était. Mais les prix ne changent pas depuis des années et ça reste l'un des restos les moins chers de la ville. Cartes de paiement acceptées.

|●| *Barbecues de poisson grillé* *(plan B2, 63)* : en plein air, à côté de la maison des douanes et de la halle au poisson. Une série de petites gargotes fermées le soir hors saison ou quand le vent est trop fort. Compter 50 Dh (5 €) pour un repas à base de poisson frais, grillé devant vous. Attention toutefois à l'addition ; faites-vous toujours préciser les prix avant de commander quoi que ce soit et, surtout, se mettre d'accord sur le prix définitif AVANT. Vérifiez également si le poisson que vous avez choisi est bien celui que l'on fait griller pour vous. Si on veut s'offrir un

homard grillé, les prix sont presque européens et dans ce cas, il est préférable d'aller le manger dans un restaurant ! Il y a eu récemment un sérieux effort sur les conditions d'hygiène. Évitez cependant les crudités, le menu d'appel (il n'y a que des poissons pleins d'arêtes) et le dimanche, les bateaux ne prenant pas la mer ce jour-là. Ne buvez que les boissons dont les bouteilles ont été décapsulées devant vous, etc. Prudence. Estomacs délicats s'abstenir !

|●| *Laâyoune* *(plan B2, 64)* : 4 bis, rue el-Hajalli. ☎ 044-47-46-43. Ouvert de 12 h à 15 h 30 et de 19 h à 22 h. Nombreux menus proposés à partir de 50 Dh (5 €). Cuisine marocaine très correcte (bien que situé dans une ruelle hyper-touristique !). Évitez les plats occidentaux, en particulier les pâtes. Dîner aux chandelles et atmosphère paisible et intime. Adresse très appréciée des jeunes routards qui s'y retrouvent en bande le soir. Longues banquettes, coussins, tables basses... On comprend, on s'y sent vraiment bien !

|●| *Restaurant Ferdaouss (Chez Souad ; plan C1, 65)* : 27, rue Abd-Essalam-Lebadi. ☎ 044-47-36-55. Au 1er étage. Ouvert le soir jusqu'à 23 h. Compter aux environs de 80 Dh (8 €). Restaurant tenu par l'ancienne cuisinière de *Villa Maroc*, dont la réputation n'est plus à faire. Intérieur chaleureux. Excellente cuisine familiale traditionnelle. Plat du jour selon les saisons et les arrivages. Quelques spécialités comme le bœuf aux coings, le mouton aux dattes, etc.

|●| *Chez Mermoz* *(plan B2, 66)* : 5, pl. Chrib-Attay. ☎ 044-47-64-85. Menus à 60 et 75 Dh (6 et 7,50 €). Sur une place tranquille, un resto proposant une honnête cuisine de qualité régulière. Le soir, on mange, en terrasse couverte, une excellente soupe de poisson, des sardines fraîches (quand arrivage), des calamars, un bon tajine de boulettes de sardines, des pâtes, etc. Accueil aimable.

ESSAOUIRA

Prix moyens

|●| Espace Taros Café-restaurant-galerie (plan B2, 43) : 2, rue de la Sqala. ☎ 044-47-64-07. Ouvert tous les jours. Compter entre 150 et 200 Dh (15 et 20 €) pour un repas complet sans la boisson. Ils ont un grand choix d'alcools. Poussée par le *taros*, nom berbère d'un vent soufflant de la mer sur les côtes d'Essaouira, une famille aixoise a pris ses quartiers dans cette ancienne maison de marchands, vieille de près de deux siècles et devenue aujourd'hui une galerie-café-resto. Cuisine d'inspiration française avec quelques spécialités marocaines. Quelques bons coktails (avec ou sans alcool) servis le soir en terrasse avec vue plongeante sur le port. On ne vient plus au *Taros* uniquement pour manger et boire. Les choses de l'esprit y ont aussi une large place avec des expos de peinture et de produits artisanaux de bonne qualité, dont certains sont réalisés par des artistes locaux. Cartes de paiement acceptées.

|●| La Licorne (plan B1, 68) : 26, rue de la Sqala. ☎ 044-47-36-26. Menus à 90 et 135 Dh (9 et 13,5 €). Dans une ancienne halle aux murs de pierre, magnifiquement restaurée. Quatre colonnes de pierre découpent l'espace. Parti pris d'une élégante sobriété. Sur les murs peints à l'éponge, pas de « maroquineries », seulement de belles lampes. Aurelly et Fred accueillent fort bien. À la carte, grand choix de spécialités marocaines. Entre autres, la soupe de poisson aux beaux effluves, le couscous, les tajines, de

beaux poissons frais (copieuse friture)...

|●| El Minzah (plan B2, 69) : 3, av. Oqba-ben-Nafi. ☎ 044-47-53-08. Ouvert tous les midis et le soir jusqu'à 22 h. Menus à 95 et 250 Dh (9,5 et 25 €). Plats à partir de 60 Dh (6 €). Dans une ancienne halle aux voûtes majestueuses (qui se croisent, c'est rare), restaurant pas très routard à la clientèle presque essentiellement marocaine, genre hommes d'affaires, familles bourgeoises, grands flics du commissariat à côté... Atmosphère assez conformiste donc et service stylé, mais on pourra apprécier cette belle architecture et le côté aéré. Cuisine tout à fait correcte. Quelques spécialités : brochette de requin bleu aux câpres, tajine berbère à l'huile d'argan, paella océane, etc. Au menu à 250 Dh (25 €), on trouve même une belle langouste (mais bien préciser de ne pas la faire trop cuire). Pianobar. On y sert de l'alcool. Cartes de paiement acceptées.

|●| Chalet de la Plage (plan C3, 71) : bd Mohammed-V, sur la plage. ☎ 044-47-59-72. Premier menu à 80 Dh (8 €) ; à la carte, compter 150 Dh (15 €) minimum. On y sert de l'alcool. Recommandé surtout pour sa magnifique terrasse surplombant la mer. Spécialités de poisson et fruits de mer. Envahie par la clientèle des taxis de Marrakech le midi, cette adresse vit sur sa réputation, et sa cuisine est inégale. Enfin, certains jours, la qualité de l'accueil est à revoir. Cartes de paiement acceptées.

Chic

|●| Dar Loubane (plan B2, 72) : 24, rue du Rif. ☎ 044-47-62-96. Près de l'horloge. Compter environ 150 Dh (15 €) sans la boisson. Dans un *riad* du XVIIIe siècle, ce restaurant bénéficie d'un beau décor. Le soir, on dîne aux chandelles dans le patio fleuri ou dans l'un des trois salons. Quelques spécialités : tajine de veau au potiron et miel (ou à l'écrasé d'aubergines), couscous de bœuf

aux sept légumes, brochette de lotte crème de céleri, etc. On pourra admirer la collection de photos anciennes de Mogador et d'objets hétéroclites rassemblés par les propriétaires, anciens marchands aux puces de Saint-Ouen. Une fois par semaine, le samedi généralement, soirée musicale gnaoua (spectacle de fort bonne qualité), vers 20 h 30-21 h. Ils disposent également de

3 chambres en dépannage. Cartes de paiement acceptées.

⦿ *Riad Bleu Mogador (plan C2, 73) :* 23, rue Bouchentouf. ☎ 044-47-41-28 et 044-47-40-10. ● www.riad-bleu.com ● Dans la médina. À l'entrée du souk, emprunter sur la droite la rue Mohammed-el-Gorry et suivre les indications. On vous donnera rendez-vous à Bâb Marrakech (parking), à proximité du *riad*, pour vous accompagner, si nécessaire. Ouvert midi et soir, sur réservation de préférence. Menu du jour à 135 Dh (13,5 €) ; autres menus de 230 à 280 Dh (23 à 28 €). Cadre agréable et décoration de bon goût, réalisée par la propriétaire belge, Christine Bertholet. La cuisine européenne proposée, moderne et inventive, est réalisée avec des produits du terroir. La table marocaine offre un beau choix de spécialités locales. Dans la cuisine européenne, nous avons beaucoup apprécié le menu « Table Bleue Mogador ». La boisson est comprise, excepté dans le menu du jour. Une des bonnes adresses d'Essaouira. Ils ont également 6 chambres d'hôte très agréables. Cartes de paiement acceptées.

⦿ *Restaurant du Sofitel Mogador (plan C3, 53) :* bd Mohammed-V. ☎ 044-47-90-00. Menu « Découverte » à 195 Dh (19,5 €). Ce menu varie tous les jours « selon les humeurs du chef... et de l'océan ». Il propose un choix de trois entrées, trois plats et trois desserts. Service moyen. La carte des vins « d'ici et d'ailleurs » offre une large sélection de crus venus de France, d'Australie, d'Argentine, de Bulgarie, d'Espagne, des États-Unis, etc. Cartes de paiement acceptées.

Où manger dans les environs ?

⦿ *Le km 8 :* à El-Ghazoua, sur la route d'Agadir, à 8 km. ☎ 044-47-43-65 ou 066-25-21-23 (portable). D'Essaouira, bus nos 2, 5 et 8 jusqu'à 21 h et petits taxis à 30 Dh (3 €). Fermé le lundi sauf en juillet et août. Compter 80 Dh (8 €) le menu complet. Les repas peuvent être pris dans le patio, sous un treillis de bambous, à proximité d'un jardin aux multiples senteurs ou dans une salle agréable avec une belle cheminée. Ce restaurant, repris par un sympathique couple de Français, offre, dans un cadre entièrement rénové, des repas copieux d'authentique cuisine marocaine ou européenne, préparés par un jeune chef. Goûtez aux sardines en marinade, aux *briouat* de fromage frais à l'huile d'argan, les brochettes de chameau, le gigot d'agneau au caramel d'épices, etc. Excellent accueil. Bon rapport qualité-prix.

Où manger un sandwich, une pâtisserie ou une glace ? Où boire un verre ?

⛾ *Taros Café-restaurant-galerie (plan B2, 43) :* 2, rue de la Sqala. Une adresse à ne pas manquer, voir plus haut la rubrique « Où manger ? ».

⦿ *Chez Driss (plan B2, 74) :* 10, rue Hajjali. Au fond de la pl. Moulay-el-Hassan (pas d'enseigne). Tenu depuis 1925 par la même famille. Arrivages de viennoiseries chaudes à 8 h 30 et à 10 h. Excellents croissants et bons jus de fruits. Quelques tables dans un mini-patio, pour le petit déjeuner ou pour combler le petit creux de l'après-midi. Accueil inexistant et pas de toilettes. On peut, sur commande, obtenir une pastilla ou une pizza aux fruits de mer, à emporter.

⛾ *Bar de l'hôtel Sofitel Mogador (plan C3, 53) :* bd Mohammed-V. L'endroit est superbe et le choix des boissons, alcoolisées ou non, satisfera les plus exigeants. Excellent service. Un endroit idéal pour se détendre.

ESSAOUIRA

☕ Nombreuses **terrasses de café** sur la pl. Moulay-el-Hassan *(plan B2)*. On vous laisse choisir celle qui vous plaira le plus. Toujours très animées (pas toujours très bien fréquentées). Ne pas rater le *Café de France* à l'heure du PMU, c'est le plus grand, mais armez-vous de patience car le service est d'une lenteur exaspérante. Le *Café de l'Opéra* est le plus agréable pour un petit déjeuner, avec des montagnes de tartines, jus d'orange, etc. De nombreux vendeurs de gâteaux viendront gentiment vous solliciter. Mais la comparaison avec les produits de *Chez Driss* est vite faite...

🍦 **Dolce Freddo** *(plan B2, 75)* **:** pl. Hassan-II. Des Italiens ont eu l'excellente idée de créer cette petite affaire sur cette vaste place très animée. Leurs glaces y rencontrent le plus large succès, et c'est normal, car elles sont succulentes ! Grand choix de parfums à des prix raisonnables. Quelques tables permettent de faire une pause glacée.

Où sortir ?

Autant le savoir, Essaouira n'est pas vraiment une ville pour les noctambules. Certains s'en plaignent, d'autres au contraire apprécient cette tranquillité de ville de province. On peut se réfugier pour un dernier verre au *Taros*, le seul lieu de la ville fermant tard. D'autres lieux existent, mais si peu fréquentables et si imbibés d'alcool qu'il vaut mieux ne pas les mentionner.

À voir. À faire

🦞🦞 **Le port** *(plan A-B3)* **:** essentiellement consacré à la pêche, c'est l'un des lieux les plus animés de la ville, surtout au retour des bateaux ; le poisson est alors vendu à la criée : un spectacle à ne pas manquer. On accède au port par le poste de douane situé en haut de la plage (ne pas tenir compte des barrières) ou par la porte de la Marine (voir plus loin). Les quais sont transformés en chantiers navals. Vous y verrez construire des bateaux tout en bois comme on n'en construit plus guère ailleurs. Leur forme n'est pas sans évoquer celle des anciens boutres.

🦞🦞 **La porte de la Marine** *(plan B3)* **:** édifiée en l'an 1184 de l'hégire (1806) pour relier la ville au port, elle fut construite par un renégat anglais. Elle est ornée de deux colonnes et d'un fronton triangulaire très classique. L'ensemble a beaucoup d'allure. Un escalier permet d'accéder au sommet de la muraille de la Sqala du port, moyennant 10 Dh (1 €). Très belle vue sur les îles Purpuraires et sur la plage. Les canons sont ornés de blasons portugais, espagnols et flamands. C'est dans cet étonnant décor qu'Orson Welles a tourné certaines scènes de son *Othello*, qui devait remporter la Palme d'or au festival de Cannes en 1952.

🦞🦞 **La Sqala de la kasbah** *(plan B2)* **:** franchir la porte de la Marine, se diriger vers la place Moulay-el-Hassan et tourner à gauche dans la rue de la kasbah qui longe les remparts et que l'on suit jusqu'au bout. Franchir le passage sous la voûte pour découvrir dans les anciens entrepôts de munitions des ateliers d'artisans marqueteurs. Leurs œuvres sont en loupe de thuya, incrustées de bois de citronnier, d'ébène et parfois de fil de cuivre.
Monter la rampe qui conduit à la plate-forme de près de 200 m de long, protégée de l'océan par un mur crénelé formé de blocs de roche sciés. Vu d'en haut, on distingue encore les traces de scie et le trou, vestige de la manœuvre qui servit à déplacer ces roches. Belle collection de canons de bronze braqués sur l'océan. Après une promenade vivifiante dans le vent et les embruns, redescendre par la rampe. Juste après la voûte, emprunter la Derb-Laalouj qui conduit au musée, sur la droite.

🌿 *Le musée Sidi-Mohammed-ben-Abdellah* *(plan B1)* : derb Laalouj. Ouvert, théoriquement, de 8 h 30 à 12 h et de 14 h 30 à 18 h 30 ; le vendredi, de 8 h 30 à 11 h 30 et de 15 h à 18 h 30. Fermé le mardi. Entrée payante. Installé dans un ancien *riad*, transformé en mairie sous le protectorat, ce petit musée rassemble des collections sur les arts et les traditions populaires de la région d'Essaouira. Attention, en travaux de rénovation depuis 2002 et nul ne sait quand ils s'achèveront. Cependant, comme il est très central, vous serez amené à passer dix fois devant, l'occasion de vérifier s'il a rouvert. Voilà en tout cas ce que vous y découvrirez :

Au rez-de-chaussée, on verra des instruments de musique andalous, berbères et de malhoum, ainsi que des objets de différentes confréries de transe : gnaoua, hamadcha et aissaoua. À l'étage sont exposées de belles collections de tapis et de tissages, notamment de la région de Chichaoua, d'anciens objets en bois marqueté et des bijoux juifs et arabes qui ont fait jadis la renommée des artisans-créateurs de la cité. Toutes ces œuvres témoignent des très riches traditions ancestrales. Ce musée est à la fois le miroir et la mémoire collective de la région d'Essaouira.

🌿 *Le mellah* *(plan C1)* : rejoindre la rue Sidi-Mohammed-ben-Abdallah qui aboutit à l'ancien *mellah* au nord. Toutes les maisons ont été transformées en boutiques, et la rue est toujours très animée avec le ballet des femmes souriies enveloppées dans leur *haïk* blanc. Traverser l'ancien *mellah* jusqu'à Bâb Doukkala. Il tombe littéralement en ruine, sapé par la mer, abandonné par les pouvoirs publics. L'ensemble donne une désagréable impression de désolation, surtout la *rue Mellah* qui longe les remparts jusqu'au bastion Bâb Doukkala. Un projet, doté d'une somme colossale par un lobby international, souhaite à terme transformer ce lieu en « front de mer » avec boutiques de luxe, résidence, casino, le tout bétonné à souhait. Ce sera encore tout un pan de la merveilleuse histoire d'Essaouira qui disparaîtra. Profitez du décor avec ses portes ciselées si caractéristiques (dont certaines toujours surmontées de l'étoile de David) avant que l'irréparable ne soit commis. Aujourd'hui, il y subsiste à peine trois ou quatre familles juives. En revanche, des familles très pauvres, des paysans déracinés et autres laissés-pour-compte sont venus s'entasser dans le *mellah*, les demeures, faute de moyens, étant rarement entretenues. Petit conseil donc : le meilleur moment pour se balader dans le haut du quartier (notamment *rue du Mellah*), c'est le matin de bonne heure. En fin d'après-midi (et le soir *a fortiori* !), pas trop recommandé. Même si la police a le quartier à l'œil, c'est là que les dealers agissent surtout. Vous n'y serez pas nécessairement agressés, mais les tensions s'y révèlent sensibles en soirée !

🌿 *Bâb Doukkala* *(plan D1)* : au-delà de la porte, à gauche de l'av. El-Massira, s'étend une place de terre battue. On y retrouve le soir, à partir de 17 h, un parfum de la place Jemaa-el-Fna de Marrakech. Conteurs, musiciens, etc., rassemblent une petite foule de badauds. Si l'on ne peut évidemment comparer avec sa consœur, vous ne serez en revanche pas harcelé pour un dirham !

Revenez ensuite en empruntant l'avenue Mohammed-Zerktouni.

🌿 *Les vieux cimetières chrétien et juif* *(plan D1)* : bd de l'Industrie, Bâb Doukkala. Pas de problème pour visiter. Il y a en principe un gardien dans chacun d'eux. Une petite obole sera bien sûr la bienvenue. Le premier cimetière, le chrétien, se trouve derrière le mur à gauche où se rangent toutes les calèches. L'entrée du cimetière juif marin, le plus ancien, se trouve plus loin, à environ 200 m, au bout de ce long mur (frapper fort). Tombes plates d'une grande sobriété, certaines possédant leurs bords peints en blanc. En face, au-delà du carrefour, une grande porte permet l'accès à la partie la plus importante du cimetière juif.

🌿 *Le marché* ou *souk jdid* *(plan C1)* : des deux côtés de l'av. Mohammed-Zerktouni. Les commerces sont tous groupés par spécialités. Grande animation le matin et le soir. Pittoresque garanti. Le premier souk sur la gauche est celui du poisson, entouré par les échoppes d'épices. De l'autre côté de la grand-rue, on tombe sur le souk au grain. Tout à côté du marché au grain, vente à la criée tous les jours à 17 h. On y vend de tout, selon des règles précises, immuables depuis des siècles. Cela tient plus des puces que de l'hôtel Drouot.

Dans une petite rue perpendiculaire, juste après la mosquée, la rue Syaghine, plusieurs boutiques de bijoutiers. Ces commerces étaient très prospères à l'époque où vivait une importante communauté juive. Mais bien peu maintenant sont de véritables artisans qui fabriquent encore eux-mêmes, et leurs bijoux ne sont plus du tout au goût du jour. L'avenue Mohammed-Zerktouni continue et change de nom pour s'appeler avenue de l'Istiqlal. Observer les portes de la grande mosquée sur la gauche. Les deux porches sont complètement décentrés pour respecter l'alignement avec La Mecque. Un sacré travail d'architecture !

L'avenue de l'Istiqlal conduit jusqu'aux remparts d'une belle couleur ocre. La porte sur la droite donne accès à la place de l'Horloge. C'était autrefois l'une des plus importantes de la kasbah, car elle permettait d'accéder à la grande mosquée de l'époque.

➤ **Flâner en ville :** en franchissant cette porte, on découvre le réseau des petites ruelles. Il n'y a pas d'itinéraire précis. Perdez-vous dans leur lacis entre les hauts murs blancs des maisons dont les fenêtres sont peintes en bleu. On dit que ce sont les juifs qui ont eu l'idée de les badigeonner ainsi, afin de chasser les mouches. On ne risque pas de se perdre. Admirer au passage les magnifiques portes de certaines maisons.

🕯 **L'église** (plan D3, 4) **:** Essaouira est la seule ville du Maroc qui possède une église dont les cloches sonnent le dimanche pour annoncer la messe de 10 h. Pour les offices, en semaine, s'adresser au presbytère : ☎ 044-47-58-95. Cette ville a une longue tradition de tolérance puisque juifs, musulmans et chrétiens y cohabitèrent harmonieusement pendant des siècles.

⛱ **La plage** (plan C-D3) **:** magnifique, elle s'étend à perte de vue. La municipalité fait de gros efforts pour son entretien. Moins de monde en allant vers les dunes, en haut du bd Mohammed-V. Le rocher que l'on voit dans l'eau, en face de l'île, est un ancien fort portugais en ruine. Cependant, il n'est pas toujours aisé de s'y baigner et de bronzer : il y souffle parfois un vent à « décorner les dromadaires », selon un de nos lecteurs. Si tant est qu'ils aient des cornes ! En revanche, on peut faire de la planche à voile (voir la rubrique « Sports » dans les « Adresses utiles »). Location de matériel et cours pour débutants. Location de vélos également.

🕯 **Les îles de Mogador** ou **îles Purpuraires :** il est interdit d'y accoster, afin de préserver les oiseaux qui vivent dans cette « station biologique ». Une espèce de faucon en voie de disparition, le faucon d'Éléonore, cohabite dans cette réserve naturelle avec les milliers de mouettes dont il pille les nids pour se nourrir.

L'île principale, appelée « île du Pharaon », a une superficie de 30 ha. Ce sont deux archéologues français qui, dans les années 1950, identifièrent les traces prouvant que les Phéniciens occupaient cet îlot 12 siècles avant J.-C.

Fêtes

– **L'Achoura :** se fête durant 10 jours à partir du Nouvel An musulman. Toute la ville vit au son des *tarrija*, petits tambours de céramique en forme de vase et recouverts de peau. Le soir, des ensembles se forment pour donner la *dakka* (la frappe) entrecoupée de chants, et perpétuent jusqu'à une heure tardive ces antiques traditions. Des joutes poétiques chantées opposent les habitants de certains quartiers, chacun vantant ses mérites. C'est un spectacle à ne pas manquer.

– *La fête de la confrérie des Regraga :* en général, se déroule dans les premiers jours d'avril. Des milliers de pèlerins regraga venus de la campagne environnante tournent pendant 40 jours à pied, visitant 44 marabouts de la région. La tradition des Regraga commémore l'islamisation et l'arabisation de la région. Ils tournent ainsi chaque année depuis des siècles. L'arrivée à Essaouira, par la porte de Bâb Doukkala, de ces hommes saints porteurs de la *baraka* (la bénédiction de Dieu) donne lieu à de grandes festivités. Ils se promènent sous les « you you » et les applaudissements d'une foule frénétique qui les asperge d'eau de rose. Un gigantesque couscous est offert par la population dans le village de Diabet. Les étrangers peuvent assister à ces manifestations, à l'exception des prières à l'intérieur des *zaouïas* et des mosquées.

– *Festival de musique gnaoua :* a lieu chaque année, en principe en juin. Renseignements : ● www.festival-gnaoua.com ● Il rassemble les meilleures troupes nationales. Gnaoua à l'origine, ce festival s'apparente plus désormais à une rencontre de *world music.*

Inutile d'espérer trouver une chambre au dernier moment, car tout est réservé depuis plusieurs mois. La musique, l'art sous toutes ses formes emplissent la ville. Les expositions se multiplient, les orchestres s'improvisent. Ceux qui logent à l'intérieur des remparts auront du mal à trouver le sommeil avant l'aube. La ville doublant sa population à cette occasion, le festival est à fuir pour les amoureux de la tranquille Mogador. Pour les fêtards, ces 4 jours sont à consommer sans modération.

– Deux *moussem* attirent les juifs du Maroc, et même de l'étranger, rappelant l'importance des traditions séfarades. Le premier célèbre le rabbin Haïm Pinto, enterré dans le cimetière de la ville, et le second, en mai, commémore le saint Rabbi Nassim ben Nassim, qui a son sanctuaire dans le village d'Aït-Biyoud, à 40 km d'Essaouira.

Galeries

– *La galerie des arts Frédéric Damgard (plan B2, 8) :* av. Oqba-ben-Nafi. ☎ 044-78-44-46. Fax : 044-47-28-57. Ouvert tous les jours de 9 h à 13 h et de 15 h à 19 h. Pour les amateurs de peinture (abstraite, cubiste, naïve). Toute la presse marocaine a salué la création de cette galerie consacrée à des peintres locaux. Les œuvres de ces artistes singuliers sont fortement imprégnées des influences africaines de la culture souirie. Elles relèvent de l'art naïf, de l'art primitif et d'un art populaire très particulier. Ces artistes autodidactes, défendus par le Danois Frédéric Damgard, ont aujourd'hui une renommée internationale. Le succès fulgurant qu'ils ont obtenu est dû à leur spontanéité, à leur naturel et à la forte coloration de leurs œuvres, qui restent encore à des prix raisonnables. Mais tout le monde n'est pas collectionneur ou n'en a pas les moyens, c'est pourquoi Frédéric Damgard propose aussi des dessins et des aquarelles très classiques à des prix exceptionnellement bas. On en trouve à partir de 150 Dh (15 €). Une idée de cadeau original, pas encombrant et qui ne vous ruinera pas.

– *Espace Othello International (plan B2) :* dans une petite rue, juste en face du syndicat d'initiative de la rue du Caire. Cet ancien entrepôt de marchandises, un peu en retrait, mérite aussi une visite, ne serait-ce que pour sa belle architecture intérieure. On peut y admirer des œuvres de Tabal.

– *Abderrahim Harabida (plan C2) :* dans la porte de Bâb es-Sebaa, entre le bd Mohammed-V et la rue du Caire. Cet artiste talentueux s'exprime principalement à travers les interprétations de la calligraphie arabe.

– **Marea Arte** (plan B2) : 7, rue Youssef-el-Fassy. ☎ 044-78-50-70. Petite galerie proposant des expositions temporaires d'artistes marocains contemporains.

– **Galeries Peintures Bouafia** (plan B2) : sqala de la Médina. ☎ 061-70-98-60. Un peintre marocain passionné par la couleur bleue. On peut y trouver certaines peintures absolument géniales.

– **Galerie Seddik Saddiki** (plan B1) : 88, derb Laalouj. ☎ 044-47-66-17. Expositions pleines de bonnes surprises de peintres et de créateurs, comme cette expo-vente de meubles de toute beauté. Se renseigner sur les artistes du moment.

– **Espace Taros** (plan B2, 43) : 2, rue de la Sqala. Voir la rubrique « Où manger ? ». Là aussi, l'Espace Taros se fait découvreur de talents, allant parfois les chercher dans les endroits les plus improbables. Ainsi en est-il de *Taloufate Mohamed* qui vit et peint dans un quasi-bidonville, en marge d'un quartier populaire. Artiste totalement autodidacte et qui recycle, de façon inspirée, naïve et poétique, les rebuts de notre quotidien (vieille porte de placard qui devient tableau, caisse d'emballage se transforment en coffre rempli de rêves, etc). Des œuvres que vous découvrirez bien sûr ici.

Achats

Essaouira est une ville idéale pour effectuer ses achats.

Marqueterie

Tout d'abord, Essaouira est célèbre pour son artisanat unique : l'ébénisterie ou marqueterie, plus particulièrement pratiquée sur la racine de thuya. Ce bois n'est pas sans rappeler la loupe d'orme. Non seulement il est beau au toucher lorsqu'il a été poli mais, de plus, il dégage une odeur agréable. Malheureusement, suite à son exploitation massive et souvent illégale, le bois de thuya est menacé de disparition, et avec lui, les emplois que l'artisanat génère. Évitez donc les « gros bazaristes » qui alimentent ce commerce sans souci de qualité. Préférez les petites échoppes d'artisans et observez bien les finitions. N'hésitez pas à demander des objets qui comportent d'autres essences associées au thuya.

🐾 **Coopérative artisanale des marqueteurs** (plan B2) : 6, rue Khalid-ibn-Oualid. ☎ 044-47-26-76. Une sélection de pièces produites par de vrais artisans qui aiment leur métier. Le choix est cependant limité.

🐾 **Artisans de la Sqala** (plan B1) : nombreux ateliers le long de la Sqala dans les anciens entrepôts maritimes. On y voit les artisans réaliser les pièces qu'ils vendent. Vous aurez un vrai contact avec ceux qui travaillent le bois. Ils vous apprendront à distinguer les différentes essences. Vous découvrirez ainsi que le bois noir que l'on vous propose pour de l'ébène n'est en fait que du citronnier frit. Les prix sont dérisoires ; alors, pour une fois, ne marchandez pas et admirez leur savoir-faire.

Huile d'argan

La région d'Essaouira est également célèbre pour son huile d'argan. Le Maroc est le seul endroit au monde où l'on trouve l'arganier *(argana spinosa)*, cet arbre très prisé des chèvres qui grimpent sur ses branches pour en déguster les fruits. Extrêmement résistantes, les forêts d'arganiers s'étendent sur 828 000 ha et bénéficient d'une mesure de protection datant de 1925. Contrairement à l'extraction aisée de l'huile d'olive, celle de l'argan est plus complexe car entièrement manuelle. Les fruits sont séchés et débarrassés de leur écorce (qui servira d'aliment pour les animaux), tandis que le noyau est recyclé comme combustible. C'est l'amande que contient ce noyau qui sera grillée puis réduite en pâte pour en extraire une huile au goût de noisette incomparable. Outre ses vertus anti-cholestérol et vitaminiques, on l'utilise contre les dermatoses, brûlures, rhumatismes, etc. Autant de raisons pour l'adopter. Attention toutefois à certains vendeurs à la sauvette et à certaines boutiques. Cette huile est très souvent « coupée » et donc sans intérêt (on le remarque en agitant la bouteille : l'huile d'olive se dissocie alors de l'huile d'argan) ; les amandes mal torréfiées donnent au produit un arrière-goût de brûlé. Certaines huiles coupées ou allongées d'eau ont un dépôt noirâtre qui se forme au bout d'un certain temps. Ce qui altère bien sûr l'huile. Nombreuses échoppes en ville, notamment dans la médina, vous proposeront cette huile savoureuse. Et voici quelques adresses :

◈ **Produits naturels** (plan C1) : rue Sidi-Mohammed-ben-Abdallah. À gauche après l'hôtel *Central*. Hamid, propriétaire de cette minuscule boutique, propose de l'huile d'argan, de l'*amlou* et du miel biologique.

◈ **Poteries berbères Chez Aïcha** (boutique nº 116 ; plan C1) : pl. aux Grains, face aux souks. Ouvert tous les jours de 9 h à 19 h 30. Ne pas confondre avec la boutique perfidement baptisée « chez Aïch » et qui n'a bien sûr rien à voir. Aïcha présente de la poterie de qualité, ornée de motifs berbères traditionnels. De plus, elle est dépositaire en huile d'argan des coopératives des femmes de la région. Elle participe ainsi au développement des projets sociaux des villages de récoltants.

◈ **Coopérative Ajddigue :** à Tidzi, à une trentaine de kilomètres d'Essaouira, par la route de Sidi-Kaouki. ☎ et fax : 044-47-23-58. ● www.ajddigue.arganatura.com ● Coopérative de femmes qui s'est organisée autour de la production et la popularisation de l'huile d'argan. Le savoir-faire des grand-mères a pu ainsi se transmettre aux jeunes générations, créer des emplois et, surtout, permettre de faire considérablement évoluer le statut social des femmes de la région et d'améliorer leurs conditions de vie. Elles reçoivent chaleureusement les visiteurs et sont toujours prêtes à révéler tous les secrets de l'*arganier*, cet arbre millénaire qu'elles ont en grande partie contribué à sauver. L'occasion, bien sûr, d'acheter leur excellente production.

◈ **La coopérative Amal de Tamanar :** à 70 km au sud d'Essaouira. ☎ et fax : 044-78-81-41. Là aussi, une coopérative de femmes qu'on peut visiter. Boutique où, en plus de l'huile, on trouve une délicieuse pâte à tartiner et un produit pour traiter la peau et diminuer les rides.

Artisanat

Ne partez pas sans avoir visité un de ces artistes qui réalise des merveilles tissées en coton :

◈ **Atelier de tissage** (plan C1) : situé tout près du marché au poisson et du souk. Magnifiques *haik* traditionnels et de qualité, couvertures, etc. Les prix sont fixes et vraiment abordables. Juste sur sa droite, un autre magasin propose babouches et chaussures tressées ; là aussi, les prix sont fixes.

◈ **Tazra** (plan B2) : rue El-Attarine. ☎ 044-47-49-20. À côté de l'hôtel *Riad Al Madina*. Que de trésors dans cette petite boutique consacrée aux bijoux ethniques ! Omar Samat est un créateur qui ne réalise que des pièces exceptionnelles. Rien à voir avec la pacotille que l'on propose partout. Même si vous n'avez pas l'intention d'acheter, arrêtez-vous un instant pour le plaisir des yeux. Vous ne le regretterez pas. Ses prix fixes sont très raisonnables. N'accepte pas les cartes de paiement.

● *Poteries berbères Chez Aïcha* *(boutique nº 116 ; plan C1) :* voir plus haut dans la sous-rubrique consacrée à l'huile d'argan.

Antiquités

● *Galerie Aïda (plan B2) :* 2, rue de la Sqala. ☎ 044-47-62-90 ou 061-20-70-97 (portable). À côté de l'entrée du *Taros.* Une véritable caverne d'Ali Baba. Joseph Sebag, à la fois antiquaire, brocanteur, libraire et bouquiniste, a même ajouté « Bric-à-Brac » sur sa carte de visite. Il propose un choix surprenant d'ouvrages sur Essaouira et vend aussi le *GDR* (c'est dire s'il est bien !). La ville n'a d'ailleurs plus de secrets pour cet amateur cultivé. Ses prix sont encore très raisonnables et le choix considérable.

● *Caravansérail (plan B2) :* 24, rue du Rif. ☎ 044-78-32-54. Une boutique d'antiquités et de bric-à-brac provenant des différentes provinces du Maroc. Abdallah, le propriétaire, est également peintre et utilise une technique particulière : le pointillisme.

● *La Kasbah :* 4, rue de Tétouan. ☎ 044-47-56-05. Là aussi, un véritable capharnaüm ! Le patio et ses alentours sont jonchés d'antiquailles de toutes sortes à tous les prix (fixes).

Les tapis-tableaux

Les tapis-tableaux sont l'une des formes d'art les plus originales d'Essaouira. Ces tapis où les animaux, personnages et motifs divers s'entremêlent dans des décors extravagants sont tissés par les femmes à la maison.

Les véritables tapis-tableaux sont devenus rares, mais en cherchant chez les bazaristes, sur la place derrière l'Horloge, vous aurez une chance d'en trouver. Ou alors adressez-vous à *Mounain* qui tient boutique au nº 3 de la rue Hajjali, juste en face du restaurant *La Petite Perle* ; et toujours dans la même rue, juste après le coude dans l'angle, au nº 8, *chez Miloud.* Vous ne pouvez pas le manquer car il ressemble au regretté Serge Gainsbourg, mais lui ne chante pas. En revanche, il vous montrera avec compétence des tapis anciens ou neufs et vous indiquera avec précision leur origine. Antiquaire de père en fils, il connaît comme nul autre les tapis-tableaux et fournit d'ailleurs plusieurs grands collectionneurs. Les prix ne sont pas donnés mais il s'agit toujours de pièces uniques. Pour routards très aisés. Les autres se rabattront sur les objets de bois et visiteront antiquaires et galeries « pour le plaisir des yeux ».

Et encore

● *L'Affiche La Paix (plan C1) :* 31, rue Abdelaziz-Fechtali. Dans le souk. Un nom « clin d'œil » pour cette petite boutique qui propose des reproductions de cartes postales des années 1930 ainsi que des affiches et posters orientalistes. Une idée originale pour votre courrier.

● *Rafia Craft (plan C2) :* rue d'Aga-

dir, tout près de Bâb Marrakech. ☎ 044-78-36-32. Ouvert de 10 h à 13 h et de 15 h à 19 h 30 (dimanche de 10 h 30 à 13 h 30). Des idées de cadeaux originaux, superbes chaussures tressées, petits sacs, etc.

● *Arabesque (plan B2) :* 5, rue Laalouj. Bois chantourné sous toutes ses formes : cadres, objets divers et de superbes lampes. Le tout en bois de thuya, bien entendu. Vous pouvez également apporter vos modèles et Abdelmounaïm se fera un plaisir de les réaliser. Accueil chaleureux, même si vous n'avez pas l'intention d'acheter.

🌀 *Au P'tit Bonhomme La Chance* (plan B2) : 24, rue de la Sqala. ☎ 066-01-45-02 (portable). Boutique d'épices, de parfums et de plantes médicinales. Mais ce qui fait son plus grand charme, ce sont les tatouages au henné d'Habiba. Elle mélange également des couleurs et le noir, plus onéreux, restera un bon mois sur votre peau. Téléphonez pour un rendez-vous et choisir votre dessin.

🌀 *Azurette* (plan C2) : 10, rue Malek-ben-Rahal. Une surprenante boutique d'apothicaire avec ses bocaux aux mille vertus. Huiles essentielles, parfums, épices et des remèdes contre tous les maux, préparés selon des recettes ancestrales. Mérite vraiment que l'on s'y attarde, d'autant que l'accueil y est particulièrement sympathique.

🌀 *Boutique de djambé* (plan B1) : elle ne porte pas de nom mais se trouve juste en face du musée. Le *djambé* n'est pas un instrument traditionnel, mais il fait fureur. Réalisé en thuya ou encore dans la racine d'agave (une espèce de cactée), il en émane une sonorité très particulière. La peau de chèvre qui le recouvre doit être d'excellente qualité pour ne pas « claquer ». Abdelilah en est un des spécialistes. L'été et pendant la période du festival, on sort les tapis devant la boutique pour se livrer à des improvisations endiablées.

Au marché, vous trouverez toutes les épices, de la vannerie, des vêtements, des poteries. Ne pas manquer, à partir de 17 h, les « puces » locales situées dans le quartier des souks (prendre l'arcade à droite après le souk des bijoutiers). Tout autour, des femmes s'installent pour vendre des herbes, plantes aromatiques, écorces, etc., servant à la préparation de remèdes ou de potions magiques. On trouve aussi de très beaux kilims et des tapis originaux. Les bijoux, eux, ne correspondent pas toujours à nos goûts.

Actions humanitaires

■ *ALCS* : 369, av. Maghrib-el-Arabi. ☎ 044-47-25-72. Fax : 044-78-51-48. Une des rares associations au Maroc de lutte contre le sida. L'antenne d'Essaouira, créée en 1998, mène des campagnes très actives de prévention et d'information dans la ville, sur les plages et dans les villages environnants. En mars 2000, un projet en faveur des enfants des rues a vu le jour avec l'ouverture d'un atelier de menuiserie, visant à la réinsertion professionnelle de jeunes. N'hésitez pas à contacter par téléphone les membres de cette association, leurs moyens sont limités et votre contribution, aussi minime soit-elle, sera la bienvenue.

➤ DANS LES ENVIRONS D'ESSAOUIRA

LA PLAGE DE SIDI-KAOUKI

À 27 km. Bus n° 5. Trajet de 30 à 40 mn, 9 fois par jour, de 6 h à 20 h. Le bus part de Bâb Doukkala (plan D1) mais passe à Bâb es-Sebaa (plan C2), plus central. En voiture, suivre la direction d'Agadir et, à 15 km, bifurquer à droite. Attention aux chèvres qui traversent la chaussée et sont la cause d'accidents graves lors de freinages brusques. Nous ne plaisantons pas ! La route s'arrête devant la tombe d'un marabout. Baignade à risque en raison des

ESSAOUIRA

courants. Aucun panneau ne signale le danger. En été, les alizés soufflent fort et fréquemment. La plage est surtout valable pour les planchistes confirmés. Beaucoup de camping sauvage.

Une piste longe la mer sur la gauche et conduit jusqu'à *Smimou*, offrant des points de vue magnifiques sur cette côte sauvage. Il ne faut aller sur cette piste qu'à pied ou en 4x4 ; sinon, ensablage assuré. Le vent violent soulève parfois des tempêtes de sable.

Si vous allez d'Essaouira à Agadir, ne manquez pas cette excursion qui vous demandera une vingtaine de kilomètres supplémentaires.

Où dormir ? Où manger ?

Camping

⋏ *Camping :* à gauche de la route goudronnée. Vous devrez débourser 30 Dh (3 €) pour la nuit. Emplacements sympas, à l'ombre des grands arbres. Quatre douches et toilettes à disposition. Mais propreté à revoir.

Prix moyens

🏠 I●I *Auberge de la Plage-Club équestre :* juste à la fin de la route goudronnée, sur la gauche. ☎ 044-47-66-00. Fax : 044-47-33-83. ● aub_plage@iam.net.ma ● Ouvert toute l'année. Compter 250 Dh (25 €) la double avec salle de bains à l'étage, 350 Dh (35 €) avec salle de bains privée, petit déjeuner compris. Prix moyens d'un repas : 100 Dh (10 €). Les 11 chambres, réparties sur deux étages, sont bien équipées, avec des douches chaudes et des sanitaires communs ; 2 chambres disposent d'une salle de bains individuelle. L'une des chambres possède même une cheminée, comme la salle de restaurant où l'on sert une cuisine italienne et marocaine. Belle carte variée. L'auberge est tenue par Gabriele, un Italien, et Carina, une Allemande, monitrice d'équitation, qui vous réserveront le meilleur accueil. Carina a ouvert un club équestre et organise des randonnées mixtes à cheval et à dos de chameaux maliens spécialement dressés pour la méharée. Cartes de paiement acceptées.

🏠 I●I *Hôtel Villa Soleil :* à proximité de la plage. ☎ 044-47-20-92. Renseignements en Belgique : ☎ 00-32-3-226-74-65. Compter 400 Dh (40 €) pour une double. 5 bungalows sont répartis sur le terrain de cette villa appartenant à des Belges. Chacune des 9 chambres possède son propre patio. L'ensemble a été conçu comme une médina avec ses venelles et ses arcades en pierre de taille. Au centre s'ouvre une placette ombragée de palmiers et quelques petites cours pour prendre son petit déjeuner ou se détendre. Le premier étage comporte une suite de deux chambres comprenant un salon marocain, une salle de bains avec baignoire et une grande terrasse donnant sur l'océan. Elle coûte de 600 à 800 Dh (60 à 80 €) selon le nombre d'occupants. Une folie raisonnable ! Fait aussi restaurant, avec une cuisine traditionnelle à 80 Dh (8 €). Cartes de paiement acceptées.

🏠 I●I *Résidence Le Kaouki :* à 500 m du mausolée, à proximité de la plage. ☎ 044-78-32-06. Fax : 044-47-58-06 *(Villa Maroc)*. ● philippe@sidikaouki.com ● Ouvert toute l'année. Compter 180 Dh (18 €) la double, sans le petit déjeuner. Menu complet autour de 100 Dh (10 €). Belle maison agréable. 10 chambres bien entretenues. Sanitaires communs avec douche chaude. Pas d'électricité. Bonne cuisine. Les commerçants, il est vrai, sont loin. Allergiques au souffle d'Éole, s'abstenir !

🏠 I●I *Auberge El Karam :* tout près de la *Résidence Le Kaouki.* ☎ 044-47-25-61. ● Ilkaramauberge@hotmail.com ● Chambres doubles de 200 à 250 Dh (20 à 25 €), petit déjeuner compris. Une quinzaine de chambres, toutes avec salle de bains et eau chaude. Préférer celles du haut, agencées autour d'une grande terrasse. Chaleureux accueil du propriétaire. Propreté extrême. Restaurant style auberge de campagne servant tajines et poisson grillé. Un bon rapport qualité-prix.

🏠 |O| *Auberge de l'Étoile de Mer :* sur le bord de mer, à 600 m du mausolée. ☎ 044-47-25-37. Compter de 150 à 250 Dh (15 à 25 €) par personne en demi-pension selon la sai-

son. Deux menus à 60 et 100 Dh (6 et 10 €), servis aussi au déjeuner pour les routards de passage. Cette toute nouvelle auberge, réalisée avec des matériaux locaux (galets), dispose de 3 chambres au confort plus que sommaire (la porte de la chambre se ferme à l'aide d'un caillou !). Restaurant servant une cuisine à base de poisson. Terrasse sur la mer. Ils organisent des randonnées à dos de chameau.

LA PLAGE DE MOULAY-BOUZERKTOUN

À 26 km au nord, sur la nouvelle route côtière de Safi.

LE GRAND MARCHÉ DE HAD-DRAÂ

À une trentaine de kilomètres d'Essaouira, sur la route de Marrakech. Aller d'abord à Ounara (25 km), puis tourner à gauche pour Had-Draâ (à 4 km). Bus depuis Essaouira vers 6 h 30 et 9 h. Marché se tenant tous les dimanches depuis fort longtemps, d'où le nom hérité par le village : *Had* (dimanche*) Draâ* (marché). L'un des plus importants du Sud marocain. Immense et divisé en deux parties : le grand marché proprement dit (où comme à *La Samar*, on trouve tout) et celui des bestiaux. Un conseil, venir de bonne heure (les marchands commencent à s'installer dès 5 h). D'abord à cause de la chaleur, ensuite parce que l'activité décline au long de la matinée et que les bonnes affaires se font toujours tôt. Vous y découvrirez tous les fruits et légumes de la région, la toujours pittoresque section des bouchers, les marchands de gâteaux et pâtes d'amande, vendeurs de vêtements et fripiers... Intéressante section des petits forgerons qui fabriquent tout, clous, outils, fers à chevaux, etc., suivant des techniques millénaires. Sur l'aire du bétail, grosse négo de chameaux, vaches et ânes. L'embarquement des chameaux dans les bétaillères se révèle toujours un grand moment. Attention aux vols, surtout dans les anodins petits sacs à dos qu'il vaut mieux porter devant soi !

QUITTER ESSAOUIRA

En bus

Il est vivement recommandé de réserver sa place dans les bus la veille ou même plus tôt en haute saison (pour Marrakech surtout).

🚌 *La gare routière (hors plan par D1)* se trouve dans le quartier industriel, assez loin du centre. ☎ 044-78-52-41. Consigne. En petit taxi, ne pas donner plus de 10 Dh (1 €). Le tarif habituel est de 5 Dh (0,5 €) de jour, 7 Dh (0,7 €) maximum de nuit.

– La compagnie *Supratours (plan D2)*, à Bâb Marrakech, à côté du collège Akensous, assure 2 liaisons quotidiennes pour Marrakech, une le matin tôt, l'autre dans l'après-midi, avec des bus rapides et confortables. Très pratique pour les correspondances avec les trains pour Casablanca, Tanger, Fès, etc. Un départ également pour Agadir tous les matins. Pour tous renseignements : ☎ 044-47-53-17. Il est préférable de réserver sa place à l'avance. Compter 45 Dh (4,5 €). Pas de consigne à la station *Supratours* d'Essaouira.

– *CTM, SATAS,* entre autres compagnies, desservent le réseau. Pour certaines, il est indispensable de réserver ses places au plus tard la veille, leurs bus en provenance de Casablanca ou de Tiznit arrivant complets, même hors saison. Départs fréquents pour Marrakech. Pour Casablanca, une douzaine de départs. Compter 7 h au total. Bus pour Tiznit (par Agadir), Inezgane, Kenitra (deux bus), Agadir (une vingtaine de départs avec quatre compagnies), Safi (douze départs), Taroudannt (trois bus), Goulimine et Tan-Tan également.

En avion

✈ *Aéroport :* ☎ 044-47-67-04 et 05.
RAM (☎ 044-47-67-09) assure 3 vols hebdomadaires vers Casablanca (avec une correspondance possible pour Paris). En hiver, cette même compagnie assure un vol direct hebdomadaire entre Paris et Essaouira. Départ de Paris le samedi.

LA ROUTE CÔTIÈRE D'ESSAOUIRA À AGADIR

C'est sans conteste la plus belle partie de cette interminable route qui longe l'Atlantique depuis Tanger jusqu'à La Gouèra, dans l'extrême Sud, à la frontière mauritanienne. Ce parcours de 175 km permet de faire connaissance avec les *arganiers*, des arbres étranges : le bois sert à fabriquer du charbon, les feuilles à nourrir les chèvres, et le noyau du fruit donne une huile utilisée pour la salade, mais également en médecine et pour l'éclairage. Les feuilles les plus tendres se trouvant en haut de l'arbre, il est assez fréquent de voir les chèvres brouter en équilibre à plusieurs mètres du sol. Évitez de les photographier en présence d'un berger. Ceux-ci exigent des droits photo pour leurs chèvres acrobates !

➤ À 15 km environ d'Essaouira, embranchement pour *Sidi-Kaouki*. Plus loin, *Smimou*, avec un souk pittoresque le dimanche. Au km 48 (panneau « Plage Tafadna »), un autre embranchement permet d'aller jusqu'au *cap Tafelney*, à 15 km, d'où l'on a aussi un très beau point de vue. Nouvelle route goudronnée. À Tafelney, on trouve une petite gargote en bord de plage.

De Tafelney, petit village de pêcheurs en bord de plage qui rappelle un peu les ambiances des côtes sauvages du Portugal, vous pouvez gagner Imessouane par une route directe en corniche qui longe le littoral. Ce parcours est superbe.

IMESSOUANE

On atteint sa pointe en quittant, une fois de plus, la route principale pour emprunter la 6649, qui serpente à flanc de montagne pendant une quinzaine de kilomètres. Pas de transport public ; il faut être autonome. Au bout, un port de pêche dont les travaux ont été financés par le Japon. Cet ancien petit village de pêcheurs a perdu toute sa magie avec l'arrivée du béton. Mais la route pour l'atteindre demeure toujours aussi belle.

Où dormir ? Où manger ?

🛏 |●| *Auberge Kahina :* ☎ 048-82-60-32. Le réseau téléphonique d'Imessouane fonctionne grâce à un relais solaire souvent en panne. Fermé de novembre à janvier.

Compter 160 Dh (16 €) la double ; demi-pension possible. L'auberge, tenue par un couple mixte (marocain-breton !), dispose de 5 chambres simples mais confortables et bien décorées. Sanitaires communs avec douches. À table, bien entendu, poisson préparé « à la marocaine ». Accueil chaleureux d'Hi-cham et Valérie. Nombreuses activités sportives : surf, plongée, VTT, randonnées.

➤ À la hauteur de **Tamri**, dans l'embouchure d'une rivière, une immense bananeraie surgit comme une oasis dans cet endroit désertique. Le coin est idéal pour les surfeurs.

➤ À la hauteur du **cap Rhir**, quelques belles plages, comme celle de **Taghazout**, et des excursions vers l'intérieur, comme celle d'**Imouzzer des-Ida-Outanane** (voir plus loin).

TAGHAZOUT

Situé à 19 km au nord d'Agadir, Taghazout (prononcer « Tarazout »), adossé à la montagne, offre une plage presque sauvage de 7 km et un spot de surf mondialement connu. Prenez le temps de descendre jusqu'au petit port de pêche. On sent que les gens du pays sont mariés avec l'océan. Les maisons ont toutes des terrasses qui permettent de profiter au maximum de sympathiques couchers de soleil. Profitez-en bien, car les années à venir vont bouleverser la donne en profondeur : Taghazout a été choisi comme l'un des 6 sites du plan Azur, visant à attirer au Maroc des vacanciers à haut pouvoir d'achat : 130 000 lits vont y être ouverts d'ici à 2008, *inch, Allah*...

Comment y aller ?

➤ **D'Agadir :** les bus n°s 12 et 14 assurent la liaison toutes les heures et partent de la place Salam.

Où dormir ?

Attention, au port de pêche, on vous proposera des chambres chez l'habitant. Si vous acceptez, faites attention, des vols ont été signalés.

Camping

⚠ **Camping de Taghazout :** compter environ 30 Dh (3 €) pour deux personnes et une tente. Donne sur une plage immense et splendide. Une partie du camping est sous les arganiers, l'autre en plein soleil. Parking payant. Les sanitaires sont vétustes et très mal entretenus. En été, ce camping est très fréquenté, donc bruyant. Il faut parfois faire la queue pour se procurer de l'eau amenée par une citerne chaque matin. Coupures fréquentes d'électricité aux heures d'utilisation.

– *Le camping sauvage* a tendance à se développer de plus en plus. On en trouve tout le long de la mer jusqu'au fameux rocher dit « du diable ». Certains sont même gardés moyennant 5 Dh (0,50 €) par jour. Ils ne sont donc plus sauvages et bénéficient même des livraisons d'eau. Malgré le gardiennage, restez très prudent car vous n'avez aucun recours en cas de pépin.

De bon marché à prix moyens

Résidence Amouage : une des premières constructions sur la droite en venant d'Essaouira. ☎ et fax : 048-20-00-06 ; domicile : ☎ 048-20-00-51. Fermé en juillet et août. Studio de 350 Dh (35 €) pour deux à 460 Dh (46 €) pour quatre ; également 2 chambres à 200 Dh (20 €) pour deux. Les 5 studios comportent tous une kitchenette entièrement équipée, une chambre, une salle de séjour et une douche. C'est au bord de l'océan avec des terrasses, un solarium, un coin grillades et une cafétéria, réservée uniquement aux résidents. Cuisine familiale de qualité pour les flemmards de la poêle à frire. Lave votre linge. Tenu par des Suisses, Françoise et Gilbert, assistés de leur fils Fabian, qui vous conseilleront pour des excursions ou des activités sportives. Les surfeurs affirment que c'est un bon spot. Excellente adresse, offrant un bon rapport qualité-prix.

Où manger ?

Paradise : face au camping, dans une structure en roseau. Ce petit bistrot sert une cuisine à des prix très doux. C'est propre, et les propriétaires vous réserveront un accueil chaleureux.

Au bord de la plage, deux *épiceries* bien approvisionnées et deux petits *restaurants*, dont les terrasses donnent directement sur la mer.

Al-Baraka : à Aourir, à côté de la station *Afriquia*. ☎ 048-31-40-74. Tajines et méchouis succulents, cuits sur la braise. Le soir, ils ne sont préparés que sur commande (attente : 1 h 15 environ). On peut les déguster sur la terrasse. Un bon repas, qui ne vous ruinera pas.

Restaurant Club Sable d'or : accès direct à la plage. Souvent fermé le soir. Prévoir environ 100 Dh (10 €) le repas sans la boisson. Position exceptionnelle pour ce restaurant qui offre une vue à l'infini sur l'océan. On y propose des spécialités marocaines, ainsi que du poisson et des fruits de mer, sur commande (couscous, homard, langouste), à des prix raisonnables.

Café de la Paix : dans le centre du village. Très coloré, ambiance jeune et décontractée. Bonne cuisine marocaine à prix routard. Plats à emporter. Le gérant est très accueillant.

Où dormir ? Où manger dans les environs ?

Hôtel du Littoral : à Aourir, en plein cœur du village des Bananes, au km 12. ☎ 048-31-47-26 et 048-31-43-54. Fax : 048-31-43-57. Arrêt de bus à 100 m pour Taghazout, et en face pour Agadir. Compter 230 Dh (23 €) environ la chambre double, sans le petit déjeuner. Menu à 70 Dh (7 €). 20 chambres, 4 suites et 4 appartements meublés avec goût. Les chambres sont vastes et les salles de bains superbes. Propreté exemplaire. Restaurant avec menu du jour et carte. Personnel sympa et souriant. Adresse d'un excellent rapport qualité-prix. Dommage qu'il soit en bord de route.

Villa Solaria : à Tamraght. ☎ 048-31-47-68 ou 061-40-19-75 (portable). ● www.addimaroc.com ● À la sortie d'Aourir, en venant d'Agadir, prendre à droite dans le virage. Une fois à Tamraght juste avant la mosquée, s'engager sur la gauche dans l'impasse, c'est la dernière maison sur la droite. Location de l'appart' dans sa totalité : 760 Dh (76 €) par jour et 3050 Dh la semaine (305 €). Repas marocain sur commande de 50 à 100 Dh (5 à

10 €). En bord de mer et au pied du Haut-Atlas. Un adorable couple suisso-marocain loue un étage de leur maison composé de 3 chambres doubles, d'un salon marocain, d'une grande cuisine et salle de bains. La terrasse sur le toit offre une superbe vue sur l'océan. Location de 4x4 avec chauffeur. Mohamed est un guide excellent et intéressant, qui connaît la région comme sa poche. Une bonne adresse du coin, idéale pour un petit groupe qui souhaite découvrir le Maroc. Transfert pour l'aéroport.

🛏 *Mamy Salerno Surf-Dynamic Loisir :* à Tamraght, à 3 km de Tag-hazout. ☎ 048-31-46-55. Fax : 048-31-46-54. ● www.dynamicloisirs.com ● Compter 100 Dh (10 €) par personne en chambre double ; petit déjeuner à 25 Dh (2,50 €). Ils proposent une dizaine de chambres d'hôte à plusieurs lits et une chambre double dans une grande villa, face à la mer. Une adresse principalement fréquentée par les surfeurs. Une école française de surf s'installe d'ailleurs ici à l'année. Location de matériel. Ils mettent à disposition une vingtaine de VTT et organisent des excursions à quad, ainsi que des randonnées équestres et des trekkings. De véritables pros. Une adresse familiale sympa et sportive.

À faire

– Au km 17, sur la route d'Essaouira, le *ranch Reha* propose des promenades à cheval, accessibles aux débutants et aux autres, bien sûr, dans la montagne. Renseignements : ☎ 048-84-75-49. Fax : 048-84-43-07.
– Dans les collines au-dessus du village, nombreux fossiles très intéressants.

IMOUZZER-DES-IDA-OUTANANE

À 61 km au nord d'Agadir. C'est certainement la balade la plus intéressante dans les environs. La route, mauvaise et sinueuse, traverse tantôt des collines dénudées, tantôt des oasis verdoyantes. Elle longe le lit de la rivière envahi de lauriers-roses et offre dans sa seconde partie de beaux points de vue sur la vallée et sur les montagnes environnantes. Villages minuscules et pittoresques.

Il n'est pas nécessaire toutefois, si l'on ne dispose que de peu de temps, d'aller jusqu'au bout. S'arrêter, dans ce cas, à la *vallée du Paradis*, 12 km avant Tifrit. Cette vallée, qui mérite bien son appellation, peut se parcourir à pied.

Imouzzer se trouve à 1 250 m d'altitude, au pied du Haut-Atlas. Ses maisons surplombent une palmeraie ravissante. Souk le jeudi. Le tourisme de masse commence, malheureusement, à faire des ravages sur le circuit classique, mais plus personne sur les petits chemins.

Comment y aller ?

➢ *En voiture :* prendre la route d'Essaouira sur 12 km, puis tourner à droite. Une nouvelle route permet de se rendre à Imouzzer en passant par la P40, puis par Bigoudine. On peut donc effectuer une boucle en revenant à Agadir par la vallée du Paradis. Le tout représente environ 230 km.

➢ *D'Agadir :* 1 bus quotidien ; départ derrière l'hôtel *Sindibad*, à côté de la gare routière, vers 12 h 30. Durée du trajet : 3 h 30 environ. Retour le lendemain : départ d'Imouzzer à 8 h. Sinon : bus n° 13 jusqu'au carrefour d'Aourir, à 12 km. Ensuite, faire du stop ou prendre un camion. Mais le plus agréable est encore de louer une moto ou une mobylette à Agadir.

Où dormir ? Où manger ?

🏠 |◉| *Hôtel des Cascades :* ☎ 048-82-60-16 et 23. Bureau de liaison à Agadir : ☎ 048-84-26-71. Fax : 048-82-16-71. Compter 480 Dh (48 €) sans le petit déjeuner et 130 Dh (13 €) le repas. Admirablement situé sur un promontoire fleuri à 1160 m d'altitude. Les 27 chambres dominent la vallée. Piscine, tennis et jardin de rêve envahi de fleurs, véritable parc horticole. On peut manger sur la terrasse. Excellente adresse pour se reposer. Organise des treks dans la région. Possibilité également de louer des VTT. Cartes de paiement acceptées.

Où dormir ? Où manger dans les environs ?

🏠 |◉| *Hôtel Tifrit :* à 40 km d'Agadir sur la route d'Imouzzer, près des cascades d'Askri. ☎ 048-82-60-44 ou 061-65-42-31 (portable). Chambres doubles à 330 Dh (33 €) en demi-pension obligatoire. Cadre agréable. Une dizaine de chambres sommaires mais propres, avec sanitaires séparés et eau chaude. Bons tajines. Ils ont une petite piscine bien entretenue. L'accueil familial est chaleureux. Zénid et son fils Rachid, très commerçants, feront tout pour vous satisfaire. La femme de Zénid et sa fille sont aux fourneaux. Ils font aussi un miel excellent, que l'on retrouve dans leurs desserts.

🏠 |◉| *Hôtel-restaurant À la Bonne Franquette :* à Askri, 15 km avant Imouzzer en venant d'Agadir, sur le côté droit de la route. ☎ 048-82-31-91. Une chambre pour 4 personnes coûte entre 400 et 450 Dh (40 à 45 €), petit dej' inclus. Compter 100 Dh (10 €) pour un repas complet sans la boisson. « Un restaurant sympa de cuisine traditionnelle et un havre de tranquillité au milieu de paysages grandioses », affirme la brochure. On ne pourra pas accuser le patron, un Français, de publicité mensongère. Quelle surprise de pouvoir déguster dans un cadre si agréable une salade de chèvre ou auvergnate, des aiguillettes de canard, une côte à l'os ou de mouton, des escargots ou des gambas à la nage, et, pour finir, des profiteroles. Agréable terrasse et salle conviviale. La qualité des chambres égale celle de la cuisine. Typiquement berbères, en pierre taillée, avec mezzanine et cheminée pour l'hiver. Une bien belle réussite.

|◉| *Café Al Bassatine :* juste à côté de À La Bonne Franquette. Tajine aux amandes et raisins pour 2 personnes à 80 Dh (8 €). Le patron, un retraité des Eaux et Forêts, reçoit ses clients avec gentillesse, en faisant honneur à la réputation de l'accueil berbère. Possibilité de dormir sur place. Confort sommaire et prix à discuter si prix il y a. De plus, le patron vous fera certainement visiter son moulin à huile ! Une véritable aubaine dans ce coin perdu. Apportez, si possible, votre bouteille. Également, vente de miel et de pâte d'amandes.

À faire

🥾 *L'excursion aux cascades :* compter 4 km de route goudronnée depuis l'*Hôtel des Cascades*. La balade dans les sous-bois est agréable, mais avec un peu trop de petits marchands de fossiles et d'ammonites. La grande cascade, appelée « le Voile de la Mariée », n'est alimentée en eau qu'en période de pluie, généralement en janvier et février. Évitez les plongeurs qui essaieront de vous soutirer des dirhams en piquant une tête du haut du promontoire rocheux.

🗡 **Les grottes de Wintimdouine :** à 3 km d'Immouzer, empruntez la piste 7003 en cours d'aménagement sur 18 km. C'est tout simplement la deuxième rivière souterraine connue d'Afrique avec une série de lacs dans un environnement multicolore. Le lieu était en cours d'aménagement lors de notre passage pour le rendre accessible à tout le monde. Renseignements : Association de spéléologie d'Agadir. ☎ 048-84-89-93. ● association.speleo-logie-agadir@caramail.com ● Au village de Tizi, possibilité de manger et de dormir chez l'habitant.

AGADIR

Capitale du Sous et premier port de pêche du Maroc, Agadir doit sa réputation actuelle à sa plage exceptionnelle de plus de 6 km de sable fin et à ses 300 jours d'ensoleillement annuel. Cette modeste bourgade de pêcheurs fut, au cours de son histoire, l'enjeu de luttes rivales entre tribus ou puissances étrangères. Les Portugais s'y installent en 1513, mais la guerre sainte, conduite par les princes saadiens, les chasse en 1541 après un terrible siège de six mois. Les Alaouites s'en emparent à leur tour au XVIIIe siècle et, pour punir les habitants de la région, rebelles à leur autorité, leur souverain Sidi Mohammed ben Abdallah décide de fermer le port et de transférer toutes les activités maritimes à Essaouira. Agadir retombe dans un sommeil léthargique jusqu'en 1911, où son nom fait la une de la presse de l'époque. L'empereur Guillaume II, roi de Prusse et empereur d'Allemagne, expédie un croiseur dans la rade d'Agadir où il tente d'installer une base navale. La

■ **Adresses utiles**

- 🛈 **1** Syndicat d'initiative
- 🛈 **2** Office du tourisme
- ✉ Poste
- 🚌 Gare routière
- **3** Royal Air Maroc
- **4** Supermarché Sawma
- **5** Uniprix
- **6** Station grands taxis et bus
- **7** Banque BMCE
- **8** Banque BMCI
- @ **9** Globenet
- @ **10** Adrarnet
- **11** Moust@che Photo-Agadir
- **12** Magasin Fuji Photo
- **13** Centre artisanal Coopartim
- **54** Pressing

⚐ 🛏 **Où dormir ?**

- **21** Camping international
- **22** Hôtel Najem
- **23** Hôtel de la Baie
- **24** Hôtel Sindibad
- **25** Hôtel de la Petite Suède
- **26** Hôtel Cinq Parties du Monde
- **27** Hôtel Solman
- **28** Hôtel de Paris
- **29** Hôtel Tamri
- **30** Hôtel El-Bahia
- **31** Hôtel Ayour
- **32** Hôtel Kamal
- **33** Hôtel Aferni
- **34** Hôtel Les Dunes d'Or
- **36** Hôtel Melia Al-Madina Salam
- **37** Résidence Sacha
- **39** Résidence Tafoukt
- **41** Résidence Yasmina
- **61** Le Miramar

🍴 **Où manger ?**

- **50** Gargotes de poisson
- **51** La Caverna
- **52** Le Nomade
- **54** Café-restaurant Tanalt
- **55** Pizzeria La Siciliana
- **56** Mille et Une Nuits
- **57** Le Sélect
- **58** Le Vendôme
- **59** Restaurant du Port
- **60** Palm Beach, chez Roger
- **61** Le Miramar
- **62** Boulangerie-pâtisserie Tafarnout
- **63** La Tour de Paris
- **64** Mimi La Brochette
- **65** Jazz Restaurant
- **67** Restaurant du Shem's Casino
- **68** SOS Poulet
- **70** Restaurant Les Arcades
- **71** Le Flore
- **72** Café-snack Riyad Yacout
- **73** La Grillade Snack

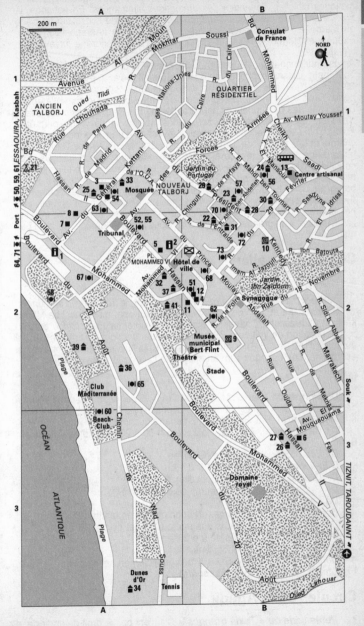

AGADIR

France s'y oppose, bien entendu, et obtient, après des négociations diplomatiques difficiles, l'abandon des prétentions allemandes. En échange, la France cède une partie du Congo, ce qui lui permet de consolider sa place au Maroc. En 1930, Agadir est l'une des étapes de l'Aéropostale. Saint-Exupéry et Mermoz y faisaient escale avant d'entreprendre la traversée de l'Atlantique.

Après l'indépendance, et jusqu'en 1960, Agadir fut une ville prospère et jolie. Tout peut laisser supposer qu'Agadir dormait déjà à poings fermés le 29 février 1960, peu avant minuit, lorsque le destin cogna violemment à la porte. Quinze secondes, pas une de plus, mais longues comme l'éternité. Dans l'une des plus furieuses catastrophes de l'histoire, la petite cité cessa d'exister, ensevelissant sous ses ruines 15 000 âmes. Plus peut-être. Aujourd'hui, Agadir reconstruite montre le visage d'une ville moderne, sans charme et très touristique. Devant l'invasion des Nordiques, les Gadiri (habitants d'Agadir) ont tendance à parler plus l'allemand que le français. Ses conditions climatiques sont exceptionnelles, sauf en été où, certains jours, il fait plus froid à Agadir que n'importe où en France, ou même qu'à Édimbourg ou Oslo. Il est fréquent aussi qu'un brouillard permanent plane au-dessus de l'océan. Sinon, pas grand-chose à ajouter sur cet endroit, trop bétonné à notre goût. Cela dit, la plage est immense et le sable très fin, l'arrière-pays est agréable et les gens du Sous sympathiques. C'est déjà pas mal.

Comment y aller ?

En avion

✈ **Aéroport d'Agadir-Massira :** à 22 km, sur la route de Taroudannt. ☎ 048-83-91-22 et 32. Vols en provenance d'Europe, mais aussi de Marrakech et Ouarzazate. Change et distributeurs automatiques. Office du tourisme. Location de voitures. Grands taxis bleus à volonté. Tarif fixé par les autorités : 150 Dh (15 €) le jour, 200 Dh (20 €) la nuit, contrairement à ce qui est affiché. Les bagages sont en supplément, comme chez nous.

En bus

➤ **De Marrakech :** par *CTM*, 2 départs (4 h 15 de trajet) ; 8 autres liaisons de 14 h à 3 h 35 du matin, mais en provenance de Casa, le bus peut donc être déjà complet. Par *Supratours*, 2 départs quotidiens.

➤ **De Casablanca :** 7 bus par jour, de 5 h 30 à 23 h 15 ; durée du trajet : 9 h.

➤ **De Fès :** 1 départ en début de soirée.

➤ **D'El-Jadida :** 7 départs de 7 h à 18 h.

➤ **De Ouarzazate :** 1 départ quotidien.

➤ **De Guelmim :** toutes les heures de 6 h à 17 h.

➤ **De Tata :** bus quotidiens.

➤ **De Safi :** liaisons fréquentes. Nombreux bus en matinée.

➤ **De Taroudannt :** plusieurs bus par jour. Trajet de 1 h 30 à 2 h.

➤ **De Tineghir :** bus privés de 9 h 30 à 15 h.

➤ **De Tiznit :** 3 départs quotidiens.

➤ **De Tafraoute :** par *Aït-Baha*, 1 bus quotidien en soirée.

Également une liaison avec **Essaouira**.

Circuler dans Agadir

🚕 **Petits taxis ou « Taxis oranges » :** ils n'ont pas le droit de sortir de la ville. Voir le mode d'emploi détaillé dans la rubrique « Transports » des « Généralités » en début de guide.

🚖 **Grands taxis ou « taxis bleus »** *(plan B3, 6) :* chargent jusqu'à 6 personnes et peuvent sortir de la ville. Prix de la course d'Agadir vers toutes directions, 3 Dh/km, et 5 Dh (0,30 et 0,50 €) dans le périmètre urbain.

🚌 **Bus** *(plan B3, 6) :* la station principale est pl. Salam. Les nᵒˢ 12 et 14 vont à Taghazout.

Adresses utiles

Infos touristiques

ℹ️ **Office du tourisme** *(plan A2, 2) :* av. Mohammed-VI ; dans un building en face de l'hôtel de ville. ☎ 048-84-63-77 et 79. Fax : 048-84-63-78. Ouvert, théoriquement, de 8 h 30 à 12 h et de 14 h 30 à 18 h 30. Peu de moyens et donc mal équipé, mais en insistant un peu, vous parviendrez à soutirer quelques informations à un personnel somme toute sympathique.

ℹ️ **Syndicat d'initiative** *(plan A2, 1) :* face à l'av. du Général-Kettani, au point de rencontre avec le bd Mohammed-V ; un peu caché derrière le restaurant *Le Festival*. ☎ 048-84-06-95. Ouvert de 9 h à 12 h et de 15 h à 18 h 30. Docs archi-limitées, personnel pas très efficace et qui a plutôt tendance à recommander les adresses de leurs adhérents.

Poste et télécommunications

✉️ **Poste** *(plan B2) :* av. du Prince-Moulay-Abdallah. Ouvert à l'heure du déjeuner. Retrait d'argent avec les poste-chèques internationaux.

@ **Globenet** *(plan B2, 9) :* bd Hassan-II, au rez-de-chaussée de l'immeuble Tigouramine. ☎ 048-84-29-48. Connexions pour 20 Dh (2 €)

l'heure. Au premier étage de ce même immeuble MNP, un autre cyber. ☎ 048-82-58-21.

@ **Adrarnet** *(plan B2, 10) :* av. du Président-Kennedy, immeuble Sabrene. Ouvert tous les jours de 10 h à 23 h. Tarif réduit à partir de 20 h.

Argent

◼ **Distributeurs automatiques :** un peu partout en ville, et, entre autres, av. du Général-Kettani. *BMCE* *(plan A2, 7)*, *BMCI (plan A1-2, 8)* et *Wafabank*.

◼ **Chèques de voyage :** s'adresser à la *BMCI*. Prévoir 20 Dh (2 €) de commission.

Représentations diplomatiques

◼ **Consulat de France** *(plan B1) :* bd Mohammed-Cheikh-Saadi. ☎ 048-84-08-23 ou 26. Fax : 048-84-23-80. Dans le quartier résidentiel.

◼ **Consulat d'Espagne :** 1, rue Ibn-Batouta. ☎ 048-84-57-10 et 048-84-56-81.

Santé

◼ **SOS AMU :** ☎ 048-82-89-31 et 048-82-88-88. Ouvert tous les jours et 24 h/24.

◼ **Pharmacie de garde et de nuit :**

le week-end, les jours fériés et la nuit, appeler les pompiers (☎ 15) qui vous indiqueront l'adresse la plus proche.

■ *Médecin généraliste :* Dr Akerbib Mouloud, 8, rue du Souk. ☎ 048-82-31-56.

■ *Pédiatre :* Dr Albert Jacob, 45, av. du Président-Kennedy. ☎ 048-84-65-31.

■ *Dentiste :* Amicale des chirurgiens-dentistes du Sous. ☎ 061-68-51-21 (portable). Prennent en charge les urgences dentaires de 9 h à 12 h et de 15 h à 18 h, y compris le week-end et les jours fériés.

■ *Kinésithérapeute :* Mme Codron-Taleb, 13, rue de l'Hôtel-de-Ville. ☎ 048-82-38-22.

■ *Permanence médicale* (de nuit, samedi, dimanche et jours fériés) : ☎ 15.

■ *Clinique Assoudil :* bd Hassan-II, immeuble Assoudil. ☎ 048-84-38-18. Bon établissement privé.

Transports

🚐 🚗 *Station des bus et des grands taxis* (plan B3, 6) : pl. Salam. Pour la gare routière d'Inezgane (à 11 km).

🚐 *Gare routière* (plan B1) : dans le nouveau Talborj.

– *Supratours* (plan B2) : 10 rue des Orangers. ☎ 048-84-12-07.

– *CTM* (plan B1) : rue Yacoub-el-Mansour, à Talborj. ☎ 048-83-22-20.

🚗 *Grands taxis ou « taxis bleus » :* ☎ 048-82-20-17.

■ *Location de vélos Dynamic Loisirs :* ☎ 048-31-46-55. Fax : 048-31-46-54. Installés à Tamraght, ils disposent d'un beau parc. Ils se déplacent quotidiennement sur Agadir et louent aussi des planches de surf. On trouvera aussi des loueurs devant les principaux hôtels.

■ *Location de voitures :* toutes les grandes agences sont représentées. Bien comparer les prix à prestations égales. Avis ou Hertz ont leurs bureaux bd Mohammed-V, en direction du port. On peut aussi choisir un loueur local, où les négociations sont parfois plus souples, comme KBCar : 7 av. du Prince-Moulay-Abdallah, immeuble Sabrenne, bloc G. ☎ et fax : 048-82-47-52 ou ☎ 068-13-68-72 (portable). En face du conservatoire de musique. Des tarifs attractifs (Fiat Uno à 300 Dh, soit 30 €, la journée) et dégressifs. Représente l'avantage d'avoir une agence à Laâyoune pour ceux et celles qui descendent vers le Sahara Occidental. Autre agence, un peu plus chère, Auto Cascade : bd Hassan-II, face au magasin Honda. ☎ 048-84-37-61 et 048-84-45-04. Fax : 048-82-27-60. Propose des véhicules en parfait état (Fiat Uno à 400 Dh, soit 40 €). Petite affaire familiale serviable et sympathique.

■ *Location de scooters et de motos :* secteur touristique et balnéaire. On trouvera, devant les hôtels, des loueurs proposant des Yamaha 125 et des scooters (50 et 80 cc).

■ *Garage Renault-Nissan :* av. Cadi-Ayad. ☎ 048-22-07-07.

■ *Garage Peugeot et Citroën :* Sedsouss, av. El-Mouquaouama. ☎ 048-22-06-19. Les réparations y sont très onéreuses.

■ *Garage Volvo, Mercedes, BMW :* Ets Kerbid SA, av. Hassan-II. ☎ 048-84-87-38.

■ *Essence sans plomb :* dans toutes les stations.

🚗 *Taxis blancs :* ☎ 048-82-20-17.

Compagnie aérienne

■ *Royal Air Maroc* (plan A1, 3) : angle de l'av. Général-Kettani et du bd Hassan-II. ☎ 048-84-00-45.

Activités sportives

■ *Tennis* (plan A3) : possibilité de jouer au Royal Tennis Club. Location de matériel pour ceux qui n'ont pas le leur. Il y a aussi des moniteurs. Les courts en terre battue sont vides aux heures de bureau. Prix raisonnables.

■ *Plongée :* possibilité de faire des baptêmes avec des moniteurs diplômés. Chasse sous-marine stricte-

ment interdite. On peut gonfler ses propres bouteilles. Pas de chambre de décompression à Agadir, mais tente à oxygène. En cas de pépin, transfert à Casablanca.

Photos

■ *Moust@che Photo-Agadir (plan B2, 11) :* bd Hassan-II, immeuble Meryem. ☎ 068-44-11-88 (portable). Dans le hall de la Maison de la Loire-Atlantique. Pour découvrir la photo numérique, Moustache loue des appareils et grave les 75 photos de la carte sur CD. Livraison du matériel à votre hôtel.

■ *Magasin Fuji Photo (plan B2, 12) :* 12 bis, bd Hassan-II, immeuble Oumlil. En face de *Moust@che*. Développe le film et grave les photos sur CD. Un bon plan et un accueil très sympa.

Divers

■ *Presse internationale :* très nombreux points de vente.
■ *Supermarché Sawma (plan B2, 4) :* 1, rue de l'Hôtel-de-Ville. Ils ont une seconde entrée, bd Hassan-II, en face de la station *Total*. Vente d'alcool. Bien fourni.
■ *Uniprix (plan A2, 5) :* bd Hassan-II. L'enseigne est suffisamment explicite. Vente d'alcool. Bon choix de vin.
■ *Centre commercial Marjane :* au sud d'Agadir, direction indiquée.

Ouvert tous les jours de 9 h à 22 h. Tout beau tout neuf, vous y trouverez tout ce dont vous avez besoin, mais à des prix élevés.
■ *Centre artisanal Coopartim (plan B1, 13) :* rue du 29-Février. ☎ 048-82-38-72 et 048-84-34-70. Dans le quartier Talborj. Ouvert de 9 h à 13 h et de 15 h à 19 h. Prix fixes intéressants.
■ *Pressing (plan A1, 54) :* rue des Orangers. ☎ 048-84-02-42. Très compétents.

Où dormir ?

Le gros problème est de trouver un lit en haute saison (vacances de Noël, de Pâques et d'été). Aller voir les hôtels de préférence tôt le matin, la plupart des petits établissements n'acceptant pas de réservation par téléphone. En basse saison, on peut toujours tenter de négocier les prix.

Camping

⚐ *Camping international (plan A1, 21) :* bd Mohammed-V. ☎ 048-84-66-83. Au nord de la ville, en face du *club Shango*. Compter environ 50 Dh (5 €) pour deux avec tente et voiture ; ajouter l'eau et l'électricité. Prévoir également 14 % de taxes. Douches chaudes payantes accessibles uniquement de 8 h à 19 h. Bondé, sale et bruyant en haute sai-

son. Sanitaires répugnants. En hiver, il est surtout occupé par des Européens. Attention aux vols, même quand on est sous la tente, qu'il vaudrait mieux planter au milieu du camping, loin des murs. Épicerie bien fournie. Piscine dont le remplissage n'est pas toujours assuré. Pas de pelouse, bien sûr. Les couples non mariés et non marocains sont admis.

Bon marché

▲ *Hôtel Tamri* (plan B1, **29**) : 1, av. du Président-Kennedy, à Talborj. ☎ 048-82-18-80. Chambres doubles à 100 Dh (10 €) avec douche commune. Petit hôtel, entièrement carrelé, sur deux étages avec un patio intérieur fleuri et agréable. Les chambres sont propres et calmes. L'accueil est sympathique et le quartier Talborj tout autant.

▲ *Hôtel Najem* (plan B2, **22**) : 23, rue de l'Entraide. ☎ 048-82-54-66. Compter 120 Dh (12 €) pour une double. L'hôtel, perché au-dessus d'un café où trône un billard, est flanqué d'une grande terrasse qui donne sur une petite rue paisible. Les chambres, récemment rénovées, simples, sont équipées de douches correctes. Mais le ménage ne fait, semble-t-il pas partie des priorités.

▲ *Hôtel de la Baie* (plan B1, **23**) : av. du Président-Kennedy, à l'angle de la rue Allal-ben-Abdallah. ☎ 048-82-30-14. Compter 80 Dh (8 €) la chambre double, plus 5 Dh (0,5 €) pour utiliser la douche collective. Quartier assez animé. Petit patio fleuri au 1er étage. 26 chambres avec des lavabos parfois bouchés. Assez sale. Accueil froid.

Prix moyens

▲ *Hôtel de la Petite Suède* (plan A1, **25**) : bd Hassan-II. ☎ 048-84-07-79. Fax : 048-84-00-57. ● hotel-petite-suede@caramail.com ● Compter autour de 210 Dh (21 €) la chambre double, petit déjeuner compris. Perché au-dessus de la *Wafabank*, à 200 m de la plage, petit hôtel, qui a subi un beau lifting. À l'origine, deux Suédoises s'étaient installées à Agadir pour y ouvrir cet établissement. Elles ont rapidement abandonné la partie, mais le nom n'a pas changé pour autant. Ravissant patio. 18 chambres confortables, avec douche individuelle chaude. Celles donnant sur le boulevard sont équipées d'un double vitrage. Coffre. Change. Pas de restaurant, mais une agréable terrasse avec vue sur Agadir et l'océan. Un des meilleurs rapports qualité-prix de cette catégorie et, parmi les hôtels du centre-ville, le plus proche de la plage. Bon accueil. Sur présentation du *GDR*, 10 % sur le prix de la chambre et 15 % sur les voitures qu'ils louent. Cartes de paiement acceptées, sauf *American Express*.

▲ *Hôtel de Paris* (plan B1-2, **28**) : av. du Président-Kennedy. ☎ 048-82-26-94. Compter entre 130 et 160 Dh (13 à 16 €) pour une chambre simple et propre, avec ou sans douche, autour de deux cours arborées. La douche chaude commune est gratuite. Grande terrasse ensoleillée au dernier étage. Belle vue.

▲ *Hôtel El-Bahia* (plan B1, **30**) : rue El-Mahdi-ben-Toumert. ☎ 048-82-27-24 et 048-82-39-54. En haut de la ville, près du terminal des cars. Sur une place ombragée. Chambres doubles de 180 à 220 Dh (18 à 22 €), selon le confort. Toujours impeccable. Chambres aérées et ensoleillées, avec TV ; salle de bains pour les plus chères, d'une propreté irréprochable. On peut prendre son petit déjeuner dans un petit patio fleuri, où sont disposées quelques tables munies de parasols. Accueil très sympathique. Une bonne adresse, d'un excellent rapport qualité-prix.

▲ *Hôtel Sindibad* (plan B1, **24**) : pl. Tamri, à Talborj. ☎ 048-82-34-77. Fax : 048-84-24-74. Compter environ 260 Dh (26 €) la double. Les chambres sont propres et confortables, pourvues de douches qui fonctionnent parfaitement. Mais les boules Quiès sont vivement recommandées. Restaurant quelconque. On y sert de l'alcool. Un peu loin de la plage.

▲ *Hôtel Cinq Parties du Monde* (plan B3, **26**) : bd Hassan-II ; en face de la station des bus et des taxis. ☎ 048-84-54-81. Compter autour de 230 Dh (23 €) pour une chambre double. Tentative de décoration orientale à l'intérieur de l'hôtel. Les chambres sont très propres et confortables, agrémentées de grosses moulures kitsch et de murs roses. Pour ceux qui aiment les gâteaux à la crème ! Les chambres qui donnent sur le boulevard sont très bruyantes. Établissement avec un restaurant et un bar, mais sans alcool. N'accepte pas les cartes de paiement.

🛏 **Hôtel Solman** *(plan B3, 27)* : bd Hassan-II. ☎ 048-84-45-65. Fax : 048-84-34-47. Compter autour de 250 Dh (25 €) pour une double avec douche. Établissement de 60 chambres, propres et agréables, avec TV. Les tarifs sont très doux. Bar où l'on sert de l'alcool. Piscine. Accueil négligent.

🛏 **Hôtel Ayour** *(plan B2, 31)* : 4, rue de l'Entraide. ☎ 048-82-49-76. À 20 mn à pied de la plage. Compter 260 Dh (26 €) la double, petit déjeuner non compris. Hôtel bien tenu, qui propose 20 chambres propres avec sanitaires et TV satellite. Accueil aléatoire.

🛏 **Le Miramar** *(hors plan par A1, 61)* : bd Mohammed-V. ☎ 048-82-26-73. Chambres autour de 280 Dh (28 €) sans le petit déj'. Tout confort. Vue sur la mer. Bon accueil et rapport qualité-prix sympa. Fait aussi restaurant (voir plus loin la rubrique « Où manger ? »).

Chic

🛏 **Hôtel Kamal** *(plan A2, 32)* : bd Hassan-II. ☎ 048-84-28-17. Fax : 048-84-39-40. Situé en plein centre. Compter 460 Dh (46 €), petit déjeuner non compris. Sur les 129 chambres, une cinquantaine donnent sur la piscine, les autres sur la rue mais avec double vitrage. Confortable et bon service. Solarium autour de la piscine, au milieu d'un jardin paysager. De plus, la cuisine du restaurant est très correcte. Attention, il faut passer par les agences de voyages *Fram* et *Jet Tours* pour réserver. Cartes de paiement acceptées.

🛏 **Hôtel Ibis Moussafir** *(hors plan par B2)* : angle de l'av. Abderrahim-Bouabid et de la rue Oued-Ziz. ☎ 048-23-28-42 et 43. Fax : 048-23-28-49. Sur la route de Marrakech, 500 m avant le souk et à 1 km du centre-ville. Compter 450 Dh (45 €) pour une chambre double standard, petit déjeuner compris. 102 chambres et 12 suites. Bravo à l'architecte et au décorateur. Dommage

cependant que les cloisons soient si minces et que les moquettes soient déjà abîmées. L'hôtel est très bruyant. Piscine agréable dans un jardin intérieur. Restaurant avec menu du jour, mais cuisine bien quelconque. Ils ont aussi des chambres individuelles. Mais ceux qui en ont les moyens s'offriront une suite junior. Une adresse pour ceux qui ne recherchent pas un hôtel de plage envahi de bronzés. Navette gratuite pour la plage. Cartes de paiement acceptées.

🛏 **Hôtel Aferni** *(plan A1, 33)* : av. du Général-Kettani. ☎ 048-84-07-30. Fax : 048-84-03-30. Compter environ 360 Dh (36 €) la double sans le petit déjeuner. Menu à 130 Dh (13 €). 45 chambres spacieuses et confortables, dont certaines donnent sur la petite piscine en forme de deltaplane. Un hôtel à dimension humaine. La mosquée étant toute proche, le muezzin risque de vous réveiller. Pas d'alcool. Cartes de paiement acceptées.

Très chic

🛏 **Hôtel Melia Al-Madina Salam** *(plan A2, 36)* : bd du 20-Août ; à 100 m de la plage. ☎ 048-84-53-53. Fax : 048-84-53-08. Compter 1 450 Dh (145 €) la double en haute saison, 1 040 Dh (104 €) en basse saison ;

petit déjeuner à 110 Dh (11 €). Les 206 chambres, décorées dans le style mauresque, sont réparties dans 8 bâtiments. La plupart ont des terrasses ou des balcons. Belle piscine originale avec cascade. On a le choix entre

3 restaurants, dont un de cuisine italienne ; 4 autres restaurants dans le centre commercial de l'hôtel. Pianobar. Discothèque. Balnéothérapie. L'architecture de cet ensemble de style traditionnel est harmonieuse et réussie, avec ses ruelles, ses patios fleuris, ses portiques et ses moucharabiehs de cèdre travaillés en fine dentelle. Réduction de 15 % sur le prix public sur présentation du *Guide du routard*.

▲ *Hôtel Les Dunes d'Or (plan A3, 34) :* secteur balnéaire. ☎ 048-82-99-00. Fax : 048-82-12-74. Compter 1 320 Dh (132 €) en demi-pension pour deux. Gros complexe hôtelier, *Les Dunes d'Or* a su répartir ses nombreuses chambres dans différents bâtiments afin de conserver une dimension humaine. Ils s'organisent autour de jardins impeccables et encadrent deux belles piscines. Les chambres, dotées de tout le confort moderne, sont très accueillantes et jouissent d'agréables petits balcons. Certaines d'entre elles, au rez-de-chaussée, donnent directement sur la plage. L'hôtel possède, en outre, un centre de remise en forme, un théâtre et une discothèque.

RÉSIDENCES ET STUDIOS AVEC KITCHENETTE

Prix moyens

▲ *Résidence Sacha (plan A2, 37) :* pl. de la Jeunesse. ☎ 048-82-55-68 et 048-84-11-67. Fax : 048-84-19-82. • www.agadir-maroc.com • Au cœur du centre commercial d'Agadir et à moins de 10 mn de la plage. Compter 420 Dh (42 €) en haute saison pour un studio de base, simple mais propre avec kitchenette, et 480 Dh (48 €) pour ceux qui disposent d'une grande loggia ensoleillée ou jardin privatif ; appartements à 680 Dh (68 €) pour 4 à 5 personnes, cuisine équipée. Ajouter 10 % de taxe aux sommes indiquées. Certains appartements bénéficient d'une décoration orientale. On vous fait même votre vaisselle ! Piscine avec solarium, parking, garage. Un endroit calme. Possibilité d'accès au *Royal Tennis Club* et au *Royal Golf*. Ils font aussi bureau de change. Très accueillant, Yves, le directeur, connaît parfaitement Agadir. Réduction de 25 % sur les longs séjours et en basse saison (avril, mai, juin et de septembre à mi-décembre). N'accepte pas les cartes de paiement.

Chic

▲ *Résidence Yasmina (plan A2, 41) :* rue de la Jeunesse. ☎ 048-84-26-60, 048-84-25-65 et 048-84-24-30. Fax : 048-84-56-57. 76 studios à partir de 500 Dh (50 €) ; suites de 580 à 670 Dh (58 à 67 €). Ces prix sont tout à fait justifiés. Les appartements, cossus et bien décorés, possèdent un balcon, une petite cuisine équipée avec un coin-repas, un coffre individuel et la TV satellite. Le ménage est fait chaque jour. La résidence dispose de deux piscines et d'un solarium. Excellente adresse.

▲ *Résidence Tafoukt (plan A2, 39) :* bd du 20-Août. ☎ 048-84-09-86. Fax : 048-84-09-71. Propose des studios à partir de 550 Dh (55 €). Chaque appartement (de 2 à 6 personnes) se compose d'un living confortable, d'une salle de bains et d'une kitchenette entièrement équipée. En bord de mer, avec un accès direct à la plage. Grande piscine et bassin pour les enfants. Supermarché et nombreux commerces à proximité.

Où manger ?

Sur le port

Bon marché

|●| *Gargotes de poisson (hors plan par A1, 50)* : à l'entrée du port, à 500 m au nord du camping. Ouvert jusqu'à la tombée de la nuit. C'est une succession de petites échoppes où l'on déguste des sardines grillées et des tajines de poisson dehors, sur de longues tables, avec les pê-cheurs. Estomacs fragiles, passez votre chemin ! Demander le prix des plats avant de les entamer et vérifier l'addition, sinon, arnaque assurée. C'est plein de rabatteurs qui se battent entre eux pour attirer le client. Nous vous recommandons d'aller *Chez les filles*.

Prix moyens

|●| *Restaurant du Port (hors plan par A1, 59)* : dans le port de pêche, après avoir passé le poste de contrôle, sur la droite ; mal signalé. ☎ 048-84-37-08. Ouvert tard le soir. Compter 130 Dh (13 €) environ pour un repas complet, sans la boisson. Spécialités de produits de la mer (le contraire eût été surprenant). Deux grandes salles. Carte abondante, mais avec un grand nombre de plats manquants et un service revêche ; ce qui n'empêche pas le personnel de rappeler que le service n'est pas compris. Beaucoup de bruit quand il y a des groupes. Cartes de paiement acceptées.

Dans le centre-ville

Bon marché

|●| *La Caverna (plan B2, 51)* : bd Hassan-II, au rez-de-chaussée de la *résidence Mer et Soleil*. ☎ 048-84-15-15. Premier menu à 40 Dh (4 €). La qualité n'est pas sacrifiée, la quantité non plus. Une aubaine ! Grand choix à la carte. Excellentes spécialités marocaines sur commande (pastilla aux fruits de mer, couscous au mouton, méchoui, tajine de poulet aux amandes, bon tajine de mouton aux oignons et aux raisins). Pas d'alcool. Service rapide et agréable. Très bon accueil. Beaucoup de Gadiri, ce qui est bon signe. N'accepte pas les cartes de paiement.

|●| *Café Holidays (plan A1)* : 12, av. des FAR. ☎ 048-84-72-01. On mange pour 40 Dh (4 €) dans une petite salle très propre, agréablement décorée par un plafond à moulures et quelques poignards suspendus aux murs. Une excellente adresse pour les budgets serrés.

|●| *SOS Poulet (plan B2, 68)* : 32, av. du Prince-Moulay-Abdallah, immeuble 2. ☎ 048-84-30-47. Menu à 55 Dh (5,5 €). Rassurez-vous, ce n'est pas pour appeler les flics mais pour se restaurer dans une sorte de fast-food où l'on ne sert que du poulet rôti aux herbes accompagné de frites : en demi, en quart, en brochettes ou en sandwich. Ils vendent aussi du poulet à emporter. Une adresse garantie sans risques et qui ne vous ruinera pas.

|●| *Le Nomade (plan A2, 52)* : 69, bd Hassan-II. À proximité de *Navaro*. Ouvert jusqu'à minuit. Plats simples, tajine, pastilla et couscous sur commande. Sert d'excellentes brochettes accompagnées de frites et de salade pour 50 Dh (5 €). Une variante : on

peut demander la même chose servie dans un sandwich pour 35 Dh (3,5 €). Pas d'alcool.

|●| *Café-restaurant Tanalt (plan A1, 54) :* 98, rue des Orangers. ☎ 048-84-12-57. En face de la station-service. Plats de 20 à 25 Dh (2 à 2,5 €). Gargote fréquentée par des Marocains, pourvue d'une salle en longueur à la propreté douteuse. A le mérite d'être central. Bon accueil.

|●| *Pizzeria La Siciliana (plan A2, 55) :* bd Hassan-II. ☎ 048-82-09-73. Plats de 40 à 60 Dh (4 à 6 €). Excel-lentes et authentiques pizzas cuites au feu de bois. Pas d'alcool. Accueil sympathique et service très rapide.

|●| *Restaurant Via Veneto (plan A2) :* bd Hassan-II ; en face de la vallée des Oiseaux. Propose, entre autres, des spécialités italiennes pour 40 à 50 Dh (4 à 5 €). Sinon, ne pas hésiter à prendre un *gaspacho* le midi, lorsqu'il fait trop chaud pour supporter un plat trop lourd. On y sert de l'alcool. Bonne cuisine. Présentation soignée et service attentif. Dommage que le portier soit si peu aimable.

Prix moyens

On pourra essayer, sans avoir de mauvaises surprises, les établissements de la promenade de la plage, qui proposent presque tous un menu complet ou un plat du jour d'un bon rapport qualité-prix. Pas de raffinement gastronomique, mais on est certain d'avoir un repas correct du type brasserie. À la carte, bien regarder les prix. Beaucoup d'animation.

|●| *Le Flore (hors plan par A2, 71) :* 9, bd de la plage. ☎ 048-84-88-39. À côté de *Mimi la Brochette.* Cuisine de qualité à déguster en terrasse ou dans une petite salle bleue. Délicieux en-cas à l'apéritif. Grand choix de salades, poissons ou plats typiques (saucisse de foie, pieds de veau). Service très soigné sous l'œil attentif du gérant.

|●| *Mimi La Brochette (hors plan par A2, 64) :* sur la promenade de la plage. ☎ 048-84-03-87. Fermé du vendredi à 18 h au samedi à 19 h 30. Compter 100 à 120 Dh (10 à 12 €). Vous l'avez deviné, Mimi sert des brochettes de viande et de poisson cuits au feu de bois, mais elle prépare aussi des tajines et des spécialités maison. Le pain est servi chaud et croustillant. Cuisine de qualité avec, en prime, la proximité de la mer et un digestif à l'alcool de figue offert par la maison. Service un peu lent. Bon accueil.

|●| *Die Mozart Stube (plan A1) :* 24, av. des FAR. ☎ 048-84-19-89. Au-dessus de la place des taxis. Plats autour de 80 Dh (8 €). Tenu par la sympathique Maria Müllebner, le restaurant a l'avantage d'être à l'écart de la foule. Il possède une pe-tite terrasse, face à la mosquée récemment restaurée. La nourriture est de qualité, notamment l'*apfelstrudel*, particulièrement réussi. D'autre part, tradition viennoise oblige, la bière locale est servie au tonneau et non en bouteille.

|●| *Le Vendôme (plan A2, 58) :* sur le front de mer. Repas pour 100 Dh (10 €) environ. Terrasse abritée. Cuisine internationale et marocaine, composée de tajines, de couscous ou de pizzas. Rien d'exceptionnel, mais personnel attentionné.

|●| *La Fiesta :* complexe Tamlelt. ☎ 048-84-09-52. Grand choix de salades et de produits de la mer. Cuisine marocaine et internationale pour touristes. Bon rapport qualité-prix. Terrasse sur la rue.

|●| *Palm Beach, chez Roger (plan A2-3, 60) :* plage mitoyenne avec celle du *Club Med.* Directement sur la mer. ☎ 048-84-66-66. Une borne indique que Paris est à 2917 km et Bruxelles à 3197 km. Cuisine saine composée de salades de 40 à 55 Dh (4 à 5,5 €), de grillades de viande à 85 Dh (8,5 €) et de poisson. Également des pans-bagnats, des omelettes et des sandwichs. Ils servent aussi de l'alcool. Ils proposent également un forfait

comprenant la location d'une chaise longue avec un matelas, ainsi que l'accès aux douches et aux toilettes pour 30 Dh (3 €). Prix avantageux au carnet (comme dans le métro). Ferme au coucher du soleil.

Chic

I●I *Jazz Restaurant (plan A2, 65) :* bd du 20-Août. ☎ 048-84-02-08. Compter 200 Dh (20 €) pour un repas complet le soir, sans le vin ; moitié prix le midi. Une vaste terrasse et deux salles décorées avec goût font de ce restaurant l'un des endroits les plus agréables d'Agadir et une des meilleures tables de la ville. Pas une seule fausse note ; et pourtant, on aurait pu s'attendre au pire avec cette adresse à la mode. Mais le succès n'est pas monté à la tête du propriétaire, qui contrôle tout lui-même. À la carte, en plus des entrées classiques, on trouvera un petit coin d'Italie avec une sélection de *pasta* et de *pizze*. Les poissons sont d'une grande fraîcheur et parfaitement préparés. Les carnivores auront un choix difficile à faire entre le tournedos « Jazz », le filet au poivre, l'entrecôte à l'ail ou la pièce d'agneau à la provençale, etc. Beau choix de desserts. Service impeccable. Chaque soir, des musiciens animent le dîner en jouant de la variété internationale.

I●I *Restaurant du Shem's Casino (plan A2, 67) :* bd Mohammed-V. ☎ 048-82-11-11. Ouvert de 20 h à 1 h. Compter 200 Dh (20 €) maximum pour un repas complet sans les vins. La direction n'a pas hésité à ouvrir, dans la galerie-promenoir de ce temple du jeu, un restaurant gastronomique dédié à Jean Cocteau. Il est rare de trouver dans le cadre d'un casino une table d'une telle qualité pratiquant des prix aussi raisonnables. La carte, qui varie tous les jours, propose une cuisine originale. Lors de notre passage, on y trouvait du tartare de daurade royale à l'huile pimentée, du magret de canard au miel, du pain perdu aux poires caramélisées. Service irréprochable. Une adresse idéale pour une étape gastronomique. Rien ne vous empêche ensuite d'aller prendre un verre au bar où évoluent d'accortes serveuses, à moins que vous ne préfériez vous rendre à une table de jeu pour prolonger ou abréger vos vacances !

I●I *Le Miramar (hors plan par A1, 61) :* bd Mohammed-V. ☎ 048-84-07-70. Compter 200 Dh (20 €) environ pour un repas complet ; pâtes de 50 à 80 Dh (5 à 8 €). Restaurant italien spécialisé dans le poisson et les fruits de mer. Les pâtes sont aussi très bonnes. On ne saurait détailler la carte, qui pourra satisfaire les plus exigeants. Les repas sont servis dans une vaste salle dotée d'une cheminée magnifique pour les soirées d'hiver. Spécialités de plats préparés en salle et flambés devant vous. Dîner aux chandelles. Le patron, Renato Rattazi, aura toujours une bonne histoire à vous raconter. C'est un personnage haut en couleur qui, à lui seul, vaut le déplacement. Propose aussi des chambres. Voir plus haut la rubrique « Où dormir ? ».

Dans le quartier du Talborj

À 10 mn du centre, nombreux restaurants économiques et sympas, sur la place ombragée de Lahcen-Tamri notamment. On y mange pour quelques dirhams une cuisine copieuse mais pas toujours savoureuse. Le service est rapide (ceci explique cela), et parfois aimable. Éviter ce qui est frit. Attention, c'est le secteur des rabatteurs et des faux guides.

I●I *Café-snack Riyad Yacout (plan B2, 72) :* rue du 29-Février. ☎ 048-84-65-88. Jouxte la pâtisserie du même nom. Excellent petit dej' à 16 Dh (1,6 €). Crêpes marocaines au miel, pâtisseries mais également des

AGADIR ET ENVIRONS

sandwichs, des pâtes, pizzas et même des tajines. Les jus de fruits sont délicieux. Sa terrasse ombragée et verdoyante fait de cet endroit l'un des plus agréables d'Agadir où les locaux aiment à se retrouver en fin de journée pour une *harira* aux dattes. Tables en marbre, fauteuils confortables, petite fontaine au centre et service soigné. Bref, un havre de paix, loin de la cohue touristique, même si les voitures couvrent parfois le gazouillis des oiseaux (en cage).

|●| *La Grillade Snack* (plan B2, *73*) : rue du 29-Février. ☎ 048-82-05-36. Environ 25 Dh (2,5 €) le plat. Petit resto propre tenu par deux frères. Grand choix de grillades, salades, tajines et même hamburger. *Harira* le soir. Bons jus de fruits.

|●| *Restaurant Les Arcades* (plan B1-2, *70*) : av. du Président-Kennedy. Repas complet pour 35 Dh (3,5 €). Restaurant populaire très propre, qui a l'avantage de posséder une grande salle claire et une agréable terrasse en angle où la TV est en permanence allumée.

|●| *Mille et Une Nuits* (plan B1, *56*) : à côté de la gare routière. Menu à 35 Dh (3,5 €). Petit restaurant qui donne sur la place piétonne de Lahcen-Tamri, et échappe par conséquent aux nuisances occasionnées par les voitures. Beaucoup de monde et débit rapide. Service sympa.

|●| *Le Sélect* (plan B1, *57*) : 38, rue Allal-ben-Abdellah. ☎ 048-82-11-16. Derrière la gare des bus. Menu à 35 Dh (3,5 €). Bon accueil.

Où manger dans les environs ?

|●| *Hôtel La Pergola :* à Inezgane. ☎ 048-33-08-41 et 048-83-31-00. Sur la route d'Agadir, au km 8, juste après *La Hacienda*, faire le tour du rond-point suivant comme pour revenir sur ses pas ; c'est juste là. Menu de base à 100 Dh (10 €) ; compter 150 Dh (15 €) minimum à la carte. Salle rustique et ambiance un peu désuète. On se croirait quelque part en Provence, il y a très longtemps. Chaque jour, menu différent au déjeuner et au dîner. À la carte, des spécialités : le pageot en croûte au sel ou au beurre blanc, les filets de saint-pierre à la fondue de poireaux, la salade gourmande de gésiers. Ils servent de l'alcool. Cartes de paiement acceptées.

|●| *Restaurant La Kassaba :* sur la route d'Aït-Melhou, après Inezgane, sur la gauche juste avant le golf.

☎ 048-24-84-41. Des tajines déclinés à toutes les sauces, qui se vendent au kilo ! 1 kg est facturé 60 Dh (6 €), inutile de préciser que c'est largement suffisant pour deux personnes. Dans un jardin immense, équipé d'un terrain de jeu pour les enfants, la terrasse sous les tonnelles est plus agréable que la vaste salle. Possibilité de choisir son plat dans les cuisines. Le personnel est réellement gentil. Une bonne adresse, même si excentrée. Un conseil : commandez à l'avance, votre tajine n'en sera que meilleur.

– À l'entrée de Tikiouine, à 5 km d'Agadir, sur la route de l'aéroport, une succession de *restaurants* où les locaux viennent attirés par l'odeur de la viande grillée. Ici, le méchoui et le tajine sont rois et les prix tout petits.

Où manger une pâtisserie ? Où prendre un petit déjeuner ?

|●| *Café-snack Riyad Yacout* (plan B2, *72*) : rue du 29-Février ; près de la clinique *Massira*. ☎ 048-84-65-88.

Toutes sortes de pains, pâtisseries orientales et occidentales, plats à emporter et de bonnes glaces. Excellents *briouat* salés. Adresse idéale pour caler une petite faim.

|●| **Boulangerie-pâtisserie Tafarnout** *(plan B2, 62)* : bd Hassan-II ; à l'angle de la rue de la Foire, face à l'immeuble de la Chambre de commerce. ☎ 048-84-44-50 et 048-84-35-85. Très grand choix de pâtisseries marocaines et européennes et de viennoiseries (chaussons aux pommes, croissants fourrés, pains au chocolat, cakes aux raisins, crêpes au miel, glaces...). On vous en passe et des meilleures. Petits déjeuners exceptionnels que l'on peut prendre sur la terrasse (très agréable). Une adresse surtout fréquentée par les Gadiri. Pâtisseries à emporter. Bon accueil.

|●| **Adamo :** à côté de l'école Gauguin. Excellentes pâtisseries et viennoiseries que l'on peut aussi déguster en terrasse. Ils servent de très bons petits déjeuners. Plus cher que les autres.

|●| **Le Traditionnel** *(plan B2)* : av. du Prince-Moulay-Abdallah ; juste après la poste. Succulentes pâtisseries marocaines. Tout est savoureux et très frais. On peut aussi commander une pastilla à emporter, sublime.

|●| **La Maison du Pain** *(plan A1)* : immeuble Assima, 19, bd Hassan-II ; à 50 m de l'hôtel de la *Petite Suède*. ☎ 048-84-07-39. Grand choix de pâtisseries traditionnelles excellentes et de jus de fruits. Fait aussi salon de thé et glacier. Mais pourquoi les toilettes sont-elles aussi sales ?

|●| **Navarro :** bd Hassan-II ; près du dôme. Bons gâteaux, délicieux sorbets à la figue ou à la prune. Beaucoup de monde en terrasse selon les jours.

|●| **La Tour de Paris** *(plan A1, 63)* : bd Hassan-II. Pour le petit déjeuner, grand choix de croissants, petits pains au chocolat, brioches aux raisins. Belle terrasse et excellent café. Un classique.

À voir. À faire

🐦 **La vallée des Oiseaux** *(plan A2)* : entrée bd du 20-Août et bd Hassan-II. Ouvert tous les jours de 9 h 30 à 12 h 30 et de 14 h 30 à 18 h 30. Entrée : 5 Dh (0,5 €) ; réductions enfants. Jardin avec des volières emplies d'oiseaux. Également quelques mouflons et lamas. Assez triste.

🐦 **Le Grand Souk (Souk Al Had) :** descendre le bd Hassan-II, au rond-point tourner à gauche en direction de l'aéroport. Autre possibilité : prendre la rue de Marrakech au bout de laquelle se trouve le souk *(hors plan par B2)*. Un festival de fruits, de légumes et de couleurs. Vous trouverez aussi des échoppes d'artisanat et de quoi refaire votre garde-robe. Un lieu authentique.

🐦 **L'ancienne kasbah** *(hors plan par A1)* : elle domine la ville nouvelle. On y accède en voiture en partant du bd Mohammed-V (c'est fléché). Il est possible aussi d'y monter par les petits sentiers, entre les cactus, à condition d'éviter les heures chaudes. De la puissante forteresse construite en 1540 pour résister aux attaques des Portugais, il ne reste rien. Ce quartier haut fut d'ailleurs le plus éprouvé par le séisme. Seuls les remparts ont été relevés. Tout le reste fut aplani au bulldozer, transformant cette ancienne place forte en une immense nécropole (plusieurs milliers de cadavres ont été ensevelis sous les décombres de leur maison). Parmi eux, nombre de nos compatriotes restés après l'indépendance. Les deux communautés reposent ensemble. Cette visite est un peu comme un pèlerinage. La porte d'accès, construite par les Hollandais au XVIIIᵉ siècle, offre en néerlandais cette devise : « Crains Dieu et respecte le roi ». La vue est magnifique.

🏖 **La plage** *(plan A2-3)* : pour se baigner, il est préférable d'aller à côté du *Club Med*, au *Beach Club*. Il y a plus de touristes, mais c'est mieux équipé de toilettes et on est moins sollicité. Dommage que ça ne suive pas côté propreté.

🐦 **Le Musée municipal** *(plan B2)* : dans la rue piétonne perpendiculaire à l'av. Mohammed-V, derrière le théâtre. Ouvert de 10 h à 19 h. Fermé le dimanche. Se renseigner auparavant à la municipalité : ☎ 048-84-45-41 ; ou dans les hôtels. Entrée : 10 Dh (1 €). Vaste collection de bijoux berbères, tapis, portes, ustensiles de cuisine... et expositions temporaires.

✎ *La médina d'Agadir :* à *Aghroud Ben Sergao,* à 5 mn du centre en direction de Tiznit, sur la droite peu après le palais royal. ☎ 048-22-49-09. Ouvert tous les jours de 8 h à 17 h 30. Entrée : 40 Dh (4 €). Possibilité de prendre la navette (payante) qui s'arrête devant certains hôtels. Se renseigner à la réception. Bien entendu, ce n'est qu'une reconstitution, mais l'architecture traditionnelle est respectée dans les moindres détails. On peut s'attarder dans un lacis de ruelles, certaines à ciel ouvert, d'autres voûtées, bordées de petites échoppes. Construit à l'intérieur d'une enceinte, ce véritable petit village accueille une centaine d'ateliers d'artisans, des cafés et des restaurants. Avec leur projet, les promoteurs, un couple d'artistes italiens, souhaitent aider les artisans à maintenir leurs traditions séculaires. Une visite intéressante, même si l'endroit voit défiler tous les cars de voyages organisés. La médina abrite un petit restaurant ouvert le midi.

✎ *Le port et la criée :* visite intéressante. La criée a lieu le long des quais.

Loisirs

– Deux *cinémas* (on ne sait jamais, s'il pleut) projettent des films récents sur des écrans géants. L'un, le *Rialto,* est derrière le marché central près du *Dôme (plan B2),* l'autre, le *Salam*, près de la gare des taxis. Les films sont en français. Le programme change tous les jours et c'est dix fois moins cher qu'en France.
– *Institut Français d'Agadir :* rue Chenguit, à Talborj. ☎ 048-84-13-13. Fermé en août. Expositions, spectacles, concerts, conférences. L'adhésion (50 Dh, soit 5 €) permet l'accès à la médiathèque (10 Dh par jour, soit 1 €) et offre des tarifs réduits pour les événements.

➤ *DANS LES ENVIRONS D'AGADIR*

✎ *Taghazout, Imouzzer-des-Ida-Outanane et Tafraoute :* se reporter aux rubriques concernées.

QUITTER AGADIR

En avion

✈ *Aéroport d'Agadir-Massira :* à 22 km, sur la route de Taroudannt. On peut passer par Aït-Melloul ou par Tikouine. ☎ 048-83-91-22 et 32. Pour appeler un taxi : ☎ 048-82-20-17.

En bus

Soit de la gare routière, soit d'Inezgane.
🚌 *Gare routière :* rue Yacoub-el-Mansour, dans le nouveau Talborj *(plan B1),* près du centre artisanal. Liaisons vers (et en provenance de) Casablanca, Marrakech, Essaouira, Tiznit, Taroudannt, Ouarzazate, Safi, Oualidia, El-Jadida, etc. Pour les fréquences, se renseigner auprès des principales compagnies :

■ *CTM :* ☎ 048-82-20-77.
■ *SATAS :* ☎ 048-84-24-70.

■ *Pullman du Sud :* ☎ 048-84-60-40.

Il existe des bus pour les principaux pays d'Europe. Bien choisir sa compagnie. Pour Paris, compter 55 h de trajet. Se munir de devises étrangères car les bus effectuent de nombreux arrêts dans les haltes routières, et il faut bien manger ! Prévoir aussi un peu de lecture.

➤ *D'Inezgane :* à 11 km d'Agadir sur la route de Taroudannt. C'est le nœud routier des cars ou des grands taxis. Pour y aller, bus de la place Salam ou taxi bleu qu'on remplit à 6 ou 7. Pour certains, Inezgane est à mourir de tristesse. Mais d'autres apprécieront la « capitale commerciale du Sous » théâtre d'un énorme trafic de marchandises. Souk, très animé, le mardi. À déconseiller à ceux qui craignent les foules animées.

SUR LA ROUTE DE TIZNIT

🍴 *Tifnit :* à une petite cinquantaine de kilomètres au sud d'Agadir, sur la route de Tiznit. À l'entrée d'Inchaden, prendre sur la droite la 7048, Tifnit est indiqué. Petit et mignon village de pêcheurs. Les derniers 400 mètres se font à pied le long de la plage.

🍴 *La réserve de l'oued Massa :* à 70 km au sud d'Agadir par la P30 et à 41 km au nord de Tiznit. À Massa, prendre direction Sidi-Rbat. En venant de Tifnit, à condition d'avoir un 4x4, on peut se rendre à la réserve par une piste en bordure de mer (à droite d'une maison en ruine). Attention plusieurs bifurcations, restez toujours sur la piste la plus proche de la mer. On arrive directement à Sidi-Rbat.

Aux dernières nouvelles, la réserve est interdite à la circulation, mais elle n'est pas fermée. Plage gigantesque, mais dangereuse. Méfiez-vous, le grand calme est trompeur et il n'y a aucun moyen de secours pour récupérer les nageurs emportés par une barre impitoyable. On tient à ce que vous achetiez la prochaine édition ! La réserve naturelle de l'oued Massa est un endroit merveilleux, calme, rempli d'oiseaux : canards, ibis, flamants roses, hérons cendrés. Il est interdit de remonter l'oued à pied. En revanche, il est possible d'observer les oiseaux en s'approchant de la rivière. Les meilleurs mois pour les observer sont mars-avril ou octobre-novembre, tôt le matin ou en fin d'après-midi.

🏠 *Hôtel Ksar Massa :* ☎ 022-94-03-15. Fax : 022-94-93-70. ● toro@connect.net.ma ● Prendre la piste qui longe la clôture à l'entrée de la réserve. Situé juste derrière Sidi-Rbat au pied de la plage. Prévoir 1 300 Dh (130 €) en chambre double avec le petit déjeuner. Demi-pension et pension complète proposées. Chambres tout confort, décorées à l'aide de matériaux traditionnels. 2 restaurants, piscine et hammam. Possibilité d'excursions.

– Certains de nos lecteurs ont apprécié d'aller à 600 m de l'oued, au nord de l'embouchure. On y trouve un *village troglodytique,* avec grottes, escaliers et terrasses directement taillés dans la falaise. Superbe. La mer qui se brise le long de la côte découpée, une merveille.

⚠ Attention au *camping sauvage.* Vols fréquents dans le coin.
🍴 On peut essayer les petits *restos* du village de Massa comme *Le Tafraoute* ou *Le Flamingo.*

TIZNIT   25 000 hab.

À l'entrée du désert, cette ville est célèbre pour son intéressante médina et son *mellah* (quartier juif), le tout protégé par une vaste enceinte de couleur ocre de plus de 5 km de périmètre.

Elle fut construite par le sultan Moulay Hassan, en 1882, pendant une expédition lancée contre le Sous et les populations voisines afin d'obtenir leur soumission. En avril 1912, El-Hiba, le fils de Ma-el-Aïnine, un chérif originaire de Mauritanie, personnage médiatique et très populaire, se fait proclamer sultan de Tiznit dans la mosquée. Son influence est si grande qu'il parvient en deux mois à conquérir tout le Sous. Les « hommes bleus » dont il porte le costume le considèrent non seulement comme leur chef, mais aussi comme un saint, et lui attribuent des miracles. Avec ses troupes, surtout composées de nomades, il va se rendre maître de Marrakech. Mais c'est la fin de son épopée. Les troupes françaises, conseillées par le Glaoui, le repoussent vers le sud. Le « sultan bleu », comme on avait coutume de l'appeler, mourra à Kerdous, en 1919, à 42 ans.

La ville pullule de faux guides qui patrouillent à vélo et veulent toucher leur commission chez les bijoutiers. Ces derniers ont fait la renommée de Tiznit. Malheureusement, il ne reste pratiquement plus d'artisans travaillant à l'ancienne. Au nord de la ville, une petite palmeraie, pas bien propre.

– **Souk :** le jeudi, sur la route de Tafraoute, après le *Tiznit Hôtel*.

Comment y aller ?

➤ **De Guelmim :** 5 bus *CTM* par jour.
➤ **De Tafraoute :** plusieurs bus quotidiens (trajet en 2 h 30 environ).
➤ Également, des bus depuis **Tata** et **Agadir**.

Adresses utiles

✉ **Poste :** face à la station de grands taxis, av. du 20-Août, elle-même perpendiculaire à l'av. Mohammed-V.

■ **Banques :** BCM et *Banque Populaire*, av. Hassan-II, la voie qui longe les remparts. Distributeur automatique de billets dans les deux banques. *BMCE*, av. Mohammed-V, près du Centre artisanal.

■ **Presse :** journaux français sur la place El-Mechouar, en face de *CTM*.

Où dormir ?

Camping

⚹ **Camping :** en arrivant d'Agadir, sur la droite au rond-point. ☎ 048-60-13-54. Compter environ 40 Dh (4 €) pour deux avec tente et voiture ; électricité en plus et douche payante ; réductions à partir du 3ᵉ jour. Sanitaires propres. Bon accueil mais bruyant. Emplacements bien tenus mais caillouteux. Des arbres ont été plantés, il faut encore attendre un peu pour que l'ombre soit suffisante. Les camping-cars ont les faveurs du « chef » Mohammed qui tient le camping.

Bon marché

🛏 *Hôtel des Touristes :* pl. du Méchouar. ☎ 048-86-20-18. Chambres doubles à 90 Dh (9 €). 12 petites chambres confortables et bien tenues. Propre et sympa. Douche chaude gratuite, collective. Des tableaux de Paris d'une autre époque et une déco désuète et soignée donnent un charmant côté rétro. Si vous voulez faire plaisir au patron, apportez-lui quelques vieux billets de banque pour enrichir son impressionnante collection. Accueil agréable.

🛏 *Hôtel Belle Vue :* 101, rue du Bain-Maure. ☎ 048-86-21-09. Dans une rue qui part de la pl. El-Mechouar. Chambres doubles à 60 Dh (6 €). Douches payantes (5 Dh, soit 0,5 €) et trop peu nombreuses. Entretien relativement correct.

🛏 *Hôtel du Bon Accueil, Hôtel des Amis, Hôtel Atlas... :* pl. du Méchouar. Dans la médina, l'endroit le plus intéressant de la ville. Compter 50 Dh (5 €) environ pour des chambres rudimentaires et mal entretenues, avec sanitaires communs. Il en est de même pour l'*hôtel de l'Ère Nouvelle*, rue El-Hamman. À éviter.

Prix moyens

🛏 *Hôtel de Paris :* av. Hassan-II ; au carrefour de la grande route d'Agadir. ☎ 048-86-28-65. Fax : 048-60-13-95. Chambres doubles à 164 Dh (16,4 €) avec douche et w.-c., sans le petit déjeuner. Compter 60 à 70 Dh (6 à 7 €) pour un repas complet. Chambres propres, spacieuses et confortables, mais bruyantes. Le patron a travaillé pendant 20 ans à Paris et cela se sent. Accueil simple mais sympa. Cartes de paiement acceptées. Ni jardin ni piscine, mais on peut aller se baigner au *Tiznit Hôtel*, à condition de consommer. Restaurant avec des repas copieux et vite servis, mais d'une qualité très moyenne. Carte éclectique. On y trouve même des hamburgers.

Chic

🛏 *Tiznit Hôtel :* en face de l'*hôtel de Paris*, rue Bir-Inzaran, au carrefour de la route de Tafraoute et de Guelmim. ☎ 048-86-24-11 et 048-86-38-86. Fax : 048-86-21-19. Chambres doubles avec douche autour de 320 Dh (32 €), sans le petit déjeuner. Repas à environ 100 Dh (10 €). Une quarantaine de chambres correctes mais vieillottes, et dans certaines l'entretien laisse à désirer. Piscine (pas très propre lors de notre passage) avec solarium. Bar. Le restaurant est bon, mais la salle peu accueillante. Nous avons moyennement apprécié les pseudo-danses et chants folkloriques qui s'éternisent jusqu'à une heure tardive et empêchent les clients de dormir. Discothèque. Bon accueil toutefois.

Très chic

🛏 *Hôtel Idou Tiznit :* av. Hassan-II. ☎ 048-60-03-33. Fax : 048-60-06-66. ● www.idoutiznit.com ● À l'entrée de la ville en venant d'Agadir. Chambres doubles avec petit déjeuner à 530 Dh (53 €), un tarif promotionnel qui perdure. Tout le confort d'un hôtel 4 étoiles inauguré par Sa Majesté en personne (des photos se chargent de vous le rappeler). Le hall et son lustre sont superbes et la piscine évoquant la forme du Sous est magnifique. 90 chambres tout confort, 2 restaurants et 3 bars. Évidemment, le personnel est aux petits soins. Cartes de paiement acceptées.

🛏 *Hôtel Kerdous :* col du Kerdous,

km 54, route de Tiznit à Tafraoute. ☎ 048-86-20-63. Fax : 048-60-03-15. Chambres doubles à 500 Dh (50 € ; prix spécial routard), petit déjeuner compris ; prévoir 12 Dh (1,2 €) de taxes par nuit et par personne. Menu autour de 110 Dh (11 €). Bâti sur un piton rocheux, l'hôtel possède une superbe vue sur les contreforts de l'Anti-Atlas. 39 chambres avec TV satellite. Bar. Restaurant panoramique et splendide terrasse avec piscine, à quelque 1 100 m d'altitude. Vertigineux !

Où manger ?

|●| *Restaurants de l'hôtel de Paris et du Tiznit Hôtel :* voir « Où dormir ? Prix moyens et Chic ».

|●| *Café-restaurant du Carrefour :* av. Hassan-II. ☎ 048-60-08-36. Plats de 30 à 60 Dh (3 à 6 €). La salle de restaurant est climatisée, ce qui n'est pas un luxe à Tiznit lorsque la température rivalise parfois avec une fournaise. Plats simples mais de bonne qualité. Service impeccable et sympathique.

|●| *La Ville Nouvelle :* 17, bd du 20-Août. Restaurant sur deux étages, doté d'une agréable terrasse. La carte n'est pas très garnie, mais les prix et la qualité sont corrects. Bonnes pâtisseries, et du vrai café italien. Lieu de rendez-vous de la jeunesse branchée.

Où manger une pâtisserie ?

|●| *Pâtisserie Al-Mechouar :* 66, pl. du Mechouar. Une adresse récente qui fera craquer les amateurs de gâteaux. On peut y prendre son petit déjeuner. Délicieux jus de fruits (banane, amandes, avocat). Prix très raisonnables. Patrons sympas et dynamiques. Dommage que la pl. du Mechouar soit aussi celle des cars et taxis.

|●| *La Ville Nouvelle :* voir la rubrique « Où manger ? ».

À voir

🚶🚶 Tiznit est la patrie des bijoux berbères (souvent en laiton !), mais le marchandage y est difficile ; ne surtout pas manquer les ruelles du *souk des bijoutiers*. L'entrée du nouveau souk des bijoutiers se fait par la place du Mechouar. L'ancien souk, moins riche, mérite cependant une visite pour son architecture : les boutiques s'ouvrent sur un patio à colonnes dont le plafond est composé de bois et de roseaux peints. On y voit encore des artisans travailler l'argent selon d'anciennes méthodes. Il est possible d'admirer certaines de leurs productions, exposées au Centre artisanal situé av. Mohammed-V, parallèle à l'av. Hassan-II.

🚶 Si vous passez devant la *grande mosquée* de Tiznit, on vous signale que les perches en haut du minaret sont là pour que les âmes des morts puissent s'y reposer.

– On peut se dispenser d'aller voir la *source Bleue* de Lalla Zninia, une pécheresse repentie qui aurait donné son nom à la ville. La légende est peut-être séduisante : Allah, pour manifester son pardon devant le repentir de cette femme, aurait fait jaillir une source à ses pieds. Mais la source n'est qu'un vulgaire bassin sans intérêt.

🚶 *La promenade sur les remparts* est agréable. Possibilité aussi d'en faire le tour en fin de journée, quand la lumière est plus douce. Avec 36 tours et 9 portes, les remparts sont d'une dimension respectable, mais l'ensemble n'a tout de même pas le cachet de Taroudannt.

🦎 Visitez les *souks* autour de la place du Méchouar et la jolie *palmeraie* de Bâb Targua. Dommage que ses abords soient transformés en décharge publique.

➤ *DANS LES ENVIRONS DE TIZNIT*

AGLOU-PLAGE

À 17 km au nord-ouest de Tiznit (dans un cul-de-sac ; ce n'est pas sur la route d'Agadir). Quelques pêcheurs et de magnifiques plages désertes. Baignades assez dangereuses. Intéressant pour les camping-cars bien ravitaillés. Ne s'anime guère qu'aux vacances scolaires d'été, période à laquelle, pourtant, le temps n'est pas le meilleur. Pas de commerce.

Où dormir ? Où manger ?

⌘ *Camping :* en arrivant sur la droite. Tarifs imbattables : 17 Dh (1,7 €) pour deux personnes et la tente ; douche à 5 Dh (0,5 €). Prestations minimum.

🏠 ⏐●⏐ *Hôtel Aglou Beach :* en bord de plage. ☎ 048-86-61-96. Fax : 048-86-61-50. ● agloubeach@hotmail.com ● Compter 350 Dh (35 €) pour une chambre double et 24 Dh (2,4 €) pour le petit dej'. Menu autour de 80 Dh (8 €). Une décoration tout en sobriété, et la propreté des chambres, équipées d'une salle de bains, est irréprochable. Fait aussi restaurant. Poissons et tajines. Belle et imposante terrasse surplombant la plage.

À voir. À faire

🦎🦎 En arrivant à Aglou, en prenant une piste sur la droite juste avant le camping, il faut longer la plage pendant 3 ou 4 km. On arrive d'abord à un village de pêcheurs où se trouve un port naturel, puis on tombe sur des *grottes* creusées dans les falaises où vivent des gens accueillants. Au total, une cinquantaine de cavités, composées le plus souvent d'une pièce unique, fermée par une porte, et dont les murs sont blanchis à la chaux. L'endroit est génial. Pour s'y rendre : à pied en longeant la plage, ou en voiture. Sinon, faire du stop avec les camions allant chercher le sable (somme modique).

🦎 Ceux qui sont en 4x4 peuvent continuer sur la piste qui longe la côte jusqu'à *Massa* (à 41 km). Attention, impossible de vous donner des indications exactes car elle est coupée par plusieurs bifurcations. À *Bou-Soun*, à 8 km, falaise impressionnante dans laquelle les pêcheurs ont creusé leurs habitations. Arrivé à Massa (voir plus haut « Sur la route de Tiznit »), vous pouvez continuer par la piste (15 km) jusqu'au village de pêcheurs de Tifnit, dans un cadre sauvage, battu par une mer impétueuse. De là, une route goudronnée regagne la P30 pour Agadir.

D'Aglou-Plage, on peut rejoindre vers le sud Gourizim, par la belle route côtière 7063 (compter 23 km). Puis continuer sur Sidi-Ifni *via* Mirleft par la route 7064. Cet itinéraire permet de découvrir de belles plages désertes et quelques villages de pêcheurs.

➤ *De Tiznit à Tafraoute :* 107 km de paysages sublimes. Voir « Quitter Tafraoute ».

AUTOUR DU BARRAGE YOUSSEF-BEN

Au nord de Tiznit, la route 7060 traverse de jolis paysages parsemés d'arganiers. Elle longe les premiers contreforts de l'Anti-Atlas sur lesquels sont accrochés quelques villages. En poursuivant jusqu'au bout, on rejoint la route d'Agadir, mais la partie la plus intéressante s'arrête au barrage Youssef-Ben.

🏠 **Dormir chez l'habitant** : la *famille Amarir* du village de Tougrar, à quelques kilomètres d'Arbaa-Rasmouka, à l'intérieur des terres, accueille des touristes chez elle. ☎ 061-93-56-78 et 061-93-56-76 (portables). Lors de notre passage, ils étaient en train de construire trois chambres à l'étage. Confort sommaire. En revanche, le salon typiquement marocain, à l'entière disposition de l'hôte, est cossu. Possibilité d'être en pension complète, la femme de Mustapha est la reine des tajines. Les prix sont à fixer (n'abusez pas). Les plus routards peuvent dormir à même le sol dans une maison traditionnelle voisine vieille de deux siècles, construite en boue séchée. Nécessaire de téléphoner, Mohamed ou Mustapha vous donneront rendez-vous à Arbaa-Rasmouka.

QUITTER TIZNIT

🚌 **Gare routière** : pl. du Méchouar (mais un projet est en cours pour libérer la pl. El-Mechouar des bus et des taxis et la rendre plus attractive, la gare routière risque donc de déménager), l'une des portes de la ville, pour les lignes de la *CTM* et de la *SATAS*. Le Grand Sud, tout particulièrement, est desservi par de nombreux bus.
Lignes de la *CTM* : ☎ 048-86-23-29.
➤ **Pour Tan-Tan, Laâyoune, Boujdour** et **Dakhla** : 1 départ par jour.
➤ **Pour Guelmim** seulement **:** 1 bus à 7 h et 3 en soirée avec *CTM*. Entre Tiznit et Guelmim, on franchit le col du Tizi-Mighert, à 1 057 m, où des pierres verticales sortent de terre au milieu de plantes grasses.
➤ **Pour Agadir, Essaouira** (ligne **Tiznit-Casablanca** avec *CTM*) : 3 départs quotidiens.
➤ **Pour Tafraoute** : 1 départ tôt le matin.
➤ **Pour Marrakech** (ligne **Tiznit-Tanger**) : 3 départs par jour.
➤ Nombreuses autres compagnies (*Satcoma, Satas, Bab Salama* et *Ballouty Trans*) assurant de nombreux services vers **Guelmim** (au moins 5 départs quotidiens) et **Agadir** (au moins 7 départs).
➤ **Pour Sidi-Ifni** : 3 départs quotidiens.

MIRLEFT
1 600 hab.

À 45 km de Tiznit en direction de Sidi-Ifni, soit au terme d'une route sinueuse peu empruntée, encadrée de cactus, soit par la belle route côtière 7063 si on vient d'Aglou-Plage. Le village s'étale au sommet d'une colline d'où l'on a une très belle vue sur toute la côte. Aux pieds de ses pentes abruptes se déploie le large damier de minuscules parcelles cultivées. Toutes les nuances de vert rivalisent alors avec l'ocre des montagnes et le rouge de la forteresse en pisé qui domine la région. La rue principale est très agréable, ourlée d'arcades qui abritent quelques petits cafés où les hommes viennent boire le thé.
Mais Mirleft est surtout réputé pour ses plages qui s'ouvrent dans des falaises à pic. La plus jolie est certainement celle du marabout Sidi Mohammed – ou Abdallah –, à 2,5 km en direction de Sidi-Ifni. À la mi-juillet se déroule sur cette plage un petit *moussem* très animé où l'on peut acheter,

entre autres, de la poterie de la région. Ces plages sont un paradis pour les pêcheurs : de gros loups de mer, des sars et de la courbine sont les prises les plus courantes. Mais attention, la mer est très dangereuse (vagues et courants très forts).
– **Souk :** le lundi.

Adresses utiles

✉ **Poste :** au bout de la rue principale, à l'opposé de l'hôtel *Tafoukt*. Ouvert du lundi au jeudi de 8 h 30 à 12 h 15 et de 14 h 30 à 18 h 30, et le vendredi de 8 h 30 à 11 h 30 et de 15 h à 18 h 30.
■ **Agence de voyages et de trekking Cobratours :** BP 27, 85350 Mirleft. Dans le village, face à l'ONEP. ☎ 048-71-91-74. Fax : 048-71-91-05. ● cobra@iam.net.ma ● Alessandra et Michele Bravin, un couple d'Italiens sympathiques et très compétents, parlant le français à la perfection, ont monté, il y a plusieurs années, cette agence desti-née, avant tout, aux individuels et aux petits groupes. Ils proposent des circuits à thème et des itinéraires originaux, surtout consacrés à la découverte du patrimoine artistique et culturel de l'ensemble du Maroc, avec une préférence pour le Sud marocain : art rupestre, architecture traditionnelle. En 4x4 ou à pied, que ce soit pour un jour ou plusieurs semaines, *Cobratours* étudiera avec vous un circuit sur mesure. À notre avis, l'une des meilleures agences du Maroc. N'hésitez pas à leur demander conseils et documentation.

Où dormir ? Où manger ?

Bon marché

🏠 |●| **Hôtel Tafoukt :** dans la rue principale. Pour l'atteindre, tourner sur la gauche à l'arrivée à Mirleft. ☎ 048-71-90-77. Chambres doubles à 60 Dh (6 €); douche chaude payante et petit déjeuner assez cher. Compter autour de 40 Dh (4 €) pour une entrée et un tajine. Nourriture correcte. Simple mais très bien tenu par Slimane. Les chambres de la nouvelle aile sont un peu plus chères, mais nettement mieux.

Prix moyens

🏠 |●| **Hôtel Mirleft café-restaurant :** au bord de la route qui traverse le village. ☎ 048-71-90-44. Compter 100 Dh (10 €) pour une chambre double avec douche, petit dej' inclus. Petit hôtel; au rez-de-chaussée, le restaurant, et au 1er étage, les chambres distribuées autour d'une cour. Tout est peint en jaune pétard et dégage une atmosphère joyeuse. Géré par un Allemand.

Chic

🏠 |●| **Hôtel de la Plage :** sur la plage de Sidi-Mohammed (ou Abdallah), à 2,5 km au sud de Mirleft. ☎ et fax : 048-71-90-56. ● albergo@iam.net.ma ● Chambres doubles de 200 à 300 Dh (20 à 30 €), sans le petit déjeuner. Dîner à 150 Dh (15 €). Au départ, c'était une maison particulière. 5 chambres avec salle de bains et eau chaude. Salle à manger, salon panoramique et terrasse. Cuisine familiale européenne (excellentes spécialités vénitiennes en particulier) ou marocaine. Poisson selon l'arrivage. Le soir, formule table d'hôte très sympathique. Dîner copieux. Organisation d'excursions. Une bonne adresse, des tarifs très raisonnables pour la qualité de ses prestations.

⌂ **Résidences Alayoud** : sur la route de Sidi-Ifni qui traverse le village.. ☎ 048-71-90-17. Compter entre 300 et 500 Dh (30 à 50 €) selon la taille des appartements meublés. Propre. Possibilité de louer à la semaine ou au mois. Nécessité de réserver longtemps à l'avance.

SIDI-IFNI

Convoité dès le XVIIIᵉ siècle par les puissances coloniales, car étant l'un des rares points d'accès à cette côte aux falaises inhospitalières, Sidi-Ifni est resté enclave espagnole jusqu'en 1969. Depuis quelques années, un grand chantier de rénovation a été mis en œuvre pour redorer le blason de cette cité qui s'essoufflait quelque peu. Façades repeintes, plantations de palmiers... Même sur la place Hassan-II (ex-plaza de España), dans la partie haute de la ville, sur la falaise, l'ancien consulat espagnol fait peau neuve. Voir aussi le tribunal qui a pris la place de l'ancienne église, et quelques maisons intéressantes. À droite du tribunal, belle vue sur la plage en bas. On y accède par la « promenade » le long du belvédère. Le marché s'anime après 14 h, avec le retour des pêcheurs, et la ville vers 18 h, comme toute bonne ville espagnole. La plage, qui s'étend sur 8 km, est coupée par quelques criques et de belles falaises. Les plages des environs commencent à être connues des amateurs de surf. Ceux qui restent quelques jours flashent sur cette ville envoûtante où le temps semble être suspendu et reviennent souvent.

– **Souk** : le dimanche, en dehors de la ville, en direction du port.

Adresses utiles

✉ **Poste** : av. Mohammed-V, près du souk.

▪ **Banque Populaire** : av. Mohammed-V, face à la poste. Ouvert de 8 h 15 à 11 h 30 et de 14 h 15 à 16 h 30 du lundi au jeudi, de 8 h 15 à 11 h 15 et de 14 h 45 à 16 h 45 le vendredi.

@ **Ifni Net** : 3, av. Hassan-II. Face à l'hôtel de ville. Ouvert de 9 h à minuit ; le samedi de 23 h 30 à 3 h 30. Prévoir 20 Dh (2 €) la connexion, puis 8 Dh (0,8 €) de l'heure. Possibilité de scanner et d'imprimer pour quelques dihrams.

▪ **Pharmacie** : av. Mohammed-V.
▪ **Hammam** : rue Moulay-Youssef.

Où dormir ? Où manger ?

Camping

⚞ **Camping El Barco** : au pied de la ville, sur la plage. ☎ 048-78-07-07. Compter environ 50 Dh (5 €) pour deux avec une caravane, électricité et douche chaude comprises. Possibilité de louer tente, matelas et couverture pour quelques dirhams. Le terrain bénéficie d'une situation idéale, directement face à la mer, les pieds dans l'eau. Bon accueil, et sanitaires propres.

Très bon marché

⌂ |●| **Hôtel-café-restaurant Ère Nouvelle** : 5 bis, av. Sidi-Mohammed-ben-Abdallah. ☎ 048-87-52-98. Compter 50 Dh (5 €) pour une double. Lavabo collectif. Assez sale. Terrasse avec vue sur la mer. Au restaurant, bon poulet aux raisins à prix routard. La salle a conservé ses petits rideaux à carreaux rouges et blancs. Le matin, la police et la gendarmerie s'y retrouvent pour le petit déjeuner ; normal, le poste de police est juste en face. Bon accueil.

|●| *Café-restaurant Nomad :* 5, av. Moulay-Youssef. Bons et copieux tajines de viande et de poisson autour de 45 Dh (4,5 €), tout comme le poulet grillé. Sert également de grosses salades et des sandwichs. Ici, il faut commander à l'avance, rien n'est réchauffé (gage de qualité). La décoration, très réussie, est un mélange subtil entre modernisme et tradition qui dégage une atmosphère chaleureuse et conviviale. Même si la cuisine est bonne, on vient plus pour l'ambiance et la bande d'amis qui anime les lieux. Aya, Balou, Anouar et consorts ont des talents de musiciens, alors souvent, le soir venu, l'un saisit la guitare, l'autre le *djembé* et tout le monde chante et danse au rythme du raï ou des morceaux traditionnels arabes et sahraouis. Point de rendez-vous des jeunes de Sidi. Un endroit qui a une âme, idéal pour les rencontres.

|●| *Snack Les Fleurs :* 13, av. Hassan-II. ☎ 048-78-02-86. Une rôtisserie de poulet récente. Le demi-poulet avec des frites à 40 Dh, ou 80 Dh en entier (4 ou 8 €). Aucun risque de mauvaises surprises.

Prix moyens

🏠 |●| *Hôtel Bellevue :* pl. Hassan-II (ex-plaza de España). ☎ 048-87-50-72. Fax : 048-78-04-99. Compter 190 Dh (19 €) pour une chambre confortable et très propre. Petit déjeuner copieux à 22 Dh (2,2 €). Repas autour de 75 Dh (7,5 €). L'hôtel, perché au sommet de la falaise, dispose d'une vue imprenable sur la mer. Sa terrasse est par conséquent le meilleur endroit de la ville pour prendre un verre (on sert de l'alcool au bar). Architecture des années 1930. Bon restaurant avec du poisson excellent, qu'il faut souvent commander à l'avance. Plats copieux. Demander aussi l'authentique repas berbère, le délice de certains de nos lecteurs ! Personnel agréable.

🏠 |●| *Hôtel Suerte Loca :* ☎ 048-87-53-50. Prévoir 155 Dh (15,5 €) pour une double avec bains. Dans l'ancienne partie de l'hôtel, des chambres beaucoup plus simples mais correctes avec terrasse commune à 95 Dh (9,5 €), salle de bains commune à l'étage. Compter 60 Dh (6 €) environ pour un repas complet. L'hôtel a du charme. Les chambres avec bains sont d'une propreté exemplaire, avec balcon donnant sur l'océan et sur la vallée. Restaurant de cuisine locale avec des spécialités de poisson, cuit au four ou en tajine, et de fruits de mer. En basse saison, prévenir 2 h à l'avance si on veut manger. Langoustes sur commande. Cuisine inégale. Location de VTT, bibliothèque, change. Ils louent aussi 3 petits studios avec salle de bains (douche chaude) et coin cuisine. Malika tient juste à côté une échoppe d'artisanat et de bijoux à prix raisonnables.

🏠 |●| *Hôtel de Aït-Baamrane :* sur la plage, en bas du *Suerte Loca* et à côté du camping. ☎ et fax : 048-78-02-17. 25 chambres doubles avec sanitaires autour de 230 Dh (23 €), entièrement rénovées, confortables mais sans charme. Petit dej' en plus. Grand restaurant avec un menu à 80 Dh (8 €).

Où dormir ? Où manger dans les environs ?

🏠 |●| Face à l'îlot d'el-Zira, 10 km avant Sidi-Ifni quand on vient de Mirleft, une piste signalée par une borne vous conduira, après 500 m, dans un *gîte* simple au bord d'une plage où 4 arches naturelles ont été taillées par le flux et le reflux. L'endroit est idéal pour le parapente. Abdellah vous conseillera plusieurs endroits pour le décollage. Les amateurs de surf et de bodyboard seront à la fête. L'îlot sert essentiellement de repaire aux pêcheurs. Le poisson est abondant dans le secteur. Vous le retrouverez dans le tajine servi au gîte pour 50 Dh (5 €). Pour contacter le propriétaire, Abdellah Sakou-rou, s'adresser au *café-restaurant L'Eg Zira*, 7, rue Anzi, Lalla Meryane, à Sidi-Ifni. ☎ 048-78-04-57. Il loue 7 chambres sommaires mais propres. Compter 100 Dh (10 €) la double. Douche froide collective. Le propriétaire est accueillant, mais mieux vaut manger chez lui si vous voulez vous faire bien voir. Vous voilà prévenu.

Fête

– *Moussem :* la dernière semaine de juin.

➤ *DANS LES ENVIRONS DE SIDI-IFNI*

🍴 *Sidi-Ouarsik :* petit village de pêcheurs très sympa, à 17 km au sud de Sidi-Ifni. Compter 1 h par une mauvaise piste que l'on prend à l'intérieur du port de Sidi-Ifni. Pour les non-motorisés qui souhaiteraient y passer la journée, une Land Rover part le matin de la station des taxis collectifs ; retour en fin de journée. Possibilité de planter sa tente en bordure de mer. On peut même louer une petite maison très bon marché (confort rudimentaire) pour quelques jours, quelques semaines ou plus, en s'adressant à l'hôtel *Suerte Loca* de Sidi-Ifni.

➤ *Boucle Sidi-Ouarsik – Foum-Assaka – Guelmim – Sidi-Ifni :* au total, 140 km environ, dont 65 km d'asphalte. Véhicule 4x4 indispensable. Comptez une journée et prévoyez une réserve d'eau et un pique-nique.
À *Ifni*, prenez la route goudronnée du port. Juste avant d'y arriver, au virage, quand la route commence à descendre, prenez la piste à gauche et bouchez-vous le nez car il faut traverser la décharge publique. Comptez 15 km pour *Sidi-Ouarsik* (voir plus haut). Continuez sur 22 km, en suivant plus ou moins la côte. En restant près de la côte, vous arriverez juste en haut de la falaise (vue splendide), mais la descente est difficile et la traversée de l'oued ne peut s'effectuer qu'à marée basse et après avoir toujours vérifié le terrain. Autre solution : environ 1,5 km avant l'oued, restez sur la gauche et la piste vous conduira au gué. Cette partie est, elle aussi, à couper le souffle (mais elle est au moins entretenue) : descente raide et montée à pic. Après sa traversée, longez l'oued par la piste d'en bas (un passage difficile) pour arriver à l'embouchure. Bon emplacement de camping. En hiver, comme à *Massa*, flamants roses, hérons, grandes tortues, cormorans.
Pour rentrer sur Guelmim, après le gué, prenez tout de suite la piste à gauche et ne la quittez plus. Elle longe l'*oued Noun* et entre dans ses gorges habitées et cultivées courageusement en petites terrasses. À *Tiseguenane*, on retrouve l'asphalte pour Guelmim et Ifni. La route offre aussi de beaux panoramas.

GUELMIM (GOULIMINE)   38 000 hab.

C'est à Guelmim (prononcer « Gueulmime ») que l'on peut assister à la *guedra* (« marmite »), danse très caractéristique de la région, qui tire son nom des tambours de terre sur lesquels on a tendu une peau de chèvre. Les musiciens entourent une femme accroupie voilée de noir, dont les mains s'animent comme des marionnettes en suivant le rythme lancinant des tambourins. Lorsque celui-ci s'accélère, la danseuse ondule en cadence et se libère peu à peu des voiles qui la couvrent. Rien à voir cependant avec un strip-tease de Pigalle. Le rythme atteint un paroxysme délicieusement érotique. Cependant, il devient fort difficile d'assister à une authentique *guedra*. La ville a perdu l'hégémonie commerciale qui faisait d'elle une porte du désert animée, où les caravanes se bousculaient après une longue croisière à travers la mer de sable. Elle constitue cependant un camp de base stratégique pour découvrir les oasis des environs. Si vous voyez des « hommes bleus », pas de doute, un piège à touristes se prépare... car des vrais, il n'y en a pratiquement plus. Ils prétendent tous habiter l'oasis que vous souhaitez explorer, et proposent de vous y accompagner gratuitement. Bien entendu, la visite s'achève chez un cousin qui tentera de vous vendre des bijoux hors de prix.

Comment y aller ?

➤ *De Tata :* bus quotidiens.
➤ *De Tiznit :* 1 bus par jour.

Adresses utiles

■ *Banques :* plusieurs dans le centre. *BMC,* bd Mohammed-V, près de l'hôtel *L'Ère Nouvelle; Banque Populaire,* près de la pl. Bir-Anzarane; le *Crédit Agricole* en face; *BMCI,* sur la place avant la station des bus.

🚌 *Station des bus et des taxis :* sur l'ancienne route de Sidi-Ifni. À la sortie de la ville, au bout de l'av. Abaynou.

@ *Cyber Club Horizons Club Internet :* av. Abaynou (en face du *Bahich Hôtel).* ☎ 048-87-26-80. Connexions pour 8 Dh (0,8 €) l'heure.

Où dormir ?

Bon marché

🛏 *L'Ère Nouvelle :* 115, av. Mohammed-V. ☎ 048-87-21-18. Prévoir 40 Dh (4 €) pour une chambre sommaire mais correcte, plus 10 Dh

(1 €) pour une douche chaude. Sanitaires à peine propres. Accueil sympa. Pour routards peu exigeants.

Prix moyens

🛏 *Bahich Hôtel :* 31, av. Abaynou. ☎ et fax : 048-77-21-78. ● www.geo cities.com/hotelbahich ● Compter 180 Dh (18 €) pour une double. Idéalement situé en centre-ville, cet hôtel récent propose des chambres simples, propres et confortables, mais bruyantes. La meilleure adresse de Guelmim, malgré tout. Bon accueil.

🛏 *Hôtel Salam :* route de Tan-Tan. ☎ 048-87-20-57. Fax : 048-77-

09-12. Compter 150 Dh (15 €) pour une chambre double avec salle de bains. Un peu vieillot mais propre. Les chambres sont disposées, à l'étage, autour d'une grande terrasse. Malgré sa vétusté, l'hôtel dégage un certain charme qui incite à y rester dormir. Attention, seul bar où l'on vend de l'alcool en ville, donc bruyant. Accueil aimable.

Où manger? Où boire un verre?

|◉| *Rôtisserie Bir-Anzarane :* pl. Anzarane. À quelques mètres de l'hôtel du même nom. Prévoir de 20 à 30 Dh (2 à 3 €) pour un plat. Une bonne adresse pour se restaurer. Les amateurs de frites seront comblés : elles sont excellentes.

|◉| *Rôtisserie Al-Manara :* 232, pl. Anzarane. À 50 m de l'hôtel *Bir-Anzarane*. Poulet rôti servi avec des frites pour 30 Dh (3 €) environ. Le patron accueille ses hôtes avec le sourire, mais les règles d'hygiène les plus élémentaires ne sont guère respectées.

|◉| *Restaurant de l'hôtel Salam :* sur la route de Tan-Tan. Compter 80 Dh (8 €) pour un repas complet. Bar.

🍷 *Café Ali Baba :* sur la place, à gauche au petit rond-point en bas de l'av. Mohammed-V. Café sympathique qui dispose d'une grande terrasse ombragée sur le toit, idéale pour observer la cité et ses habitants.

Où dormir? Où manger dans les environs?

⚠ 🏠 |◉| *Domaine Khattab :* km 12, route d'Assa-Zag ; descendre l'av. Mohammed-V, puis tourner à gauche lorsqu'on arrive sur la place du bas, vous êtes alors sur la route d'Assa. Tourner à droite au panneau indiquant le camping et passer l'oued. ☎ et fax : 048-87-18-12 ou ☎ 061-17-64-11 (portable). Pour l'emplacement d'une tente compter 20 Dh (2 €) quel que soit le nombre de personnes, 35 Dh pour une caravane (3,5 €) ; possibilité de dormir sous une tente berbère pour 20 Dh (2 €). Loue également des bungalows à 240 Dh (24 €) pour deux, petit dej' inclus, et des chambres rudimentaires à 100 Dh (10 €) sans le petit dej'. Restaurant sur commande : 45 Dh (4,5 €) le plat. Grands emplacements (domaine de 22 ha dont 6 aménagés). Le tout sera bien ombragé lorsque la végétation aura poussé. En pleine nature, donc calme : idéal pour reposer le corps et la voiture d'une expédition dans le Sahara. De plus, le fils du proprio est mécanicien. Bon accueil.

⚠ 🏠 |◉| *Fort Bou-Jerif :* lieu indiqué sur la carte *Michelin* n° 959 O. Noun. À environ 40 km à l'ouest de Guelmim, direction plage Blanche (route de Sidi-Ifni) ; tourner à gauche juste avant l'arche de la ville, puis à droite au panneau « Fort Bou-Jerif ». Lorsque la piste est en mauvais état, parfois quelqu'un vous attend à ce croisement pour vous guider. Sinon, suivez les rares mais suffisantes pancartes ; les 7 derniers kilomètres sont plus difficiles, mais faisables à condition de rouler lentement. Compter 1 h 30 depuis Guelmim. Chambres doubles à 150 Dh (15 €) dans le motel (sanitaires à l'extérieur) et à 400 Dh (40 €) dans leur hôtel *Le Caravansérail*. Camping : prévoir 50 Dh (5 €) pour deux avec tente et voiture ; 30 Dh (3 €) sous une tente nomade ; douches chaudes, eau et électricité gratuites. Compter un minimum de 160 Dh (16 €) pour le menu ; petite carte de 40 à 100 Dh (4 à 10 €). Motel, hôtel et camping sont tenus par un couple de Français, Guy et Evy Dreumont, tombés amoureux de cette région au milieu de nulle part, à 500 m des ruines d'un fort construit par les Français en 1935. La décoration de l'hôtel, tout en pierre, est raffinée, composée de beaux objets ; les quatre chambres, spacieuses et en demi-cercle, ont de l'allure. Deux salles de restaurants dont la cuisine est succulente et copieuse (méchoui, sole, tajine). Une grande salle pour les groupes, décorée d'une fresque saharienne faite par un artiste marocain. Menus gastronomiques avec des spécialités de dromadaire en tajine, en steak ou en tournedos. À moins que vous ne préfériez le poisson (bar en croûte d'amandes, etc.) ou les crustacés. Desserts maison, dont la glace aux figues de Barbarie. Ils ont même du vin. Les prix ne sont pas donnés, mais on est loin de tout. Des randonnées sont organisées au départ du camping, ainsi que des circuits à thème en Land Rover : gravures rupestres, Sahara atlantique. Contacter : *Maroc Aventure,* BP 504, 81000 Guelmim, Maroc. Fax : 048-87-30-39. Pour les voyageurs vers l'Afrique noire, tous les renseignements pour se rendre en Mauritanie et en revenir.

À voir

🦎 *Le souk :* chaque samedi, à l'extérieur de la ville. S'y rendre dès le lever du soleil (les commerçants, eux, s'installent dès le vendredi après-midi). Souk assez animé, intéressant pour acheter des épices (sous la tente de Mme Fatima, par exemple), mais aussi des *mlhaf* en coton (de longs vêtements que portent les femmes de la région). La partie consacrée aux animaux (moutons, chameaux, vaches, chèvres) est plus ou moins animée en fonction de la saison. Attention, les bimeloteries du souk sont hors de prix, les perles de Mauritanie presque toutes fausses, et les « hommes bleus » sont des gens du village déguisés, acteurs remarquables d'ailleurs.

🦎 *Le hammam El-Kodss :* route d'Agadir. Ne pas hésiter à s'y rendre car ils sont vraiment épargnés par la pollution touristique. L'accueil y est charmant. Les hommes se font vigoureusement masser, et les femmes doivent passer au moins une heure dans la vapeur, sous peine de susciter l'indignation des autres baigneuses qui, elles, y demeurent près d'une demi-journée !

🦎 *Le vieux Guelmim :* à l'écart de la ville nouvelle, en direction de la caserne militaire. La ville ancienne, avec ses ruelles et ses maisons de terre, n'a pas dû changer depuis des décennies. Pour goûter la différence.

Fête

– *Moussem du chameau :* en juillet. On y célèbre en fait le *moussem* de Sidi el-Ghazi. Des cavaliers viennent de toute l'Afrique pour y assister, d'où le nombre important de chameaux. Au programme : compétition, foire aux chameaux, manifestations culturelles, etc.

➤ *DANS LES ENVIRONS DE GUELMIM*

🦎 *Abahinou :* à 10 km de Guelmim, direction Sidi-Ifni sur 4 km ; puis tourner à droite vers Abahinou. ☎ 062-19-41-88 (portable). Source thermale entièrement rénovée, donc saine. Un bâtiment pour les hommes et un autre pour les femmes ; chacun équipé d'une petite piscine d'eau chaude (38 °C) ouverte jusqu'à 19 h. Plusieurs douches et même des bains.
Possibilité de se restaurer sur place et de dormir à l'auberge, elle aussi remise à neuf, pour 110 Dh (11 €) la chambre double.

🦎 *Sidi-Ifni :* à 55 km par une route étroite avec beaucoup de virages. Voir, plus haut, le chapitre « Sidi-Ifni ».

🦎 *La plage Blanche :* à 60 km de Guelmim. Prendre la route de Sidi-Ifni. À 1 km à gauche, panneau indiquant « plage Blanche » (même route que pour Fort Bou-Jerif). Les 15 premiers kilomètres sont goudronnés, puis ça se corse. À Ksabi, tourner à droite. Le parcours est par endroits monotone, mais la récompense est au bout du chemin. Du haut de la falaise, belle vue sur la plage et l'embouchure de l'oued. Le lieu-dit plage Blanche est en fait le début d'une plage de 52 km, la plus longue du Maroc, qui tire son nom de l'époque de l'Aéropostale : Saint-Exupéry et consorts avaient remarqué un immense ruban de sable très clair, rendu inaccessible par le cordon dunaire tout autant que par la falaise. Ici, la ville de Guelmim a fait construire des bungalows, jamais achevés... Mais ce n'est que partie remise : comme

Taghazout, la plage Blanche a été choisie comme l'un des 6 sites du plan Azur, visant à attirer au Maroc des vacanciers à haut pouvoir d'achat, et une importante station balnéaire va y être construite. Alors, jouissez temporairement du calme du site, et faites la promenade jusqu'au niveau de la mer, sans voiture à cause du risque d'ensablement.

QUITTER GUELMIM

🚌 *La gare routière* est à un bon kilomètre du centre. Sur l'ancienne route de Sidi-Ifni. Voir « Adresses utiles ».
- ➤ *Pour Tiznit :* 5 bus *CTM* par jour.
- ➤ *Pour Agadir :* toutes les heures de 4 h à 20 h.
- ➤ *Pour Tan-Tan :* 3 bus dans la matinée.
- ➤ *Pour Laâyoune :* 4 bus par jour, 2 en fin de matinée et 2 la nuit.
- Nombreux autres départs proposés par les 5 agences.

L'OASIS DE TIGHMERT

À la différence de nombreuses autres oasis, celle-ci n'a pas été abandonnée par ses habitants. Environ 650 personnes continuent à vivre de cultures maraîchères, au mépris des tentations émanant de la grande ville. C'est une chance inespérée pour le voyageur, qui a l'occasion de se plonger dans un village pittoresque. On peut s'attarder à l'ombre d'un palmier, pour observer les paysans sarcler de minuscules parcelles irriguées par des canaux, ou flâner dans le dédale de venelles bordées de hauts murs de terre ocre, percés de lourdes portes de bois. Spectacle magnifique et reposant.

Comment y aller ?

➤ *En voiture :* à Guelmim, descendre l'av. Mohammed-V jusqu'au petit rond-point de la place du bas. Prendre à gauche en direction d'*Assa*. Quelques kilomètres après la ville, Tighmert (prononcer Tirmart) est indiqué à droite. Attention : sur la carte *Michelin*, l'oasis porte le nom d'*Aït Bekkou*. La route est goudronnée jusqu'à Tighmert, que l'on atteint après avoir dépassé le village d'*Asrir*.

Où dormir ? Où manger ?

🛏 |●| *Hôtel-restaurant de Tighmert :* au cœur de l'oasis. Chambres doubles avec douche autour de 150 Dh (15 €). Fresques murales dans la salle du restaurant. Les chambres autour risquent d'être bruyantes. Si vous cherchez des renseignements sur la région, n'hésitez pas à demander Faouzi Abdelkader, il habite l'oasis qu'il connaît comme sa poche.

À voir

🏃🏃 Au cœur de la palmeraie se cache une superbe *kasbah*, qu'il faut absolument visiter. Difficile à trouver, il est préférable de demander à quelqu'un de vous accompagner. ☎ 062-19-37-73. Participation : 20 Dh (2 €) par personne. Elle appartient à deux cousins qui ont entrepris de la restaurer. Malgré la difficulté de la tâche, la demeure est aujourd'hui en partie sauvée. On y pénètre par une épaisse porte protégée par un antique verrou, qui dissimule un patio au milieu duquel trônent quelques arbres. Les différentes pièces de la kasbah s'organisent tout autour.

Construites en pisé, couvertes par un treillage de branches de palmiers, elles abritent un intéressant petit musée qu'Abdou fait visiter avec un plaisir évident. Il s'agit d'une belle collection d'outils traditionnels et de matériel de caravanier, que les deux amis ont patiemment constituée. On y rencontre des objets classiques telles que la *guerba*, ces outres utilisées pour le transport de l'eau dans le Sahara, mais aussi de véritables curiosités, comme ce soutien-gorge pour chamelle destiné à protéger les mamelles des petits trop voraces. La visite de la kasbah permet au voyageur d'approcher la culture marocaine de manière plus authentique que dans les grands musées. C'est pourquoi la meilleure façon de montrer de la reconnaissance aux cousins consiste à les soutenir financièrement.

➢ La balade se poursuit jusqu'aux jolies sources de l'oasis, avant de reprendre la route pour gagner *Fask*, à 17 km de Tighmert. Attention, les 4 derniers kilomètres sont difficiles et déconseillés aux véhicules inadaptés. Sur place, on découvre un village en pisé abandonné, proche d'une très belle *cascade* rafraîchissante. C'est un endroit idéal pour pique-niquer, bercé par le murmure de l'eau à l'ombre de la palmeraie.

TAN-TAN

À 125 km de Guelmim par la P41, qui est en bon état. La route traverse un désert caillouteux superbe, dont les étendues désolées forcent à la méditation. Les premiers contrôles de police commencent avant d'arriver à Tan-Tan. Pour pénétrer en ville, franchir un curieux arc de triomphe formé de deux dromadaires géants. Bonjour le bon goût ! Le centre-ville est appelé *el-Hamra*, « ville rouge ». On y trouve les agences de banque et les transporteurs *(CTM, ONCF)*. Le climat de la région est rude : en été, la chaleur est intenable, et de fortes pluies sont souvent enregistrées en hiver. Ce n'est pas réjouissant, la ville est triste et il n'y a rien à voir. Pour faire étape vers le sud, mieux vaut s'arrêter à Laâyoune (voir plus loin).

Où dormir ? Où manger ?

L'absence de restaurants dignes de ce nom, corollaire de la pénurie de touristes à Tan-Tan, oblige généralement les voyageurs à rester dîner dans leur hôtel. Cependant, ceux qui ont le cœur bien accroché peuvent tenter leur chance dans les gargotes qui pullulent autour de la gare routière.
Même constat pour le logement ! À part les 2 établissements indiqués ci-dessous, tous les hôtels sont vieillots, crasseux et peu confortables, en majorité concentrés, eux aussi, autour de la gare routière.

🛏 *Hôtel Bir Anzarane :* 154, bd Hassan-II. ☎ 048-87-78-34. Dans le quartier administratif, à côté du palais royal et face au commissariat. Compter 80 Dh (8 €) pour une chambre double. Hôtel vétuste mais non dénué de charme, qui dispose de chambres petites mais propres. Sanitaires communs rudimentaires mais bien entretenus. Bon marché. La publicité n'hésite pas à annoncer « Notre hôtel fait des éclairs *(sic)* avec son étoile ».

🛏 |●| *Hôtel Les Sables d'Or :* bd Hassan-II. ☎ 048-87-80-69. Hôtel récent à la décoration sommaire qui propose, pour 200 Dh (20 €), des chambres bien tenues équipées de salle de bains. Éviter celles qui donnent sur le boulevard, trop bruyantes. Petit dej' à 25 Dh (2,5 €). Possibilité de dîner sur place : menu à 90 Dh (9 €). Dans ce cas, ne pas hésiter à commander 3 ou 4 thés, parce que l'attente est franchement longue. Accueil peu aimable.

Fête

− *Moussem :* début juin, avec course de dromadaires.

> ## DANS LES ENVIRONS DE TAN-TAN

TAN-TAN PLAGE (El-Ouata)

À 25 km sur la route de Tarfaya (20 mn en louage). En quittant Tan-Tan, à la sortie de la ville, direction Laâyoune, belle vue sur la ville et l'oued, ainsi que sur le désert de rocaille. Préférez le moment du coucher du soleil. Il est également possible d'escalader les collines rouges à l'est de la ville pour une vue imprenable sur le désert de terre rouge.

Contrôle de police à l'entrée de la bourgade. Plus loin, une curieuse sculpture représentant une ronde de requins debout sur leurs nageoires accueille le voyageur. Néanmoins, Tan-Tan Plage peut constituer une étape sur la route de la Mauritanie. C'est un port de pêche tranquille, que les autorités aimeraient bien transformer en centre touristique balnéaire. La plage est belle.

Où dormir ? Où manger ?

Hôtel Le Marin : sur l'avenue parallèle à la plage. ☎ et fax : 048-87-96-37. Établissement de plain-pied qui propose des chambres fonctionnelles avec eau chaude pour 100 Dh (10 €). Toutefois, les prix sont négociables. Possibilité de dîner sur place pour 55 Dh (5,5 €) environ. Parking. Excellent accueil.

Résidence Raja : place des taxis, au centre. ☎ et fax : 048-87-94-10 ou ☎ 061-06-03-04 (portable). Des petites chambres sur deux étages à 100 Dh (10 €) la double. Certains lits sont récents. Douches collectives, en principe chaudes. Sans charme, pour dépanner.

Café-restaurant Équinoxe : ☎ 048-83-91-54. On peut dormir sous une tente traditionnelle pour 100 Dh (10 € ; couchage fourni).

René, le patron français, loue également des chambres d'hôte. Au resto, compter de 70 à 100 Dh (7 à 10 €) à la carte ; menu à 80 Dh (8 €). Idéalement situé sur la plage, le restaurant bénéficie d'une belle vue sur la mer depuis sa terrasse. Le restaurant comprend une salle à manger claire et spacieuse, ainsi qu'un salon confortable meublé de banquettes et de tabourets bas.

Korea House : tenu par un couple de Coréens. Ils ont répondu à l'appel lancé par les équipages des navires asiatiques qui faisaient relâche à Tan-Tan. Ils servent dans deux salles des spécialités coréennes pour 70 à 80 Dh (7 à 8 €), comme des raviolis ou des soupes de poulpes. Mais les clients semblent rares.

L'OUED CHEBIKA

À 30 km, sur la route de Tarfaya. Belle plage de sable dans ce havre naturel où l'on pratique beaucoup la pêche. Gendarmerie et poste militaire (inévitables) à proximité. L'oued Chebika est fréquenté par des oiseaux migrateurs : flamants roses et autres.

VERS LE GRAND SUD, LES PROVINCES SAHARIENNES

Les provinces sahariennes du Maroc peuvent être belles et passionnantes à découvrir, si l'on s'éloigne de Tan-Tan. Bien sûr, la circulation dans ces régions est très contrôlée et la patience de mise. Après Tan-Tan, les *check-points* se multiplient. Entre Tarfaya et Dakhla il y en a huit ou neuf ! Si l'état de la route est relativement correct, la prudence s'impose. Le sable et les camions surchargés, sur ces interminables lignes droites, représentent un réel danger.

Suite aux événements survenus en Algérie, le Maroc est aujourd'hui la voie privilégiée pour descendre vers l'Afrique noire, *via* la Mauritanie. Cela oblige à traverser le Sud Maroc, encore sous administration militaire, c'est-à-dire le Sahara Occidental. Le Front Polisario a définitivement cessé ses activités militaires, pour entamer un processus légal de reconnaissance sur le plan international. Cependant, l'application d'un plan de règlement par l'ONU en vue d'organiser un référendum sur le statut de ce territoire sensible est sans cesse reportée. Outre des problèmes de recensement de la population sahraouie, les négociations entre le gouvernement marocain et le représentant sahraoui – Mohammed Abdelaziz – sont régulièrement suspendues. Parallèlement, de nombreux comités de soutien au Sahara Occidental s'organisent dans le monde, pour défendre la cause sahraouie et accélérer le processus de pacification. Aujourd'hui, la solution dite « Troisième voie », une autonomie du Sahara Occidental sous souveraineté marocaine, est avancée. Mais elle impliquerait une réforme institutionnelle difficile à accepter pour les gouvernants d'un pays pris au piège des intérêts stratégiques des grandes puissances. De plus, Alger, qui soutient le Polisario, est opposé à cette proposition, estimant qu'il s'agit d'une façon déguisée d'offrir le territoire au Maroc.

Les premiers à s'être hasardés sur ce terrain miné du Sud Maroc (ou Sahara Occidental, c'est selon) l'ont fait fin 1992, suite à la fermeture des frontières du Niger et aux événements d'Algérie. Miné, il l'a été, par le Maroc, par le Polisario, mais personne ne sait plus très bien où, et le sable, mesquin, recouvre ou découvre tout selon ses caprices. Le désert regorge donc de trésors (chercheurs impénitents, à vos poêles à frire !). Un beau jour, des véhicules sont arrivés à Dakhla (ultime ville de garnison) pour franchir la frontière Maroc-Mauritanie. Mais comme celle-ci n'est pas encore tout à fait définie, donc pas reconnue sur le plan international (amusez-vous à consulter plusieurs atlas) elle est en théorie infranchissable. Les militaires marocains, bien embêtés face à ces routards qui venaient d'avaler quelque 2 000 km, les ont conduits à 50-60 km des « lignes » mauritaniennes (soyons prudents !) en leur disant : « C'est tout droit ! ». Les militaires mauritaniens, obligés de les récupérer au risque de les voir s'égayer sur des champs de mines ou errer (bande d'inconscients) dans l'un des déserts les plus chauds du monde, les ont dirigés vers la ville de Nouadhibou, qui a découvert à ce jour ce qu'était un touriste (et elle s'en remet à peine). Ces convois ont cessé depuis février 2002, mais prudence : les mines sont encore là.

➤ Le trajet *de Tan-Tan à Tarfaya* représente 236 km de bonne route côtière. La diversité des paysages désertiques, les immensités arides, les dunes isolées plantées sur la rocaille, les falaises de rêve qui surplombent le rivage indéfiniment ourlé de vagues déferlantes se succèdent. On peut sans crainte camper sur la côte parmi les pêcheurs locaux. Attention aux tempêtes de sable, plus particulièrement de janvier à mars, mais aussi à l'eau de la glace fondue déversée sur la chaussée par les camions qui transportent le poisson.

SIDI-AKHFENIR

Environ à mi-chemin entre Tan-Tan et Tarfaya. Ce petit bled peut paraître sans intérêt. Et pourtant, entre le spectacle des pêcheurs au bord des falaises et la merveilleuse lagune de Naya, les mordus de mer et de nature seront comblés.

Où dormir ? Où manger ?

Auberge et Centre de Pêche et Loisirs du Sahara : à l'entrée du village, juste après le pont sur la gauche, légèrement en retrait. ☎ 048-76-55-35 ou 061-21-19-83 et 067-06-37-55 (portables). ● akhfenir@moustachephoto.com ● Prévoir 250 Dh (25 €) par personne en demi-pension. Yves Sicart, passionné de pêche et violoniste, propose une semaine de pêche au bord des falaises, pêche à pied aux crustacés ainsi que promenade en bateau à la lagune de Naya. Ici les courbines pèsent jusqu'à 40 kg. Pour la semaine de pêche (réservations indispensables), Yves vient chercher ses clients à l'aéroport d'Agadir. Sa femme, Samira, une cuisinière hors pair, donne des cours aux accompagnants et concocte des apéros et des repas aussi délicieux que gargantuesques. Ici, entre Moktar, l'employé de la maison, et le guide de pêche, les clients sont choyés.

À voir

🚶 **La lagune de Naya :** à 22 km au sud de Sidi-Akhfenir. Autorisation obligatoire à retirer à la gendarmerie. « Le plus grand espace lagunaire sur l'Atlantique marocain ». Merveilleuse réserve naturelle et écologique de 3 000 ha offrant de belles balades à pied ou en barque (location sur place, environ 70 Dh l'heure, soit 7 €). On peut observer des flamants roses, des échassiers ou des chevaliers. Lieux étape pour les oiseaux migrateurs. Le cordon de dune bordant la lagune est majestueux.

🚶 **Le trou du Diable :** à la sortie nord de Sidi-Akhfenir, avant le radar. Entre la route et les bords de la falaise, un trou circulaire dans lequel s'engouffre la mer. Des pierres blanches entourent cette œuvre de la nature.

TARFAYA

Ville perdue (on est à 500 km d'Agadir), souvent ensablée par les vents violents, sans intérêt d'autant qu'elle ne se trouve plus sur la route de Laâyoune. Elle ne reçoit donc pas souvent de touristes, et peu de gens y parlent le français. Ce fut le point de rassemblement de la Marche verte en 1975. Elle doit aussi sa renommée à son passé d'ancienne escale de l'Aéropostale. Ceux qui ont lu *Courrier Sud* et *Vol de nuit* de Saint-Exupéry seront sensibles au petit monument élevé sur le sable. Il commémore l'aventure extraordinaire de ces pionniers qui ont relié le Vieux Continent à la cordillère des Andes à bord de leurs modestes biplans. Sur la plage subsiste encore la « casamar », un comptoir commercial battu par les flots, construite par un Anglais dans le courant du XIXe siècle.

De Tarfaya à Laâyoune, compter 117 km d'une route très correcte mais qui peut également être ensablée.

Où dormir ? Où manger ?

Camping III Bédouin (Martine et Luc Requilé) : à 72 km de Tarfaya et en direction de Laâyoune, au sud de Daoura. ☎ 067-92-58-74 (portable). ● www.geocities.com/leroibedouin ● Au niveau de la grande antenne, quitter la route principale (c'est indiqué) et suivre les panneaux en empruntant la piste sur la droite. C'est parti pour une route carrossable de 4,5 km. Pour deux personnes, compter environ 50 Dh (5 €) pour un camping-car, 90 Dh (9 €) sous une tente nomade, 120 Dh (12 €) le bungalow et la tente royale. Cette dernière, consolidée en dur, est très confortable (lumière, matelas, petite table et étagère). Les sanitaires, gratuits, sont exceptionnellement propres, et l'eau (légèrement saumâtre) est chaude. Bons repas concoctés par Martine autour de 80 Dh (8 €), à en oublier qu'on est dans le désert (la crème à l'orange est à tomber dans le sable). On y vient pour la beauté du site et la gentillesse des hôtes. Vous aurez comme voisins des tribus de Sahraouis et leurs dromadaires qui viennent s'abreuver à une centaine de mètres. Installé au bord d'une dépression d'un lac salé de 360 km, le camping offre un paysage quasi lunaire. Les ouvertures vitrées des tentes royales permettent de ne pas perdre une miette de la vue, bien à l'abri du vent. Superbes balades au milieu des dunes, sans trop de risque de se perdre, Luc donne toutes les indications nécessaires. Un véritable havre de paix.

LAÂYOUNE

Fondé par les Espagnols en 1932, Laâyoune, qui se développe à vitesse grand V (des avantages fiscaux incitent les Marocains à s'y installer), est aujourd'hui le principal centre économique des provinces sahariennes. La ville n'offre pas grand intérêt. Il reste une cathédrale et quelques bâtiments administratifs, héritage de la présence espagnole. On peut visiter l'ensemble artisanal et éventuellement le parc ornithologique. On croise beaucoup de militaires, et pour cause : c'est ici que le Minurso (la mission de l'ONU censée préparer le déroulement du futur référendum) a établi son siège.

On s'est laissé dire (mais les gens sont parfois si mauvaises langues !) qu'à l'époque du ramadan certains émirs du pétrole débarquent de leur jet privé, accompagnés d'avions-cargos qui transportent camping-cars climatisés et véhicules frigorifiques pour congélation. Ils viennent, non pas faire du surf, mais chasser l'outarde dans le désert. Devinez pourquoi ? Sa chair serait aphrodisiaque.

Adresses utiles

Argent

■ *Banques :* plusieurs autour de la place O'Cheira, dont la *Banque Populaire*.

Santé

– Cliniques, pharmacies, opticiens... ne manquent pas. Certaines cliniques ont même un scanner. Vous pouvez tomber malade.
■ *Clinique Sahara :* 36, av. de La Mecque. Quartier administratif, à côté de la banque *CIH*. ☎ 048-99-00-00. Urgence 24 h/24. Chirurgie, pédiatrie, gynécologie, radiologie et scanner.

Transports

🚌 *Gare routière CTM :* 200, av. de La Mecque. ☎ 048-99-02-48 ou 048-99-07-63.

■ *Location de voitures :* KBcar, 5, av. Kairaouane. ☎ et fax : 048-89-24-24 ou 068-08-75-59 (portable).

Petite agence qui possède une succursale à Agadir, intéressant donc pour ceux qui souhaitent remonter vers le nord tranquillement. Tarifs intéressants et dégressifs (300 Dh, soit 30 € la Fiat Uno pour une journée).

Internet

Vous n'aurez que l'embarras du choix, il y a plus de 15 cybercafés, notamment autour de la place O'Cheira.

Où dormir ?

Les campings-cars peuvent stationner sur le parking de l'aéroport ou sur la place de la cathédrale (oui !), près de la police. Cela sans problème. L'ancien camping a été emporté par les sables.
Autrement vous pouvez séjourner à Laâyoune même.

Très bon marché

Plusieurs petits hôtels très rudimentaires qui se valent av. M.-Salem-Bida (dans le prolongement de l'av. Hassan-II). Un peu excentrés, mais au cœur du quartier populaire.

🛏 *Hôtel Assahel :* av. Boukhar. Au-dessus du garage face à la pl. O'Cheira. ☎ 048-89-01-70. Pas plus de 45 Dh (4,5 €) la chambre double. Douche chaude collective à 12 Dh (1,2 €). Correct et propre pour le prix. A l'avantage d'être central.

🛏 *Hôtel O'Cheira :* 2, av. Boukhar, tout près de l'hôtel *Assahel.* ☎ 048-99-33-01. Chambres doubles à 50 Dh (5 €). Nombreuses chambres sur trois étages, dont certaines ont une bonne literie. Sanitaires en nombre insuffisants. Bien situé lui aussi.

Prix moyens

🛏 *Hôtel Mekka :* 205, av. Mekka. ☎ et fax : 048-99-39-96. La chambre double avec salle de bains et TV revient à 200 Dh (20 €). Sans charme particulier, mais propre. Bon accueil.

Chic

🛏 *Sahara Line Hôtel :* à l'angle d'El-Kairaouane et du 24-Novembre. ☎ 048-99-22-26. Fax : 048-99-01-55. Prix spécial pour les lecteurs du *Routard* : 490 Dh (49 €) pour la chambre double, avec salle de bains et TV satellite. Ne vous fiez pas à la façade marron, à l'intérieur c'est la classe. Hôtel 4 étoiles. Le jeune patron, qui a fait une partie de ses études en France, a visité plus de 300 hôtels avant de réaliser le sien. Rien à dire, les chambres sont spacieuses, et la literie excellente. La décoration est soignée, le mobilier classique et élégant. Restaurant au 4e et dernier étage. Prix négociés pour la location de voiture. Le service est chaleureux et le patron, très gentil, se fait un devoir d'aller chercher les clients à l'aéroport.

Où manger ?

Autour du marché et des petits hôtels, il est possible de se restaurer convenablement dans des échoppes pour 30 Dh (3 €). Tout comme dans l'av. Boukhar qui part de la pl. O'Cheira. Sur cette dernière, deux rôtisseries proposent des repas complets également à 30 Dh (3 €).

|●| *Restaurant La Perla :* av. Mekka. Dans le prolongement du virage. Compter 100 Dh (10 €) pour un repas complet, mais il est possible de manger pour beaucoup moins. Du poisson à la carte, mais selon l'arrivage. Viandes, pizzas, spaghettis et salades à des prix moyens. Le service est soigné.

|●| *Le Poissonnier :* à côté de *La Perla*, son frère jumeau. À peu de chose près, mêmes menus et mêmes prix.

À voir. À faire

🐟 25 km séparent Laâyoune-ville du **port** et de la **plage de Foum-el-Oued**. Pas de problème pour s'y rendre, si ce n'est que la route peut être ensablée. Beaucoup de villas, dans ce beau site qui aspire à devenir une destination touristique.

➤ *De Laâyoune à Dakhla,* l'ancienne « Villa Cisneros » des Espagnols, compter 545 km de très bonne route. Ne pas jouer au matador avec les camions. Ralentir et se mettre sur le bas-côté est plus prudent. Théoriquement, un bus part le matin (toujours complet), suivi de taxis qui font le trajet pour un prix à peine supérieur. La route, monotone, traverse des régions truffées de militaires. Pour ceux qui ont leur propre véhicule, prudence et humilité sont de rigueur. À l'approche de Dakhla, les paysages deviennent un peu plus intéressants, principalement lorsque l'on rentre sur la presqu'île.

QUITTER LAÂYOUNE

➤ *Pour Dakhla :* 1 bus le matin par la *CTM*.
➤ *Pour Tan-Tan :* 2 départs quotidiens.
➤ *Pour Agadir :* mêmes bus que pour Tan-Tan.

DAKHLA

La ville fut construite sur une presqu'île de près de 40 km de long entre l'océan et la baie, aux eaux très poissonneuses, de Rio de Oro. Dakhla est une ville de garnison qui se construit beaucoup depuis quelques années et devient plus agréable. Depuis février 2002, le convoi militaire pour la Mauritanie n'existant plus, Dakhla n'est plus une étape indispensable. Dorénavant, la douane se trouve à Fort-Guerguerrat (à 380 km au sud de Dakhla et à une vingtaine de kilomètres de la frontière mauritanienne), où on acquitte les formalités de sortie du territoire.

Où dormir ? Où manger ?

Camping

⛺ *Camping Moussafir :* à 6 km avant d'arriver à Dakhla, 500 m avant le *check-point*. Pour le téléphone, contacter l'hôtel *Doumss*. Ce camping, bien entretenu, est le rendez-vous des routards vers l'Afrique noire.

De bon marché à prix moyens

🛏 |●| *Hôtel Sahara :* av. Sidi-Ahmed-Laaroussi. ☎ 048-89-77-73, 048-89-83-91 et 048-89-78-44. Chambres propres à 60 Dh (6 €) ; toilettes et douches communes. Repas corrects à environ 60 Dh (6 €). Cet hôtel très simple et bon marché est situé près du marché, dans le quartier arabe.

🛏 *Hôtel Doumss :* sur la gauche à l'entrée de la ville. ☎ 048-89-80-46 et 47. Fax : 048-89-80-45. Établissement 3 étoiles. La chambre double est à 250 Dh (25 €) et le petit dej' à 30 Dh (3 €) par personne. Le seul hôtel convenable de la ville. Propreté limite toutefois pour le prix. Nombreux petits salons de thé à proximité.

|●| *Café-restaurant Capri :* 1, av. El-Walaa. Cuisine très correcte et variée. La salle est agréable. Service sympa. Prix moyens.

|●| *Le Samarkand :* sur le front de mer. Compter de 40 à 60 Dh (4 à 6 €). Un restaurant-salon de thé agréable. Les tables sont réparties sous des kiosques. Service sympa.

À voir

Rien d'intéressant, et de plus, se promener en ville se révèle très vite assez fatigant en raison du vent qui souffle en permanence. Il y a un vieux cinéma croulant, immense et vide, dont seule l'architecture vaut le coup d'œil. On peut aussi demander l'autorisation de sortir de la ville pour se baigner près des falaises ou, plus loin, sur le morceau de désert qui plonge dans la mer, formant une plage gigantesque et absolument plate que la route traverse.

DE DAKHLA À LA FRONTIÈRE MAURITANIENNE

La route entre Dakhla et Fort-Guerguerrat est correcte (380 km). Pour ceux qui vont en Mauritanie, compter 3 jours de vivres et suffisamment d'eau (2 nuits à passer dans le désert). Prévoir 1 000 km d'autonomie en carburant. Depuis la fin des convois, les formalités de sortie du territoire (à Fort-Guerguerrat) sont moins laborieuses et parfois rapides. Généralement trois étapes : le poste de police pour remplir la fiche de sortie et faire tamponner son passeport ; le bureau des douanes pour y faire viser les papiers concernant le véhicule ; enfin, l'état-major de la gendarmerie. Le carnet de passage en douane est conseillé pour les véhicules. Attention, les autorités exigent 2 photos d'identité par voyageur.

🛏 *Campement* très sommaire (sans eau ni électricité) et sale à Fort-Guerguerrat pour ceux et celles qui arrivent trop tard pour passer la frontière.

La piste étant ensuite en mauvais état, il est plus prudent, surtout pour les véhicules à deux roues motrices, de rouler en groupe. Ne pas s'éloigner de la piste, c'est miné. Inutile, donc, de chercher à prendre un raccourci. Rejoindre ensuite une vieille route espagnole, au bout de laquelle on bute sur un mur de sable flanqué en son milieu d'une vieille tôle : la frontière mauritanienne.

Il ne reste plus qu'à franchir les derniers kilomètres pour rejoindre le bureau de douane de *Nouadhibou.* Il faut alors remplir un formulaire d'importation du véhicule et une déclaration des devises. Vous aurez également à contracter une assurance (obligatoire). Le douanier prend tout son temps pour vous faire cracher un bakchich (ses prétentions sont élevées). Attention à l'argent que vous déclarez car, pour ressortir de Nouadhibou, il vous faudra repasser devant le même douanier qui examinera en détail vos bordereaux de change. Une fois sorti des griffes du cerbère, vous aurez encore à passer au poste de police pour y faire tamponner votre passeport. C'est la fin des tracasseries administratives. Bon voyage en Mauritanie.

DE TAROUDANNT À OUARZAZATE PAR TALIOUINE OU PAR LES PISTES DU SUD

Cet itinéraire permet de découvrir un Maroc plus secret, avec des propositions de randonnées qui offrent une meilleure approche du pays et de ses populations. La plaine fertile et hospitalière, arrosée par l'oued Sous, alterne avec des montagnes arides où l'on découvre encore des villages qui semblent vivre hors du temps.

Taroudannt, première capitale des sultans saadiens avant Marrakech, a conservé sa belle parure de remparts ocre. Celle que l'on nomme encore parfois la « Petite Marrakech » mérite plus qu'une courte halte. Sa place Al-Alaouyine (anciennement place Assarag) et ses souks constituent des lieux privilégiés pour observer la vie quotidienne avec les femmes drapées dans des voiles d'un bleu indigo surprenant. Taliouine, qui produit un excellent safran, est le point de départ de randonnées pédestres dans le massif du djebel Siroua et d'excursions en 4x4 dans le massif du Toubkal.

Tafraoute la rose, encerclée dans son cirque de granite, est célèbre pour ses amandiers. Il faut voir la région quand les arbres en fleurs et que leurs branches ploient sous le poids d'une neige de pétales blancs et roses.

Les nouvelles pistes et l'amélioration de celles existantes permettent désormais de sortir des sentiers battus et d'aller à la recherche de sensations nouvelles en empruntant des itinéraires différents. Nous vous en proposons plusieurs possibles avec un véhicule de tourisme.

TAROUDANNT   36 000 hab.

À 80 km d'Agadir. Ville très pittoresque, protégée par de superbes remparts de couleur ocre qui valent à eux seuls le déplacement. Cette ancienne capitale du Sous a une petite médina. Très chouette ; souks intéressants, bien moins touristiques que ceux de Marrakech. Mais méfiance tout de même : à force de se dire « c'est moins cher ici », on est facilement dupé. Comparez bien les prix, surtout pour les tapis. Toutefois, certains magasins proposent des articles à prix fixes, comme les babouches et autres sandales par exemple. N'hésitez pas si vous n'aimez pas marchander, la marge de bénéfice étant souvent très raisonnable. N'oubliez pas non plus le souk aux épices et aux gris-gris. Très coloré. La ville est réputée pour son artisanat et pour ses faux guides. À noter aussi une kasbah au nord-est des remparts, en face de jolis jardins.

Taroudannt est jumelée avec la ville française de Romans.

ATTENTION : les deux principales places de la ville, dont le nom était berbère (respectivement places Assarag et Talmoklate), ont été rebaptisées et ont reçu un nom arabe (places Al-Alaouyine et An-Nasr). Beaucoup continuent à les nommer par leur ancienne appellation.

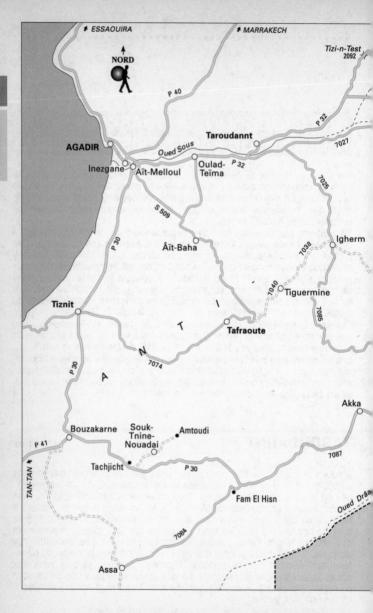

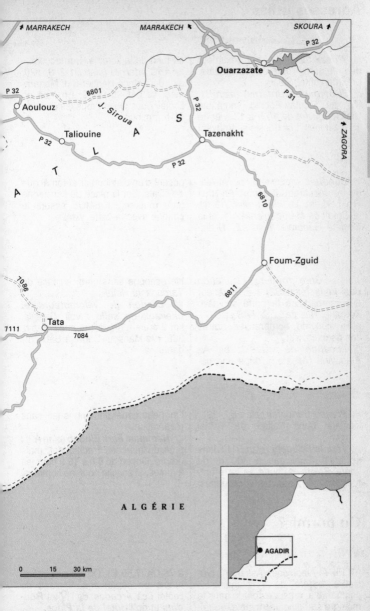

L'ANTI-ATLAS

Adresses utiles

Poste et télécommunications

✉ *Poste* (plan B2) : à l'extérieur des remparts, route de Ouarzazate, près de l'hôtel *Salam*.

@ *El Jerdaouss Internet* (plan B1, 4) : av. Moulay-Rachid, immeuble Smida. Ouvert de 10 h à 13 h et de 15 h à minuit. Les postes se trouvent au fond de la librairie. Bon accueil.

@ *ABC Internet* (plan B1-2, 3) : 20, av. du Prince-Héritier-Sidi-Mohammed. ☎ 048-85-15-89. En face de l'hôtel *Tiout*. Ouvert tous les jours de 10 h à minuit.

Argent

■ *Banques* : plusieurs pl. Al-Alaouyine (Assarag) et une pl. An-Nasr (Talmoklate). La *BMCI* (plan A2, 1), le *Crédit du Maroc* (plan A2, 1) et la *Société Générale* (plan A2, 1) disposent d'un distributeur automatique de billets. Sur la place de l'ancienne gare routière, la *BMCE* assure le change avec la carte *Visa*.

Transports

🚌 🚕 *Gare routière et station des taxis* (plan B2) : à l'extérieur des remparts, à la porte sud Bâb Zorgane. Bus de la *SATAS* et *CTM*, ainsi que de nombreuses autres compagnies.

■ *Location de vélos* : pl. Al-Alaouyine (Assarag), dans une petite échoppe sans nom, en face du *Taroudannt Hôtel*.

■ *Location de vélomoteurs et chevaux de selle* : voir *Djemila*, km 2 route d'Agadir ; et chez *Habib*, 368, rue Mansour-Dahbi à Bâb Zorgane.

Divers

■ *Presse française* (plan B1, 30) : kiosque dans l'allée de l'hôtel *Salam*.

■ *Tennis Roudani* (plan B1) : dans le jardin municipal, à 300 m de l'*hôtel Salam*. 6 courts en terre battue. Location de balles et raquettes.

On peut généralement jouer sans réservation.

■ *Hammam Fark Elhbab* (plan A2) : près du marché. Traditionnel, mais propre. Ouvert de 6 h à 16 h pour les femmes, et ensuite pour les hommes.

Où dormir ?

Très bon marché

🏠 Pl. Al-Alaouyine (Assarag), plusieurs *hôtels* de « standing » comparable, entendez par là sans le moindre standing... Bruyants, en raison des minarets qui cernent la place, mal entretenus et surtout pas propres pour un sou. Chambres doubles on ne peut plus sommaires à 75 Dh (7,50 €). On les cite quand même en dépannage. Il s'agit de l'hôtel *Roudani* et de l'*Hôtel de la Place*.

🏠 *Hôtel El-Warda* (plan A2, 10) : pl. An-Nasr (Talmoklate). ☎ 048-85-27-63. Au-dessus de la pâtisserie du même nom. Chambres doubles à

L'ANTI-ATLAS

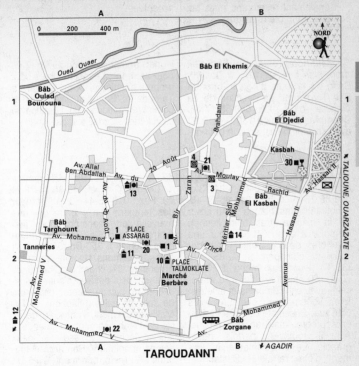

TAROUDANNT

■ Adresses utiles	
🚌 Gare routière	
✉ Poste	
1 Banques	
@ **3** ABC Internet	
@ **4** El Jerdaouss Internet	
30 Presse française	

🛏 Où dormir ?
- **10** Hôtel El-Warda
- **11** Taroudannt Hôtel
- **12** Café-hôtel-restaurant Le Soleil

- **13** Hôtel Saadiens
- **14** Hôtel Tiout

🍴 Où manger ?
- **11** Restaurant du Taroudannt Hôtel
- **13** Restaurant de l'hôtel Saadiens
- **20** Restaurants des hôtels Les Arcades et de la Place
- **21** Chez Nada
- **22** Restaurant Jnane Soussia

🍷 Où boire un verre ?
- **30** Bar de l'hôtel Palais Salam

60 Dh (6 €). Des chambres avec lavabo et douche collective qui ne risquent pas de vous ruiner. Très bruyant le jour du souk. Accueil très moyen.

Bon marché

🛏 **Taroudannt Hôtel** (plan A2, **11**) : pl. Al-Alaouyine (Assarag). ☎ 048-85-24-16. Fax : 048-85-75-53. Chambres doubles à 120 Dh (12 €) avec douche, 140 Dh (14 €) avec bains.

Un cadre très vieillot. Les chambres ont été rénovées récemment. Évitez celles donnant sur la rue. Joli jardin intérieur. Moins bruyant depuis le déménagement de la gare routière, mais encore pas mal de camions. Fait également restaurant, mais les portions sont bien maigres. On y sert de l'alcool. Cartes de paiement acceptées.

Prix moyens

🏠 *Café-hôtel-restaurant Le Soleil* (*hors plan par A2, 12*) : à Dar M'-Bark, sur la route d'Agadir, près de Bâb Targhount, en direction de *La Gazelle d'Or*. ☎ 048-55-17-07. Chambres doubles à 130 Dh (13 €) avec salle de bains, sans le petit déjeuner. Compter environ 70 Dh (7 €) pour un repas. Les 9 chambres sont propres et calmes, ce qui est rare à Taroudannt. Bonne cuisine mais sur commande uniquement. Location de bicyclettes. Accueil sympa.

Chic

🏠 *Hôtel Saadiens* (*plan A2, 13*) : borj Oumansour. ☎ 048-85-24-73 et 048-85-25-89. Fax : 048-85-21-18. ● hotsaadi@iam.net.ma ● Au cœur de la médina (très bien fléché). Compter 210 Dh (21 €) pour une chambre double, petit déjeuner compris ; demi-pension à 350 Dh (35 €) pour deux. Menu à 70 Dh (7 €). 50 chambres de style marocain, avec salle de bains et toilettes. Elles sont un peu plus bruyantes côté rue. Ensemble de l'hôtel à peu près propre, mais un peu fatigué. Accueil routinier, parfois désagréable. Le cadre mériterait vraiment d'être rafraîchi ! Restaurant, bar, pâtisserie, piscine douteuse. Parking fermé à 150 m.

🏠 *Hôtel Tiout* (*plan B2, 14*) : av. du Prince-Héritier-Sidi-Mohammed. ☎ 048-85-03-41 et 048-85-44-78 et 79. Fax : 048-85-44-80. À l'intérieur des remparts, on y entre par une nouvelle porte (sans nom pour l'instant) ; bien indiqué. Parking. Chambres doubles à 350 Dh (35 €), petit déjeuner compris. Un hôtel au calme proposant 37 chambres, certaines sont un peu petites, d'autres possèdent un balcon. Toutes disposent de salle de bains, téléphone et TV. Malheureusement, l'entretien général de l'établissement commence à laisser désirer. Terrasse avec deux salons et solarium. Bon accueil toutefois. Au resto, bon menu à 75 Dh (7,5 €). Parking devant, mais non fermé. Location de bicyclettes. Cartes de paiement acceptées.

Spécial folies

🏠 *La Gazelle d'Or* (*hors plan par A2*) : à 2 km à l'extérieur de la ville. ☎ 048-85-20-39 et 48. Fax : 048-85-27-37. ● gazelle@marocnet.net.ma ● En principe, fermé de début juillet à mi-septembre. En demi-pension (pourquoi se priver ?), de 4 320 Dh (432 €) pour deux si l'on se contente d'un cottage, près du double pour une suite. Cet hôtel, au milieu d'une orangeraie de 100 ha, est peut-être la meilleure adresse du Maroc, en tout cas l'une des plus chères. Construit par un Belge au lendemain de la Seconde Guerre mondiale pour accueillir ses hôtes, il fut transformé par la suite en hôtel. On loge dans de luxueux bungalows enfouis dans une végétation exubérante. Piscine, tennis, hammam, mais aussi équitation, croquet et golf ! Cela va sans dire. On ne visite pas.

Où manger ?

Très bon marché (moins de 50 Dh, soit 5 €)

|●| *Restaurants des hôtels Les Arcades et de la Place* (*plan A2, 20*) : pl. Al-Alaouyine (Assarag ; voir précédemment la rubrique « Où dor-

mir ? »). Un repas pour une quarantaine de dirhams (environ 4 €). Ces deux petits hôtels servent une nourriture locale, simple et généralement correcte. Attention tout de même,

car les établissements ne sont pas des modèles de propreté. Comparer les prix et les menus, qui varient selon les jours.

L'ANTI-ATLAS

Bon marché (moins de 80 Dh, soit 8 €)

I●I *Chez Nada (plan B1, 21) :* rue Ferk-Lahbab ; pas très loin de la kasbah quand on vient de l'esplanade où se trouve l'hôtel *Salam*, avant de tourner vers l'hôtel *Saadiens*. ☎ 048-85-17-26. Bon menu à 70 Dh (7 €). Sympathique accueil du patron et de son fils. Belle salle à l'étage et

agréable terrasse. Délicieux tajine de *kefta* aux œufs. Thé à la menthe offert. Plats spéciaux (pastilla) à commander à l'avance. On peut venir y prendre son petit déjeuner. Une excellente adresse, plébiscitée par nos lecteurs et on comprend pourquoi !

Prix moyens (moins de 100 Dh, soit 10 €)

I●I *Restaurant de l'hôtel Saadiens (plan A2, 13) :* voir la rubrique « Où dormir ? ». Menu quotidien et carte.

Bonne cuisine. Pas d'alcool. Restaurant panoramique sur la terrasse donnant sur l'Atlas et la médina.

Chic (de 100 à 200 Dh, soit 10 à 20 €)

I●I *Restaurant Jnane Soussia (plan A2, 22) :* à l'extérieur des remparts, quand on sort de la médina par Bâb Zorgane, continuer en direction de Marrakech, c'est le long de la route, sur la droite. ☎ 048-85-49-80 et 048-85-42-80. Compter environ 150 Dh (15 €) pour un repas

complet à la carte. On mange sous des tentes caïdales dans un beau jardin ou à côté de la piscine. Bien agréable le soir. Beaucoup de groupes le midi. Nourriture marocaine classique, tajines, brochettes. Plats sur commande.

Où dormir ? Où manger dans les environs ?

Chic

🏠 I●I *L'Arganier d'Or :* Zaoulat Ifergane, Aït-Igasse. ☎ 048-55-02-11. Fax : 048-55-16-95. Réservation également possible de Casablanca à *Amad Voyages* : ☎ 022-44-85-93. Fax : 022-44-66-01. À 19 km de Taroudannt sur la route de Marrakech. Une magnifique réalisation dans un village berbère. Chambres doubles à 450 Dh (45 €), petit déjeuner compris. Toutes donnent sur le jardin qui fait aussi office de patio. Très confortables et fraîches, les chambres disposent toutes d'une excellente literie et d'une douche. La décoration des chambres du premier est typiquement berbère avec poutres apparentes, meubles en bois peint et terrasse. Petit coin salon et per-

gola où vous ne serez dérangé que par les paons de la maison. Très belle piscine ceinturée d'orangers et superbe fontaine en zelliges. L'établissement possède aussi un jardin et une orangeraie au pied de l'Atlas. Parfait pour des balades parfumées ! Restaurant sous une riche tente caïdale ou dans le patio. Les plats proposés sont d'une grande finesse, et tous les légumes proviennent du potager. Également grillades au feu de bois. On y sert du vin. Une adresse de charme dont il faut profiter avant que les groupes ne la dénaturent. Accueil très sympathique de tout le personnel. Cartes de paiement acceptées.

Où manger une pâtisserie?

|●| *Pâtisserie de l'hôtel Saadiens :* on peut déguster les gâteaux sur place, en s'installant dans le patio autour de la piscine.

|●| *Pâtisserie Al-Warda :* pl. An-Nasr (Talmoklate). Le chef a travaillé longtemps en France, ce qui explique la présence de gâteaux bien français à côté des traditionnelles pâtisseries.

Où boire un verre?

🍸 Pl. Al-Alaouyine (Assarag), nombreuses *terrasses* pour déguster un thé à la menthe en observant l'animation. Depuis le départ de la gare routière, la place a été réaménagée et plantée d'arbres. Très agréable, en particulier le soir.

🍸 *L'hôtel Palais Salam (plan B1, 30) :* dans les remparts. Possibilité de prendre un verre autour de la piscine dans un superbe cadre paisible et arboré.

À voir. À faire

🚶🚶 *Les souks (plan A1-2) :* parmi ceux que l'on préfère de tout le Maroc. En effet, bien que peu étendus, ils n'en demeurent pas moins pittoresques. N'hésitez pas à vous perdre dans cet enchevêtrement de ruelles où bijoutiers, antiquaires et sculpteurs de pierre proposent toutes les productions locales : cuivre, tapis, cuir, fer forgé. Parmi les plus animés du Sud marocain, tout particulièrement le jeudi.

Un arrêt particulier au *souk des épices,* où l'on vous expliquera les grandes vertus de toutes les plantes. Un vrai cours de diététique et d'herboristerie. Pour le *souk des tanneurs,* partir de la place Al-Alaouyine (Assarag), prendre la rue à gauche en sortant de l'ancienne station de bus ; aller jusqu'à la porte de Bâb Targhount, sortir vers la gauche ; à 100 m à droite, suivre le chemin en terre : 1ᵉʳ portail à droite. Qualité de tannerie supérieure aux peaux proposées au même prix dans les villes du Nord. Arrêtez-vous pour voir les vanniers ou les tanneurs à l'ouvrage.

➤ *Le tour des remparts :* à faire à vélo ou en calèche. Longs de 7 km et d'une épaisseur de 80 cm. On peut voir, à certains endroits, des fissures provoquées par le terrible tremblement de terre d'Agadir, que l'on ressentit jusqu'ici. Le meilleur moment est le coucher du soleil. Rien de comparable, cependant, avec les remparts de Marrakech. De plus, certaines parties intérieures sont sales et jonchées d'ordures, comme la *Bâb Targhount* (la porte de l'Ouest). Cependant, quartier vraiment brut de forme, populaire et peu touristique (marché animé à droite de la porte, petits marchands de luzerne traditionnels, etc). Les calèches partent de l'*hôtel Salam (plan B1, 30).* Le prix officiel pouvant servir de base à une négociation est de 50 Dh (5 €) l'heure.

🔪 *Le marché berbère (plan A-B2) :* près de la pl. An-Nasr (Talmoklate). Intéressant surtout pour les épices et les poteries.

Fête

– Le 15 août, *moussem* important pendant 3 jours en l'honneur d'un marabout local.

➤ *DANS LES ENVIRONS DE TAROUDANNT*

LA PALMERAIE DE TIOUTE

À 29 km au sud-est de Taroudannt, prendre la nouvelle route 7027 en direction d'Agadir, puis tourner à droite en direction d'Irham (Igherm) sur la route 7025. Une dizaine de kilomètres plus loin, la piste goudronnée 7023, toujours sur la droite, conduit à Tioute. La palmeraie, qui s'étend sur 1 000 ha et comprend 20 000 palmiers, est cultivée par les gens du village. En 1952, on y tourna les extérieurs d'*Ali Baba et les 40 voleurs*, avec Fernandel. Le pacha local prêta les chameaux... et les figurants. Les vieux s'en souviennent encore.

En été, si vous trouvez la chaleur de Taroudannt insupportable et que votre budget ne vous permet pas de vous offrir un hôtel climatisé, allez vous mettre au vert dans la palmeraie de Tioute. Là-bas, vous pourrez loger chez l'habitant ou dans une excellente auberge.

En mai, juin et juillet, rassemblement de tourterelles.

– *Souk* le mercredi, à l'entrée du village.

Où dormir ? Où manger ?

🛏 🍽 *Auberge Tigmmi :* quartier Douar Amaner. ☎ 048-85-05-55. Doubles à 250 Dh (25 €). Entrer dans le village et tourner à droite au premier carrefour (c'est bien indiqué). Grande et belle demeure au calme dans la palmeraie. Reprise récemment par deux jeunes Français qui l'ont arrangée et décorée avec beaucoup de goût. Salle à manger-réception-salon grande comme une salle de bal, et une dizaine de chambres croquignolettes à l'étage. Très propre, couleurs pimpantes et large utilisation des matériaux locaux. Possibilité d'y prendre ses repas. Ça tombe bien, parce que la cuisine y est vraiment délicieuse (pour une petite centaine de dirhams). En particulier, le tajine aux figues et dattes, le couscous aux oignons confits et raisins secs. Copieux petit déjeuner. Piscine et parking. Notre meilleure adresse sur la région.

🍽 *Dar Tioute :* Douar Azour. ☎ 048-55-05-55. En arrivant au village, demandez où se trouve le *restaurant du Cheikh* (prononcez « Chir »). Une maison sans grand charme, mais où l'on vous servira un excellent couscous. On peut aussi dormir dans les salons, mais vraiment peu confortable et cher pour ce que c'est. Adresse très fréquentée par les groupes.

🍽 Une superbe kasbah en ruine, construite sur un promontoire, dominait la palmeraie. Elle a été scandaleusement saccagée par un promoteur sans scrupule pour y construire un *restaurant touristique* destiné à recevoir des groupes. La façade de béton déshonore tout le paysage. Mérite seulement le détour pour la vue depuis la terrasse. Accueil quasi nul.

À faire

➤ Pour faire le *tour de la palmeraie à dos d'âne*, s'adresser aux habitants. Négocier sur la base de 20 Dh (2 €) pour une promenade de 2 h. En suivant les panneaux « kasbah », on arrive sur un parking où des enfants attendent avec leurs ânes. Décidément, tous les moyens sont bons !

➤ Possibilité de *randonnées* autour de Taroudannt, dans les montagnes du Haut Atlas, avec logement chez l'habitant ou sous la tente. On traverse des villages authentiques et des superbes vallées, à l'écart des circuits touristiques. Il faut être accompagné par des guides officiels de montagne. Notons toutefois que les enfants commencent vraiment à devenir de plus en plus insupportables. Ils n'ont de cesse de réclamer stylos et argent. Par pitié, ne jouez pas leur jeu...

QUITTER TAROUDANNT

Départs des bus de la *SATAS* et de la *CTM* de Bâb Zorgane *(plan B2)*. Les bureaux de la *SATAS* sont à côté du *Taroudannt Hôtel*. Ceux de la *CTM* sont au café-restaurant *Les Arcades* (☎ 048-85-23-73). De nombreuses autres compagnies sur la pl. An-Nasr (Talmoklate) et porte Bâb Zorgane.

➤ *Pour Agadir :* plusieurs bus par jour avec les compagnies *SATAS* ou *CTM*. Durée du trajet : 1 h 30 à 2 h. Acheter le billet d'avance car souvent complet.

➤ *Pour Ouarzazate :* 2 bus par jour ; le matin avec *CTM* (venant d'Agadir et continuant jusqu'à Er-Rachidia *via* Boumalne et Tineghir), bus *SATAS* vers midi.

➤ *Pour Tata :* 2 bus par semaine.

➤ *Pour Essaouira :* 1 bus quotidien (Aït-Tanza).

➤ *Pour Marrakech :* 3 bus par jour.

DE TAROUDANNT À OUARZAZATE PAR LE DJEBEL SIROUA

La route P32, qui part d'Agadir, permet d'atteindre Ouarzazate, la nouvelle plaque tournante du Sud, au carrefour de toutes les routes (Tafilalt, Zagora, Marrakech). Compter au total 276 km entre Taroudannt et Ouarzazate. Beaucoup de circulation entre Taroudannt et Ouled-Berhil, en raison de l'activité agricole : attention aux véhicules lents et aux vélomoteurs. La route est bonne, le plus souvent rectiligne, et les paysages sont magnifiques. Mais évitez de rouler lorsque le soleil couchant se trouve face à vous, la visibilité s'en trouve considérablement réduite.

Où dormir ? Où manger ?

🛏 |🍴| *Palais Riad Hida :* à Ouled-Berhil, à 40 km de Taroudannt en allant vers Aoulouz. ☎ 048-53-10-44. Fax : 048-53-10-26. En plein centre de la ville, une pancarte indique la direction à suivre. Compter 300 Dh (30 €) par personne en demi-pension en chambre double. Menu à 60 Dh (6 €). Construit en 1860 par un pacha, ce palais a été restauré et entretenu par un milliardaire danois qui avait succombé à la beauté du site. L'établissement, entouré d'un beau jardin, propose une dizaine de grandes chambres calmes et correctes, à moins que vous ne préfériez une suite. Le régisseur vous réservera le meilleur accueil dans ce havre de paix. Piscine, terrasse, orangeraie et paons qui déambulent dans le jardin ! Vous aurez l'impression de vivre comme un sultan. Attention, certains jours le restaurant est envahi par des groupes. Après leur départ, le lieu retrouve toute sa magie. Vérifiez bien l'état de vos draps.

AOULOUZ

À 90 km de Taroudannt. Petit village qui peut être le point de départ de longues balades sur des sentiers de terre battue conduisant à d'autres villages. Souk le mercredi et le dimanche.

Où dormir ?

Pas d'hôtels, mais deux cafés qui louent des *chambres* rudimentaires et pas très propres. Petits prix en conséquence. Le premier, sans nom, se trouve en face du stationnement des bus sur la place principale. Le second, *La Paix,* est en bas de la place, à gauche. Évitez le café-restaurant *Vallée du Sous.*

TALIOUINE

Petit village à 119 km de Taroudannt, dans un site à l'impressionnante beauté. Un des plus beaux plissements géologiques du Maroc. On est ici à 1 180 m d'altitude. C'est de ce village que provient tout le safran du pays. On recueille délicatement, à la main et avec les ongles, les pistils des fleurs avant le lever du soleil, au seuil de l'hiver. La poudre de safran, très chère, est utilisée comme condiment en cuisine, en pharmacopée (antispasmodique) et comme colorant. À la coopérative, vous rencontrerez le responsable sympa et très intéressant. Il connaît parfaitement la région et organise aussi, pour les routards qui veulent sortir des sentiers battus, des balades ou des trekkings. Le safran, vendu à des prix raisonnables, est de bonne qualité et on vous donne en prime de bons conseils pour bien l'utiliser.

– *Souk :* le lundi, près de l'hôtel *Ibn Toumert.*

Adresses utiles

– *Coopérative du safran :* rue principale. ☎ 068-39-52-15 (portable). Ouvert de 8 h à 13 h 30 et de 14 h à 20 h. Explications sur la récolte, photos, tableaux, etc.
– Attention, pas de change possible à l'agence du *Crédit Agricole,* seule la poste peut vous dépanner.

Où dormir ? Où manger ?

Bon marché

Auberge-camping Toubkal : à 1,5 km à gauche sur la route en direction de Ouarzazate. ☎ 048-53-43-43 et 40-17 ou 061-83-84-23 (portable). Compter 35 (3,5 €) pour deux avec une tente, eau chaude comprise ; emplacement pour les camping-cars à 55 Dh (5,5 €) avec branchement électrique. Dispose également de 8 chambres faisant face au jardin et aux montagnes, toutes avec salle de bains, à 130 Dh (13 €) la double. L'auberge dispose d'une cuisine collective et d'un restaurant sous tente berbère ou dans une salle. Cependant, gestion peu dynamique, l'ensemble se dégrade doucement. À notre passage, la piscine était vide.

Auberge Askaoum : av. Bir-Anzarane. ☎ 048-53-40-17. À l'entrée du village en arrivant de Ouarzazate. Chambres doubles à 80 Dh (8 €) sans le petit déjeuner. Menus à 35 et 45 Dh (3,5 et 4,5 €). Ils disposent de chambres rénovées avec literie en bois blanc. Douche et toilettes sur le palier. Accueil chaleureux et cuisine correcte (bon couscous).

X 🛏 *Auberge Siroua :* dans le centre, en face de la gendarmerie. ☎ 048-53-43-04. Fax : 048-53-40-89. ● www.auberge-siroua.com ● Doubles à 130 Dh (13 €). Motel de 9 chambres avec salle de douche, assez banales. Camping-caravaning avec des sanitaires simples et relativement propres.

🛏 l●l *Auberge Le Safran :* à la sortie du village sur la droite, en allant vers Ouarzazate. ☎ 048-53-40-46. ● www.auberge-safran.fr.fm ● 8 chambres doubles avec douche et w.-c. à partir de 60-80 Dh (6-8 €), sans le petit déjeuner. Propreté inégale. Superbe vue sur la kasbah. Menu copieux et varié à 45 Dh (4,5 €), servi sous une pergola. Mahoud Mohiydine vous accueille chaleureusement et vous dévoilera tous les secrets du safran, y compris quelques recettes de cuisine. Cette épice en pistil d'excellente qualité est également en vente.

Prix moyens

🛏 l●l *Auberge Souktana :* à 2 km du village en allant vers Ouarzazate. ☎ et fax : 048-53-40-75. Compter 140 Dh (14 €) la chambre double avec douche au-dessus de w.-c. à la turque, 110 Dh (11 €) pour le « château » qui surplombe l'Oued, également des bungalows à 120 Dh (12 €) pour deux et des tentes-chambres à 80 Dh (8 €) ; possibilité de camper dans la cour pour 40 Dh (4 €) avec une tente et une voiture ou de dormir sous une tente caïdale pour 30 Dh (3 €) par personne. Compter environ 80 Dh (8 €) pour le menu, plus la carte. Pas d'alcool, mais vous pouvez apporter votre bouteille. Ahmed (ancien caravanier et descendant des « hommes bleus ») et Michèle, une Française, proposent une large gamme d'hébergements simples, mais toujours impeccables. Ahmed et son fils Hassan, tous deux guides de montagne, ont ouvert un bureau de guides et proposent des circuits originaux dans la région.

Chic

🛏 l●l *Hôtel Ibn Toumert :* ☎ 048-53-43-33. Fax : 048-53-41-26. Chambres doubles à 500 Dh (50 €), petit déjeuner compris ; en demi-pension, 750 Dh (75 €) ; 30 % de réduction en basse saison. Un 4 étoiles B, de construction moderne, situé près de la kasbah du Glaoui. 103 chambres assez confortables. En demander une à l'est, pour avoir la vue sur la kasbah. Piscine mal entretenue. Resto sans éclat. Établissement fréquenté surtout par les groupes.

À voir. À faire

🔏 *La kasbah du Glaoui :* assez délabrée, mais pourtant très impressionnante. Encore habitée par quelques familles. Dès qu'on s'en approche pour faire des photos, des enfants en sortent pour réclamer 5 Dh ou des stylos.

➤ Faire une promenade en fin de journée dans les *jardins* du village et aux *ruines de l'agadir*. Superbes couleurs.

– On peut aller à la *piscine* de l'hôtel *Ibn Toumert* moyennant 40 Dh (4 €). Un peu cher mais quand il fait très chaud, on ne compte pas. Voir également la piscine de l'*Auberge-camping Toubkal*, bien plus abordable.

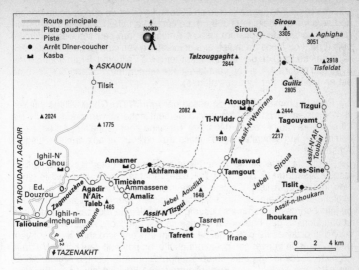

═══	Route principale
───	Piste goudronnée
- - -	Piste
●	Arrêt Dîner-coucher
⌂	Kasba

LE DJEBEL SIROUA

QUITTER TALIOUINE

Les horaires de tous les bus sont affichés à l'auberge *Souktana*.
➢ **Pour Ouarzazate :** plusieurs bus quotidiens.
➢ **Pour Inezgane et Marrakech :** départ en soirée.
Très beau parcours, surtout entre Tazenakht et l'embranchement de la route P31 pour Ouarzazate.
➢ **Pour Tata :** si vous possédez votre propre 4x4, intéressante piste depuis Taliouine (attention, pas de voiture de tourisme). Prendre la direction de Tazenakht. À une dizaine de kilomètres, route à droite pour *Agadir Melloul*, *Timassinine* et *Targannt*. Première partie de la piste en voie de goudronnage (à peu près jusqu'à *Tisfrioudine*). Après, vraie piste caillouteuse (mais roulante), parfois très étroite, parfois difficile à suivre (peu marquée, mais pas de risques d'erreur). Paysages sauvages et quelques oasis de montagne avant de retrouver la route Foum-Zguid-Tata.

Randonnée pédestre au djebel Siroua

Voyage à pied dans l'Anti-Atlas marocain, avec des étapes quotidiennes de 4 à 5 h. Il est conseillé de louer des mulets pour le transport des bagages et des vivres. Nuits en bivouac. Eau potable sur tout le parcours. Le matériel, tel que tente, ustensiles de cuisine, matelas, nourriture et mulet, peut être fourni par une agence. Ne partez pas seul. Demander de l'aide et les renseignements nécessaires aux guides de haute montagne à Taliouine.

Randonnée en voiture tout-terrain dans le massif du Toubkal

Attention : des orages emportent régulièrement certaines pistes, notamment dans la descente vers Anmid. Il est impératif, avant de partir, de se renseigner sur l'état de ces pistes ; sinon, vous risquez d'être contraint de faire demi-tour en cours de route.

L'itinéraire de 220 km s'effectue en 2 jours. Le point de départ de la randon-née se situe à Taliouine (1 060 m). Le circuit se fait en véhicule tout-terrain (pas en voiture de tourisme) jusqu'à Amsouzer (un peu au-dessus d'Imlil), puis à pied ou à dos de mulet, et à nouveau en véhicule jusqu'à Taliouine. Il n'y a pas de location de véhicules tout-terrain à Taliouine. Il faut donc arriver avec son propre 4x4 si l'on veut faire cette randonnée. Par endroits, la route est en mauvais état (grosses pierres).

➤ Pour la première étape, on passe par *Ighil N'Ou-Ghou*, village intéres-sant pour sa kasbah et son environnement riche et verdoyant. Seuls les 20 premiers kilomètres au départ de Taliouine sont asphaltés. Après, ça se complique, et l'asphalte cède la place aux cailloux et aux ornières jusqu'à Amsouzer.
De Tizgui, la piste monte et serpente entre des montagnes assez arides jusqu'à *Askaoun* (à 70 km de Taliouine), dont le jour du souk est le jeudi. Non loin de là, à l'est, il existe plusieurs mines d'argent, d'or et de cobalt exploitées actuellement. De ce village, la piste traverse un plateau parsemé de jolis bourgs aux sommets désertiques peuplés de rapaces. Conductrices et conducteurs peu habitués à lire des cartes, attention ! Après Askaoun, ce sont des dizaines de pistes qui se croisent et s'entrecroisent, il est souvent peu évident de trouver son chemin. Ensuite, on poursuit vers l'*assif N'Tizgui*. La piste descend en pente abrupte (impressionnant) jusqu'à Anmid. Après avoir traversé l'oued, le suivre sur l'autre rive. 1 km plus loin, une autre piste nous conduit en surplomb de l'oued Sous que l'on suit jusqu'à *Amsouzer*, à 8 km d'Assareg. Dormir chez l'habitant à Amsouzer.
Cette partie du périple est impressionnante par son paysage grandiose, sa verdure, ses villages de pierre à l'architecture particulière et sa piste vertigi-neuse à flanc de montagne. Remarque : pour ceux qui n'ont pas de véhicule tout-terrain, il est plus facile d'atteindre Amsouzer au départ de Marrakech, en empruntant la route P31 et la piste qui traverse les villages de Tiourar et Souk.

➤ La deuxième étape conduit à pied ou à dos de mulet jusqu'au *lac d'Ifni*, avec, en face, le plus haut sommet du Maroc, le *mont Toubkal* (4 165 m). Au retour, la piste longe l'oued Sous, fabuleuse vallée avec ses villages environ-nés de la verdure des petits champs en terrasses, des noyers, des oliviers, pendant 92 km, pour arriver à *Aoulouz* où l'on reprend la route principale 32 qui ramène à Taliouine, à 35 km de là.

DE TALIOUINE À OUARZAZATE

➤ Après Taliouine, la route P32, en direction de Ouarzazate, passe entre le djebel Siroua et le djebel Bani. Paysage rocailleux de plateaux. La route tra-verse des hameaux comme *Tinfat*, où il est encore possible d'acheter du safran (et même de goûter du thé au safran) si vous avez loupé la coopéra-tive de Taliouine, et Tazenakht, un important centre de tissage de tapis.

TAZENAKHT

La place principale n'offre pas un grand intérêt, mais prenez le chemin qui mène au village ancien pour aller voir les femmes tisser, dans la pénombre des maisons, les fameux tapis *ouzguida* à trame orange. Si vous souhaitez en acheter un, arrêtez-vous ici. Les prix sont intéressants et les gens sym-pas.

Où dormir? Où manger?

🏠 ⭕ *Hôtel-café-restaurant Zenaga :*
av. Moulay-Hassan, dans le centre.
18 chambres avec douche chaude
et toilettes à 140 Dh (14 €) ; beaucoup moins cher sans salle de bains
individuelle : 60 Dh (6 €). Préférer
sans hésiter celles du 1er étage,
beaucoup plus accueillantes. L'hôtel
fournit les serviettes. Très bien tenu
et propre.

🏠 ⭕ *Hôtel-restaurant Taghdaoute :*
av. Moulay-Hassan. ☎ 044-84-
13-93. Chambres doubles de 120 à
160 Dh (12 à 16 €) ; ceux qui ont un
budget limité pourront se contenter
de dormir sur la terrasse, sous des
tentes, pour 25 Dh (2,5 €). Établissement très bien tenu. Fait aussi
restaurant (pas terrible). Le patron,
Mohammed Nassiri, connaît la région comme sa poche et pourra
vous donner de bons tuyaux, il organise aussi des randonnées à partir
de 6 personnes.

⭕ *Café-restaurant Sanhaja (chez
Adahri) :* derrière la place principale. ☎ 048-84-10-23. Quand on arrive de Taliouine, s'engager résolument sur la droite dans le village :
deux ou trois rues poussiéreuses
après, c'est sur la gauche. Cuisine
simple mais bonne. Quelques chambres sommaires, bon marché, avec
une douche chaude, mais à n'utiliser
qu'en dépannage car la saleté règne
en maîtresse absolue.

⭕ *Café-restaurant La Marie :* en
face de l'hôtel *Zenaga*, en plein
centre. On y mange pour environ
50 Dh (5 €). Terrasse ensoleillée.
Cuisine simple (tajines ou brochettes)
mais bonne. Dommage que le
manque de propreté soit si flagrant !

➤ Après Tazenakht, compter encore 86 km pour atteindre Ouarzazate.
Il est possible, pour ceux qui voudraient visiter la *vallée du Drâa* sans passer par Ouarzazate, d'emprunter une piste directe pour Agdz. Après le passage de deux cols à 1 640 et 1 190 m, la piste S510 bifurque vers l'est, sur la
S6951 (vieilles pancartes blanches rouillées, indication « AGDZ » presque
effacée). Compter environ 46 km de piste en assez mauvais état mais relativement plate, avant de trouver le bitume. Attention cependant : risque de
crevaisons à cause des petits cailloux pointus. Tout le long de la route, villages bien typiques et beaux paysages.
Une belle route goudronnée (la 6810) conduit vers le sud à *Foum-Zguid*,
d'où l'on peut rejoindre Tata et Zagora. Foum-Zguid et ces pistes sont
décrites dans la partie consacrée à Zagora. Voir plus loin.

TAFRAOUTE   1 500 hab.

Le village est plutôt décevant (centre assez mal organisé, mais des efforts
ont été entrepris pour une plus grande propreté). Pourtant, il bénéficie d'un
site exceptionnel, à 1 200 m, surtout en fin de journée, lorsque les rochers se
colorent au soleil couchant. Tout autour, une superbe barrière de montagnes
de granite rose, aux formes des plus surprenantes, le plus souvent arrondies
(certaines atteignent la taille d'une maison et s'empilent éventuellement les
unes sur les autres). C'est pourquoi il est recommandé d'y passer une nuit,
même si, en ce qui concerne l'hébergement, Tafraoute n'est pas extra-
ordinairement loti.
Tafraoute est la capitale des Ammeln, une tribu très célèbre pour son sens
des affaires et son dynamisme commercial. Partout au Maroc, le petit épicier

de la rue est un Ammeln, et même en France, s'il n'est pas tunisien de Djerba, il a de grandes chances de venir de la région de Tafraoute.

On y cause le *chleuh (tashelhit)*, l'un des trois dialectes berbères parlés au Maroc et dans lequel *tafraoute* signifie « bassin d'irrigation ». On dit que l'estomac, lorsqu'il est vide, est *tafraoute*. Remplissez donc le vôtre des amandes qui poussent tout au long de la route dans la région. L'idéal, c'est de venir lorsque les amandiers sont en fleur, en janvier-février. D'ailleurs une fête est organisée à cette occasion. Enfin, sachez que Tafraoute est réputée pour sa babouche... La babouche de Tafraoute ou le *must* de la tatane !

Adresses utiles

✉ **Poste :** pl. Massira.

@ **Téléboutique et Internet :** dans la rue qui rejoint l'*hôtel des Amandiers*, presque en face de la maison des Touareg. 1 h de connexion revient à 10 Dh (1 €).

■ **Banques :** *BMCE* et *Banque Populaire*. Pas de distributeur automatique de billets. Pendant les heures de fermeture, voir à l'*hôtel des Amandiers* pour le change.

🚌 **Gare routière :** sur la place centrale.

■ **Location de vélos :** sur la place, en face de la poste (très cher).

■ **Hammam Abdou :** dans le centre, facile à trouver. Il ne vous en coûtera que quelques dirhams pour liquider la crasse et la poussière du voyage.

■ **Guide :** s'il en est un dans la région dont la renommée n'est plus à faire, c'est bien *Sahnoun Ouhannouf*. Il connaît en effet la région comme sa poche, ainsi que son histoire, ses légendes... C'est un véritable passionné ! Vous pouvez le contacter à la boutique *Coin des Nomades,* chez Houssine Laarousi (tout près de l'hôtel *Salama*). Ce dernier peut également vous donner des tas d'informations, il vend aussi des cartes de trekking.

Où dormir ?

Se méfier de certains petits hôtels, très sales. Attention, les hôtels sont souvent complets.

Camping

⛺ **Camping :** renseignements au restaurant *L'Étoile du Sud*, juste à côté. ☎ 061-62-43-09 (portable). Bien situé à la sortie de Tafraoute. Prix modiques : moins de 50 Dh (5 €) pour deux, avec branchement électrique ; également quelques bun-galows à 90 Dh (9 €) pour deux personnes, où il est possible de cuisiner. Douche chaude payante. En faire la demande au gardien afin qu'il alimente la chaudière à bois. Petite attente à prévoir. Sanitaires douteux. Assez ombragé. Bon accueil.

Très bon marché

🏠 **Hôtel-restaurant-café Le Tanger :** sur la droite avant de passer l'oued. Compter maximum 50 Dh (5 €) pour une chambre double sans la douche. Hôtel très sommaire et vieillot, mais qui dégage un certain charme. La terrasse du haut offre une belle vue et permet de profiter des rayons de soleil. Fait aussi restaurant. Petits plats à petits prix. L'accueil est très sympa.

Bon marché

⌂ *Hôtel Tafraoute :* pl. Moulay-Rachid, à côté de la station *Somepe.* ☎ 048-80-00-60. Fax : 048-80-05-05. En plein centre. Compter 100 Dh (10 €) par personne en demi-pension. Une vingtaine de chambres simples mais pas propres. Sanitaires et douches chaudes communes à l'étage. Les chambres côté rue sont très bruyantes. Terrasse avec vue superbe.

Prix moyens

⌂ *Hôtel Salama :* dans le centre ; l'entrée est sur la place du souk hebdomadaire. ☎ 048-80-00-26. Fax : 048-80-04-48. Chambres doubles avec douche à 150 Dh (15 €) ; petit déjeuner à 23 Dh (2,3 €). Il s'agit d'un vieil hôtel restauré. Chambres avec salle de bains. Chauffe-eau solaire. Chambres absolument pas insonorisées mais chauffées en hiver (on ne peut pas tout avoir !). Salon de thé. Vue panoramique de la terrasse, où l'on peut prendre son petit déjeuner. Accueil agréable.

Très chic

⌂ *Hôtel des Amandiers :* en haut de la colline ; ancien gîte d'étape de la Transat. ☎ 048-80-00-08 et 88. Fax : 048-80-03-43. Chambres doubles à partir de 530 Dh (53 €) sans le petit déjeuner. Au milieu d'un site magnifique. 58 chambres climatisées confortables avec une belle salle de bains, TV et téléphone, mais sans grande âme (on se croirait dans un hôtel soviétique des années 1970). La piscine est bien entretenue. Salle à manger panoramique. Plats marocains à prix raisonnables. Alcool. En saison, envahi par les groupes mais ceux-ci restent séparés des individuels. Possibilité aux non-résidents de venir prendre un verre.

Où manger ?

|◉| *Café-restaurant L'Étoile d'Agadir :* pl. de la Marche-Verte, à gauche de la poste. ☎ 048-80-02-68. Environ 70 Dh (7 €) le repas complet. Une affaire familiale tenue par trois frères. Lors de notre passage c'était le tour d'Ahmed, sympa et souriant. Cadre très simple. Menu bon marché, avec un excellent tajine aux pruneaux et aux amandes. Ils ont aussi de bonnes brochettes. Le soir, on y rencontre les habitants du village. Le matin, bon petit déjeuner. Service efficace. Évitez en revanche l'*Étoile du Sud* le midi, ils sont submergés par les groupes.
– Essayez aussi la table du restaurant *Le Tanger* et de l'*hôtel des Amandiers* (se reporter plus haut, à la rubrique « Où dormir ? »).

Achats

– *Souk :* le mercredi, dans le centre-ville. Commerçants aimables et réputés honnêtes. Artisanat à des prix très modérés. Profitez-en pour faire des réserves de babouches berbères (à ne pas confondre, bien entendu, avec la babouche arabe, pointue ; la babouche berbère, elle, est arrondie et tient au talon grâce à sa languette). Une précision, la couleur jaune est réservée aux hommes et la rouge aux femmes. En revanche, fuyez les pseudo « hommes bleus » qui font le siège des hôtels ou racolent dans les rues de la ville pour vous emmener dans leur magasin, sur la route de l'*hôtel des Amandiers*. Préférez-leur le magasin *L'Artisanat du Coin*, en face de *L'Étoile d'Agadir*.

➤ DANS LES ENVIRONS DE TAFRAOUTE

Nombreuses promenades pédestres dans la très belle campagne alentour. On peut aussi les faire à vélo.

➤ **Aguerd-Oudad :** à 3 km de Tafraoute par la route goudronnée 7075. Une balade merveilleuse jusqu'au grand rocher surnommé « le chapeau de Napoléon » ou « le doigt ». Le village est blotti au pied de ce rocher en équilibre.

➤ **Les rochers peints du désert :** en continuant cette même route pendant 4 km, prendre à droite à la fourche, avant d'atteindre, 400 m plus loin, une très mauvaise piste que l'on prend sur la droite. On arrive alors dans une zone totalement désertique, particulièrement appréciée des metteurs en scène de cinéma. Un conseil : laissez votre voiture à l'embranchement de la piste (portique en béton) et continuez à pied. De nombreux westerns américains furent tournés dans ce beau décor naturel. Vous y verrez aussi des rochers peints, en 1985, par un artiste belge, Jean Vérame. 19 tonnes de peinture à l'eau, apportées par une noria de camions, furent nécessaires à cet artiste pour « détourner » avec des bleus et des rouges ces blocs de granite rose. Mais tout fout le camp, même l'art ! Les chèvres broutent les arganiers aux alentours, et la peinture des rochers ne leur résiste pas. Le temps efface malheureusement peu à peu cette œuvre originale.

➤ **La vallée des Ammeln :** prendre la route d'Agadir (7147) et, au lieu de tourner sur la droite, continuer jusqu'à une borne blanche marquée « Douar Anil Anamour ». À environ 7 km de Tafraoute, prendre la piste à droite, puis monter à pied au deuxième village. La balade permet de découvrir les femmes qui moissonnent à la main dans les champs ou qui transportent l'eau dans de grands pichets en cuivre, bref, les cent petites activités quotidiennes. Après l'embranchement sur la droite, on arrive vite à un bassin où coule une source. Il faut se faire une place ! D'autant plus que les gamins du village y sont. Cette vallée est certainement l'endroit d'où l'on profite le mieux du coucher (ou du lever) du soleil, tant la falaise qui la ferme est abrupte et impressionnante.
La vallée des Ammeln, curieuse oasis de montagne, compte 27 villages accrochés aux flancs roses du *djebel Lekst* (2 359 m) et répartis sur près de 40 km. Magnifique contraste entre la montagne âpre et la végétation (amandiers, oliviers, palmiers). On peut visiter un certain nombre de ces villages en suivant la petite route (7148) qui ramène sur l'axe principal Tafraoute-Tiznit.

➤ **Oumesnat :** toujours sur la route d'Agadir, mais cette fois en prenant à droite, à 8 km environ de Tafraoute, une piste part sur la gauche. Le village, 1 km plus loin, se dresse au milieu des jardins, contre la falaise ocre. Se garer sur la place puisqu'on ne va pas loin en voiture. Continuer à pied en s'enfonçant dans le village vers la montagne. Peu après avoir longé un cimetière musulman, on peut aller visiter une « maison traditionnelle » à 3 niveaux transformée en petit musée, habitée par un aveugle et ses enfants. Ouvert tous les jours (depuis 1983). Une initiative personnelle qui mérite d'autant plus d'être saluée qu'elle est rare. Pas de droit d'entrée, mais on vous offrira du thé et vous pourrez laisser quelques dirhams au propriétaire des lieux qui, malgré son handicap, vous aura guidé. Vous pourrez aussi y acheter de l'*amlou*, mélange d'amandes grillées, d'huile d'argan et de miel, mais des lecteurs se sont plaints de la qualité. Il serait dommage que cet endroit demeure un vulgaire attrape-touristes.

QUITTER TAFRAOUTE

En bus ou en taxi collectif

La ville n'est pas bien desservie par les transports en commun. Départs de la place centrale.

➤ *Pour Agadir, par Aït-Baha :* 1 bus quotidien en soirée *(transports Balady)*, qui a son terminus à... Casablanca.

➤ *Pour Tiznit :* plusieurs bus quotidiens, dont celui de la *CTM* (☎ 048-80-00-46) desservant aussi Casa ; départ en soirée. Cette ligne dessert ensuite Inezgane, Agadir et Marrakech. Compter 2 h 30 pour rejoindre Tiznit et plus de 8 h pour Marrakech.

🚐 Les taxis collectifs sont préférables. Départs plus fréquents le matin, à partir de 6 h.

En voiture

Pour les routards motorisés qui veulent regagner Agadir, deux solutions : par Tiznit ou par Aït-Baha.

Par Tiznit

107 km de paysages sublimes jusqu'à la grand-route (P30). Le paysage rocailleux de Tafraoute fait petit à petit place à une succession de petites vallées encaissées à l'habitat très dispersé. Le passage du *col du Kerdous*, à 1 100 m d'altitude, permet de traverser des paysages étonnants.

🛏 🍽 Un hôtel confortable (4 étoiles A) propose de faire étape en haut du col : l'*hôtel Kerdous*. Voir plus haut la rubrique « Où dormir ? » à Tiznit.

➤ De Tiznit à Agadir, 78 km de route rapide par la P30. Ceux qui aiment flâner feront le détour suivant : 18 km après le col, à gauche, vous verrez une flèche « Zaouïa Sidi Ahmed ou Moussa ». Prenez cette route goudronnée sur 12 km jusqu'à la *zaouïa :* fin août se déroule le plus important *moussem* du Sud marocain, où une foule immense se rend sur le tombeau du saint. Les descendants de ce dernier ont fondé un royaume, le *royaume du Tazeroualt* (du nom de la région) qui, dans ses meilleurs moments, au XVIIᵉ siècle, était plus puissant que la maison royale qui siégeait à Marrakech. Ce royaume contrôlait le commerce caravanier de tout le Sud.

Les vestiges de cette puissance sont visibles 8 km plus loin ; franchissez l'oued, traversez le village, après quelques kilomètres il y a une bifurcation : tenir sa gauche. Le village s'appelle *Illigh*. Une kasbah ruinée en pisé montre encore les traces de l'ancien décor. Un peu plus loin, une forteresse est encore habitée par les descendants de cette importante famille. Demandez à visiter l'intérieur, c'est-à-dire la cour où les caravanes étaient déchargées et les marchandises pesées. Au XIXᵉ siècle, les plumes d'autruche et les derniers esclaves noirs étaient les biens les plus prisés. Aujourd'hui, la population du village d'Illigh est, pour la plupart, composée de Noirs. La piste quitte le village en direction du sud : après 2 km, vous pourrez visiter le cimetière juif, qui date du XVIIᵉ siècle. Vous revenez par le même chemin sur la route principale.

Un peu plus loin, avant d'arriver à Assaka, sur la gauche, une route goudronnée qui se transforme vite en chemin de terre praticable conduit à l'oasis de Ouijarre, près d'un village nommé Agadir. La villa isolée, un peu surréaliste, construite sur une colline, serait l'œuvre d'un général.

L'ANTI-ATLAS (vertical sidebar)

Par Aït-Baha

143 km d'une route (la S509) étroite, très sinueuse et dangereuse. Elle est régulièrement remise en état, mais les pluies font, chaque année, des dégâts considérables. Cette route est probablement l'une des plus belles du Maroc. Les points de vue se succèdent et laissent un souvenir inoubliable.

🏠 |●| *La Kasbah de Tizourgane :* 3 km après Ida-Ou-Gnidif, vous ne pouvez pas la rater. ☎ 061-94-13-50 (portable). ● jamal.moussalli@caramail.com ● Il faut compter 200 Dh (20 €) en demi-pension. Posée sur une butte, au milieu d'une vallée, cette kasbah du XIIIe siècle est en cours de restauration grâce à Jamal Moussalli et Mostafa Bouderka. Conscients de ce patrimoine exceptionnel dans un cadre qui ne l'est pas moins, ces deux amis ont créé une association pour sauvegarder ce trésor. Grâce à eux, l'électricité et l'eau courante sont arrivées. Désor-mais, il est possible de dormir chez Jamal qui a admirablement bien restauré sa maison. Quelques chambres sur le toit, un grand salon où vous êtes accueilli comme un ami et nourri comme un roi. Sa mère est une cuisinière hors pair. Heureusement que de superbes randonnées permettent d'éliminer l'excès de calories. Jamal est intarissable sur l'histoire de sa kasbah et sur les traditions berbères. Un bien beau voyage dans le temps et au cœur d'un peuple, loin des sentiers battus.

La route descend ensuite sur Aït-Baha. Parcours impressionnant. Cet itinéraire aura la préférence de ceux qui remontent sur Ouarzazate *via* Taroudannt, car on peut raccourcir son trajet en prenant sur la droite, 17 km après Aït-Baha, une route qui conduit à Oulad-Teïma d'où l'on reprend la P32 vers Taroudannt : on gagne 15 à 20 km par rapport à l'itinéraire qui fait passer par l'aéroport d'Agadir.

On nous a signalé une autre route de toute beauté, asphaltée (ne figurant donc pas totalement sur la carte *Michelin*) : de Tafraoute, s'engager dans la vallée des Ammeln et gagner Taguenza (partie ouest de la vallée). 8 km plus loin, une grande borne indique Aït-Messaoud, Aït-Taleb, Agulz, Egordane, Anirgi, Aït-Omzil et Tanalt. Prendre cette route qui mène également à Aït-Baha *via* Aoungouz et Lezzit, ces deux dernières localités étant signalées sur la carte *Michelin* (route 7108). Cet itinéraire permet de voir davantage de villages de la vallée des Ammeln.

Aït-Baha est une grosse bourgade de 6 000 habitants sans intérêt touristique, mais qui dispose néanmoins d'un établissement remarquable.

🏠 |●| *Hôtel Al-Aldarissa :* av. Mohammed-V. ☎ 048-25-44-61 à 64. Fax : 048-25-44-65. En plein centre, au milieu de la grande artère qui traverse la ville. Chambres doubles avec bains à 150 Dh (15 €), un tarif promotionnel valable, en principe, toute l'année ; petit déjeuner à 25 Dh (2,5 €). Menu à 60 Dh (6 €). Établissement de 32 belles chambres fonctionnelles et confortables. TV, restaurant et terrasse panoramique.

DE TAROUDANNT À AGADIR PAR LES PISTES DU SUD

Agadir n'est qu'à 68 km de Taroudannt, mais on peut s'y rendre par le chemin des écoliers, en empruntant des pistes traversant de magnifiques paysages. Compter au total 640 km, mais ceux qui décident de tenter l'aventure en garderont un souvenir inoubliable.

De Taroudannt à Tata, 240 km de route. Prendre la 7025 après l'embranchement de Tioute (sur la 7027).

IGHERM

À 94 km. Gros village fortifié. Souk le mercredi, où l'on peut acheter des objets en cuivre. Si vous ratez ce souk, vous pouvez acheter ces objets à des prix « marocains », et non pas « touristiques », dans une petite boutique que l'on voit à peine, près de la station-service.

Où manger?

|●| Plusieurs petits **restos** en ville.

|●| **Restaurant Kratrit :** juste en face de l'Atlas et dirigé par Brahim Khater, personnage attachant qui ne manquera certainement pas de vous conter les histoires du pays, vous tuyautera sur les possibilités de randonnées dans la région et les moyens de gagner le Sud par le chemin des écoliers. *Kratrit* est un mot chleuh qui signifie : « Y'a tout ce qu'il faut ! ». Une bonne étape de mi-journée si vous faites Taroudannt-Tata ou encore Taroudannt-Tafraoute.

➤ La route 7038 qui relie Igherm à Tafraoute est une des plus belles du pays. De même, la route 7085 qui rejoint Tata, fait un grand détour que l'on ne regrettera pas. La plus belle partie se situe après le passage du Tizi-Touzlimt (1 692 m). Jusqu'à **Imitek**, les paysages sont sublimes.

TATA

Tata, ville rose, est plantée au centre d'une magnifique oasis alimentée par les oueds venant de l'Anti-Atlas, et qui comprend une trentaine de *ksour* aux habitations de pisé. La population parle surtout un dialecte d'origine berbère, appelé le *tamazight*. Dans cette petite ville tranquille, la température peut atteindre des maxima difficilement supportables. Beaucoup de militaires, mais aussi des femmes avec des vêtements très différents : celles qui portent une jupe bleue et un voile noir sont des Berbères, et celles qui ont un habillement très coloré des Bédouines.
– **Souk :** le jeudi, à 10 km dans la direction d'Akka, et le dimanche, en ville.

Adresses utiles

■ **Bureau de poste et banque :** dans une rue sur la droite entre l'av. des FAR et l'av. Mohammed-V.
■ **Station-service :** sur la route d'Igherm. Il est préférable de faire le plein ici plutôt qu'à Akka.

■ **Garage :** Labrcen Bougrin, 6, av. Mohammed-V. Compétent et sympa. Connaît bien les véhicules tout-terrain et peut dépanner toutes les autres voitures.

Où dormir? Où manger?

Attention à certains petits hôtels, très sales et peu recommandables, autour de la station des bus.

L'ANTI-ATLAS

Camping

⚹ **Camping :** dans le centre. Prévoir 20 Dh (2 €) la nuit par personne. Sanitaires très propres. Douche froide. Dispose aussi de quelques bungalows à 40 Dh (4 €). Piscine et quelques arbres. Le nouveau gérant semble efficace.

De bon marché à prix moyens

🛏 |●| **Hôtel de la Renaissance :** 9, av. des FAR. ☎ 048-80-22-25. Fax : 048-80-20-42. Chambres de bon marché à prix moyens, en fonction du confort. Doubles à 150 Dh (15 €). Une cinquantaine de chambres, dont 27 avec douche individuelle, toilettes et eau chaude, et 17 dans un autre bâtiment plus ancien, de l'autre côté de la route, avec douche froide individuelle ou commune. Piscine. Salle de resto fort plaisante et bonne cuisine à prix modéré.

🛏 |●| **Le Relais des Sables :** avant les deux stations-service, à droite en allant vers Akka, à 1 km du centre. ☎ 048-80-23-01 et 02. Fax : 048-80-23-00. Beaucoup plus cher que le précédent. Établissement avec piscine. Les 55 chambres sont confortables mais assez petites. 18 sont spacieuses et climatisées (avec supplément). Bar et restaurant avec alcool.

À voir. À faire

⚹ **La palmeraie :** balades agréables.

⚹ **La source :** en bordure de rivière, derrière le *Relais des Sables*.

QUITTER TATA

➤ **Bus** quotidiens **pour Guelmim, Tiznit** et **Agadir**, *via Bou-Izakarn*.

DE TATA À ZAGORA

➤ Une bonne route goudronnée (la 7084) relie Tata à Foum-Zguid. Le premier village à 30 km, sur la gauche, est **Akka-Iguiren** : entrez-y pour voir de près une imposante maison fortifiée qui servait de grenier collectif. Vous pouvez rester sur la route (toujours goudronnée) qui conduit à **Akka-Ighane** (prononcer « Irène ») dans un paysage absolument dénudé ; si vous le faites le matin tôt, vous verrez la beauté des couleurs délicates des montagnes. Avant Akka-Ighane se trouve le village d'**Agadir-Isarhinnen**; ruines d'un très ancien *agadir* avec, fait singulier, quatre tours d'angle rondes. Plus loin, les vestiges d'un palais qui appartenait à la famille Glaoua (voir « Telouet ») : l'architecture simple et austère révèle l'ancienne puissance, surtout dans la partie la mieux conservée, une énorme tour d'angle à base carrée, qui garde une bonne partie du décor. À l'intérieur, la cour et la mosquée en partie transformée en étable... À Akka-Ighane, oasis. D'ici, on peut regagner l'asphalte à la hauteur de *Kasbah-el-Jouâ*.

➢ Continuez pour *Tissint* : 2 km avant Tissint, laissez la voiture et allez voir à pied le profond canyon creusé par un oued où l'eau coule toute l'année. En hiver, les flamants roses y font halte. Tissint est maintenant un village qui se développe rapidement et abrite une importante garnison militaire. Barrage de la gendarmerie royale (contrôle du passeport). Visitez la cascade, alimentée par un oued à l'eau saumâtre, où l'on peut se baigner et pêcher. Près de la cascade, petit café (si ça vous intéresse, demandez au patron, très gentil, de vous trouver un gamin qui pourra vous accompagner pour visiter la maison où Charles de Foucauld a fait halte pendant sa reconnaissance du Maroc).

➢ Vous avez encore 70 km pour *Foum-Zguid* (gendarmerie royale). Ici, vous avez la possibilité de continuer pour Zagora (véhicule tout-terrain) : prenez la route de Tazenakht et, après 7 km, tournez à droite (entrée de la piste cachée par des maisons). Ils ont pris soin de mettre un panneau, où on lit « Zagora 74 km », mais il en reste en réalité 120 ! (Il ne faut pas pourtant se décourager pour si peu). La piste 6953 coule dans un paysage un peu monotone, désertique, fréquenté par de rares nomades. Cependant, les autorités ont ouvert une 2e piste, qui passe plus au sud, près du village de Zaouïa-Sidi-Abd-en-Nebi pour déboucher sur le goudron de Mhamid. Un peu difficile, il est indispensable d'y aller en tout-terrain, accompagné d'un guide. Les quelques barrages militaires rencontrés ne diminuent en aucun cas la beauté de la route (voir plus loin, la rubrique « De Mhamid à Foum-Zguid, par la piste Nord »).
Ou bien continuez au nord, par la route goudronnée qui conduit à *Tazenakht* ou à *Agdz* (voir le chapitre concerné).

DE TATA À BOUZARKANE

Compter 245 km de bonne route qui remplace, depuis peu, une ancienne piste. L'excursion peut donc se faire facilement avec une voiture de tourisme.

➢ *Akka* n'est qu'à 62 km de Tata, au milieu d'une oasis plantée de dattiers produisant d'excellents fruits. Si ce n'est pas la saison, ce sera peut-être celle du raisin, ou des grenades ou des abricots. Tous ces fruits poussent ici et en abondance. La région est riche en gravures rupestres d'un grand intérêt.
Se faire accompagner d'un guide. Adressez-vous à M. Hasni, à la *Délégation du tourisme de Tata* : ☎ 048-80-20-75 ou 048-80-21-31 ou 32. Il se chargera de vous confier à un guide compétent. Si vous tentez l'aventure seul, vous risquez de rater des sites superbes, parfois très éloignés les uns des autres.
Si le village d'Akka, vu du goudron, est décevant (un seul café-restaurant abordable, le café *Tamdoult*, avec des chambres sordides), il faut en revanche visiter la palmeraie. Quittez Akka en direction de Bou-Izakarne. Après 2 km, piste sur la droite pour la palmeraie. La première colline, appelée *Tagadirt*, comporte au sommet les ruines de l'ancien *mellah*. Le rabbin Mardoché, originaire d'ici, fut le premier à reconnaître des gravures rupestres dans le Sud, et c'est lui qui accompagna Charles de Foucauld (qui s'était déguisé en juif sans pourtant tromper personne) dans sa reconnaissance du Maroc en 1883-1884. Vous pouvez laisser la voiture près de l'épicerie sur la route et vous promener dans l'oasis, ou bien continuer en voiture jusqu'aux palmiers qui poussent près d'une source, où souvent les femmes lavent leur linge. Après la *séguia*, vous verrez sur la droite les restes d'un beau minaret, insolite pour la région en raison de son architecture très soignée en brique cuite et de son style citadin. Certains le datent de l'époque almohade (XIIe siècle). Revenez sur le goudron par le même chemin.

Le goudron recouvre l'ancienne piste qui reliait entre eux les « ports » où arrivaient les caravanes du Sahara : Akka, Tamdoult, Tisgui-el-Haratine, Foum-el-Hassan, Tagmoute, Guelmim.

➤ Avant d'arriver à Icht (81 km à partir d'Akka) bifurcation : continuer tout droit pour Bou-Izakarne, puis tourner à gauche après 6 km vers **Foum-el-Hassan** (ou Fam-el-Hisn). Ne vous arrêtez pas aux premières constructions, qui sont modernes, ni aux deux cafés fréquentés par des militaires. Continuez en traversant la place du village vers la palmeraie située sur les abords de l'oued Tamanart. Là, vous verrez l'ancien *ksar* en pisé : une légende dit que le village fut fondé par les Phéniciens (il s'appelait aussi Agadir-n-Fniks) qui venaient sur les côtes marocaines et à l'intérieur du pays pour chercher le cuivre. La région est connue pour ses gravures rupestres. Hassan, gardien officiel accrédité par le ministère de la Culture, pourra vous les faire visiter. Vous le rencontrerez dans son magasin de photo sur la place principale du village.
Une fois franchi l'oued, vous pouvez continuer sur la piste 7082, très caillouteuse, qui regagne la P30 après 40 km. Ou bien vous faites un demi-tour et revenez à la bifurcation. Barrage de la gendarmerie royale.

➤ De Foum-el-Hassan, on peut descendre au sud jusqu'à **Assa** avec un véhicule normal (les 80 km de route sont goudronnés). Le paysage est typique du pré-Sahara marocain : vastes étendues de montagnes et plaines arides, rocaille et... pas un touriste. À Assa, dernièrement élevée au rang de chef-lieu de province, la ville moderne n'est d'aucun intérêt, mais la palmeraie et son ancienne *zaouïa* (du XIIIe siècle) des 360 marabouts ont fait sa renommée. Les habitants sont, pour la plupart, des Aït-Oussa, et vous les verrez habillés de magnifiques gandouras bleues ou blanches.

🏠 |●| Possibilité de loger à l'*hôtel Nidaros Assa* : ☎ 048-70-05-06. Prévenir si l'on souhaite dîner sur place. | |●| 🍴 On trouve des *cafés-restos* sur la route principale.

– La *SATAS* assure une liaison quotidienne avec Tiznit.

➤ D'Assa, la route goudronnée continue vers le sud, mais elle est encore interdite au tourisme. En revanche, vous pouvez atteindre Guelmim (goudron, 105 km).

➤ Si vous êtes revenu sur la P30, à la bifurcation, sur la droite, vous découvrirez **Icht**, village fortifié au milieu d'un bouquet de palmiers, et encore 50 km avant de pouvoir emprunter, sur la droite (panneau), la piste pour *Souk Tnine d'Adaï* et *Amtoudi*, dans l'oasis d'Id-Aïssa, à 33 km de l'embranchement.

AMTOUDI

Le village est célèbre pour son vieux grenier communautaire *(agadir)*. Il était encore utilisé jusqu'à l'indépendance, en 1956. Le village d'Amtoudi est habité par une confédération tribale formée par les tribus berbères de Chleuh. L'endroit est sublime, mais le goudron est arrivé !

Où dormir? Où manger?

🛏 |🍴| *Hôtel Taregua :* à l'entrée de Taghjicht. ☎ 048-78-87-80. C'est le seul où vous pourrez dormir si la nuit vous surprend en route. 24 chambres avec salle de bains, mais w.-c. communs. Comme il n'est pas très fréquenté, évitez d'y arriver trop tard le soir; ça permettra au personnel de faire les courses pour votre dîner. Demandez alors un poulet aux amandes, la spécialité de la maison. Bonheur! Bière fraîche et vin (pas terrible). Gérant et personnel accueillants.

À voir

Évitez les vendredi, samedi et lundi, jours où, vers 11 h, les agences déversent de leurs minibus les excursionnistes de la journée. Ils se contentent d'une visite éclair, suivie d'un repas, et repartent vers 15 h. Amtoudi mérite davantage.

🌿 *La kasbah :* avec son *agadir*, ancienne forteresse plantée sur un piton (très belle vue). Compter 45 mn de montée. La kasbah servait encore de refuge à la population il y a une cinquantaine d'années. La restauration de l'*agadir* (depuis fin 2002) devrait être suivie par l'ouverture d'un musée. *Inch'Allah.*

🌿 Dans le lit de l'oued, les **gorges** grandioses sont un véritable éden avec leur végétation variée : palmiers, amandiers, abricotiers, oliviers et arganiers.

🌿 *La source d'Amtoudi :* en amont de la palmeraie, à 2,5 km du village. Baignade possible dans les *guelta*, piscines naturelles. On peut prolonger cette balade en revenant par le plateau désertique, en compagnie des troupeaux de chèvres.
Sur le chemin du retour, à Souk-Tnine-d'Adaï, une piste vous conduit sur la P30, un peu avant l'oasis de Taghjicht.

➤ DANS LES ENVIRONS D'AMTOUDI

➤ De l'hôtel, vous pouvez descendre, juste de l'autre côté de la route, dans l'**oasis** et vous promener au bord de l'oued, où l'eau coule en permanence. Ambiance bucolique. Une belle promenade consiste aussi à longer l'oasis vers Tagmoute : suivez le goudron en direction de Bou-Izakarne, à la première bifurcation prenez à gauche et suivez la route : vous pouvez observer la structure de l'oasis, le système d'irrigation et ses cultures. Continuez sur 2 km jusqu'au souk (le jeudi) si c'est le jour.

➤ De Taghjicht, continuez par la P30 sur 23 km jusqu'à **Timoulay**. Prenez une des pistes à droite pour visiter l'énorme château fortifié dont l'extérieur paraît intact. Au pied du château, une palmeraie, et des enfants qui vous accompagneront visiter l'intérieur, en ruine, contrairement aux apparences.

➤ Revenu sur le goudron, il ne vous reste que quelques kilomètres pour **Ifrane** de l'Anti-Atlas (panneau). Souk le samedi. Ce village jouit actuellement d'une renommée non justifiée. Lieu d'établissement d'une des plus anciennes communautés juives du Maroc, qui remonterait aux derniers siècles avant notre ère, Ifrane (« Les Grottes », en berbère) était florissant au Moyen Âge quand il commerçait avec le Sous et le Soudan (« pays des Noirs », en arabe). Les témoignages de l'ancienneté de cette communauté se trouvent, d'après la tradition, dans les dalles du cimetière. La synagogue a été pillée, les maisons du *mellah* sont complètement en ruine, et les tombes du cimetière effondrées.

🛏 Il n'y a qu'un seul hôtel digne de ce nom, **Le Salam**, dont les chambres sont vraiment très rudimentaires.

OUARZAZATE
ET LES OASIS DU SUD

Si le nom de *Ouarzazate* fait rêver, la ville risque de décevoir, mais c'est la porte qui ouvre sur le Grand Sud, celui où le sable ne demande qu'à tout envahir. Le long des oueds Drâa, Dadès et Ziz, ce ne sont que vergers, champs, palmeraies et même jardins de roses qui, le long de leurs rives, « déroulent un long ruban fertile où les hommes font des miracles ». Ouarzazate est le point de départ de cette route des oasis, mais c'est aussi le point de rencontre des différentes cultures de la région et de son artisanat. La vallée du Drâa n'est qu'une succession d'oasis jusqu'à Mhamid, là où celui qui fut le plus long fleuve du Maroc disparaît mystérieusement dans les sables. Les *ksour* de pisé se succèdent tout au long du parcours, avec leur belle architecture de terre ocre. En toile de fond, l'arête du djebel Kissane déroule sa muraille naturelle comme une immense draperie de pierre.
Nous voici à Zagora, là où les Saadiens conquièrent le Sous, puis le Maroc, « avant de se lancer dans la grande aventure qui les mena jusqu'à Tombouctou ». Zagora est le point de départ de nombreuses excursions, notamment vers Mhamid, la porte du désert. C'est là que commence le domaine du sable et du vent, avec l'immense plateau désertique du Drâa. La région du Dadès constitue un véritable enchantement avec sa « vallée des Mille Kasbahs », où l'oued Dadès se faufile entre deux hautes murailles. Palmeraies et jardins font des taches colorées sur le fond ocre des montagnes. Les gorges du Dadès apparaissent comme un coup d'épée dans cette masse calcaire. Les gorges du Todgha ne sont pas moins impressionnantes, avec leurs deux hautes falaises à pic de 300 m entre lesquelles on pénètre comme dans une gigantesque cathédrale dont la voûte se serait effondrée pour faire place au ciel. La vallée du Ziz nous permettra de retrouver le désert en nous conduisant aux portes d'Erfoud et de Rissani. Après quelques kilomètres de belle route asphaltée apparaissent les dunes de Merzouga, premières vagues d'une mer de sable aux couleurs changeantes et dont les crêtes dessinent d'élégantes arabesques.

OUARZAZATE   60 000 hab.

Cette ancienne ville de garnison est en voie de devenir, sous l'impulsion des autorités, un grand centre touristique. En quelques années, de nombreux hôtels se sont construits, et une liaison aérienne régulière est désormais assurée avec la France, plusieurs fois par semaine. Il fallait bien désengorger Marrakech, arrivé à saturation. Et puis, on est obligé d'y passer pour faire le Sud marocain ! Ouarzazate se situe au confluent de l'oued Drâa et de l'oued Dadès, dont les vallées sont exceptionnelles. C'est d'ailleurs sa seule raison d'être. Le considérer comme une étape, avant d'aller plus loin vers le dépaysement. Le colonel de la Légion qui traça le plan de cette garnison en 1928 ne reconnaîtrait pas son œuvre. Le nombre d'habitants a quadruplé ces dernières années. On a élargi les avenues et planté des lampadaires dignes d'un stade de football. Cette démesure rend certaines parties de la ville sinistres. En contrepartie, les gens y sont accueillants et on peut s'y promener tranquillement. Avec sa situation sur un plateau à 1 160 m, Ouarzazate bénéficie d'un climat exceptionnel.

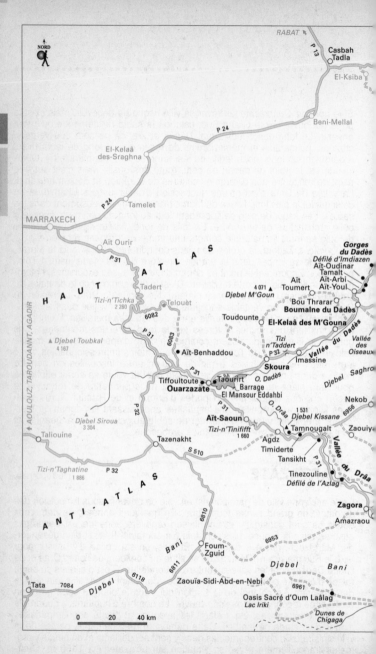

NORD

RABAT

P 13

Casbah Tadla

El-Ksiba

Beni-Mellal

P 24

El-Kelaâ des-Sraghna

P 24

Tamelet

MARRAKECH

Aït Ourir

P 31

H A U T   A T L A S

Tadert

Tizi-n'Tichka
2 260

Teloüèt

6082

P 31

6083

▲ Djebel Toubkal
4 167

Aït-Benhaddou

P 31

Tiffoultoute

Taourirt

Ouarzazate

Barrage
El Mansour Eddahbi

O. Dadès

Skoura

Imassine

Toudounte

El-Kelaâ des M'Gouna

Bou Thrarar

Boumalne du Dadès

Aït Toumert

4 071 ▲
Djebel M'Goun

Tamalt

Aït-Oudinar

Défilé d'Imdiazen

Gorges du Dadès

Aït-Arbi

Aït-Youl

Tizi n'Taddert

Vallée du Dadès

Vallée des Oiseaux

Djebel Saghro

AOULOUZ, TAROUDANNT, AGADIR

P 32

Djebel Siroua
3 304

Taliouine

Tazenakht

S 510

Tizi-n'Taghatine
1 886

P 32

A N T I - A T L A S

Aït-Saoun

Tizi-n'Tinififft
1 660

Agdz

Timiderte

Tansikht

O. Drâa

1 531
Djebel Kissane

Tamnougalt

Nekob

6956

Zaouïa

Vallée du Drâa

P 31

Tinezouline

Défilé de l'Azlag

Zagora

Amazraou

Bani

Foum-Zguid

6810

6953

Tata

7084

Djebel

6118

6811

Zaouïa-Sidi-Abd-en-Nebi

Djebel

Bani

6961

Oasis Sacré d'Oum Laâlag
Lac Iriki

Dunes de Chigaga

0   20   40 km

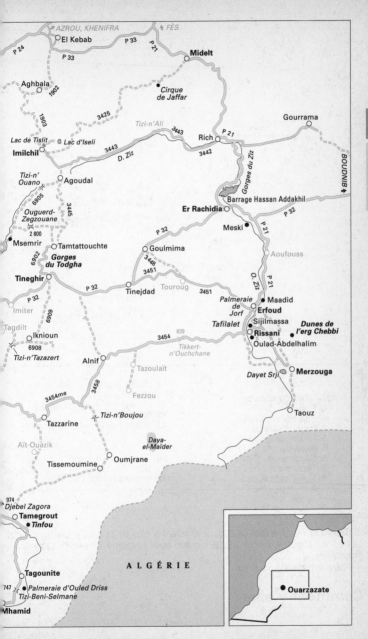

OUARZAZATE ET LES OASIS DU SUD

OUARZAZATE

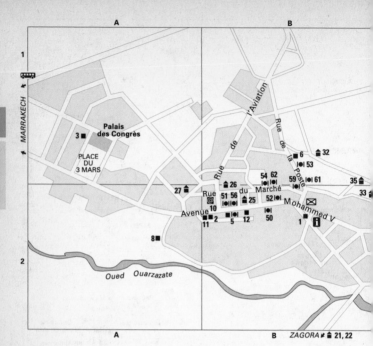

– **Souk :** le mardi à Sidi-Daoud, le vendredi à côté de la gare routière et le samedi à Tabounte. Le dimanche, « grand souk » typique au fond de la zone industrielle.
– **Foire artisanale :** en mai.

Comment y aller ?

En avion

✈ L'aéroport se trouve à 3 km du centre. ☎ 044-88-23-83. Vols en provenance de Paris, Agadir et Casablanca.

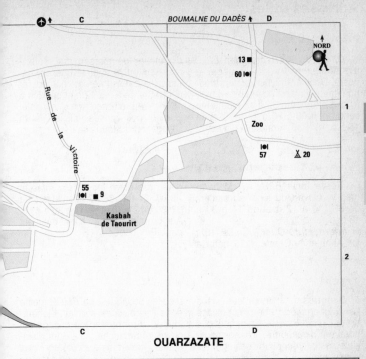

OUARZAZATE

OUARZAZATE

25	Hôtel Royal, chez Belkaziz	52	Café du Sud
26	Hôtel Atlas	53	Chez Nabil
27	Hôtel Amlal	54	La Halte
32	Hôtel Berbère Palace	55	La Kasbah
33	Karam Palace	56	Chez Dimitri
35	Hôtel Palmeraie	57	Complexe de Ouarzazate
	Où manger ?	59	La Datte d'Or
5	Aloïfa	60	Relais de Saint-Exupéry
50	Café Mounia	61	Obélix
51	Restaurant Es-Salam	62	Restaurant Erraha

En bus

➢ **De Casablanca :** 1 départ le matin et 2 le soir. Durée 7 h.

➢ **De Marrakech :** nombreux bus. Environ 4 h de trajet.

➢ **De Taroudannt :** 2 bus par jour.

➢ **De Taliouine :** plusieurs bus quotidiens.

➢ **De Zagora :** 5 bus minimum par jour, de 11 h à 19 h. Compter 5 h de trajet.

➢ **D'Erfoud :** départ à 8 h 30 pour Zagora en passant par Ouarzazate.

➢ **De Tineghir :** bus privés 5 fois par jour.

➢ Des bus en provenance d'*Agadir* assurent la liaison pour Ouarzazate.

En taxi collectif

➢ Liaisons depuis *Zagora* et *Tineghir*.

Adresses utiles

Infos touristiques

🛈 *Office du tourisme* (plan B2) : av. Mohammed-V; à côté de la poste. De juin à février, ouvert théoriquement du lundi au jeudi de 8 h 30 à 12 h et de 14 h 30 à 18 h 30, et le vendredi de 8 h 30 à 11 h 30 et de 15 h à 18 h 30, fermé les samedi et dimanche; de mars à mai, l'office reste ouvert le midi et une permanence est assurée les samedi et dimanche de 9 h à 12 h et de 15 h à 18 h. Peu efficace mais aimable. Bureau des guides officiels à la Délégation du tourisme.

Poste et télécommunications

✉ *Poste* (plan B2) : av. Mohammed-V. Ouvert du lundi au samedi de 8 h 30 à 12 h et de 14 h 30 à 18 h.

@ *Internet Info-Ouar* (plan B2, 10) : lotissement du Centre n° 26, dans la petite rue entre les hôtels *Atlas* et *Amlal*. ☎ 044-88-43-60. Ouvert de 8 h 30 à 12 h 30 et de 14 h 30 à 23 h. Au premier étage d'un bâtiment neuf. Prix corrects.

Argent

■ *Banques* : nombreuses dans l'av. Mohammed-V. La plus efficace est le *Crédit Agricole*. En dehors des horaires d'ouverture, change possible à la réception des grands hôtels (ceux-ci n'accepteront qu'un maximum de 300 Dh, soit 30 €), dans certains restaurants et de nombreuses boutiques. La *BMCE* (petite porte très discrète sur l'av. Mohammed-V) a un bureau de change qui ouvre le dimanche. Plusieurs distributeurs, notamment à côté de *Royal Air Maroc* (plan B2, 2), en face du restaurant *Es-Salam*.

Santé

■ *Pharmacie de nuit* (plan B2, 1) : au siège de la Municipalité, av. Mohammed-V. ☎ 044-88-24-91. En face de la poste.
■ *Clinique Chifa* : Dr Lahcen Kabir, au-dessus du supermarché *Dadès*. ☎ 044-88-52-76.
■ *Hôpital Sidi-H'cein* : av. du Prince-Héritier (qui mène à l'aéroport). ☎ 044-88-21-22.
■ *Médecins* : Dr A. Lahrach. ☎ 044-88-64-64 (cabinet) et 044-88-32-42 (domicile). Dr Samir Sabane. Exerce à l'hôpital Sidi-H'cein. ☎ 044-88-21-18 (cabinet) et 044-88-24-97 (domicile).

Compagnie aérienne

■ *Royal Air Maroc* (plan B2, 2) : av. Mohammed-V. ☎ 044-88-50-80 et 044-88-51-02.

Excursions

■ *Iriqui Excursions* (plan A1, 3) : pl. du 3-Mars. ☎ 044-88-57-99. Fax : 044-88-49-91. ● www.iriqui.com ● Une agence pluridisciplinaire offrant des circuits de qualité, principalement dans le désert. Elle a aménagé un campement à l'oasis sacrée d'Oum Laâlag, à environ 60 km de Mhamid, à utiliser dans le cadre d'un circuit organisé ou par les clients de passage. Tentes, sanitaires et cuisine. Bon accueil de Laurence, une Suissesse qui vous conseillera.

■ *Bureau des Guides (Fatima Agoujil)* : lotissement El-Wahda n° 1581. ☎ 061-14-82-25 (portable). Fax : 044-88-69-24. ● ayomofat@iam.net.ma ● Situé juste en face de l'aéroport. Fatima, qui a longtemps travaillé dans une agence de tourisme et qui possède sa carte de guide officiel, vous propose différentes approches de la région selon votre budget. Vous pouvez également la contacter si vous ne trouvez pas de chambre libre dans la ville. Accueil particulièrement chaleureux réservé à nos lecteurs.

■ *Ksour Voyages (plan A1, 3)* : 11, pl. du 3-Mars. ☎ 044-88-28-40. Fax : 044-88-48-99. Cette agence représente la plupart des tour-opérateurs français. Excursions à la journée en minibus ou en Land Rover (vallée du Drâa, Telouet) de 400 à 550 Dh (40 à 55 €). Réduction de 10 % sur présentation du *Guide du routard*.

■ *Berbère Évasion Bretonne* : lotissement El-Wahda n° 2023 (en face de l'aéroport). ☎ et fax : 044-88-35-24. ● www.berbere-evasion.com ● Claudie, une compatriote, et son mari marocain, Lahcen, pourront vous faire découvrir le Sud. Bivouacs, randonnées, balades, circuits en 4x4. Excellentes prestations et prix raisonnables.

■ *Amzrou Transport Touristique (plan B2, 11)* : 4 av. Mohammed-V. ☎ 044-88-23-23. Fax : 044-88-22-30. ● amzrou@iam.net.ma ● Une agence dirigée d'une main de maître par Elhachmi. Location de 4x4, avec ou sans chauffeur, et de voitures de tourisme. Organisation d'excursions et de bivouacs, de préférence pour petits groupes. Bon rapport qualité-prix. Un accueil particulier et personnalisé est réservé à nos lecteurs.

■ *Désert et Montagne Maroc* : à l'hôtel *Dar Daïf* (voir plus loin « Où dormir ? »), BP 93, 45000 Ouarzazate. ☎ 044-85-42-32. Fax : 044-85-40-75. ● www.dardaif.ma ● Jean-Pierre Datcharry parcourt l'Atlas et le désert depuis des années, et son épouse Zineb est la première femme marocaine guide de montagne. Autant dire qu'ils connaissent bien leur sujet. Leur agence propose des trekkings avec mulets ou ânes et des randonnées à dos de chameau. Quelques très bonnes idées de découverte tranquille ou sportive comme la transhumance avec les nomades ou encore des rencontres avec les femmes de l'Atlas.

Transports

– *Petits taxis* : compter 3,5 Dh (environ 0,4 €) par personne et supplément de 1,5 Dh (environ 0,2 €) après 20 h pour l'agglomération et Hay Tabounte.

Location de voitures

On trouve de tout et à tous les prix, mais nous conseillons plutôt les agences internationales.

■ *Inter Rent, Europcar (plan A1)* : pl. du 3-Mars. ☎ 044-88-20-35. Fax : 044-88-40-27. Très sympa et efficace.

■ *Hertz (plan B2)* : 33, av. Mohammed-V. ☎ 044-88-20-84 et 044-88-34-85.

■ *Budget (plan A1)* : av. Mohammed-V ; à côté de la résidence *Al-Warda*. ☎ 044-88-28-92.

■ *Avis* : av. Mohammed-V. ☎ 044-88-48-70.

■ *Drâa Car* : immeuble Charafi n° 2. ☎ 044-88-81-06 ou 061-64-64-46

OUARZAZATE

(portable). Demander Abdellah Rahmouni. Personnel compétent et bons tarifs.

■ **Dune Car :** av. Mohammed-V. ☎ 044-88-73-91. Fax : 044-88-49-01. Petite agence sympathique, mais bien vérifier l'état des véhicules avant le départ.

■ **Stations-service :** *Total* à la sortie de la ville sur la route d'El-Kelaa, *Shell* dans le centre-ville, et *Afriquia* à l'entrée de la ville en venant de Marrakech. N'acceptent pas toujours les cartes de paiement. On peut se procurer de l'essence sans plomb à Ouarzazate.

Loisirs

■ **Presse française :** on trouve des journaux et quelques magazines dans plusieurs grands hôtels et dans certaines téléboutiques.

■ **Piscine :** juste à côté du camping, dans le complexe de Ouarzazate. Ouvert de 9 h à 13 h et de 15 h à 19 h. Entrée : 30 Dh (3 €). Magnifique bassin de 39 m, bien entretenu, dans un très beau décor. Les principaux grands hôtels acceptent des non-résidents, moyennant un droit d'accès entre 30 et 40 Dh (3 à 4 €).

Divers

■ **Marché municipal :** à proximité de la pl. du 3-Mars. Marché couvert ouvert chaque jour jusqu'à 21 h. Grande variété de produits. On y vend même des fleurs.

■ **Petit marché :** rue du Marché *(of course)*. Tous les jours. Beaucoup plus typique que le précédent.

■ **Supermarchés :** *Dimitri (plan B2, 5)*, av. Mohammed-V. Ouvert de 8 h 30 à 21 h. Fermé le dimanche. Cartes de paiement acceptées. Vente d'alcool. *Supermarché du Dadès (plan B1, 6)*, rue de la Poste. Fermé à l'heure du déjeuner. On y trouve de tout à des prix intéressants. Un peu moins cher que le précédent et encore mieux fourni. Vente d'alcool.

■ **Laverie automatique :** 36, rue du Marché. Lot du centre. ☎ 066-91-81-96 (portable). Excellent accueil et très bon service. Repassage. Prix très raisonnables.

Culte catholique

■ **Église** *(plan A2, 8)* **:** rue Da-ou-Gadim. ☎ 044-88-25-42. Sur la droite dans l'av. Mohammed-V, avant la mosquée. L'église, construite par la Légion dans les années 1930, abrite quelques franciscaines qui jouent le rôle d'assistantes sociales. Messe le jeudi et le dimanche à 19 h.

Où dormir ?

Camping

⚠ **Camping municipal** *(plan D1, 20)* **:** à la sortie de la ville vers Tineghir, côté sud de la route, juste après le complexe touristique. ☎ 044-88-46-36. Ouvert toute l'année. Prix modiques : autour de 40 Dh (4 €) pour deux, véhicule et branchement électrique compris. Compter 40 Dh (4 €) le repas. Ce camping dispose d'un peu d'ombre sous des bouquets d'arbres. Les sanitaires, avec douches (eau chaude en supplément), pourraient être mieux entretenus. Boissons fraîches et TV au bar. On peut manger une cuisine simple. Accueil sympa. Pour ceux qui n'ont pas de tente, le patron propose des pièces propres à deux lits, pas chères). La piscine du complexe (20 Dh pour les campeurs, soit 2 €)

est juste à côté. Bruyant le soir quand il y a un spectacle folklorique au complexe.

De très bon marché à bon marché

◻ *Hôtel Zaghro (hors plan par B2, 21)* **:** à Hay Tabounte, à la sortie de la ville, sur la route de Zagora, après le pont. ☎ 044-85-41-35. Fax : 044-85-47-09. À 2,5 km du centre. Parking avec gardien. Chambres doubles de 120 à 200 Dh (12 à 20 €) selon le confort. Propose des chambres très propres, avec douche, mais w.-c. sur le palier (pour les moins chères, et d'autres plus récentes avec salle de bains dans une aile donnant sur une cour intérieure, donc moins bruyantes (serviettes fournies). Les plus chères possèdent même la clim'. Piscine propre. Ils font aussi restaurant. Pas d'alcool, mais on peut apporter sa bouteille. Bon accueil. Beaucoup de faux guides le soir.

◻ *Hôtel Royal, chez Belkaziz (plan B2, 25)* **:** 24, av. Mohammed-V. ☎ 044-88-22-58. Chambres doubles autour de 70 Dh (7 €) sans douche, 120 Dh (12 €) avec douche et toilettes. Malgré son nom, cet établissement n'a rien de royal. Bonne tenue tout de même. Chambres au 1er étage plus agréables que les autres. Accueil sympa.

◻ *Hôtel Atlas (plan B1-2, 26)* **:** 13, rue du Marché. ☎ 044-88-77-45. Chambres doubles avec ou sans douche de 80 à 100 Dh (8 à 10 €).

Dans une rue parallèle à l'av. Mohammed-V, un établissement très bien tenu mais triste comme un couvent. Très bon accueil.

◻ *Hôtel Al-Waha (hors plan par A1)* **:** 32, quartier artisanal ; en face de la gare routière. ☎ 044-88-66-66. Fax : 044-88-55-88. ● www.geocitics.com/elouaha ● Un peu excentré. Chambres doubles à 70 Dh (7 €) sans douche, 130 Dh (13 €) avec. Ajouter 30 Dh (3 €) pour avoir la clim'. Possibilité également de dormir sous une tente sur la terrasse. 37 chambres, dont 12 avec douche individuelle. Côté resto, une cuisine simple mais correcte.

◻ *Hôtel Amlal (plan A2, 27)* **:** en venant de Marrakech, c'est sur la gauche, dans une rue sans nom, tout près de l'av. Mohammed-V. ☎ 044-88-40-30. Fax : 044-88-46-00. ● hote lamlal@yahoo.fr ● Chambres doubles avec toilettes et salle de bains rustiques à 130 Dh (13 €). Propreté moyenne. Certaines possèdent un petit balcon. Au total, 28 chambres donnant sur un patio central. Petit déjeuner. Très bon accueil. Restaurant ouvert uniquement pour les petits groupes. Environnement un peu tristounet. Parking gardé.

Prix moyens

◻ *Hôtel-restaurant La Vallée (hors plan par B2, 22)* **:** à Hay Tabounte. ☎ 044-85-40-34. Fax : 044-85-40-43. À 2 km du centre, sur la route de Zagora. Pour une chambre double, avec salle de bains individuelle, compter 200 Dh (20 €) et 250 Dh (25 €) avec la clim'. Possibilité de dormir sur la terrasse pour 40 Dh (4 €) par personne. Éviter les trois chambres donnant sur la rue. Menu à 70 Dh (7 €) ou plats à la carte. Petit déjeuner-buffet très copieux. Dommage que les chambres ne soient pas mieux entretenues

(plomberie et sanitaires devraient être revus). Au déjeuner, c'est une étape pour les cars de touristes reçus sous de magnifiques tentes caïdales. En revanche, le soir, peu de monde pour le dîner. Pas d'alcool, mais on peut en apporter. Une piscine vient compléter cet ensemble. Excellent accueil de Zaïd, le patron. Propose des excursions en 4x4 ou en minibus avec Lahcen, un guide très sympathique et compétent.

◻ *Hôtel-restaurant Drâa (hors plan par B2)* **:** Tabount, à 2 km de la ville sur la route de Zagora.

☎ 044-85-47-61. Fax : 044-85-47-62. Compter autour de 320 Dh (32 €) la double avec bains. 52 chambres spacieuses, certaines avec balcon, AC, téléphone et TV. Grande piscine. Accueil affable. Le muezzin pourra gêner les sommeils les plus légers.

🛏 **Hôtel-restaurant Mabrouka** (hors plan par B2) : Tabount, à 2 km de la ville sur la route de Zagora. ☎ 044-85-48-61. Fax : 044-85-44-43. Autour de 300 Dh (30 €) la double avec le petit déjeuner. 28 chambres confortables, vastes et climatisées, avec salle de bains et balcon. Restaurant. Piscine.

De chic à très chic

🛏 **Oscar Salam** (hors plan par A1) : à 5 km du centre sur la route de Marrakech. ☎ 044-88-22-23. Fax : 044-88-21-80. Chambres doubles à 545 Dh (54,5 €), sans le petit déjeuner. Toutes les chambres sont climatisées. Bon restaurant. Piscine entourée de décors de films. Pour un peu, on se prendrait pour une star du ciné. Et pour cause, l'hôtel se trouve dans les studios Atlas Corporation.

🛏 **Dar Daïf** : situé à côté de la kasbah des Cigognes. ☎ et fax : 044-85-42-32. ● www.dardaif.ma ● De Ouarzazate, prendre la route de Zagora. À 2 km environ, dans le village de Tabount, prendre la piste sur la gauche (à 100 m après l'hôtel La Vallée) et rouler 5 km jusqu'à la kasbah des Cigognes. Le Dar Daïf se situe juste après sur la droite, en face du Marabout. À partir de 4 personnes, transport gratuit possible en prévenant à l'avance de votre arrivée. Compter de 400 à 600 Dh (40 à 60 €) pour une chambre double, petit dej' compris. Quel plaisir de séjourner dans cette ancienne kasbah, au calme, avec l'Atlas en toile de fond ! Les propriétaires du Dar Daïf (« Maison de l'Invité ») vous reçoivent effectivement comme des amis. Des babouches sont proposées à l'entrée, histoire de se sentir un peu plus comme à la maison. On profite des salons décorés avec goût et des recoins douillets, des terrasses, du jardin, de la piscine, du hammam chauffé au bois et de la cuisine copieuse et raffinée... en somme, le bonheur ! De plus, Jean-Pierre et Zineb, les propriétaires, partagent avec générosité leur expérience et leurs bons tuyaux. Ils gèrent d'ailleurs une excellente agence de voyages, Désert et Montagne Maroc (voir plus haut « Excursions »). Cartes de paiement acceptées.

🛏 **Hôtel Palmeraie** (plan B1, 35) : Charia Al-Maghreb, zone hôtelière Erraha. ☎ 044-88-57-70. Fax : 044-88-57-49. ● palmerai@iam.net.ma ● Chambres doubles à 460 Dh (46 €), sans le petit déjeuner. Ce village de vacances comprend 6 kasbahs dans un grand jardin planté de palmiers, de lauriers roses et d'hibiscus. Toutes possèdent salle de bains et AC (un peu capricieuse). Demandez-en une qui donne sur le jardin, la piscine ou des petits patios. L'ensemble est néanmoins un tantinet vieillot. Salon, piscine et aire de jeux pour les enfants.

🛏 **Karam Palace** (plan B2, 33) : av. Moulay-Rachid ; près du Bélère. ☎ 044-88-22-25 ou 044-88-25-22. Fax : 044-88-26-42. Compter 770 Dh (77 €) la chambre double ; suites avec jardin et duplex, plus chers évidemment. Situé sur la colline, ce très bel hôtel, construit dans le style du pays, comprend 150 chambres très confortables, avec AC. Belle piscine, hammam et courts de tennis. Les jardins plantés de roses et d'orangers embaument le soir venu. Night-club. Accueil chaleureux. Une partie de l'établissement est réservée à la clientèle de FRAM.

Très très chic

🛏 **Hôtel Berbère Palace** (plan B1, 32) : quartier El-Mansour-Eddahbi. ☎ 044-88-31-05, 044-88-21-39 et 044-88-29-67. Fax : 044-88-30-71 et

044-88-20-20. Magnifique hôtel construit selon l'architecture locale. Chambres doubles et duplex de 1 400 à 3 000 Dh (140 à 300 €) ; quelques suites beaucoup plus chères ; petit déjeuner-buffet à 110 Dh (11 €). Le seul 5 étoiles de la ville. Les chambres, réparties dans des bungalows au milieu d'un grand jardin, sont décorées avec beaucoup de goût. Climatisation individuelle. Magnifique piscine. Club de remise en forme. Sauna. Hammam et night-club *Les Folies Berbères*. Belle salle de restaurant avec une cuisine marocaine ou européenne, malheureusement pas à la hauteur. Les salons et bars sont très agréables. Prix élevés. Raffinement assuré. L'accueil pourrait être un tantinet plus aimable.

Maison d'hôte

🛏 *Villa Kerdabo (hors plan par B1) :* 22, bd Sidi-Bennaceur, à 1 km de l'aéroport. Pas facile à trouver. Téléphoner avant. ☎ et fax : 044-88-77-27 ou ☎ 068-67-61-64 (portable). ● sipe.voila.fr-villa.kerdabo ● Compter 280 Dh (28 €) pour une double, petit déjeuner compris. Baudoin d'Aboville et son épouse proposent 5 chambres simples, mais confortables. Deux possèdent leur salle de bains privée. Les autres se partagent une salle de bains. Jardin clos paysagé et deux tonnelles bien agréables. Petite piscine gonflable pour faire trempette.

Où manger ?

Bon marché

|●| *Café Mounia (plan B2, 50) :* av. Mohammed-V, près de la station *Agip*. Cuisine faite devant les clients. Repas économiques autour de 50 Dh (5 €). Qui dit mieux ? N'hésitez pas à demander la soupe marocaine (non servie en été). Accueil très sympa.

|●| *La Halte (plan B1-2, 54) :* av. El-Mouahidine. ☎ 044-89-03-28. Compter aux alentours de 60 Dh (6 €) pour un repas complet. Un restaurant bien sympathique, qui tient plus de la bonbonnière que de la salle classique. Petites tables aux nappes fleuries, bouquets, chandelles le soir... La cuisine ouverte permet de vérifier la grande fraîcheur des produits utilisés. Spécialités marocaines, françaises, ainsi que de succulentes pizzas. Propreté et accueil absolument irréprochables.

|●| *Chez Nabil (plan B1, 53) :* rue de la Poste ou Hay-Moulay-Rachid, à côté du supermarché. ☎ 044-88-45-45. Compter 80 Dh (8 €) pour un repas complet. Vous pouvez y manger des brochettes, des hamburgers, des sandwichs, à un prix qui ne vous ruinera pas. Spécialités marocaines sur commande (les tajines sont excellents). Tout est très propre et la cuisine est bonne. Ils servent aussi le petit déjeuner. Pas d'alcool. Notre meilleure adresse dans cette catégorie.

|●| *Restaurant Es-Salam (appelé aussi Café Chez Moulay ; plan B2, 51) :* av. du Prince-Héritier-Sidi-Mohammed ; à l'angle de l'hôtel *Atlas*. ☎ 044-88-27-63. Plusieurs menus corrects et économiques, le premier étant à 65 Dh (6,5 €). Plats sur commande. Servent aussi le petit déjeuner. Endroit animé où l'on peut facilement lier connaissance. Terrasse ensoleillée. Très propre, mais très (trop) touristique.

|●| *Café du Sud (plan B2, 52) :* 5, av. Mohammed-V. Après la station-service, en direction de la kasbah de Taourirt. Grande terrasse très fréquentée. Idéal pour le petit déjeuner ou les en-cas.

|●| *Aloifa (plan B2, 5) :* av. Mohammed-V ; en face de *Chez Dimitri*, un peu plus bas que le supermarché. ☎ 044-88-58-55. Excellent poulet servi avec du pain pour à peine

20 Dh (2 €). Impossible de le rater. La rôtissoire est en vitrine, et on est guidé par l'odeur. Attention aux prix établis à la tête du client depuis qu'on le mentionne.

I●I *Chez Hilal* (plan B2) : rue du Marché, juste à gauche de l'entrée du souk. Repas complet pour 70 Dh (7 €). Petit resto sympa et bon. Service pas très rapide. Le patron, qui a travaillé au *Club Med*, soigne la présentation de ses plats.

Prix moyens

I●I *La Kasbah* (plan C2, 55) : face à la kasbah de Taourirt. ☎ 044-88-20-33. 4 menus autour de 90 Dh (9 €). L'architecture est très réussie car elle s'intègre parfaitement dans le décor. Nombreuses petites salles et terrasses. Excellent couscous. Bonne pastilla sur commande. Pas d'alcool. Très belle vue si l'on mange dehors. Cartes de paiement acceptées.

I●I *La Datte d'Or* (plan B1-2, 59) : av. Moulay-Rachid. ☎ 044-77-71-17. Menus au déjeuner pour environ 120 Dh (12 €). Excellent accueil des deux frères, Saïd (lauréat de l'école hôtelière) et Hassan. Cuisine marocaine très fine. Pas d'alcool. Pour les romantiques, dîner aux chandelles. Assure également le change et loue des VTT. Cartes de paiement acceptées.

I●I *Restaurant Erraha* (plan B1, 62) : 11, av. Al-Mouahidine. ☎ 044-88-40-41. Compter autour de 70 Dh (7 €) le repas à la carte. Pas de menu. Saïd, le sympathique patron, vous propose des spécialités marocaines. L'ensemble est propre, le service prévenant et rapide. Belle terrasse.

Chic

I●I *Relais de Saint-Exupéry* (plan D1, 60) : *Maison de Jean et Pierre*, 13, av. Moulay-Abdallah, quartier Al-gods. ☎ 044-88-77-79 et 066-62-91-11 (portable). À la sortie de la ville sur la route de Tineghir, à gauche au dernier rond-point juste avant la station *Total*. C'est fléché. Mérite vraiment le détour, même si ce n'est pas central. Menus de 75 Dh (à midi) à 175 Dh (7,5 à 17,5 €). Derrière 5 arcades, une belle salle ornée de photos anciennes, dont une de Saint-Exupéry. Bonne cuisine occidentale et marocaine. Parmi les spécialités : truites de l'Atlas, pigeons de l'Arabie du Nord fourrés aux amandes, servis sur un lit de crêpes effilées. Pastilla de pigeon savoureuse, mais aussi la *kamana* d'agneau au miel. Excellent accueil de Jean-Pierre. La qualité de sa cuisine a fait sa réputation. Cartes de paiement acceptées.

I●I *Obélix* (plan B1, 61) : av. Moulay-Rachid. ☎ 044-88-28-29. Menus de 150 à 180 Dh (15 à 18 €) et carte. Pour les amateurs de sensations pharaoniques ! La déco est très réussie, on s'y croirait ; bas-reliefs, fresques, hiéroglyphes, statues, appliques en forme de cobras, fontaines. Cheminée pour l'hiver et une climatisation. Cuisine internationale et accueil sympa. Cartes de paiement acceptées.

I●I *Chez Dimitri* (plan B2, 56) : 22, av. Mohammed-V. Repas à la carte pour 150 Dh (15 €) sans le vin. Cartes de paiement acceptées. Fondé en 1928, lors de la création de Ouarzazate, ce resto possède une salle agréable, aux murs rehaussés de photos d'artistes qui sont passés ici. Dommage que la cuisine soit assez quelconque.

I●I *Ksar Farah* (plan D1) : juste à côté du camping. ☎ 044-88-55-55. Autour de 150 Dh (15 €) le menu. Bonne cuisine marocaine dans ce resto très (trop !) fréquenté par les groupes. Animation folklorique et même « fantasia » (course de chevaux) sur demande des groupes (encore !). Pour amateurs !

De chic à très chic

|●| *Le complexe de Ouarzazate (plan D1, 57) :* à côté du camping, à la sortie de la ville vers Tineghir. ☎ 044-88-31-10. Menus de 150 à 330 Dh (15 à 33 €). Une magnifique réalisation, autour d'une belle piscine. Deux superbes salons décorés dans le style mauresque. Plusieurs tentes bédouines ont été plantées au bord du bassin. Les deux menus du soir sont bons mais peu copieux et bien plus chers que le midi. À la carte, on trouve de la pastilla. Le soir, de février à fin juin, spectacle de folklore « local » : pour ceux qui aiment la danse du ventre. Essentiellement fréquenté par les groupes, mais les individuels sont traités séparément. Une adresse qui vaut plus pour son décor que pour sa cuisine.

Où boire un verre?

♟ Plusieurs *cafés* à proximité du centre artisanal, avec des terrasses agréables. Valent vraiment le coup le soir, quand la kasbah est éclairée.

Le *Snack-restaurant Taourirt* propose aussi un grand choix de petits plats marocains pour des prix tout à fait accessibles.

À voir

🕴🕴 *La kasbah de Taourirt (plan C2) :* à 1,5 km du centre, sur la route de Tineghir, face au *Club Med*. L'entrée se trouve en face du centre artisanal. Ouvert de 8 h à 18 h. Entrée payante. Inutile de prendre un guide pour la visite. Cette somptueuse résidence du pacha de Marrakech est la preuve que l'on peut faire de superbes bâtiments uniquement en terre. L'ensemble forme tout un village fortifié, desservi par un réseau de ruelles, et, contrairement à Aït-Benhaddou, habité. On peut visiter ce qui subsiste des anciens appartements du Glaoui (2 pièces seulement), qui ont conservé leur décoration de stucs peints et leur plafond de cèdre. Se renseigner car, en fonction des travaux de restauration, ce n'est pas forcément ouvert au public. Chaque printemps, pendant une semaine, un festival folklorique se déroule dans le cadre exceptionnel de la kasbah.

🕴 *Le centre artisanal (plan C2, 9) :* juste en face de la kasbah. Bâtiment moderne qui regroupe les ateliers des sculpteurs sur pierre, sur cuivre ou sur argent. On y trouve des broderies et des tapis, principalement des *ouzquita*, qui se caractérisent par l'originalité de leur dessin et de leurs coloris vifs. Ils sont tissés d'une façon assez lâche avec des laines soyeuses par une tribu dont ils portent le nom. Si vous préférez le marchandage, n'hésitez pas à aller chiner dans les boutiques indépendantes des alentours, où vous pourrez trouver de jolis objets. Mais on vous prévient : Ouarzazate étant très touristique, les prix sont parmi les plus élevés du Maroc. Essayez de les faire baisser, si vous êtes patient, ou allez-y « juste pour le plaisir des yeux » !

🕴 *Bazar Rabab (plan B2, 12) :* 75, av. Mohammed-V. ☎ 044-88-40-28. Face à l'hôtel *Royal*, à gauche du supermarché *Dimitri*. Une boutique ouverte dans les années 1980 et où – chose rare et qui vaut la peine d'être notée – tous les prix sont affichés. Pratique pour se faire une idée des prix.

🕴 *La coopérative artisanale des tissages de tapis :* av. Mohammed-V, en face de la gendarmerie royale. Pour avoir une idée de ce qui se fait dans la région et des prix pratiqués, afin de ne pas se faire arnaquer. Accueil sympa, mais assez cher.

🕴 *Centre Horizon Artisanat (plan C1) :* rue de la Victoire. ☎ et fax : 044-88-69-38. ● as.hor.hand@cybernet.net.ma ● Ouvert du lundi au vendredi de 9 h à 18 h. L'association *Horizon Social* s'est fixé pour but de réinsérer de jeunes handicapés dans la vie active. Les objets d'artisanat fabriqués dans les ateliers de l'association sont en vente : poterie, bijoux, tissage... Le produit des ventes va, entre autres, à l'atelier orthopédique, ce qui permettra d'appareiller davantage d'enfants handicapés. Prix très intéressants.

🌴 *Le mini-zoo (plan D1)* **:** en face du *complexe de Ouarzazate.* Entrée : 2 Dh (0,20 €). Demander au soigneur, *Lhoussain Zerrad,* de vous commenter la visite, même si celle-ci n'offre qu'un intérêt limité.

🌴 *La place du 3-Mars (plan A1)* **:** pour son animation les soirs d'été.

À faire

OUARZAZATE

■ *Kart Aventure (plan B1)* **:** av. Moulay-Rachid ; zone hôtelière, près du *Berbère Palace.* ☎ 044-88-63-74. Fax : 044-88-62-16. ● www.kartaventure.com ● Une expérience unique : visiter la région en kart-cross, véhicule tout-terrain à deux places qui se conduit très facilement. Location à la demi-journée (3 h) : 1 300 Dh (130 €) le véhicule ; ou à la journée : 1 900 Dh (190 €) pour deux. Fanatiques de course sur route, s'abstenir : ce n'est pas l'esprit de la maison ; au contraire, on privilégie ici la découverte de la région au rythme désiré par chacun. Crème solaire indispensable ! Ils ont aussi un bivouac à Mhamid au milieu des dunes.

■ *Wilderness Wheels Morocco (plan D1, 13)* **:** bd Mohammed-V, près du restaurant *Relais de Saint-Exupéry.* ☎ 044-88-81-28 et 068-73-00-08 (portable). Compter 800 Dh (80 €) pour une demi-journée de moto-cross et 1 400 Dh (140 €) pour la journée entière. Possibilité d'effectuer un raid de 2 jours, prévoir alors 3 500 Dh (350 €). Réserver la veille. Permis moto indispensable. Tout le matériel (casque, gants, bottes, lunettes, veste d'enduro) fourni par Peter, un Britannique très sympa, qui parle aussi le français et l'arabe. Les sorties se font sur des Honda XR 250 cc ou 400 cc dans des paysages parmi les plus extraordinaires du Sud marocain (pistes de Fint, Aït-Benhaddou, Telouet, etc.), à la rencontre des habitants du *djebel* Saghro et du M'Goun. Initiation à la moto de cross à partir de 14 ans.

➤ *DANS LES ENVIRONS DE OUARZAZATE*

🌴 *Le ksar de Aït-Benhaddou* **:** à 33 km (voir plus haut, dans le chapitre « Marrakech et les montagnes du Haut Atlas »).

🌴 *La kasbah de Tiffoultoute* **:** prendre la direction de Zagora. Au premier village, tourner à droite vers Tifoultoute (8 km) après la station-service ; c'est fléché. On y accède aussi en venant de Marrakech par la P31 et en tournant ensuite vers Zagora. Entrée : 10 Dh (1 €). Une des plus belles kasbahs du Glaoui. Elle servit de décor à des films comme *Lawrence d'Arabie* et *Jésus de Nazareth.* Dommage que l'ensemble soit dans un tel état d'abandon et livré aux intempéries. De la terrasse, on découvre une vue magnifique sur toute la vallée jusqu'au Haut Atlas.

|●| *Restaurant Oued Tiffoultoute* **:** au pied de la kasbah. ☎ 044-88-38-82. Compter de 80 à 120 Dh (8 à 12 €). Deux superbes terrasses – l'une sur l'oued, l'autre sur la kasbah – constituent l'un des charmes de ce restaurant où Mohammed propose une cuisine familiale. Le thé à la menthe, romarin et thym sort vraiment de l'ordinaire. Organisation de spectacles et bivouacs sur demande.

🦩 **La kasbah de Tamesla** *(« de la Cigogne »)* **:** prendre la route de Zagora. À 2 km environ du village de Tabount, prendre la piste sur la gauche (à 100 m après l'hôtel *La Vallée*) et rouler pendant 5 km. C'est fléché. Bel exemple d'architecture locale et une agréable balade toute proche, assez peu connue des touristes. Une partie de la kasbah, transformée en studio de cinéma par des Italiens, ne se visite pas.

🦩 **Atlas Corporation Studios :** à 5 km au nord de Ouarzazate en allant sur Marrakech. Le 7e art n'est pas une nouveauté dans le Sud marocain, puisque de nombreux films célèbres y furent tournés, tels que *Harem*, *Banzaï*, plus récemment l'hollywoodien *Gladiator*, *Astérix et Cléopâtre*, bien franchouille, celui-là. L'accès des studios est interdit en période de tournage.

🦩🦩 **L'oasis de Fint :** à 15 km environ. Prendre la direction de Zagora et, après le pont de Tabount, sur la droite en direction de la kasbah de Tiffoultoute. À 3 km environ, panneau sur la gauche. Suivre la piste. Beau paysage avec des roches noires appartenant au plateau pré-saharien de l'Anti-Atlas. Après l'oued, la petite oasis de Fint apparaît avec son bouquet de verdure. 1 200 personnes y vivent, réparties en 4 villages. Intéressant pour voir la vie traditionnelle, notamment le système d'irrigation pour l'agriculture, particulièrement riche à Fint. Attention sur la route à l'auto-stoppeur de service, qui, après vous avoir prouvé son sens de l'hospitalité « en remerciement », vous demandera une contribution pour la « sauvegarde » du village.

QUITTER OUARZAZATE

En voiture

Sachez qu'une rocade située au nord de la ville permet de contourner le centre-ville, pour se rendre par exemple vers Zagora.

En avion

✈ **Aéroport :** à 3 km du centre. ☎ 044-88-23-83. *RAM :* ☎ 044-88-23-48 et 044-88-32-36. Les taxis commencent à prendre de mauvaises habitudes en demandant des sommes injustifiées pour un parcours de 3 mn. 20 Dh (2 €) semblent être un maximum.

➢ **Pour Paris, Casablanca et Agadir :** par *Air France* et *RAM*.

En bus

🚌 **La gare routière** *(hors plan par A1)* est située à l'entrée de la ville, côté Marrakech, pas très loin de la caserne de la Sûreté nationale. Pour s'y rendre, quand on arrive de Marrakech, tourner à gauche au rond-point devant la station *Afriquia*.
Prendre de préférence son billet de bus la veille.
La *SATAS* et les autres compagnies ont leur bureau à la gare routière.

➢ **Pour Marrakech :** 4 départs dans la journée.

➢ **Pour Agadir :** 1 départ le matin.

🚌 La *CTM (plan B2)*, av. Mohammed-V, à gauche de la poste, assure des liaisons régulières. ☎ 044-88-24-27.

➢ **Pour Agadir :** 1 départ quotidien.

➢ **Pour Agdz, Zagora, Mhamid :** 2 départs quotidiens.

➢ **Pour Casablanca, Rabat :** 1 départ quotidien.

➢ **Pour Marrakech :** départs quotidiens nombreux. Compter de 4 h 30 à 5 h de trajet.
Il existe aussi des compagnies privées.

🚌 **Supratours** *(plan B2) :* pl. Al-Mouahidine.

➢ **Pour Marrakech :** 1 départ le matin.

En taxi collectif

Ils partent de la gare routière, et desservent toute la région. Ces « grands taxis », qui se sont considérablement développés depuis quelque temps, attendent d'être complets pour partir. Ils prennent 2 passagers à l'avant sur un seul siège et 4 passagers à l'arrière. Le véhicule se transforme vite en boîte à sardines. Les taxis collectifs pour Hay Tabounte et les environs de Ouarzazate partent de la place Al-Mouahidine *(plan B2)*.

AU SUD DE OUARZAZATE

LA VALLÉE DU DRÂA

Une route goudronnée de 164 km jusqu'à Zagora longe en partie cet oued dans une vallée bordée de palmeraies, de champs et de superbes *ksour* bâtis en pisé. Il faut passer au moins une nuit à Zagora. Faire l'aller et le retour à des heures différentes pour profiter pleinement des divers éclairages tout au long de cet itinéraire. Compter 4 h sans se presser, la route est excellente. Le Drâa (ou Dra), né dans le massif de l'Atlas, a bien du mal au début de son cours à se frayer un passage dans les montagnes mais, à partir d'Agdz jusqu'à Mhamid, son mince filet d'eau arrose une oasis sur près de 200 km avant de se perdre dans les sables. Lors des grandes crues, ce fleuve retrouve alors son ancien cours et ses eaux traversent le désert pour aller se jeter dans l'océan. La distance de 750 km entre Mhamid et l'embouchure de l'Atlantique fait de ce « fleuve fantôme » le plus long cours d'eau du Maroc. Les textes anciens racontent que sur ses rives se prélassaient des crocodiles, et que la région était prospère. On ne voit plus qu'un lit sablonneux envahi de pierraille.

Insensiblement, le long du parcours, la peau des habitants devient plus foncée. Certains descendent d'esclaves enlevés au Soudan lors de la période saadienne.

La première partie, jusqu'à Agdz (68 km), sinueuse et aride, traverse des paysages de montagne dépouillés, avec des falaises impressionnantes et des éboulis de pierres souvent noires et brillantes, éclatées par la chaleur du soleil. Après le col de Tizi-n-Tinifift (1 660 m), la route descend vers Agdz où elle retrouve le cours du Drâa, offrant une belle vue sur la vallée fortifiée d'innombrables kasbahs et de *ksour* en pisé. Pour avoir la meilleure lumière, il est conseillé de faire la route entre Agdz et Zagora en fin d'après-midi. Vous éviterez aussi de conduire avec le soleil dans les yeux. En toute logique, mieux vaut quitter Zagora tôt le matin.

Sur ce parcours, ne jamais s'arrêter pour prendre des auto-stoppeurs : il s'agit toujours de rabatteurs travaillant pour le compte de commerçants. Le coup de la panne est aussi assez fréquent (voir au début du guide les informations sur les faux guides dans la rubrique « Dangers et enquiquinements »). Ne pas tomber dans le panneau.

LA CASCADE DU DRÂA

À 11 km avant Agdz, une piste de 10 km, sur la gauche, conduit à une cascade. La piste est praticable en voiture de tourisme, mais on pourra toujours se renseigner à l'hôtel *Kissane* ou au *camping* d'Agdz. Si Omar, qui s'occupe de l'entretien de la cascade, veut vous faire visiter, fixez le prix

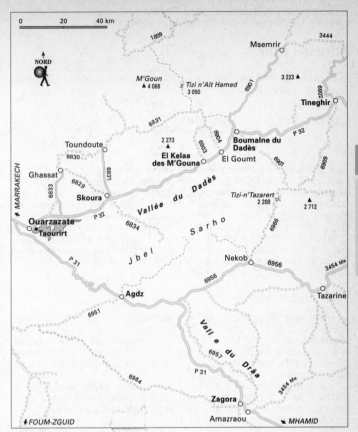

RANDONNÉES AUTOUR DES VALLÉES DU DRÂA ET DU DADÈS

avec lui auparavant et conservez bien vos clés de voiture dans votre poche. Vous êtes prévenu ! Attention au précipice, aux passages étroits et aux chutes de pierre. Avec les années de sécheresse, cette excursion a perdu de son intérêt.

AGDZ

Situé à 69 km de Ouarzazate, Agdz (prononcer « Agdès ») n'est pas une ville passionnante. Cependant, on peut effectuer une brève halte dans cette cité administrative, dominée par l'impressionnante arête rocheuse du *djebel* Kissane qui suit le cours du fleuve sur près de 40 km. Le centre-ville, situé autour de... l'avenue Mohammed-V (pour changer), bordée de maisons à arcades, n'est qu'une succession de boutiques de souvenirs. Là encore, le racolage est malheureusement omniprésent.

– **Souk :** le jeudi, à la sortie de la ville, sur la route de Zagora. Animé et intéressant.

– **Fêtes des Dattes :** elle semble se dérouler désormais chaque année fin octobre. Se renseigner toutefois auparavant.

➤ **Bus pour Ouarzazate et pour Zagora :** attention, ils sont souvent complets. Des taxis collectifs partent de la place centrale.

Adresse utile

■ **Location de VTT :** Horizon Sud, sur la place centrale. Chez Lahcen Aït Taznakht. ☎ 044-84-30-65.

Où dormir ? Où manger ?

Camping

Camping Kasbah de la Palmeraie : l'accès est fléché du centre d'Agdz, c'est à 2 km par une piste. On traverse le Dar La-Glaoui. ☎ 044-84-36-40. Compter moins de 50 Dh (5 €) pour deux, tente comprise. Ombragé, à l'extrémité d'une palmeraie et à 100 m d'une belle kasbah. Tenu par une Française qui veille particulièrement au bien-être de ses clients. Un petit bassin fait office de piscine. Possibilité de restauration légère sur demande 1 h à 2 h à l'avance. Ceux qui ne disposent pas de tente peuvent passer la nuit sur les terrasses ou dans les chambres de la kasbah, récemment restaurées. Organisation de randonnées à pied, à VTT et en 4x4.

Très bon marché

■ **Hôtel des Palmiers :** sur la Grand-Place, tout à côté de la pompe à essence. ☎ 044-84-31-27 et 87. Chambres doubles à 100 Dh (10 €). On entre sur le côté par une ruelle. Panneau minuscule. Une quinzaine de chambres avec des sanitaires propres à l'étage, mais en nombre insuffisant si l'hôtel est complet. Certaines, moins chères, donnent sur le couloir et n'ont pas de fenêtres. Douches chaudes et toilettes impeccables. Seuls inconvénients : l'hôtel est très bruyant, et nombre de faux guides gravitent autour.

|●| Plusieurs **cafés** autour de la place centrale, où l'on mange sur le pouce pour quelques dirhams.

Prix moyens

■ |●| **Maison d'hôte Tansifte :** prendre la route goudronnée en direction de Tazenakht ; la ferme se trouve à 2 km de la station Total. ☎ 044-34-10-56. ● fermeagdz@hotmail.com ● Compter 400 Dh (40 €) pour deux. Ferme traditionnelle, avec animaux et grand jardin cultivé. Cinq chambres d'hôte avec sanitaires collectifs. Des palmiers pour lézarder à l'ombre. Repas traditionnel de la maison.

À voir

🔍 Quand on vient de Ouarzazate, prendre à gauche sur la grande place. Aller absolument jeter un coup d'œil à la jolie **kasbah du caïd Ali** à Aslim (celle qui donne son nom au camping plus haut) entourée de palmiers.

Vers le sud

C'est à partir d'Agdz que commence vraiment la vallée dans toute sa splendeur. La route longe alors des kasbahs et des palmeraies parmi les plus belles du Maroc.

➤ Promenade possible jusqu'au *barrage du Drâa*. Prendre la piste à gauche, juste avant le *camping de la Palmeraie* (c'est à 6 km) et redescendre ensuite sur la droite vers la palmeraie. Cette piste est praticable sans difficulté avec une voiture de tourisme.

🗡 À 6 km d'Agdz, *le ksar et la kasbah de Tamnougalt* se dressent dans une luxuriante oasis, de l'autre côté du fleuve. Le traverser pour aller visiter cette ancienne capitale du pays mezguita. L'entrée du *ksar*, désormais payante, relève plutôt de l'arnaque. On peut se dispenser de sa visite car l'intérieur n'est que ruine et n'offre pas d'intérêt. Il est préférable de poursuivre jusqu'à la kasbah qui est encore habitée. C'est une étrange impression que de parcourir cette petite ville aux rues intactes et aux porches ouvragés. Balade, en tout cas, à ne pas manquer. Demandez à *Rabit*, un jeune descendant du caïd local, de vous faire visiter les vestiges des propriétés familiales. Attention, ici tout le monde prétend désormais s'appeler Rabit. Il est donc préférable de le joindre au ☎ 062-84-04-28 (portable).

🛏 🍴 *Au Jardin de Tamnougalt :* ☎ et fax, 044-84-36-14. ● www.free-net.de/jardin-Tamnougalt ● Prendre la petite route sur la gauche en face des ruines ; ensuite, c'est à droite après le pont ; bien indiqué. Compter 200 Dh (20 €) pour 2 personnes, petit déjeuner compris. Ismail Elalaoui est originaire du village. Il a aménagé des chambres simples mais très propres et confortables, toutes avec salle de bains (eau chaude capricieuse). Possibilité de camper dans le jardin. Le resto bénéficie d'une belle terrasse à l'ombre des oliviers. Une étape hors des sentiers battus, et une occasion de découvrir l'hospitalité des Berbères.

➤ Avec un véhicule tout-terrain, possibilité de longer la route goudronnée vers Zagora pendant 35 km sur une piste agréable qui borde la palmeraie et rejoint Tansikht. 8 km plus loin, la *kasbah de Timiderte*, construite par le fils aîné du Glaoui. La route est une suite de *ksour* (on en compte une cinquantaine) et de palmeraies, avec des arbres produisant les fameuses dattes *boufeggous*. En fait, tous ces *ksour*, véritables citadelles abritant des familles entières, n'étaient rien d'autre que des villages fortifiés destinés à protéger les sédentaires des nomades du Sud, qui cherchaient à piller cette région fertile.

Les plus remarquables sont ceux d'*Hammou-Saïd*, à 17 km, *El-Had-Ouled-Othmane*, à 32 km, et *Igdâoun*, un peu plus loin, sur la gauche, avec des tours en forme de pyramides tronquées.

➤ À Tansikht (km 93), route goudronnée pour Nekob (40 km) et Tazzarine (74 km). Voir plus loin la rubrique « Les routes et les pistes au départ de Zagora ». À *Tinzouline*, au km 133 (souk très animé le lundi), on peut emprunter sur la droite une piste de 7 km pour découvrir des inscriptions rupestres libyco-berbères représentant des cavaliers chasseurs et datant de l'âge du fer (1 000 ans environ avant notre ère). Mais elles ne sont pas faciles à trouver, et leur intérêt est très limité pour les non-spécialistes. Juste après Tinzouline, la route pénètre dans le défilé de l'Azlag avant d'arriver aux portes de Zagora.

De Tansikht à Zagora par la piste avec un véhicule tout-terrain

De Tansikht, vous pouvez gagner Zagora par la piste en empruntant deux itinéraires complètement différents. Le premier suit le Drâa sur la rive gauche en égrenant de somptueux villages noyés dans la verdure des palmeraies, et le second emprunte une piste sur un reg absolument désertique au pied du *djebel* Rhart.

➢ ***Par la vallée du Drâa :*** le départ de la piste se situe à droite, quelques kilomètres après avoir franchi le pont de Tansikht sur la route de Tazzarine. Cette piste ne présente pas de difficultés particulières, elle est cependant assez caillouteuse. Compter environ 5 à 6 h pour effectuer le trajet entre Tansikht et Zagora si vous le faites entièrement par la piste, mais si vous en avez assez au bout de 2 h 30, vous avez la possibilité de traverser à gué l'oued Drâa pour rattraper le goudron à la hauteur de Tinezouline. Mais attention, avant de prendre la piste, assurez-vous à Tansikht que c'est faisable, car les niveaux d'eau du Drâa varient énormément. Un trajet vraiment plaisant.

➢ ***Tansikht-Zagora par Zaouiya-Tafechna :*** franchissez le pont de Tansikht direction Tazzarine, ensuite environ 15 km après, vous avez un départ de piste sur la droite au niveau d'un regroupement de maisons. De la route, on aperçoit la piste qui se dirige vers une espèce de petit col. Cette piste vous conduira à travers un reg caillouteux mais roulant jusqu'au village de Zaouiya-Tafechna que vous traverserez en continuant votre route vers le sud-est. Quelques kilomètres après la sortie de Zaouiya-Tafechna, la piste se divise en deux : tout droit, vous continuez sur Zagora et à gauche, vous pouvez rejoindre Tazzarine. Cet itinéraire est beaucoup plus désertique que le premier et vous permettra peut-être de croiser des caravanes de nomades pendant les périodes de transhumance. Nous vous recommandons d'emprunter cette piste à deux véhicules minimum.

ZAGORA

Sa principale curiosité réside dans le célèbre panneau à la fin de l'avenue Mohammed-V en direction de Tamegrout sur lequel on peut lire « Tombouctou 52 jours ».

Les excursions vers le sud font de Zagora un lieu d'étape agréable, d'autant que les possibilités d'hébergement y sont nombreuses. Il faut savoir cependant que les premières dunes se situent à 26 km. Vous n'êtes pas encore dans le désert, mais dans un gros centre administratif qui s'étire tout au long de l'avenue Mohammed-V.

■ **Adresses utiles**

- ✉ Poste
- **2** Banques
- **3** Pharmacies
- **4** Journaux français
- **5** Photographe
- **7** Supermarché
- **8** Station Agip et téléboutiques
- 🚌 **9** Gare routière CTM
- 🚌 Gare routière bus privés
- **10** et taxis
- @ **11** Boumessaoud Cyber

⚹ 🏠 **Où dormir ?**

- **20** Camping La Montagne
- **21** Camping Sindibad
- **22** Hôtel-restaurant La Rose des Sables
- **23** Auberge-restaurant Chez Ali
- **24** Hôtel La Palmeraie

- **25** Hôtel Kasbah Asmaa
- **26** La Fibule du Dra
- **27** Camping d'Amezrou
- **29** Hôtel Ksar Tinzouline
- **30** Kasbah Tifawte
- **31** Camping-auberge Les Jardins de Zagora
- **32** Hôtel-restaurant Zagour
- **33** Hôtel-restaurant Sirocco

🍴 **Où manger ?**

- **22** Restaurant de La Rose des Sables
- **24** Restaurant de La Palmeraie
- **25** Restaurant de Kasbah Asmaa
- **26** Restaurant de La Fibule du Dra
- **29** Restaurant du Ksar Tinzouline
- **31** Restaurant des Jardins de Zagora
- **35** Restaurant La Baraka

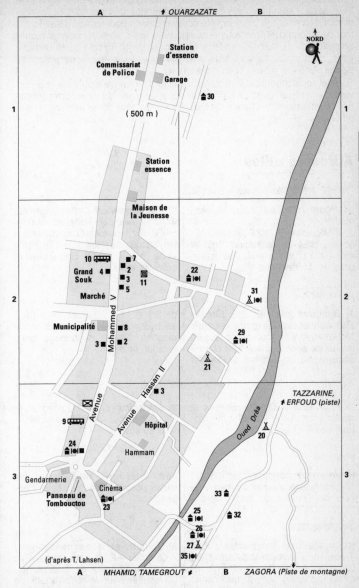

ZAGORA

Les guides, ou soi-disant tels, ont tous le même uniforme : un chèche bleu. Les « vrais » hommes bleus du Maroc portent des chèches noirs ou, parfois, blancs. Les chèches bleus ont été commercialisés pour les touristes. Tout le monde se propose pour vous accueillir, vous aider, vous renseigner (contre un petit cadeau, de préférence...). On peut se sentir harcelé ou se faire des amis, c'est selon. Ils vont tous vous dire que, sans eux, vous allez vous perdre dans les sables. N'en croyez rien.

Si vous voulez toutefois être tranquille et profiter au maximum de la découverte de la région avec un natif, faites appel au guide qui vous sera conseillé par l'établissement où vous êtes descendu. Ils sont généralement compétents.

Adresses utiles

Poste et télécommunications

✉ **Poste** *(plan A3)* : av. Mohammed-V.

■ **Téléphone** *(plan A2, 8)* : téléboutiques, près de la station *Agip* et près de la pharmacie *Zagora*, toutes deux av. Mohammed-V.

@ **Boumessaoud Cyber** *(plan A2, 11)* : av. Allal-ben-Abdellah. ☎ 044-84-60-44. ● bomess@iam.net.ma ● Ouvert tous les jours de 9 h 30 à 13 h et de 15 h 30 à 23 h. Bon accueil et salle agréable.

Argent

■ **Banques** *(plan A2, 2)* : *Banque Populaire* et *BMCE,* toutes deux av. Mohammed-V. La première assure le change avec la carte *Visa* et possède même un distributeur. Ouvert de 8 h à 11 h 30 et de 14 h 30 à 16 h 30. Fermé les samedi et dimanche. Sinon, dépannage dans tous les hôtels.

Santé

■ **Pharmacies Zagora, Baraka** et **Asfar** *(plan A2 et A3, 3)* : av. Mohammed-V et av. Hassan II.

■ **Médecins** : Dr Bourhkrissi et Dr Bouassou, av. Mohammed-V, face au souk.

Presse

■ **Journaux français** *(plan A2, 4)* : librairie *Najjah,* av. Mohammed-V ; à côté de l'entrée du souk. Ils ont aussi des livres en français, des cartes postales et des timbres. Photocopies.

Transports

■ **Location de bicyclettes** : *Azul Treck,* av. Allal-ben-Abdellah. ☎ et fax : 044-84-82-78 ou ☎ 062-10-41-85 (portable). ● www.multimania.com/azultreck/sahara.html ● Dans la rue qui mène au camping *Les Jardins de Zagora.* Location de VTT pour la découverte de la palmeraie et ses environs. Accueil sympa et prix raisonnables.

■ **Stations-service et mécanique** : *Agip (plan A2, 8),* au centre-ville ; *Total,* sur la route de Ouarzazate. Ce dernier peut aussi effectuer de petites réparations, demander Ismaël. Tous deux acceptent les cartes de paiement. Essence sans plomb à la station *Shell,* à l'entrée de Zagora. Ali et Mohammed Nassir peuvent vous dépanner. Leur garage est à l'entrée de la ville en venant de Ouarzazate, en face de l'hôtel de police *(plan A1)*. ☎ 044-84-73-90. Des collections de pneus tapissent la façade.

Bivouacs et excursions

La plupart des hôtels en organisent, mais il peut se révéler plus intéressant de passer par une agence. Les agences suivantes sont toutes des spécialistes des randonnées et du désert, et se trouvent pour la plupart dans l'avenue principale Mohammed-V.

■ *Caravane du Sud :* BP 13. ☎ et fax, 044-84-74-97 ou ☎ 061-34-83-83 (portable). ● caravanesud@iam.net.ma ● Expéditions dans le désert de 1 à 3 semaines. Randonnées à pied, accompagné de chameaux pour le portage. Guides compétents et circuits passionnants.
■ *Les amis du Sahara :* av. Mohammed-V, en face de la Banque Populaire. ☎ et fax : 044-84-62-13 ou ☎ 068-76-56-66 (portable). ● razgui@yahoo.fr ● Hammadi, ancien nomade, connaît le désert comme sa poche et possède un humour à toutes épreuves ! Circuits en 4x4 ou à dos de chameau.

■ *Désert et Émotion :* av. Mohammed-V. ☎ et fax : 044-84-62-06 ou ☎ 066-12-23-11 (portable). ● www.desert-dream.com ● Escapade de trois jours au pied des dunes de l'erg Lehoudi dans un campement très confortable. Plus cher que les autres agences, mais prestations plus luxueuses et sans mauvaises surprises. Ginette, la gérante française associée avec Moktar, est une passionnée et un sacré personnage.
■ *Paradise Garden :* BP 6. Dans une petite rue à gauche un peu avant la gare routière. ☎ 044-84-82-54. Fax : 044-84-82-55. Circuits à partir d'une demi-journée.

Divers

■ *Souk (plan A2) :* av. Mohammed-V. Assez important le mercredi et le dimanche. Marché aux femmes dans le souk les mêmes jours. Non, non, n'écarquillez pas vos mirettes de cette façon ! Il s'agit des ouvrages d'artisanat faits par des femmes et que celles-ci viennent vendre.
■ *Vente de bière (plan A3, 24) :* à l'hôtel *La Palmeraie,* av. Mohammed-V.
■ *Supermarché (plan A2, 7) :* à l'entrée de la ville.
■ *Boulangerie-pâtisserie :* Sable

d'Or, av. Mohammed-V, sur la gauche en allant vers le panneau « Tombouctou ». ☎ 044-84-77-72. Les patrons sont sympas et proposent des produits frais que l'on peut consommer sur place. Une bonne adresse pour grignoter quelque chose dans la journée.
■ *Photos (plan A2, 5) : laboratoire La Jeunesse,* av. Mohammed-V, en face de l'entrée du souk. Développement, tirage et vente de films offrant de bonnes garanties de conservation.

Où dormir ?

Campings

⚹ *Camping-auberge Les Jardins de Zagora (plan B2, 31) :* rue Hassan-II ; à gauche de l'hôtel *Ksar Tinzouline.* ☎ 068-96-17-01 (portable). Compter autour de 50 Dh (5 €) pour

deux avec tente et voiture. Le lieu porte bien son nom, une véritable oasis de verdure et de fleurs. 40 emplacements pour les camping-cars avec branchements électriques. D'autres pour les tentes. Blocs sanitaires impeccables, eau chaude sans supplément. Le camping dispose également de deux chambres à 50 Dh (5 €), sans commodités et situées dans les tours de la porte d'entrée. Mini-golf. Restaurant sous de confortables tentes berbères. Compter aux alentours de 80 Dh (8 €) pour un repas complet. Pas d'alcool, mais on peut en apporter. Mohammed et toute son équipe vous recevront chaleureusement. Ils organisent aussi des excursions dans le désert.

⚭ *Camping Sindibad* (plan B2, 21) : juste à côté de l'hôtel *Ksar Tinzouline*. ☎ 044-84-75-53. À quelques mètres de l'oued Drâa, dans une palmeraie ombragée. Petite piscine de 5 m sur 10 (en été). Douches payantes. On peut dormir aussi sur le toit. Le camping dispose de quelques chambres avec salle d'eau individuelle et d'un restaurant. Le gérant propose aussi des excursions à dos de chameau dans la palmeraie au coucher du soleil.

⚭ *Camping d'Amezrou* (plan B3, 27) : à 1 km au sud de Zagora en allant vers Mhamid. ☎ 044-84-74-19. Passer devant l'hôtel *La Fibule du Dra* et longer le canal sur 100 m ; c'est à droite. Sanitaires rudimentaires et pas toujours très bien tenus. Douches chaudes appréciables. Sinon, cadre agréable, très ombragé, dans une palmeraie. Accueil sympa. Organisation de méharées dans les dunes voisines.

⚭ *Camping La Montagne* (plan B3, 20) : à 3 km de la ville. Aller jusqu'à *La Fibule du Dra* et tourner ensuite à gauche en empruntant une piste qui peut surprendre. On longe un joli oued où l'on voit bien le système d'irrigation de la montagne. Eau à volonté toute l'année et douches froides. Camping très ombragé, très spartiate et loin de tout. Accueil sympathique de Mohammed, le gérant.

Très bon marché

🏠 *Hôtel-restaurant La Rose des Sables* (plan B2, 22) : av. Allal-ben-Abdellah. ☎ 044-84-72-74. Chambres doubles à 80 Dh (8 €) avec douche et toilettes, 60 Dh (6 €) sans douche, 50 Dh (5 €) sans toilettes. Chambres simples, décorées de tapis. Eau chaude 24 h/24. Le charme ne se trouve pas dans le lieu mais dans la qualité de l'accueil. Propreté méticuleuse. Restaurant en terrasse ou à l'intérieur, avec un menu à 60 Dh (6 €) proposant de bonnes et copieuses spécialités marocaines. Sur commande : méchoui et pastilla. On peut apporter sa bouteille.

🏠 *Auberge-restaurant Chez Ali* (plan A3, 23) : av. Atlas-Zaouit-el-Baraka. ☎ 044-84-62-58. • chez_ali@hotmail.com • 50 m après le panneau « Tombouctou » en direction d'Amazraou, sur la gauche. Compter 120 Dh (12 €) la double avec le petit dej' et 40 Dh (4 €) par personne sous la tente. Menus à 60 et 80 Dh (6 et 8 €). Cette petite auberge propose 4 chambres et des tentes berbères équipées (draps

fournis). Propre et bien entretenu. Adresse familiale, sans prétention, mais très sympa. Calme assuré. Les repas sont servis dans la salle qui domine le jardin. Pas d'alcool, mais on peut apporter sa bouteille. Cartes de paiement refusées, en revanche accepte les euros. Notre meilleure adresse dans cette catégorie.

🏠 Plusieurs hôtels proposent des terrasses pour dormir à la belle étoile pour une poignée de dirhams. Renseignez-vous à la *Kasbah Tifawte* (plan B1, 30) : Hay Mansour-Dahbi. ☎ 044-84-88-43. Fax : 044-84-88-42. • www.tifawte.com • Mais aussi à l'*hôtel-restaurant Sirocco* (plan B3, 33) : à la sortie de Zagora, direction Mhamid, passer l'oued, dans le virage, prendre la piste à gauche. L'hôtel est à 500 m à gauche. ☎ 044-84-61-25. Fax : 044-84-61-26. Et enfin à *La Fibule du Dra* (plan B3, 26) : à 200 m de la *Kasbah Asmaa*, sur la droite. ☎ 044-84-73-18. Fax : 044-84-72-71. • fibule@atlas-net.net.ma •

Bon marché

🛏 *Hôtel Kasbah Asmaa (plan B3, 25) :* voir plus bas. Ils proposent des tentes très confortables pour 50 Dh (5 €) par personne. Possibilité aussi de dormir à la belle étoile sur la terrasse. Une douche est mise à disposition. Convient aux petits budgets.

De prix moyens à plus chic

🛏 *Hôtel La Palmeraie (plan A3, 24) :* tout au bout de l'av. Mohammed-V. ☎ 044-84-70-08. Compter 240 Dh (24 €) la chambre double avec AC, 180 Dh (18 €) sans climatisation et sans petit déjeuner ; demi-pension obligatoire en avril et décembre : 200 Dh (20 €) par personne. Les 60 chambres, dont plus de la moitié climatisées, sont confortables et propres, avec douche et w.-c. individuels. On peut dormir sur la terrasse à des tarifs économiques. Vente de bière à la buvette. Restaurant avec entre autres, un tajine aux pruneaux excellent. Ils ont même une piscine bien entretenue. Bon accueil. Une bonne adresse où on vous donnera des tas d'infos sur la région. Cartes de paiement acceptées.

🛏 *Kasbah Dar El Hiba (hors plan par A1) :* Kasar Tissargat. À 8 km avant Zagora, sur la gauche. ☎ et fax : 044-84-78-05 ou ☎ 061-61-06-48 (portable). Inévitablement, vous apercevrez cette superbe kasbah centenaire avant d'arriver à la ville. Chambres doubles à 200 Dh (20 €), petit déjeuner compris ; demi-pension à 180 Dh (18 €) par personne. En tout, 12 chambres très simples dans la plus pure tradition. Certaines, sans fenêtre, ouvrent sur la grande terrasse avec une vue magnifique. Toilettes très propres et douches dans un autre bâtiment en face. L'intérieur de la maison est agencé autour d'un patio intérieur, orné de jarres et d'outils traditionnels. Restaurant de cuisine marocaine. Grand jardin et une tente caïdale. Accueil chaleureux.

🛏 *Kasbah Tifawte (plan B1, 30) :* Hay Mansour-Dahbi. ☎ 044-84-88-43. Fax : 044-84-88-42. ● www.tifawte.com ● Chambres doubles de 150 à 350 Dh (15 à 35 €). Dans une très belle maison particulière, 6 chambres bien aménagées et confortables, avec salle de bains. La n° 3 possède un balcon et la n° 2, la plus vaste, deux grandes fenêtres ouvrant sur la palmeraie. Une vaste salle de restaurant, où l'on ne parle plus de repas mais de véritables festins. Repas complet de 120 à 150 Dh (12 à 15 €). Plusieurs terrasses dont une réservée au petit déjeuner (et quel petit déjeuner !) d'où il est difficile de s'arracher. Ahssain, le propriétaire bon vivant, parle d'une recherche de qualité « à l'aiguille », et c'est bien une véritable broderie du confort et du bien-être qui vous attend. Propreté méticuleuse. Une « annexe », reconstitution fidèle d'un campement nomade installé dans la palmeraie, est également à votre disposition. Organisation d'excursions en 4x4 dans le désert selon votre budget. Un gros coup de cœur pour cette adresse au charme fou.

🛏 *Villa Zagora, maison d'hôte :* dans la palmeraie, au pied de la montagne de Zagora. Renseignements et réservations à Paris : ☎ 01-46-33-70-84 ; ou par *Caravanes du Sud* à Zagora : ☎ 044-84-75-69. Fax : 044-84-74-97. ● mavillaausahara.com ● De 250 à 430 Dh (25 à 43 €) la double, selon la saison et la taille de la chambre ; location de la maison à la semaine pour 7 500 Dh (750 €). Possibilité de réserver et de payer en France. 4 chambres climatisées avec salles de douche, grand jardin, jets d'eau, terrasse avec une très belle vue, salon climatisé. Possibilité de demi-pension. Zara et Ahmed assureront un service chaleureux durant votre séjour.

🛏 *Hôtel Kasbah Asmaa (plan B3, 25) :* à 2 km du centre, juste après avoir franchi le pont sur l'oued Drâa sur le côté gauche. ☎ 044-84-72-41 et 044-84-75-99. Fax : 044-84-75-27. ● ksbasmaa@iam.net.ma ●

Compter 300 Dh (30 €) la chambre double avec petit déjeuner ; 500 Dh (50 €) la demi-pension pour deux dans l'ancien bâtiment, et pour les mêmes prestations, 350 et 600 Dh (35 et 60 €) dans le nouveau bâtiment. Repas à 120 Dh (12 €). Une magnifique architecture de pisé, qui cache derrière son enceinte un jardin fleuri et deux tentes encadrant un belvédère d'où l'on découvre toute la palmeraie. Ils proposent une trentaine de chambres. Les plus confortables se trouvent dans le nouveau bâtiment, avec salle de bains et AC. Les quatre chambres situées dans les tours dominent toute la palmeraie. Les chambres de l'ancien bâtiment sont moins chères, mais nettement moins bien. Très belle piscine à l'ombre des palmiers. Nombreux salons avec air conditionné où sont proposés chaque jour deux menus. Attention, beaucoup de groupes au déjeuner. Méchoui à commander 2 h à l'avance. Le soir, dîner aux chandelles dans les jardins, au bord de la piscine, dans les salons ou sous des tentes caïdales. Personnel très sympa. Réservation conseillée, particulièrement en haute saison. Organisation d'excursions en 4x4 ou à dos de dromadaire, et de bivouacs avec guides compétents. Cartes de paiement acceptées.

🛏 *Hôtel-restaurant Zagour* (plan B3, **32**) : juste à la sortie de Zagora, à 600 m après le pont, à gauche. ☎ 044-84-61-78. Fax : 044-84-74-51. ● hotelzagour@yahoo.fr ● Compter 300 Dh (30 €) la chambre double. Menu à 75 Dh (7,5 €). 18 belles chambres avec salle de bains, AC et chauffage. Une décoration simple mais raffinée : tentures, portes cloutées. Un excellent compromis entre confort et tradition. La plupart des chambres possèdent une vue sur la palmeraie. Piscine. Terrasse très agréable, dotée de parasols et dominant les palmiers. Salle à manger à dimension humaine, très accueillante. Excellente cuisine marocaine (méchoui à commander 24 h à l'avance). Personnel compétent. Une

adresse que nous aimons bien.

🛏 *Hôtel-restaurant Sirocco* (plan B3, **33**) : à 300 m du précédent. ☎ 044-84-61-25. Fax : 044-84-61-26. À la sortie de Zagora, direction Mhamid, passer l'oued, dans le virage, prendre la piste à gauche ; l'hôtel est à 500 m à gauche. Prévoir 400 Dh (40 €) pour une chambre double. Un établissement très agréable dirigé par Brigitte et Gilles, un couple de Français. 20 chambres climatisées et chauffées l'hiver. Belle piscine. Gilles, qui a participé au Dakar, vous fait partager sa passion du 4x4 en organisant des excursions et des bivouacs dans le désert. À l'hôtel, possibilité de dormir en terrasse. Réduction de 20 % sur le prix de la chambre pour nos lecteurs, sur présentation du *Guide du routard*. Cartes de paiement acceptées.

🛏 *La Fibule du Dra* (plan B3, **26**) : à 200 m de la *Kasbah Asmaa*, sur la droite. ☎ 044-84-73-18. Fax : 044-84-72-71. ● fibule@atlasnet.net.ma ● Chambres doubles à 370 Dh (37 €) ; chambres plus simples, avec douche commune, à 170 Dh (17 €) ; petit déjeuner compris ; enfin, possibilité de dormir à la belle étoile. Les deux tours de pisé qui signalent l'entrée ouvrent sur un petit jardin intérieur à la végétation luxuriante et ombragé par des palmiers. Hôtel de 24 chambres confortables avec AC. Piscine. Vaste salle de restaurant au décor « orientalo-berbère ». Menu copieux avec plusieurs plats au choix, mais de qualité inégale selon nos lecteurs. À la carte et sur commande : la pastilla du Sud avec des dattes et des noix ou le méchoui à la vapeur. Bar dans le jardin où l'on peut, entre autres, siroter son pastis, à l'ombre, sous une tonnelle. Le bar porte d'ailleurs le nom d'un grand ivrogne, Abou-Noues, un célèbre poète au Ve siècle. Petite boutique de souvenirs. Accueil de Sarti et Fatiha à la réception. Propose également (de façon un peu trop insistante) des excursions décevantes selon nos lecteurs. Cartes de paiement acceptées.

Très chic

🛏 *Hôtel Ksar Tinzouline (plan B2, 29)* : av. Hassan-II. ☎ 044-84-72-52. Fax : 044-84-70-42. ● tin-souli@iam.net.ma ● Juste après la porte de la ville, prendre à gauche, c'est fléché. Ce bel hôtel a été repris par *La Fibule du Dra*. Compter 635 Dh (63,5 €) pour une double, petit déjeuner compris. Les deux ailes abritent 83 chambres. Dans la plus ancienne, quelques suites et un appartement qui servaient de mai-son d'hôte à la famille royale. La plu-part des chambres donnent sur une vaste palmeraie, véritable oasis aménagée pour la promenade et la détente. Belle piscine. Restaurant de cuisine marocaine et internatio-nale. Nous avons beaucoup aimé le grand hall décoré de roseaux, le sa-lon et le bar. Hammam. Réduction de 10 % pour nos lecteurs sur pré-sentation du *Guide du routard*.

Où manger ?

À Zagora, la plus grande prudence s'impose dans le choix des repas. En dehors des restaurants conseillés, vous pouvez essayer des tables simples convenant à de petits budgets et à des estomacs aguerris : il faut savoir que la chaleur, les pannes de courant ou même l'absence de réfrigérateur dans les petits établissements nous contraignent à cette mise en garde.

|●| *Restaurants de La Rose des Sables (plan B2, 22)*, *Les Jardins de Zagora (plan B2, 31)*, *La Palme-raie (plan A3, 24)*, *Kasbah Asmaa (plan B3, 25)*, *Ksar Tinzouline (plan B2, 29)* et *La Fibule du Dra (plan B3, 26)* : voir plus haut la ru-brique « Où dormir ? ». Les trois der-niers servent de l'alcool.

À recommander également :
|●| *Restaurant La Baraka (plan B3, 35)* : Douar Amzrou. À la sortie de Zagora, route de Mhamid. Menu à 80 Dh (8 €). On peut apporter sa bouteille. Une grande salle. Spéciali-tés marocaines de qualité malheu-reusement inégale. Service et ac-cueil très aimable.

➤ DANS LES ENVIRONS DE ZAGORA

➤ *Le djebel Zagora :* cette excursion est à faire au lever du soleil de pré-férence, si vous avez le courage de vous lever avant lui ! Avec un 4x4, on peut accéder jusqu'à la moitié du parcours. Il faut poursuivre à pied. Après *La Fibule du Dra*, emprunter, à gauche, la piste qui passe devant l'hôtel *Zagour*, au pied de la montagne. Après 3 km, bifurquer à droite. Autre possi-bilité, prendre en bas de la montagne devant la *Caravane du Sud* le sentier indiqué par les poteaux téléphoniques et qui monte à l'antenne rectangulaire (1 h de marche). On peut continuer au-delà pendant 10 mn pour une meil-leure vue. Vous serez récompensé de votre effort : le panorama sur le désert avec la palmeraie est superbe. Si vous y allez pour le coucher du soleil, attention à la descente de nuit. Prévoir alors une lampe de poche.

➤ *Amazraou :* promenade à effectuer de préférence en fin d'après-midi, en revenant par exemple de Tamegrout. Ce village longe une ancienne kas-bah dite « des juifs ». À l'entrée du *ksar*, des enfants se disputeront le privi-lège de vous accompagner dans un jardin pour boire un thé à la menthe. L'endroit est touristique, et les enfants se battent entre eux avec tant d'agressivité qu'il est parfois préférable d'éviter cette promenade qui perd tout son charme pour revêtir un côté mercantile franchement désagréable.

QUITTER ZAGORA

🚌 **Gare routière** *(plan A2, 10)* : av. Mohammed-V, près du souk. *CTM (plan A3, 9).* Depuis des années, son transfert est prévu à 3 km de l'entrée de la ville sur la route de Ouarzazate. Ce sera peut-être pour 2003 !

➤ **Pour Ouarzazate :** 5 bus minimum par jour, de 11 h à 19 h. Compter 5 h de trajet. Moins cher que le taxi collectif, mais moins rapide.

➤ **Pour Rissani :** taxis collectifs et bus (horaires assez fantaisistes, bien se renseigner avant).

TAMEGROUT

À 22 km de Zagora, sur la route de Mhamid. Tamegrout est un ancien centre religieux célèbre par la bibliothèque de sa *zaouïa* Naciri (école coranique). Mais son intérêt est très limité (dons à discrétion) et on peut vraiment se dispenser de la visiter. On y garde encore des corans et des manuscrits sur des peaux de gazelle. Quelques ateliers de potiers, en plein air, avec des fours archaïques. Ils produisent des pièces très bon marché. La plupart des poteries de cette coopérative artisanale sont vert et brun (le vert s'obtenant avec du manganèse et du cuivre, et le brun avec de l'antimoine et du cuivre). Là aussi, il est difficile d'échapper aux hordes d'enfants, sauf quand les vieux les pourchassent à coups de bâton dans les mollets. La *zaouïa* accueille des gens souffrant d'hypertension et de problèmes psychiques. Ils sont persuadés de guérir s'ils demeurent près du tombeau de son fondateur. Cela tient de la cour des miracles. Ils sont à la charge de l'école coranique. Photos interdites. Et suite au manque de respect vis-à-vis des habitants et à la débauche de photos malgré leur interdiction formelle, une agressivité, parfois violente, s'est développée. Nous ne pouvons plus recommander la visite des ruelles souterraines. Si toutefois vous souhaitez vous y promener, rangez votre appareil photo, et si l'on vous invective, surtout n'insistez pas !

Où dormir ? Où manger ?

🏠 🍴 **Jnane-Dar :** en face de la bibliothèque coranique, en plein centre. ☎ et fax : 044-84-86-22 ou ☎ 061-34-81-49 (portable). ● jnane dar@yahoo.fr ● Chambres doubles à 170 Dh (17 €). Menu déjeuner à 75 Dh (7,5 €). Dans un grand jardin bien entretenu, le bâtiment principal abrite 7 chambres propres avec sanitaires extérieurs et des douches chaudes contiguës. Le bâtiment central, de forme octogonale, fait office de salle à manger. À moins que vous ne préfériez vous réfugier sous les tentes nomades. Bonne cuisine typique, service souriant. Naciri Abdessadek et Doris Paulus, d'origine allemande, feront tout pour que votre séjour soit parfait. Une adresse routard à prix doux, qui nous a beaucoup plu. Cartes de paiement acceptées.

TINFOU

À 7 km de Tamegrout, en continuant vers Tagounite, on découvre, sur la gauche, à proximité de la route, les dunes de Tinfou très fréquentées par les agences de voyages qui, à certaines heures, déversent ici leurs flots de clients pour leur donner un avant-goût du désert. C'est aussi un repaire de faux guides. Le matin au lever du soleil, il n'y a encore personne et le lieu retrouve alors toute sa magie.

TAGOUNITE

Au km 60. Succession de maisons basses sans intérêt.
Bon à savoir : une station-service *Ziz* dans le village. Toutefois, ne pas y laver sa voiture, eau très salée !

Où dormir ? Où manger ?

Bivouac

⋏ ***Bivouac Aït-Isfoul :*** ☎ 044-84-83-02. Fax : 044-84-76-08. À 5 km avant Tagounite. Bien indiqué par un panneau sur la route. Parcourir ensuite 2 km de bonne piste. Ce bivouac, situé au milieu des dunes et des palmiers, à proximité d'une belle kasbah, est constitué de tentes berbères.

Bon marché

🏠 |●| ***Hôtel-café-restaurant La Gazelle :*** en face de *Mécanique Générale*. ☎ 044-89-70-48. Chambres doubles à 50 Dh (5 €). 4 chambres simples mais très propres ; douche et toilettes à l'extérieur. Literie excellente. Peut dépanner utilement. Cuisine simple et copieuse, servie avec le sourire par le fils du propriétaire.
|●| ***Café-restaurant Saada :*** devant la station des taxis, sur la droite, au bord de la route. Tajines, omelettes, salade. Couscous sur commande. Boissons fraîches.

OULED-DRISS

La route traverse ensuite la magnifique palmeraie, puis le village d'Ouled-Driss, intéressant par son architecture, avant d'arriver à Mhamid où l'oued Drâa va se perdre dans les sables pour ne réapparaître que lors des grandes crues.

Où dormir ? Où manger ?

Bon marché

⋏ 🏠 |●| ***Carrefour des Caravanes :*** à 6 km avant Mhamid, sur le côté gauche de la route et à 800 m d'Ouled-Driss. ☎ et fax : 044-84-86-65. Compter 100 Dh (10 €) pour deux en bungalow ; 50 Dh (5 €) par personne en tente (30 Dh, soit 3 € si vous avez un sac de couchage). Ils ont une dizaine de chambres avec sanitaires communs (loin d'être irréprochables), mais on peut aussi dormir sous des tentes nomades. Petite piscine. Bon accueil. Possibilité de manger sur place pour un prix raisonnable. Beaucoup d'ombre grâce aux palmiers. Ils organisent des excursions.

À voir

🔭 ***Le musée Big House :*** au milieu du village, face à la téléboutique. Entrée gratuite, mais votre obole – aussi modeste soit-elle – sera la bienvenue car ils ne disposent d'aucune subvention. Dans une vénérable kasbah trois fois centenaire s'est ouvert un musée qui mérite le détour. Tout ce qui rythme la vie quotidienne de la naissance à la mort est ici représenté. Le gardien se fera un plaisir de vous accompagner pour vous donner toutes les explications souhaitées. Le thé vous sera certainement offert.

MHAMID

Au km 88, c'est le bout du bitume et le début du désert. C'est aussi le dernier centre administratif du Drâa moyen. La frontière algérienne n'est qu'à 40 km. Mais il n'y a pas de route, seulement une piste pour les caravanes. Le village n'offre aucun intérêt particulier. Le lundi, jour de souk, on peut croiser quelques « hommes bleus », ces chameliers du désert, autrefois nomades mais qui maintenant se sont sédentarisés. Le reste de la semaine, Mhamid retombe en léthargie. Les faux guides, hélas, pullulent, pas toujours très sympas. À voir également, un autre souk qui ne manque pas d'intérêt à Beni-Ali, le mardi.

Adresse utile

■ **Agence Bivouac l'Erg :** face à la mosquée. ☎ 061-87-16-30 (portable). ● www.kim-loan.com/erg ● Réservation par mail : ● mdaimin@ yahoo.fr ● ou par courrier : BP 8, Mhamid 45400. Mokhtar et Margot vous accueillent sous les tentes nomades au pied des dunes de l'erg Lihoudi. Compter 200 Dh (20 €) par personne en bivouac, en demi-pen-

sion. Le bivouac est équipé de douches et de sanitaires. L'équipe francophone organise aussi des méharées, des trekkings dans le désert et des visites culturelles. Accès en voiture par une piste située au km 18 avant Mhamid, et possibilité de navettes au départ de Zagora, Mhamid et Tagounite.

Où dormir ? Où manger ?

Campings

⚠ |●| **Camping Hamada du Drâa :** bien indiqué de la place principale. ☎ 044-84-80-86 ou 062-13-21-54 (portable). ● naamani-el-hassanm@ hotmail.com ● Prévoir 10 Dh (1 €) pour une tente et 10 Dh (1 €) par personne ; on peut également profiter de la tente berbère pour 40 Dh (4 €). Bloc sanitaire avec deux toilettes et autant de douches (eau chaude par panneaux solaires). Le tout est très propre. Camping tenu par des jeunes sympathiques. Peu d'ombre pour le moment. Bibliothèque d'ouvrages sur le désert. Hanani El Hassan, guide officiel, propose des méharées et des bivouacs d'un

à 10 jours et des formules originales d'initiation au désert.
⚠ |●| **Paradise Garden :** 4 km avant d'arriver à Mhamid. ☎ 066-71-68-56 (portable). Prévoir 15 Dh (1,50 €) par personne. Ajouter les prestations : douche chaude à 10 Dh (1 €), piscine à 20 Dh (2 €) et menu à 80 Dh (8 €). Parking également payant. En tout, 22 tentes nomades équipées de 4 lits chacune. Sanitaires avec eau chaude, d'une propreté exemplaire. Restaurant avec bar installé au bord de la piscine. Un merveilleux lieu de détente dans une ambiance calme. Bonne cuisine.

De bon marché à prix moyens

🛏 🍽 *Auberge Kasbah Touareg :* à 1 km après Ouled-Driss et 5 km avant Mhamid ; ensuite, 800 m de piste carrossable. ☎ 044-84-86-78. Chambres doubles à 40 Dh (4 €). Dans une kasbah en pisé plus que centenaire, 6 chambres vraiment rudimentaires (la literie est limite) mais sympathiques. Toilettes et douches propres. Tentes berbères disponibles pas chères, ainsi que des emplacements pour tentes individuelles. Cadre vraiment superbe dans une kasbah familiale encore habitée et qui a gardé tout son charme. Grand jardin avec puits et four à méchoui. Hammam. Restaurant proposant une cuisine familiale authentique. Accueil très chaleureux.

🛏 🍽 *Al-Khaima :* dans la palmeraie. Traverser le pont sur l'oued. ☎ 062-13-21-70 (portable). La nuit à 25 Dh (2,5 €). Possibilité de dormir dans une petite maison de pisé de 6 chambres, avec douche et toilettes à l'extérieur. Pas d'électricité, mais bougies en quantité suffisante. L'ensemble, très rudimentaire, est tenu par Bachir qui organise, lui aussi, des excursions. Sa femme prépare les repas. Une bonne adresse, simple et économique.

🛏 *Hôtel Sahara :* sur la place. ☎ 044-84-80-09. Fax : 044-84-80-46. Chambres doubles à 60 Dh (6 €). 7 chambres plus que sommaires et vraiment pas nickel. On nous assure depuis des années que des travaux vont être effectués... Ce qui semble aujourd'hui le cas, à suivre donc. Organisation d'excursions.

🛏 🍽 *Hôtel-restaurant Iriqui :* sur la droite de la place principale en arrivant à Mhamid. ☎ 044-84-80-23. À Ouarzazate : BP 164. ☎ 044-88-57-99. ☎ et fax : 044-88-49-91. Compter 150 Dh (15 €) la chambre de 3 lits. 3 chambres sommaires mais propres ; sanitaires communs, avec douche chaude. Grande terrasse sur le toit, avec tente berbère. Restaurant et bar (sans alcool) avec un vrai percolateur ! Cartes de paiement acceptées.

➤ *DANS LES ENVIRONS DE MHAMID*

Pour visiter les environs de Mhamid, il est indispensable de posséder un véhicule 4x4 et de se faire accompagner par un guide compétent, car la région comporte de nombreux pièges à cause des zones d'*akklé* (végétation qui bloque le sable) le long de l'oued Drâa, qui rendent la progression difficile. Attention également au sable qui, à certaines périodes, peut être très mou. Depuis quelques années, les dunes ont une nette tendance à ressembler à un dépotoir. Nous ne le redirons jamais assez : n'enfouissez pas vos poubelles, rapportez-les à votre hôtel !

🚶 *L'erg Lehoudi (« l'erg des Juifs ») :* ce beau tas de sable se situe quelque 8 km au nord de Mhamid, dans l'alignement du château d'eau. On peut s'y rendre avec une voiture de tourisme. En saison, quelques *khaïma* sont plantées là, sous lesquelles vous trouverez quelques « hommes bleus » qui vous proposeront un thé à la menthe. L'ensemble est très sympa, il y a des chameaux pour une balade dans les dunes au coucher du soleil. Vous pouvez même rester dormir sur place si vous le souhaitez. Par contre, nous nous élevons contre des expéditions et des rallyes qui laissent traîner après leurs bivouacs des tonnes de détritus sur ces lieux et qui offrent de vulgaires bouteilles en plastique au vent.

🚶🚶 *Les dunes de Chigaga :* à 60 km. 4x4 indispensable. Compter 1 h 30 minimum de piste avec un chauffeur connaissant parfaitement le coin. Ces dunes, longues de 40 km, sont impressionnantes, mais en saison chaude il est impératif de les voir au lever ou au coucher du soleil ; c'est pourquoi il est recommandé d'établir un bivouac et de dormir au pied de la dune. En hiver, on peut à la rigueur y aller dans la journée, mais les meilleures heures pour la lumière sont toujours celles du matin et du soir. Adressez-vous de préférence à des agences spécialisées.

QUITTER MHAMID

En bus

➤ *Pour Zagora, Ouarzazate et Marrakech :* 2 départs par jour, le matin et en début d'après-midi.
➤ *Pour Casablanca :* 1 bus dans l'après-midi affrété par la *CTM.*
➤ Également des taxis collectifs *pour Zagora.*

DE MHAMID À FOUM-ZGUID PAR LA PISTE

Il est possible de rejoindre Foum-Zguid par la piste. Il existe en fait deux itinéraires. Le premier emprunte un reg désertique et très caillouteux au nord des ergs qui jalonnent l'oued Drâa jusqu'à la dépression d'Iriki. L'autre chemine au sud de la zone d'ergs en limite de l'oued Drâa.

MISE EN GARDE : ces itinéraires (notamment le second) doivent se faire obligatoirement à 2 véhicules minimum, avec une réserve de carburant, de nourriture et d'eau en quantité suffisante. Nous vous invitons à embarquer avec vous un guide du coin connaissant bien la région.

➤ *Par la piste Nord :* cette piste est relativement fréquentée, elle traverse un reg caillouteux, il y a même parfois de bonnes portions de tôle ondulée. Dans un premier temps, elle vous conduit à l'oasis Sacrée et aux dunes de Chigaga. Des bivouacs sont installés maintenant en permanence au pied des dunes, vous pouvez donc aller là-bas pour y passer la nuit (tentes, sanitaires et même cuisine avec un frigo). Ceux qui veulent goûter du Sahara ne doivent en aucun cas manquer cette excursion. Ensuite, deux possibilités : soit le vent de sable souffle trop fort et il est préférable d'emprunter la piste qui monte plus au nord et longe le Djebel Bani. Elle est très caillouteuse (attention aux crevaisons) mais bien indiquée. On retrouve ensuite la piste du nord un peu avant l'oasis Zaouïa-Sidi-Abd-en-Nebi. Soit vous poursuivez la piste du nord, plus sablonneuse par grand vent. Votre choix dépendra principalement des conditions météo. N'hésitez pas à vous renseigner au campement de l'oasis Sacrée. Dans les deux cas, vous débouchez sur la *dépression d'Iriki,* qui peut être en eau à certaines périodes de l'année. C'est un lac asséché la plupart du temps, bordé de cordons de dunes. Le paysage est absolument fantastique. D'Iriki, la piste passe près de l'oasis Zaouïa-Sidi-Abd-en-Nebi où vous pouvez toujours demander de l'aide en cas de besoin, et reprend le reg jusqu'au poste de contrôle militaire de Foum-Zguid. Compter environ 7 h pour faire le trajet.

➤ *Par la piste Sud :* attention, ne pas s'engager sur cette piste si le vent de sable ou la pluie menacent ou même s'il fait trop chaud. Une fois les conditions météo vérifiées, compter environ 7 h pour faire le trajet. Attention, la piste est peu fréquentée, compter plutôt sur ses propres moyens. Partir à deux véhicules obligatoirement, avec réserve d'eau, de carburant et de nourriture en quantité suffisante. Cette piste est dite « piste des Saoudiens » en raison des nombreuses parties de chasse au faucon que faisaient les Saoudiens dans cette région par le passé (quelques ruines en pisé écrasées de soleil en témoignent encore ici et là). Sur cette piste très peu marquée, le trafic est nul. Il conviendra donc de se faire accompagner d'un guide compétent au départ de Mhamid. Principales difficultés : l'orientation à travers les champs de dunes et le sable. Mais cette piste, qui débouche sur la *dépression d'Iriki* au même niveau que l'itinéraire précédent, vous permettra de rencontrer de nombreux éleveurs nomades et des chameaux par centaines. C'est peut-être encore un des seuls itinéraires du Maroc qui vous permettra d'apercevoir des gazelles.

LES ROUTES ET LES PISTES AU DÉPART DE ZAGORA

VERS LE TAFILALET : DE ZAGORA À RISSANI

Par la piste

De Zagora, vous pouvez gagner le Tafilalet par la piste. En raison des risques importants de se perdre sur cet itinéraire, notamment si le vent de sable se lève, nous vous recommandons de vous adresser à une agence spécialisée. Les premiers kilomètres sont très cailouteux et la piste est cassante. Ensuite, vous mettrez le cap sur le village de Tissemoumine (beau village abritant une superbe kasbah et une palmeraie très accueillante), puis Oumjrane, Tafraoute, Hassi-Remlia, Hassi-Ouzina, Taouz, Merzouga et enfin Rissani.

Par la route

De Zagora, remontez la vallée du Drâa jusqu'à Tansikht, puis tournez à droite en direction de Tazzarine. Cet itinéraire relie successivement Nekob, Tazzarine et Alnif jusqu'à Rissani. Comptez 4 h de trajet en moyenne pour couvrir les 240 km du parcours. Ambiance minérale qui peut paraître à certains monotone et à d'autres (dont nous sommes) particulièrement belle. Pas étonnant, donc, que de nombreux marchands vendent des fossiles le long de cette route, car des affleurements rocheux datant en grande partie de l'ordovicien (il y a 500 millions d'années) émergent un peu partout dans ce désert aride qui sépare les vallées fertiles du Drâa et du Tafilalet.

Tronçon Tansikht-Tazzarine par Nekob

🦌 *Nekob,* à 38 km, peut servir d'étape avec son tout nouveau complexe touristique qui surplombe le village.

🏠 🍴 *Baha Baha :* ☎ 044-83-90-78 ou 044-83-84-63. Fax : 044-83-84-64 ou 044-44-67-24. ● www.kasbah baha.free.fr ● Ils ont leur bureau à Marrakech : ☎ 044-30-78-01. Fax : 044-30-69-65. ● www.bahabaha.com ● Chambres doubles à 250 Dh (25 €) ; demi-pension à 380 Dh (38 €). Tout a été tarifé, y compris le tarif d'un Gnaoua de la région ou d'un flûtiste berbère... Organisation de bivouacs, de randonnées pédestres, muletières en montagne et chamelières dans le désert. Excursions en 4x4. Piscine en forme de cruche. Même propriétaire que le *camping Amasttou* (voir plus bas), qui cherche à développer le tourisme dans la région, où de nombreux sites de gravures rupestres de la préhistoire attirent les spécialistes.

Piste d'atterrissage naturelle pour les petits avions de tourisme et ULM. Parapente et deltaplane possibles depuis le *djebel* Amoun.

🦌 De Nekob, vous pouvez gagner par la piste le versant nord du *djebel* Saghro et poursuivre par la suite, indifféremment, la vallée du Dadès ou celle du

Todgha en passant par le col de Tizi-n-Tazazert. Cet itinéraire, absolument superbe, chemine à travers un massif basaltique de toute beauté (risque de crevaison important, vu la nature du sol fait de cailloux tranchants). Compter une bonne journée de piste pour faire Nekob – Tineghir ou Nekob – Boumalne (voir plus loin « La piste Zagora – Tineghir »).

🍴 *Tazzarine*, à 68 km, ne présente guère d'intérêt. On y trouve cependant un hôtel, un camping, et on peut y faire le plein d'essence à la station *Ziz* et aller boire une bonne bière à la terrasse du *Bougafer*.
– *Souk* le mercredi et non le jeudi, comme vous l'entendrez peut-être dire.

⛺ 🏠 |◉| *Camping Amasttou :* accès fléché de l'entrée de la ville quand on vient de Nekob. ☎ 044-83-80-78. Fax : 044-44-67-24. Situé dans une partie de la palmeraie, il est calme et relativement ombragé. Compter aux alentours de 55 Dh (5,5 €) pour deux avec la tente. 2 chambres pour 4 et 5 personnes à 100 Dh (10 €). Sanitaires avec douche chaude et piscine dans un petit bassin. Des plats régionaux peuvent être servis sous une tente berbère. Bon accueil. Ceux qui n'ont pas de tente peuvent dormir dans une pièce.

⛺ |◉| *Camping Bougafer :* à l'entrée de la ville, juste après l'oued, sur la gauche. ☎ 044-83-90-05 ou 044-83-90-84. Fax : 044-83-90-86.

Appartient au propriétaire de l'hôtel du même nom. Compter 40 Dh (4 €). Deux tentes. Snack. Terrasse ombragée pour se restaurer. Un guide attaché au camping peut aider à la découverte de la région (gorges, cascades, fossiles, minéraux, gravures rupestres). Il organise des bivouacs dans le désert.

🏠 |◉| *Hôtel-restaurant Bougafer :* bien indiqué. ☎ 044-83-91-69. Chambres doubles à 80 Dh (8 €). Établissement de 45 chambres propres. 8 douches collectives sales. Hammam. Terrasse. Accueil sympa. Pas de cartes ni de prix affichés au restaurant. Ne pas hésiter à marchander. Cartes de paiement acceptées... si la machine fonctionne.

Tronçon Tazzarine-Alnif

À 67 km, la palmeraie d'Alnif est agréable. La pomme de terre d'Alnif est renommée dans tout le Sud marocain. Elle est cultivée le long de la superbe palmeraie qui borde la piste au nord du village. Station *Ziz*. Téléboutiques. Vous découvrirez, non loin du restaurant *La Gazelle du Sud*, une admirable petite boutique de fossiles, *Ihmadi Trilobites Center*, tenue par un érudit en la matière qui vous proposera d'aller visiter les sites d'extraction de la région, véritable creuset pour les trilobites ou à défaut, de visionner des diapositives sur les sites. Les scientifiques du monde entier s'intéressent à cette région.

🏠 |◉| *La Gazelle du Sud :* à Alnif. ☎ 055-78-38-13. 5 chambres simples et bon marché. Les patrons sont très sympas. L'un d'eux est responsable de l'alphabétisation et des écoles de la région. Organisation de bivouacs. Bon marché.

🏠 |◉| *Restaurant Bougafer :* ☎ 044-78-38-09. Fax : 044-88-42-89. Fait aussi hôtel avec 10 chambres et douche individuelle, simples mais propres. Tente sur le toit. Restaurant au 1er étage. 4 menus au choix. Très bon marché.

Tronçon Alnif-Rissani ou Alnif-Tineghir

C'est à partir d'Alnif que vous pouvez rattraper le plus facilement et le plus vite la route qui relie Er-Rachidia à Ouarzazate au nord du *djebel* Saghro. Cette piste ne présente aucune difficulté, elle est relativement fréquentée et est accessible aux véhicules de tourisme (attention toutefois aux crevaisons). La piste longe la palmeraie sur la gauche au nord du village jusqu'au col de Tizi-n-Boujou, puis redescend vers la plaine environ 21 km avant Tineghir. Il faut compter entre 1 h 30 et 2 h pour arriver sur le goudron depuis Alnif.

LA PISTE ZAGORA-TINEGHIR

Itinéraire à ne faire qu'en 4x4. Compter 231 km au total, dont 127 km de piste, le reste asphalté.

Quittez Zagora en direction de Ouarzazate. À Tansikht, passez le pont sur le Drâa et continuez jusqu'à Nekob (oasis avec de bons emplacements pour camper).

À la sortie de Nekob, continuez en direction de Tazzarine jusqu'à un grand panneau : à droite, Tazzarine ; à gauche, *Iknioun*. Emprunter la bonne piste pour Iknioun n'est pas toujours facile, car plusieurs routes se croisent. Bien souvent les pistes les plus marquées sont celles tracées par les camions qui vont dans les mines de la région. Elles aboutissent par conséquent à des culs-de-sac. L'itinéraire est difficile.

La piste franchit le *djebel Saghro*, massif volcanique modelé par l'érosion et habité par quelques courageux transhumants d'Aït-Atta. Le vent a donné aux roches une patine foncée et vitreuse. Le paysage, aride et sec comme un minerai, est d'une beauté sauvage.

Le col, le *Tizi-n-Tazazert*, culmine à 2 200 m (attention, en hiver, il peut être coupé par la neige). Après le Tizi, tenez votre droite jusqu'à trouver de nouveau un panneau : pour Boumalne-du-Dadès à gauche (39 km), piste plus rapide ; pour Iknioun et Tineghir à droite (64 km), plus jolie. À Iknioun, souk le lundi.

LA PISTE ZAGORA-TAZENAKHT

Ceux qui veulent rejoindre la route de Taroudannt et éviter Ouarzazate peuvent emprunter la piste qui part d'Agdz. Environ 46 km de piste en assez mauvais état mais relativement plate, avant de trouver le bitume. Attention cependant : risque de crevaisons à cause des petits cailloux pointus. Tout le long de la route, villages bien typiques et beaux paysages.

On peut faire halte à Tazenakht.

LA PISTE ZAGORA-FOUM-ZGUID

Longue de 120 km, elle est parfois cassante ; se renseigner avant de l'emprunter. Les jours de souk à Zagora (mercredi et dimanche), possibilité de prendre place dans un camion qui dessert Foum-Zguid (5 h de trajet pour 130 km). Prévoir des provisions.

🏃 *Foum-Zguid* abrite 10 000 âmes. Villages agréables dans les alentours. Pratiquement aucun touriste.

– *Souk* le jeudi. Animation garantie.

– *Coopérative des tapis* : bien indiquée. On vous laisse regarder tranquillement. Les prix, très inférieurs à ceux de Marrakech, sont fixés par l'État ; donc pas moyen de marchander, mais de toute façon, on est gagnant.

🏠 🍴 *Auberge Iriqui :* 10 chambres dont une avec AC. Compter 300 Dh (30 €) environ pour une double. Ils ont un restaurant et un garage fermé. Le patron fait aussi commerce d'objets anciens. Bon accueil.

LA ROUTE FOUM-ZGUID-TATA

Les 150 km qui séparent les deux localités se font sans difficulté. En effet, cette nouvelle route est particulièrement agréable en fin de journée, lorsque le soleil se couche. Contrôle des passeports obligatoire à Tissint, mais les formalités se font dans la bonne humeur.

À L'EST DE OUARZAZATE

SKOURA   30 000 hab.

Skoura (prononcer « Skora ») est la première étape entre Ouarzazate (42 km) et le Tafilalet. La route longe le grand lac de retenue du barrage El-Mansour-Eddahbi. On peut accéder à ce lac de 4 500 ha en empruntant une petite route sur la droite, à une vingtaine de kilomètres de Ouarzazate. L'environnement est très beau, mais le coin risque de devenir très touristique. Cela commence avec les villas qui se construisent tout autour du golf royal. Depuis des années que sévit la sécheresse, les eaux du lac ont atteint leur plus bas niveau. La verdure tout autour disparaît lentement et les palmiers jaunissent.

La fondation de Skoura par Yacoub-el-Mansour au XIIᵉ siècle appartient à la légende. Il est probable qu'elle ait été fondée au XVIIIᵉ siècle par Moulay Ismaïl. En tout cas, elle n'existait pas lors du passage de Léon l'Africain au XVIᵉ siècle, seul témoignage écrit sur cette région.

Les habitants parlent l'arabe, quoiqu'une partie importante soit d'origine berbère (Aït Imegran). Il est possible que la palmeraie ait été fondée par des Arabes et que des nomades berbères s'y soient sédentarisés plus tard. Aujourd'hui, l'agglomération s'est considérablement agrandie. On dit d'ailleurs que la plupart des citoyens de Ouarzazate, ville récente, sont originaires de Skoura. Souk très animé le lundi.

La vallée du Dadès débute avec la palmeraie de Skoura. Au printemps, ce ne sont plus que des filets d'eau qui circulent dans les canaux qui irriguent les cultures. Avec l'Atlas enneigé en toile de fond, l'ensemble garde malgré tout beaucoup d'allure.

Où dormir ?

Bon marché

🛏 **Gîte Chez Slimani :** Oulad Yaacoub (dans la palmeraie même, à 200 m de la kasbah d'Amerdihil). ☎ 044-85-22-72 et 061-74-68-82 (portable). Compter 80 Dh (8 €) par personne en demi-pension. Dans une kasbah bien entretenue et propre. Très simple et sans électricité, mais avec des chambres chaudes. Bon accueil de M. Slimani, le propriétaire. Équitation possible.

🛏 **Kasbah Aït Abou, chez Mafhoum Abde Lali :** dans la palmeraie. ☎ 044-85-22-34 et 066-25-11-19 (portable). ● www.chez.com/kasbahaitabou ● Compter 220 Dh (22 €) par personne en demi-pension. Dans une magnifique kasbah traditionnelle en pisé, un accueil dans une famille qui ne manque ni d'humour ni de gentillesse. Repas servis sous une tente berbère. La cuisine est bonne. L'ensemble est propre. Jardin agréable, envahi par les oiseaux. Une bonne petite adresse hors des sentiers battus.

Très chic

🏠 **Hôtel Ben-Moro :** à 3 km avant Skoura, sur la gauche. ☎ et fax : 044-85-21-16. ● hotelbenmoro@yahoo.fr ● Près de la palmeraie. Compter 550 Dh (55 €) la chambre double ; petit déjeuner à 40 Dh (4 €). Repas à 150 Dh (15 €). Cette authentique kasbah en pisé du XVIIIᵉ siècle, réhabilitée par un Espagnol, abrite 13 belles chambres confortables, décorées avec un goût très sûr et dans le respect des traditions. La restauration de cette kasbah est particulièrement réussie et devrait servir d'exemple pour la sauvegarde du patrimoine régional. Très bon accueil. Organisation de promenades dans la palmeraie et le Haut Atlas. En cas de besoin, la maison peut assurer votre transfert depuis et vers l'aéroport. Cette adresse de charme est sans conteste l'une des meilleures de tout le Sud marocain. Cartes de paiement acceptées.

Où manger ?

4 établissements de standing comparable, très simple. Repas pour 50 Dh (5 €) environ.

🍽 **La Baraka :** à droite en venant de Ouarzazate, 300 m après la station-service. ☎ 044-85-20-23. Excellents tajines de veau et de poisson, ainsi que de copieuses brochettes. En dépannage, on peut dormir sur la terrasse pour un prix ridicule. Ils possèdent aussi un gîte dans la palmeraie.

🍽 **Café-restaurant Atlas :** le second sur la gauche en venant de Ouarzazate. ☎ 044-85-20-28. Simple mais bon : le tajine est remarquable. Excellent accueil, du moins si l'on accepte le guide qui est proposé pour la visite de la palmeraie.

🍽 **Café-restaurant La Kasbah (chez les frères Jebrane) :** sur la route principale qui contourne le centre de Skoura. ☎ 044-85-20-78. Bonnes brochettes. Demander le fromage de la coopérative de Skoura... un régal. Bon accueil.

🍽 **Café-restaurant du Sud :** à l'entrée de la ville quand on vient de Ouarzazate. Dans le même genre que les deux précédents. Simple et propre.

À voir

🥾🥾 **La palmeraie :** à 2,5 km de l'entrée de la ville en venant de Ouarzazate, emprunter la piste sur la gauche. On se retrouve dans la palmeraie, qui est assez vaste et nécessite d'être accompagné.

On ne peut la visiter qu'à pied. La palmeraie est constituée d'un ensemble de *douar* avec des constructions de pisé, dont certaines sont exceptionnelles. Il est impossible de suivre un itinéraire précis dans ce lacis de chemins étroits qui desservent des cultures dans un cadre autrefois bucolique, où des jardins de roses apparaissaient parfois, à l'ombre des palmiers.

Les plus belles kasbahs sont celles de *Dar-Sidi-el-Mati* (à l'entrée de la ville, à 500 m sur la gauche en venant de Ouarzazate, de l'autre côté de l'oued) et celle d'*Amerdihil*, un peu plus loin du même côté. Cette puissante construction fortifiée, impressionnante par sa taille et remarquable par sa décoration, a été bâtie par le maître du Coran du Glaoui. Visite guidée gratuite faite par un des fils du propriétaire.

Après le centre de Skoura, en direction de Toundoute, dans l'extrémité nord de la palmeraie, on découvrira la *kasbah d'Aït-Abou*, la plus haute de Skoura. Son propriétaire y organise des repas de groupe sur commande.

Ses bénéfices servent à réaménager cette kasbah qu'il aimerait convertir en gîte d'étape. Une excellente initiative, qui procurerait une adresse originale dans la région.

– Une piste, au départ de Skoura, permet de rejoindre les **gorges du Dadès**. Elle n'est praticable qu'en 4x4, à certaines époques de l'année et à condition d'être accompagné par quelqu'un connaissant bien le parcours. Cette piste, magnifique, passe par *Bou-Thahrar* et la **vallée des Roses**.

– En continuant la route principale en direction d'El-Kelaa, on franchit le Tizi-n-Taddert et, 16 km après Skoura, sur le côté droit, on découvre la *kasbah d'Imassine*, sorte de forteresse qui aurait, selon la légende, servi de caserne à une garnison d'esclaves noirs. Ce qui est certain, c'est que toute cette région mérite bien son nom de « vallée des Mille Kasbahs ».

QUITTER SKOURA PAR LA PISTE

Ne pas s'engager à moins de deux véhicules sur cet itinéraire. Partir avec le plein de carburant. Merci de ne rien donner aux autochtones, afin de ne pas polluer ce circuit. De Skoura, vous avez la possibilité de rejoindre la vallée du Dadès en passant par les pistes qui serpentent au pied du massif du M'goun. Une bonne journée est nécessaire pour effectuer le trajet, mais vous ne le regretterez pas car c'est certainement, au printemps, un des plus beaux itinéraires du Maroc.

De Skoura, prendre la route goudronnée en direction de Toundoute, bien avant de gagner les plaines d'altitude, parsemées d'armoise et de thym sauvage. À partir d'Aït-Toumert, la piste a été récemment refaite (une véritable autoroute !) jusqu'au village de Bou-Tahrar (vallée des Roses) en prévision de son goudronnage prochain. En effet, les autorités mènent une politique de désenclavement des vallées fertiles d'altitude pour subvenir aux besoins de la population soumise à une forte poussée démographique. À Bou-Tahrar, le passage à gué de l'oued M'goun a été remplacé par un pont.

De Bou-Tahrar, vous avez deux solutions : la première est de rejoindre directement le goudron au niveau de la kasbah du Glaoui d'Aït-Youl (vallée du Dadès) en empruntant la piste qui se dirige plein est à la sortie de Tamaloute, la seconde consiste à gravir le col en direction d'El-Kelaa des M'Gouna.

Si vous êtes à Bou-Tahrar vers 16 h et que vous n'êtes pas trop pressé d'arriver, nous vous conseillons la seconde formule qui vous permettra, du sommet du col, d'admirer la vue sur la vallée des Roses au soleil couchant, un spectacle inoubliable !

EL-KELAA DES M'GOUNA

Gros village à 1 450 m d'altitude, situé presque à la jonction des vallées du M'Goun et du Dadès. Ici, les températures peuvent osciller de - 3 °C à + 37 °C.

Toute la région est célèbre pour sa rose, en pleine floraison de mi-avril à mi-mai. Cette *Rosa damascena*, très odorante, fut introduite au Maroc par des pèlerins de retour de Damas. On en récolte jusqu'à 4 000 t certaines années. Une partie est transformée en eau de rose pour la production locale (ablutions avant les repas), le reste est exporté pour la parfumerie. 4 000 kg de roses sont nécessaires pour obtenir 1 kg d'extrait. Un *moussem* de la Rose se déroule le 2ᵉ dimanche de mai. Défilé de chars, majorettes en habits traditionnels, démonstration de troupes folkloriques, célébration de mariages, élection de Miss Rose... Très fréquentée par les Marocains, cette fête de 3 jours n'offre pas un grand intérêt pour les touristes.

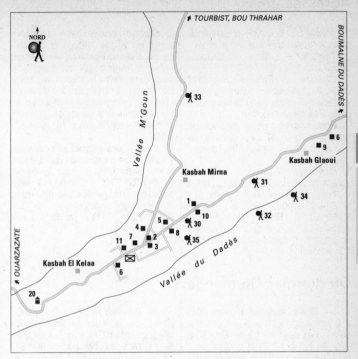

EL-KELAA DES M'GOUNA

■ **Adresses utiles**

🖂 Poste
1 Station-service
2 Banque Populaire
3 Wafabank
4 Pharmacies du Dadès
5 Pharmacies
6 Bureau des guides
7 Taxis collectifs
8 et 9 Usine des roses
10 Gendarmerie
11 Bureau CTM

🏠 🍽 **Où dormir ?**
Où manger ?

20 Hôtel Rosa Damaskina

🍴 **À voir**

30 Coopérative du poignard
31 Mellah de Tylit
32 Mellah de Aït-Ouzine
33 Mellah de Tourbist
34 Mellah d'Aït-Yassine
35 Village d'Azlag

L'été, la région regorge de fruits : abricots, pommes, poires, figues, prunes, grenades, noix, olives, pêches, brugnons, amandes, coings. Des ceps de vigne vous étonneront par leur importance (de 10 à 15 m de hauteur).
D'El-Kelaa des M'Gouna à Boumalne-du-Dadès, une agglomération en continu le long de l'oued et de la palmeraie.
– **Souk :** le mercredi.

LES OASIS DU SUD

Adresses utiles

✉ **Poste :** au début de la rue principale, à droite, direction Boumalne.

◼ **Téléphone :** dans les téléboutiques, ouvertes de 7 h à 22 h.

◼ **Change :** Banque Populaire (plan, 2) et Wafabank (plan, 3). L'une en face de l'autre, dans la rue principale. Pas de distributeur.

◼ **Pharmacies :** deux dans la rue principale (plan, 5), deux dans la rue qui conduit au mellah de Tourbist (plan, 4).

◼ **Cabinets médicaux :** Dr Lhoussaïn Amjoud, dans la rue qui conduit à l'hôtel Rose du Dadès. Cabinet : ☎ 044-83-60-09 ; domicile : ☎ 044-83-63-10. Dr Brahim Charaf, à la sortie du village, à gauche direction Boumalne. Cabinet : ☎ 044-83-61-18 ; domicile : ☎ 044-85-00-61.

◼ **Station-service** (plan, 1) : à la sortie du village, face à la gendarmerie, direction Boumalne. Si votre véhicule fonctionne au super, on vous déconseille la station au centre du village. Votre moteur risque de cliqueter : il arrive que l'on serve de l'essence au prix du super.

◼ **Gendarmerie** (plan, 10) : 044-83-63-97.

◼ **Bureau des guides et accompagnateurs de montagnes** (plan, 6) : à 1 km avant El-Kelaa, sur la droite. ☎ 044-83-63-11. On pourra faire appel à quatre guides officiels. Tarifs officiels non négociables : 250 Dh (25 €) pour une journée dans la vallée des Roses.

Où dormir ? Où manger ?

🛏 |◉| **Rosa Damaskina** (plan, 20) : à 6 km avant El-Kelaa. ☎ 044-83-69-13. Fax : 044-83-69-69. De 150 à 170 Dh (15 à 17 €) la double avec ou sans salle de bains (très simple), petit déjeuner non compris. Petit hôtel de 6 micro-chambres, propres, dont 4 avec salle de bains commune. Au restaurant, menu du jour et carte. Nourriture excellente et copieuse servie sur une belle terrasse ombragée avec vue sur l'oued. Service très attentionné de Mimoun. Pas d'alcool. Une petite adresse au très bon rapport qualité-prix. Cartes de paiement acceptées.

🛏 |◉| **Kasbah Itran :** à 2 km d'El-Kelaa, sur la route de Tourbist. En téléphonant d'El-Kelaa, quelqu'un peut venir vous chercher. ☎ 062-62-22-03 ou 066-16-11-47 (portables). ● lahcen345@caramail.com ● Prévoir entre 150 et 180 Dh (15 à 18 €) par personne en demi-pension pour une chambre double avec ou sans terrasse. Dans cette maison traditionnelle qui domine la vallée du M'Goun, la famille Tagdha propose 7 chambres agréables avec lavabo. Salle de bains et w.-c. communs. Ils organisent aussi des excursions.

À voir

🗡 **La coopérative du poignard** (plan, 30) : à la sortie du village, direction Boumalne, sur la droite. Jusqu'en 1962, les populations juives ont enseigné aux Berbères d'El-Kelaa la bijouterie, l'argenterie et la ciselerie. Ils continuent à faire vivre ces arts traditionnels au sein de la coopérative, où l'on peut admirer et acheter leurs œuvres. Attention, les Berbères sont redoutables en affaires. Un poignard de taille standard, finement ciselé, ne doit pas s'acquérir à plus de 300 Dh (30 €). Encore faut-il faire la différence entre un manche en os de dromadaire, de bœuf ou en bois de cèdre, de peuplier ou d'abricotier. La lame peut être en fer, en acier ou en métal argenté.

🗡 *Le village d'Azlag (plan, 35) :* les 120 artisans œuvrent à la fabrication des poignards. Prendre la piste derrière la coopérative du poignard (informations sur place).

🗡 Traverser le pont qui enjambe l'oued. Là, au pied des kasbahs, dans un dédale de chemins, on découvre une mosaïque de petits champs verts irrigués d'eau fraîche. Les *citadelles*, en surplomb, furent bâties par des chefs locaux. Elles rappellent les luttes d'influence qui eurent lieu dans cette région, véritable carrefour de communications. Les épaisses murailles de pisé et leurs tours tronquées sont un bel exemple d'art berbère.

➤ DANS LES ENVIRONS D'EL-KELAA DES M'GOUNA

🗡 Les populations juives ont laissé derrière elles de nombreux vestiges, comme en témoignent les *mellahs de Tylit (plan, 31)*, *Aït-Ouzine (plan, 32)*, *Tourbist (plan, 33)* et *Aït-Yassine (plan, 34)*. Sur la route à droite, celui de Tylit, en direction de Boumalne, à 7 km d'El-Kelaa des M'Gouna, est le plus facile à visiter. Laisser la voiture sur la place, devant la mosquée. Visite à pied d'1 h.

➢ El-Kelaa des M'Gouna est le point de départ pour découvrir la vallée des Roses, décrite plus loin (à ne manquer sous aucun prétexte). Mais aussi : les gorges du M'Goun, les cascades Ameskur et Khebach, le sentier des Mille Kasbahs, le chemin des Ornithologues, les jardins marocains du désert, l'ascension du M'Goun (4 068 m).

BOUMALNE-DU-DADÈS

Ce centre administratif important, situé au débouché des gorges, constitue un excellent point de départ pour leur visite d'ouest en est (voir plus loin la description du circuit complet décrit dans le sens inverse). Il serait impensable de ne pas s'arrêter à Boumalne (*Boumalen* en arabe), qui offre dans ses environs de nombreuses promenades.
La ville, en soi, n'a aucun attrait, et il faut la traverser pour monter au sommet de la falaise où se trouvent perchés les principaux hôtels que nous avons sélectionnés. La vue est absolument exceptionnelle, avec l'oued Dadès bordé de *ksour* et de kasbahs d'une belle couleur ocre qui change selon les heures, avec la lumière du soleil.
– *Souk :* le mercredi, dans une enceinte sur la droite à l'entrée de la ville, face à l'hôtel *Adrar*.

Adresses utiles

✉ *Poste :* dans une rue sur la gauche entre l'hôtel *Vallée des Oiseaux* et l'hôtel *Salam*, dans la ville haute.
■ *Téléphone :* téléboutiques ouvertes de 7 h à 22 h. Dans le bas de la ville avant le souk, à l'hôtel *Chems* (voir ci-après la rubrique « Où dormir ? ») et près de l'hôtel *Adrar*.
■ *Banque Populaire :* bd Mohammed-V, près du souk. Change rapide.

■ *Médecin :* Mountassir Ahmed, pl. de la Mosquée. ☎ 044-83-02-47.
■ *Pharmacies :* bd Mohammed-V.
■ *Stations-service :* sur la route de Ouarzazate, après le pont, et sur la route de Tineghir, à côté de l'hôtel *Vallée des Oiseaux*.
■ *Guides officiels :* à la *kasbah Tizzarouine* ou au *Soleil Bleu*. Guides compétents et appliquant les tarifs officiels : 250 Dh (25 €) la jour-

née. Nombreux programmes à la carte. Vallée des Roses, vallée du Dadès, vallée des Oiseaux. Organisation de bivouacs.

Où dormir ?

Bon marché

▣ *Auberge du Soleil Bleu :* suivre les indications comme pour se rendre à l'hôtel *Madayek*; juste avant cet établissement, emprunter à droite la piste (entre l'hôtel et la tour de télécommunication) qui conduit à l'auberge, à 300 m environ. ☎ et fax : 044-83-01-63. Chambres doubles à 120 Dh (12 €) ; demi-pension à 140 Dh (14 €) par personne. 8 chambres sommaires mais relativement propres, avec w.-c. et douche. Camping-caravaning possible dans la grande cour : 30 Dh (3 €) pour deux avec une tente, deux douches comprises, plus 10 Dh (1 €) pour la voiture. Menu à 65 Dh (6,5 €). Terrasse panoramique et salle de restaurant avec très belle vue. Menu et carte corrects. Il ne faut pas oublier que nous sommes à 1 600 m d'altitude, entre le Haut et l'Anti-Atlas. Bon accueil des deux frères, qui organisent des excursions dans toute la région. Mustapha Najim est un bon guide qui allie compétence, humour et passion pour vous faire découvrir sa région (de 2 à 22 jours). Sa devise : « Vous ne portez rien, les mules sont là. Vous ne faites pas le repas, le cuisinier est là. Vous ne vous inquiétez pas, Mustapha est là. »

De prix moyens à chic

▣ *La Kasbah de Dadès :* sur la route d'Er-Rachidia, sur la droite dans un virage. ☎ 044-83-00-41. Fax : 044-83-13-08. Demi-pension obligatoire : 320 Dh (32 €) pour deux en chambre double. Les petits budgets peuvent aussi dormir en terrasse. Établissement de 45 chambres avec douche individuelle et petit balcon. L'hôtel, bien entretenu, fait aussi restaurant (voir ci-après la rubrique « Où manger ? »). Excellent accueil. Également une téléboutique où l'on peut passer des fax. Parking.

▣ *Hôtel Vallée des Oiseaux :* un peu plus loin que le précédent, sur la route d'Er-Rachidia, à la sortie de Boumalne, juste à côté de la station *Shell*. ☎ et fax : 044-83-07-64. Chambres doubles à 80 Dh (8 €) avec douche collective, 120 Dh (12 €) avec douche individuelle. 12 chambres très simples, dont 6 avec douche individuelle donnant sur la route et 6 avec douche commune chaude donnant sur un petit jardin. Accueil sympathique de Mohammed. Tente berbère pour déjeuner. Les caravanes peuvent stationner derrière l'hôtel et utiliser les installations sanitaires. Ils organisent aussi des excursions. Salle à manger agréable, agrémentée d'une cheminée, indispensable en hiver.

▣ *Auberge Al-Manader :* dans la montée, sur la route de Tineghir, juste avant l'hôtel *Chems*. ☎ 044-83-01-72. Chambres avec douche et toilettes de 120 à 160 Dh (12 à 16 €) sans le petit déjeuner; intéressant quand on est trois : 80 Dh (8 €) par personne. Agréable établissement à taille humaine. 15 chambres très propres et entièrement rénovées. Certaines disposent de balcons. Terrasses panoramiques. Fait aussi resto. Accueil très sympathique d'Ali et Mohammed.

Cartes de paiement acceptées (avec difficulté).

▣ *Kasbah Tizzarouine :* à 1 km de l'hôtel *Chems*, sur la droite. ☎ 044-83-06-90. Fax : 044-83-02-56. En haute saison, prévoir 350 Dh (35 €) par personne en demi-pension et 500 Dh (50 €) la chambre double avec le petit déjeuner. Menus à partir de 150 Dh (15 €). Sur un plateau désertique qui domine Boumalne et l'oued Dadès. Son architecture traditionnelle est parfaitement intégrée dans le paysage. Vue magnifique.

TOUTES NOS LIGNES VOUS TRANSPORTENT AU CŒUR DU MAROC

Bienvenue à bord de Royal Air Maroc.
L'équipage est heureux de vous emmener à la découverte des nombreux trésors du Maroc. La diversité des paysages vous réserve un spectacle aux multiples émotions.
Avec plus de 100 vols directs par semaine au départ de France, Royal Air Maroc vous ouvre grandes les portes du Maroc.

الخطوط الملكية المغربية
royal air maroc

Informations/Réservations : ☎ N°Indigo 0 820 821 821 www.royalairmaroc.fr ou chez votre agent de voyage.
0,15 € TTC la minute

ailleurs/&ACTEMENT* RC CASA 9667

MARRAKECH (ENSEMBLE)

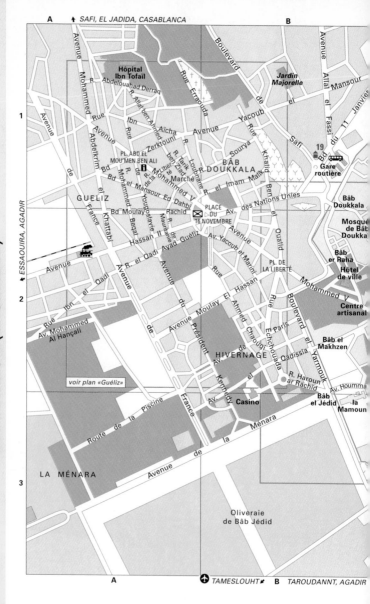

← ESSAOUIRA, AGADIR

voir plan «Guéliz»

○ TAMESLOUHT ↙   B   TARAUDANNT, AGADIR

■ Adresse utile
🚌 Gare routière

|●| Où dormir ?
19 Ryad Mogador Marrakech

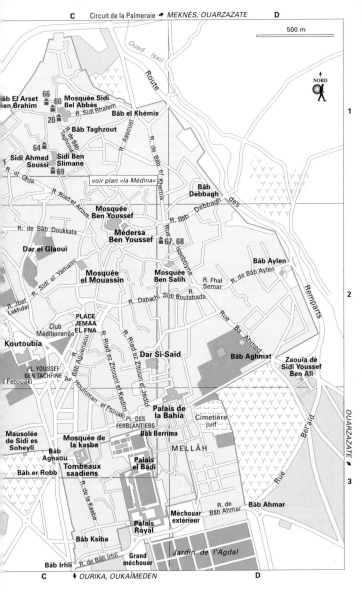

MARRAKECH (ENSEMBLE)

OUARZAZATE →

MARRAKECH (ENSEMBLE)

20	Riad Zellij	66	Dar Nimbus
60	Dar Yasmin	67	Dar Hanane
61	Riad Améthyste	68	Dar Dounia
64	Riad Zerka (la Maison bleue)	69	Dar El Aila

4

MARRAKECH (MÉDINA)

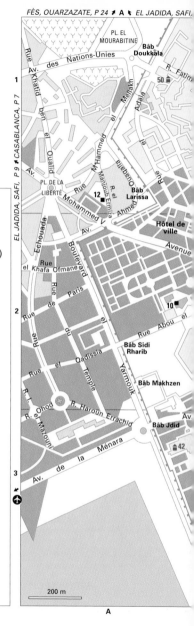

FÈS, OUARZAZATE, P 24 ↗ A ↖ EL JADIDA, SAFI,

- **Adresses utiles**

  ⊠ Poste
  9 Ensemble artisanal
  10 Piscine municipale
  11 Marrakech Riads (Dar Chérifa)
  12 Riads au Maroc
  13 Marrakech-Médina

🛏 **Où dormir ?**

  37 Dar Sara
  40 La Maison Arabe
  41 Villa des Orangers
  42 Hôtel la Mamounia
  43 Riad Dalia
  44 Dar Naïma
  45 La maison Alexandre-Bonnel
  47 Riad El-Cadi
  48 Dar El-Assafir
  50 Riad Moucharabieh
  51 Riad 72
  53 Riad de l'Orientale
  55 Dar Mouassine
  57 Riad Zina
  58 Riad Enija
  59 Dar Baraka
  63 Riad Al Nour
  65 Riad Essaoussan
  69 Riad Auggy
  70 Riad Karmela

🍴 **Où manger ?**

  94 Nid'Cigogne
  95 Dar El Baroud
  97 Dar Marjana
  98 Ksar Essaoussan
  99 Dar Moha
  100 Le Tobsil
  113 Riad Tamsna

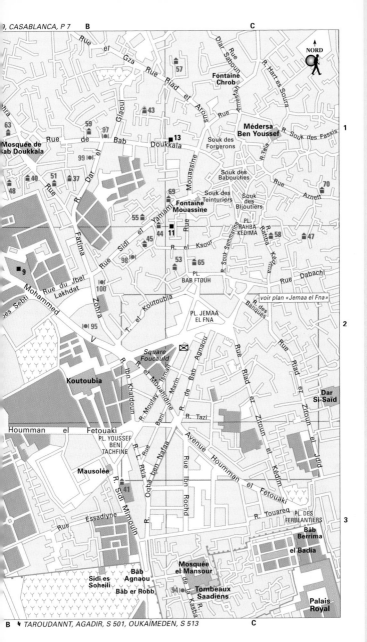

MARRAKECH (MÉDINA)

B ↓ TAROUDANNT, AGADIR, S 501, OUKAÏMEDEN, S 513

MARRAKECH (MÉDINA)

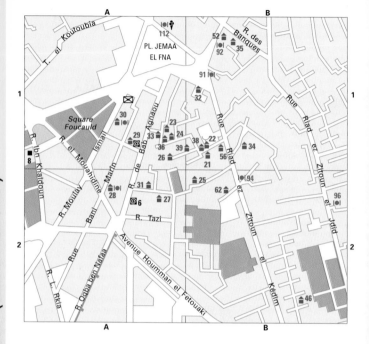

MARRAKECH (JEMAA-EL-FNA)

■ **Adresses utiles**

✉ Poste
@ 6 Cyber-Koutoubia
8 Consulat de France
29 Cyber de la Place

 Où dormir ?

21 Hôtel Essaouira
22 Hôtel Médina
23 Hôtel Afriquia
24 Hôtel Eddakhla
25 Hôtel Chaellah
26 Hôtel El Amal
27 Hôtel Souria
28 Hôtel La Gazelle et El Bahja
29 Hôtel Ichbilia
30 Hôtel Ali
31 Hôtel Gallia
32 Hôtel CTM
33 Hôtel Central Palace
34 Hôtel Shehrazade

35 Hôtel Mimosa
36 Hôtel Imouzzer
38 Hôtel Aday
39 Hôtel Smara
46 Riad Kaïss
52 Riad Yasmina
56 Hôtel Jnane Mogador
62 Dar Habibi

|◉| **Où manger ?**

28 El Bahja, chez Ahmed
30 Restaurant de l'hôtel Ali
91 Snack-café-laiterie Toubkal
et Café N'Zaha
92 Chez Chegrouni
94 Dar Mimoun
96 Dar Mima

🍦 |◉| **Où déguster une glace ?**
Où manger une pâtisserie ?

30 Pâtisserie Mik-Mak
112 Café-restaurant Argana

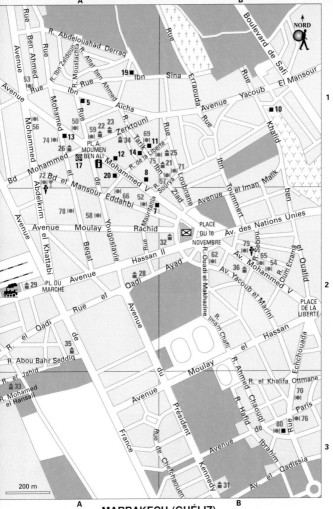

MARRAKECH (GUÉLIZ)

MARRAKECH (GUÉLIZ)

200 m

■ **Adresses utiles**

- Office du tourisme
- Poste centrale
- Gare ferroviaire
- 5 Polyclinique du Sud
- 7 Royal Air Maroc, Pampa Voyage Maroc, médecins
- 8 Marché couvert
- 10 Pharmacie de garde (caserne des pompiers)
- 11 Carole Rent-a-Car
- 12 Concorde Car et Missil Car
- 13 Najm Car
- 14 Horse Car
- 17 Cyber Colisée et Internet Venus
- 19 Clinique Ibn Tofail
- 20 Atlas Voyages
- 80 BCM

🛏 **Où dormir ?**

- 21 Hôtel Toulousain
- 22 Hôtel des Voyageurs
- 23 Hôtel Franco-Belge
- 25 Hôtel du Pacha
- 26 Hôtel Tachfine
- 28 Hôtel El Harti
- 29 Hôtel Ibis Moussafir
- 32 Villa Hélène
- 33 Auberge de jeunesse
- 34 Résidence Gomassine
- 35 Les Idrissides
- 36 Hôtel Hasna

|●| **Où manger ?**

- 50 Café Agdal
- 52 Café de l'Escale
- 53 Chez Bej Gueni
- 54 La Marjolaine
- 56 Restaurant 33
- 57 Catanzaro
- 58 Bagatelle
- 59 Le Jacaranda
- 62 La Pergola
- 65 Al Fassia
- 70 Comptoir Paris-Marrakech
- 71 La Concha
- 74 La Gourmandise
- 75 Le Liberty's
- 76 L'Amandier
- 80 Alizia

🍦|●| **Où déguster une glace ? Où manger une pâtisserie ?**

- 66 Al Jawda, chez Mme Alami Hakima
- 69 Pâtisserie Belkabir
- 72 Glacier Oliveri
- 78 Amandine
- 79 Arabesque

Les 13 chambres troglodytiques gardent la fraîcheur en été. Les 30 autres, « classiques », sont théoriquement chauffées en saison froide et moins chères. Des suites sont également disponibles, mais leur prix n'est pas justifié. Possibilité de dormir aussi sous des tentes nomades. Ce complexe reçoit beaucoup trop de groupes. Le service est alors complètement perturbé et la qualité de la cuisine s'en ressent sérieusement (et malheureusement, les lecteurs ne nous signalent aucune amélioration). Les prestations ne sont pas non plus à la hauteur de leur réputation et du prix. Belle piscine et organisation d'excursions et de bivouacs.

Où manger?

|●| **Restaurant de l'hôtel Chems :** voir plus haut la rubrique « Où dormir ? ». ☎ 044-83-00-41. Abderrahmane Moubarik, le patron, est très accueillant et sa cuisine savoureuse. Il propose un menu bon marché à 64 Dh (6,4 €) et quelques plats à la carte, dont des tajines très bien cuisinés. Les repas sont servis dans une belle salle panoramique ou sur la terrasse. Pas d'alcool. Excellents yaourts (le patron vous donnera même la recette) et jus d'orange.

|●| **Café-restaurant Al-Manader :** dans la montée, sur la route de Tineghir, juste avant l'hôtel Chems. ☎ 044-83-01-72. Menu à 60 Dh (6 €). Bonne cuisine à prix raisonnables. Spécialités marocaines. Mohammed, le patron, est très accueillant. Possibilité de déjeuner sur la terrasse.

➤ DANS LES ENVIRONS DE BOUMALNE-DU-DADÈS

LA VALLÉE DES ROSES

Cette vallée devrait plutôt être appelée « vallée rose » en raison de la couleur de sa terre. On y cultive bien des roses, mais elles ne fleurissent que 2 mois par an (de fin avril à juin) alors que les paysages y ont cette belle teinte rose toute l'année. Ne vous attendez donc pas à y trouver des fleurs, mais vous découvrirez des paysages exceptionnels. Une voiture est indispensable. On peut aborder la piste sans crainte avec une voiture de tourisme, car elle vient de bénéficier d'une rénovation complète. Sachez toutefois que l'assurance ne couvre pas les trajets sur piste. À notre avis, il est nécessaire d'être accompagné, non que le parcours présente des difficultés, mais il n'y a aucune indication et, souvent, les pistes se croisent. Pour tout renseignement, se rendre au bureau des guides d'El-Kelaa, ou à celui de Souk-Khemis entre El-Kelaa et Boumalne.
D'autres itinéraires aussi sont possibles, notamment au départ de la vallée du Dadès. Nous avons choisi de vous décrire celui qui peut être fait en partant soit de Boumalne, soit d'El-Kelaa. Profitez encore du charme de la piste, le goudron approche inexorablement...

Au départ de Boumalne

Le point de départ se trouve à mi-chemin (12 km) entre Boumalne et El-Kelaa, dans le village d'El-Goumt. Venant de Boumalne, tourner sur la droite près de la mosquée. Petite fontaine à main droite. La piste s'engage à travers un plateau désertique et passe sous une ligne à haute tension. À 10 km, une borne en ciment porte une indication, difficilement lisible : « piste principale Bou-Tahrar ». Il faut continuer et laisser, sur la gauche, la piste de 15 km qui redescend vers Tourbist ; c'est celle par laquelle on arrive quand on part d'El-Kelaa.

Au départ d'El-Kelaa des M'Gouna

Cette seconde solution présente moins de difficultés que la précédente. En partant directement d'El-Kelaa, on suit la vallée jusqu'à Hdida, ou même jusqu'à Tourbist, ce qui demande 30 mn. Le parcours est plus beau et plus facile. De Hdida, une piste relie celle qui vient d'El-Goumt à l'endroit marqué par une borne en ciment. À partir de là, l'itinéraire est commun.

Suite de l'itinéraire

À partir de la borne, il faut rouler encore pendant 5 km avant d'atteindre le col de Bou-Tahrar et d'amorcer la descente en lacet de 4 km vers Tamalout. Attention, cœurs fragiles, la piste est à flanc de montagne. Cependant, cette piste a été entièrement reprofilée et élargie, offrant à présent plus de sécurité.

🍴 Le village de **Tamalout** est un pur chef-d'œuvre d'architecture berbère traditionnelle. Il surplombe l'oued M'Goun et tire la plupart de ses ressources de la récolte de fruits : noix, amandes, pêches. Les femmes du village, comme plus loin dans la vallée en allant vers Amjgag, portent de superbes tatouages, ont les yeux fardés au khôl, et leur coiffure se caractérise par de fines nattes ramenées en anse de panier sous les oreilles. Arrivé à Tamalout, descendez jusqu'au bord de l'oued, il y fait bon et vous pourrez abandonner là votre véhicule et partir faire une randonnée pédestre ou à dos de mulet.

🏠 🍴 **Gîte d'étape :** chez *El-Hacine Houssein Azabi.* ☎ et fax : 044-83-61-68. Il propose 8 chambres et 1 dortoir avec 6 douches communes (eau chaude) et 5 w.-c. Le tout est réparti autour d'un patio central. Tajine ou couscous sur demande. Une adresse simple, mais avec un accueil sympa. Possibilité de louer des mules.

🏠 **Gîte d'étape :** chez *Fadil.* 9 chambres simples. Douches communes avec eau chaude. Très bon accueil de Fadil, qui a vécu en France.

➤ De Tamalout, une randonnée de 2 h environ vous permettra de rejoindre le village d'**Aït-Saïd** situé en amont de Tourbist en longeant les jardins qui bordent l'oued M'Goun. L'occasion de vous mêler aux habitants de la vallée qui travaillent dans les champs et, pourquoi pas, de vous faire inviter pour prendre un thé à la menthe... La meilleure formule consiste à confier votre véhicule à votre guide, qui vous attendra au terme de votre randonnée ; vous pourrez ensuite regagner El-Kelaa ou la vallée du Dadès, *via* Boumalne. Plusieurs autres formules de randonnées sont envisageables à partir de cet endroit.

➤ Visite en deux jours des **gorges du M'Goun**. Cette excursion n'est possible que d'avril à novembre. Un accompagnateur est indispensable, ainsi qu'un véhicule tout-terrain. On peut, à la rigueur, passer avec certains véhicules de tourisme, quand on a une grande habitude de la piste. Mais n'oubliez pas que les assurances ne couvrent pas les trajets sur piste.

D'une profondeur imposante, les gorges sauvages et escarpées vous laisseront un souvenir impérissable. Cette excursion nécessite de bonnes chaussures de marche qui résistent à l'eau et un maillot de bain. Pique-nique obligé.

– *Premier jour :* dans la vallée des Roses, approche des gorges du M'Goun en voiture jusqu'à Aguerzeka. En confier la garde ici à un autochtone. Votre accompagnateur est là pour ça. Compter ensuite 2 h de marche par un sentier muletier pour se rendre à Tiranoumine (on dit aussi Tighanimine), où l'on passe la nuit au *gîte d'étape de Lahcen Aït Daoud*. Compter environ 100 Dh (10 €) pour le tajine du soir, la nuit et le jus du matin.

– *Second jour* : départ vers 8 h pour les gorges. Inutile de partir plus tôt. Vous allez devoir mettre les pieds (et plus) dans l'eau froide. Elle se réchauffe très vite dès que le soleil est là, et les températures passent de 12 à 21-22 °C en quelques heures. Randonnée de 2 h dans les gorges. Pause baignade et retour vers Tiranoumine et Aguerzeka.

LA VALLÉE DES OISEAUX

N'intéressera que les ornithologues amateurs. La meilleure saison pour observer les oiseaux se situe entre les mois de décembre et de mars. Compter presque une journée entière. Il est indispensable, pour cette excursion, de posséder des jumelles et un manuel pour identifier les oiseaux. La piste vers le Tizi-n-Tazazert n'est pas toujours facile à trouver. Réservée exclusivement aux 4x4. Fabuleux. Des paysages à vous couper le souffle. Pour faire les 100 km qui vous séparent de Nekob, compter 4 à 5 h. On pourra s'y arrêter juste pour déjeuner dans le seul resto du coin.

LES GORGES DU TODGHA-DADÈS

Elles peuvent aussi se faire en partant de Boumalne et en rejoignant Tineghir par la P32. Nous avons décrit cet itinéraire un peu plus loin dans la rubrique « Les gorges du Todgha ».

LA VALLÉE DES GORGES DU DADÈS

Une excursion à ne pas manquer, l'une des plus intéressantes de cette partie du Sud marocain. La vallée est comprise entre Boumalne et l'entrée dans les gorges, quelques kilomètres après Aït-Oudinar. La route est goudronnée jusqu'à Msemrir, mais les 25 km qui séparent Boumalne d'Aït-Oudinar sont en très mauvais état. Courage, persévérez !

Cette route qui dessert les gorges et longe l'oued traverse des paysages splendides où les constructions de pisé prennent la teinte des roches qui les entourent. Ce n'est qu'une succession de *ksour* et de kasbahs, au milieu de cultures et de petits vergers. En fin de journée, à l'heure où le soleil décline, toute cette architecture prend des allures de féerie. Malheureusement, avec l'arrivée de l'électricité, poteaux et fils viennent dénaturer certains paysages.

Comment y aller ?

➤ *De Boumalne :* prendre le minibus. Départs fréquents de la place près de la mosquée. Compter 5 Dh (0,5 €) le trajet pour les gorges, sans bagages.

Où dormir ? Où manger ?

Les auberges décrites ci-après ont toutes des accompagnateurs qui connaissent bien la région et peuvent vous proposer des randonnées de quelques heures ou de plusieurs jours. Elles ont toutes aussi des boutiques d'artisanat, plus ou moins bien approvisionnées. Comparer les prix et négocier, comme toujours. Nous vous indiquons notre sélection dans l'ordre où ces établissements se trouvent le long de la route. Pour ceux qui souhaitent une étape confortable dans un établissement de charme, avec une cuisine de qualité, voir la catégorie « Chic ».

De très bon marché à prix moyens

🛏 *Gîte d'étape chez M'Barek Bouguenoun :* au km 6, à Aït-Mouted. Fax : 044-83-03-66. Compter 30 Dh (3 €) par personne. 8 pièces sans lit (on dort sur des tapis ou sur des coussins) et 3 douches chaudes communes. M'Barek, qui est guide, pourra vous faire découvrir la région et vous faire partager la vie familiale berbère. Il est possible de s'arrêter ici pour prendre un thé et visiter la kasbah du Glaoui voisine. Adresse vraiment rudimentaire réservée aux randonneurs pour une brève étape.

🛏 ❙❍❙ *Café-restaurant Miguirne :* au km 13, juste avant Tamlat. Quelques chambres, très simples, certaines avec toilettes, à 50 Dh (5 €). Les repas sont également bon marché et copieux. Le patron, Ali, fait des efforts pour que tout le monde soit satisfait. Sa petite auberge est le point de départ d'une excursion dans la gorge de Sidi-Boubkar (voir plus loin). Il vous conseillera éventuellement pour l'itinéraire qui vous permettra de découvrir les merveilles de la vallée du Dadès.

🛏 ❙❍❙ *Hôtel Kasbah :* au km 15. Chambres doubles de 60 à 120 Dh (6 à 12 €) selon le confort. Une belle architecture en forme de kasbah (vous l'auriez deviné) abrite 13 chambres rudimentaires réparties à l'étage autour d'un patio intérieur faisant office de salon et 2 autres sur la terrasse. 4 chambres avec douche et w.-c. individuels. L'architecture est réussie, mais les sanitaires sont insuffisants. À l'extérieur, petite terrasse fleurie au-dessus de la rivière, dans un paysage bucolique.

🛏 ❙❍❙ *Hôtel Kasbah Aït Arbi :* au km 21. ☎ 044-83-17-23. Chambres doubles à 120 Dh (12 €). 7 chambres simples mais mignonnettes avec une belle vue sur la vallée. Toutes possèdent une douche avec eau chaude. Salle de restaurant sympathique, avec de moelleux coussins. Deux belles terrasses dominant l'oued, idéales pour le petit déjeuner quand il n'y a pas de vent. L'ensemble est très propre et l'accueil chaleureux.

🛏 ❙❍❙ *Hôtel des Gorges du Dadès (Chez Youssef) :* à Aït-Oudinar, à 22 km de Boumalne, juste après le pont sur la gauche. ☎ 044-83-01-53 et 044-83-17-10. Fax : 044-83-02-21. Compter de 120 à 150 Dh (12 à 15 €) la chambre double, petit déjeuner compris. Carte *Visa* acceptée. Une de nos plus vieilles adresses. Normal, c'est Youssef qui a eu l'idée d'ouvrir la première auberge. 33 chambres avec salle de bains et toilettes, dont la moitié avec vue sur l'oued. L'auberge dispose d'un salon avec cheminée où l'on sert de la cuisine berbère. Terrasses à proximité de l'oued, où campeurs et camping-caristes trouveront tout le nécessaire pour cuisiner, ainsi que des sanitaires, des douches chaudes et des bornes électriques. Beaucoup de groupes. Possibilité de bivouac dans la région. Téléboutique.

🛏 *Auberge des Peupliers :* au km 27. ☎ 044-83-17-48. Chambres doubles à 60 Dh (6 €), avec douche chaude individuelle. Auberge, de 5 chambres, très simple, tenue par Mohammed et son fils, très accueillants. Ils organisent des balades.

🛏 ❙❍❙ *Hôtel La Gazelle du Dadès :* au km 27. ☎ 044-83-17-53. 16 chambres avec sanitaires et eau chaude à 120 Dh (12 €), 2 autres avec douche sur le palier à 80 Dh (8 €) ; petit déjeuner à 15 Dh (1,50 €) ; la demi-pension se révèle très intéressante. Literie excellente. Les moins riches peuvent dormir sous la tente nomade, dans le salon, sur la terrasse, et même faire du camping. Restaurant avec cheminée offrant de bons petits plats marocains à prix doux. L'accueil du patron, Touffi Anbark, est très chaleureux. Terrasse. Possibilité d'excursions. Une adresse d'un bon rapport qualité-prix, très appréciée de nos lecteurs.

🛏 ❙❍❙ *Hôtel La Kasbah de la Vallée :* juste après le précédent, face au canyon. ☎ et fax : 044-83-17-17. Parking couvert. Demi-pension de 160 à 265 Dh (16 à 26,50 €) selon la catégorie de la chambre. 40 chambres avec sanitaires privés et eau chaude, literie neuve. Crêpes savoureuses au petit déjeuner. Nos lecteurs recevront un accueil très chaleureux. Soirées animées parfois avec musique et danses. Télébotique avec fax et change. Très grande terrasse où l'on peut dormir en été. Restaurant avec cheminée. Cartes de paiement acceptées. On vous conseillera pour les excursions un accompagnateur qui connaît parfaitement la région. Ils disposent d'un 4x4.

🏠 |●| *Auberge Tissadrine :* ☎ 044-83-17-45. Fax : 044-83-01-31. ● aguondize@yahoo.fr ● Chambres de 80 à 120 Dh (8 à 12 €). 10 chambres en tout, dont 7 avec douche individuelle. Agréable terrasse sur l'oued qui fait de cette adresse un endroit idéal pour déjeuner au bord de l'eau. Les nouvelles chambres d'architecture traditionnelle sont confortables. Grande gentillesse des deux frères, Daoud et Youssef. Propreté irréprochable. Possibilité de camper. Abdelghani, dit Abdou, guide diplômé originaire d'Azilal, a ouvert un bureau des guides attenant à l'auberge.

🏠 |●| *Auberge Atlas-Berbère :* ☎ 044-83-17-42. Chambres doubles à 140 Dh (14 €). Menu à 70 Dh (7 €). Encore un peu plus loin au bord de l'eau, au km 28. 9 chambres agréables, mais possibilité aussi de dormir dans le salon ou sur la terrasse, en été. Douche chaude. Grand salon avec des plafonds en roseaux colorés et magnifique terrasse sur l'oued où l'on peut prendre ses repas en été. Accueil chaleureux

de Fouad. Cette auberge est très réussie sur le plan architectural.

🏠 |●| *Auberge Le Vieux Château :* juste un petit peu plus haut, sur la gauche. ☎ 044-83-17-19. Fax : 044-83-17-10. Chambres doubles à 140 Dh (14 €), petit déjeuner compris. 27 chambres avec salle de bains et eau chaude. 3 disposent de balcons et d'une vue plongeante sur l'oued. Salon avec cheminée. Chauffage individuel. Nourriture moyenne.

🏠 |●| *Hôtel-restaurant La Kasbah des Roches :* chez *El-Houssain*, au km 32, à la fin des gorges. ☎ 062-20-12-49 (portable). Prévoir 60 Dh (6 €) pour une chambre double. Petite auberge (6 chambres) à la déco très kitsch. Chambres et sanitaires sommaires. Patron très sympa.

🏠 |●| *Hôtel Berbère de la Montagne :* au km 34, à la fin des gorges. ☎ 044-83-02-28. Une chambre double revient entre 140 et 260 Dh (14 à 26 €) en demi-pension, selon le confort. Environnement magnifique. 6 chambres disposent d'une salle de bains avec eau chaude, 3 autres partagent une salle d'eau commune. Propreté exemplaire. Tout est neuf et impeccable, même la déco est de bon goût, ce qui est plutôt rare dans le coin. Excellent accueil de Mohammed Asmoun. Bonne cuisine berbère. Organisation de randonnées. Camping possible à la belle saison. Cette adresse est la dernière citée car elle se trouve la plus éloignée de l'accès des gorges, mais c'est l'une de nos préférées.

Chic

🏠 |●| *Auberge Chez Pierre :* après l'*hôtel des Gorges du Dadès,* au km 25 et à 3 km à droite après le pont d'Aït-Oudinar. ☎ 044-83-02-67. Prix par personne en demi-pension : 440 Dh (44 €). Belle architecture de pisé entourée d'un très beau jardin en terrasse ; les 8 chambres sont décorées avec goût. Piscine dont l'eau est maintenue à 24 °C en saison. Pierre, le propriétaire, gastronome belge, est aux fourneaux. C'est

la raison pour laquelle vous ne le verrez probablement pas. Table exceptionnelle. Vous y goûterez par exemple une tartelette aux légumes de saison, un poulet aux épices du pays, de petits fromages frais, grillés au miel et aux pommes, et, pour finir, un sorbet ou un millefeuille à la vanille. Le menu change tous les jours, et cette cuisine particulièrement inventive n'a pas fini de vous étonner ! L'auberge organise aussi

LES OASIS DU SUD

des excursions en 4x4. Il est indispensable de réserver et de confirmer ensuite, car c'est souvent complet. C'est notre meilleure adresse de charme.

À voir. À faire

Dans la vallée des gorges du Dadès

La meilleure façon de visiter la vallée est de s'y promener à pied en suivant le cours de l'oued. Ceux qui ont un véhicule seront avantagés : ils pourront s'arrêter fréquemment pour descendre visiter les parties les plus intéressantes. À *Aït-Mouted*, dans un virage de la route, à 6 km de Boumalne, se dresse encore une kasbah du Glaoui que l'on peut visiter. Elle est magnifique et bien entretenue. Son occupant actuel en a fait aussi un gîte d'étape.

🏃 *La gorge de Sidi-Boubkar :* une magnifique balade de 1 h 30, réalisable au départ de l'auberge-restaurant *Miguirne*, au km 13 ; l'accès se trouve en contrebas. Le patron de l'auberge, Ali, vous expliquera quel chemin suivre. Pas d'accompagnateur nécessaire, mais des jeunes tenteront tout de même de vous suivre, moyennant un bakchich à la fin. Restez fermes. À éviter en période de crues, ça peut être très dangereux. La gorge de Sidi-Boubkar, très peu connue et à l'écart des circuits classiques, a conservé son aspect sauvage. Quel spectacle magique ! Possibilité de pique-niquer sur place. Attention à ne pas laisser de déchets derrière soi. Vous pourrez vous faire préparer un casse-croûte à l'auberge.

🏃 *La falaise de Tamlat :* au km 15. Elle est composée de roches érodées, aux formes arrondies. On la nomme la « vallée des Corps humains » ou encore la « vallée des Doigts de singe ».

➤ *Le circuit des canyons :* randonnée pédestre de 5 h 30 environ. Pour bon marcheur. Il faut être accompagné. Partir de préférence avant 9 h. Départ Aït-Ouffi, Aït-Idir km 25, face à *La Kasbah de la Vallée*. On suit tout d'abord le lit de l'oued pendant 1 h 30, avant d'entrer dans un couloir étroit et de poursuivre jusqu'au village d'Imdiazen. Retour par un chemin différent, soit par la piste carrossable, soit par le lit du grand canyon.

Dans les gorges du Dadès

Si vous disposez d'une journée entière et que vous comptez dormir au moins deux nuits de suite dans les gorges du Dadès, profitez-en pour faire la boucle par les gorges du Todgha.

D'Aït-Oudinar à Msemrir, compter 35 km de bonne route. Jusqu'à Tamtattouche, c'est 45 km un peu plus rudes (piste en mauvais état) ! Enfin, jusqu'aux gorges du Todgha, la route est bonne. Attention toutefois : l'absence de toute signalisation rend la conduite dangereuse. Ensuite, c'est difficile, et il faut obligatoirement un véhicule tout-terrain. Cette piste présente, dans la deuxième partie du parcours, des zones très caillouteuses qui rendent la progression difficile. Néanmoins, cette boucle est exceptionnelle, vu la beauté des paysages traversés, et, plus encore, on pourrait dire qu'elle permet de « sentir » les ambiances qui règnent au cœur de la montagne à la rencontre des nomades berbères Aït-Morhad et de leurs troupeaux. À ne pas manquer si vous possédez un 4x4.

Renseignez-vous dans la vallée avant de partir, car la piste peut être coupée par la neige en hiver (on passe au-dessus de 2800 m), ou parfois même après l'été, quand les orages ont fait leurs ravages. Le mieux est de se faire accompagner d'un guide connaissant le coin et qui pourra même prendre le volant pour vous permettre de profiter au maximum des paysages qui, nous ne le répéterons jamais assez, sont exceptionnels. Pour ceux qui ne voudraient pas faire la boucle complète, il faut cependant aller jusqu'aux gorges.

Le paysage vous coupera le souffle, surtout si vous faites l'excursion à pied, ce que nous conseillons aux sportifs. Avec une voiture de tourisme, vous pouvez pousser jusqu'à « la tortue du Dadès », un plissement géologique de toute beauté, situé un peu avant Msemrir. La route est goudronnée.

➤ *La piste vers Imilchil :* attention, elle n'est accessible qu'après la fonte des neiges et qu'en véhicule 4x4, à condition d'avoir une bonne pratique de la conduite en tout-terrain. Cette piste, qui gagne les vallées d'altitude où vivent les tribus Aït-Morhad et Aït-Haddidou, vaut vraiment le détour. Partir à deux véhicules. Mieux vaut prendre un guide qui a déjà fait le parcours. Comptez 6 h pour monter à Imilchil depuis la vallée.

Une autre manière pour se rendre à Imilchil consiste à rejoindre la piste Todgha-Imilchil au niveau de Tamtatouche, bifurquer vers Aït-Hani pour arriver sur Agoudal. C'est l'itinéraire « Mouflon futé » au cas où le Tizi-n'Ouano est encore sous la neige, mais c'est également plus long (compter 8 h pour se rendre à Imilchil par cet itinéraire).

➤ *La vallée des Roses depuis le Dadès :* pour ceux qui disposent d'une pleine journée de détente dans le Dadès, profitez-en pour aller faire un tour dans la vallée des Roses. Le départ de la piste se situe au niveau de la kasbah du Glaoui, dans le village d'Aït-Youl (environ 7 km de Boumalne sur la route des gorges). Comptez environ 1 h de piste pour vous rendre à Tamalout, ensuite vous pourrez prendre la direction d'El-Kelaa en remontant le col et enfin boucler par Boumalne avant de revenir dans les gorges. Les paysages rappellent un peu ceux du Grand Canyon (toutes proportions gardées, bien évidemment), la terre rouge, verte ou jaune suivant les veinages du sol est ravinée sous l'effet des pluies torrentielles déversées par les orages (c'est d'ailleurs pourquoi nous vous déconseillons de faire cette boucle quand l'orage menace).

🏃 *Aït-Oudinar* est un très bon point de départ pour des randonnées pédestres d'1 h ou d'une demi-journée le long de l'oued Dadès, à la rencontre des villageois. Possibilité de louer des ânes à l'auberge des gorges pour faire une randonnée avec vos enfants.

TINEGHIR

30 000 hab.

Tineghir (prononcer « Tinerhir ») est réputé pour sa palmeraie. Vous découvrirez la ville en montant sur le promontoire de l'hôtel *Saghro*, près de l'ancienne kasbah du Glaoui qui s'y connaissait pour repérer les sites et y faire construire de somptueuses demeures. De celle-ci, il ne reste plus que quelques pans de murs délabrés, et l'accès est interdit par mesure de sécurité. Quel panorama ! De quoi faire pâlir tous les réalisateurs de cinéma, avec une palmeraie qui s'étend jusqu'aux contreforts de l'Atlas, l'une des plus riches du Maroc.

En surplomb, la ville, le matin, surgit d'un voile de brume. Tineghir est à 1 342 m d'altitude, et les nuits y sont fraîches en hiver, alors que l'été la température est si élevée qu'il est préférable de dormir sur les terrasses, comme le font la plupart des habitants.

Comment y aller ?

➤ *D'Erfoud :* un bus quotidien (en fin de matinée).

Adresses et infos utiles

Poste et communications

■ **Poste** (plan B1) **:** av. Hassan-II.
■ **Téléphone :** il y a désormais des téléboutiques partout.
@ **Cyber Café Atlas** (plan A2, **17**) **:** 72, av. Bir-Inzaran. ☎ 044-83-22-02.

Dans la même rue que l'hôtel *Tomboctou*. Ouvert de 9 h à 12 h et de 14 h à minuit. Malgré le nom, on ne peut pas y boire de café... Prix raisonnables et bon accueil.

Argent

■ **Change :** *BMCE* (plan A2, **3**), *Wafabank* (plan A2, **4**), *BCM* (plan B2, **6**). Le *Crédit du Maroc* (plan A1-2, **5**) et la *Banque Populaire* (plan A1, **2**) possèdent un distributeur de billets. Change possible aussi dans les hôtels *Tomboctou* et *Kenzi Saghro*.

Santé

■ **Pharmacies** (plan B1, **1**) **:** *Todghra* et *Saghro*, toutes deux av. Mohammed-V.

■ **Pharmacie de nuit** (plan B1, **1**) **:** à la Municipalité, derrière la poste.

Transports

■ **Location de VTT :** Kamal's Bike, av. Mohammed-V, à côté de la pharmacie *Saghro* (plan B1, **1**), ☎ 044-83-33-98 ; et à *l'hôtel de l'Avenir* (plan B1, **20**), ☎ 044-83-45-99.
■ **Parking public payant** (plan B1, **10**).
■ **Stations-service** (plan A1 et A2, **7**). La station *Ziz* accepte les cartes de paiement les jours ouvrables.
■ **Garages mécaniques** (plan B1 et A2, **8**) **:** celui de l'av. Mohammed-V est honnête, rapide et pas cher.
■ **Réparations de pneus** (plan A2, **9**) **:** près de la *BMCE*. Dispose d'un bon équipement.

Presse

■ **Presse française** (plan B1, **16**) **:** au kiosque de *chez Rachid*, près de la mosquée. Les journaux ne sont pas toujours récents, loin de là !

Divers

■ **Achats de souvenirs :** *Chez Delphine, La Bosse des affaires*, à 2 km avant les gorges et après tous les campings. ● www.chezdelphine. fr.fm ● Expositions d'artisanat à des prix fixes affichés. Pas de tapis. Delphine présente aussi des œuvres de peintres locaux et d'aquarellistes. Parking et accès direct aux gorges (20 mn à pied). Vous aurez une idée des prix justes (et doux). Delphine, qui refuse de verser des commissions aux faux guides, sera toujours là pour offrir un verre de thé ou d'eau aux routards de passage.
■ **Hammams** (plan A2, **13**) **:** pour ceux qui voudraient changer de peau après avoir fait la boucle Todgha-Dadès. Pour les hommes, de 6 h à 12 h et de 18 h à 22 h ; pour les femmes, de 12 h à 18 h. Un autre hammam a ouvert un peu à l'extérieur de la ville (*hors plan par A2*) : sur l'av. Mohammed-V, en allant vers l'hôtel *Les Gorges*, tourner à gauche à 200 m en venant de Tineg-

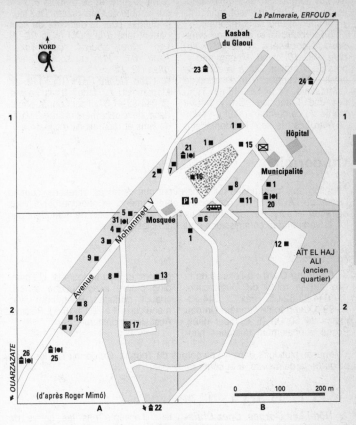

La Palmeraie, ERFOUD

NORD

Kasbah du Glaoui

23

24

1

Hôpital

1

21

15

2 7

16

Municipalité

8

1

Mohammed V

10

11

20

5

31

Mosquée

4

6

3

1

9

12 AÏT EL HAJ ALI (ancien quartier)

8

8 13

8

18

17

7

26

25

OUARAZAZATE

0   100   200 m

(d'après Roger Mimó)

22

TINEGHIR

LES OASIS DU SUD

Adresses utiles

⊠ Poste
🚌 Bus CTM
1 Pharmacies
2 Banque Populaire
3 BMCE
4 Wafabank
5 Crédit du Maroc
6 BCM
7 Stations-service
8 Garages mécaniques
9 Réparation de pneus
10 Parking
11 Souk Fokani
12 Souk Tahtani
13 Hammam
15 Grands taxis

16 Presse française
@ 17 Cyber Café Atlas
18 Supermarché

Où dormir ?

20 Hôtel de l'Avenir
21 Hôtel-restaurant L'Oasis
22 Hôtel-restaurant Tomboctou
23 Hôtel Kenzi Saghro
24 Retour au Calme (Maison d'hôte)
25 Hôtel Les Gorges
26 Kasbah Lamrani

Où manger ?

20 Restaurant de l'hôtel de l'Avenir
25 Restaurant de l'hôtel Les Gorges
26 Restaurant de la Kasbah Lamrani
31 Restaurant Madaiq

hir. Les hommes et les femmes peuvent y aller à tout moment, puisqu'ils y ont chacun une salle réservée.

■ *Supermarché et achat de boissons alcoolisées (chez Michèle ; plan A2, 18)* : bd Mohammed-V, près de la station *Ziz*, à la sortie de la ville, sur la gauche en direction de Ouarzazate. ☎ 044-83-46-68. Tenu par une Française. On y trouve même du camembert (sauf en été).

■ *Marchés :* le *souk* hebdomadaire a lieu le lundi et se déroule à 3 km sur la route de Ouarzazate. Des fourgonnettes pour la desserte du souk partent face à la BCM *(plan B2, 6).* Les autres jours, *souk Fokani (plan B1, 11)* et *souk Tahtani (plan B2, 12).*

■ *Labo Tichka (plan B1)* : 113, av. Mohammed-V, face à la poste. ☎ 044-83-41-57. Tout pour la photo. Labo, développement et tirage. Vente de films et réparations d'appareils.

Où dormir ?

Attention aux faux guides qui vous diront que certaines adresses, comme l'*Hôtel de l'Avenir* et le *Tombouctou*, sont fermées, et chercheront à vous entraîner ailleurs. Restez ferme. Les mauvaises adresses ne manquent pas ici, et versent des commissions pour attirer les pigeons.

Camping

⋏ *Camping Ourti :* à l'entrée de la ville sur la route de Ouarzazate. ☎ 044-83-32-05. Fax : 044-83-45-99. Ouvert toute l'année. Un peu moins de 50 Dh (5 €) pour deux. Possède également quelques bungalows, un peu tristounets. Un camping propre avec douche et eau chaude gratuites. Restaurant avec menu correct à 60 Dh (6 €). Piscine. Accueil sympathique.

Voir aussi, plus loin, dans « Les gorges du Todgha. Où dormir ? », les campings de la palmeraie, à la sortie de la ville.

De bon marché à prix moyens

🏠 *Hôtel Les Gorges, Chez Christophe (plan A2, 25)* : av. Mohammed-V. ☎ et fax : 044-83-48-00. ● www.chezchristophe.fr.fm ● Sur la route de Ouarzazate. Parking gardé. Ils peuvent aller chercher les non-motorisés à la gare routière (1 km environ) sur appel téléphonique. Chambres doubles de 100 à 150 Dh (10 à 15 €) selon le confort ; petit dej' à 20 Dh (2 €). Menu à 80 Dh (8 €). Derrière la façade de cette construction banale, comme toutes celles de ce boulevard de béton, se cache une excellente adresse. Les douze chambres, réparties sur trois étages, sont d'une propreté exemplaire et très fonctionnelles. Une terrasse aménagée permet de prendre son petit déjeuner et d'assister, pour les plus courageux, au lever du soleil. N'accepte pas les cartes de paiement.

Christophe, pour qui les pistes n'ont pas de secret, pourra vous conseiller des excursions (boucle Togdra-Dadès, Merzouga et erg Chebbi, ou *djebel* Saghro). Vous pourrez même louer, par son agence, la *Bosse des Affaires* (☎ 044-89-51-28 ou 062-55-39-58), un véhicule de tourisme, un quad ou un 4x4. Et on apprécie que la direction refuse toute compromission avec les faux guides et les marchands de tapis.

🏠 *Hôtel de l'Avenir (plan B1, 20)* : rue Zaïd-Ouhamed. ☎ et fax : 044-83-45-99. Derrière la place centrale. L'hôtel est en étage au-dessus d'une petite boucherie. Chambres doubles à 100 Dh (10 €) sans le petit déjeuner ; demi-pension à 140 Dh (14 €).

12 chambres avec deux sanitaires communs et eau chaude. Très bonne literie. Belle terrasse. Une adresse sympathique à petits prix. Seul inconvénient, le coin est bruyant. Mais on ne saurait tout avoir.

🛏 *Retour au Calme* (plan B1, 24) : à la sortie de Tineghir en direction de la palmeraie, ne pas manquer le panneau à droite. ☎ 044-83-49-24. ● hote.calme@mageos.com ● Chambres de 120 à 250 Dh (12 à 25 €). Repas à 45 Dh (4,5 €). Une maison d'hôte toute simple et vraiment au calme. Aménagement sommaire. 4 chambres avec salle de bains pri- vée ou commune d'une propreté iné- gale. La maison dispose également d'un jardin, d'une grande tente et d'une pergola. Pour les repas, excel- lents tajines. Abdelwahab et son fils s'occuperont bien de vous.

🛏 *Hôtel-restaurant L'Oasis* (plan B1, 21) : av. Mohammed-V. ☎ 044-83- 36-70. Compter 40 Dh (4 €) par per- sonne pour les chambres avec sani- taires communs et 150 Dh (15 €) pour les doubles qui bénéficient de salle de bains privée. Dommage que l'hôtel soit trop bruyant en raison de sa situation et que l'eau des toilettes sente le gazole.

Plus chic

🛏 *Hôtel-restaurant Tomboctou* (hors plan par A2, 22) : av. Bir-Anzarane. ☎ 044-83-46-04 et 044-83-51-91. Fax : 044-83-35-05. ● www.hoteltom boctou.com ● En haute saison, il est préférable de réserver ; le faire par fax, pas de réservation par télé- phone. En venant de Ouarzazate, prendre à droite entre les deux sta- tions *Ziz* et *Total* ; c'est fléché. Par- king gardé à 200 m. Chambres doubles de 470 à 620 Dh (47 à 62 €), avec ou sans bains ; réduction de 20 % à partir de 4 jours. Côté resto, menu à 95 Dh (9,5 €). Dans une ancienne kasbah admirable- ment restaurée. 17 chambres agréa- bles avec salle de bains, téléphone, ventilateur et chauffage individuel en hiver. Cuisine très médiocre d'après tous nos lecteurs. L'entretien de la piscine laisse vraiment à désirer. Ils possèdent aussi un bivouac dans un très beau cadre, à 7 km de Tineghir. Organisations d'excursions par *Tineghir Transport*. ☎ 044-83-46-04. Fax : 044-83-35-05. ● tinghirtrans port@iam.net.ma ● Au programme : sorties à pied, à VTT ou en 4x4.

🛏 *Kasbah Lamrani* (plan A2, 26) : av. Mohammed-V. ☎ 044-83-50-17. Fax : 044-83-50-27. ● www.kasbah- lamrani.com ● Compter 460 Dh (46 €) la double, petit déjeuner compris et 380 Dh (38 €) par per- sonne pour la demi-pension. Dans un véritable palais qui évoque les fastes orientaux, 22 chambres cli- matisées avec TV, téléphone et salle de bains. Deux restaurants (déce- vants selon nos lecteurs) et des salons confortables agréablement décorés. Vaste patio avec fontaine, belle piscine et jet d'eau au milieu de jardins, grande tente berbère dres- sée pour les dîners-spectacles, rien ne manque au confort de cette adresse encore toute jeune. L'accueil et les prestations ne sont pas encore au point, mais espérons que cela s'arrangera avec le temps. Alcool disponible. Cartes de paie- ment acceptées.

🛏 *Hôtel Kenzi Saghro* (plan B1, 23) : prendre la route qui monte à gauche, après la *Banque Populaire*. Adresse postale : BP 46, Tineghir. ☎ 044-83-41-76. Fax : 044-83- 23-52. Chambres doubles à 550 Dh (55 €) ; demi-pension possible. Taxe de séjour : 10 Dh (1 €). Repas à 120 Dh (12 €). Un hôtel 4 étoiles de belle facture. Son architecture moderne s'intègre bien au décor. Vue superbe sur la kasbah et sur la palmeraie. Chambres très confor- tables, climatisées et décorées avec goût. Salle de restaurant également très agréable et superbe piscine en forme de porte arabe. Accueil affable.

Où manger?

Très bon marché

Se méfier des petits restos situés sur la place et qui ignorent les règles d'hygiène les plus élémentaires. Ennuis intestinaux garantis.

▐●▌ *Restaurant de l'hôtel de l'Avenir (plan B1, 20) :* on y mange pour pas cher. 3 menus de 45 à 65 Dh (4,5 à 6,5 €). Service parfois lent.
▐●▌ *Restaurant Madaiq, Chez Abdou (plan A2, 31) :* av. Moham-

med-V ; à côté du *Crédit du Maroc.* ☎ 044-83-31-09. Ouvert tous les jours jusqu'à minuit en été. Menus de 50 à 70 Dh (5 à 7 €). Petit resto accueillant. Plats marocains de bonne qualité.

Prix moyens

▐●▌ *Restaurant de l'hôtel Les Gorges, Chez Christophe (plan A2, 25) :* av. Mohammed-V. ☎ 044-83-48-00. Sur la route de Ouarzazate. Menu à 80 Dh (8 €) ou compter 150 Dh (15 €) à la carte, boisson comprise. Dans le cadre agréable d'une salle en mezzanine, Christophe, le propriétaire, met un point d'honneur à satisfaire ses clients. Pas d'alcool, mais on peut apporter sa bouteille.
▐●▌ *Restaurant Chez Michèle (hors plan par B1) :* sur la route des Gorges, après l'embranchement à 200 m sur la gauche. Ouvert tous les jours midi et soir. Compter à partir de 100 Dh (10 €) sans la boisson.

Au rez-de-chaussée, déco et cuisine bio européennes ; à l'étage salon oriental et spécialités marocaines ; enfin sur la terrasse, tente caïdale avec vue sur la palmeraie. Alcool servi uniquement avec les repas. La propriétaire, Française, tient aussi le supermarché du centre. Cartes de paiement acceptées.
▐●▌ *Restaurants de la Kasbah Lamrani (plan A2, 26) :* av. Mohammed-V. Menu à 150 Dh (15 €). Ils ont deux restaurants : l'un de cuisine marocaine, l'autre de cuisine internationale. Ils servent du vin avec les repas. Cadre exceptionnel. Cartes de paiement acceptées.

À voir. À faire

➤ *La promenade à pied dans la palmeraie :* vous y découvrirez tout un petit monde travaillant dans les vergers, près des canaux d'irrigation. La palmeraie, irriguée par l'oued Todgha, est magnifique : une grande tache verte aux portes du désert. Il faut s'y promener le matin ou en fin d'après-midi pour découvrir un éden que l'on croyait perdu. Très intéressant pour observer la vie quotidienne et comprendre le système d'irrigation de ces palmeraies où pas une goutte d'eau n'est perdue. Sortir de la ville et traverser l'oued devant la pancarte « Gorges », puis remonter en suivant l'escarpement rocheux. 2 h de marche jusqu'au *camping de la Source des Poissons Sacrés.* Attention, la palmeraie est un vrai labyrinthe où l'on peut perdre beaucoup de temps dans les culs-de-sac. Suivre le canal d'irrigation principal permet, d'après un lecteur, de dérouler le fil d'Ariane sans heurt. Sinon se faire accompagner par un guide ; à demander à votre hôtel.

➤ *Le point de vue sur la palmeraie :* prendre la direction des gorges et, à 2 km du carrefour, on arrive sur une vaste plate-forme. Impossible de la manquer. Chameaux et gamins y attendent les touristes. Magnifique vue sur le village d'Aït-Boujane. De là, possibilité de descendre à pied dans la palmeraie. Les plus courageux continueront jusqu'aux gorges du Todgha (voir plus loin). Compter 15 km mais la route est très belle.

🚶 *L'ancien village Aït El-Haj Ali (plan B2, 12) :* plus connu comme le quartier des Juifs. Remarquable architecture en pisé et ambiance commerciale dans quelques rues où les maisons dissimulent des bazars. Si l'on vous invite à prendre un thé, à faire le henné, à la fête de la soie, ou à photographier les femmes qui tissent, ce n'est pas toujours désintéressé...

🚶 *El-Hart :* à 14 km. On s'y rend en empruntant la route d'Er-Rachidia et en suivant ensuite une piste de 4 km, ou par l'avenue Bir-Anzarane et en tournant ensuite à gauche à la fin du goudron. Là, quelques potiers travaillent d'une manière tout à fait artisanale au milieu d'une magnifique palmeraie.

QUITTER TINEGHIR

🚌 🚐 Départs des bus autour de la poste *(plan B1)*.
Départs de la *CTM (plan B1)*. ☎ 044-83-43-79.
Départs des grands taxis *(plan B1, 15)*.
Cars directs pour Fès, Meknès, Casablanca et Tanger. Départs en fin de journée.

➤ *Pour Ouarzazate :* bus privés 5 fois par jour. Taxis collectifs.
➤ *Pour Marrakech :* 3 bus privés quotidiens. Taxis collectifs.
➤ *Pour Casablanca et Rabat :* 2 bus privés, le matin et l'après-midi ; bus *CTM* l'après-midi également.
➤ *Pour Tanger :* bus privé en début d'après-midi.
➤ *Pour Er-Rachidia :* bus *CTM* tard le soir ; 2 bus privés dans l'après-midi. Taxis collectifs.
➤ *Pour Erfoud et Rissani :* bus privés les mardi, jeudi et dimanche à 10 h et 15 h.
➤ *Pour Agadir :* 2 bus privés, le matin et l'après-midi.
➤ *Pour Tamtattouche :* camion chaque matin et fourgonnette.
➤ *Pour Imilchil :* camion le lundi matin, sauf quand il y a trop de neige. Quelquefois aussi le jeudi soir.
➤ *Pour les gorges du Todgha :* taxi collectif et fourgonnette, le matin, à un prix raisonnable.

LES GORGES DU TODGHA

De Tineghir, en direction d'Er-Rachidia, avant le pont à gauche, 15 km de route asphaltée. Les gorges du Todgha (prononcer « Todra ») sont les plus belles du Sud marocain. Pour vous mettre l'eau à la bouche, vous pouvez aller voir trois films dont certaines scènes ont été tournées dans ces gorges : *Lawrence d'Arabie* (encore), *La Poudre d'escampette* et *Cent Mille Dollars au soleil*. L'eau y coule toute l'année.
Si vous n'avez pas de véhicule, vous trouverez des taxis collectifs et des fourgonnettes, le matin, au départ de Tineghir.
La route qui mène aux gorges s'élève en offrant une belle vue sur la palmeraie (l'une des plus belles du Maroc) et sur la kasbah du Glaoui (se reporter plus haut, à Tineghir, « À voir. À faire. Le point de vue sur la palmeraie »). Attention, le week-end, les gorges sont envahies par les habitants des envi-

rons qui viennent prendre le frais et y laver leur voiture. Ne parlons pas des cars qui stationnent pendant que les touristes déjeunent, et des faux guides, particulièrement envahissants. Heureusement, tout le monde quitte les lieux à la tombée de la nuit, et l'endroit retrouve un peu de sa magie.

Où dormir ? Où manger ?

Dans la palmeraie

Campings

⚿ 🏠 ⦿ *Hôtel-restaurant-camping Le Soleil :* au km 8, sur la gauche dans un virage. ☎ et fax : 044-89-51-11. Compter 50 Dh (5 €) pour deux en camping-car avec branchement électrique. Chambres doubles de 80 à 150 Dh (8 à 15 €) selon le confort ; possibilité également, pour les porte-monnaie peu garnis, de dormir sous la tente ou dans le salon pour un prix modique. Menu à 80 Dh (8 €) et carte. Grand terrain de camping bien ombragé. Bloc sanitaire, laverie. 11 chambres correctes, certaines avec salle de bains. Le repas est à commander quelques heures avant. Bon accueil. Organisation d'excursions.

Quant aux quatre campings suivants, ils se valent à peu près et, comme le premier, ils comptent parmi les plus agréables de tout le Maroc. Situés les uns à la suite des autres, ils se trouvent à environ 8 km de Tineghir en allant vers les gorges. Attention toutefois en cas d'orage violent : ils sont en zone quasi submersible. De ces campings, un tas de balades géniales à pied dans la palmeraie. On peut louer des ânes.
Pour se rendre aux gorges, prendre un taxi collectif.

⚿ 🏠 ⦿ *Camping l'Auberge Atlas :* au km 9. ☎ 044-89-50-46. Compter 50 Dh (5 €) pour deux avec voiture et tente. Chambres à 100 Dh (10 €) pour deux. Menu à 50 Dh (5 €). Camping bien ombragé. À notre avis, le meilleur de toute la région car le site est très beau. Patron très sympa. Sanitaires avec eau chaude, très bien entretenus. Poubelles dans un local fermé. 7 chambres impeccables mais sans sanitaires privés. Petit resto berbère servant une bonne cuisine. Possibilité de faire des balades à dos d'âne dans la palmeraie, à partir de l'auberge.

⚿ 🏠 ⦿ *Camping du Lac (Jardin de l'Éden) :* à quelques mètres après le précédent. ☎ 044-89-50-05. Compter 40 Dh (4 €) pour deux en camping-car. Chambres à 100 Dh (10 €) avec douche et toilettes ; les fauchés peuvent dormir pour 20 Dh (2 €) sur des nattes dans deux salons, ou pour 15 Dh (1,5 €) sur la terrasse. Sanitaires impeccables. 2 douches avec eau chaude et w.-c. Chambres agréables. Si la viande du couscous vous paraît vraiment trop peu abondante, n'hésitez pas à en réclamer ! Électricité. Excellent accueil et calme assuré. Balade dans la palmeraie possible depuis le camping même.

⚿ 🏠 ⦿ *Hôtel-restaurant-camping Azlag :* prévoir 70 Dh (7 €) pour une chambre double. 5 chambres simples mais impeccables, avec douche (eau chaude) et toilettes. Terrasse dominant la palmeraie. Petit camping pouvant contenir 10 caravanes. Bloc sanitaire d'une propreté exemplaire. Restaurant offrant des plats marocains savoureux et à petits prix. Accueil aussi sympathique que le lieu.

⚿ 🏠 ⦿ *Camping-auberge de la Source des Poissons Sacrés :* quelques mètres après les trois précédents. ☎ 044-89-51-57. Tarifs similaires pour le camping, et 60 Dh (6 €) en chambre ; ceux qui ont un budget limité pourront dormir dans le salon pour 20 Dh (2 €). Menu à 50 Dh (5 €). Les poissons existent toujours ; ils sont effectivement sacrés pour les gens du coin. De là jaillit la célèbre source. D'ailleurs, un bassin bien agréable s'étend au milieu du camping et se prolonge par de petits canaux à l'eau très limpide. Cadre romantique. Sanitaires sommaires (attention au chauffe-eau dont les émanations de gaz ont failli tuer quelques-uns de nos lecteurs!).

Prix moyens

🛏 🍴 *Hôtel Amazir :* avant l'entrée des gorges. ☎ 044-89-51-09. Fax : 044-89-50-50. Chambres doubles à 270 Dh (27 €), petit déjeuner compris; 400 Dh (40 €) en demi-pension. Établissement tout neuf de 15 chambres disposant toutes de salle de bains et d'une excellente literie, deux possèdent même un balcon dominant la palmeraie. Salle de

Repas sur commande. Prix un peu à la tête du client, se les faire préciser avant. Ils ont aussi un petit hôtel de l'autre côté de la route. La chambre n° 8 est la mieux située. Sinon, la n° 2 et la n° 6 possèdent une jolie vue sur la palmeraie. Deux douches chaudes.

restaurant très agréable avec cheminée, céramiques, tapis, etc. Cuisine marocaine. Pas d'alcool, mais on peut apporter sa bouteille. Superbe terrasse surplombant la rivière. Une belle réalisation noyée dans les palmiers. Accueil souriant d'Omar. C'est le seul véritable hôtel du coin, et notre meilleure adresse.

Dans les gorges

Poursuivre la route jusqu'aux gorges proprement dites. Accès payant : 5 Dh (0,50 €) par véhicule quand le gardien est là. Évitez de vous y rendre le dimanche en été, il y a beaucoup trop de monde. À l'entrée, les deux parois de la falaise atteignent une hauteur étonnante, ne laissant apparaître qu'une étroite bande de ciel. À gauche, au pied de cette falaise, une source passe pour guérir les femmes stériles (pas de procès au *GDR* si ça ne marche pas!).

🍴 🛏 *Hôtel-restaurant-auberge La Vallée, Chez Saïd :* ☎ 044-89-51-26. Sur la gauche au niveau du parking payant. Chambres avec salle de bains commune à 60 Dh (6 €) sans le

petit déjeuner. Saïd propose 5 chambres sommaires avec lavabo et 2 sanitaires. Petit déjeuner correct. Ils font aussi restaurant. Équipement rudimentaire. Accueil chaleureux.

Franchissez le gué (il y a toujours de l'eau, mais pas de problème pour passer avec un véhicule de tourisme, sauf en cas de pluie) et vous apercevrez plus loin deux hôtels au pied de la falaise, l'un à côté de l'autre et d'un confort équivalent.

🍴 🛏 *Hôtel Les Roches :* ☎ 044-89-51-34. Fax : 044-83-36-11. ● h-lesroches@hotmail.com ● Chambres doubles à 200 Dh (20 €), petit déjeuner compris. 21 chambres simples avec salle de bains et de l'eau chaude (pas toujours). L'hôtel reçoit beaucoup de groupes au déjeuner sous les belles tentes caïdales. Le soir, il retrouve son calme, sauf quand tam-tam et chants berbères sont au rendez-vous. Bonne cuisine marocaine, surtout le soir.

Pas d'alcool, mais on peut apporter sa bouteille.

🍴 🛏 *Hôtel Yasmina :* ☎ 044-89-51-18; ou à Tineghir : ☎ 044-83-30-13. Fax : 044-89-50-75. Chambres doubles à 200 Dh (20 €), petit déjeuner compris. Au total, 32 chambres avec douche individuelle et toilettes qui ne fonctionnent pas toujours correctement. Eau chaude. Ah, le rose bonbon des dessus-de-lit assortis aux portes ! Les chambres situées dans les tours de la nouvelle aile permettent, avec leurs deux fenêtres, de voir l'entrée et la sortie des gorges. Propreté limite. Restaurant, hélas, envahi par les groupes au déjeuner, ce qui explique peut-être la médiocrité de la cuisine. Tentes caïdales et magnifique terrasse surplombant l'oued. Bar-cafétéria sans alcool (on peut en apporter). Quand il y a des groupes folkloriques en soirée, bonjour les décibels ! Location de VTT.

Dans ces deux établissements, les moins riches peuvent dormir, pour une somme très modique, sur le toit ou sous la tente berbère. Les grimpeurs pourront consulter le cahier où sont inscrites les différentes voies d'escalade.

À faire

– À partir de ces hôtels, remonter à pied le lit de l'oued entre deux gigantesques falaises, en évitant les gamins collants et les pseudo-guides. Après 500 m, au-delà de l'itinéraire classique, le canyon s'élargit mais le paysage est toujours superbe. Ne faites pas comme beaucoup de locaux, qui considèrent les gorges comme un dépotoir ou qui viennent laver leur voiture dans le lit de l'oued. Attention, en hiver le soleil n'apparaît dans la faille que de 11 h à 12 h.

– Ces gorges sont un véritable paradis pour les amateurs d'*escalade*. Prévoir tout ce qui est nécessaire car rien n'est disponible dans la région, pas même la magnésie. Très nombreuses voies équipées pour niveaux de 5 + à 8 a (seuls les spécialistes comprendront), de 25 à 300 m. Se renseigner dans les deux hôtels des gorges et à l'*hôtel Tomboctou* de Tineghir, qui possèdent les documents sur les voies d'accès. Attention, il arrive parfois que des gamins s'amusent à un jeu stupide qui consiste à retirer la plaquette et l'écrou du premier point d'assurage ou, plus vicieux, à détacher le maillon rapide fixe du sommet. Donc, prévoir toujours un maillon avec soi pour ne pas rester en rade après tant d'efforts. La prudence s'impose car, en cas de pépin, les secours sont lents et peu efficaces.

DES GORGES DU TODGHA À LA VALLÉE DES GORGES DU DADÈS

Il est impossible de faire la liaison en période de pluie, à cause des crues. Meilleure époque : de fin mai à fin septembre. Compter 137 km entre Tineghir et Boumalne.

Un véhicule tout-terrain est indispensable. TOUJOURS SE RENSEIGNER SUR L'ÉTAT DE LA PISTE AVANT LE DÉPART. Compter au moins 5 à 6 h pour faire la boucle. La piste représente 45 % du trajet.

Ayez une bonne roue de secours, sinon deux, et impérativement le matériel pour réparer. Vous ne pourrez faire réparer une roue crevée qu'à Msemrir et Tamtattouche. Et nombreux sont ceux qui ont crevé deux fois en route... Cailloux traîtres. Faites le plein d'essence avant de partir. Il n'y a pas de station service entre Tineghir et Tamtattouche.

Ayez de bons amortisseurs et une provision d'eau avec un en-cas. Faites gonfler vos pneus à 300 ou 400 g au-dessus de la prescription normale (car la piste est caillouteuse) au garage *Shell* de Boumalne ou au *Total* de Tineghir.

ATTENTION ! Les panneaux sont inexistants aux carrefours des pistes. Il est donc préférable de se faire accompagner par quelqu'un du pays. Demandez un bon accompagnateur à votre hôtelier. Méfiez-vous de ceux qui proposent leurs services à l'extérieur des hôtels. Certains sont peut-être honnêtes, mais c'est la minorité. Compter environ 200 à 300 Dh (20 à 30 €) par jour, hors frais de nourriture. Un petit conseil avant de prendre la route. Les enfants ont pris l'habitude de tendre la main. Ne donnez rien sans raison valable, pas même des bonbons.

Deux raisons, selon nous, de faire le circuit en partant du Todgha :
– le premier col après *Tamtattouche* est le plus dur de tous, mieux vaut le passer en premier : on passe ou on ne passe pas !
– les paysages de la fin de la *vallée du Dadès*, vers Boumalne, sont les plus beaux, les plus grandioses. Gardez-les pour le dessert !

TAMTATTOUCHE

À 17 km des hôtels *Yasmina* et *Les Roches*. La piste vient d'être asphaltée. La région devient de plus en plus touristique. Même les bergers nomades abandonnent leurs troupeaux pour aller quémander des cadeaux sur la piste. En cas de refus, ils deviennent parfois agressifs.

Où dormir ? Où manger ?

△ 🏠 |●| *Hôtel-camping-restaurant Baddou :* un terrain plat aménagé à l'entrée du village en venant des gorges. Sanitaires avec douche chaude. Bon accueil d'Albaz Moha. Tous les renseignements sur les pistes de la région. Possibilité de manger et de dormir sous deux tentes berbères. Ils ont aussi 9 chambres propres. Douche chaude. La cuisine est bonne. Terrasse panoramique sur le village. C'est l'adresse la plus recommandable.
△ 🏠 |●| *Auberge Bougafer :* c'est le premier établissement sur la droite, en venant des gorges. 10 chambres avec sanitaires bien équipés, deux vastes tentes berbères et une grande terrasse peuvent vous accueillir. Belle vue sur l'oued. Cuisine berbère. Le patron, Lahcen, vous donnera des infos sur la région.
🏠 |●| *Le Campagnard :* situé en plein centre du village. À la fois café, hôtel et restaurant. Tenu par Aïcha et sa fille Fatima. Deux pièces avec matelas pour dormir. On sent un peu la fumée au réveil !

– Une dizaine de petits établissements, très rudimentaires, se sont ouverts récemment. Ils ne peuvent offrir que ce qu'ils ont, c'est-à-dire presque rien.
– Un seul commerce dont les rayons sont souvent vides, et le souk le plus proche se tient le jeudi à Aït-Hani, à 16 km.
➤ De Tamtattouche, on peut se rendre à Imilchil, par une piste en partie goudronnée. L'itinéraire est décrit plus loin.

DE TAMTATTOUCHE À MSEMRIR

ATTENTION, plusieurs pistes se sont ouvertes récemment à la sortie de Tamtattouche. De plus, les enfants se postent sur le chemin pour vous indiquer une mauvaise direction et vous obliger à les prendre comme guides. Souvent, une bonne piste est fermée par des cailloux et de fausses indications écrites sur les murs. En cas de doute, demandez toujours aux vieux, jamais aux enfants. Nous allons tenter de vous expliquer ce qu'il faut faire.
Juste à la sortie du village de Tamtattouche, laissez une première piste à gauche, traversez le ravin puis quelques champs, avant d'emprunter, à moins de 500 m, une déviation sur la gauche (ça monte). Vous trouverez tout de suite une bifurcation : allez à droite, un peu plus loin à gauche, puis encore à droite (vous comprenez pourquoi un guide n'est pas un luxe). Suivez la piste principale sur 6 km jusqu'à la prochaine bifurcation où vous devez alors prendre à gauche. Après, c'est plus facile... Entre Tamtattouche et Msemrir, comptez 60 km de piste sans aucun village. Le point le plus élevé de la route est le *col d'Aguerd N'Zegzdoun*, à 2 639 m.

MSEMRIR

Accessible depuis Boumalne-du-Dadès par une belle route goudronnée à partir d'Aït-Oudinar.

Chef-lieu des tribus des Aït-Morghard, des Aït-Hadidou et des Aït-Atta, à 70 km de Tineghir et à 60 km de Boumalne. Point de départ de nombreuses randonnées. La gendarmerie royale pourra vous renseigner sur l'état des pistes et les chemins à prendre. Au printemps, pêche à la truite dans l'oued Boukoula. Visite de grottes qui servaient de refuge. Les gens du coin sont plutôt hospitaliers.

– *Souk :* le samedi. Très animé.

Où dormir ? Où manger ?

🛏 |●| *Auberge El-Warda :* 9 chambres avec vue panoramique. Repas sur commande et sandwichs. Mohammed Outakhechi, le patron, pourra vous conseiller sur l'état des pistes et les possibilités de balades.

🛏 *Auberge Agdal :* 3 chambres avec douche chaude individuelle et 5 chambres avec douches communes. Dommage que ce soit aussi mal entretenu. Le patron, Mohammed Irih, vous renseignera pour les randonnées et pour la visite des grottes. Il vous conseillera un guide.

IMILCHIL

Très célèbre pour sa *fête des Fiancés*, qui se déroule en septembre. Date à vérifier à l'office du tourisme ou sur place ; en raison des lunes, elle varie chaque année. Elle a lieu, en fait, à une vingtaine de kilomètres de là, au village d'*Allamghou*, près du tombeau d'un marabout, situé au sud, en direction de Tineghir. *Souk* le samedi.

Assez peu de touristes s'aventurent dans cette région nichée au cœur du Haut Atlas ! Car Imilchil, capitale des Aït-Haddidou et petit centre administratif, se mérite... au bout de nombreuses heures de route (dont beaucoup de pistes bordées de somptueux paysages). Mais pas pour longtemps, car la grande traversée de l'Atlas Nord-Sud passant par Imilchil sera entièrement réalisée avant la fin 2003, *Inch'Allah*. Le Haut Atlas ressemble à un immense chantier de travaux publics et le goudron avance à une vitesse fulgurante !

LE *MOUSSEM*

À l'occasion du *moussem*, tout change, les agences de voyages affrétant des dizaines de véhicules tout-terrain (si vous êtes derrière la caravane, bonjour la poussière !). Le charme est rompu. Un nombre toujours croissant de pseudo-« hommes bleus » du désert (la plupart sont des Berbères de Er-Rachidia et Tineghir !), qui viennent là pour vendre des articles de pacotille (« d'authentiques tissus touareg pour toi, mon zami ! ») à des touristes en mal d'exotisme au point de se travestir en Sahariens avec chèche et robe bleue. Prévoir des cadeaux et beaucoup de monnaie si l'on veut faire des photos. Se dépêcher d'y aller avant qu'ils ne construisent un héliport !

Chaque année, les jeunes gens et jeunes filles de la région viennent ici dans l'espoir de rencontrer l'âme sœur et aussi de divorcer. Le *moussem* commence un vendredi, jour de la vente du bétail. Le samedi est réservé à la vente des produits de première nécessité aux villageois. Le dimanche est le jour des chants et des danses folkloriques.

Une très jolie légende s'est tissée autour de ce *moussem*. Il y a bien long-temps déjà, deux amoureux avaient décidé de se marier, mais leurs parents n'étaient pas du tout d'accord. Les jeunes gens se mirent alors à pleurer... jusqu'à la formation de deux lacs de la région : Iseli et Tislit. Émus, les parents acceptèrent finalement de laisser leurs enfants décider librement du choix de leur conjoint.

Les femmes, maquillées à outrance, portent leurs plus beaux bijoux et sont parées comme des princesses. Elles rivalisent d'invention et, dans ce festi-val de couleurs, les fillettes ne sont pas en reste, imitant très tôt leurs aînées. L'idéal, bien entendu, c'est de se faire inviter par une communauté villa-geoise dont on partage la vie durant le *moussem*. Pas de problème de ravi-taillement, car tous les commerçants entendent profiter de l'aubaine que représente pour eux une telle concentration de population. Vous y trouverez non seulement l'essentiel mais aussi le superflu. Occasion unique de décou-vrir l'artisanat local et les objets usuels de la vie quotidienne des Berbères. Les prix ne sont pas plus doux qu'ailleurs, au contraire ! Discuter et se méfier des occasions. Inconditionnels du confort, s'abstenir : il n'y a pas d'eau cou-rante et on se lave avec des seaux d'eau froide (payante), livrée chaque matin par camion.

Comment y aller ?

Avec une voiture de tourisme

➤ **En partant de Rich** *(situé entre Midelt et Er-Rachidia) :* la route gou-dronnée mène au village d'Imilchil. Compter 3 h de trajet.

➤ **En partant de Tineghir :** en passant par les gorges du Todgha, goudron jusqu'à Tamtattouche, et très prochainement *(courant 2003)* jusqu'à Aït-Hani, puis piste en bon état vers le Tizi Tiherhouzine et Agoudal. Cet itiné-raire peut s'effectuer en voiture de tourisme dès la fonte des neiges à condi-tion de bien se renseigner sur l'état de la route avant le départ. On vous rap-pelle toutefois qu'elles ne sont plus assurées par le loueur dès qu'elles empruntent la piste. Partir à deux véhicules au minimum, en raison des risques de crevaison importants sur la partie non asphaltée. 6 h de trajet sont nécessaires (4 h en 4x4).

Avec un 4x4

➤ **En partant de Boumalne-du-Dadès :** en passant par les gorges du Dadès, goudron jusqu'à Msemrir, puis piste pour rejoindre le Tizi-n-Ouano et Agoudal (où l'on rattrape la piste qui arrive de Tineghir). Cet itinéraire est accessible beaucoup plus tard dans la saison que le premier, en raison de la configuration du col de Tizi-n-Ouano (cuvette), qui reste enneigé très long-temps. Cette piste est plus difficile, voire dangereuse en certains passages. Ne pas s'y engager seul. Compter 6 h de piste.

➤ **En partant de Kasba-Tadla ou de Khénifra :** rejoignez El-Kebab, puis Aghbala, puis directement Imilchil. Le goudron s'avance à présent jusqu'au début du resserrement de l'Assaif Mellouf, la piste a été élargie jusqu'au vil-lage d'Imilchil dans l'attente d'un goudronnage imminent. L'asphalte réappa-raît au niveau de la maison forestière. Compter 5 h pour faire Khénifra – Imil-chil.

➤ **En partant de Midelt :** une autre piste permet de rejoindre Imilchil par le cirque de Jaffar. Toutefois, comme toutes les pistes qui ne sont plus fré-quentées par les autochtones (depuis que l'itinéraire Rich-Imilchil est entiè-rement goudronné), cette dernière n'est plus entretenue. Compte tenu de la violence des orages qui dévastent la région au moins une fois par an, se méfier des ravinements provoqués par les pluies. Nombreux passages à gué sur le parcours. Cette piste est à réserver aux amateurs de 4x4 possédant un bon niveau de conduite. Ne jamais s'engager seul sur cette piste, et toujours se renseigner avant le départ. Pneus tout-terrain obligatoires. Une bonne journée de piste est nécessaire.

Où dormir ? Où manger ?

🛏 |◉| *Hôtel-restaurant Islane :* ☎ 023-44-28-06. 9 chambres propres. Il est préférable d'en demander une dans le bâtiment inférieur. Simple et bonne cuisine. Accueil très sympa du patron, Ali Boudrik, qui travaille en coopération avec de jeunes Berbères dont certains sont des guides compétents et d'autres de bons musiciens.

🛏 |◉| *Hôtel Atlas :* domine la place du souk. Même type que l'*Islane*. Si ses 3 chambres sont prises, le pro-prio vous conduira dans la maison de sa sœur aménagée en gîte. Elle vous proposera... des tapis !

🛏 *Auberge Kasbah Adrar :* ☎ et fax, 023-44-21-84. Hassan, guide de montagne, propose 10 chambres avec douche (eau chaude). Un peu plus cher que l'*Islane*.

🛏 *Gîtes d'étape :* on en trouvera plusieurs à Imilchil, dans des maisons adaptées au logement pour le tourisme de montagne.

À faire

➤ Belles balades au *plateau des lacs Tislit et Iseli,* mais il est déconseillé de s'y baigner et même de s'approcher des rives boueuses, qui sont dangereuses.

➤ *DANS LES ENVIRONS D'IMILCHIL*

Où dormir ? Où manger ?

– *Plusieurs établissements* ont été construits à Aït-Ameur ou à proximité, notamment à Bou-Ouzemou N'Aït Ouaghzef (à 4 km du *moussem*) et à Alemgho, dernier village avant Aït-Ameur.

– Pendant la *fête des Fiancés,* qui se déroule à 25 km au sud d'Imilchil, au carrefour des pistes de Rich et de Tineghir, pas d'angoisse, on peut dormir sur place dans de vrais lits... sous de grandes *tentes* pouvant héberger 15 personnes. Tout est organisé par des hôteliers qui transportent leur matériel sur place. Prévoir des vêtements bien chauds et un duvet car les nuits sont très fraîches. On est à 2 000 m d'altitude.

– Si vous comptez déjeuner sous les tentes qui font office de cantines, fixez le prix et, si nécessaire, marchandez avant de vous attabler. Une fois que vous aurez consommé, il sera trop tard. En général, les prix sont affichés à l'entrée de chaque tente, mais le texte est écrit en arabe.

🛏 |◉| *Hôtel Tislit :* au lac Tislit, à 4 km d'Imilchil. Construit en forme de kasbah, cet établissement agréable propose 7 chambres, dont certaines avec cabinet de toilette (eau froide) et w.-c. Une seule douche collective, qui pourrait être mieux entretenue. Repas très moyens.

|◉| 🛏 *Auberge Ibrahim :* à Agoudal. ☎ 055-88-46-28. Sur la route entre les gorges du Todgha et Imilchil, à 3 h en 4x4 des gorges et à 1 h 30 d'Imilchil. La demi-pension revient à 130 Dh (13 €) par personne. Il s'agit de la seule auberge de ce village de montagne, perché à 2 700 m

d'altitude et que le grand axe sud-nord devrait prochainement rattacher à la civilisation. 6 chambres doubles, 2 salons-dortoirs de 8 lits et une tente nomade. Sanitaires simples mais propres avec eau chaude. Groupe électrogène. Panneaux solaires en projet. Excellent accueil de Brahim qui, malgré son handicap, fait tout pour satisfaire ses hôtes. Repas sur commande (couscous, tagines, etc.) de très bonne qualité. N'hésitez pas à laisser les bouquins que vous avez terminés, Brahim s'en délecte d'avance.

DE TINEGHIR À ER-RACHIDIA

🚐 Compter 137 km par une route (P32) parfois étroite. Taxis collectifs avec changements à Tinejdad et Goulmima.

TINEJDAD

À 47 km, un gros *ksar* implanté dans la palmeraie du Ferkla. Pas d'hôtel : se réfugier chez l'habitant.

Où dormir ? Où manger ?

🍽 Pour se restaurer, aller au ***café-restaurant Jardin Ferkla***, dans la rue principale. ☎ 055-78-68-48. On y propose des brochettes et des salades. Cuisine simple, mais bonne. Jardin et terrasse bien agréables.

🏠 🍽 ***Maison d'hôte el Khorbat :*** à 2 km de Tinejdad en allant vers Tineghir, prendre une piste sur la gauche pendant 500 m. ☎ 055-88-03-55 et 067-34-82-00 (portable). Fax : 055-88-03-57. Lors de notre passage, des travaux étaient en cours dans les maisons en terre du *ksar* pour aménager un restaurant (ouverture prévue fin 2002) et des chambres avec salle de bains (pour l'été 2003). La cuisine devait être préparée par les femmes du village. Repas (autour de 100 Dh, soit 10 €) servi soit dans une salle à manger typique, soit en terrasse, sous les palmiers. Pas d'alcool. Parking. Dites-nous ce que vous en pensez.

🍽 On peut aussi essayer le ***café-restaurant Ed-Dahab***, à la sortie vers Er-Rachidia, à l'embranchement de la route d'Erfoud. Cuisine simple : rien d'autre que des omelettes et des salades à 10 Dh (1 €). Accueillant et propre.

À voir

🎒 ***Le musée des Oasis :*** à côté de la *Maison d'hôte el Khorbat*. Ouvert toute la journée. Entrée : 20 Dh (2 €). Dans une grande demeure du *ksar*, 12 salles exposent les différents aspects de la vie traditionnelle dans les oasis : agriculture, élevage, artisanat, commerce, habitat, religion, etc. Des objets anciens, mais aussi des cartes, des photos, des maquettes et des croquis.

🎒 Les amateurs d'art pourront s'arrêter à la ***galerie d'art Chez Zaïd***, 2 km avant d'arriver au centre. ☎ 055-78-67-98. Ce grand connaisseur des traditions et de la culture de son pays organise des expositions. Bien entendu, tout est à vendre. Les prix fixes, étiquetés, sont très élevés, mais on peut être sûr de la qualité. Toilettes et café.

GOULMIMA

En continuant par la P32, on traverse ce village, dans l'oasis du Gueris, qui ne comporte pas moins d'une vingtaine de *ksour* entourés de puissantes enceintes destinées à les protéger des attaques des tribus berbères. Le vieux *ksar* de Goulmima mérite vraiment une visite. Pour y accéder, petite route caillouteuse de 2 km en direction d'Erfoud. Véritable forteresse de pisé, le *ksar* est encore habité. Empruntez les ruelles, franchissez les passages aménagés sous les maisons avant que le temps et surtout les pluies ne viennent anéantir le fragile décor fait de terre ocre, de roseaux, de palmes tressées et aussi, malheureusement, de vieille tôle ondulée. Le village actuel n'offre aucun intérêt. En revanche, la palmeraie mérite un coup d'œil.

Où dormir ? Où manger ?

🏠 🍽 **Les Palmiers :** dans un jardin tout près de la palmeraie (d'où son nom). ☎ 055-78-40-04. Compter de 150 à 170 Dh (15 à 17 €) par personne en demi-pension. Maison d'hôte tenue par une Française et son mari. Bon accueil. 5 chambres impeccables dans un jardin où l'on peut aussi camper (camping-cars non souhaités). On vous fournira un accompagnateur pour visiter les *ksour* avoisinants et la palmeraie. Ils organisent aussi des bivouacs. Une bonne adresse.

🏠 🍽 **Hôtel Gheris :** en face du souk. Chambres simples mais confortables et propres. Bonne et copieuse cuisine au resto.

🏠 🍽 **Auberge de jeunesse :** secteur 03, n° 4 Ksar Goulmima. ☎ 066-90-84-42 (portable). • www.aub.ht.st • www.geocities.com/yhgoulmima2001 • Ouvert de 8 h à 12 h et de 14 h à 22 h. Autour de 50 Dh (5 €) par personne en dortoir, le double en chambre individuelle ; pension complète possible. 10 chambres dans une belle maison à l'architecture locale, entourée d'un jardin. Possibilité de camping. Calme.

DE TINEGHIR À ERFOUD

Route beaucoup plus étroite mais aussi beaucoup plus intéressante que celle qui passe par Er-Rachidia. Elle traverse sur la fin du trajet une succession de *ksour*, d'oasis et de palmeraies.

Avant d'arriver à celle de Jorf, vous verrez un astucieux **système d'irrigation** appelé *khetarra*. Connue dès l'Antiquité, cette technique persane consiste à capter l'eau de la nappe phréatique. La série de puits que l'on aperçoit en surface servent à entretenir les galeries souterraines. Par une faible pente, ce système permet de limiter l'évaporation et la lourde de tâche de puisage. À l'extrémité du réseau, l'eau est distribuée dans les jardins par l'intermédiaire de petits canaux *(séguia)* régulés par un peigne en bois ou en terre cuite. On trouve des *khetarra* en Amérique du Sud, en Espagne et dans la plupart des pays arabes.

Se méfier des tornades qui peuvent subitement dresser un rideau de sable opaque et couper toute visibilité. Ce sable charrié par le vent recouvre parfois des portions de route et rend la conduite dangereuse. Prudence !

Un bus quotidien relie Tinejdad à Erfoud et Rissani.

ER-RACHIDIA

100 000 hab.

L'ancienne Ksar-es-Souk, ville militaire servant de base à la Légion étrangère, fut construite de toutes pièces, au début du XXe siècle, suivant un quadrillage lui enlevant tout charme. Depuis, l'armée marocaine a remplacé les képis blancs et occupe les casernes qui jalonnent l'avenue Moulay-Ali-Chérif. La ville se trouve à 85 km d'Erfoud. Son seul intérêt : être une ville étape sur la route du Sud. Er-Rachidia, chef-lieu de la province du Tafilalet, est un grand marché agricole et un centre d'échanges important. Il est très aisé de s'y repérer : la ville est traversée de part en part par l'avenue Moulay-Ali-Chérif, qui concentre bon nombre des adresses indiquées. Il est facile de se garer sur les grands axes de la ville. C'est un bon point de départ pour la visite des gorges du Ziz, très intéressante. Attention toutefois aux propositions faites par les locaux pour les excursions. Voir la rubrique « Guides et faux guides » en début d'ouvrage, dans les « Généralités ». Le problème est partout le même.

– *Souk :* le dimanche, le plus important (c'est fléché), et également le jeudi dans le centre-ville.

Adresses utiles

Infos touristiques

▣ *Délégation provinciale du tourisme :* 44, bd du Prince-Moulay-Abdallah, lotissement Boutalamine. ☎ 055-57-09-44. Fax : 055-57-09-43. Ouvert du lundi au jeudi de 8 h 30 à 12 h et de 14 h 30 à 18 h 30, et le vendredi de 8 h 30 à 11 h 30 ; horaires légèrement modifiés en l'été : ouvert en principe de 9 h à 15 h, sans interruption. Fermé les samedi et dimanche. Excellent accueil et personnel très compétent. Ne pas hésiter à y aller pour demander des informations sur les excursions.

Poste et télécommunications

✉ *Poste :* av. Moulay-Ali-Chérif ; à côté de la gendarmerie. Mêmes horaires que la Délégation du tourisme.

@ *Cyber Café Infoziz :* 85 *bis*, rue Targa-Jdida. Dans la rue à gauche en venant de Ouarzazate, juste avant l'hôtel *Meski.*

Argent

▪ *Change :* plusieurs banques (*BMCI, BMCE, Banque Populaire, Crédit Agricole*) dans le centre. Distributeurs automatiques au *Crédit Agricole*, av. Moulay-Ali-Chérif (intéressant : il ouvre le samedi matin de 9 h à 12 h), et à la *BMCI*, pl. de la Préfecture.

Santé

▪ *Urgences :* hôpital Moulay-Ali-Chérif, sur l'avenue du même nom.

▪ *Pharmacie de nuit :* le *Croissant Rouge*, à côté de la station de bus.

Voiture

▪ *Stations-service :* Agip, Afriquia, et *Ziz*, av. Moulay-Ali-Chérif.

▪ *Magasin de pièces auto :* préférer la station *Agip.*

Divers

■ **Achats alimentaires :** marché couvert, av. Moulay-Ali-Chérif.
■ **Supermarchés :** *Chez Michèle,* av. Moulay-Ali-Chérif. Pour l'alimentaire et les boissons alcoolisées. *Jalis,* devant l'hôtel *M'Daghra,* pour les vêtements. *Yassin,* proche du marché couvert, pour l'alimentaire.
■ **Complexe artisanal :** à l'entrée de la ville, juste après le pont en venant d'Erfoud. Fermé les samedi et dimanche.

Où dormir ?

Camping

⚊ **Camping de la Source Bleue de Meski :** à 21 km, sur la route d'Erfoud. Compter 40 Dh (4 €) pour deux avec tente et voiture. Coin douche très sommaire, pour ne pas dire pire. Attention, malgré le nom, il n'y a pas toujours d'eau dans le bassin. Cuisine correcte. Cadre agréable, mais beaucoup de petits vendeurs tenaces autour de la source.

Très bon marché

⚊ **Hôtel Zitoun :** pl. Moulay-Hassan. ☎ 055-57-24-49. La double revient à 50 Dh (5 €). Chambres rudimentaires, mais douche chaude. Le tout est acceptable. Pour les routards peu exigeants.

Bon marché

⚊ **Hôtel Meski :** av. Moulay-Ali-Chérif. ☎ 055-57-20-65. Fax : 055-57-12-37. Sur la grande avenue, à l'entrée de la ville en venant de Midelt. Chambres doubles à 130 Dh (13 €). Grandes chambres simples plus ou moins correctes, avec ou sans sanitaires (pas d'eau chaude). Demander celles sur l'arrière, plus calmes. Possibilité de garer sa voiture dans la cour. Bon accueil. Pas d'alcool. Mais pourquoi le petit déjeuner et la cuisine sont-ils aussi quelconques ? Piscine.
⚊ **Hôtel Oasis :** rue Sidi-Bou-Abdallah. ☎ 055-57-25-19. Fax : 055-57-01-26. Dans une rue parallèle à l'avenue Moulay-Ali-Chérif. Prendre la direction de la poste puis tourner à gauche. Chambres doubles à 150 Dh (15 €) sans le petit déjeuner. Très quelconque. Les 46 chambres sont grandes mais pas très propres. Pas de climatisation, mais chauffage central en hiver. Salle de bains avec baignoire et w.-c. ne fonctionnant pas toujours et serviettes douteuses. Prix des chambres exagéré. Restaurant et bar où l'on sert de l'alcool, assez glauque le soir.

Prix moyens

⚊ **Hôtel M'Daghra :** 92, rue M'Daghra. ☎ 055-57-40-47, 48 et 49. Fax : 055-79-08-64. En plein centre, dans une rue très commerçante perpendiculaire à l'avenue Moulay-Ali-Chérif, sur la gauche quand on vient d'Erfoud. Chambres doubles à 180 Dh (18 €). Un 2 étoiles qui bat certains 3 étoiles : le meilleur hôtel dans cette catégorie. Établissement propre et lumineux de 29 chambres spacieuses, avec salle de bains (eau chaude) individuelle et téléphone. 9 chambres donnent sur la rue, en plein centre, et sont assez bruyantes. Sanitaires pas toujours propres. Restaurant avec menus à prix raisonnables. Bar très agréable et salon dans le hall.

Chic

🛏 *Hôtel Kenzi Rissani :* av. Moulay-Ali-Chérif. ☎ 055-57-25-84 et 055-57-21-86. Fax : 055-57-25-85. Sur la route d'Erfoud. Autour de 700 Dh (70 €) la chambre double ; taxes locales de 10 Dh (1 €) par personne. Repas à 180 Dh (18 €). Situé au milieu d'un jardin avec piscine, cet hôtel, entièrement climatisé, propose 60 chambres très confortables. Bon restaurant et snack. Dommage que le béton gâche vraiment l'ensemble. Cartes de paiement acceptées.

Où manger ?

🍴 *Restaurant Imilchil :* av. Moulay-Ali-Chérif. ☎ 055-57-21-23. Pas de menu ; on mange à la carte pour 60 Dh (6 €). Jardin, terrasse surélevée et salle agréable. Excellent accueil. On y sert également un bon petit déjeuner. Le meilleur rapport qualité-prix de la ville.

🍴 *Restaurant de l'hôtel Oasis :* voir précédemment la rubrique « Où dormir ? ». Menu complet pour 85 Dh (8,5 €). L'entrée est à l'angle. Nourriture acceptable. Patron sympathique. Le resto ferme quand il n'y a pas de réservation pour l'hôtel. Alcool. Sanitaires toujours aussi déplorables.

🍴 *Café-restaurant Islane :* à l'entrée de la ville, au carrefour de la route de Midelt et de celle de Ouarzazate. Compter autour de 60 Dh (6 €) pour un repas complet. On peut aussi y boire un verre. Petite terrasse ombragée, cadre agréable. Quelques tables sous les arbres. Attention, les prix ne sont pas affichés.

Où dormir ? Où manger dans les environs ?

🛏 🍴 *Maison d'hôte Zouala :* ksar Zouala Aoufous. ☎ et fax : 055-57-81-82 ou ☎ 061-60-28-90 (portable). À 30 km d'Er-Rachidia à droite et 44 km d'Erfoud, dans le tournant. Demi-pension entre 150 et 200 Dh (15 et 20 €) par personne, selon le confort de la chambre. Dans un ancien caravansérail aux superbes maisons, cette maison d'hôte ravira les amateurs d'authentique. Dans une vieille maison traditionnelle en pisé entièrement rénovée, Hami vous propose 4 chambres, dont une avec douche et toilettes (eau chaude). Quatre autres douches et toilettes à disposition. Chambres simples mais vastes, et très agréables en été par leur fraîcheur. Un grand salon fait également office de restaurant, avec des banquettes disposées autour d'un puits toujours en activité. Magnifiques tapis, petit jardin intérieur et verrière où viennent se réfugier les oiseaux. Côté restauration, cuisine traditionnelle et pain fabriqué devant vous et cuit dans le four. Un lieu poétique à souhait, où hospitalité rime avec sérénité.

Où manger une pâtisserie ?

🍴 *Café-glacier-pâtisserie Ben-Allal :* av. Moulay-Ali-Chérif, à côté du complexe artisanal. Un endroit assez chic où l'on peut déguster d'excellentes pâtisseries en terrasse, ou sur la jolie mezzanine de la salle.

À voir

Pas grand-chose, à vrai dire.

🍃 *L'ancien ksar de Targa :* à 500 m du centre. Toujours habité. Possibilité de boire un thé chez l'habitant. Ce *ksar*, avec son enceinte en pisé, est caractéristique de l'architecture de la vallée du Ziz.

➤ *DANS LES ENVIRONS D'ER-RACHIDIA*

➤ *Les oasis oubliées :* itinéraires à emprunter uniquement si vous nous jurez de ne rien donner aux enfants le long des pistes...
D'Er-Rachidia, prenez la route en direction de Boudnib ; un peu avant Boudnib (à 10 km environ), au niveau d'un radier bétonné sur un oued, prenez la piste qui remonte au nord sur le village de Tazouguerte ; ensuite, continuez vers le nord pour ressortir à Gourrama. Cet itinéraire peu fréquenté vous permettra de découvrir de splendides palmeraies et des paysages volcaniques.
Partez à deux véhicules minimum, et avec un guide local. Comptez 6 h pour faire la boucle Er-Rachidia-Tazouguerte-Gourrama-Er-Rachidia.

🍃 *La source Bleue de Meski :* à 20 km vers le sud. La source est juste à l'entrée du village. Entrée : 5 Dh (0,50 €) ; gratuit si l'on est au camping. Parking payant, sauf si on laisse sa voiture en haut, avant l'entrée. On l'appelle la source Bleue car c'était une escale des « hommes bleus ». L'oasis, havre de fraîcheur et de quiétude, était devenue une grande poubelle. Nos critiques ont incité les autorités locales à réagir. On peut s'y baigner, l'eau étant renouvelée. N'allez pas cependant la boire. On n'est pas à Contrexéville !

➤ Er-Rachidia est au centre de la vallée du Ziz. La partie la plus intéressante se situe au nord sur la route de Midelt, que l'on empruntera au retour. En descendant maintenant vers Erfoud, on arrive sur le Tafilalet, la plus vaste oasis du Maroc, emprunté jadis par toutes les caravanes du Sud. Avant d'atteindre le *ksar de Maadid*, très bien entretenu, quelques paysages méritent une halte : vue panoramique sur toute la vallée du Ziz à 12 km environ après la source Bleue, puis la source naturelle d'Aïn-el-Ati, quelques kilomètres avant Maadid. Elle jaillit du sol toute l'année, prenant l'allure d'un geyser. De l'eau au milieu du désert, quel miracle ! Mais non ! Cette eau est tellement acide qu'elle est absolument inutilisable ! Allah est grand, mais quelquefois il n'a pas les yeux en face des trous...

🍃 *Les gorges du Ziz :* à 30 km vers le nord. Sortir d'Er-Rachidia par la route de Midelt (P21). Après 12 km, on longe le lac de retenue du barrage Hassan-Addakhil, contenu par une imposante digue de terre rouge contrastant avec la belle couleur verte de l'eau. Le Ziz se faufile capricieusement entre les parois de gorges encaissées. Beaux villages fortifiés. La partie la plus intéressante se situe à proximité du tunnel du Légionnaire. Savez-vous que les habitants de la région du Ziz sont des « Zizi » ? Nous n'inventons pas : c'est authentique.

🍃 À 42 km d'Er-Rachidia, la *source de Moulay-Ali-Chérif* est réputée pour soigner les maladies rhumatismales et dermatologiques. Malheureusement située en bordure de nationale, elle ne présente que peu d'intérêt.

QUITTER ER-RACHIDIA

En bus

🚌 *Gare routière :* place principale, sur la droite en venant de Tineghir. Tous les départs (*CTM* et compagnies privées) se font de la gare routière, où les horaires sont affichés. ☎ 055-57-20-24.

Avec les bus CTM

➤ *Pour Meknès :* 2 départs quotidiens. Compter 6 h de trajet.
➤ *Pour Rabat et Casablanca :* 1 départ par jour.
➤ *Pour Ouarzazate :* le bus part tôt le matin. 6 h de trajet. Dessert toutes les villes sur le parcours. Terminus à *Marrakech* après un trajet de plus de 10 h.
➤ *Pour Paris :* 1 départ hebdomadaire (le mardi).

Autres compagnies

➤ *Pour Erfoud et Rissani :* 6 bus quotidiens.
➤ *Pour Midelt :* un départ toutes les heures.
➤ *Pour Ouarzazate :* 3 bus en plus des bus *CTM*.

En avion

✈ L'aéroport ne fonctionne qu'irrégulièrement : on attend de remplir un avion pour déterminer la date du départ.

ERFOUD

10 000 hab.

Gros bourg sans grand intérêt touristique, à 15 km de Rissani. Les bâtiments, peints en ocre, datent pour la plupart de l'époque où la garnison française, installée en 1917, gardait les portes du Tafilalet, l'une des dernières régions pacifiées. La résistance au protectorat devait se manifester par des actions sporadiques jusque dans les années 1930. Quelques tamaris tentent bien d'égayer les trottoirs des rues, trop larges et taillées au cordeau, qui rappellent leur origine militaire. Avant la construction de la route goudronnée reliant Rissani à Merzouga, Erfoud était connu comme base de départ pour les dunes de l'erg Chebbi. Désormais, la ville risque bien de tomber en léthargie. Un conseil, n'oubliez pas votre lampe de poche, les coupures d'électricité sont fréquentes.
– *Souk quotidien (plan B2, 2) :* dans une vaste enceinte, à côté de la place des FAR.
– *Souk hebdomadaire :* même endroit, le samedi. Mieux approvisionné.

Comment y aller ?

➤ *De Tineghir :* bus privés les mardi, jeudi et dimanche. Un départ le matin, un autre l'après-midi.

Adresses utiles

Poste et télécommunications

✉ *Poste (plan A2) :* en face de la banque, angle opposé.
@ *Info Net, boutique Internet (plan A2, 7) :* 115, av. Mohammed-V. ☎ 055-57-62-92. En face de l'hôtel *Merzouga.* Ouvert tous les jours de 8 h à 1 h. Prix raisonnables. Bon accueil.
@ *Edmage Internet (plan B1, 8) :* dans une petite rue avant la station d'essence *Ziz.* ☎ 055-78-82-78. Ouvert de 10 h à minuit. Prix toujours aussi raisonnables.

Argent

■ **Banque** (plan A2, 1) : Banque Populaire, à l'angle des av. Moulay-Ismaïl et Mohammed-V. Change possible dans les grands hôtels. Retrait avec carte bancaire autorisé à la Banque Populaire et la BMCE. Cette dernière possède d'ailleurs un distributeur.

Urgences, santé

■ **Gendarmerie royale** (plan A2, 3) : av. Mohammed-V.
■ **Médecin** : Khouya Abdelkader, av. Mohammed-V ; juste à côté de l'hôtel Merzouga, sur le même trottoir. ☎ 055-57-60-84.
■ **Pharmacie** : Assalam, à quelques pas du médecin. ☎ 055-57-61-60.

Transports

🚌 **Gare CTM** (plan A2, 4) : av. Mohammed-V. Plusieurs bus quotidiens en provenance d'Er-Rachidia (à 77 km) et de Rissani.
■ **Bureau des compagnies privées** (plan B2, 5) : pl. des FAR, à côté du souk.
🚌 **Taxis collectifs** (plan B2, 6) : départs pl. des FAR. Ils assurent la plupart du trafic de la région. Tineghir est à 146 km par l'itinéraire direct ou à 216 km par Goulmima.
■ **Stations-service** (plan A-B1) : Total et Ziz, av. Moulay-Ismaïl.

Divers

■ **Alimentation** (plan B2) : 1, av. Mohammed-V. Ouvert de 8 h à 13 h et de 15 h à 19 h.
■ **Hammam** (plan A2) : à côté de l'hôtel Sable d'Or. Réservé aux hommes.

Où dormir ?

Si vous disposez d'un véhicule et s'il n'y a pas de vent de sable, inutile de séjourner à Erfoud. Il est préférable d'aller dormir au pied des dunes de l'erg Chebbi. Vous serez sur place pour le coucher et le lever du soleil.

Camping

⛺ **Camping** (plan B2, 10) : au bord de l'oued Ziz, un peu loin du centre. ☎ 066-12-97-10 (portable). Bien indiqué à gauche en venant d'Er-Rachidia. 10 Dh (1 €) par personne avec tente et voiture ; camping-cars à 20 Dh (2 €) ; bungalows à 30 Dh (3 €). Légèrement ombragé. Sanitaires corrects. Sol désespérément sec : en camping-car, on y trouvera davantage son compte qu'avec une tente... à moins de préférer les bungalows. Organise des sorties en 4x4 à Merzouga, prix très intéressants sur la base de 6 personnes.

Très bon marché

🏠 **Hôtel Merzouga** (plan A2, 11) : 114, av. Mohammed-V. ☎ 055-57-65-32. Chambres doubles à 80 Dh (8 €) ; possibilité de dormir sur la terrasse pour 25 Dh (2,5 €). Les 14 chambres, un peu biscornues, disposent d'une douche chaude individuelle. Draps douteux, et la lumière du couloir éclaire les chambres à travers les vitres. Convient cependant pour des petits budgets. Accueil sympathique d'Ismaïl, soucieux de bien faire. Restaurant (voir plus loin la rubrique « Où manger ? »).

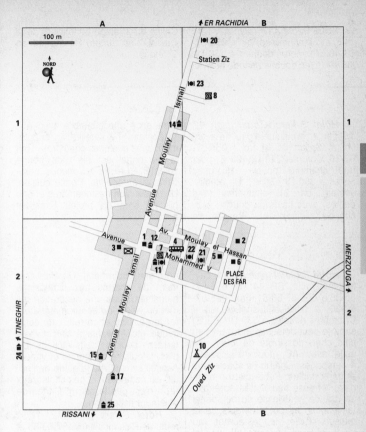

ERFOUD

	Adresses utiles		11 Hôtel Merzouga

Bon marché

🛏 *Hôtel Sable d'Or* (plan A2, 12) : 141, av. Mohammed-V. ☎ 055-57-63-48. Chambres doubles à 150 Dh (15 €), avec douche chaude et w.-c. Celles du 3ᵉ étage bénéficient de la vue sur les dunes. Restaurant au 1ᵉʳ étage.

Prix moyens

🛏 *Hôtel El-Farah-Zouar* (plan A2, 15) : en arrivant, sur la gauche avant l'hôtel *Salam*. ☎ et fax : 055-57-62-30. Compter 220 Dh (22 €) pour une chambre double ; quelques suites à 300 Dh (30 €). Un établissement de 21 chambres (très petites) avec bains ou douche (eau chaude capricieuse). Prendre de préférence une chambre avec AC. Téléphone. TV satellite en supplément dans quelques chambres. Tout le personnel est plein de bonne volonté. Au resto, des menus marocains et européens. Bonne cuisine. Une extension des chambres et une piscine sont en projet. Excellent accueil.

De chic à très chic

🛏 *Hôtel Tafilalet* (plan A1, 14) : av. Moulay-Ismaïl, BP 44. ☎ 055-57-65-35 et 055-57-68-81. Fax : 055-57-60-36. • tafilalet@fesnet.net.ma • Chambres doubles à 530 Dh (53 €) sans le petit déjeuner ; pour un peu plus cher, possibilité de louer une suite avec AC, pouvant accueillir 4 personnes. Chambres spacieuses et confortables. Petite piscine originale, terrasse fleurie très agréable. La grande gentillesse du personnel fait oublier les petits défauts de la maison. Éviter le restaurant, au menu cher et sans intérêt. L'hôtel organise l'excursion de Merzouga, offrant la possibilité de dormir là-bas dans son annexe bien équipée et confortable, avec douches chaudes, pour un prix raisonnable. Sur présentation du *Guide du routard* de l'année, 15 % de réduction en demi-pension.

🛏 *Hôtel Kasba Tizimi* (hors plan par A2, 24) : à 2 km du centre, sur la route de Tineghir. ☎ 055-57-61-79 et 055-57-73-74. Fax : 055-57-73-75. Demi-pension à 800 Dh (80 €) pour deux. Un peu excentré. Un nouvel établissement à l'architecture traditionnelle qui utilise toutes les ressources du pisé. Les 46 chambres de plain-pied sont réparties autour de petits patios, eux-mêmes articulés autour d'un patio central dans un grand jardin fleuri. Un établissement de charme aux dimensions humaines, avec une décoration qui met en valeur de beaux matériaux : fer forgé, pisé et carreaux de céramique, etc. Agréable piscine et vaste terrasse pour les nuits étoilées. De plus, la cuisine est bonne et variée. Accueil sympa. Ali, le guide de l'hôtel, est compétent et très chaleureux (et il n'est pas le seul !). Cartes de paiement acceptées.

🛏 *Hôtel Salam* (plan A2, 17) : route de Rissani. ☎ 055-57-66-65 et 055-57-64-25. Fax : 055-57-64-26. Chambres doubles à 560 Dh (56 €) ; suites à 900 et 1200 Dh (90 et 120 €). Architecture en pisé superbe et s'intégrant parfaitement au style de la région. Les 156 chambres de ce 4 étoiles, très fraîches, avec AC, sont très confortables. Belle piscine dans le patio central envahi de bougainvillées. Sauna. Buffet au restaurant *Oasis* (160 Dh, soit 16 €) et à la carte pour les individuels au *Riad*. Bar agréable, avec alcool. Moins cher dans l'ancienne aile que dans la nouvelle. Organisation d'excursions et location de 4x4 avec chauffeur. Bon accueil.

🛏 *Kasbah Xaluca Maadid* : à 5 km avant Erfoud en venant d'Er-Rachidia. ☎ 055-57-67-93. Fax : 055-57-

77-65. ● www.xalucamaadid.com ● Chambres doubles aux alentours de 800 Dh (80 €) en demi-pension. Une magnifique réalisation traditionnelle en pisé, agencée autour du patio-jardin et de la piscine. 60 chambres vastes, avec AC, très confortables. Décoration réalisée avec toutes les ressources de l'artisanat local, poteries et vanneries transformées en lampadaires, troncs de palmier en tables, fossiles incrustés dans les vasques des lavabos, plafonds en roseau tressé et coloré, etc. L'originalité se niche dans le moindre recoin. Quant aux 6 suites, elles sont somptueuses. Deux restaurants servant une cuisine marocaine et internationale. Bar très original, avec toutes les variétés d'alcools. Kiosque, bureau d'informations touristiques, organisation de randonnées et bivouacs à dos de dromadaire, Land Rover,

VTT ou motos à quatre roues. Accueil de qualité et service irréprochable. Une adresse exceptionnelle.

🏨 **Hôtel Kenzi Bélère** (plan A2, 25) : rue Moulay-Ali-Chérif, route de Rissani. ☎ 055-57-81-90 et 91. Fax : 055-57-81-92. Chambres doubles à 900 Dh (90 €) ; ajouter une taxe de 12 Dh (1,2 €) par personne. Repas à 180 Dh (18 €). Un hôtel construit à l'extérieur d'Erfoud, agréable à l'œil ; son style s'apparente à celui des *ksour* et respecte donc le paysage environnant. Les chambres, avec AC, TV et téléphone, sont spacieuses et disposent de deux lits « king size ». Pour ceux à qui cela ne suffirait pas, également 10 suites offrant encore plus d'espace (40 m^2). Piscine. Plusieurs restaurants et un grill au bord de la piscine. Beaucoup de groupes cependant.

Où manger ?

|●| **Restaurant Erg Chebbi** (plan B1, 23) : 142, av. Moulay-Ismaïl. ☎ 055-57-75-27. Entre l'hôtel *Tafilalet* et le *café des Dunes*. Compter un peu moins de 100 Dh (10 €) pour un repas complet. Établissement en étage et avec terrasse (donc à l'abri des faux guides). Carte de spécialités marocaines (dont la *kalia*) et internationales. De bon marché à prix moyens selon votre appétit et les plats choisis. Ils ont aussi une auberge aux dunes de Merzouga.

|●| **Café-restaurant des Dunes** (plan B1, 20) : av. Moulay-Ismaïl ; près de la station *Ziz*. ☎ 055-57-67-93. Menu à 50 Dh (5 €). Très simple mais délicieux. Essayez sa spécialité, la *kalia* (viande, ratatouille, œufs, persil et 4 épices). Pas cher, bon et accueil agréable. Une excellente adresse. Les livres d'or témoignent de leur succès depuis des années. On peut réserver par téléphone.

|●| **Café-restaurant du Clap** (plan A-B2) : 7, rue Allal-ben-Abdellah. ☎ 068-68-93-65 (portable). Sur la petite place à côté du *Restaurant de la Jeunesse*. Plats aux alentours de

45 Dh (4,5 €). Une grande et sympathique terrasse, de bons petits plats du coin et une cuisine propre font de cette adresse une des meilleures de sa catégorie. Mohammed, le patron, a passé plus de 20 ans en France comme cuisinier, il travaille également pour les studios de cinéma, d'où le nom de ce restaurant. Accueil très sympa.

|●| **Café-restaurant du Sud** (plan B2, 21) : 19, av. Mohammed-V, près de la station des bus. Très bon marché (environ 40 Dh le repas, soit 4 €), simple et sympathique. Et c'est bon ! Repas en terrasse, sur le trottoir (en plein soleil !). M. Saïd, le propriétaire, est toujours aussi sympa avec nos lecteurs. Il peut vous conseiller si vous avez un problème... sur la propreté, par exemple ; de gros efforts sont visiblement à faire de ce côté-là.

|●| **Restaurant de la Jeunesse** (plan B2, 22) : 99, av. Mohammed-V. La patronne est aux fourneaux. Vraiment très simple. Les prix ne sont pas affichés, mais ils sont similaires à ceux du *Café-restaurant du Sud*.

|◉| *Restaurant Merzouga (plan A2, 11) :* 112, av. Mohammed-V. ☎ 055-57-65-32. Menu très bon marché bien affiché à 40 Dh (4 €). Pas de surprises. Pas de licence d'alcool, mais on peut apporter son vin.

Fête

– *Fête des Dattes :* en principe la 3ᵉ semaine d'octobre, en fonction de la récolte. Au programme : expositions, vente des différentes variétés de dattes, spectacles.

À voir

🏃 *Le bordj :* à 1 km, sur la route de Merzouga. Franchir le Ziz et tourner à gauche à 500 m. La piste monte jusqu'au parking. Le *bordj* est un terrain militaire. Du haut de ses 937 m, on a une chouette vue sur toute la palmeraie et sur le désert, à condition qu'il n'y ait pas de vent de sable.

QUITTER ERFOUD

En bus

➤ *Pour Tineghir :* départ à 11 h 30.
➤ *Pour Zagora,* par *Alnif :* départ à 9 h 30.
➤ *Pour Zagora,* par *Ouarzazate :* départ à 8 h 30.
➤ *Pour Marrakech,* par *Beni Mellal :* départ à 7 h.
➤ *Pour Meknès, avec le bus CTM :* départ à 20 h 25 (bus en provenance de Rissani). Dessert *Er-Rachidia* (1 h 30 de trajet), *Rich*, *Midelt*, *Azrou* et *El-Hajeb*.

D'ERFOUD À MERZOUGA

Avec la route goudronnée qui relie Rissani à Merzouga, seuls les aventuriers qui voudront passer par le nord de l'erg choisiront cet itinéraire.

Quel type de véhicule ?

Il y a 50 km entre Erfoud et Merzouga, dont 17 km environ de route, le reste de piste. Comme elle est fort mal balisée, mieux vaut utiliser les services d'un guide ou louer un 4x4 pour le temps de l'excursion. Veillez à effectuer auparavant vous-même le choix de votre auberge. Ne vous laissez pas influencer. Celles recommandées par les guides – et où ils touchent des commissions – sont souvent les moins bonnes. Compter 2 h pour atteindre Merzouga. Certains guides-chauffeurs sont de vrais virtuoses et des professionnels du reg. Ils demandent 50 Dh (5 €) par trajet.

Si vous décidez de partir sans guide, sachez que les 19 premiers kilomètres de piste peuvent s'effectuer avec une voiture de tourisme à condition de ne pas sortir des pistes balisées. Attention aux petits bancs de sable que le vent peut parfois former. Bien évaluer l'obstacle avant de s'engager. Il faut rouler lentement si l'on n'a pas un véhicule bien adapté à ce type de terrain (c'est-à-dire un véhicule dont la garde au sol est faible, soit « naturellement », soit parce qu'il est très chargé). Ensuite, dès qu'on longe l'erg, un 4x4 est fortement conseillé ou alors, il faut avoir une bonne connaissance de la conduite hors-piste.

Attention, en cas de pépin avec une voiture de tourisme louée, vous n'êtes plus assuré à partir du moment où vous quittez la route. Pensez à faire le plein d'essence à Erfoud et à prendre de l'eau (au moins 2 litres par personne).

Itinéraire

Pour sortir d'Erfoud, descendre l'avenue Moulay-el-Hassan *(plan B2)* jusqu'à l'oued que l'on traverse, laissant sur la gauche le *bordj*. Faire très attention, à la fin du goudron, au km 17 ; bien ralentir, surtout ne pas continuer tout droit (il y a un trou très profond), mais tourner à gauche et suivre les plots vert et blanc jusqu'à la *Kasbah Derkaoua*, environ 7 km plus loin. Les faux guides n'hésitent pas à vous induire en erreur à la fin du goudron, au risque de provoquer un accident qui leur permettrait de venir à votre secours.

Après l'*auberge Kasbah Derkaoua* (à mi-chemin entre Erfoud et Merzouga), que vous contournez par la droite, vous rejoignez l'ancienne ligne des poteaux téléphoniques, dont seuls subsistent les soubassements métalliques (peints en rose et blanc, pas en bois, on le répète, sur 12 km, puis en blanc, au niveau du panneau indiquant l'auberge *Les Dunes d'Or* – à moins qu'il ne soit déplacé intentionnellement ! – jusqu'à Merzouga. Attention car les poteaux blancs sont de moins en moins nombreux). Pour éviter de vous perdre, voici quelques repères :

– Suivre les dunes parallèlement. Tant que vous voyez sur votre gauche la masse impressionnante des dunes et que vous ne prenez pas une piste qui vous en fait vous éloigner, c'est bon. Au retour, c'est un peu plus compliqué parce que vous n'avez plus les dunes devant vous.

– Une sorte de château d'eau carré peut constituer un bon repère. Il est situé au 25ᵉ km de la piste ; il faut passer plus ou moins largement à sa gauche.

IMPORTANT : surtout, ne pas quitter Erfoud si une tempête de vent de sable menace : tous les repères seraient alors impossibles à voir.

D'ERFOUD À RISSANI

22 km par la P21. La route asphaltée prolonge celle d'Er-Rachidia et traverse une région constellée de puits, révélant un ancien système d'irrigation souterraine, preuve que ce désert était autrefois prospère. Ces *khetarra*, mis en place au temps de l'esclavage par des Noirs africains, et repris par les ingénieurs arabes d'un système perse, drainaient les eaux des nappes phréatiques. Ils n'ont pas résisté aux longues périodes de sécheresse alternant avec des crues dévastatrices. On voit encore, parfois, des puits à *delou*, où l'eau est puisée dans de grandes outres en peau de chèvre et déversée dans un canal. Des animaux ou des hommes en assurent la traction.

RISSANI

Rissani est l'ancienne capitale économique du Maroc et la première ville impériale dans l'histoire du pays, dénommée *Sijilmassa*. C'était aussi un centre de transit pour les caravaniers, entre le Maroc, le Mali et le Niger. C'est de Rissani qu'est originaire la famille royale actuelle. Cela explique que le mausolée de Moulay Ali Chérif, fondateur de la dynastie des Alaouites, détruit par la crue du Ziz en 1955, ait été reconstruit illico par les partisans du roi. Il se situe à 2 km du centre, mais son accès est interdit aux infidèles. Rissani sent déjà le désert, avec les ruelles du *ksar* construit par Moulay Ismaïl recouvertes de bambous. La ville semble même s'ensabler... Toute la région est victime d'une sécheresse persistante depuis plusieurs années.

Grâce à la nouvelle route goudronnée, Rissani sert désormais de point de départ vers les dunes de Merzouga (erg Chebbi). Inutile de prendre un guide. Mais attention, car ils vous repèrent dès votre arrivée. Autrefois basés à Erfoud, les guides et rabatteurs sévissent partout : à pied, à vélo, aux terrasses, dans la rue. Ils n'hésitent pas à rendre illisibles les panneaux indicateurs et à donner de fausses informations. Une astuce si vous n'êtes pas motorisé : pour éviter le racket des 4x4, louer un grand taxi à Boumalne ou à Tineghir jusqu'à Merzouga. Cela reviendra moins cher.

– **Souk** : les mardi, jeudi et dimanche. Ce dernier est le plus important. Vous y verrez des centaines d'ânes. Choisissez ces jours-là pour visiter Rissani et la palmeraie. Plusieurs artisans de bijoux en argent (souvent faux). On trouve aussi du safran à des prix intéressants. Dans l'une des cours du marché, regardez les artisans travailler. Les maréchaux-ferrants battent le fer à l'ancienne. Attention, ils n'aiment pas être pris en photo.

Comment y aller ?

En bus

➤ **D'Er-Rachidia** : 6 bus quotidiens.
➤ **De Tineghir** : bus privés les mardi, jeudi et dimanche : un le matin, l'autre l'après-midi.
➤ **De Midelt** : 4 départs de 8 h à 15 h.
Également des bus et des taxis collectifs en provenance de **Zagora**.

Où dormir ? Où manger ?

Camping

⚕ |●| **Camping-restaurant Tombouctou** : village de Mecissi. ☎ 055-88-45-87. À 55 km de Rissani sur la route de Merzouga, 50 m à gauche après la station-service. Compter 60 Dh (6 €) par personne. Repas à 60 Dh (6 €), eau comprise. Encore assez peu d'ombre car les arbres sont petits. Douches et toilettes rudimentaires mais propres. Bonnes spécialités marocaines et très bon accueil. Organisation de bivouacs dans le désert.

Très bon marché

🛏 **Auberge de jeunesse** : 105, Hay Moulay-Slimane-Rissani. ☎ 055-57-53-89. Fax : 055-77-40-71. ● ryh12 @hotmail.com ● Compter 25 Dh (2,5 €) par personne en dortoir et 70 Dh (7 €) la chambre double, petit déjeuner compris ; possibilité également de dormir sur la terrasse. Cuisine à disposition. Thé aux épices qui fait frémir plus d'un lecteur. Bonne ambiance, mais évitez absolument les circuits proposés, aux prix exorbitants.

🛏 |●| **Hôtel-café-restaurant El-Filalia** : sur la place principale, juste à l'arrêt des bus. ☎ 055-57-51-03. Chambres doubles à 80 Dh (8 €). Chambres très spartiates. Literie acceptable, mais sanitaires vraiment dégradés. Ensemble mal entretenu. Fait aussi café-restaurant, mais cuisine très quelconque. Accueil à revoir. Magnifique terrasse sur le toit, dominant toute la vallée et la palmeraie. Vue jusqu'aux dunes de Merzouga.

Prix moyens

🛏 |●| **Kasbah Asmaa** : à 5 km de Rissani et à 15 km d'Erfoud, au bord de la route dans la palmeraie. ☎ 055- 77-40-83. Fax : 055-57-54-94. Chambres doubles à environ 300 Dh (30 €), plus quelques dirhams de taxes. Menu à 120 Dh (12 €). Un établissement récent de 30 chambres avec tout le confort (la moitié avec AC), réparties autour d'un patio central. Bon petit déjeuner. 2 belles salles de restaurant (une rose et une bleue). On vous y propose un menu et une carte. Alcool. Bar et belle piscine dans le jardin. Organisation d'excursions pour les groupes (8 personnes minimum) jusqu'à Merzouga pour voir le lever ou le coucher du soleil. Personnel accueillant. Bon rapport qualité-prix. M. Larbi, le patron, réserve un accueil privilégié à nos lecteurs et leur offre 15 % de réduction pour une chambre double à partir de la 2ᵉ nuit, sur présentation du *Guide du routard*. Cartes de paiement acceptées.

À voir

LES OASIS DU SUD

Pas grand-chose à vrai dire, hormis le *ksar de Moulay-Ismaïl*, sur la droite en entrant dans Rissani.

➤ *DANS LES ENVIRONS DE RISSANI*

🍃 *La palmeraie de Tafilalet :* c'est la plus grande palmeraie du Maroc, avec ses 40 *ksour* et ses 700 000 palmiers-dattiers. Un parcours très touristique, fléché, d'une vingtaine de kilomètres environ, traverse cette dernière tache verte avant le désert. Pour effectuer ce circuit, dont les trois quarts sont asphaltés, il est préférable d'être accompagné afin de profiter pleinement de la visite.

Après Moulay-Ali-Chérif, on passe par le *ksar Oulad-Abdelhalim*, l'un des plus beaux et des mieux conservés. Celui d'Akbar, à 500 m d'Ali-Chérif, est très délabré, mais il abritait autrefois le trésor royal des Alaouites. À Ouirhlane, prendre la piste à gauche pour Tinrheras, dont le *ksar* est perché sur un piton. On domine toute la palmeraie.

Les ruines de *Sijilmassa*, autrefois ville rivale de Fès et de Marrakech, sont une étape sur la route de l'or. La cité avait été fondée au milieu du VIIIᵉ siècle. C'est de là que partaient les grandes caravanes qui exportaient vers le *Soudan* (c'est-à-dire « le pays des Noirs », soit l'actuel Mali) et la Guinée les métaux, les étoffes, les dattes et surtout le sel. Son excellente situation comme carrefour et plaque tournante entre l'Afrique blanche et l'Afrique noire en faisait un lieu privilégié. Avec l'abondance d'eau et de récoltes qu'on y trouvait alors, on y faisait le plein de réserves pour affronter les 2 mois de marche (entre 1 500 et 1 800 km) à travers le désert. De cette ancienne capitale du Tafilalet, peuplée, dit-on, de plus de 100 000 habitants au XIᵉ siècle, il ne reste que quelques pans de murs au milieu des sables. Dans cette palmeraie, beaucoup de femmes entièrement voilées de noir, dont un seul œil apparaît. Dès que l'on quitte la région, peu après Jorf, la surface cachée par le voile diminue.

QUITTER RISSANI

En allant vers le sud

➤ *Pour Zagora :* grands taxis collectifs qui empruntent la piste 3454.
➤ *Pour Goulimime :* emprunter la Land Rover ou le camion qui partent tous les jours du souk vers midi. On peut continuer vers Foum-Zguid et, avec un peu de chance, vers Tata. De là, prendre le bus ou un camion pour Goulimime, avec changement à Inezgane.

En allant vers le nord

En bus : ☎ 055-57-51-03.

➤ *Pour Er-Rachidia et Midelt :* un bus *CTM* à 20 h. Terminus à Meknès (8 h de trajet).

MERZOUGA ET LES DUNES DE L'ERG CHEBBI

À ne manquer sous aucun prétexte. Excursion au départ de Rissani (70 km aller-retour). À faire de préférence au lever du soleil, mais il faut partir de Rissani entre 4 h et 5 h, selon la saison. Le coucher du soleil n'est pas mal non plus. L'idéal, bien entendu, serait d'assister aux deux, c'est pourquoi nous conseillons de passer la nuit dans une des auberges situées au pied des dunes (voir la rubrique « Où dormir ? Où manger ? »).

Les dunes de l'erg Chebbi constituent la grande curiosité du coin. Ce sont de véritables sculptures mouvantes en forme de draperies, dont les couleurs varient selon l'intensité de la lumière. Elles se dressent comme des murailles vivantes aux portes du désert. Les plus hautes atteignent 150 m. C'est ici qu'Hillary Clinton et sa fille sont venues en avril 1999... Vous rencontrerez sûrement un chamelier qui vous dira que c'était lui le chamelier de l'ancienne *first lady* !

Comment y aller ?

D'abord, refusez les services de tous ceux qui vous assaillent dès votre arrivée à Rissani. Depuis la construction de la nouvelle route, Merzouga est accessible en voiture de tourisme. Si vous n'êtes pas motorisé, des taxis collectifs assurent la liaison entre Merzouga et Rissani.

En venant d'Erfoud, emprunter la route (P21), franchir la porte de la ville et continuer tout droit. Au bout de cette route, bifurquer sur la gauche et dépasser les différents commerces sur 400 m. Ensuite, prendre à gauche, puis à droite (c'est fléché). La route goudronnée conduit directement au village de Merzouga.

Où dormir ? Où manger ?

Entre Rissani et Merzouga

🏠 |●| *L'Auberge du Trésor :* à côté de l'oued Merbouah, perdue en plein désert. Mais vous n'y trouverez certainement pas votre marque de bière préférée. Ce café-restaurant s'est agrémenté d'une petite piscine et de 4 chambres, dont une avec w.-c. et douche. Terrasse pour dormir à la belle étoile. Demandez aux frères Youssef et Brahim Oudani de vous interpréter du folklore berbère ou andalou pendant que vous buvez votre thé. Prix affichés. Pas d'arnaque. Si l'on donne un petit peu plus pour la récréation musicale, il n'est pas rare de se voir offrir une petite pierre fossilisée. Accueil vraiment sympa.

Au pied des dunes et à Merzouga

Nous vous indiquons les établissements dans leur ordre géographique (voir la carte). On a intérêt à bien choisir son hébergement car, les conditions d'hygiène y sont souvent limite, principalement en ce qui concerne la nourri-

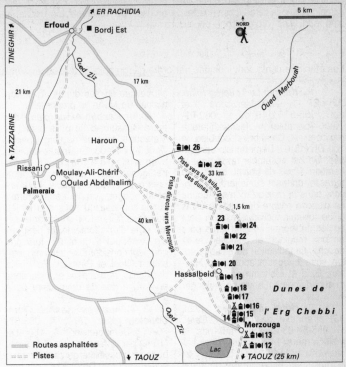

MERZOUGA ET LES DUNES DE L'ERG CHEBBI

⌂ ı◉ı **Où dormir ?**	
Où manger ?	
12 Kasbah Le Touareg	18 Auberge Atlas du Sable
13 Hôtel Merzouga	19 Kasbah des Dunes
14 Kasbah Mohayut	20 Café-auberge L'Oasis
15 Kasbah Aïour	21 Erg Chebbi
16 Auberge Kasbah Tombouctou	22 Les Dunes d'Or
17 Auberge-restaurant Sahara	23 Auberge du Sud
	24 Café Yasmina
	25 Riad Maria
	26 Auberge Kasbah Derkaoua Oasis

ture (forte chaleur, absence de réfrigérateur et d'eau ne facilitent pas la tâche de ceux qui se sont improvisés restaurateurs du jour au lendemain !). Tous ces établissements organisent des promenades à dos de chameau (très cher). Ne pas oublier que les prix de la nourriture et des boissons doublent dans le désert, et que l'on y a deux fois plus soif !

Camping

☒ ı◉ı **Camping La Khaïma :** à Merzouga, au pied de l'erg Chebbi. ☎ 055-57-72-16. On peut dormir sous la *khaïma* (tente collective) pour 20 Dh (2 €). Bon accueil. Sanitaires rudimentaires mais propres.

Comme il y a un château d'eau, le camping dispose de douches (froides, bien sûr). Les arbres sont encore petits. L'endroit est calme. Il est prudent de réserver son repas la veille.

De bon marché à prix moyens

Les établissements sont indiqués par ordre géographique, du sud au nord.

△ 🛏 |●| *Kasbah Le Touareg (plan, 12)* : BP 11, 52202 Merzouga. ☎ et fax : 055-57-72-15 ou 062-09-70-86 (portable). • hassan@letouareg.com • Chambres doubles à 100 Dh (10 €). Demi-pension proposée. Un bel ensemble respectant la tradition. Choix de chambres : sur la terrasse, donnant sur le jardin ou encore dans la maison même. Aucune ne dispose encore de salle de bains ni de toilettes individuelles. On peut également dormir sous la tente pour un prix modique et disposer de la douche. Organisation de balades selon votre budget. L'accueil de Hassan, Saïd et Mohammed vous donnera certainement envie de prolonger votre séjour.

△ 🛏 |●| *Hôtel Merzouga (plan, 13)* : annexe de l'hôtel *Tafilalet*. ☎ 055-57-63-22. Ne vaut pas la maison mère. 14 chambres avec sanitaires à 170 Dh (17 €) ; 50 Dh (5 €) la nuit sous tente. Draps douteux, douche froide et deux lavabos d'eau froide pour tout l'hôtel. Mais, à l'extérieur, sanitaires et douches avec eau chaude. Préférez les tentes berbères installées dans la zone camping. Le soir, les habitants du village viennent jouer de la musique pendant le dîner.

🛏 |●| *Kasbah Mohayut (plan, 14)* : juste avant la *Kasbah Aïour*. ☎ 066-03-91-85 (portable). Fax : 055-57-73-03. • mohamezan@yahoo.fr • En demi-pension, compter entre 120 et 160 Dh (12 à 16 €) par personne dans une chambre double avec ou sans salle de bains. Outre les qualités architecturales du lieu, la kasbah dispose d'un jardin intérieur très agréable. L'ensemble est impeccablement tenu. La décoration des chambres est soignée et particulièrement originale. Bonne cuisine. Organise également des balades à dos de chameau, ainsi que des bivouacs d'une nuit dans l'oasis

située derrière les dunes. Très bon accueil de Moha, le propriétaire.

△ 🛏 |●| *Kasbah Aïour (plan, 15)* : entre Hassalbeid (le puits blanc) et Merzouga, au pied de l'erg Chebbi. ☎ 055-57-73-03. Chambres doubles avec sanitaires à 150 Dh (15 €) par personne en demi-pension. 15 chambres avec ou sans douche. Pour les petits budgets, on peut aussi dormir sur la terrasse ou sous des tentes nomades. Grand et confortable salon orné d'une fontaine, et petit jardin extérieur. Attention, les prix grimpent considérablement en haute-saison (Noël et Pâques). Possibilité de circuits, randonnées et excursions en 4x4, à dos de dromadaire ou à VTT.

△ 🛏 |●| *Auberge Kasbah Tombouctou (plan, 16)* : ☎ 055-57-70-91. Demi-pension à 160 Dh (16 €) par personne ; pour les petits budgets, possibilité de camper sous la tente pour 25 Dh (2,50 €) par personne. La majestueuse porte d'entrée plantée de palmiers vous incite à y pénétrer. La déco intérieure, loin de s'inspirer des traditions berbères locales (certains le regretteront), n'en demeure pas moins magnifique : grand patio ceinturé d'arcades, carrelages superbes et plafonds de roseau tressé. Chambres très confortables avec salle de bains. Grands salons (où les individuels ne sont pas mélangés aux groupes), chambres, couloirs, tout est raffiné. Deux restaurants. Bivouac dans l'oasis et excursions à dos de dromadaire.

🛏 |●| *Auberge-restaurant Sahara (plan, 17)* : ksar Hassi-Labaïd. ☎ 055-57-70-39. Fax : 055-57-73-03. • www.aubergesahara.homestead.com • Prévoir 130 Dh (13 €) pour une chambre double. Auberge offrant une dizaine de chambres impeccables et bien décorées. Deux douches chaudes et sanitaires communs. Salon marocain où il fait bon se reposer. Restaurant aux murs ornés de tableaux et servant une cuisine goûteuse à prix doux. Très belle vue de la terrasse et excellent accueil des frères Bourchok.

📷 |●| *Auberge Atlas du Sable* *(plan, 18)* : BP 135, 52200 Erfoud. ☎ 055-57-70-37. Fax : 055-57-76-27. ● ali.elcojo@caramail.com ● Chambres doubles à 130 Dh (13 €). Une belle construction en pisé, toute simple, avec 12 chambres équipées de douches et toilettes et 4 autres avec salle de bains commune. On peut également dormir sous la tente (la literie est fournie). Accueil berbère authentique et chaleureux. Organisation de balades en dromadaire ou en 4x4. Groupes de musiciens le soir.

📷 |●| *Kasbah des Dunes* *(plan, 19)* : en plein centre du village de Hassalbeid. ☎ et fax : 055-57-72-87. 7 chambres sans sanitaires à 70 Dh (7 €) et deux avec sanitaires à 80 Dh (8 €) ; nuit sur la terrasse pour 20 Dh (2 €). Électricité. Douche chaude. Chambres propres. Ali Cherhane a travaillé longtemps dans d'autres auberges avant de créer sa propre affaire. Il vous recevra bien. Terrasse agréable. On peut aussi y prendre ses repas.

📷 |●| *Café-auberge L'Oasis, chez les frères Oubana* *(plan, 20)* : à Hassalbeid. ☎ et fax : 055-57-73-21. Chambres doubles à 60 Dh (6 €) ; possibilité de dormir sur la terrasse pour 20 Dh (2 €). 13 chambres avec deux douches chaudes et des w.-c. communs. Une douzaine de tables dans le restaurant, propre et bien décoré. Les frères Oubana sont accueillants et sympathiques.

📷 |●| *Erg Chebbi* *(plan, 21)* : 2 km après le précédent. ☎ et fax : 055-57-75-27. S'est agrandi d'une petite enceinte. Chambres doubles de 100 à 150 Dh (10 à 15 €) en demi-pension avec ou sans salle de bains ; nuit sur la terrasse pour 20 Dh (2 €). Chambres correctes et propres. Le patron, Zaïed Bouchadour, et son frère Ibrahim vous accueillent avec gentillesse. Ils ont fait construire une piscine. Jolie terrasse sur le toit. Cuisine correcte.

📷 |●| *Les Dunes d'Or, chez Aït Bahaddou* *(plan, 22)* : BP 3, Merzouga. ☎ 061-35-06-65 (portable). Fax : 044-88-72-14 (à Ouarzazate). Compter 100 Dh (10 €) la nuit en chambre double, 40 Dh (4 €) sur la terrasse ; d'autres chambres à 140 Dh (14 €) avec sanitaires et douches. 60 Dh (6 €) le repas. Dans une belle maison en pisé, au pied des dunes. 14 chambres identiques, équipées d'un petit lavabo. Sanitaires impeccables : douches (eau chaude). Belle terrasse avec des lauriers où l'on peut dormir. Le patron fait le maximum pour satisfaire ses clients. Nourriture simple mais correcte. Accueil sympa du personnel, qui joue de la musique le soir sous les étoiles. Organise des excursions, comme tout le monde. Nombre de nos lecteurs en ont gardé un souvenir inoubliable.

📷 |●| *Auberge du Sud, chez Ahmed et Moha Noughou* *(plan, 23)* : ☎ et fax : 055-57-56-06 ou ☎ 061-60-28-85 (portable). ● auberge-du-sud@hotmail.com ● Compter de 100 Dh (10 €) par personne en demi-pension avec salle de bains commune à 150 Dh (15 €) pour les chambres plus récentes avec salle de bains privée. Possibilité de camper dans les tentes berbères. Repas servi dans une belle salle à manger. De l'ambiance : du cuisinier au chamelier, ce sont de joyeux drilles. Peut-être aurez-vous droit à la « danse du dromadaire » ! Organisation de bivouacs et d'excursions en 4x4 et à dos de dromadaire.

📷 |●| *Café Yasmina* *(plan, 24)* : ☎ 055-57-67-83. Chambres à 60 Dh (6 €) par personne ; on peut aussi dormir sur un matelas pour 20 Dh (2 €) dans la pièce principale ou sur la terrasse. Très bel emplacement dans une sorte de fort en pisé. 8 chambres vraiment très simples mais propres. Repas correct. Dans cette partie des dunes, il y a un peu moins de 4x4 à envahir votre réveil sablonneux, mais beaucoup de faux guides autour. Le patron refuse de leur verser des commissions. C'est un bon point pour lui, dans un secteur où tout est pourri. Tarif annoncé de la promenade à dos de chameau : 100 Dh (10 €) l'heure.

De chic à très chic

🏠 🍴 *Riad Maria (plan, 25) :* ☎ 061-34-25-70 (portable). Fax : 055-57-65-60. ● riadmaria@hotmail.com ● La demi-pension revient à 750 Dh (75 €) par personne. Maria, une journaliste gastronomique italienne, a ouvert avec son mari Pino cet hôtel de charme (avec piscine !) disposant de 20 chambres, dont 2 suites face aux dunes de l'erg. Décor soigné, chambres et salle de bains en *tadelakt*. Cuisine essentiellement italienne préparée par Maria. Une adresse de luxe à prix vraiment très élevés.

🏠 🍴 *Auberge Kasbah Derkaoua Oasis (plan, 26) :* BP 64, Erfoud. ☎ et fax : 055-57-71-40. La plus au nord. On l'atteint soit de Merzouga, soit d'Erfoud. De Merzouga, remonter vers Erfoud en suivant les soubassements métalliques peints en blanc, puis en rose et blanc. Depuis Erfoud, prendre la direction de Merzouga ; à la fin du goudron (17 km), tourner à gauche pour suivre les plots verts et blancs jusqu'à la kasbah. Accessible à tous véhicules. Fermé en janvier, juin et juillet. Demi-pension obligatoire : 400 Dh (40 €) par personne. Compter 145 Dh (14,5 €) le repas complet. Kasbah pleine de charme, plantée dans le désert. Direction française et accueil très aimable. 2 bungalows et 10 chambres dotés de sanitaires individuels, ainsi que 2 duplex. Eau chaude. AC. Grand salon décoré de meubles rustiques, avec cheminée pour les soirées d'hiver. L'auberge dispose aussi de deux piscines, d'un campement nomade avec salon de thé, d'une aire de jeux bien aménagée pour les enfants et de deux tentes caïdales. Possibilité de dîner dans la cour pavée, à l'ombre des oliviers, ou encore dans une belle salle décorée d'aquarelles d'une artiste habitant Erfoud, Madeleine Laurent. La cuisine est bonne. Location de chevaux : 100 Dh (10 €) l'heure de randonnée. Les premières dunes ne sont qu'à 10 km, ce qui permet de se lever un peu plus tard le matin et de gagner 1 h par rapport à ceux qui dorment à Erfoud. Michel, un vieux Saharien passionné par cette région, pourra vous conseiller utilement. Organise de petites méharées. Réservation vivement recommandée ou, à défaut, se présenter tôt le matin.

Achats

🛍 *Le Dépôt Nomade :* à la sortie sud d'Hassalbeid. ☎ 055-57-73-03. Dans un dédale de salons, dont les portes sont dissimulées par des tapis, la boutique propose un large éventail de produits marocains, notamment quelques très belles pièces de bijoux touareg. Le propriétaire, Toupi, est un homme sérieux et chaleureux. Il ne force pas à la vente et annonce des tarifs pour toutes les bourses. On peut tout à fait s'y rendre sans guide, ce qui permet d'acheter tous ces objets de qualité à moindre coût (sans commission !). 🛍 Dans le même esprit, *Le Palais berbère*, au nord de la palmeraie de Merzouga, est un magasin immense, construit à l'image des anciens *ksour*. ☎ 061-98-79-77 (portable). Difficile de ne pas le remarquer !

À voir. À faire

Excursion à l'erg Chebbi et dans les environs

Profitez de la fraîcheur matinale pour grimper au moins en haut de la grande dune. Vue sur les barres rocheuses algériennes et sur *Taouz*, au sud. Toute la région est riche en minéraux divers. On y voit des empreintes de mollusques fossilisés très curieux. Les quelques gravures rupestres, plutôt décevantes, n'intéresseront que les spécialistes. Cet étonnant décor de sable dans lequel joue la lumière du soleil levant servit, entre autres, aux tournages de films comme *Marco Polo*, *Un thé au Sahara* et *Le Petit Prince*; on voit encore l'avion miniature de l'Aéropostale près des *Dunes d'Or*.

🚶 *Merzouga :* il est vrai que certains jours, au pied des dunes, on assiste à l'arrivée d'un rallye de 4x4 dès 4 h 30. Très vite, on se croirait dans un parking de supermarché où les clients seraient venus faire leurs emplettes annuelles en véhicules tout-terrain. Difficile de s'isoler : Anglais à gauche, Japonais à droite, Allemands devant. Les dunes se transforment en véritables tours de Babel et, lorsque le soleil apparaît, il est salué par les déclics de centaines d'appareils photo, en batterie.

Voilà pourquoi, hormis la grande dune, la plus belle, le village de Merzouga, avec sa palmeraie typique des oasis sahariennes, mérite d'être visité. L'arrivée permanente de l'eau de source permet une agriculture des quatre saisons, grâce à un ingénieux système d'irrigation appelé *khetarra*, construit il y a plus d'un siècle par les habitants de Merzouga (voir plus haut le paragraphe « De Tineghir à Erfoud »). Chaque matin, c'est le rendez-vous des femmes dans les fours à pain, et aux heures fraîches la source est le rendez-vous des jeunes filles.

– *Le lac Dayet Srji*, à environ 2,5 km de la *Kasbah le Touareg*, le lac est malheureusement asséché depuis des années. En période de pluie, des centaines de flamants roses, cigognes, canards, etc., viennent y trouver refuge.

– *Les bains de sable :* non, nous ne plaisantons pas, pendant la saison d'été, sèche et très chaude, les gens viennent à Merzouga faire des bains de sable pour lutter contre les rhumatismes. Cela vous rappellera vos jeux d'enfant, quand vous vous amusiez à vous faire enterrer vivant sur la plage des vacances. Le résultat des bains est, à ce qu'il paraît, très efficace si l'on reste enterré au moins une bonne heure. La cure n'est pas remboursée par la Sécurité sociale.

➢ *Le tour de l'erg Chebbi :* si vous n'avez pas peur de briser le mythe merveilleux de Merzouga, celui annoncé par les tour-opérateurs : « Merzouga, ici commencent les sables du Sahara... », vous pouvez toujours entreprendre le tour de l'erg Chebbi. En effet, ce bon vieux tas de sable ne fait que 28 km de long et 7 km de large, tout autour, c'est un reg noir d'une désespérante monotonie. N'empêche qu'en faire le tour mérite le détour. Faites appel à une agence spécialisée.

🚶 *Taouz :* il est maintenant possible de poursuivre jusqu'à Taouz par la route goudronnée (25 km) pour y voir des gravures rupestres et suivre la piste des mines. L'une d'elles peut être visitée et, en chemin, on pourra aussi s'arrêter dans la carrière des fossiles.

– *Les fossiles :* un affleurement rocheux datant du dévonien est visible un peu partout dans la région. Il se caractérise par une roche noire légèrement inclinée et patinée sous l'action combinée du vent et du sable. Dans cette masse minérale se sont retrouvés piégés de nombreux mollusques marins, tels que les goniatites et les ortocères (les plus présents ici). Pour aller voir ces curiosités naturelles, suivre le fléchage qui part sur la droite, environ 4 km après avoir rattrapé le goudron en direction d'Erfoud. La zone d'extraction des dalles (qui seront ensuite envoyées à Erfoud pour y être débitées en plateau) est accessible en véhicule de tourisme.

Autre adresse, non fléchée cette fois et donc pas évidente à trouver : demandez à l'*Auberge Kasbah Tombouctou*, près des dunes de l'erg Chebbi, qui vous expliquera où trouver *Omar Tarlaoui*. Installé depuis des années sur un site d'extraction, Omar vous donnera tous les détails sur son travail titanesque. Et titanesque est le mot, car la plupart des opérations sont encore faites à la main. Faute de grue, on déplace quelquefois des plaques de plusieurs tonnes au cric ! Le gisement se révèle d'une richesse incomparable et fera les délices des géologues amateurs et surtout confirmés. Demandez à Omar de vous montrer sa collection privée, où tout est à vendre à des prix très abordables.

➤ *La piste vers Zagora :* pour les amateurs de désert qui possèdent un 4x4 et veulent retrouver une ambiance saharienne sans être obligés de subir les assauts des faux guides et autres touristes de tout poil brandissant leur appareil photo, nous invitons à pousser jusqu'à l'auberge *Ouzina-Rimal*. ☎ 067-25-21-10 (portable). Fax : 055-57-52-19. Niché au pied des dunes de sable rose, à 7 km à l'ouest du village d'*Hassi-Ouzina*, cet ensemble construit en pisé propose une cuisine simple et un hébergement correct. Certaines chambres individuelles également. Possibilité de randonnées chamelières dans les environs.

Pour s'y rendre depuis Merzouga, emprunter la route qui mène à Taouz en longeant l'erg Chebbi par l'ouest. De Taouz, le départ de la piste se situe au niveau du poste militaire. Ensuite, c'est tout droit jusqu'à Hassi-Ouzina. En arrivant en vue du village d'Ouzina, prendre à droite la piste qui traverse l'oued en direction de la zone de sable (ne pas aller jusqu'au village d'Ouzina). L'auberge se trouve environ à 7 km le long de la piste qui chemine entre l'oued et les dunes.

Il est fortement recommandé de prendre un guide connaissant bien la région. Partir obligatoirement avec carburant, eau et nourriture en quantité suffisante pour faire un aller-retour. Deux véhicules au minimum. Comptez environ 4 h depuis Merzouga. Attention, la piste est en mauvais état.

De l'auberge d'Ouzina, vous pouvez continuer vers Zagora. Une bonne journée de piste est nécessaire, mais ATTENTION, NE JAMAIS PARTIR SEUL ET SANS GUIDE CONNAISSANT PARFAITEMENT L'ITINÉRAIRE. Tous les ans, les agences spécialisées « repêchent », quelquefois *in extremis*, le bon père de famille tout fier d'avoir voulu montrer à sa femme et ses enfants l'utilisation du GPS (positionneur par satellite) qu'on lui avait offert à la fête des Pères ! Dans un vent de sable en zone de dunes (erg), un GPS ne vous sera d'aucune utilité si vous ne connaissez pas parfaitement la région. Heureusement que la technique a ses limites, sans quoi tous les guides sahariens se retrouveraient au chômage...

MIDELT   30 000 hab.

À 255 km de Rissani et à 125 km d'Azrou.

La ville, perchée à 1 488 m, au pied du *djebel* Ayachi (3 737 m), n'a rien d'extraordinaire mais constitue une étape reposante, surtout en été lorsque tout le monde est attablé aux terrasses de café. On peut utiliser Midelt comme camp de base pour effectuer de magnifiques excursions dans les montagnes. C'est l'occasion de découvrir des petits villages perdus, où l'hospitalité n'est pas feinte. Attention toujours aux faux guides, qui vous conduisent où bon leur semble.

Vous serez abordé par des gosses qui vous proposeront des pierres. Elles viennent de la mine, sont parfois très belles et, de toute façon, bon marché. Vu la concurrence entre les gamins, les prix dégringolent vite, mais les adolescents sont un peu collants et deviennent vite agressifs. Fermez toujours les vitres de votre véhicule à l'arrêt. Il y a, en face du *Roi de la Bière*, un magasin qui vend ces pierres de manière quasi officielle. La ville est réputée aussi pour ses tissages berbères. Début octobre a lieu le *moussem* ou *fête des Pommes* (ne vous sentez pas concerné).

– **Souk :** le dimanche matin. Rendez-vous des Berbères de la région. Il est intéressant d'en faire le tour. Il se tient à la sortie nord de Midelt, sur la route de Mibladene.

Comment y aller ?

En bus

➢ **D'Er-Rachidia :** un départ toutes les heures.
➢ **D'Erfoud :** un bus *CTM* le soir.

Adresses utiles

✉ **Poste :** en retrait de la rue principale, au-dessus du complexe *Le Pin.*

@ **Cyber Club Sawtcom :** 5, rue Oued-el-Makhozin-Mimlal. À la sortie de la ville, en direction de Meknès. ☎ 055-36-07-92. Connexions pour 6 Dh (0,6 €) de l'heure.

■ **Banques :** *Crédit Agricole,* sur la route d'Er-Rachidia. Horaires administratifs. *Banque Populaire* et *BMCI* dans la rue principale.

■ **Stations-service :** *Shell, Total* et *Ziz* en centre-ville.

■ **Garage El-Ayachi :** route de Fès, en face de la station *Shell.* ☎ 055-58-22-14. En cas de pépin, un des garages les plus sérieux et prix honnêtes. Le patron, Mustapha Es-Shâa, est non seulement compétent mais aussi très sympa.

■ **Marché alimentaire :** sur la place centrale, au-dessus de la gare routière.

LES OASIS DU SUD

Où dormir ?

Campings

Δ **Camping municipal :** juste derrière l'hôtel *El-Ayachi.* Compter 20 Dh (2 €) pour deux, plus l'électricité. Douche froide gratuite. Les emplacements, non délimités, sont sans ombre, et le système électrique est inhabituel : on se branche sur les lampadaires. Sanitaires peu propres. Ambiance terrain vague.

Δ **Camping-restaurant Timnay :** à Aït-Ayach. ☎ 055-57-69-53. Il faut disposer d'un véhicule. C'est à 20 km de Midelt, en venant de Meknès, entre Zaïda et Midelt, dans une kasbah traditionnelle en pisé. Compter autour de 60 Dh (6 €) pour deux avec une tente ; ajouter l'eau et l'électricité ; un peu plus cher en

camping-car ; chambres en bungalows de 50 à 80 Dh (5 à 8 €). Ils acceptent la carte de paiement moyennant 5 % de taxe. Eau chaude, grâce à un système solaire, mais qui est parfois coupée (!). Piscine. Camping mal tenu dans l'ensemble. Restaurant qui n'est vraiment pas extraordinaire. Parking ombragé. Organisation de bivouacs : dans ce cas, écrire à *Timnay,* Inter-cultures, BP 81, Midelt. ☎ 055-58-34-34. Fournissent des indications, un guide ou, éventuellement, un véhicule pour l'excursion du cirque de Jaffar. Compter 300 Dh (30 €) la journée par personne, avec un repas.

Bon marché

🛏 **Hôtel Mimlal :** à l'entrée nord de la ville quand on arrive d'Azrou par la P21. ☎ 055-58-22-66. Garage fermé la nuit. Chambres doubles à 80 Dh (8 €) avec douche froide et toilettes sur le palier ; suite à 140 Dh (14 €). Accueil de Brahim, qui a longtemps vécu en France. Chambres sommaires. Si vous êtes 3 ou 4, nous vous recommandons la « suite », économique mais tout aussi sommaire, avec un petit salon dont la fenêtre donne sur la campagne environnante. Bonne cuisine marocaine.

🛏 *Hôtel Atlas :* dans le centre, un peu plus haut que le *Restaurant de Fès.* ☎ 055-58-29-38. Chambres doubles à 60 Dh (6 €). Sanitaires collectifs (douche payante). Petit hôtel familial très sympathique, qui propose 10 chambrettes fonctionnelles très bien tenues. Terrasse sur le toit, avec jolie vue sur la ville. Restaurant (voir « Où manger ? »).

🛏 *Hôtel Kasbah Asmaa :* pour les coordonnées, se reporter à la rubrique « Chic » ci-après. On peut dormir sur les banquettes des salons de ce très bel hôtel, moyennant 70 Dh (7 €) par personne. La douche chaude du matin est incluse dans le prix.

🛏 *Hôtel Bougafar :* 7, bd Mohammed-V ; au-dessus de la gare routière. ☎ 055-58-30-99. Chambres doubles de 90 à 180 Dh (9 à 18 €) selon le confort ; possibilité de dormir sur le toit pour 25 Dh (2,5 €). Douche chaude payante et sur demande. Hôtel engageant, tenu par une famille de Berbères charmants. Les chambres, très propres, se répartissent à chaque étage autour d'un salon. Devant la réception, on a exposé sur une grande table une collection de poteries de la région et de pierres trouvées dans les environs. Chaque été, le patron installe sur la terrasse du toit une tente berbère pour ceux qui désirent y boire un thé ou y passer la nuit. Ils font aussi restaurant. Bons tajines et couscous à commander à l'avance (compter environ 50 Dh, soit 5 €). Bien recompter son addition.

Prix moyens

🛏 *Hôtel Roi de la Bière :* av. des FAR. ☎ 055-58-26-75. Chambres doubles à 200 Dh (20 €). Chambres simples et très bien tenues, avec douches chaudes. Bon accueil. On

peut acheter de la bière fraîche à l'alimentation générale à côté, et manger au restaurant (voir ci-après la rubrique « Où manger ? »).

Chic

🛏 *Kasbah Asmaa :* sur la route d'Er-Rachidia, à 800 m. ☎ 055-58-39-45. Fax : 055-58-04-05. Chambres doubles à 320 Dh (32 €) ; ou 540 Dh (54 €) en demi-pension. Bon menu à 120 Dh (12 €). Magnifique architecture en pisé, qui se remarque de loin. Un établissement de 20 chambres, avec salle de bains, mais dont l'entretien semble un peu aléatoire. Certaines devaient être rénovées. Les repas sont servis dans 3 salons de style marocain. Piscine et tentes berbères sont à la disposition des clients. On peut dîner, en hiver, devant un bon feu de bois dans la cheminée. Un excellent rapport qualité-prix. Pour les petits budgets, la direction fournit des sacs de couchage et des couvertures pour dormir à l'intérieur ou à l'extérieur, suivant la saison. Excursions possibles avec des randonnées à dos de mu-

let ou à dos de chameau dans l'Atlas, autour de 300 Dh (30 €) la journée. Accueil sympa de Rachid Alaoui, le patron. Il est préférable de réserver. 15 % de réduction sur le tarif des chambres sur présentation du *Guide du routard* (insister).

🛏 *Hôtel El-Ayachi :* rue d'Agadir, en retrait de la rue principale (c'est fléché). ☎ 055-58-21-61. Fax : 055-58-33-07. Chambres doubles à 330 Dh (33 €) ; demi-pension à 300 Dh (30 €) par personne. Un 3 étoiles A, vétuste. 28 chambres vastes et confortables, avec douche. Décor un peu froid. Grand restaurant. Bar où l'on sert de l'alcool, envahi le soir par les soiffards de la ville. Le midi, des groupes et, en permanence, des grappes de vendeurs de minéraux à l'entrée. Accueil juste satisfaisant et service moyen. Cartes de paiement acceptées.

Où manger ?

I●I Nombreuses *gargotes* bd Mohammed-V, en face de la gare routière. Le restaurant *Toulouze* est l'un des plus intéressants, avec un repas dont le prix varie de 20 à 35 Dh (2 à 3,5 €).

I●I *Restaurant de l'hôtel Atlas :* dans le centre, un peu plus haut que le *Restaurant de Fès.* ☎ 055-58-29-38. Restaurant populaire minuscule, presque entièrement occupé par une longue table. C'est la mère qui officie en cuisine, où elle concocte des plats typiquement marocains, simples mais très bien cuisinés. C'est l'occasion de goûter à la *bissarha*, célèbre soupe paysanne à base de fèves concassées et d'huile. Excellent, et ça tient au corps.

I●I *Restaurant de Fès, chez Fatima Tazi et fils :* 2, rue Lalla-Aïcha. ☎ 055-58-00-90. Dans une rue en pente qui monte raide, en face de *L'Espoir*. Repas copieux pour 65 Dh (6,5 €). Couscous, tajines et brochettes bien présentés. Les végétariens pourront essayer un mélange connu de toutes les familles marocaines : une salade de carotte avec un jus d'orange et une salade de concombre sucrée. Un peu surprenant mais bon. Bon accueil et bon rapport qualité-prix. Attention, l'adresse est connue des vendeurs de tapis, qui vous proposent le digestif (le whisky marocain) dans leur magasin.

I●I *Restaurant de l'hôtel Roi de la Bière :* av. des FAR. Repas pour environ 60 Dh (6 €). L'établissement n'a pas l'autorisation de servir de la bière ; en revanche, on peut en acheter en face et venir la boire au restaurant. Salle accueillante et claire, où vous ferez un excellent repas, abondant et bien servi. Au fond, un salon marocain avec des banquettes et des tables basses vous permettra de boire confortablement un dernier thé. Accueil sympa.

I●I *Restaurant Le Pin :* dans le centre. ☎ 055-58-35-50. On y mange bien. Bon rapport qualité-prix.

Où dormir ? Où manger dans les environs ?

🛏 I●I *Auberge Jafar :* à 6 km de Midelt, par la piste qui conduit au cirque de Jafar. ☎ et fax : 055-58-34-15. Accessible sans difficulté en voiture de tourisme. Compter 220 Dh (22 €) la double. Possibilité de dormir sous une tente berbère. 20 chambres avec salle de bains et cheminée (sans bois). Il fait froid en hiver à 1 700 m d'altitude. Restaurant (alcool). Également une piscine. Excellente adresse pour son site et son accueil.

À voir

🏃 *L'atelier de tissage des sœurs franciscaines :* kasbah Myriem, sur la route 3418, en direction de Jaffar et Tattiouine. ☎ 055-58-24-43. Depuis qu'un pont a été emporté par une crue, il faut, pour y accéder, prendre la piste à gauche, 30 m après le pont quand on quitte Midelt direction Azrou. Les ouvrières travaillent tous les jours sauf le vendredi, le dimanche et pendant le mois d'août, période de vacances. Mais les religieuses assurent cependant une permanence. On réalise dans cet ouvroir des tapis, des tentures et des couvertures berbères, ainsi que de belles broderies. Les prix sont à peine plus élevés qu'ailleurs, et le travail est nettement mieux fait. Préférable à la sempiternelle *maison du Tapis*. Les religieuses, très accueillantes, vous donneront des explications sur leur travail. Les sœurs ont besoin de médicaments ; si vous en avez en trop, ils seront les bienvenus.

Joli petit souk : derrière *L'Espoir*. Plusieurs petites cours se succèdent, bordées d'arcades. Herboristes, artisans, mais aussi possibilité de trouver fruits et légumes.

➤ DANS LES ENVIRONS DE MIDELT

➤ **Le cirque de Jaffar :** constitue une belle balade de près de 80 km, nécessitant une journée car les trois quarts du parcours (53 km) s'effectuent sur de très mauvaises pistes, qui ne sont d'ailleurs praticables que de mai à novembre, et en 4x4 seulement. Il est vivement recommandé de se renseigner sur leur état avant de partir et il est conseillé d'y aller à plusieurs (4x4) pour s'entraider en cas de problème ; sinon, emportez un tirefort. Attention, aux dernières nouvelles, la piste très dégradée était dangereuse aux abords du cirque.

Empruntez la route de Meknès et, après une quinzaine de kilomètres, sur la gauche, la piste 3426, indiquée « Ait Oum Gam ». 14 km après, vous trouverez un panneau « Miktane, 23 km ». Prenez la piste à gauche dans le village qui se trouve avant ce panneau, au niveau d'un mur de clôture et d'un cimetière. Rien n'est signalé. C'est la piste obligée si l'on veut faire le circuit. La piste indiquée par le panneau « Miktane 23 km » conduit au fond du cirque, sans autre possibilité que de rebrousser chemin. Vous voilà à l'écart des sentiers touristiques, traversant de modestes villages avec des maisons à l'architecture traditionnelle.

À la maison forestière de *Mit Kane*, prenez sur la gauche la piste 3424, qui est mauvaise. C'est alors la découverte de paysages splendides, extrêmement sauvages, avec le cirque naturel qui s'ouvre au pied du *djebel* Ayachi (3 727 m), souvent enneigé. Continuez cette piste sinueuse et très détériorée pour regagner Midelt. La vue que l'on a du col justifie à elle seule cette excursion intéressante.

La piste par Jaffar pour rejoindre Imilchil, puis Tineghir, a été en partie emportée par les récentes inondations.

Possibilité de passer par Rich Amouguer Igli, car les deux tiers de la route sont goudronnés et le reste est faisable.

En revanche, le col de Tizi-n-Aouano, qui culmine à plus de 3 000 m d'altitude, est à réserver aux 4x4. Dommage, car c'est absolument magnifique. De l'autre côté, ce sont les gorges du Dadès.

Les mines de plomb d'Ahouli : du centre de Midelt, prenez la route qui mène à Mibladene (15 km). Traversez le village, continuez sur 12 km. À l'écart des sentiers battus, jolies gorges de la Moulouya. Le village des mineurs a été construit sur les flancs de la montagne. Il est inhabité depuis la fermeture des mines, mais c'est impressionnant. Des gardiens surveillent le site.

Tounfit : sur la route de Meknès, à 30 km de Midelt, bifurquez à Zaïda. Souk typique le dimanche. Attention, la région est difficile d'accès ; nombreuses pistes, manque d'indications. Pour découvrir ce très beau petit coin de nature, départ de l'itinéraire de base du GTAM en direction d'Imilchil. Contactez l'accompagnateur Ahmed Daghoughi (☎ 067-96-41-28, portable), qui habite au *Ksar Ichamhan*, à côté de l'emplacement des taxis. Il a résidé plusieurs années en France, et connaît parfaitement la région.

QUITTER MIDELT

En voiture

Si vous retournez à Marrakech *via* Beni-Mellal, quittez la P21 à **Zeïda** pour prendre la P33. Nombreux cafés-restaurants à Zeïda, où l'on peut manger des *kefta* (boulettes de viande) en achetant la viande chez le boucher pour la confier à un « grilleur » qui vous la fait cuire sur des braises. Après Zeïda, le paysage change complètement : sur le grand plateau que l'on traverse, l'habitat est dispersé, les maisons, en pierres mal jointoyées, sont basses ; seul le minaret dépasse dans les villages. Le paysage redevient plus riant après le col de Tanout-ou-Filali (2070 m) : on rejoint alors la grande plaine du Tadla.

En bus

🚌 **La gare routière** est en plein centre. ☎ 055-58-31-06.

Bus de la CTM

➢ **Pour Azrou, Meknès :** 3 bus par jour.
➢ **Pour Beni-Mellal :** 2 bus quotidiens.
➢ **Pour Casablanca, Rabat, Meknès :** 1 bus par jour.
➢ **Pour Er-Rachidia et Rissani :** 3 départs de nuit.

Autres compagnies

➢ **Pour Rissani :** 4 départs de 8 h à 15 h.
➢ **Pour Er-Rachidia :** 18 départs (!) de 8 h à 3 h 30 du matin.
➢ **Pour Fès par Azrou :** 5 départs par jour.

ROME (paru)

Depuis Romulus et Rémus, de l'eau a coulé sous les ponts du Tibre. Du Colisée au Vatican, en passant par la fontaine de Trévi (immortalisée par la *Dolce Vita* de Fellini), vous croiserez de beaux *latin lovers* accrochés au guidon de leur scooter, le téléphone portable vissé à l'oreille. Mais Rome reste toujours la ville idéale pour un week-end en amoureux ou des vacances en famille. Laissez-vous donc tenter par une balade à travers les siècles. Si l'on vous dit Leonardo, Raffaello, Donatello ou... Gian Paolo, vous ne rêvez pas, ils sont tous là !

Que vous soyez fan de musées, amateur hyperactif ou passionné de shopping, vous aurez matière à vous occuper ou à pratiquer le *farniente* à une terrasse, devant un bon *cappuccino*.

Le dépaysement est total, le climat doux quelle que soit la saison, et les monuments innombrables. La Ville Éternelle ne vous laissera pas de marbre...

MARSEILLE (paru)

Petites terrasses sur le Vieux-Port, restos à prix sages servant l'aïoli et la bouillabaisse, cafés branchés du soir et de la nuit, ruelles animées où se mêlent tous les parfums et les senteurs des peuples du Grand Sud. Mistral ou pas, depuis 26 siècles la vocation de Marseille n'a pas changé : l'ouverture au monde. C'est que, comme disait Blaise Cendrars : « Marseille appartient à celui qui vient du large. » Sans aller très loin, on est vite dépaysé dans cette cité non-conformiste où le premier bus venu mène, en une demi-heure à un paradis naturel – les calanques –, et où les plages sont au bout de la ville.

Porte de l'Orient mystérieux hier, porte de la Provence dynamisée aujourd'hui, voici la plus ancienne ville d'Europe, une cousine lointaine de Rome et d'Athènes.

Pourtant, malgré son grand âge, Marseille, grande dame méridionale, dévore le présent et sourit au futur. L'heure est venue de découvrir, pour de bon, cette formidable ville cosmopolite. Du quartier du Panier aux docks de la Joliette, en passant par la Belle de Mai, et l'Estaque, les enquêteurs du *Routard* vous racontent avec passion leurs découvertes et leurs meilleures balades urbaines. Cette ville unique et captivante n'a pas dit son dernier mot. Elle renaît à présent comme un phœnix.

Plus de 1 600 adresses
QUI SENTENT BON
LE TERROIR !

Redécouvrir la France des traditions : ses séjours à la ferme, ses gîtes ruraux, ses recettes de grand-mère... Rencontrer des habitants qui ont ouvert leur maison, le temps d'un repas ou d'un séjour.

et des centaines de réductions !

Hachette Tourisme

Les conseils *nature* du **Routard**

avec la collaboration du **WWF**

Vous avez choisi le Guide du Routard pour partir à la découverte et à la rencontre de pays, de régions et de populations parfois éloignés. Vous allez fréquenter des milieux peut être fragiles, des sites et des paysages uniques, où vivent des espèces animales et végétales menacées.

Nous avons souhaité vous suggérer quelques comportements simples permettant de ne pas remettre en cause l'intégrité du patrimoine naturel et culturel du pays que vous visiterez et d'assurer la pérennité d'une nature que nous souhaitons tous transmettre aux générations futures.

Pour mieux découvrir et respecter les milieux naturels et humains que vous visitez, apprenez à mieux les connaître.

Munissez vous de bons guides sur la faune, la flore et les pays traversés.

❶ Respectez la faune, la flore et les milieux.

Ne faites pas de feu dans les endroits sensibles - Rapportez vos déchets et utilisez les poubelles - Appréciez plantes et fleurs sans les cueillir - Ne cherchez pas à les collectionner... Laissez minéraux, fossiles, vestiges archéologiques, coquillages, insectes et reptiles dans la nature.

❷ Ne perturbez d'aucune façon la vie animale.

Vous risquez de mettre en péril leur reproduction, de les éloigner de leurs petits ou de leur territoire - Si vous faites des photos ou des films d'animaux, ne vous en approchez pas de trop près. Ne les effrayez pas, ne faîtes pas de bruit - Ne les nourrissez pas, vous les rendrez dépendants.

❸ Appliquez la réglementation relative à la protection de la nature, en particulier lorsque vous êtes dans les parcs ou réserves naturelles. Renseignez-vous avant votre départ.

❹ Consommez l'eau avec modération,

spécialement dans les pays où elle représente une denrée rare et précieuse.

Dans le sud tunisien, un bédouin consomme en un an l'équivalent de la consommation mensuelle d'un touriste européen !

Les conseils *nature* du Routard (suite)

❺ **Pensez à éteindre les lumières, à fermer le chauffage et la climatisation** quand vous quittez votre chambre.

❻ **Évitez les spécialités culinaires locales à base d'espèces menacées.** Refusez soupe de tortue, ailerons de requins, nids d'hirondelles…

❼ **Des souvenirs, oui, mais pas aux dépens de la faune et de la flore sauvages.** N'achetez pas d'animaux menacés vivants ou de produits issus d'espèces protégées (ivoire, bois tropicaux, coquillages, coraux, carapaces de tortues, écailles, plumes…), pour ne pas contribuer à leur surexploitation et à leur disparition. Sans compter le risque de vous trouver en situation illégale, car l'exportation et/ou l'importation de nombreuses espèces sont réglementées et parfois prohibées.

❽ **Entre deux moyens de transport équivalents, choisissez celui qui consomme le moins d'énergie !** Prenez le train, le bateau et les transports en commun plutôt que la voiture.

❾ **Ne participez pas aux activités dommageables pour l'environnement.** Évitez le VTT hors sentier, le 4x4 sur voies non autorisées, l'escalade sauvage dans les zones fragiles, le ski hors piste, les sports nautiques bruyants et dangereux, la chasse sous marine.

❿ **Informez vous sur les us et coutumes des pays visités,** et sur le mode de vie de leurs habitants.

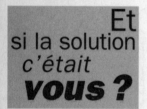

Et si la solution c'était **VOUS ?**

Avant votre départ ou à votre retour de vacances, poursuivez votre action en faveur de la protection de la nature en adhérant au WWF.

Le WWF est la plus grande association privée de protection de la nature dans le monde. C'est aussi la plus puissante :

- **5 millions de membres ;**
- **27 organisations nationales ;**
- **un réseau de plus de 3 000 permanents ;**
- **11 000 programmes de conservation menés à ce jour ;**
- **une présence effective dans 100 pays.**

Devenir membre du WWF, c'est être sûr d'agir, d'être entendu et reconnu. En France et dans le monde entier.

Ensemble, avec le **WWF**

Pour tout renseignement et demande d'adhésion, adressez-vous au WWF France :
188, rue de la Roquette 75011 Paris ou sur www.panda.org.

ROUTARD ASSISTANCE
L'ASSURANCE VOYAGE INTEGRALE A L'ETRANGER
BULLETIN D'INSCRIPTION

NOM : M. Mme Melle

PRENOM   AGE

ADRESSE PERSONNELLE

CODE POSTAL   TEL.

VILLE

VOYAGE DU   AU   =   SEMAINES

DESTINATION PRINCIPALE...
PAYS D'EUROPE OU USA OU MONDE ENTIER (à entourer)
Calculez exactement votre tarif en SEMAINES selon la durée de votre voyage :
7 JOURS DU CALENDRIER = 1 SEMAINE

Pour un Long Voyage (3 mois ...), demandez le *PLAN MARCO POLO*

COTISATION FORFAITAIRE 2003

Prix spécial "JEUNES" :   **20 € x**   =   €
ou
De 41 à 60 ans (et - de 3 ans) : **30 € x**   =   €

Faites de préférence, un seul règlement pour tous les assurés : **GdR**

Chèque à l'ordre de : ROUTARD ASSISTANCE - **A.V.I. International**
28, rue de Mogador - 75009 PARIS - Tél. 01 44 63 51 00
Métro : Trinité - Chaussée-d'Antin / RER : Auber - Fax : 01 42 80 41 57

ou Carte bancaire : Visa ☐ Mastercard ☐   Amex ☐
N° de carte :
Date d'expiration : ⌴⌴ ⌴⌴ Signature

*Je déclare être en bonne santé, et savoir que les maladies
ou accidents antérieurs à mon inscription ne sont pas assurés.*

Signature :

Faites des copies de cette page pour assurer vos compagnons de voyage.

Information : www.routard.com

COMITE DE LA CHARTE
donner en confiance

NE LES LAISSONS PAS PAYER DE LEUR VIE, LE PRIX DE LA PAUVRETÉ

La chaîne de l'espoir

Gravement malades ou blessés, des milliers d'enfants dans le monde sont condamnés faute de moyens humains, financiers et médicaux dans leur pays. Pourtant, souvent, un acte chirurgical relativement simple pourrait les sauver...

La Chaîne de l'Espoir, association humanitaire, s'est donnée pour mission de combattre cette injustice en mobilisant médecins, chirurgiens, infirmières, familles d'accueil, parrains, donateurs, artistes et partenaires financiers.

Depuis sa création en 1988 par Alain Deloche, professeur en chirurgie cardiaque, La Chaîne de l'Espoir a permis à des milliers d'enfants pauvres du monde entier d'être opérés dans plus de 20 pays, principalement en Asie, en Afrique, et en Europe de l'Est.

Pour soutenir notre action envoyez vos dons à :
La Chaîne de l'Espoir
1, rue Cabanis - 75014 PARIS
Tél. : 01 44 12 66 66
www.chaine-espoir.asso.fr
CCP 370 3700 B LA SOURCE

L'action de La Chaîne de l'Espoir est triple :

• LES SOINS EN FRANCE
Transférer et accueillir les enfants en France parce qu'il n'existe pas dans leur pays d'origine les moyens pour mener à bien une intervention chirurgicale.

• LES SOINS À L'ÉTRANGER
Opérer les enfants dans leur pays, former des équipes médico-chirurgicales locales, apporter du matériel et des équipements médicaux, réaliser et réhabiliter sur place des structures hospitalières afin de donner aux pays dans lesquels elle intervient les moyens de soigner leurs enfants.

• LE PARRAINAGE
Développer une activité de parrainage scolaire et médical parce qu'un enfant qui ne peut pas aller à l'école reste un enfant handicapé.

La Chaîne de l'Espoir est une association de bienfaisance assimilée fiscalement à une association reconnue d'Utilité Publique.

INDEX GÉNÉRAL

– J –

– K –

– L –

– M –

– N –

– V-W –

– Y-Z –

OÙ TROUVER LES CARTES ET LES PLANS ?

INDEX GÉNÉRAL

— les **Routards** *parlent aux* **Routards** —

Faites-nous part de vos expériences, de vos découvertes, de vos tuyaux pour que d'autres routards ne tombent pas dans les mêmes erreurs. Indiquez-nous les renseignements périmés. Aidez-nous à remettre l'ouvrage à jour. Faites profiter les autres de vos adresses nouvelles, combines géniales... On adresse un exemplaire gratuit de la prochaine édition à ceux qui nous envoient les lettres les meilleures, pour la qualité et la pertinence des informations. Quelques conseils cependant :
– Envoyez-nous votre courrier le plus tôt possible afin que l'on puisse insérer vos tuyaux sur la prochaine édition.
– N'oubliez pas de préciser sur votre lettre l'ouvrage que vous désirez recevoir.
– Vérifiez que vos remarques concernent l'édition en cours et notez les pages du guide concernées par vos observations.
– Quand vous indiquez des hôtels ou des restaurants, pensez à signaler leur adresse précise et, pour les grandes villes, les moyens de transport pour y aller. Si vous le pouvez, joignez la carte de visite de l'hôtel ou du resto décrit.
– À la demande de nos lecteurs, nous indiquons désormais les prix. Merci de les rajouter.
– N'écrivez si possible que d'un côté de la lettre (et non recto verso).
– Bien sûr, on s'arrache moins les yeux sur les lettres dactylographiées ou correctement écrites !

Le Guide du routard : 5, rue de l'Arrivée, 92190 Meudon

E-mail : guide@routard.com
Internet : www.routard.com

— **Routard Assistance** *2002* —

Vous, les voyageurs indépendants, vous êtes déjà des milliers entièrement satisfaits de Routard Assistance, l'Assurance Voyage Intégrale sans franchise que nous avons négociée avec les meilleures compagnies, Assistance complète avec rapatriement médical illimité. Dépenses de santé, frais d'hôpital, pris en charge directement sans franchise jusqu'à 300 000 € + caution + défense pénale + responsabilité civile + tous risques bagages et photos. Assurance personnelle accidents : 75 000 €. Très complet ! Le tarif à la semaine vous donne une grande souplesse. Chacun des *Guides du routard* pour l'étranger comprend, dans les dernières pages, un tableau des garanties et un bulletin d'inscription. Si votre départ est très proche, vous pouvez vous assurer par fax : 01-42-80-41-57, mais vous devez, dans ce cas, indiquer le numéro de votre carte bancaire. Pour en savoir plus : ☎ 01-44-63-51-00 ; ou, encore mieux, ● www.routard.com ●

Imprimé en Italie par «La Tipografica Varese S.p.A.»
Dépôt légal n° 29750-1/2003
Collection n° 13 - Édition n° 01
24/3740/8
I.S.B.N. 2.01.243740-0